G. W. F. HEGEL

GRUNDLINIEN DER PHILOSOPHIE DES RECHTS

PHILOSOPHIEHISTORISCHE TEXTE

GEORG WILHELM FRIEDRICH HEGEL

Grundlinien der Philosophie des Rechts oder Naturrecht und Staatswissenschaft im Grundrisse

Nach der Ausgabe von Eduard Gans
herausgegeben und mit einem Anhang versehen von
Hermann Klenner

AKADEMIE-VERLAG · BERLIN
1981

Erschienen im Akademie-Verlag, DDR-1086 Berlin, Leipziger Str. 3–4

Lizenznummer: 202 · 100/11/81
Gesamtherstellung: VI/2/14 VEB Druckerei
»Gottfried Wilhelm Leibniz«, 4450 Gräfenhainichen · 5794
Einbandgestaltung: Eckhard Steiner
Bestellnummer: 753 908 9 (4071) · LSV 0116
Printed in GDR
DDR 38,– M

Inhalt

Georg Wilhelm Friedrich Hegel's

Grundlinien der Philosophie des Rechts,

oder

Naturrecht und Staatswissenschaft im Grundrisse.

Herausgegeben
von
Dr. Eduard Gans.

Berlin, 1833.

Vorrede

Das ungemeine Mißverhältnis, welches zwischen dem substantiellen Werte des vorliegenden Buches und seiner Anerkennung und Verbreitung liegt, nötigt mich, bei dieser vermehrten Ausgabe einen Punkt zu berühren, den ich lieber den Fortschritten philosophischer Einsicht überlassen hätte, und bei welchem ich weder die im Auge habe, die sich längst der ernsten Wissenschaft zugewandt, noch auch jene ehrenwerte Klasse, die mehr durch unmittelbaren Instinkt, als durch klares Bewußtsein, von den großartigen Formen des Hegelschen Systems sich angezogen fühlte, und ohne sich weitere Rechenschaft darüber zu geben, gern und willig in dem Kreise desselben verharrte.

Der Wert dieser dem Publikum zum zweiten Mal übergebenen Rechtsphilosophie [1]) besteht nicht sowohl in der Begründung und Bodenlegung, welche schon am Ende des vorigen Jahrhunderts von Rousseau und Kant bewirkt wurde, obgleich sie von Hegel tiefer und mit jener eisernen Kraft zustande gebracht worden, die vor allem unsern Freund auszeichnete, wohl aber in der Ausführung, Anordnung und in der ganz wunderbaren Architektonik, mit der jede Seite und jeder Raum behandelt, in dem Fleiße, der jedem Winkel des Gebäudes zugewandt ist, in dem einen ebenmäßigen und doch wieder verschiedenen Stile, der von der Spitze bis zur Grundlage sich bemerken läßt, und der das Ganze jenen Bauten des Mittelalters an die Seite setzt, die auch auf beschränkten und engen Plätzen errichtet, trotzdem durch ihre Erhabenheit von der Umgebung abziehen, und nach ihren Höhen den Sinn zu richten wissen. Denn was hat der deutsche Geist nicht alles begründet, oder zu begründen versucht? Mit der Schaufel und dem Spaten ist man bei uns immer bei der Hand, Risse zu künftigen Gebäuden werden wohl auch verfertigt, und ihre Ausführung dem Enkel, der nicht mehr daran denkt, überlassen, aber selten sind die Gedanken, welche die Abstraktion abschwörend, auch Gestalten werden, seltener der unermüdliche Geist, der in jede weitergeschrittene Verdichtung seines Stoffes die Frische des Anfangs und den vermehrten Reichtum des durchlaufenen Kreises bringt.

Ein anderer und nicht minder bedeutender Wert der vorliegenden Rechtsphilosophie liegt in der definitiven Aufhebung des Unterschiedes, den die Abstraktion des siebzehnten und achtzehnten Jahrhunderts zwischen Staatsrecht und Politik gemacht hatte. Heutzutage verstehen noch viele unter Staatsrecht, sei es nun positives oder natürliches, das anatomische Skelett der Staatsformen, aus denen das Leben und die Bewegung gewichen, und das, wie es einmal daliegt, durch Betastung zu erkennen und dem Gedächtnis einzuverleiben ist. Dagegen nennen sie Politik jene bewegtere Staatswissenschaft, die mit der Funktion des Lebens sich über die einzelnen Teile verbreitet, die daher eine mehr oder minder willkürliche Ausdehnung, je nach den Kräften des Staatslebens, empfangen. Die Politik ist sozusagen mehr die Physiologie des Staates. Dem Altertum waren diese Abteilungen und Unterscheidungen unbekannt: es hatte nur mit *einem* großen Ganzen, mit *einer* Allgemeinheit zu tun, und die Republik des Plato, wie die Politik des Aristoteles, sind Naturrecht und Politik, Prinzipien und lebensvolle Ausführung derselben zugleich. Denn wo der Staat das ganze Leben der Freiheit ist, so daß das Außerstaatliche nur als Barbarei erscheint, können jene Unterscheidungen nur inwendig, nicht aber als ganz besondere Teile und Betrachtungsweisen vorkommen. Erst dem aus den Partikularitäten des Mittelalters hervortretenden Staate des siebzehnten und achtzehnten Jahrhunderts mußte es vorbehalten bleiben, in seiner ersten und rohen Beschäftigung mit sich selbst, die einzelnen Unterschiede und Abstraktionen hervorzuheben, und die Bewegung, die meist auf geschichtlichem Grunde beruhte, und die Wissenschaft des praktischen Staatsmannes war, von den Grundlagen zu trennen, die unlebendig zusammenschrumpften, und das Erbteil der Juristen wurden. Der neuere Staat ist aber, was die allgemeine Bedeutung desselben und das Interesse für seinen

Inhalt betrifft, durch eine tausendjährige Geschichte bereichert, zu dem Standpunkte des Altertums zurückgekehrt. Indem er die Wirklichkeit der sittlichen Idee, der offenbare sittliche Geist geworden, indem er alles in sich enthält und bewahrt, was vor ihm nur abstrakt und vereinzelt auftritt, muß er auch alle Unterscheidungen nur als seine inwendigen Teile, nicht aber als ihn von außenher ergreifende erkennen, und was die vergangenen Jahrhunderte trennten, muß sich jetzt wieder zusammentun und organisch auszubilden suchen. Drum ist in dem vorliegenden Buche nichts ausgelassen worden, was sich auf den Staat beziehen könnte; die politischen Fragen sind ausführlich behandelt, und sogar die Wissenschaft der National-Ökonomie hat in der bürgerlichen Gesellschaft ihre angemessene Stellung und Abhandlung gefunden.

Ein dritter großartiger, und man kann wohl sagen, der bedeutendste Wert des gegenwärtigen Buches ist, daß dem Naturrecht nicht bloß ein Anfang und eine Grundlegung in einer vorangehenden Wissenschaft, sondern auch ein Ausfluß und eine Mündung in eine nachfolgende gegeben worden. Die bisherigen Naturrechtslehrer hatten übersehen, daß das Naturrecht nicht bloß aufhört, sondern in etwas aufhört, daß wie es vom Boden des subjektiven Geistes ausgeht, es ebenso in die Weltströmungen der Geschichte hineinfällt, und daß ihm als einer mittleren und verbindenden Disziplin nicht bloß ein abgebrochenes, sondern ein sich bestimmt verlaufendes Ende erteilt werden muß. Welches ungeheure Schauspiel ist aber diesem Buche als Schluß beigegeben! Von der Höhe des Staates aus sieht man die einzelnen Staaten, als ebenso viele Flüsse sich in das Weltmeer der Geschichte stürzen, und der kurze Abriß der Entwicklung derselben ist nur die Ahnung der wichtigeren Interessen, die diesem Boden anheimfallen.

Trotz allen diesen Vorzügen, trotz der granitnen Grundlage, die diesem Baue gegeben worden, trotz dem vielvermögenden Griffel, womit die Ausschmückungen gezeichnet sind, ist man durch Mißverstand und falsche Auslegung dazu gekommen, das vorliegende Buch nicht allein dem deutschen Publikum abwendig zu machen und vor demselben zu sekretieren, sondern es als ein serviles zu bezeichnen, von dessen Grundsätzen und Lehren sich jeder freiheitsliebende Mann entfernt halten müsse.[2]) Dieses Resultat hat man nicht etwa durch Auflegung des darin Enthaltenen, das sogleich die Unwahrheit kund gegeben hätte, erlangt, sondern hauptsächlich durch Ausstellung eines einzigen Satzes der Vorrede: „*Was vernünftig ist, das ist wirklich, und was wirklich ist, das ist vernünftig*". Dieser Satz, der eigentlich platt auseinandergelegt, wie es sich für die sich Beklagenden gebührt hätte, nichts sagen will, als daß das wahrhaft Vernünftige, um seiner Natur gemäß zu sein, sich stets in die Welt einbildet und Gegenwart gewinnt, und daß dasjenige, was in der Welt wahrhaft besteht, auch darin die Rechtfertigung einer ihm innewohnenden Vernünftigkeit trägt, ist nun mit großem Geschrei aufgegriffen und allen Vorübergehenden als Abmahnung vor dem Eingehen in den Inhalt des Buches vorgezeigt worden. Die meisten dieser Abmahner hatten sich alsdann, um konsequent bei ihrer Lehre zu bleiben, mit dem was weiter das Werk enthielt selbst nichts zu schaffen gemacht. Die aufgewiesene Phrase genügte, um die Lesenden und Anstrebenden abzuschrecken, um die Herantretenden zu entfernen und um den Eindruck hervorzubringen, als wenn die Worte der Danteschen Hölle: Lasciate ogni speranza, voi ch'entrate[3]), über dem Buche geschrieben ständen. Was fand aber der, welcher trotz dem Geschrei und seiner zischenden Verbreitung sich näherte und einging? Fand er nicht das ganze Werk aus dem einen Metalle der Freiheit errichtet, fand er irgend einen widerstrebenden Zug, irgend eine rückgängige, in den heutigen Verhältnissen dem Mittelalter huldigende, und der Zeit etwa unzusagende Bewegung? Hatte der Verfasser, wir wollen nur von einigem reden, nicht in einer schwierigen Zeit[4]) die Öffentlichkeit der Gerichte und der Ständeverhandlungen, so wie die Geschwornengerichte, als der Vernünftigkeit einzig und allein entsprechend aufgestellt, hatte er den Monarchen anders, als die notwendige und gedankenmäßige Spitze des Staates aufgefaßt, hat er ihn bloß als aus der Positivität und der Geschichtlichkeit hervorgehend begriffen? Wenn wir von der Freiheit nicht bloß als von dem Grundelemente, sondern als von dem einzigen Stoffe dieses Buches sprechen, so versteht es sich von selbst, daß darunter nicht jene subjektiv-laute, jene enthusiastisch und raketenmäßig emporzischende, sondern vielmehr die zur Sättigung, aber auch dadurch zu größerer Festigkeit gediehene, gemeint ist. Der Freiheit geht es häufig so, daß, wo sie nicht als Gegensatz erscheint, sie auch nicht als anwesend geachtet wird. In dem Hegelschen Geiste lag aber vor allem die Wandelung, daß alles Subjektive sich gleich in Wesenheit umsetzte, und daß daher selbst beiläufige Bemerkungen sofort die Natur eines kernigen Niederschlags gewannen. Wer sich indessen davon nicht abschrecken ließ, sondern denselben untersuchte, konnte über seinen Inhalt nicht zweifelhaft sein. Mir, dem dieses Buch zuerst den Mut gab, einen neuen Standpunkt für die Rechtswissenschaft aufzustellen, und der die Freiheit stets neben der Wissenschaft als liebe Gefährtin begrüßte, hat die neue Durcharbeitung dieses Werkes nur den stärkendsten Genuß und die festere Bestätigung aller früheren Gedanken gewährt.

Soll ich nun gar von den Gegnern nicht bloß der Rechtsphilosophie, sondern des ganzen philosophischen Standpunktes sprechen, aus dem sie hervorgeht? Wir alle, die wir uns der neueren Philosophie ergaben, um unsere Spezialwissenschaften dadurch zu befruchten, oder zu erheben, haben niemals anders als mit der tiefsten Ehrfurcht den Namen *Schellings* ausgesprochen. Er ist uns einer, der neben Plato und Aristoteles, neben Cartesius und Spinoza, neben Leibniz, Kant und Fichte seinen Platz einnimmt. Er ist uns der jugendliche Entdecker des Standpunktes der neueren Philosophie, der Kolumbus, der die Inseln und Küsten einer Welt auffand, dessen Festland anderen zu erobern überlassen blieb. Aber wie es so häufig geht, daß diejenigen, die in der Unmittelbarkeit ihres Geistes einen großen Schritt vorwärts getan, nicht mehr so viel von dieser Kraft besitzen, um die Ausführungen und Einarbeitungen zustande zu bringen: so ist auch diese Philosophie in ihrer logischen Entwickelung, und der dieser entsprechenden dialektischen Methode, an einen andern übergegangen, der nicht so sehr, wie Schelling, das leichte Hinwerfen des Genies, als vielmehr im höheren Grade die gründliche Ausdauer des Mannesalters und die substantielle Kraft sich über den ganzen Reichtum der Welt zu verbreiten besaß. Es ist nun wohl natürlich, und auch menschlich zu erklären, daß der seit nunmehr fünfundzwanzig Jahren Zurückgetretene über den Fortschritt, der auch ihn als wesentlich Überschrittenen bezeichnet, unmutig wird, und sich dagegen wie gegen eine logische Fessel, die die Freiheit und das Leben ertötet, sperrt. Aber weniger zu erklären ist es, wenn es verlautet, daß der große Urheber der Identitätsphilosophie von dem, was ihn auszeichnete, von seinem Prinzip abgewichen sei, und in dem wissenschaftlich undurchdrungenen Glauben und in der Geschichte ein Asyl gesucht habe, unter dem sich nun seine neue Philosophie, die den Namen der *„Geschichtlichen“* neuerdings angenommen, unterzustellen und sich von diesem als abhängig zu erweisen habe. Soll auch, wie es fast scheint, die geschichtliche Juristenschule mit in diesen Kreis hineingezogen werden, so würde ihr freilich die Ehre widerfahren, daß sie, nicht wissend wie, zu einer Philosophie käme[5]); wir aber müßten von denen, die also zu Werke gehen, folgendes sagen. Sie ärgern sich, sobald sie in das System der logischen Philosophie getreten sind, daß sie nicht auch zu gleicher Zeit draußen sein können; sie jammern über die Fessel, welche doch nur die Vernunft der Sache ist oder sein soll, sie möchten noch nebenbei und drumherum auf ihre willkürliche Weise, wie sie sonst gepflegt, denken, singen und beten können. Sie möchten Gott gern fassen, aber sie fürchten dann ihm selber zu nahe zu kommen und es ergreift sie inmitten die Angst vor diesem Wagnisse: sie wollen *neben* der Philosophie noch Trost haben *außer* der Philosophie, und bei allem dem mitreden *über* die Philosophie. Aber Systeme können nur durch Systeme widerlegt werden, und so lange ihr uns kein wissenschaftliches zu bereiten gedenkt, müssen wir bei dem bleiben, welches wir haben.

Doch ich komme nunmehr zu der Beantwortung der Hauptfrage, aus welchen Mitteln und Grundsätzen ich die Bearbeitung des vorliegenden Naturrechts übernommen habe. *Hegel* hat über sein Kompendium dreimal in den Winter-Semestern 1821/22, 1822/23 und 1824/25 Vorlesungen gehalten.[6]) Als er im Winter 1831 wieder einmal zu diesem Kollegium zurückgekehrt war, übereilte ihn, nach einigen Stunden, der Tod. Es versteht sich daher von selbst, daß gerade hier, teils dadurch, daß die gehaltenen Vorlesungen der Publikation des Buches schnell gefolgt waren, teils dadurch, daß sie späterhin abgebrochen wurden, nicht in dem Maße, wie bei anderen Gegenständen, ein wachsender Reichtum des Stoffes, und ein weiteres Sichten und Verändern in den Abteilungen anzutreffen ist, wie dies sonst bei Hegel überall einzutreten pflegte. Nur in der leichteren Darstellung, welche Vorlesungen vor einem Buche voraus haben, in der Art und Weise dem gewöhnlichen Sinne näher zu treten, der sich darin findet, liegt der eigentliche Gewinn, welcher dem größeren Publikum daraus erwächst. Nun aber ist eine eigene Schwierigkeit vorhanden, Vorlesungen mit dem buchlichen Charakter eines Werkes so in Verbindung zu bringen, daß das Heterogene beider nicht als zu sehr abstechend erscheint. Man kann, namentlich, wenn ein Buch zu Grunde liegt, deswegen nicht alles mitteilen, was die Vorlesungen enthalten, weil hier das Buch noch einmal, obgleich zerstampft und anders bereitet, vorkommt, und das Wiedergeben des Gesagten öftere Wiederholungen unerläßlich machte. Es muß daher der vorhandene Stoff gesichtet, und ein Kern daraus genommen werden, der wenn auch nicht gerade Neues, doch Erläuterndes und Näherbringendes enthält. Dies ist hier in Form von Zusätzen geschehen, von denen diese Ausgabe nahe an 200 zählt. Oft erklären diese durch Beispiele das in dem Paragraphen Gegebene, oft sagen sie dasselbe, nur deutlicher und populärer, und öfter noch machen sie einen erleichternden Übergang in das gemeine Bewußtsein. Die Derbheit, welche in dem Buche überall zu finden ist, wird dadurch abgestumpfter, und in den schweren und harten Stoff eine Bresche gemacht, durch die eine große Masse bisher Ausgeschlossener ihren Einzug halten kann. Das in den Zusätzen Enthaltene ist von Hegel gegeben, und ich kann im Notfall dies aus meinen Quellen beweisen: es findet sich weder eine Ausführung von mir, noch eine Entstellung des Ausgeführten. Nur die stilistische Anordnung, die Verbindung der Sätze, und bisweilen ebenso die Auswahl der Worte rühren von mir her. Die Quellen, die dieser Bearbeitung zu Grunde lagen, waren zunächst zwei Hefte, das eine aus dem Winter-Semester 1822/23, das von meinem Freunde *Hotho*[7]), das andere aus dem Halbenjahre 1824/25, das von Herrn Hauptmann *von Griesheim*[8]) nachgeschrieben wurde. Weniger ist es leider vergönnt gewesen, auf die eigenen Noten Hegels[9]) in dem durchschossenen Exemplar seiner Rechtsphilosophie Rücksicht zu nehmen. Es sind nämlich meist nur einzelne Worte, die, wo der Zusammenhang nicht klar war, willkürlich gedeutet oder falsch bezogen werden konnten. Doch haben sie in den Fällen, wo sie sicher anzuwenden waren, vortreffliche Dienste geleistet.

Indem ich dem Publikum somit dieses Buch, mit der treuen Angabe, wie es entstanden ist, überreiche, bleibt mir nur noch übrig, von seinem künftigen Schicksal zu sprechen. Als Teil des Hegelschen Systems wird es mit diesem zu stehen und zu fallen haben: es wird auch vielleicht noch innerhalb desselben großer Erläuterungen, nüancierterer Ausarbeitungen und bestimmterer Deutlichkeit fähig sein. Vielleicht wird es, wie das ganze System, nach vielen Jahren in die Vorstellung und das allgemeinere Bewußtsein übergehen: seine unterscheidende Kunstsprache wird sich verlieren, und seine Tiefen werden ein Gemeingut werden. Dann ist seine Zeit philosophisch um, und es gehört der Geschichte an. Eine neue aus denselben Grundprinzipien hervorgehende fortschreitende Entwicklung der Philosophie tut sich hervor, eine andere Auffassung der auch veränderten Wirklichkeit. Dieses Zukünftige wollen wir mit Ehrfurcht begrüßen, und uns dagegen von den geschiedenen Gespenstern nicht beängstigen lassen, die uns unangenehm berühren, aber nicht hemmen können.

Berlin, den 29. Mai 1833.

Eduard Gans.

Inhaltsverzeichnis

Dritter Teil.
Die Sittlichkeit.

Vorrede

Die unmittelbare Veranlassung zur Herausgabe dieses Grundrisses ist das Bedürfnis, meinen Zuhörern einen Leitfaden zu den Vorlesungen in die Hände zu geben, welche ich meinem Amte gemäß über die *Philosophie des Rechts* halte.[6]) Dieses Lehrbuch ist eine weitere, insbesondere mehr systematische Ausführung derselben Grundbegriffe, welche über diesen Teil der Philosophie in der von mir sonst für meine Vorlesungen bestimmten *Enzyklopädie der philosophischen Wissenschaften* (Heidelberg 1817) bereits enthalten sind.[10])

Daß dieser Grundriß aber im Druck erscheinen sollte, hiermit auch vor das größere Publikum kommt, wurde die Veranlassung, die *Anmerkungen*, die zunächst in kurzer Erwähnung die verwandten oder abweichenden Vorstellungen, weiteren Folgen und dergleichen andeuten sollten, was in den Vorlesungen seine gehörige Erläuterung erhalten würde, manchmal schon hier weiter auszuführen, um den abstrakteren Inhalt des Textes zuweilen zu verdeutlichen, und auf naheliegende in dermaliger Zeit gäng und gäbe Vorstellungen eine ausgedehntere Rücksicht zu nehmen. So ist eine Anzahl weitläufigerer Anmerkungen entstanden, als der Zweck und Stil eines Kompendiums sonst mit sich bringt. Ein eigentliches Kompendium jedoch hat den für fertig angesehenen Umkreis einer Wissenschaft zum Gegenstande, und das ihm Eigentümliche ist, vielleicht einen kleinen Zusatz hier und da ausgenommen, vornehmlich die Zusammenstellung und Ordnung der wesentlichen Momente eines Inhalts, der längst ebenso zugegeben und bekannt ist, als jene Form ihre längst ausgemachten Regeln und Manieren hat. Von einem philosophischen Grundriß erwartet man diesen Zuschnitt schon etwa darum nicht, weil man sich vorstellt, das, was die Philosophie vor sich bringe, sei ein so übernächtiges Werk, als das Gewebe der Penelope [11]), das jeden Tag von vorne angefangen werde.

Allerdings weicht dieser Grundriß zunächst von einem gewöhnlichen Kompendium durch die Methode ab, die darin das Leitende ausmacht. Daß aber die philosophische Art des Fortschreitens von einer Materie zu einer andern und des wissenschaftlichen Beweisens, diese spekulative Erkenntnisweise überhaupt, wesentlich sich von anderer Erkenntnisweise unterscheidet, wird hier vorausgesetzt. Die Einsicht in die Notwendigkeit einer solchen Verschiedenheit kann es allein sein, was die Philosophie aus dem schmählichen Verfall, in welchen sie in unseren Zeiten versunken ist, herauszureißen vermögen wird. Man hat wohl die Unzulänglichkeit der Formen und Regeln der vormaligen Logik, des Definierens, Einteilens und Schließens, welche die Regeln der Verstandeserkenntnis enthalten, für die spekulative Wissenschaft erkannt, oder mehr nur gefühlt als erkannt, und dann diese Regeln nur als Fesseln weggeworfen, um aus dem Herzen, der Phantasie, der zufälligen Anschauung willkürlich zu sprechen; und da denn doch auch Reflexion und Gedankenverhältnisse eintreten müssen, verfährt man bewußtlos in der verachteten Methode des ganz gewöhnlichen Folgerns und Raisonnements. — Die Natur des spekulativen Wissens habe ich in meiner *Wissenschaft der Logik* [12]) ausführlich entwickelt; in diesem Grundriß ist darum nur hier und da eine Erläuterung über Fortgang und Methode hinzugefügt worden. [13]) Bei der konkreten und in sich so mannigfaltigen Beschaffenheit des Gegenstandes ist es zwar vernachlässigt worden, in allen und jeden Einzelheiten die logische Fortleitung nachzuweisen und herauszuheben. Teils konnte dies, bei vorausgesetzter Bekanntschaft mit der wissenschaftlichen Methode für überflüssig gehalten werden, teils wird aber es von selbst auffallen, daß das Ganze wie die Ausbildung seiner Glieder auf dem logischen Geiste beruht. Von dieser Seite möchte ich auch vornehmlich, daß diese Abhandlung gefaßt und beurteilt würde. Denn das, um was es in derselben zu tun ist, ist die *Wissenschaft*, und in der Wissenschaft ist der Inhalt wesentlich an die Form gebunden.

Man kann zwar von denen, die es am gründlichsten zu nehmen scheinen, hören, die Form sei etwas Äußeres und für die Sache Gleichgültiges, es komme nur auf diese an; man kann weiter das Geschäft des Schriftstellers, insbesondere des philosophischen darein setzen, *Wahrheiten* zu entdecken, *Wahrheiten* zu sagen, *Wahrheiten* und richtige Begriffe zu verbreiten. Wenn man nun betrachtet, wie solches Geschäft wirklich betrieben zu werden pflegt, so sieht man einesteils denselben alten Kohl immer wieder aufkochen und nach allen Seiten hin ausgeben – ein Geschäft, das wohl auch sein Verdienst um die Bildung und Erweckung der Gemüter haben wird, wenn es gleich mehr als ein vielgeschäftiger Überschuß angesehen werden könnte – „denn sie haben Mosen und die Propheten, laß sie dieselbigen hören." [14]) Vornehmlich hat man vielfältige Gelegenheit, sich über den Ton und die Prätension, die sich dabei zu erkennen gibt, zu verwundern, nämlich als ob es der Welt nur noch an diesen eifrigen Verbreitern von Wahrheiten gefehlt hätte, und als ob der aufgewärmte Kohl neue und unerhörte Wahrheiten brächte, und vornehmlich immer „in jetziger Zeit" hauptsächlich zu beherzigen wäre. Andernteils aber sieht man, was von solchen Wahrheiten von der einen Seite her ausgegeben wird, durch eben dergleichen von andern Seiten her ausgespendete Wahrheiten verdrängt und weggeschwemmt werden. Was nun in diesem Gedränge von Wahrheit weder Altes noch Neues, sondern Bleibendes sei, wie soll dieses aus diesen formlos hin und her gehenden Betrachtungen sich herausheben – wie anders sich unterscheiden und bewähren, als durch die *Wissenschaft*?

Ohnehin über *Recht, Sittlichkeit, Staat* ist die *Wahrheit* eben *so sehr alt*, als in den *öffentlichen Gesetzen, der öffentlichen Moral und Religion offen dargelegt und bekannt*. Was bedarf diese Wahrheit weiter, insofern der denkende Geist sie in dieser nächsten Weise zu besitzen nicht zufrieden ist, als sie auch zu *begreifen*, und dem schon an sich selbst vernünftigen Inhalt auch die vernünftige Form zu gewinnen, damit er für das freie Denken gerechtfertigt erscheine, welches nicht bei dem *Gegegebenen*, es sei durch die äußere positive Autorität des Staats oder der Übereinstimmung der Menschen, oder durch die Autorität des inneren Gefühls und Herzens und das unmittelbar beistimmende Zeugnis des Geistes unterstützt, stehen bleibt, sondern von sich ausgeht und eben damit fordert, sich im Innersten mit der Wahrheit geeint zu wissen?

Das einfache Verhalten des unbefangenen Gemütes ist,

sich mit zutrauensvoller Überzeugung an die öffentlich bekannte Wahrheit zu halten, und auf diese feste Grundlage seine Handlungsweise und feste Stellung im Leben zu bauen. Gegen dieses einfache Verhalten tut sich etwa schon die vermeinte Schwierigkeit auf, wie aus den unendlich *verschiedenen Meinungen* sich das, was darin das allgemein Anerkannte und Gültige sei, unterscheiden und herausfinden lasse; und man kann diese Verlegenheit leicht für einen rechten und wahrhaften Ernst um die Sache nehmen. In der Tat sind aber die, welche sich auf diese Verlegenheit etwas zugute tun, in dem Falle, den Wald vor den Bäumen nicht zu sehen, und es ist nur die Verlegenheit und Schwierigkeit vorhanden, welche sie selbst veranstalten; ja diese ihre Verlegenheit und Schwierigkeit ist vielmehr der Beweis, daß sie etwas anderes als das allgemein Anerkannte und Geltende, als die Substanz des Rechten und Sittlichen wollen. Denn ist es darum wahrhaft, und nicht um die *Eitelkeit* und *Besonderheit* des Meinens und Seins zu tun, so hielten sie sich an das substantielle Rechte, nämlich an die Gebote der Sittlichkeit und des Staats, und richteten ihr Leben danach ein. – Die weitere Schwierigkeit aber kommt von der Seite, daß der Mensch *denkt* und im Denken seine Freiheit und den Grund der Sittlichkeit sucht. Dieses Recht, so hoch, so göttlich es ist, wird aber in Unrecht verkehrt, wenn nur dies für Denken gilt und das Denken nur dann sich frei weiß, insofern es vom *Allgemein-Anerkannten und Gültigen abweiche* und sich etwas *Besonderes* zu erfinden gewußt habe.

Am festesten konnte in unserer Zeit die Vorstellung, als ob die Freiheit des Denkens und des Geistes überhaupt sich nur durch die Abweichung, ja Feindschaft gegen das öffentlich Anerkannte beweise, in *Beziehung auf den Staat* eingewurzelt, und hiernach absonderlich eine Philosophie über den Staat wesentlich die Aufgabe zu haben scheinen, *auch* eine *Theorie* und eben eine neue und besondere zu erfinden und zu geben. Wenn man diese Vorstellung und das ihr gemäße Treiben sieht, so sollte man meinen, als ob noch kein Staat und Staatsverfassung in der Welt gewesen, noch gegenwärtig vorhanden sei, sondern als ob man *jetzt* – und dies *Jetzt* dauert immer fort – ganz von vorne anzufangen, und die sittliche Welt nur auf ein solches *jetziges* Ausdenken und Ergründen und Begründen gewartet habe. Von der *Natur* gibt man zu, daß die Philosophie sie zu erkennen habe, *wie sie ist*, daß der Stein der Weisen *irgendwo*, aber *in der Natur selbst* verborgen liege, daß sie in sich *vernünftig* sei und das Wissen diese in ihr gegenwärtige, *wirkliche* Vernunft, nicht die auf der Oberfläche sich zeigenden Gestaltungen und Zufälligkeiten, sondern ihre ewige Harmonie, aber als ihr *immanentes* Gesetz und Wesen zu erforschen und begreifend zu fassen habe. Die *sittliche Welt* dagegen, der Staat, sie, die Vernunft, wie sie sich im Elemente des Selbstbewußtseins verwirklicht, soll nicht des Glücks genießen, daß es die Vernunft ist, welche in der Tat in diesem Elemente sich zur Kraft und Gewalt gebracht habe, darin behaupte und innewohne.

Zusatz. Es gibt zweierlei Arten von Gesetzen, Gesetze der Natur und des Rechts: die Gesetze der Natur sind schlechthin, und gelten so, wie sie sind: sie leiden an keiner Verkümmerung, obgleich man sich in einzelnen Fällen dagegen vergehen kann. Um zu wissen was das Gesetz der Natur ist, müssen wir dieselbe kennen lernen, denn diese Gesetze sind richtig: nur unsere Vorstellungen davon können falsch sein. Der Maßstab dieser Gesetze ist außer uns, und unser Erkennen tut nichts zu ihnen hinzu, befördert sie nicht: nur unsere Erkenntnis über sie kann sich erweitern. Die Kenntnis des Rechts ist einerseits ebenso, andererseits nicht. Wir lernen die Gesetze ebenso kennen wie sie schlechthin da sind: so hat sie mehr oder weniger der Bürger, und der positive Jurist bleibt nicht minder bei dem was gegeben ist stehen. Aber der Unterschied ist, daß bei den Rechtsgesetzen sich der Geist der Betrachtung erhebt, und schon die Verschiedenheit der Gesetze darauf aufmerksam macht, daß sie nicht absolut sind. Die Rechtsgesetze sind *Gesetztes* von *Menschen Herkommendes.* Mit diesen kann notwendig die innere Stimme in Kollision treten, oder sich ihm anschließen. Der Mensch bleibt bei dem Daseienden nicht stehen, sondern behauptet in sich den Maßstab zu haben von dem, was recht ist: er kann der Notwendigkeit und der Gewalt äußerer Autorität unterworfen sein, aber niemals wie der Notwendigkeit der Natur, denn ihm sagt immer sein Inneres, wie es sein solle, und in sich selbst findet er die Bewährung oder Nichtbewährung dessen was gilt. In der Natur ist die höchste Wahrheit, daß ein Gesetz *überhaupt* ist: in den Gesetzen des Rechts gilt die Sache nicht weil sie ist, sondern jeder fordert, sie solle seinem eigenen Kriterium entsprechen. Hier also ist ein Widerstreit möglich dessen, was ist, und dessen was sein soll, des an und für sich seienden Rechts, welches unverändert bleibt, und der Willkürlichkeit der Bestimmung dessen, was als Recht gelten solle. Solche Trennung und solcher Kampf findet sich nur auf dem Boden des Geistes, und weil der Vorzug des Geistes somit zum Unfrieden und zur Unseligkeit zu führen scheint, so wird man häufig zur Betrachtung der Natur aus der Willkür des Lebens zurückverwiesen, und soll sich an derselben ein Muster nehmen. Gerade in diesen Gegensätzen aber des an und für sich seienden Rechts, und dessen, was die Willkür als Recht geltend macht, liegt das Bedürfnis, gründlich das Rechte erkennen zu lernen. Seine Vernunft muß dem Menschen im Rechte entgegenkommen; er muß also die Vernünftigkeit des Rechts betrachten und dies ist die Sache unserer Wissenschaft, im Gegensatz der positiven Jurisprudenz, die es oft nur mit Widersprüchen zu tun hat. Die gegenwärtige Welt hat dazu noch ein dringenderes Bedürfnis, denn vor alten Zeiten war noch Achtung und Ehrfurcht vor dem bestehenden Gesetz da: jetzt aber hat die Bildung der Zeit eine andere Wendung genommen, und der Gedanke hat sich an die Spitze alles dessen gestellt, was gelten soll. Theorien stellen sich dem Daseienden gegenüber, und wollen als an und für sich richtig und notwendig erscheinen. Nunmehr wird es spezielleres Bedürfnis die Gedanken des Rechts zu erkennen und zu begreifen. Da sich der Gedanke zur wesentlichen Form erhoben hat, so muß man auch das Recht als Gedanken zu fassen suchen. Dies scheint zufälligen Meinungen Tür und Tor zu öffnen, wenn der Gedanke über das Recht kommen soll; aber der wahrhafte Gedanke ist keine Meinung über die Sache, sondern der Begriff der Sache selbst. Der Begriff der Sache kommt uns nicht von Natur. Jeder Mensch hat Finger, kann Pinsel und Farben haben, darum aber ist er noch kein Maler. Ebenso ist es mit dem Denken. Der Gedanke des Rechts ist nicht etwa, was jedermann aus erster Hand hat, sondern das richtige Denken ist das Kennen und Erkennen der

Sache, und unsere Erkenntnis soll daher wissenschaftlich sein. [Ende des Zusatzes.]

Das geistige Universum soll vielmehr dem Zufall und der Willkür preisgegeben, es soll *gottverlassen* sein, so daß nach diesem Atheismus der sittlichen Welt das *Wahre* sich *außer* ihr befinde, und zugleich, weil doch auch Vernunft darin sein soll, das Wahre nur ein Problema sei. Hierin aber liege die Berechtigung, ja die Verpflichtung für jedes Denken, auch seinen Anlauf zu nehmen, doch nicht um den Stein der Weisen *zu suchen,* denn durch das Philosophieren unserer Zeit ist das Suchen erspart und Jeder gewiß, so wie er steht und geht, diesen Stein in seiner Gewalt zu haben. Nun geschieht es freilich, daß diejenigen, welche in dieser Wirklichkeit des Staats leben und ihr Wissen und Wollen darin befriedigt finden, – und deren sind viele, ja mehr als es meinen und wissen, denn im *Grunde* sind es *alle,* – daß also wenigstens diejenigen, welche mit *Bewußtsein* ihre Befriedigung im Staate haben, jener Anläufe und Versicherungen lachen und sie für ein bald lustigeres oder ernsteres, ergötzliches oder gefährliches, leeres Spiel nehmen. Jenes unruhige Treiben der Reflexion und Eitelkeit, so wie die Aufnahme und Begegnung, welche sie erfährt, wäre nun eine Sache für sich, die sich auf ihre Weise in sich entwickelt; aber es ist die *Philosophie* überhaupt, welche sich durch jenes Getreibe in mannigfaltige Verachtung und Mißkredit gesetzt hat. Die schlimmste der Verachtungen ist diese, daß wie gesagt jeder, wie er so steht und geht, über die Philosophie überhaupt Bescheid zu wissen und abzusprechen imstande zu sein überzeugt ist. Keiner andern Kunst und Wissenschaft wird diese letzte Verachtung bezeigt, zu meinen, daß man sie geradezu inne habe.

In der Tat, was wir von der Philosophie der neuern Zeit mit der größten Prätension über den Staat haben ausgehen sehen, berechtigte wohl jeden, der Lust hatte mitzusprechen, zu dieser Überzeugung, eben solches von sich aus geradezu machen zu können und damit sich den Beweis, im Besitz der Philosophie zu sein, zu geben. Ohnehin hat die sich so nennende Philosophie es ausdrücklich ausgesprochen, daß *das Wahre selbst nicht erkannt werden* könne, sondern daß dies das Wahre sei, was jeder über die sittlichen Gegenstände, vornehmlich über Staat, Regierung und Verfassung, sich *aus seinem Her-*

zen, Gemüt und *Begeisterung aufsteigen* lasse.[15]) Was ist darüber nicht alles der Jugend insbesondere zum Munde geredet worden? Die Jugend hat es sich denn auch wohl gesagt sein lassen. *Den Seinen gibt Er's schlafend*[16]), – ist auf die Wissenschaft angewendet worden, und damit hat jeder Schlafende sich zu den *Seinen* gezählt; was er so im Schlafe der Begriffe bekommen, war denn freilich auch Ware darnach. – Ein Heerführer dieser Seichtigkeit, die sich Philosophieren nennt, Herr *Fries*,*) hat sich nicht entblödet bei einer feierlichen berüchtigt gewordenen öffentlichen Gelegenheit in einer Rede, über den Gegenstand von Staat und Staatsverfassung die Vorstellung zu geben: „in dem Volke, in welchem echter Gemeingeist herrsche, würde jedem Geschäft der öffentlichen Angelegenheiten *das Leben von unten aus dem Volke* kommen, würden jedem einzelnen Werke der Volksbildung und des volkstümlichen Dienstes, sich *lebendige* Gesellschaften weihen, durch *die heilige Kette der Freundschaft* unverbrüchlich vereinigt", und dergleichen.[18]) – Dies ist der Hauptsinn der Seichtigkeit, die Wissenschaft statt auf die Entwickelung des Gedankens und Begriffs, vielmehr auf die unmittelbare Wahrnehmung und die zufällige Einbildung zu stellen, ebenso die reiche Gliederung des Sittlichen in sich, welche der Staat ist, die Architektonik seiner Vernünftigkeit, die durch die bestimmte Unterscheidung der Kreise des öffentlichen Lebens und ihrer Berechtigungen und durch die Strenge des Maßes, in dem sich jeder Pfeiler, Bogen und Strebung hält, die Stärke des Ganzen aus der Harmonie seiner Glieder hervorgehen macht, – diesen gebildeten Bau in den Brei des „Herzens, der Freundschaft und Begeisterung" zusammenfließen zu lassen. Wie nach Epikur[19]) die Welt überhaupt, so ist freilich nicht, aber so sollte, die sittliche Welt nach solcher Vorstellung, der subjektiven Zufälligkeit des Meinens und der Willkür übergeben werden. Mit dem einfachen Hausmittel, auf das *Gefühl* das zu stellen, was die und zwar mehrtausendjährige Arbeit der Vernunft und ihres Verstandes ist, ist freilich alle die Mühe der von dem denkenden Begriffe geleiteten Vernunfteinsicht und Erkenntnis erspart.

---

* Von der Seichtigkeit seiner Wissenschaft habe ich sonst Zeugnis gegeben; s. Wissenschaft der Logik (Nürnberg 1812) Einl. S. XVII.[17])

Mephistopheles bei Goethe, – eine gute Autorität, – sagt darüber ungefähr, was ich auch sonst[20]) angeführt:

„Verachte nur Verstand und Wissenschaft,
des Menschen allerhöchste Gaben –
so hast dem Teufel dich ergeben
und mußt zu Grunde gehn."

Unmittelbar nahe liegt es, daß solche Ansicht sich auch die Gestalt der *Frömmigkeit* annimmt; denn mit was allem hat dieses Getreibe sich nicht zu autorisieren versucht! Mit der Gottseligkeit und der Bibel aber hat es sich die höchste Berechtigung, die sittliche Ordnung und die Objektivität der Gesetze zu verachten, zu geben vermeint. Denn wohl ist es auch die Frömmigkeit, welche die in der Welt zu einem organischen Reiche auseinander geschlagene Wahrheit zur einfachern Anschauung des Gefühls einwickelt. Aber sofern sie rechter Art ist, gibt sie die Form dieser Region auf, sobald sie aus dem Innern heraus in den Tag der Entfaltung und des geoffenbarten Reichtums der Idee eintritt, und bringt aus ihrem innern Gottesdienst die Verehrung gegen eine an und für sich seiende, über die subjektive Form des Gefühls erhabene, Wahrheit und Gesetze mit.

Die besondere Form des übeln Gewissens, welche sich in der Art der Beredsamkeit, zu der sich jene Seichtigkeit aufspreizt, kund tut, kann hierbei bemerklich gemacht werden; und zwar zunächst, daß sie da, wo sie am *geistlosesten* ist, am meisten vom *Geiste* spricht, wo sie am totesten und ledernsten redet, das Wort *Leben* und ins *Leben einführen*, wo sie die größte Selbstsucht des leeren Hochmuts kund tut, am meisten das Wort *Volk* im Munde führt. Das eigentümliche Wahrzeichen aber, das sie an der Stirne trägt, ist der Haß gegen das Gesetz. Daß Recht und Sittlichkeit, und die wirkliche Welt des Rechts und des Sittlichen sich durch den *Gedanken* erfaßt, durch Gedanken sich die Form der Vernünftigkeit, nämlich Allgemeinheit und Bestimmtheit gibt, dies, *das Gesetz*, ist es, was jenes sich das Belieben vorbehaltene Gefühl, jenes das Rechte in die subjektive Überzeugung stellende Gewissen, mit Grund als das sich feindseligste ansieht. Die Form des Rechten als einer *Pflicht* und als eines *Gesetzes* wird von ihm als ein *toter*, *kalter Buchstabe* und *als eine Fessel* empfunden;

denn es erkennt in ihm nicht sich selbst, sich in ihm somit nicht frei, weil das Gesetz die Vernunft der Sache ist, und diese dem Gefühle nicht verstattet, sich an der eigenen Partikularität zu wärmen. *Das Gesetz* ist darum, wie im Laufe dieses Lehrbuches irgendwo angemerkt worden[21]), vornehmlich das Schibboleth, an dem die falschen Brüder und Freunde des so genannten Volkes sich abscheiden.

Indem nun die Rabulisterei der Willkür sich des Namens der *Philosophie* bemächtigt und ein gutes Publikum in die Meinung zu versetzen vermocht hat, als ob dergleichen Treiben Philosophie sei, so ist es fast gar zur Unehre geworden, über die Natur des Staats noch philosophisch zu sprechen; und es ist rechtlichen Männern nicht zu verargen, wenn sie in Ungeduld geraten, sobald sie von philosophischer Wissenschaft des Staats reden hören. Noch weniger ist sich zu verwundern, wenn die Regierungen auf solches Philosophieren endlich die Aufmerksamkeit gerichtet haben[22]), da ohnehin bei uns die Philosophie nicht wie etwa bei den Griechen, als eine private Kunst exerziert wird, sondern sie eine öffentliche, das Publikum berührende Existenz, vornehmlich oder allein im Staatsdienste, hat. Wenn die Regierungen ihren diesem Fache gewidmeten Gelehrten das Zutrauen bewiesen haben, sich für die Ausbildung und den Gehalt der Philosophie auf sie gänzlich zu verlassen, — wäre es hier und da, wenn man will, nicht so sehr Zutrauen, als Gleichgültigkeit gegen die Wissenschaft selbst gewesen, und das Lehramt derselben nur traditionell beibehalten worden (— wie man denn, soviel mir bekannt ist, in Frankreich die Lehrstühle der Metaphysik wenigstens, hat eingehen lassen) — so ist ihnen vielfältig jenes Zutrauen schlecht vergolten worden, oder wo man, im andern Fall, Gleichgültigkeit sehen wollte, so wäre der Erfolg, das Verkommen gründlicher Erkenntnis, als ein Büßen dieser Gleichgültigkeit anzusehen. Zunächst scheint wohl die Seichtigkeit etwa am allerverträglichsten, wenigstens mit äußerer Ordnung und Ruhe zu sein, weil sie nicht dazu kommt, die Substanz der Sachen zu berühren, ja nur zu ahnden; sie würde somit zunächst wenigstens polizeilich nichts gegen sich haben, wenn nicht der Staat noch das Bedürfnis tieferer Bildung und Einsicht in sich schlösse und die Befriedigung desselben von der Wissenschaft forderte. Aber die Seichtigkeit führt von selbst in Rücksicht des

Sittlichen, des Rechts und der Pflicht überhaupt, auf diejenigen Grundsätze, welche in dieser Sphäre das Seichte ausmachen, auf die Prinzipien der *Sophisten*, die wir aus *Plato* so entschieden kennenlernen[23]), – die Prinzipien, welche das, was Recht ist, auf die *subjektiven Zwecke und Meinungen*, auf das *subjektive Gefühl* und die *partikuläre Überzeugung* stellen, – Prinzipien, aus welchen die Zerstörung ebenso der innern Sittlichkeit und des rechtschaffenen Gewissens, der Liebe und des Rechts unter den Privatpersonen, als die Zerstörung der öffentlichen Ordnung und der Staatsgesetze folgt. Die Bedeutung, welche dergleichen Erscheinungen für die Regierungen gewinnen müssen, wird sich nicht etwa durch den Titel abweisen lassen, der sich auf das geschenkte Zutrauen selbst und auf die Autorität eines Amtes stützte, um an den Staat zu fordern, daß er das, was die substantielle Quelle von den Taten, die allgemeinen Grundsätze, verdirbt, und sogar dessen Trotz, als ob es sich so gehörte, gewähren und walten lassen solle. *Wem Gott ein Amt gibt, dem gibt er auch Verstand*[24]), – ist ein alter Scherz, den man wohl in unsern Zeiten nicht gar für Ernst wird behaupten wollen.

In der Wichtigkeit der Art und Weise des Philosophierens, welche durch die Umstände bei den Regierungen aufgefrischt worden ist, läßt sich das Moment des Schutzes und Vorschubs nicht verkennen, dessen das Studium der Philosophie nach vielen andern Seiten hin bedürftig geworden zu sein scheint. Denn liest man in so vielen Produktionen aus dem Fache der positiven Wissenschaften, ingleichen der religiösen Erbaulichkeit und anderer unbestimmter Literatur, wie darin nicht nur die vorhin erwähnte Verachtung gegen die Philosophie bezeigt ist, daß solche, die zugleich beweisen, daß sie in der Gedankenbildung völlig zurück sind und Philosophie ihnen etwas ganz Fremdes ist, doch sie als etwas bei sich Abgetanes behandeln, – sondern wie daselbst ausdrücklich gegen die Philosophie losgezogen und ihr Inhalt, die *begreifende Erkenntnis Gottes* und der physischen und geistigen Natur, *die Erkenntnis der Wahrheit* als für eine törichte, ja sündhafte Anmaßung erklärt, wie die *Vernunft*, und wieder die *Vernunft*, und in unendlicher Wiederholung die *Vernunft* angeklagt, herabgesetzt und verdammt, – oder wie wenigstens zu erkennen gegeben wird, wie unbequem bei einem großen Teile des wissenschaftlich sein sollenden Treibens die doch unabwendbaren Ansprüche des Begriffes fallen – wenn man, sage ich, dergleichen Erscheinungen vor sich hat, so möchte man beinahe dem Gedanken Raum geben, daß *von dieser Seite* die Tradition nicht mehr ehrwürdig, noch hinreichend wäre, dem philosophischen Studium die *Toleranz* und die öffentliche Existenz zu sichern.*) – Die zu unserer Zeit gäng und gäben Deklamationen und Anmaßungen gegen die Philosophie bieten das sonderbare Schauspiel dar, daß sie durch jene Seichtigkeit, zu der diese Wissenschaft degradiert worden ist, einerseits ihr Recht haben, und andererseits selbst in diesem Elemente wurzeln, gegen das sie undankbar gerichtet sind. Denn indem jenes sich so nennende Philosophieren die Erkenntnis der Wahrheit für einen törichten Versuch erklärt hat, hat es, wie der Despotismus der Kaiser *Roms* Adel und Sklaven, Tugend und Laster, Ehre und Unehre, Kenntnis und Unwissenheit *gleichgemacht* hat, alle Gedanken und alle Stoffe *nivelliert*, – so daß die Begriffe des Wahren, die Gesetze des Sittlichen auch weiter nichts sind als Meinungen und subjektive Überzeugungen, und die verbrecherischsten Grundsätze als *Überzeugungen* mit jenen Gesetzen in gleiche Würde gestellt sind, und daß ebenso jede noch so kahle und partikulare Objekte und noch so stroherne Materien in gleiche Würde gestellt sind mit dem, was das Interesse aller denkenden Menschen und die Bänder der sittlichen Welt ausmacht.

Es ist darum als ein *Glück* für die Wissenschaft zu achten, – in der Tat ist es, wie bemerkt, die *Notwendigkeit der Sache*, – daß jenes Philosophieren, das sich als eine *Schulweisheit* in

---

* Dergleichen Ansichten fielen mir bei einem Briefe Joh. v. Müllers (Werke [Tübingen 1810–1812] Teil VII S. 56) ein, wo es vom Zustande *Roms* im Jahre 1803, als diese Stadt unter französischer Herrschaft stand, unter anderem heißt: „Befragt, wie es um die öffentlichen Lehranstalten stehe, antwortete ein Professor: On les tolère comme les bordels.“ [25]) – Die sogenannte *Vernunftlehre*, nämlich die *Logik*, kann man wohl sogar noch *empfehlen* hören, etwa mit der Überzeugung, daß man sich mit ihr als trockener und unfruchtbarer Wissenschaft entweder ohnehin nicht mehr beschäftige, oder wenn dies hin und wieder geschehe, man in ihr nur inhaltslose, also nichtsgebende und nichtsverderbende Formeln erhalte, daß somit die Empfehlung auf keinen Fall schaden, sowie nichts nützen werde.

sich fortspinnen mochte, sich in näheres Verhältnis mit der Wirklichkeit gesetzt hat, in welcher es mit den Grundsätzen der Rechte und der Pflichten ernst ist, und welche im Tage des Bewußtseins derselben lebt, und daß es somit zum *öffentlichen* Bruche gekommen ist. Es ist eben *diese Stellung der Philosophie zur Wirklichkeit*, welche die Mißverständnisse betreffen, und ich kehre hiermit zu dem zurück, was ich vorhin bemerkt habe, daß die Philosophie, weil sie das *Ergründen des Vernünftigen* ist, eben damit das *Erfassen* des *Gegenwärtigen* und *Wirklichen*, nicht das Aufstellen eines *Jenseitigen* ist, das Gott weiß wo sein sollte, – oder von dem man in der Tat wohl zu sagen weiß, wo es ist, nämlich in dem Irrtum eines einseitigen, leeren Raisonnierens. Im Verlaufe der folgenden Abhandlung habe ich bemerkt,[26]) daß selbst die *platonische* Republik, welche als das Sprichwort eines *leeren Ideals* gilt, wesentlich nichts aufgefaßt hat, als die Natur der griechischen Sittlichkeit, und daß dann im Bewußtsein des in sie einbrechenden tieferen Prinzips, das an ihr unmittelbar nur als eine noch unbefriedigte Sehnsucht und damit nur als Verderben erscheinen konnte, *Plato* aus eben der Sehnsucht die Hilfe dagegen hat suchen müssen, aber sie, die aus der Höhe kommen mußte, zunächst nur in einer *äußern* besondern Form jener Sittlichkeit suchen konnte, durch welche er jenes Verderben zu gewältigen sich ausdachte, und wodurch er ihren tiefern Trieb, die freie unendliche Persönlichkeit, gerade am tiefsten verletzte. Dadurch aber hat er sich als der große Geist bewiesen, daß eben das Prinzip, um welches sich das Unterscheidende seiner Idee dreht, die Angel ist, um welche die damals bevorstehende Umwälzung der Welt sich gedreht hat.

Was vernünftig ist, das ist wirklich;
und was wirklich ist, das ist vernünftig.[27])

In dieser Überzeugung steht jedes unbefangene Bewußtsein, wie die Philosophie, und hiervon geht diese ebenso in Betrachtung des *geistigen* Universums aus, als des *natürlichen*. Wenn die Reflexion, das Gefühl oder welche Gestalt das subjektive Bewußtsein habe, *die Gegenwart* für ein *Eitles* ansieht, über sie hinaus ist und es besser weiß, so befindet es sich im Eiteln, und weil es Wirklichkeit nur in der Gegenwart hat, ist es so selbst nur Eitelkeit. Wenn umgekehrt die *Idee* für das gilt, was nur so eine Idee, eine Vorstellung in einem Meinen ist, so gewährt hingegen die Philosophie die Einsicht, daß nichts wirklich ist als die Idee. Darauf kommt es dann an, in dem Scheine des Zeitlichen und Vorübergehenden die Substanz, die immanent, und das Ewige, das gegenwärtig ist, zu erkennen. Denn das Vernünftige, was synonym ist mit der Idee, indem es in seiner Wirklichkeit zugleich in die äußere Existenz tritt, tritt in einem unendlichen Reichtum von Formen, Erscheinungen und Gestaltungen hervor, und umzieht seinen Kern mit der bunten Rinde, in welcher das Bewußtsein zunächst haust, welche der Begriff erst durchdringt, um den inneren Puls zu finden und ihn ebenso in den äußern Gestaltungen noch schlagend zu fühlen. Die unendlich mannigfaltigen Verhältnisse aber, die sich in dieser Äußerlichkeit, durch das Scheinen des Wesens in sie, bilden, dieses unendliche Material und seine Regulierung, ist nicht Gegenstand der Philosophie. Sie mischte sich damit in Dinge, die sie nicht angehen; guten Rat darüber zu erteilen, kann sie sich ersparen; *Plato*[28]) konnte es unterlassen, den Ammen anzuempfehlen, mit den Kindern nie stillezustehen, sie immer auf den Armen zu schaukeln, ebenso *Fichte* die Vervollkommnung der *Paßpolizei* bis dahin, wie man es nannte zu *konstruieren,* daß von den Verdächtigen nicht nur das Signalement in den Paß gesetzt, sondern das Portrait darin gemalt werden solle.[29]) In dergleichen Ausführungen ist von Philosophie keine Spur mehr zu sehen, und sie kann dergleichen Ultraweisheit um so mehr lassen, als sie über diese unendliche Menge von Gegenständen gerade am liberalsten sich zeigen soll. Damit wird die Wissenschaft auch von dem Hasse, den die Eitelkeit des Besserwissens auf eine Menge von Umständen und Institutionen wirft, – ein Haß, in welchem sich die Kleinlichkeit am meisten gefällt, weil sie nur dadurch zu einem Selbstgefühl kommt, – sich am entferntesten zeigen. So soll denn diese Abhandlung, insofern sie die Staatswissenschaft enthält, nichts anderes sein, als der Versuch, den *Staat als ein in sich Vernünftiges zu begreifen* und *darzustellen.* Als philosophische Schrift muß sie am entferntesten davon sein, einen *Staat, wie er sein soll,* konstruieren zu sollen; die Belehrung, die in ihr liegen kann, kann nicht darauf gehen, den Staat zu belehren, wie er sein soll, sondern vielmehr, wie er, das sittliche Universum, erkannt werden soll.

Ἰδοὺ Ῥόδος, ἰδοὺ καὶ τὸ πήδημα.
Hic Rhodus, *hic* saltus.[30])

Das *was ist* zu begreifen, ist die Aufgabe der Philosophie, denn das *was ist*, ist die Vernunft. Was das Individuum betrifft, so ist ohnehin jedes ein *Sohn seiner Zeit*; so ist auch die Philosophie, *ihre Zeit in Gedanken erfaßt.*[31]) Es ist ebenso töricht zu wähnen, irgendeine Philosophie gehe über ihre gegenwärtige Welt hinaus, als, ein Individuum überspringe seine Zeit, springe über Rhodus hinaus. Geht seine Theorie in der Tat drüber hinaus, baut es sich eine Welt, *wie sie sein soll*, so existiert sie wohl, aber nur in seinem Meinen, – einem weichen Elemente, dem sich alles Beliebige einbilden läßt.

Mit weniger Veränderung würde jene Redensart lauten:

Hier ist die Rose, *hier* tanze.

Was zwischen der Vernunft als selbstbewußtem Geiste und der Vernunft als vorhandener Wirklichkeit liegt, was jene Vernunft von dieser scheidet und in ihr nicht die Befriedigung finden läßt, ist die Fessel irgend eines Abstraktums, das nicht zum Begriffe befreit ist. Die Vernunft als die Rose im Kreuze der Gegenwart[32]) zu erkennen und damit dieser sich zu erfreuen, diese vernünftige Einsicht ist die *Versöhnung* mit der Wirklichkeit, welche die Philosophie denen gewährt, an die einmal die innere Anforderung ergangen ist, *zu begreifen*, und in dem, was substantiell ist, ebenso die subjektive Freiheit zu erhalten, so wie mit der subjektiven Freiheit nicht in einem Besonderen und Zufälligen, sondern in dem, was an und für sich ist, zu stehen.

Dies ist es auch, was den konkreten Sinn dessen ausmacht, was oben abstrakter als *Einheit der Form* und *des Inhalts* bezeichnet worden ist, denn die *Form* in ihrer konkretesten Bedeutung ist die Vernunft als begreifendes Erkennen, und der *Inhalt* die Vernunft als das substantielle Wesen der sittlichen, wie der natürlichen Wirklichkeit; die bewußte Identität von beiden ist die philosophische Idee. – Es ist ein großer Eigensinn, der Eigensinn, der dem Menschen Ehre macht, nichts in der Gesinnung anerkennen zu wollen, was nicht durch den Gedanken gerechtfertigt ist, – und dieser Eigensinn ist das Charakteristische der neuern Zeit, ohnehin das eigentümliche Prinzip des Protestantismus. Was *Luther* als Glauben im Gefühl und im Zeugnis des Geistes begonnen[33]), es ist dasselbe, was der weiterhin gereifte Geist im *Begriffe* zu fassen, und so in der Gegenwart sich zu befreien, und dadurch in ihr sich zu finden bestrebt ist. Wie es ein berühmtes Wort geworden ist, daß eine halbe Philosophie von Gott abführe[34]),– und es ist dieselbe Halbheit, die das Erkennen in eine *Annäherung* zur Wahrheit setzt[35]), – die wahre Philosophie aber zu Gott führe, so ist es dasselbe mit dem Staate. So wie die Vernunft sich nicht mit der Annäherung, als welche weder kalt noch warm ist und darum ausgespien wird[36]), begnügt, ebensowenig begnügt sie sich mit der kalten Verzweiflung, die zugibt, daß es in dieser Zeitlichkeit wohl schlecht oder höchstens mittelmäßig zugehe, aber eben in ihr nichts besseres zu haben und nur darum Frieden mit der Wirklichkeit zu halten sei; es ist ein wärmerer Friede mit ihr, den die Erkenntnis verschafft.

Um noch über das *Belehren*, wie die Welt sein soll, ein Wort zu sagen, so kommt dazu ohnehin die Philosophie immer zu spät. Als der *Gedanke* der Welt erscheint sie erst in der Zeit, nachdem die Wirklichkeit ihren Bildungsprozeß vollendet und sich fertig gemacht hat. Dies, was der Begriff lehrt, zeigt notwendig ebenso die Geschichte, daß erst in der Reife der Wirklichkeit das Ideale dem Realen gegenüber erscheint und jenes sich dieselbe Welt, in ihrer Substanz erfaßt, in Gestalt eines intellektuellen Reichs erbaut. Wenn die Philosophie ihr Grau in Grau malt[37]), dann ist eine Gestalt des Lebens alt geworden, und mit Grau in Grau läßt sie sich nicht verjüngen, sondern nur erkennen; die Eule der Minerva[38]) beginnt erst mit der einbrechenden Dämmerung ihren Flug.

Doch es ist Zeit, dieses Vorwort zu schließen; als Vorwort kam ihm ohnehin nur zu, äußerlich und subjektiv von dem Standpunkt der Schrift, der es vorangeschickt ist, zu sprechen. Soll philosophisch von einem Inhalte gesprochen werden, so verträgt er nur eine wissenschaftliche, objektive Behandlung, wie denn auch dem Verfasser Widerrede anderer Art als eine wissenschaftliche Abhandlung der Sache selbst, nur für ein subjektives Nachwort und beliebige Versicherung gelten und ihm gleichgültig sein muß.

Berlin, den 25. Juni 1820.

Einleitung

§ 1

Die philosophische Rechtswissenschaft hat die *Idee des Rechts*, den Begriff des Rechts und dessen Verwirklichung zum Gegenstande.

Die Philosophie hat es mit Ideen, und darum nicht mit dem, was man *bloße Begriffe* zu heißen pflegt, zu tun, sie zeigt vielmehr deren Einseitigkeit und Unwahrheit auf, so wie daß der *Begriff*, (nicht das, was man oft so nennen hört, aber nur eine abstrakte Verstandesbestimmung ist) allein es ist, was *Wirklichkeit* hat und zwar so, daß er sich diese selbst gibt. Alles, was nicht diese durch den Begriff selbst gesetzte Wirklichkeit ist, ist vorübergehendes *Dasein*, äußerliche Zufälligkeit, Meinung, wesenlose Erscheinung, Unwahrheit, Täuschung und so fort. Die *Gestaltung*, welche sich der Begriff in seiner Verwirklichung gibt, ist zur Erkenntnis des *Begriffes* selbst, das andere von der *Form*, nur als *Begriff* zu sein, unterschiedene wesentliche Moment der Idee.

Zusatz. Der Begriff und seine Existenz sind zwei Seiten, geschieden und einig, wie Seele und Leib. Der Körper ist dasselbe Leben, als die Seele, und dennoch können beide als auseinanderliegende genannt werden. Eine Seele ohne Leib wäre nichts Lebendiges, und ebenso umgekehrt. So ist das Dasein des Begriffs sein Körper, so wie dieser der Seele, die ihn hervorbrachte, gehorcht. Die Keime haben den Baum in sich und enthalten seine ganze Kraft, obgleich sie noch nicht er selbst sind. Der Baum entspricht ganz dem einfachen Bilde des Keimes. Entspricht der Körper nicht der Seele, so ist es eben etwas Elendes. Die Einheit des Daseins und des Begriffs, des Körpers und der Seele ist die Idee. Sie ist nicht nur Harmonie, sondern vollkommene Durchdringung. Nichts lebt, was nicht auf irgendeine Weise Idee ist. Die Idee des Rechts ist die Freiheit, und um wahrhaft aufgefaßt zu werden, muß sie in ihrem Begriff, und in dessen Dasein zu erkennen sein.

§ 2

Die Rechtswissenschaft ist *ein Teil der Philosophie.* Sie hat daher die *Idee,* als welche die Vernunft eines Gegenstandes ist, aus dem Begriffe zu entwickeln, oder, was dasselbe ist, der eigenen immanenten Entwickelung der Sache selbst zuzusehen. Als Teil hat sie einen bestimmten *Anfangspunkt,* welcher das *Resultat* und die Wahrheit von dem ist, was *vorhergeht,* und was den sogenannten *Beweis* desselben ausmacht. Der Begriff des Rechts fällt daher seinem *Werden* nach außerhalb der Wissenschaft des Rechts, seine Deduktion ist hier vorausgesetzt und er ist als *gegeben* aufzunehmen.

Zusatz. Die Philosophie bildet einen Kreis: sie hat ein Erstes, Unmittelbares, da sie überhaupt anfangen muß, ein nicht Erwiesenes, das kein Resultat ist. Aber womit die Philosophie anfängt, ist unmittelbar relativ, indem es an einem andern Endpunkt als Resultat erscheinen muß. Sie ist eine Folge, die nicht in der Luft hängt, nicht ein unmittelbar Anfangendes, sondern sie ist sich rundend. [Ende des Zusatzes]

Nach der formellen, nicht philosophischen Methode der Wissenschaften wird zuerst die *Definition,* wenigstens um der äußern wissenschaftlichen Form wegen, gesucht und verlangt. Der positiven Rechtswissenschaft kann es übrigens auch darum nicht sehr zu tun sein, da sie vornehmlich darauf geht, anzugeben, *was* rechtens ist, d. h. welches die besondern gesetzlichen Bestimmungen sind, weswegen man zur Warnung sagte: omnis definitio in jure civili periculosa.[1]) Und in der Tat, je unzusammenhängender und widersprechender in sich die Bestimmungen eines Rechtes sind, desto weniger sind Definitionen in demselben möglich, denn diese sollen vielmehr allgemeine Bestimmungen enthalten, diese aber machen unmittelbar das Widersprechende, hier das Unrechtliche, in seiner Blöße sichtbar. So z. B. wäre für das römische Recht keine Definition vom *Menschen* möglich[2]), denn der Sklave ließe sich darunter nicht subsumieren, in seinem Stand ist jener Begriff vielmehr verletzt; ebenso perikulös würde die Definition von Eigentum und Eigentümer für viele Verhältnisse erscheinen. – Die Deduktion aber der Definition wird etwa aus der Etymologie, vornehmlich daraus geführt, daß sie aus den besondern Fällen abstrahiert und dabei das Gefühl und die Vorstellung der Menschen zum Grunde gelegt wird. Die Richtigkeit der Definition wird dann in die Übereinstimmung mit den vorhandenen Vorstellungen gesetzt. Bei dieser Methode wird das, was allein wissenschaftlich wesentlich ist, in Ansehung des Inhalts, die *Notwendigkeit der Sache* an und für sich selbst (hier des Rechts), in Ansehung der Form aber, die Natur des Begriffs, beiseite gestellt. Vielmehr ist in der philosophischen Erkenntnis die *Notwendigkeit* eines Begriffs die Hauptsache, und der Gang, als *Resultat*, geworden zu sein, sein Beweis und Deduktion. Indem so sein *Inhalt* für sich notwendig ist, so ist das Zweite, sich umzusehen, was in den Vorstellungen und in der Sprache demselben entspricht. Wie aber dieser Begriff für sich in seiner *Wahrheit* und wie er in der *Vorstellung* ist, dies kann nicht nur verschieden voneinander, sondern muß es auch der Form und Gestalt nach sein. Wenn jedoch die Vorstellung nicht auch ihrem Inhalte nach falsch ist, kann wohl der Begriff, als in ihr enthalten und, seinem Wesen nach, in ihr vorhanden aufgezeigt, d. h. die Vorstellung zur Form des Begriffs erhoben werden. Aber sie ist so wenig Maßstab und Kriterium des für sich selbst notwendigen und wahren Begriffs, daß sie vielmehr ihre Wahrheit aus ihm zu nehmen, sich aus ihm zu berichtigen und zu erkennen hat. – Wenn aber jene Weise des Erkennens mit ihren Förmlichkeiten von Definitionen, Schließen, Beweisen und dergleichen, einerseits mehr oder weniger verschwunden ist, so ist es dagegen ein schlimmer Ersatz, den sie durch eine andere Manier erhalten hat, nämlich die Ideen überhaupt, so auch die des Rechts und dessen weiterer Bestimmungen als *Tatsachen des Bewußtseins*[3]) unmittelbar aufzugreifen und zu behaupten, und das natürliche oder ein gesteigertes Gefühl, die *eigene Brust* und die *Begeisterung* zur Quelle des Rechts zu machen. Wenn diese Methode die bequemste unter allen ist, so ist sie zugleich die unphilosophischste, – andere Seiten solcher Ansicht hier nicht zu erwähnen, die nicht bloß auf das Erkennen, sondern unmittelbar auf das Handeln Beziehung hat. Wenn die erste zwar formelle Methode doch noch die *Form* des Begriffes in der Definition, und im Beweise die *Form* einer *Notwendigkeit* des Erkennens fordert, so macht die Manier des unmittelbaren Bewußtseins und Gefühls die Subjektivität, Zufälligkeit und Willkür des Wissens zum Prinzip. – Worin das wissenschaftliche Verfahren der Philosophie bestehe, ist hier aus der philosophischen Logik vorauszusetzen.[4])

§ 3

Das Recht ist *positiv*[1]) überhaupt a) durch die *Form*, in einem Staate Gültigkeit zu haben, und diese gesetzliche Autorität ist das Prinzip für die Kenntnis desselben, *die positive Rechtswissenschaft*. b) Dem *Inhalte* nach erhält dies Recht ein positives Element α) durch den besondern *Nationalcharakter* eines Volkes, die Stufe seiner *geschichtlichen* Entwickelung und den Zusammenhang aller der Verhältnisse, die der *Naturnotwendigkeit* angehören[2]), β) durch die Notwendigkeit, daß ein System eines gesetzlichen Rechts die *Anwendung* des allgemeinen Begriffes auf die besondere *von Außen* sich gebende Beschaffenheit der Gegenstände und Fälle enthalten muß, – eine Anwendung, die nicht mehr spekulatives Denken und Entwickelung des Begriffes, sondern Subsumtion des Verstandes ist; γ) durch die für die *Entscheidung* in der Wirklichkeit erforderlichen *letzten* Bestimmungen.

Wenn dem positiven Rechte und den Gesetzen das Gefühl des Herzens, Neigung und Willkür entgegengesetzt wird, so kann es wenigstens nicht die Philosophie sein, welche solche Autoritäten anerkennt. – Daß Gewalt und Tyrannei ein Element des positiven Rechts sein kann, ist demselben zufällig und geht seine Natur nicht an. Es wird späterhin, §§ 211–214, die Stelle aufgezeigt werden, wo das Recht positiv werden muß. Hier sind die daselbst sich ergeben werdenden Bestimmungen nur angeführt worden, um die Grenze des philosophischen Rechts zu bezeichnen, und um sogleich die etwaige Vorstellung oder gar Forderung zu beseitigen, als ob durch dessen systematische Entwickelung ein positives Gesetzbuch, d. i. ein solches, wie der wirkliche Staat eines bedarf, herauskommen solle. – Daß das Naturrecht oder das philosophische Recht vom positiven verschieden ist, dies darein zu verkehren, daß sie einander entgegengesetzt und widerstreitend sind, wäre ein großes Mißverständnis; jenes ist zu diesem vielmehr im Verhältnis von Institutionen zu Pandekten.[3]) – In Ansehung des im Paragraphen zuerst genannten geschichtlichen Elements im positiven Rechte hat *Montesquieu*[4]) die wahrhafte historische Ansicht, den echt philosophischen Standpunkt, angegeben, die Gesetzgebung überhaupt und ihre besondern Bestimmungen nicht isoliert und abstrakt zu betrachten, sondern vielmehr als abhängiges Moment *einer* Totalität, im Zusammenhange mit allen übrigen Bestimmungen, welche den Charakter einer Nation und einer Zeit ausmachen; in diesem Zusammenhange erhalten sie ihre wahrhafte Bedeutung, so wie damit ihre Rechtfertigung. – Das *in der Zeit erscheinende* Hervortreten und Entwickeln von Rechtsbestimmungen zu betrachten, – *diese rein geschichtliche* Bemühung, so wie die Erkenntnis ihrer verständigen Konsequenz, die aus der Vergleichung derselben mit bereits vorhandenen Rechtsverhältnissen hervorgeht, hat in ihrer eigenen Sphäre ihr Verdienst und ihre Würdigung und steht außer dem Verhältnis mit der philosophischen Betrachtung, insofern nämlich die Entwickelung aus historischen Gründen sich nicht selbst verwechselt mit der Entwickelung aus dem Begriffe, und die geschichtliche Erklärung und Rechtfertigung nicht zur Bedeutung einer *an und für sich gültigen* Rechtfertigung ausgedehnt wird. Dieser Unterschied, der sehr wichtig und wohl festzuhalten ist, ist zugleich sehr einleuchtend; eine Rechtsbestimmung kann sich aus den *Umständen* und *vorhandenen* Rechts-Institutionen als vollkommen *gegründet* und *konsequent* zeigen lassen und doch an und für sich unrechtlich und unvernünftig sein, wie eine Menge der Bestimmungen des römischen Privatrechts, die aus solchen Institutionen, als die römische väterliche Gewalt, der römische Ehestand, ganz konsequent flossen.[5]) Es seien aber auch die Rechtsbestimmungen rechtlich und vernünftig, so ist es etwas ganz anderes, dies von ihnen aufzuzeigen, was allein durch den Begriff wahrhaftig geschehen kann, und ein anderes, das Geschichtliche ihres Hervortretens darzustellen, die Umstände, Fälle, Bedürfnisse und Begebenheiten, welche ihre Feststellung herbeigeführt haben. Ein solches Aufzeigen und (pragmatisches) Erkennen aus den nähern oder entferntern geschichtlichen Ursachen heißt man häufig: *Erklären* oder noch lieber *Begreifen*, in der Meinung, als ob durch dieses Aufzeigen des Geschichtlichen Alles oder vielmehr das Wesentliche, worauf es allein ankomme, geschehe, um das Gesetz oder die Rechtsinstitution zu *begreifen*; während vielmehr das wahrhaft Wesentliche, der Begriff der Sache, dabei gar nicht zur Sprache gekommen ist. – Man pflegt so auch von den römischen, germanischen *Rechtsbegriffen*, von Rechts*begriffen*, wie sie in diesem oder jenem Gesetzbuche bestimmt seien, zu sprechen, während dabei nichts von Begriffen, sondern allein allgemeine *Rechtsbestimmungen*, *Verstandessätze*, Grundsätze, Gesetze und dergleichen vorkommen. – Durch Hintansetzung jenes Unterschiedes gelingt es, den Standpunkt zu verrücken und die Frage nach der wahrhaften Rechtfertigung in eine Rechtfertigung aus Umständen, Konsequenz aus Voraussetzungen, die für sich etwa ebensowenig taugen usf., hinüberzuspielen und überhaupt das Relative an die Stelle des Absoluten, die äußerliche Erscheinung an die Stelle der Natur der Sache zu setzen. Es geschieht der geschichtlichen Rechtfertigung, wenn sie das äußerliche Entstehen mit dem Entstehen aus dem Begriffe verwechselt, daß sie dann bewußtlos das Gegenteil dessen tut, was sie beabsichtigt. Wenn das Entstehen einer Institution unter ihren bestimmten Umständen sich vollkommen zweckmäßig und notwendig erweist und hiermit das geleistet ist, was der historische Standpunkt erfordert, so folgt, wenn dies für eine allgemeine Rechtfertigung der Sache selbst gelten soll, vielmehr das Gegenteil, daß nämlich, weil solche Umstände nicht mehr vorhanden sind, die Institution hiermit vielmehr ihren Sinn und ihr Recht verloren hat.[6]) So, wenn z. B. für Aufrechterhaltung der *Klöster* ihr Verdienst um Urbarmachung und Bevölkerung von Wüsteneien, um Erhaltung der Gelehrsamkeit durch Unterricht und Abschreiben usf. geltend gemacht und dies Verdienst als Grund und

Bestimmung für ihr Fortbestehen angesehen worden ist, so folgt aus demselben vielmehr, daß sie unter den ganz veränderten Umständen, insoweit wenigstens, überflüssig und unzweckmäßig geworden sind. – Indem nun die geschichtliche Bedeutung, das geschichtliche Aufzeigen und Begreiflichmachen des Entstehens, und die philosophische Ansicht gleichfalls des Entstehens und Begriffes der Sache in verschiedenen Sphären zu Hause sind, so können sie insofern eine gleichgültige Stellung gegeneinander behalten. Indem sie aber, auch im Wissenschaftlichen, diese ruhige Stellung nicht immer behalten, so führe ich noch etwas diese Berührung Betreffendes an, wie es in Herrn *Hugos Lehrbuch der Geschichte des römischen Rechts* [7]) erscheint, woraus zugleich eine weitere Erläuterung jener Manier des Gegensatzes hervorgehen kann. Herr *Hugo* führt daselbst (5. Auflage § 53) an, „daß *Cicero* [8]) die zwölf Tafeln, mit einem *Seitenblicke* auf die Philosophie, lobe," „der Philosoph *Phavorinus* aber sie ganz ebenso behandle, wie seitdem schon mancher große Philosoph das positive Recht behandelt habe." *Herr Hugo* spricht ebendaselbst die ein für allemal fertige Erwiderung auf solche Behandlung in dem Grunde aus, „weil *Phavorinus* die zwölf Tafeln *ebensowenig*, als die Philosophen das positive Recht *verstanden*." – Was die Zurechtweisung des Philosophen *Phavorinus* [9]) durch den Rechtsgelehrten *Sextus Cäcilius* [10]) bei Gellius [11]) noct. Attic. XX. 1. betrifft, so spricht sie zunächst das bleibende und wahrhafte Prinzip der Rechtfertigung des seinem Gehalte nach bloß Positiven aus. Non ignoras, sagt Cäcilius sehr gut zu Phavorinus, legum opportunitates et medelas pro temporum moribus et pro rerum publicarum generibus, ac pro utilitatum praesentium rationibus, proque vitiorum, quibus medendum est, fervoribus, mutari ac flecti, neque uno statu consistere, quin, ut facies coeli et maris, ita rerum atque fortunae tempestatibus varientur. Quid salubrius visum est rogatione illa Stolonis etc. quid utilius plebiscito Voconio etc. quid tam necessarium existimatum est, quam lex Licinia etc.? Omnia tamen haec obliterata et operta sunt civitatis opulentia etc.[12]) – Diese Gesetze sind insofern positiv, als sie ihre Bedeutung und Zweckmäßigkeit in den *Umständen*, somit nur einen historischen Wert überhaupt haben, deswegen sind sie auch vergänglicher Natur. Die Weisheit der Gesetzgeber und Regierungen in dem, was sie für vorhandene Umstände getan und für Zeitverhältnisse festgesetzt haben, ist eine Sache für sich und gehört der Würdigung der Geschichte an, von der sie um so tiefer anerkannt werden wird, je mehr eine solche Würdigung von philosophischen Gesichtspunkten unterstützt ist. – Von den fernern Rechtfertigungen der zwölf Tafeln[13]) gegen den *Phavorinus* aber will ich ein Beispiel anführen, weil *Cäcilius* dabei den unsterblichen Betrug der Methode des Verstandes und seines Raisonnierens anbringt, nämlich für eine *schlechte Sache einen guten Grund anzugeben* und zu meinen, sie damit gerechtfertigt zu haben. Für das abscheuliche Gesetz, welches dem Gläubiger nach den verlaufenen Fristen das Recht gab, den Schuldner zu töten oder ihn als Sklaven zu verkaufen, ja wenn der Gläubiger mehrere waren, *von ihm sich Stücke abzuschneiden und ihn so unter sich zu teilen*, und zwar so, daß, *wenn einer zu viel oder zu wenig abgeschnitten hätte, ihm kein Rechtsnachteil daraus entstehen sollte*, (eine Klausel, welche *Shakespeares Shylock*, im *Kaufmann von Venedig*[14]), zugute gekommen und von ihm dankbarst akezptiert worden wäre) – führt *Cäcilius* den *guten Grund* an, daß Treu und Glauben dadurch um so mehr gesichert und es eben, um der Abscheulichkeit des Gesetzes willen, nie zur Anwendung desselben habe kommen sollen.[15]) Seiner Gedankenlosigkeit entgeht dabei nicht bloß die Reflexion, daß eben durch diese Bestimmung jene Absicht, die Sicherung der Treu und des Glaubens, vernichtet wird, sondern daß er selbst unmittelbar darauf ein Beispiel von der durch seine unmäßige Strafe verfehlten Wirkung des Gesetzes über die falschen Zeugnisse anführt. – Was aber *Herr Hugo* damit will, daß Phavorinus das Gesetz nicht *verstanden* habe, ist nicht abzusehen; jeder Schulknabe ist wohl fähig, es zu verstehen und am besten würde der genannte Shylock auch noch die angeführte für ihn so vorteilhafte Klausel verstanden haben; – unter *Verstehen* müßte Herr Hugo nur diejenige Bildung des Verstandes meinen, welche sich bei einem solchen Gesetze durch einen *guten Grund* beruhigt. – Ein anderes ebendaselbst dem *Phavorinus* vom *Cäcilius* nachgewiesenes Nichtverstehen kann übrigens ein Philosoph schon, ohne eben schamrot zu werden, eingestehen, – daß nämlich jumentum, welches nur „und nicht eine arcera," nach dem Gesetze einem Kranken, um ihn als Zeugen vor Gericht zu bringen, zu leisten sei, nicht nur ein Pferd, sondern auch eine Kutsche oder Wagen bedeutet haben soll. Cäcilius konnte aus dieser gesetzlichen Bestimmung einen weitern Beweis von der Vortrefflichkeit und Genauigkeit der alten Gesetze ziehen, daß sie sich nämlich sogar darauf einließen, für die Sistierung eines kranken Zeugen vor Gericht die Bestimmung nicht bloß bis zum Unterschiede von einem Pferde und einem Wagen, sondern von Wagen und Wagen, einem bedeckten und ausgefütterten, wie Cäcilius erläutert, und einem, der nicht so bequem ist, – zu treiben. Man hätte hiermit die Wahl zwischen der Härte jenes Gesetzes oder zwischen der Unbedeutenheit solcher Bestimmungen, – aber die Unbedeutenheit von solchen Sachen und vollends von den gelehrten Erläuterungen derselben auszusagen, würde einer der größten Verstöße gegen diese und andere Gelehrsamkeit sein.

Herr *Hugo* kommt aber auch im angeführten Lehrbuche auf die *Vernünftigkeit*, in Ansehung des römischen Rechts zu sprechen; was mir davon aufgestoßen ist, ist folgendes. Nachdem derselbe in der Abhandlung *des Zeitraums von Entstehung des Staates bis auf die zwölf Tafeln* § 38 und 39 gesagt, „daß man (in Rom) viele Bedürfnisse gehabt und genötigt war, zu arbeiten, wobei man als *Gehilfen* Zug- und Lasttiere brauchte, *wie sie bei uns* vorkommen, daß der Boden eine Abwechslung von Hügeln und Tälern war, und die Stadt auf einem Hügel lag usw. – Anführungen, durch welche vielleicht der Sinn *Montesquieus'*[4]) hat erfüllt sein sollen, wodurch man aber schwerlich seinen Geist getroffen finden wird, – so führt er nun, § 40, zwar an, „daß der *rechtliche* Zustand noch sehr weit davon entfernt war, den *höchsten* Forderungen der *Vernunft* ein Genüge zu tun," (ganz richtig; das römische Familienrecht, die Sklaverei usf. tut auch sehr geringen Forderungen der Vernunft kein Genüge) aber bei den folgenden Zeiträumen vergißt Herr *Hugo* anzugeben, in welchem und ob in irgend einem derselben das römische Recht den *höchsten Forderungen der Vernunft Genüge geleistet habe.* Jedoch von den juristischen

Klassikern, in dem Zeitraume *der höchsten Ausbildung des römischen Rechts, als Wissenschaft,* wird § 289 gesagt, „daß man schon lange bemerkt, daß die juristischen Klassiker durch Philosophie gebildet waren;" aber „wenige wissen, (durch die vielen Auflagen des Lehrbuchs des Herrn *Hugo* wissen es nun doch mehrere), daß es keine Art von Schriftstellern gibt, die im konsequenten Schließen aus Grundsätzen so sehr verdienten, den Mathematikern und in einer ganz auffallenden Eigenheit der Entwickelung der Begriffe dem neuern Schöpfer der Metaphysik *an die Seite gesetzt zu* werden, als gerade die römischen Rechtsgelehrten: letzteres belege der *merkwürdige* Umstand, daß nirgend so viele *Trichotomien* vorkommen, als bei den juristischen Klassikern und bei *Kant.*" – Jene von *Leibniz*[16]) gerühmte Konsequenz ist gewiß eine wesentliche Eigenschaft der Rechtswissenschaft, wie der Mathematik und jeder anderen verständigen Wissenschaft; aber mit der Befriedigung der Forderungen der Vernunft und mit der philosophischen Wissenschaft hat diese Verstandes-Konsequenz noch nichts zu tun. Außerdem ist aber wohl die *Inkonsequenz* der römischen Rechtsgelehrten und der Prätoren als eine ihrer größten Tugenden zu achten, als durch welche sie von ungerechten und abscheulichen Institutionen abwichen, aber sich genötigt sahen, callide[17]) leere Wortunterschiede, (wie das, was doch auch Erbschaft war, eine Bonorum possessio[18]) zu nennen) und eine selbst alberne Ausflucht (und Albernheit ist gleichfalls eine Inkonsequenz) zu ersinnen, um den Buchstaben der Tafeln zu retten, wie durch die fictio, *ὑπόκριδις*, eine filia patroni sei ein filius: (Heinecc. Antiq. Rom. lib. I. tit. II, § 24).[19]) – Possierlich aber ist es, die juristischen Klassiker wegen einiger *trichotomischer* Einteilungen – vollends nach den daselbst Anmerkung 5 angeführten Beispielen – mit *Kant* zusammengestellt und so etwas Entwickelung der Begriffe geheißen zu sehen.

§ 4

Der Boden des Rechts ist überhaupt das *Geistige*, und seine nähere Stelle und Ausgangspunkt der *Wille*, welcher *frei* ist so daß die Freiheit seine Substanz und Bestimmung ausmacht, und das Rechtssystem das Reich der verwirklichten Freiheit, die Welt des Geistes aus ihm selbst hervorgebracht, als eine zweite Natur, ist.

Zusatz. Die Freiheit des Willens ist am besten durch eine Hinweisung auf die physische Natur zu erklären. Die Freiheit ist nämlich ebenso eine Grundbestimmung des Willens, wie die Schwere eine Grundbestimmung der Körper ist. Wenn man sagt, die Materie ist schwer, so könnte man meinen, dieses Prädikat sei nur zufällig: es ist es aber nicht, denn nichts ist unschwer an der Materie: diese ist vielmehr die Schwere selbst. Das Schwere macht den Körper aus und ist der Körper. Ebenso ist es mit der Freiheit und dem Willen, denn das Freie ist der Wille. Wille ohne Freiheit ist ein leeres Wort, so wie die Freiheit nur als Wille, als Subjekt wirklich ist. Was aber den Zusammenhang des Willens mit dem Denken betrifft, so ist darüber folgendes zu bemerken. Der Geist ist das Denken überhaupt, und der Mensch unterscheidet sich vom Tier durch das Denken. Aber man muß sich nicht vorstellen, daß der Mensch einerseits denkend, andererseits wollend sei, und daß er in der einen Tasche das Denken, in der anderen das Wollen habe, denn dies wäre eine leere Vorstellung. Der Unterschied zwischen Denken und Willen ist nur der zwischen dem theoretischen und praktischen Verhalten, aber es sind nicht etwa zwei Vermögen, sondern der Wille ist eine besondere Weise des Denkens: das Denken als sich übersetzend ins Dasein, als Trieb sich Dasein zu geben. Dieser Unterschied zwischen Denken und Willen kann so ausgedrückt werden. Indem ich einen Gegenstand denke, mache ich ihn zum Gedanken, und nehme ihm das Sinnliche: ich mache ihn zu etwas, das wesentlich und unmittelbar das Meinige ist: denn erst im Denken bin ich bei mir, erst das Begreifen ist das Durchbohren des Gegenstandes, der nicht mehr mir gegenübersteht, und dem ich das Eigene genommen habe, das er für sich gegen mich hatte. Wie Adam zu Eva sagt[1]), du bist Fleisch von meinem Fleisch, und Bein von meinem Bein, so sagt der Geist, dies ist Geist von meinem Geist und die Fremdheit ist verschwunden. Jede Vorstellung ist eine Verallgemeinerung, und diese gehört dem Denken an. Etwas allgemein machen, heißt, es denken. Ich ist das Denken und ebenso das Allgemeine. Wenn ich Ich sage, so lasse ich darin jede Besonderheit fallen, den Charakter, das Naturell, die Kenntnisse, das Alter. Ich ist ganz leer, punktuell, einfach, aber tätig in dieser Einfachheit. Das bunte Gemälde der Welt ist vor mir: ich stehe ihm gegenüber und hebe bei diesem Verhalten den Gegensatz auf, mache diesen Inhalt zu dem meinigen. Ich ist in der Welt zu Hause, wenn es sie kennt, noch mehr, wenn es sie begriffen hat. So weit das theoretische Verhalten. Das praktische Verhalten fängt dagegen beim Denken, beim Ich selbst an, und erscheint zuvörderst als entgegengesetzt, weil es nämlich gleich eine Trennung aufstellt. Indem ich praktisch, tätig bin, das heißt handele, bestimme ich mich, und mich bestimmen heißt, eben einen Unterschied setzen. Aber diese Unterschiede, die ich setze, sind dann wieder die meinigen, die Bestimmungen kommen mir zu, und die Zwecke, wozu ich getrieben bin, gehören mir an. Wenn ich nun auch diese Bestimmungen und Unterschiede herauslasse, das heißt in die sogenannte Außenwelt setze, so bleiben sie doch die meinigen: sie sind das, was ich getan, gemacht habe, sie tragen die Spur meines Geistes. Wenn dieses nun der Unterschied des theoretischen und praktischen Verhaltens ist, so ist nunmehr das Verhältnis beider anzugeben. Das Theoretische ist wesentlich im Praktischen enthalten: es geht gegen die Vorstellung, daß beide getrennt sind, denn man kann keinen Willen haben ohne Intelligenz. Im Gegenteil, der Wille hält das Theoretische in sich: der Wille bestimmt sich; diese Bestimmung ist zunächst ein Inneres: was ich will, stelle ich mir vor, ist Gegenstand für mich. Das Tier handelt nach Instinkt, wird durch ein Inneres getrieben, und ist so auch praktisch, aber es hat keinen Willen, weil es sich das nicht vorstellt, was es begehrt. Ebensowenig kann man sich aber ohne Willen theoretisch verhalten, oder denken, denn indem wir denken, sind wir eben tätig. Der Inhalt des Gedachten erhält wohl die Form des

Seienden, aber dies Seiende ist ein Vermitteltes, durch unsere Tätigkeit Gesetztes. Diese Unterschiede sind also untrennbar: sie sind eines und dasselbe, und in jeder Tätigkeit, sowohl des Denkens als Wollens, finden sich beide Momente. [Ende des Zusatzes]

In Ansehung der Freiheit des Willens kann an die vormalige Verfahrungsart des Erkennens erinnert werden. Man setzte nämlich die *Vorstellung* des Willens voraus und versuchte aus ihr eine Definition desselben herauszubringen und festzusetzen; dann wurde nach der Weise der vormaligen empirischen Psychologie aus den verschiedenen Empfindungen und Erscheinungen des gewöhnlichen Bewußtseins, als Reue, Schuld und dergleichen, als welche sich nur aus dem *freien* Willen sollen *erklären* lassen, der sogenannte *Beweis* geführt, daß der Wille frei sei. Bequemer ist es aber, sich kurzweg daran zu halten, daß die Freiheit als eine *Tatsache* des Bewußtseins[2]) *gegeben* sei und an sie *geglaubt* werden müsse. Daß der Wille frei und was Wille und Freiheit ist – die Deduktion hiervon kann, wie schon bemerkt ist (§ 2), allein im Zusammenhange des Ganzen stattfinden. Die Grundzüge dieser Prämisse, – daß der Geist zunächst *Intelligenz* und daß die Bestimmungen, durch welchen sie in ihrer Entwickelung fortgeht, vom *Gefühl*, durch *Vorstellen*, zum *Denken*, der Weg sind, sich als *Wille* hervorzubringen, welcher, als der praktische Geist überhaupt, die nächste Wahrheit der Intelligenz ist, – habe ich in meiner *Enzyklopädie der philosophischen Wissenschaften*[3]) (Heidelberg, 1817) dargestellt und hoffe, deren weitere Ausführung dereinst geben zu können.[4]) Es ist mir um so mehr Bedürfnis, dadurch, wie ich hoffe, zu gründlicher Erkenntnis der Natur des Geistes das Meinige beizutragen, da sich, wie daselbst[5]) bemerkt ist, nicht leicht eine philosophische Wissenschaft in so vernachlässigtem und schlechtem Zustande befindet, als die *Lehre vom Geiste*, die man gewöhnlich Psychologie nennt. – In Ansehnung der in diesem und in den folgenden Paragraphen der Einleitung angegebenen Momente des Begriffes des Willens, welche das Resultat jener Prämisse sind, kann sich übrigens zum Behuf des Vorstellens auf das Selbstbewußtsein eines jeden berufen werden. *Jeder* wird zunächst in sich finden, von allem, was es sei, abstrahieren zu können und ebenso sich selbst bestimmen, jeden Inhalt durch sich in sich setzen zu können, und ebenso für die weiteren Bestimmungen das Beispiel in seinem Selbstbewußtsein haben.

§ 5

Der Wille enthält α) das Element der *reinen Unbestimmtheit* oder der reinen Reflexion des Ich in sich, in welcher jede Beschränkung, jeder durch die Natur, die Bedürfnisse, Begierden und Triebe unmittelbar vorhandener, oder, wodurch es sei, gegebener und bestimmter Inhalt aufgelöst ist; die schrankenlose Unendlichkeit der *absoluten Abstraktion* oder *Allgemeinheit*, das reine *Denken* seiner selbst.

Diejenigen, welche das Denken als ein besonderes, eigentümliches *Vermögen*, getrennt vom Willen, als einem gleichfalls eigentümlichen *Vermögen*, betrachten und weiter gar das Denken als dem Willen, besonders dem guten Willen für nachteilig halten, zeigen sogleich von vornherein, daß sie gar nichts von der Natur des Willens wissen; eine Bemerkung, die über denselben Gegenstand noch öfters zu machen sein wird. – Wenn die *Eine* hier bestimmte *Seite* des Willens, – diese *absolute Möglichkeit* von jeder Bestimmung, in der Ich mich finde, oder die Ich in mich gesetzt habe, *abstrahieren* zu können, die Flucht aus allem Inhalte als einer Schranke, es ist, wozu der Wille sich bestimmt, oder die für sich von der Vorstellung als die Freiheit festgehalten wird, so ist dies die *negative* oder die Freiheit des Verstandes. – Es ist die Freiheit der Leere, welche zur wirklichen Gestalt und zur Leidenschaft erhoben und zwar, bloß theoretisch bleibend, im Religiösen der Fanatismus der indischen reinen Beschauung, aber zur Wirklichkeit sich wendend, im Politischen wie im Religiösen der Fanatismus der Zertrümmerung aller bestehenden gesellschaftlichen Ordnung, und die Hinwegräumung der einer Ordnung verdächtigen Individuen, wie die Vernichtung jeder sich wieder hervortun wollenden Organisation wird. Nur, indem er etwas zerstört, hat dieser negative Wille das Gefühl seines Daseins; er meint wohl etwa irgend einen positiven Zustand zu wollen, z. B. den Zustand allgemeiner Gleichheit oder allgemeinen religiösen Lebens, aber er will in der Tat nicht die positive Wirklichkeit desselben, denn diese führt sogleich irgendeine Ordnung, eine Besonderung sowohl von Einrichtungen, als von Individuen herbei, die Besonderung und objektive Bestimmung ist es aber, aus deren Vernichtung dieser negativen Freiheit ihr Selbstbewußtsein hervorgeht. So kann das, was sie zu wollen meint, für sich schon nur eine abstrakte Vorstellung, und die Verwirklichung derselben nur die Furie des Zerstörens sein.

Zusatz. In diesem Elemente des Willens liegt, daß ich mich von allem losmachen, alle Zwecke aufgeben, von allem abstrahieren kann. Der Mensch allein kann alles fallen lassen, auch sein Leben: er kann einen Selbstmord begehen: das Tier kann dieses nicht; es bleibt immer nur negativ, in einer ihm fremden Bestimmung, an die es sich nur gewöhnt. Der Mensch ist das reine Denken seiner selbst, und nur denkend ist der Mensch diese Kraft, sich Allgemeinheit zu geben, das heißt alle Besonderheit, alle Bestimmtheit zu verlöschen. Diese negative Freiheit oder diese Freiheit des Verstandes ist einseitig, aber dies Einseitige enthält immer eine wesentliche Bestimmung in sich: es ist daher nicht wegzuwerfen, aber der Mangel des Verstandes ist, daß er eine einseitige Bestimmung zur einzigen und höchsten erhebt. Geschichtlich kommt diese Form der Freiheit häufig vor. Bei den Indern z. B. wird es für das Höchste gehalten, bloß in dem Wissen seiner einfachen Identität mit sich zu verharren, in diesem leeren Raum seiner Innerlichkeit zu verbleiben, wie das farblose Licht in der reinen Anschauung, und jeder Tätigkeit des Lebens, jedem Zweck, jeder Vorstellung zu entsagen. Auf diese Weise wird der Mensch zu *Brahm*:[1]) es ist kein Unterschied des endlichen Menschen und des Brahm mehr: jede Differenz ist vielmehr in dieser Allgemeinheit verschwunden. Konkreter erscheint diese Form im tätigen Fanatismus des politischen wie des religiösen Lebens. Dahin gehört z. B. die Schreckenszeit der französischen Revolution[2]), in welcher aller Unterschied der Talente, der Autorität aufgehoben werden sollte. Diese Zeit war eine Erzitterung, ein Erbeben, eine Unverträglichkeit gegen jedes Besondere; denn der Fanatismus will ein Abstraktes, keine Gegliederung: wo sich Unterschiede hervortun, findet er dieses seiner Unbestimmtheit zuwider und hebt sie auf. Deswegen hat auch das Volk in der Revolution die Institutionen, die es selbst gemacht hatte, wieder zerstört, weil jede Institution dem abstrakten Selbstbewußtsein der Gleichheit zuwider ist.

§ 6

β) Ebenso ist Ich das Übergehen aus unterschiedsloser Unbestimmtheit zur *Unterscheidung*, *Bestimmen* und *Setzen* einer Bestimmtheit als eines Inhalts und Gegenstands. – Dieser Inhalt sei nun weiter als durch die Natur gegeben oder aus dem Begriffe des Geistes erzeugt. Durch dies Setzen seiner selbst als eines *bestimmten* tritt *Ich* in das *Dasein* überhaupt; – das absolute Moment der *Endlichkeit* oder *Besonderung* des Ich.

Dies zweite Moment der *Bestimmung* ist ebenso *Negativität*, Aufheben als das erste – es ist nämlich das Aufheben der ersten abstrakten Negativität. – Wie das Besondere überhaupt im Allgemeinen, so ist deswegen dies zweite Moment im ersten schon enthalten und nur ein *Setzen* dessen, was das erste schon *an sich* ist; – das erste Moment, als erstes für sich nämlich ist nicht die wahrhafte Unendlichkeit, oder *konkrete* Allgemeinheit, der Begriff, – sondern nur ein *Bestimmtes*, Einseitiges; nämlich weil es die Abstraktion von aller Bestimmtheit ist, ist es selbst nicht *ohne* die Bestimmtheit; und als ein Abstraktes, Einseitiges zu sein, macht seine Bestimmtheit, Mangelhaftigkeit und Endlichkeit aus. – Die Unterscheidung und Bestimmung der zwei angegebenen Momente findet sich in der *Fichteschen* Philosophie, ebenso in der *Kantischen* usf., nur, um bei der Fichteschen Darstellung stehen zu bleiben[1]), ist *Ich* als das Unbegrenzte (im ersten Satz der Fichteschen Wissenschaftslehre) ganz nur als *Positives* genommen, (so ist es die Allgemeinheit und Identität des Verstandes) so daß dieses abstrakte *Ich für sich das Wahre* sein soll, und daß darum ferner die *Beschränkung*, – das *Negative* überhaupt, sei es als eine gegebene, äußere Schranke oder als eigene Tätigkeit des Ich – (im zweiten Satze) *hinzukommt*. – Die im Allgemeinen oder Identischen, wie im *Ich*, immanente *Negativi-*

tät aufzufassen, war der weitere Schritt, den die spekulative Philosophie zu machen hatte; – ein Bedürfnis, von welchem diejenigen nichts ahnen, welche den *Dualismus der Unendlichkeit* und *Endlichkeit* nicht einmal in der Immanenz und Abstraktion, wie Fichte, auffassen.

Zusatz. Dieses zweite Moment erscheint als das entgegengesetzte: es ist in seiner allgemeinen Weise aufzufassen: es gehört zur Freiheit, macht aber nicht die ganze Freiheit aus. Das Ich geht hier aus unterschiedsloser Unbestimmtheit zur Unterscheidung, zum Setzen einer Bestimmtheit, als eines Inhalts und Gegenstandes über. Ich will nicht bloß, sondern ich will *etwas*. Ein Wille, der, wie im vorigen Paragraphen auseinandergesetzt ist, nur das abstrakt Allgemeine will, will *nichts*, und ist deswegen kein Wille. Das Besondere, was der Wille will, ist eine Beschränkung, denn der Wille muß, um Wille zu sein, sich überhaupt beschränken. Daß der Wille *etwas* will, ist die Schranke, die Negation. Die Besonderung ist so das, was in der Regel Endlichkeit genannt wird. Gewöhnlich hält die Reflexion das erste Moment, nämlich das Unbestimmte, für das Absolute und Höhere, dagegen das Beschränkte für eine bloße Negation dieser Unbestimmtheit. Aber diese Unbestimmtheit ist selbst nur eine Negation gegen das Bestimmte, gegen die Endlichkeit: Ich ist diese Einsamkeit und absolute Negation. Der unbestimmte Wille ist insofern ebenso einseitig, als der bloß in der Bestimmtheit stehende.

§ 7

γ) Der Wille ist die Einheit dieser beiden Momente; – die *in sich* reflektierte und dadurch zur *Allgemeinheit* zurückgeführte *Besonderheit*; – *Einzelnheit*; die *Selbstbestimmung* des *Ich*, in Einem, sich als das Negative seiner selbst, nämlich als *bestimmt, beschränkt* zu setzen und bei sich, d. i. in seiner *Identität mit sich* und Allgemeinheit zu bleiben, und in der Bestimmung sich nur mit sich selbst zusammenzuschließen. – Ich bestimmt sich, insofern es die Beziehung der Negativität auf sich selbst ist; als diese *Beziehung auf sich* ist es ebenso gleichgültig gegen diese Bestimmtheit, weiß sie als die seinige und *ideelle*, als eine bloße *Möglichkeit*, durch die es nicht gebunden ist, sondern in der es nur ist, weil es sich in derselben setzt. – Dies ist die *Freiheit* des Willens, welche seinen Begriff oder Substantialität, seine Schwere so ausmacht, wie die Schwere die Substantialität des Körpers.

Jedes Selbstbewußtsein weiß sich als Allgemeines, – als die Möglichkeit, von allem Bestimmten zu abstrahieren, – als Besonderes mit einem bestimmten Gegenstande, Inhalt, Zweck. Diese beiden Momente sind jedoch nur Abstraktionen; das Konkrete und Wahre (und alles Wahre ist konkret) ist die Allgemeinheit, welche zum Gegensatze das Besondere hat, das aber durch seine Reflexion in sich mit dem Allgemeinen ausgeglichen ist. – Diese Einheit ist die *Einzelnheit* [1]), aber sie nicht in ihrer Unmittelbarkeit als Eins, wie die Einzelnheit in der Vorstellung ist; sondern nach ihrem Begriffe, (Enzykl. der philosoph. Wissenschaften § 112–114) – oder diese Einzelnheit ist eigentlich nichts anders, als der Begriff selbst.[2]) Jene beiden ersten Momente, daß der Wille von allem abstrahieren könne und daß er *auch* bestimmt sei – durch sich oder anderes – werden leicht zugegeben und gefaßt, weil sie für sich unwahre und Verstandes-Momente sind; aber das dritte, das Wahre und Spekulative (und alles Wahre, insofern es begriffen wird, kann nur spekulativ gedacht werden), ist es, in welches einzugehen, sich der Verstand weigert, der immer gerade den Begriff das Unbegreifliche nennt. Der Erweis und die nähere Erörterung dieses Innersten der Spekulation, der Unendlichkeit, als sich auf sich beziehender Negativität, dieses letzten Quellpunktes aller Tätigkeit, Lebens und Bewußtseins, gehört der *Logik*, als der rein spekulativen Philosophie an. – Es kann hier nur noch bemerklich gemacht werden, daß wenn man so spricht: *der Wille* ist allgemein, *der Wille* bestimmt sich, man den Willen schon als vorausgesetztes *Subjekt*, oder *Substrat* ausdrückt, aber er ist nicht ein Fertiges und Allgemeines vor seinem Bestimmen und vor dem Aufheben und der Idealität dieses Bestimmens, sondern er ist erst Wille als diese sich in sich vermittelnde Tätigkeit und Rückkehr in sich.

Zusatz. Das, was wir eigentlich Willen nennen, enthält die beiden vorigen Momente in sich. Ich ist zuvörderst als solches reine Tätigkeit, das Allgemeine, das bei sich ist;

aber dieses Allgemeine bestimmt sich, und insofern ist es nicht mehr bei sich, sondern setzt sich als ein anderes, und hört auf das Allgemeine zu sein. Das dritte ist nun, daß es in seiner Beschränkung, in diesem anderen bei sich selbst sei, daß indem es sich bestimmt, es dennoch bei sich bleibe und nicht aufhöre das Allgemeine festzuhalten: dieses ist dann der konkrete Begriff der Freiheit, während die beiden vorigen Momente durchaus abstrakt und einseitig befunden worden sind. Diese Freiheit haben wir aber schon in der Form der Empfindung, z. B. in der Freundschaft und Liebe. Hier ist man nicht einseitig in sich, sondern man beschränkt sich gern in Beziehung auf ein anderes, weiß sich aber in dieser Beschränkung, als sich selbst. In der Bestimmtheit soll sich der Mensch nicht bestimmt fühlen, sondern indem man das andere als anderes betrachtet, hat man darin erst sein Selbstgefühl. Die Freiheit liegt also weder in der Unbestimmtheit, noch in der Bestimmtheit, sondern sie ist beides. Den Willen, der sich auf ein Dieses lediglich beschränkt, hat der Eigensinnige, welcher unfrei zu sein vermeint, wenn er *diesen* Willen nicht hat. Der Wille ist aber nicht an ein Beschränktes gebunden, sondern muß weiter gehen, denn die Natur des Willens ist nicht diese Einseitigkeit und Gebundenheit, sondern die Freiheit ist ein Bestimmtes zu wollen, aber in dieser Bestimmtheit bei sich zu sein, und wieder in das Allgemeine zurückzukehren.

§ 8

Das weiter Bestimmte *der Besonderung* (*β.* § 6) macht den Unterschied der Formen des Willens aus: a) insofern die Bestimmtheit der *formelle* Gegensatz von *Subjektivem* und *Objektivem* als äußerlicher unmittelbarer Existenz ist, so ist dies der *formale* Wille als Selbstbewußtsein, welcher eine Außenwelt *vorfindet*, und als die in der Bestimmtheit in sich zurückkehrende Einzelnheit der Prozeß ist, den *subjektiven Zweck* durch die Vermittelung der Tätigkeit und eines Mittels in die *Objektivität zu übersetzen.* Im Geiste, wie er an und für sich ist, als in welchem die Bestimmtheit schlechthin die *seinige* und wahrhafte ist (Enzyklop. § 414), macht das Verhältnis des Bewußtseins nur *die Seite der Erscheinung* des Willens aus, welche hier nicht mehr für sich in Betrachtung kommt.[1])

Zusatz. Die Betrachtung der Bestimmtheit des Willens gehört dem Verstande an, und ist zunächst nicht spekulativ. Der Wille ist überhaupt nicht nur im Sinne des Inhalts, sondern auch im Sinne der Form bestimmt. Die Bestimmtheit der Form nach ist der Zweck, und die Ausführung des Zweckes: der Zweck ist zunächst nur ein mir Innerliches, *Subjektives*, aber er soll auch *objektiv* werden, den Mangel der bloßen Subjektivität abwerfen. Man kann hier fragen, warum ist er dieser Mangel. Wenn das was Mangel hat nicht zugleich über seinem Mangel steht, so ist der Mangel für dasselbe kein Mangel. Für uns ist das Tier ein Mangelhaftes, für sich nicht. Der Zweck, insofern er nur erst unser ist, ist für uns ein Mangel, denn Freiheit und Wille sind uns Einheit des Subjektiven und Objektiven. Der Zweck ist also objektiv zu setzen, und kommt dadurch nicht in eine neue einseitige Bestimmung, sondern nur zu seiner Realisation.

§ 9

b) Insofern die Willensbestimmungen die *eigenen* des Willens, seine *in sich* reflektierte Besonderung überhaupt sind, sind sie *Inhalt*. Dieser Inhalt als Inhalt des Willens ist ihm nach der in a) angegebenen Form *Zweck*, teils innerlicher oder subjektiver in dem vorstellenden Wollen, teils durch die Vermittelung der das Subjektive in die Objektivität übersetzenden Tätigkeit verwirklichter, ausgeführter Zweck.

§ 10

Dieser Inhalt oder die unterschiedene Willensbestimmung ist zunächst *unmittelbar*. So ist der Wille nur *an sich frei*, oder *für uns*, oder es ist überhaupt der Wille in *seinem Begriffe*. Erst indem der Wille sich selbst zum Gegenstande hat[1]), ist er *für sich* was er *an sich* ist.

Die Endlichkeit besteht nach dieser Bestimmung darin, daß, was etwas *an sich* oder seinem Begriffe nach ist, eine von dem verschiedene Existenz oder Erscheinung ist, was es *für sich* ist; so ist z. B. das abstrakte Außereinander der Natur *an sich* der Raum, *für sich* aber die Zeit. Es ist hierüber das Gedoppelte zu bemerken, erstens, daß, weil das Wahre nur die Idee ist, wenn man einen Gegenstand oder Bestimmung, nur wie er *an sich* oder im Begriffe ist, erfaßt, man ihn noch nicht in seiner Wahrheit hat; alsdann, daß etwas, wie es als *Begriff* oder *an sich* ist, gleichfalls existiert und diese Existenz eine eigene Gestalt des Gegenstandes ist, (wie vorhin der Raum) die Trennung des Ansich- und Fürsichseins, die im Endlichen vorhanden ist, macht zugleich sein bloßes *Dasein* oder *Erscheinung* aus, – (wie unmittelbar ein Beispiel am natürlichen Willen und dann formellen Rechte usf. vorkommen wird). Der Verstand bleibt bei dem bloßen *Ansichsein* stehen und nennt so die Freiheit nach diesem Ansichsein ein *Vermögen*, wie sie denn so in der Tat nur die *Möglichkeit* ist. Aber er sieht diese Bestimmung als absolute und perennierende an und nimmt ihre Beziehung auf das, was sie will, überhaupt auf ihre Realität, nur für eine *Anwendung* auf einen gegebenen Stoff an, die nicht zum Wesen der Freiheit selbst gehöre; er hat es auf diese Weise nur mit dem Abstraktum, nicht mit ihrer Idee und Wahrheit zu tun.

Zusatz. Der Wille, der bloß dem Begriffe nach Wille ist, ist an sich frei, aber auch zugleich unfrei, denn wahrhaft frei wäre er erst als wahrhaft bestimmter Inhalt dann ist er für sich frei, hat die Freiheit zum Gegenstande, ist die Freiheit. Was nur erst nach seinem Begriffe ist, was an sich bloß ist, ist nur unmittelbar, nur natürlich. Dies ist uns auch in der Vorstellung bekannt. Das Kind ist *an sich* Mensch, hat erst *an sich* Vernunft, ist erst Möglichkeit der Vernunft und der Freiheit, und ist nur so dem Begriff nach frei. Was nun so erst an sich ist, ist nicht in seiner Wirklichkeit. Der Mensch, *der an sich* vernünftig ist, muß sich durch die Produktion seiner selbst durcharbeiten durch das Hinausgehen aus sich, aber ebenso durch das Hineinbilden in sich, daß er es auch *für sich* werde.

§ 11

Der nur erst *an sich* freie Wille ist der *unmittelbare* oder *natürliche* Wille. Die Bestimmungen des Unterschieds, welchen der sich selbst bestimmende Begriff im Willen setzt, erscheinen im unmittelbaren Willen ein *unmittelbar* vorhandener Inhalt, – es sind die *Triebe*, *Begierden*, *Neigungen*, durch die sich der Wille von Natur bestimmt findet. Dieser Inhalt nebst dessen entwickelten Bestimmungen kommt zwar von der Vernünftigkeit des Willens her und ist so an sich vernünftig, aber in solche Form der Unmittelbarkeit ausgelassen, ist er noch nicht in Form der Vernünftigkeit. Dieser Inhalt ist zwar *für mich* der *Meinige* überhaupt; diese Form und jener Inhalt sind aber noch verschieden, – der Wille ist *so in sich endlicher* Wille.

Die empirische Psychologie erzählt und beschreibt diese Triebe und Neigungen und die sich darauf gründenden Bedürfnisse, wie sie dieselben in der Erfahrung vorfindet oder vorzufinden vermeint und sucht auf die gewöhnliche Weise diesen gegebenen Stoff zu klassifizieren. Was das *Objektive* dieser Triebe und wie dasselbe in seiner Wahrheit ohne die Form der Unvernünftigkeit, in der es Trieb ist, und wie es zugleich in seiner Existenz gestaltet ist, davon unten.[1])

Zusatz. Triebe Begierden, Neigungen hat auch das Tier, aber das Tier hat keinen Willen, und muß dem Triebe gehorchen, wenn nichts Äußeres es abhält. Der Mensch steht aber als das ganz Unbestimmte über den Trieben und kann sie als die seinigen bestimmen und setzen. Der Trieb ist in der Natur, aber daß ich ihn in dieses Ich setze, hängt von meinem Willen ab, der sich also darauf, daß er in der Natur liegt, nicht berufen kann.

§ 12

Das System dieses Inhalts, wie es sich im Willen unmittelbar *vorfindet*, ist nur als eine Menge und Mannigfaltigkeit von Trieben, deren jeder der Meinige *überhaupt* neben andern, und zugleich ein Allgemeines und Unbestimmtes ist, das vielerlei Gegenstände und Weisen der Befriedigung hat. Daß der Wille sich in dieser gedoppelten Unbestimmtheit die Form der *Einzelnheit* gibt, (§ 7) ist er beschließend und nur als beschließender Wille überhaupt ist er wirklicher Wille.

Statt etwas *beschließen*, d. h. die Unbestimmtheit in welcher der eine sowohl als der andere Inhalt zunächst nur ein möglicher ist, aufheben, hat unsere Sprache auch den

Ausdruck: *sich entschließen,* indem die Unbestimmtheit des Willens selbst, als das Neutrale aber unendlich befruchtete, der Urkeim alles Daseins, in sich die Bestimmungen und Zwecke enthält und sie nur aus sich hervorbringt.

§ 13

Durch das Beschließen setzt der Wille sich als Willen eines bestimmten Individuums und als sich hinaus gegen anderes unterscheidenden. Außer dieser *Endlichkeit* als Bewußtsein (§ 8) ist der unmittelbare Wille aber um des Unterschieds seiner Form und seines Inhalts (§ 11) willen *formell,* es kommt ihm nur das *abstrakte Beschließen,* als solches, zu, und der Inhalt ist noch nicht der Inhalt und das Werk seiner Freiheit.

Der Intelligenz als *denkend* bleibt der Gegenstand und Inhalt *Allgemeines,* sie selbst verhält sich als allgemeine Tätigkeit. Im Willen hat das Allgemeine zugleich wesentlich die Bedeutung des Meinigen, als *Einzelnheit* und im unmittelbaren d. i. formellen Willen als der abstrakten, noch nicht mit seiner freien Allgemeinheit erfüllten Einzelnheit. Im Willen beginnt daher die *eigene Endlichkeit* der Intelligenz und nur dadurch, daß der Wille sich zum Denken wieder erhebt, und seinen Zwecken die immanente Allgemeinheit gibt, hebt er den Unterschied der Form und des Inhalts auf und macht sich zum objektiven, unendlichen Willen. Diejenigen verstehen daher wenig von der Natur des Denkens und Wollens, welche meinen, im Willen überhaupt sei der Mensch unendlich, im Denken aber sei er oder gar die Vernunft beschränkt. Insofern Denken und Wollen noch unterschieden sind, ist vielmehr das Umgekehrte das Wahre und die denkende Vernunft ist als Wille dies, sich zur *Endlichkeit* zu entschließen.

Zusatz. Ein Wille, der nichts beschließt, ist kein wirklicher Wille; der Charakterlose kommt nie zum Beschließen. Der Grund des Zauderns kann auch in einer Zärtlichkeit des Gemüts liegen, welches weiß, daß im Bestimmen es sich mit der Endlichkeit einläßt, sich eine Schranke setzt, und die Unendlichkeit aufgibt: es will aber nicht der Totalität entsagen, die es beabsichtigt. Ein solches Gemüt ist ein totes, wenn es auch ein schönes sein will. Wer Großes will, sagt

Goethe[1]), muß sich beschränken können. Durch das Beschließen allein tritt der Mensch in die Wirklichkeit, wie sauer es ihm auch wird, denn die Trägheit will aus dem Brüten in sich nicht herausgehen, in der sie sich eine allgemeine Möglichkeit beibehält. Aber Möglichkeit ist noch nicht Wirklichkeit. Der Wille, der seiner sicher ist, verliert sich darum im Bestimmten noch nicht.

§ 14

Der endliche Wille, als nur nach der Seite der Form sich in sich reflektierendes und bei sich selbst seiendes *unendliches Ich* (§ 5) *steht über* dem Inhalt, den unterschiedenen Trieben, so wie über den weitern einzelnen Arten ihrer Verwirklichung und Befriedigung, wie es zugleich, als nur formell unendliches, an diesen Inhalt, als die Bestimmungen seiner Natur und seiner äußern Wirklichkeit, jedoch als unbestimmtes nicht an diesen oder jenen Inhalt, *gebunden* ist (§ 6 und 11). Derselbe ist insofern für die Reflexion des *Ich* in sich nur ein Möglicher, als der Meinige zu sein oder auch nicht, und Ich die *Möglichkeit*, mich zu diesem oder einem andern zu bestimmen, – unter diesen für dasselbe nach dieser Seite äußern Bestimmungen zu *wählen*.

§ 15

Die Freiheit des Willens ist nach dieser Bestimmung *Willkür* – in welcher dies beides enthalten ist, die freie von allem abstrahierende Reflexion und die Abhängigkeit von dem innerlich oder äußerlich gegebenen Inhalte und Stoffe. Weil dieser *an sich* als Zweck notwendige Inhalt zugleich gegen jene Reflexion als Möglicher bestimmt ist, so ist die Willkür die *Zufälligkeit*, wie sie als Wille ist.

Die gewöhnlichste Vorstellung, die man bei der Freiheit hat, ist die der *Willkür*, – die Mitte der Reflexion zwischen dem Willen als bloß durch die natürlichen Triebe bestimmt, und dem an und für sich freien Willen. Wenn man sagen hört, die Freiheit überhaupt sei dies, daß *man tun könne, was man wolle*, so kann solche Vorstellung nur für gänzlichen Mangel an Bildung des Gedankens genommen werden, in welcher sich von dem, was der an und für sich freie Wille, Recht, Sittlichkeit usf. ist, noch keine Ahnung findet. Die Reflexion, die *formelle* Allgemeinheit und Einheit des Selbstbewußtseins, ist die *abstrakte* Gewißheit des Willens von seiner Freiheit, aber sie ist noch nicht die *Wahrheit* derselben, weil sie sich noch nicht selbst zum Inhalte und Zwecke hat, die subjektive Seite also noch ein anderes ist, als die gegenständliche; der Inhalt dieser Selbstbestimmung bleibt deswegen auch schlechthin nur ein Endliches. Die Willkür ist, statt der Wille in seiner Wahrheit zu sein, vielmehr der Wille als der *Widerspruch*. – In dem zur Zeit der *Wolfischen* Metaphysik vornehmlich geführten Streit[1]), ob der Wille wirklich frei, oder ob das Wissen von seiner Freiheit nur eine Täuschung sei, war es die Willkür, die man vor Augen gehabt. Der *Determinismus* hat mit Recht der Gewißheit jener abstrakten Selbstbestimmung den *Inhalt* entgegengehalten, der als ein *vorgefundener* nicht in jener Gewißheit enthalten und daher *ihr von außen* kommt, obgleich dies Außen der Trieb, Vorstellung, überhaupt das, auf welche Weise es sei, so erfüllte Bewußtsein ist, daß der Inhalt nicht das Eigene der selbst bestimmenden Tätigkeit als solcher ist. Indem hiermit nur das formelle Element der freien Selbstbestimmung in der Willkür immanent, das andere Element aber ein ihr gegebenes ist, so kann die Willkür allerdings, wenn sie die Freiheit sein soll, eine Täuschung genannt werden. Die Freiheit in aller Reflexionsphilosophie, wie in der *Kantischen* und dann der *Friesischen* vollendeten Verseichtigung der Kantischen, ist nichts anders, als jene formale Selbsttätigkeit.[2])

Zusatz. Da ich die Möglichkeit habe, mich hier oder dort zu bestimmen, das heißt, da ich wählen kann, so besitze ich Willkür, was man gewöhnlich Freiheit nennt. Die Wahl, die ich habe, liegt in der Allgemeinheit des Willens, daß ich dieses oder jenes zu dem Meinigen machen kann. Dies Meinige ist als besonderer Inhalt mir nicht angemessen, ist also getrennt von mir, und nur in der Möglichkeit das Meinige zu sein, so wie ich die Möglichkeit bin, mich mit ihm zusammenzuschließen. Die Wahl liegt daher in der Unbestimmtheit des Ich, und in der Bestimmtheit eines Inhalts. Der Wille ist also dieses Inhalts willen nicht frei, obgleich er die Seite der Unendlichkeit formell an sich hat; ihm entspricht keiner dieser Inhalte: in keinem hat er wahrhaft sich selbst. In der Willkür ist das enthalten, daß der Inhalt nicht durch die Natur meines Willens bestimmt ist der Meinige zu sein, sondern durch *Zufälligkeit*: ich bin also ebenso abhängig von diesem Inhalt, und dies ist der Widerspruch, der in der Willkür liegt. Der gewöhnliche Mensch glaubt frei zu sein, wenn ihm willkürlich zu handeln erlaubt ist, aber gerade in der Willkür liegt, daß er nicht frei ist. Wenn ich das Vernünftige will, so handle ich nicht als partikulares Individuum, sondern nach den Begriffen der Sittlichkeit überhaupt: in einer sittlichen Handlung mache ich mich nicht selbst, sondern die Sache geltend. Der Mensch aber, indem er etwas Verkehrtes tut, läßt seine Partikularität am meisten hervortreten. Das Vernünftige ist die Landstraße, wo jeder geht, wo niemand sich auszeichnet. Wenn große Künstler ein Werk vollenden, so kann man sagen: so muß es sein: das heißt, des Künstlers Partikularität ist ganz verschwunden und keine *Manier* erscheint darin. Phidias hat keine Manier; die Gestalt selbst lebt und tritt hervor. Aber je schlechter der Künstler ist, desto mehr sieht man ihn selbst, seine Partikularität und Willkür. Bleibt man bei der Betrachtung in der Willkür stehen, daß der Mensch dieses oder jenes wollen könne, so ist dies allerdings seine Freiheit, aber hält man die Ansicht fest, daß der Inhalt ein gegebener sei, so wird der Mensch dadurch bestimmt und ist eben nach dieser Seite hin nicht mehr frei.

§ 16

Das im Entschluß Gewählte (§ 14) kann der Wille ebenso wieder aufgeben (§ 5). Mit dieser Möglichkeit aber ebenso über jeden anderen Inhalt, den er an die Stelle setzt, und ins *Unendliche* fort hinauszugehen, kommt er nicht über die Endlichkeit hinaus, weil jeder solcher Inhalt ein von der Form Verschiedenes, hiermit ein Endliches, und das Entgegengesetzte der Bestimmtheit, die Unbestimmtheit, — Unentschlossenheit oder Abstraktion, nur das andere gleichfalls einseitige Moment ist.

§ 17

Der Widerspruch, welcher die Willkür ist (§ 15) hat als *Dialektik* der Triebe und Neigungen die *Erscheinung*, daß sie sich gegenseitig stören, die Befriedigung des einen die Unterordnung oder Aufopferung der Befriedigung des andern fordert usf. und indem der Trieb nur einfache Richtung seiner Bestimmtheit ist, das Maß somit nicht in sich selbst hat, so ist dies unterordnende oder aufopfernde Bestimmen das zufällige Entscheiden der Willkür, sie verfahre nun dabei mit berechnendem Verstande, bei welchem Triebe mehr Befriedigung zu gewinnen sei, oder nach welcher andern beliebigen Rücksicht.

Zusatz. Die Triebe und Neigungen sind zunächst Inhalt des Willens, und nur die Reflexion steht über denselben; aber diese Triebe werden selbst treibend, drängen einander, stören sich, und wollen alle befriedigt werden. Wenn ich nun mit Hintenansetzung aller anderen mich bloß in einen derselben hineinlege, so befinde ich mich in einer zerstörenden Beschränktheit, denn ich habe meine Allgemeinheit eben dadurch aufgegeben, welche ein System aller Triebe ist. Ebensowenig ist aber mit einem bloßen Unterordnen der Triebe geholfen, worauf der Verstand gewöhnlich kommt, weil hier kein Maß dieser Anordnung zu geben ist, und die Forderung daher gewöhnlich in die Langweiligkeit allgemeiner Redensarten ausläuft.

§ 18

In Ansehung der *Beurteilung* der Triebe hat die Dialektik die Erscheinung, daß als *immanent*, somit *positiv*, die Bestimmungen des unmittelbaren Willens gut sind; *der Mensch* heißt *so von Natur gut.* Insofern sie aber *Naturbestimmungen*, also der Freiheit und dem Begriffe des Geistes überhaupt entgegen und das *Negative* sind, sind sie *auszurotten*; *der Mensch* heißt *so von Natur böse.*[1]) Das Entscheidende für die eine oder die andere Behauptung ist auf diesem Standpunkte gleichfalls die subjektive Willkür.

Zusatz. Die christliche Lehre, daß der Mensch von Natur böse sei[2]), steht höher wie die andere, die ihn für gut hält;

ihrer philosophischen Auslegung zufolge ist sie also zu fassen. Als Geist ist der Mensch ein freies Wesen, das die Stellung hat, sich nicht durch Naturimpulse bestimmen zu lassen. Der Mensch, als im unmittelbaren und ungebildeten Zustande, ist daher in einer Lage, in der er nicht sein soll und von der er sich befreien muß. Die Lehre von der Erbsünde, ohne welche das Christentum nicht die Religion der Freiheit wäre, hat diese Bedeutung.

§ 19

In der Forderung der *Reinigung der Triebe* liegt die allgemeine Vorstellung, daß sie von der Form ihrer unmittelbaren Naturbestimmtheit und von dem Subjektiven und Zufälligen des *Inhalts* befreit und auf ihr substantielles Wesen zurückgeführt werden. Das Wahrhafte dieser unbestimmten Forderung ist, daß die Triebe als das vernünftige System der Willensbestimmung seien; sie so aus dem Begriffe zu fassen, ist der Inhalt der Wissenschaft des Rechts.

Der Inhalt dieser Wissenschaft kann nach allen seinen einzelnen Momenten z. B. Recht, Eigentum, Moralität, Familie, Staat usf. in der Form vorgetragen werden, daß der Mensch von Natur den *Trieb* zum Recht, *auch* den *Trieb* zum Eigentum, zur Moralität, *auch* den Trieb der Geschlechtsliebe, den Trieb zur Geselligkeit usf. *habe*. Will man statt dieser Form der empirischen Psychologie vornehmer Weise eine philosophische Gestalt haben, so ist diese nach dem, was, wie vorhin[1]) bemerkt worden, in neuerer Zeit für Philosophie gegolten hat und noch gilt *wohlfeil* damit zu bekommen, daß man sagt, der Mensch finde als *Tatsache seines Bewußtseins*[2]) in sich, daß er das Recht, Eigentum, den Staat usf. wolle. Weiterhin[3]) wird eine andere Form desselben Inhalts, der hier in Gestalt von Trieben erscheint, nämlich die von *Pflichten*, eintreten.

§ 20

Die auf die Triebe sich beziehende Reflexion bringt, als sie vorstellend, berechnend, sie untereinander und dann mit ihren Mitteln, Folgen usf. und mit einem Ganzen der Befriedigung — der *Glückseligkeit* — vergleichend, die *formelle Allge-*

meinheit an diesen Stoff, und reiniget denselben auf diese äußerliche Weise von seiner Rohheit und Barbarei. Dies Hervortreiben der Allgemeinheit des Denkens ist der absolute Wert der *Bildung* (vergl. § 187).

Zusatz. In der Glückseligkeit hat der Gedanke schon eine Macht über die Naturgewalt der Triebe, indem er nicht mit dem Augenblicklichen zufrieden ist, sondern ein Ganzes von Glück erheischt. Es hängt dieses insofern mit der Bildung zusammen, als letztere es ebenfalls ist, welche ein Allgemeines geltend macht. In dem Ideal von Glückseligkeit liegen aber zwei Momente: erstens ein Allgemeines, das höher ist als alle Besonderheiten: da nun aber der Inhalt dieses Allgemeinen wiederum der nur allgemeine Genuß ist, so tritt hier noch einmal das Einzelne und Besondere, also ein Endliches auf, und es muß auf den Trieb zurückgegangen werden. Indem der Inhalt der Glückseligkeit in der Subjektivität und Empfindung eines jeden liegt, ist dieser allgemeine Zweck seinerseits partikular, und in ihm also noch keine wahre Einheit des Inhalts und der Form vorhanden.

§ 21

Die Wahrheit aber dieser formellen, für sich unbestimmten und ihre Bestimmtheit an jenem Stoffe vorfindenden Allgemeinheit ist *die sich selbst bestimmende Allgemeinheit, der Wille, die Freiheit.* Indem er die Allgemeinheit, sich selbst, als die unendliche Form zu seinem Inhalte, Gegenstande und Zweck hat, ist er nicht nur der *an sich*, sondern ebenso der *für sich* freie Wille – die wahrhafte Idee.

Das Selbstbewußtsein des Willens, als Begierde, Trieb ist *sinnlich*, wie das Sinnliche überhaupt die Äußerlichkeit und damit das Außersichsein des Selbstbewußtseins bezeichnet. *Der reflektierende* Wille hat die zwei Elemente, jenes Sinnliche und die denkende Allgemeinheit; der *an und für sich seiende* Wille hat den Willen selbst als solchen, hiermit sich in seiner reinen Allgemeinheit, zu seinem Gegenstande – der Allgemeinheit, welche eben dies ist, daß die *Unmittelbarkeit* der Natürlichkeit und die *Partikularität*, mit welcher ebenso die Natürlichkeit behaftet, als sie von der Reflexion hervorgebracht wird, in ihr aufgehoben ist. Dies Aufheben aber und Erheben ins Allgemeine ist das, was die Tätigkeit des *Denkens* heißt. Das Selbstbewußtsein, das seinen Gegenstand, Inhalt und Zweck bis zu dieser Allgemeinheit reinigt und erhebt, tut dies als das im Willen sich *durchsetzende Denken*. Hier ist der *Punkt, auf welchem es erhellt*, daß der Wille nur als *denkende* Intelligenz wahrhafter, freier Wille ist. Der Sklave weiß nicht sein Wesen[1]), seine Unendlichkeit, die Freiheit, er weiß sich nicht als Wesen; — und er weiß sich so nicht, das ist er *denkt* sich nicht. Dies Selbstbewußtsein, das durch das Denken sich als Wesen erfaßt, und damit eben sich von dem Zufälligen und Unwahren abtut, macht das Prinzip des Rechts, der Moralität und aller Sittlichkeit aus. Die, welche philosophisch vom Recht, Moralität, Sittlichkeit sprechen, und dabei das Denken ausschließen wollen, und an das Gefühl, Herz und Brust, an die Begeisterung verweisen[2]), sprechen damit die tiefste Verachtung aus, in welche der Gedanke und die Wissenschaft gefallen ist, indem so die Wissenschaft sogar selbst, über sich in Verzweiflung und in die höchste Mattigkeit versunken, die Barbarei und das Gedankenlose sich zum Prinzip macht und so viel an ihr wäre, dem Menschen alle Wahrheit, Wert und Würde raubte.

Zusatz. Wahrheit in der Philosophie heißt das, daß der Begriff der Realität entspreche. Ein Leib ist z. B. die Realität: die Seele der Begriff: Seele und Leib sollen sich aber angemessen sein: ein toter Mensch ist daher noch eine Existenz, aber keine wahrhafte mehr, ein begriffloses Dasein: deswegen verfault der tote Körper. So ist der wahrhafte Wille, daß das, was er will, sein Inhalt, identisch mit ihm sei, daß also die Freiheit die Freiheit wolle.

§ 22

Der an und für sich seiende Wille ist *wahrhaft unendlich*, weil sein Gegenstand *er selbst*, hiermit derselbe für ihn nicht ein *Anderes* noch *Schranke*, sondern er darin vielmehr nur in sich zurückgekehrt ist. Er ist ferner nicht bloße Möglichkeit, Anlage, *Vermögen* (potentia), sondern das *Wirklich-Unendliche* (infinitum actu), weil das Dasein des Begriffs, oder seine gegenständliche Äußerlichkeit das Innerliche selbst ist.

Wenn man daher nur vom freien Willen, als solchem, spricht, ohne die Bestimmung, daß er der an und *für sich* freie Wille ist, so spricht man nur von der *Anlage* der Freiheit, oder von dem natürlichen und endlichen Willen (§ 11) und eben damit, der Worte und der Meinung unerachtet, nicht vom freien Willen.[1]) – Indem der Verstand das Unendliche nur als Negatives und damit als ein *Jenseits* faßt, meint er dem Unendlichen um so mehr Ehre anzutun, je mehr er es von sich weg in die Weite hinausschiebt und als ein Fremdes von sich entfernt. Im freien Willen hat das wahrhaft Unendliche Wirklichkeit und Gegenwart, – er selbst ist diese in sich gegenwärtige Idee.

Zusatz. Man hat mit Recht die Unendlichkeit unter dem Bilde eines Kreises vorgestellt, denn die gerade Linie geht hinaus und immer weiter hinaus, und bezeichnet die bloß negative schlechte Unendlichkeit, die nicht wie die wahre eine Rückkehr in sich selbst hat. Der freie Wille ist wahrhaft unendlich, denn er ist nicht bloß eine Möglichkeit und Anlage, sondern sein äußerliches Dasein ist seine Innerlichkeit, er selbst.

§ 23

Nur in dieser Freiheit ist der Wille schlechthin *bei sich*, weil er sich auf nichts, als auf sich selbst bezieht, so wie damit alles Verhältnis der *Abhängigkeit* von etwas *anderem* hinwegfällt. – Er ist *wahr* oder vielmehr die *Wahrheit* selbst, weil sein Bestimmen darin besteht, in seinem *Dasein*, d. i. als sich Gegenüberstehendes zu sein, was sein Begriff ist, oder der reine Begriff die Anschauung seiner selbst zu seinem Zwecke und Realität hat.

§ 24

Er ist *allgemein*, weil in ihm alle Beschränkung und besondere Einzelnheit aufgehoben ist, als welche allein in der Verschiedenheit des Begriffes und seines Gegenstandes oder Inhalts oder nach anderer Form, in der Verschiedenheit seines subjektiven Fürsichseins – und seines Ansichseins, seiner *ausschließenden* und beschließenden Einzelnheit – und seiner Allgemeinheit selbst, liegt.

Die verschiedenen Bestimmungen der *Allgemeinheit* ergeben sich in der Logik (s. Enzyklop.[1]) der philos. Wissenschaften § 118–126). Bei diesem Ausdruck fällt dem Vorstellen zunächst die abstrakte und äußerliche ein; aber bei der an und für sich seienden Allgemeinheit, wie sie sich hier bestimmt hat, ist weder an die Allgemeinheit der Reflexion, die *Gemeinschaftlichkeit* oder die *Allheit* zu denken, noch an die *abstrakte* Allgemeinheit, welche außer dem Einzelnen auf der anderen Seite steht, die abstrakte Verstandes-Identität (§ 6 Anm.). Es ist die in sich *konkrete* und so für sich seiende Allgemeinheit, welche die Substanz, die immanente Gattung oder immanente *Idee* des Selbstbewußtseins ist; – der Begriff des freien Willens, als das über seinen Gegenstand *übergreifende, durch seine Bestimmung hindurchgehende Allgemeine*, das in ihr mit sich identisch ist. – Das an und für sich seiende Allgemeine ist überhaupt das, was man das *Vernünftige* nennt und was nur auf diese spekulative Weise gefaßt werden kann.

§ 25

Das *Subjektive* heißt in Ansehung des Willens überhaupt die Seite seines Selbstbewußtseins, der Einzelnheit (§ 7) im *Unterschiede* von seinem *an sich* seienden Begriffe, daher heißt seine Subjektivität α) die *reine Form, die absolute Einheit* des Selbstbewußtseins mit sich, in der es als Ich = Ich schlechthin innerlich und *abstraktes* Beruhen auf sich ist – die reine *Gewißheit* seiner selbst, unterschieden von der Wahrheit; β) die *Besonderheit* des Willens als die Willkür und der zufällige Inhalt beliebiger Zwecke, γ) überhaupt die einseitige Form (§ 8), insofern das Gewollte, wie es seinem Inhalte nach sei, nur erst ein dem Selbstbewußtsein angehöriger Inhalt und unausgeführter Zweck ist.

§ 26

Der Wille α) insofern er sich selbst in seiner Bestimmung hat und so seinem Begriffe gemäß und wahrhaftig ist, ist der *schlechthin objektive* Wille, β) der objektive *Wille* aber, als *ohne die unendliche Form* des Selbstbewußtseins ist der in sein

Objekt oder Zustand, wie er seinem Inhalte nach beschaffen sei, versenkte Wille – der kindliche, sittliche, wie der sklavische, abergläubische usf. – γ) Die *Objektivität* ist endlich die einseitige Form im Gegensatze der subjektiven Willensbestimmung, hiermit die Unmittelbarkeit des Daseins, als *äußerliche* Existenz; der Wille wird sich in diesem Sinne erst durch die Ausführung seiner Zwecke *objektiv*.

Diese logischen Bestimmungen von Subjektivität und Objektivität sind hier in der Absicht besonders aufgeführt worden, um in Ansehung ihrer, da sie in der Folge oft gebraucht werden, ausdrücklich zu bemerken, daß es ihnen wie andern Unterschieden und entgegengesetzten Reflexionsbestimmungen geht, um ihrer Endlichkeit und daher ihrer dialektischen Natur willen in ihr Entgegengesetztes überzugehen. Andern solchen Bestimmungen des Gegensatzes bleibt jedoch ihre Bedeutung fest für Vorstellung und Verstand, indem ihre Identität noch als ein *Innerliches* ist. Im Willen hingegen führen solche Gegensätze, welche abstrakte und zugleich Bestimmungen *von ihm*, der nur *als das Konkrete* gewußt werden kann, sein sollen, von selbst auf diese ihre Identität und auf die Verwechslung ihrer Bedeutungen; – eine Verwechslung, die dem Verstande bewußtlos nur begegnet. – So ist der Wille, als die in *sich seiende* Freiheit, die Subjektivität selbst, diese ist damit sein Begriff und so seine Objektivität; Endlichkeit aber ist seine Subjektivität, im Gegensatze gegen die Objektivität; aber eben in diesem Gegensatze ist der Wille nicht bei sich, mit dem Objekte verwickelt und seine Endlichkeit besteht eben sowohl darin, nicht subjektiv zu sein usf. – Was daher im folgenden das Subjektive oder Objektive des Willens für eine Bedeutung haben soll, hat jedesmal aus dem Zusammenhang zu erhellen, der ihre Stellung in Beziehung auf die Totalität enthält.

Zusatz. Gewöhnlich glaubt man das Subjektive und Objektive stehe sich *fest* einander gegenüber. Dies ist aber nicht der Fall, da es vielmehr ineinander übergeht, denn es sind keine abstrakten Bestimmungen, wie positiv und negativ, sondern sie haben schon eine konkretere Bedeutung. Betrachten wir zunächst den Ausdruck subjektiv, so kann dies heißen ein Zweck, der nur der eines bestimmten Subjekts ist. In diesem Sinne ist ein sehr schlechtes Kunstwerk, das die Sache nicht erreicht, ein bloß subjektives. Es kann aber auch ferner dieser Ausdruck auf den Inhalt des Willens gehen und ist dann ungefähr mit Willkürlichem gleichbedeutend: der subjektive Inhalt ist der, welcher bloß dem Subjekte angehört. So sind z. B. schlechte Handlungen bloß subjektive. Dann kann aber ebenso jenes reine leere Ich subjektiv genannt werden, das nur sich als Gegenstand hat, und von allem weiteren Inhalt zu abstrahieren die Kraft besitzt. Die Subjektivität hat also teils eine ganz partikulare, teils eine hochberechtigte Bedeutung, indem alles, was ich anerkennen soll, auch die Aufgabe hat, ein Meiniges zu werwerden, und in mir Geltung zu erlangen. Dies ist die unendliche Habsucht der Subjektivität, alles in dieser einfachen Quelle des reinen Ich zusammenzufassen und zu verzehren. Nicht minder kann das Objektive verschieden gefaßt werden. Wir können darunter alles verstehen, was wir uns gegenständlich machen, seien es wirkliche Existenzen, oder bloße Gedanken, die wir uns gegenüberstellen: ebenso begreift man aber auch darunter die Unmittelbarkeit des Daseins, in dem der Zweck sich realisieren soll: wenn der Zweck auch selbst ganz partikular und subjektiv ist, so nennen wir ihn doch objektiv, wenn er erscheint. Aber der objektive Wille ist auch derjenige, in welchem Wahrheit ist. So ist Gottes Wille, der sittliche Wille ein objektiver. Endlich kann man auch den Willen objektiv heißen, der ganz in sein Objekt versenkt ist, den kindlichen, der im Zutrauen, ohne subjektive Freiheit steht, und den sklavischen, der sich noch nicht als frei weiß, und deswegen ein willenloser Wille ist. Objektiv ist in diesem Sinne ein jeder Wille, der durch fremde Autorität geleitet, handelt und noch nicht die unendliche Rückkehr in sich vollendet hat.

§ 27

Die absolute Bestimmung oder, wenn man will, der absolute Trieb des freien Geistes (§ 21), daß ihm seine Freiheit Gegenstand sei – objektiv sowohl in dem Sinne, daß sie als das vernünftige System seiner selbst, als in dem Sinne, daß dies unmittelbare Wirklichkeit sei (§ 26) – um für sich, als Idee zu sein, was der Wille an sich ist; – der abstrakte Begriff der Idee des Willens ist überhaupt *der freie Wille, der den freien Willen will.*

§ 28

Die Tätigkeit des Willens, den Widerspruch der Subjektivität und Objektivität aufzuheben und seine Zwecke aus jener Bestimmung in diese überzusetzen und in der Objektivität zugleich *bei sich* zu bleiben, ist außer der formalen Weise des Bewußtseins (§ 8), worin die Objektivität nur als unmittelbare Wirklichkeit ist, die *wesentliche Entwickelung* des substantiellen Inhalts der Idee (§ 21), eine Entwickelung, in welcher der Begriff die zunächst *selbst abstrakte Idee* zur Totalität ihres Systems bestimmt, die als das Substantielle unabhängig von dem Gegensatze eines bloß subjektiven Zwecks und seiner Realisierung, *dasselbe* in diesen beiden Formen ist.

§ 29

Dies, daß ein Dasein überhaupt, *Dasein* des *freien Willens* ist, ist das *Recht.* – Es ist somit überhaupt die Freiheit, als Idee.

Die Kantische (Kants Rechtslehre Einl.) und auch allgemeiner angenommene Bestimmung[1]), worin „die *Beschränkung* meiner Freiheit oder *Willkür*, daß sie mit jedermanns Willkür nach einem allgemeinen Gesetze zusammen bestehen könne, das Hauptmoment ist“ – enthält teils nur eine *negative* Bestimmung, die der Beschränkung, teils läuft das Positive, das allgemeine oder sogenannte Vernunftgesetz, die Übereinstimmung der Willkür des einen mit der Willkür des andern, auf die bekannte formelle Identität und den Satz des Widerspruchs hinaus. Die angeführte Definition des Rechts enthält die seit *Rousseau* vornehmlich verbreitete Ansicht[2]), nach welcher der Wille, nicht als an und für sich seiender, vernünftiger, der Geist nicht als *wahrer* Geist, sondern als *besonderes* Individuum, als Wille des Einzelnen in seiner eigentümlichen Willkür, die substantielle Grundlage und das Erste sein soll. Nach diesem einmal angenommenen Prinzip kann das Vernünftige freilich nur als beschränkend für diese Freiheit, so wie auch nicht als immanent Vernünftiges, sondern nur als ein äußeres, formelles Allgemeines herauskommen. Jene Ansicht ist ebenso ohne allen spekulativen Gedanken und von dem philosophischen Begriffe verworfen, als sie in den Köpfen und in der Wirklichkeit[3]) Erscheinungen hervorgebracht hat, deren Fürchterlichkeit nur an der Seichtigkeit der Gedanken, auf die sie sich gründeten, eine Parallele hat.[4])

§ 30

Das Recht ist etwas *Heiliges überhaupt*, allein weil es das Dasein des absoluten Begriffes, der selbstbewußten Freiheit ist. – *Der Formalismus* des Rechts aber (und weiterhin der Pflicht) entsteht aus dem Unterschiede der Entwickelung des Freiheitsbegriffs. Gegen formelleres, d. i. *abstrakteres* und darum beschränkteres Recht, hat die Sphäre und Stufe des Geistes, in welcher er die weiteren in seiner Idee enthaltenen Momente zur Bestimmung und Wirklichkeit in sich gebracht hat, als die *konkretere* in sich reichere und wahrhafter allgemeine eben damit auch ein höheres Recht.

Jede Stufe der Entwickelung der Idee der Freiheit hat ihr eigentümliches Recht, weil sie das Dasein der Freiheit in einer ihrer eigenen Bestimmungen ist. Wenn vom Gegensatze der Moralität, der Sittlichkeit gegen das *Recht* gesprochen wird, so ist unter dem Rechte nur das erste, formelle der abstrakten Persönlichkeit verstanden. Die Moralität, die Sittlichkeit, das Staatsinteresse ist jedes ein eigentümliches Recht, weil jeder dieser Gestalten Bestimmung und Dasein der *Freiheit* ist. In *Kollision* können sie nur kommen, insofern sie auf gleicher Linie stehen, Rechte zu sein; wäre der moralische Standpunkt des Geistes nicht auch ein Recht, die Freiheit in einer ihrer Formen, so könnte sie gar nicht in Kollision mit dem Rechte der Persönlichkeit oder einem anderen kommen, weil ein solches den Freiheitsbegriff, die höchste Bestimmung des Geistes, in sich enthält, gegen welchen anderes ein substanzloses ist. Aber die Kollision enthält zugleich dies andere Moment, daß sie beschränkt und damit auch eins dem anderen untergeordnet ist; nur das Recht des Weltgeistes ist das uneingeschränkt absolute.

§ 31

Die Methode, wie in der Wissenschaft der Begriff sich aus sich selbst entwickelt und nur ein *immanentes* Fortschreiten und Hervorbringen seiner Bestimmungen ist – der Fortgang nicht durch die Versicherung, daß es verschiedene Verhältnisse *gebe*, und dann durch das *Anwenden* des Allgemeinen auf solchen von sonst her aufgenommenen Stoff geschieht, ist hier gleichfalls aus der Logik vorausgesetzt.

Das bewegende Prinzip des Begriffs, als die Besonderungen des Allgemeinen nicht nur auflösend, sondern auch hervorbringend, heiße ich die *Dialektik*, – Dialektik also nicht in dem Sinne, daß sie einen dem Gefühl, dem unmittelbaren Bewußtsein überhaupt gegebenen Gegenstand, Satz usf. auflöst, verwirrt, herüber und hinüber führt[1]) und es nur mit Herleiten seines Gegenteils zu tun hat, – eine negative Weise, wie sie häufig auch bei *Plato* erscheint.[2]) Sie kann so das Gegenteil einer Vorstellung, oder entschieden wie der alte Skeptizismus den Widerspruch derselben, oder auch matter Weise eine *Annäherung* zur Wahrheit, eine moderne Halbheit, als ihr letztes Resultat ansehen. Die höhere Dialektik des Begriffes ist, die Bestimmung nicht bloß als Schranke und Gegenteil, sondern aus ihr den *positiven* Inhalt und Resultat hervorzubringen und aufzufassen, als wodurch sie allein *Entwickelung* und immanentes Fortschreiten ist. Diese Dialektik ist dann nicht *äußeres* Tun eines subjektiven Denkens, sondern die *eigene Seele* des Inhalts, die organisch ihre Zweige und Früchte hervortreibt. Dieser Entwickelung der Idee als eigener Tätigkeit ihrer Vernunft sieht das Denken als subjektives, ohne seinerseits eine Zutat hinzuzufügen, nur zu. Etwas vernünftig betrachten heißt, nicht an den Gegenstand von außen her eine Vernunft hinzubringen und ihn dadurch bearbeiten, sondern der Gegenstand ist für sich selbst vernünftig; hier ist es der Geist in seiner Freiheit, die höchste Spitze der selbstbewußten Vernunft, die sich Wirklichkeit gibt und als existierende Welt erzeugt; die Wissenschaft hat nur das Geschäft, diese eigene Arbeit der Vernunft der Sache zum Bewußtsein zu bringen.

§ 32

Die Bestimmungen in der Entwickelung des Begriffes sind einerseits selbst Begriffe, andererseits, weil der Begriff wesentlich als Idee ist, sind sie in der Form des Daseins, und die Reihe der sich ergebenden Begriffe ist damit zugleich eine Reihe von *Gestaltungen*; so sind sie in der Wissenschaft zu betrachten.

In spekulativerem Sinn ist die *Weise des Daseins* eines Begriffes und seine *Bestimmtheit* eins und dasselbe. Es ist aber zu bemerken, daß die Momente, deren Resultat eine weiter bestimmte Form ist, ihm als Begriffsbestimmungen in der wissenschaftlichen Entwickelung der Idee vorangehen, aber nicht in der zeitlichen Entwickelung als Gestaltungen ihm vorausgehen. So hat die Idee, wie sie als Familie bestimmt ist, die Begriffsbestimmungen zur Voraussetzung, als deren Resultat sie im folgenden dargestellt werden wird. Aber daß diese inneren Voraussetzungen auch für sich schon als *Gestaltungen*, als Eigentumsrecht, Vertrag, Moralität usf. vorhanden seien, dies ist die andere Seite der Entwickelung, die nur in höher vollendeter Bildung es zu diesem eigentümlich gestalteten Dasein ihrer Momente gebracht hat.

Zusatz. Die Idee muß sich immer weiter in sich bestimmen, da sie im Anfange nur erst abstrakter Begriff ist. Dieser anfängliche abstrakte Begriff wird aber nie aufgegeben, sondern er wird nur immer in sich reicher, und die letzte Bestimmung ist somit die reichste. Die früher nur an sich seienden Bestimmungen kommen dadurch zu ihrer freien Selbständigkeit, so aber, daß der Begriff die Seele bleibt, die alles zusammenhält, und die nur durch ein immanentes Verfahren zu ihren eigenen Unterschieden gelangt. Man kann daher nicht sagen, daß der Begriff zu etwas Neuem komme, sondern die letzte Bestimmung fällt in der Einheit mit der ersten wieder zusammen. Wenn auch so der Begriff in seinem Dasein auseinandergegangen scheint, so ist dieses eben nur ein Schein, der sich im Fortgange als solcher aufweist, indem alle Einzelnheiten in den Begriff des Allgemeinen schließlich wieder zurückkehren. In den empirischen Wissenschaften analysiert man gewöhnlich das, was in der Vorstellung gefunden wird, und wenn man nun das Einzelne auf das Gemeinschaftliche zurückgebracht hat, so nennt man dieses alsdann den Begriff. So verfahren wir nicht, denn wir wollen nur zusehen, wie sich der Begriff selbst bestimmt und tun uns die Gewalt an, nichts von unserem Meinen und Denken hinzuzugeben. Was wir auf diese Weise erhalten, ist aber eine Reihe von Gedanken, und eine andere Reihe daseiender Gestalten, bei denen es sich fügen kann, daß die Ordnung der Zeit in der wirklichen Erscheinung zum Teil anders ist, als die Ordnung des Begriffes. So kann man z. B. nicht sagen, daß das Eigentum vor der Familie dagewesen sei, und trotzdem wird es vor derselben abgehandelt. Man könnte hier also die Frage aufwerfen, warum wir nicht mit dem Höchsten, das heißt mit dem konkret Wahren beginnen. Die Antwort wird sein, weil wir eben das Wahre in Form eines Resultates sehen wollen, und dazu wesentlich gehört, zuerst den abstrakten Begriff selbst zu begreifen. Das, was wirklich ist, die Gestalt des Begriffes, ist uns somit erst das Folgende und Weitere, wenn es auch in der Wirklichkeit selbst das Erste wäre. Unser Fortgang ist der, daß die abstrakten Formen sich nicht als für sich bestehend, sondern als unwahre aufweisen.

Einteilung

§ 33

Nach dem Stufengange der Entwicklung der Idee des an und für sich freien Willens ist der Wille

A *unmittelbar*; sein Begriff daher abstrakt, — die *Persönlichkeit*, und sein *Dasein* eine unmittelbar äußerliche Sache; — die Sphäre des *abstrakten* oder *formellen Rechts*.

B der Wille aus dem äußeren Dasein *in sich* reflektiert, als *subjektive Einzelnheit* bestimmt gegen das *Allgemeine*, — dasselbe, teils als Inneres, das *Gute*, teils als Äußeres, eine *vorhandene Welt* und diese beiden Seiten der Idee als nur *durch einander vermittelt*; die Idee in ihrer Entzweiung oder *besonderen* Existenz, *das Recht des subjektiven Willens* im Verhältnis zum Recht der Welt und zum *Recht* der, aber nur *an sich seienden*, Idee; *die Sphäre der Moralität*.

C die *Einheit* und *Wahrheit* dieser beiden abstrakten Momente, – die gedachte Idee des Guten realisiert in dem sich *reflektierten Willen* und in *äußerlicher*[1]) *Welt*; – so daß die Freiheit als die *Substanz*, ebensosehr als *Wirklichkeit* und *Notwendigkeit* existiert, wie als *subjektiver* Wille; – die *Idee* in ihrer an und für sich allgemeinen Existenz; die *Sittlichkeit*.

Die sittliche Substanz aber ist gleichfalls

a) *natürlicher* Geist; – die *Familie*,

b) in ihrer *Entzweiung* und *Erscheinung*; – die *bürgerliche Gesellschaft*,

c) der *Staat*, als die in der freien Selbständigkeit des besonderen Willens ebenso allgemeine und objektive Freiheit; – welcher wirkliche und organische Geist α) eines Volks sich β) durch das Verhältnis der besonderen Volksgeister hindurch, γ) in der Weltgeschichte zum allgemeinen Weltgeiste wirklich wird und offenbart, dessen *Recht* das *Höchste* ist.

Daß eine Sache oder Inhalt, der erst seinem *Begriffe* nach, oder wie er *an sich* ist, gesetzt ist, die Gestalt der *Unmittelbarkeit* oder des Seins hat, ist aus der spekulativen Logik vorausgesetzt[2]); ein anderes ist der Begriff, der in der *Form* des *Begriffs* für sich ist; dieser ist nicht mehr ein Unmittelbares. – Gleicherweise ist das die Einteilung bestimmende Prinzip vorausgesetzt. Die Einteilung kann auch als eine *historische* Vorausangabe der Teile angesehen werden, denn die verschiedenen Stufen müssen als Entwicklungsmomente der Idee sich aus der Natur des Inhalts selbst hervorbringen. Eine philosophische Einteilung ist überhaupt nicht eine äußerliche, nach irgendeinem oder mehreren aufgenommenen Einteilungsgründen gemachte äußere Klassifizierung eines vorhandenen Stoffes, sondern das immanente Unterscheiden des Begriffes selbst. – *Moralität* und *Sittlichkeit*, die gewöhnlich etwa als gleichbedeutend gelten, sind hier in wesentlich verschiedenem Sinne genommen. Inzwischen scheint auch die Vorstellung sie zu unterscheiden; der kantische Sprachgebrauch bedient sich vorzugsweise des Ausdrucks *Moralität*, wie denn die praktischen Prinzipien dieser Philosophie sich durchaus auf diesen Begriff beschränken, den Standpunkt der *Sittlichkeit* sogar unmöglich machen, ja selbst sie ausdrücklich zernichten und empören. Wenn aber Moralität und Sittlichkeit, ihrer Etymologie nach, auch gleichbedeutend wären, so hinderte dies nicht, diese einmal verschiedenen Worte für verschiedene Begriffe zu benutzen.

Zusatz. Wenn wir hier vom Rechte sprechen, so meinen wir nicht bloß das bürgerliche Recht, das man gewöhnlich darunter versteht, sondern Moralität, Sittlichkeit und Weltgeschichte, die ebenfalls hierher gehören, weil der Begriff die Gedanken der Wahrheit nach zusammenbringt. Der freie Wille muß sich zunächst, um nicht abstrakt zu bleiben, ein Dasein geben, und das erste sinnliche Material dieses Daseins sind die Sachen, das heißt die äußeren Dinge. Diese erste Weise der Freiheit ist die, welche wir als *Eigentum* kennen sollen, die Sphäre des formellen und abstrakten Rechts, wozu nicht minder das Eigentum in seiner vermittelten Gestalt als *Vertrag*, und das Recht in seiner Verletzung als *Verbrechen* und *Strafe* gehören. Die Freiheit, die wir hier haben, ist das, was wir Person nennen, das heißt das Subjekt, das frei und zwar für sich frei ist, und sich in den Sachen ein Dasein gibt. Diese bloße Unmittelbarkeit des Daseins aber ist der Freiheit nicht angemessen, und die Negation dieser Bestimmung ist die Sphäre der *Moralität.* Ich bin nicht mehr bloß frei in dieser unmittelbaren Sache, sondern ich bin es auch in der aufgehobenen Unmittelbarkeit, das heißt ich bin es in mir selbst, im Subjektiven. In dieser Sphäre ist es, wo es auf meine Einsicht und Absicht und auf meinen Zweck ankommt, indem die Äußerlichkeit als gleichgültig gesetzt wird. Das Gute, das hier der allgemeine Zweck ist, soll aber nicht bloß in meinem Inneren bleiben, sondern es soll sich realisieren. Der subjektive Wille nämlich fordert, daß sein Inneres, das heißt sein Zweck äußeres Dasein erhalte, daß also das Gute in der äußerlichen Existenz solle vollbracht werden. Die Moralität, wie das frühere Moment des formellen Rechts, sind beide Abstraktionen, deren Wahrheit erst die *Sittlichkeit* ist. Die Sittlichkeit ist so die Einheit des Willens in seinem Begriffe, und des Willen des Einzelnen, das heißt des Subjekts. Ihr erstes Dasein ist wiederum ein Natürliches, in Form der Liebe und Empfindung, *die Familie*: das Individuum hat hier seine spröde Persönlichkeit aufgehoben, und befindet sich mit seinem Bewußtsein in einem Ganzen. Aber auf der folgenden Stufe ist der Verlust der eigentlichen Sittlichkeit, und der substantiellen Einheit zu sehen: die Familie zerfällt, und die Glieder verhalten sich als selbstandige zueinander, indem nur das Band des gegenseitigen Bedürfnisses sie umschlingt. Diese Stufe der *bürgerlichen Gesellschaft* hat man häufig für den Staat angesehen.[3]) Aber der *Staat* ist erst das Dritte, die Sittlichkeit, und der Geist, in welchem die ungeheure Vereinigung der Selbständigkeit der Individualität, und der allgemeinen Substantialität stattfindet. Das Recht des Staates ist daher höher, als andere Stufen: es ist die Freiheit in ihrer konkretesten Gestaltung, welche nur noch unter die höchste absolute Wahrheit des Weltgeistes fällt.

Erster Teil

Das abstrakte Recht

§ 34

Der an und für sich freie Wille, wie er in seinem *abstrakten* Begriffe ist, ist in der Bestimmtheit der *Unmittelbarkeit*. Nach dieser ist er seine gegen die Realität negative, nur sich abstrakt auf sich beziehende Wirklichkeit, – *in sich einzelner* Wille eines *Subjekts*. Nach dem Momente der *Besonderheit* des Willens hat er einen weiteren Inhalt bestimmter Zwecke und als *ausschließende Einzelnheit* diesen Inhalt zugleich als eine äußere, unmittelbar vorgefundene Welt vor sich.

Zusatz. Wenn gesagt wird, der an und für sich freie Wille, wie er in seinem abstrakten Begriffe ist, sei in der Bestimmtheit der Unmittelbarkeit, so muß darunter folgendes verstanden werden. Die vollendete Idee des Willens wäre der Zustand, in welchem der Begriff sich völlig realisiert hätte, und in welchem das Dasein desselben nichts als die Entwickelung seiner selbst wäre. Im Anfange ist der Begriff aber abstrakt, das heißt alle Bestimmungen sind zwar in ihm enthalten, aber auch nur enthalten: sie sind nur an sich, und noch nicht zur Totalität in sich selbst entwickelt. Wenn ich sage, ich bin frei, so ist Ich noch dieses gegensatzlose Insichsein, dagegen im Moralischen schon ein Gegensatz ist, denn da bin ich als einzelner Wille, und das Gute ist das Allgemeine, obgleich es in mir selbst ist. Hier hat der Wille also schon die Unterschiede von Einzelnheit und Allgemeinheit in sich selbst, und ist somit bestimmt. Aber im Anfang ist ein solcher Unterschied nicht vorhanden, denn in der ersten abstrakten Einheit ist noch kein Fortgang und keine Vermittelung: der Wille ist so in der Form der Unmittelbarkeit, des Seins. Die wesentliche Einsicht, die hier zu erlangen wäre, ist nun, daß diese erste Unbestimmtheit selbst eine Bestimmtheit ist. Denn die Unbestimmtheit liegt darin, daß zwischen dem Willen und seinem Inhalt noch kein Unterschied ist: aber sie selbst, dem Bestimmten entgegengesetzt, fällt in die Bestimmung ein Bestimmtes zu sein: die abstrakte Identität ist es, welche hier die Bestimmtheit ausmacht: der Wille wird dadurch einzelner Wille – die *Person.*

§ 35

Die *Allgemeinheit* dieses für sich freien Willens ist die formelle, die selbstbewußte sonst inhaltslose *einfache* Beziehung auf sich in seiner Einzelnheit, – das Subjekt ist insofern *Person.* In der *Persönlichkeit* liegt, daß ich als *Dieser* vollkommen nach allen Seiten (in innerlicher Willkür, Trieb und Begierde, so wie nach unmittelbarem äußerlichen Dasein) bestimmte und endliche, doch schlechthin reine Beziehung auf mich bin und in der Endlichkeit mich so als das *Unendliche, Allgemeine* und *Freie* weiß.

Die Persönlichkeit fängt erst da an, insofern das Subjekt nicht bloß ein Selbstbewußtsein überhaupt von sich hat als konkretem auf irgendeine Weise bestimmtem, sondern vielmehr ein Selbstbewußtsein von sich als vollkommen abstraktem Ich, in welchem alle konkrete Beschränktheit und Gültigkeit negiert und ungültig ist. In der Persönlichkeit ist daher das Wissen *seiner* als *Gegenstandes*, aber als durch das Denken in die einfache Unendlichkeit erhobenen und dadurch mit sich rein-identischen Gegenstandes. Individuen und Völker haben noch keine Persönlichkeit, insofern sie noch nicht zu diesem reinen Denken und Wissen von sich gekommen sind. Der an und für sich seiende Geist unterscheidet sich dadurch von dem erscheinenden Geiste, daß in derselben Bestimmung, worin dieser nur *Selbstbewußtsein,* – Bewußtsein *von sich*, aber nur nach dem natürlichen Willen und dessen noch äußerlichen Gegensätzen ist[1]), der Geist sich als abstraktes und zwar freies Ich zum Gegenstande und Zwecke hat und *so Person* ist.

Zusatz. Der für sich seiende oder abstrakte Wille ist die Person. Das Höchste des Menschen ist Person zu sein, aber trotzdem ist die bloße Abstraktion Person schon im Ausdruck etwas Verächtliches. Vom Subjekte ist die Person wesentlich verschieden, denn das Subjekt ist nur die Möglichkeit der Persönlichkeit, da jedes Lebendige überhaupt ein Subjekt ist. Die Person ist also das Subjekt, für das diese Subjektivität ist, denn in der Person bin ich schlechthin für mich: sie ist die Einzelnheit der Freiheit im reinen Fürsichsein. Als diese Person weiß ich mich frei in mir selbst und kann von allem abstrahieren, da nichts vor mir als die reine Persönlichkeit steht, und doch bin ich als Dieser ein ganz Bestimmtes: so alt, so groß, in diesem Raume, und was alles für Partikularitäten noch sein mögen. Die Person ist also in einem das Hohe und das ganz Niedrige; es liegt in ihr diese Einheit des Unendlichen und schlechthin Endlichen, der bestimmten Grenze und des durchaus Grenzenlosen. Die Hoheit der Person ist es, welche diesen Widerspruch aushalten kann, der nichts Natürliches in sich hat oder ertragen könnte.

§ 36

1) Die Persönlichkeit enthält überhaupt die Rechtsfähigkeit und macht den Begriff und die selbst abstrakte Grundlage des abstrakten und daher *formellen* Rechtes aus. Das Rechtsgebot ist daher: *sei eine Person und respektiere die anderen als Personen.*[1])

§ 37

2) Die *Besonderheit* des Willens ist wohl Moment des ganzen Bewußtseins des Willens (§ 34), aber in der abstrakten Persönlichkeit als solcher noch nicht enthalten. Sie ist daher zwar vorhanden, aber als von der Persönlichkeit, der Bestimmung der Freiheit, noch verschieden, Begierde, Bedürfnis, Triebe, zufälliges Belieben usf. – Im formellen Rechte kommt es daher nicht auf das besondere Interesse, meinen Nutzen oder mein Wohl an – ebensowenig auf den besonderen Bestimmungsgrund meines Willens, auf die Einsicht und Absicht.

Zusatz. Weil die Besonderheit in der Person noch nicht als Freiheit vorhanden ist, so ist alles, was auf die Besonderheit ankommt, hier ein *Gleichgültiges.* Hat jemand kein Interesse, als sein formelles Recht, so kann dieses reiner

Eigensinn sein, wie es einem beschränkten Herzen und Gemüte oft zukommt, denn der rohe Mensch steift sich am meisten auf sein Recht, indes der großartige Sinn darauf sieht, was die Sache sonst noch für Seiten hat. Das abstrakte Recht ist also nur erst bloße Möglichkeit, und insofern gegen den ganzen Umfang des Verhältnisses etwas Formelles. Deshalb gibt die rechtliche Bestimmung eine Befugnis, aber es ist nicht absolut notwendig, daß ich mein Recht verfolge, weil es nur eine Seite des ganzen Verhältnisses ist. Möglichkeit ist nämlich Sein, das die Bedeutung hat, auch nicht zu sein.

§ 38

In Beziehung auf die *konkrete* Handlung und moralische und sittliche Verhältnisse ist gegen deren weitern Inhalt das abstrakte Recht nur eine *Möglichkeit*, die rechtliche Bestimmung daher nur eine *Erlaubnis* oder *Befugnis*. Die Notwendigkeit dieses Rechts beschränkt sich aus demselben Grunde seiner Abstraktion auf das Negative, die Persönlichkeit und das daraus Folgende *nicht zu verletzen*. Es gibt daher nur *Rechtsverbote*, und die positive Form von Rechtsgeboten hat ihrem letzten Inhalte nach das Verbot zugrunde liegen.[1])

§ 39

3) die beschließende und *unmittelbare* Einzelnheit der Person verhält sich zu einer vorgefundenen Natur, welcher hiermit die Persönlichkeit des Willens als ein *Subjektives* gegenübersteht, aber dieser als in sich unendlich und allgemein ist die Beschränkung, nur subjektiv zu sein, widersprechend und *nichtig*. Sie ist das Tätige, sie aufzuheben und sich Realität zu geben, oder, was dasselbe ist, jenes Dasein als das ihrige zu setzen.

§ 40

Das Recht ist zuerst das unmittelbare Dasein, welches sich die Freiheit auf unmittelbare Weise gibt,

a) *Besitz*, welcher *Eigentum* ist; – die Freiheit ist hier die des abstrakten Willens *überhaupt*, oder eben damit *einer einzelnen* sich nur zu sich verhaltenden Person.[1])

b) Die Person, sich von sich unterscheidend, verhält sich zu einer *andern Person* und zwar haben beide nur als Eigentümer füreinander Dasein. Ihre *an sich* seiende Identität erhält Existenz durch das Übergehen des Eigentums des einen in das des andern mit gemeinsamen Willen und Erhaltung ihres Rechts, – im *Vertrag*.

c) Der Wille als (a) in seiner Beziehung auf sich, nicht von einer andern Person (b), sondern in sich selbst unterschieden, ist er, als *besonderer* Wille von sich *als an und für sich seiendem* verschieden und entgegengesetzt, – *Unrecht* und *Verbrechen*.

Die Einteilung des Rechts in *Personen-Sachen*-Recht und das Recht zu *Aktionen* hat, so wie die vielen anderen dergleichen Einteilungen, zunächst den Zweck, die Menge des vorliegenden unorganischen Stoffs in eine äußerliche Ordnung zu bringen.[2]) Es liegt in diesem Einteilen vornehmlich die Verwirrung, Rechte, welche substantielle Verhältnisse, wie Familie und Staat, zu ihrer Voraussetzung haben, und solche, die sich auf die bloße abstrakte Persönlichkeit beziehen, kunterbunt zu vermischen. In diese Verwirrung gehört die kantische und sonst beliebt gewordene Einteilung in *sächliche, persönliche und dinglichpersönliche* Rechte.[3]) Das Schiefe und Begrifflose der Einteilung in *Personen-* und *Sachenrecht*, das in dem römischen Rechte zugrunde liegt, zu entwickeln, (das Recht zu Aktionen betrifft die Rechtspflege und gehört nicht in diese Ordnung) würde zu weit führen. Hier erhellt schon so viel, daß nur die *Persönlichkeit* ein Recht an *Sachen* gibt und daher das persönliche Recht wesentlich *Sachenrecht* ist, – Sache im allgemeinen Sinne als das der Freiheit überhaupt Äußerliche, wozu auch mein Körper, mein Leben gehört. Dies Sachenrecht ist das Recht der *Persönlichkeit* als *solcher*. Was aber das im römischen Rechte sogenannte *Personenrecht* betrifft, so soll der Mensch erst, mit einem gewissen status betrachtet, eine Person sein; (Heineccii Elem. Jur. Civ. § LXXV.) im römischen Rechte ist hiermit sogar die Persönlichkeit selbst, als gegenüber der Sklaverei, nur ein *Stand, Zustand*.[4]) Der Inhalt des römischen sogenannten Personenrechtes betrifft dann außer dem Recht an *Sklaven*, wozu ungefähr auch die Kinder gehören, und dem Zustande der *Rechtlosigkeit* (capitis diminutio) die *Familienverhältnisse*. Bei Kant sind vollends die Familienverhältnisse, die auf *dingliche Weise persönlichen* Rechte.[5]) – Das römische Personenrecht ist daher nicht das Recht der Person als solcher, sondern wenigstens der *besondern* Person; – späterhin[6]) wird sich zeigen, daß das Familienverhältnis vielmehr das Aufgeben der Persönlichkeit zu seiner substantiellen Grundlage hat. Es kann nun nicht anders als verkehrt erscheinen, das Recht der *besonders bestimmten* Person vor dem allgemeinen Rechte der Persönlichkeit abzuhandeln. – Die *persönlichen Rechte* bei *Kant* sind die Rechte, die aus einem Vertrage entstehen, daß Ich etwas gebe, leiste – das jus ad rem im römischen Recht, das aus einer obligatio entspringt.[7]) Es ist allerdings nur eine Person, die aus einem Vertrage zu leisten hat, so wie auch nur eine Person, die das Recht an eine solche Leistung erwirbt, aber ein solches Recht kann man darum nicht ein persönliches nennen; *jede* Art von Rechten kommt nur einer Person zu und objektiv ist ein Recht aus dem Vertrage nicht Recht an eine Person, sondern nur an ein ihr Äußerliches, oder etwas von ihr zu Veräußerndes, immer an eine Sache.

Erster Abschnitt
Das Eigentum

§ 41

Die Person muß sich eine äußere *Sphäre ihrer Freiheit* geben, um als Idee zu sein. Weil die Person der an und für sich seiende unendliche Wille in dieser ersten noch ganz abstrakten Bestimmung ist, so ist dies von ihm Unterschiedene, was die Sphäre seiner Freiheit ausmachen kann, gleichfalls als das von ihm *unmittelbar Verschiedene* und *Trennbare* bestimmt.

Zusatz. Das Vernünftige des Eigentums liegt nicht in der Befriedigung der Bedürfnisse, sondern darin, daß sich die bloße Subjektivität der Persönlichkeit aufhebt. Erst im Eigentume ist die Person als Vernunft.[1]) Wenn auch die erste Realität meiner Freiheit in einer äußerlichen Sache, somit eine schlechte Realität ist, so kann die abstrakte Persönlichkeit eben in ihrer Unmittelbarkeit kein anderes Dasein, als in der Bestimmung der Unmittelbarkeit haben.

§ 42

Das von dem freien Geiste unmittelbar Verschiedene ist für ihn und an sich das *Äußerliche* überhaupt, – eine *Sache*, ein Unfreies, Unpersönliches und Rechtloses.

Sache hat wie das Objektive die entgegengesetzten Bedeutungen, das eine Mal, wenn man sagt: *das ist die Sache*, es kommt auf die *Sache*, nicht auf die Person an, – die Bedeutung des *Substantiellen*; das andere Mal gegen die Person, (nämlich nicht das besondere Subjekt) ist die Sache das *Gegenteil des Substantiellen*, das seiner Bestimmung nach nur Äußerliche. – Was für den freien Geist, der vom bloßen Bewußtsein wohl unterschieden werden muß, das Äußerliche ist, ist es an und für sich, darum ist die Begriffsbestimmung der *Natur* dies, das *Äußerliche an ihr selbst* zu sein.

Zusatz. Da der Sache die Subjektivität abgeht, ist sie nicht bloß dem Subjekte, sondern sich selbst das Äußerliche. Raum und Zeit sind auf diese Weise äußerlich. Ich als sinnlich, bin selbst äußerlich, räumlich und zeitlich. Ich, indem ich sinnliche Anschauungen habe, habe sie von etwas, das sich selbst äußerlich ist. Das Tier kann anschauen, aber die Seele des Tieres hat nicht die Seele, nicht sich selbst zum Gegenstand, sondern ein Äußerliches.

§ 43

Die Person hat als der *unmittelbare* Begriff und damit auch wesentlich Einzelne eine *natürliche* Existenz, teils an ihr selbst, teils als eine solche, zu der sie als einer Außenwelt sich verhält. – Nur von diesen Sachen, als die es unmittelbar, nicht von Bestimmungen, die es durch die Vermittelung des Willens zu werden fähig sind, ist hier bei der Person, die selbst noch in ihrer ersten Unmittelbarkeit ist, die Rede.

Geistige Geschicklichkeiten, Wissenschaften, Künste,

selbst Religiöses (Predigten, Messen, Gebete, Segen in geweihten Dingen), Erfindungen usf. werden Gegenstände des Vertrags, anerkannten *Sachen* in Weise des Kaufens, Verkaufens usf. gleichgesetzt. Man kann fragen, ob der Künstler, der Gelehrte, usf. im juristischen Besitze seiner Kunst, Wissenschaft, seiner Fähigkeit, eine Predigt zu halten, Messe zu lesen usw. sei, d. i. ob dergleichen Gegenstände *Sachen* seien. Man wird Anstand nehmen, solche Geschicklichkeiten, Kenntnisse, Fähigkeiten usf. *Sachen* zu nennen: da über dergleichen Besitz einerseits als über Sachen verhandelt und kontrahiert wird, er andererseits aber ein Inneres und Geistiges ist, kann der Verstand über die juristische Qualifikation desselben in Verlegenheit sein, da ihm nur der Gegensatz: daß etwas *entweder* Sache oder Nicht-Sache, wie das *Entweder* unendlich, *Oder* endlich), vorschwebt. Kenntnisse, Wissenschaften, Talente usf. sind freilich dem freien Geiste eigen und ein Innerliches desselben, nicht ein Äußerliches, aber ebenso sehr kann er ihnen durch die Äußerung ein äußerliches Dasein geben und sie *veräußern*, (s. unten)[1]) wodurch sie unter die Bestimmung von *Sachen* gesetzt werden. Sie sind also nicht zuerst ein Unmittelbares, sondern werden es erst durch die Vermittelung des Geistes, der sein Inneres zur Unmittelbarkeit und Äußerlichkeit herabsetzt. – Nach der unrechtlichen und unsittlichen Bestimmung des römischen Rechts waren die Kinder *Sachen* für den Vater und dieser hiermit im juristischen Besitze seiner Kinder, und doch wohl stand er auch im sittlichen Verhältnisse der Liebe zu ihnen, (das freilich durch jenes Unrecht sehr geschwächt werden mußte). Es fand darin also eine, aber ganz unrechtliche Vereinigung der beiden Bestimmungen von Sache und Nicht-Sache statt. – Im abstrakten Rechte, das nur die Person als solche, somit auch das Besondere, was zum Dasein und Sphäre ihrer Freiheit gehört, nur insofern zum Gegenstande hat, als es als ein von ihr Trennbares und unmittelbar Verschiedenes ist, dies mache seine wesentliche Bestimmung aus, oder es könne sie nur erst vermittelst des subjektiven Willens erhalten, kommen geistige Geschicklichkeiten, Wissenschaften usf. allein nach ihrem juristischen Besitze in Betracht; der Besitz des Körpers und des Geistes, der durch Bildung,

Studium, Gewöhnung usf. erworben wird, und als ein *inneres Eigentum* des Geistes ist, ist hier nicht abzuhandeln. Von dem *Übergange* aber eines solchen geistigen Eigentums in die Äußerlichkeit, in welcher es unter die Bestimmung eines juristisch-rechtlichen Eigentums fällt, ist erst bei der *Veräußerung* zu sprechen.

§ 44

Die Person hat das Recht, in jede Sache ihren Willen zu legen, welche dadurch die *Meinige* ist, zu ihrem substantiellen Zwecke, da sie einen solchen nicht in sich selbst hat, ihrer Bestimmung und Seele meinen Willen erhält, – absolutes *Zueignungsrecht* des Menschen auf alle Sachen.

Diejenige sogenannte Philosophie [1]), welche den unmittelbaren einzelnen Dingen, dem Unpersönlichen, Realität im Sinne von Selbständigkeit und wahrhaftem Für- und Insichsein zuschreibt, ebenso diejenige, welche versichert, der Geist könne die Wahrheit nicht erkennen und nicht wissen, was das Ding *an sich* ist, wird von dem Verhalten des freien Willens gegen diese Dinge unmittelbar widerlegt. Wenn für das Bewußtsein, für das Anschauen und Vorstellen die sogenannten *Außendinge* den Schein von Selbständigkeit haben, so ist dagegen der freie Wille der Idealismus, die Wahrheit solcher Wirklichkeit.

Zusatz. Alle Dinge können Eigentum des Menschen werden, weil dieser freie Wille, und als solcher an und für sich ist, das Entgegenstehende aber diese Eigenschaft nicht hat. Jeder hat also das Recht seinen Willen zur Sache zu machen, oder die Sache zu seinem Willen, das heißt mit anderen Worten, die Sache aufzuheben und zu der seinigen umzuschaffen; denn die Sache als Äußerlichkeit hat keinen Selbstzweck, ist nicht die unendliche Beziehung ihrer auf sich selbst, sondern sich selbst ein Äußerliches. Ein solches Äußerliche ist auch das Lebendige (das Tier), und insofern selber eine Sache. Nur der Wille ist das Unendliche, gegen alles andere *Absolute*, während das andere seinerseits nur *relativ* ist. Sich zueignen heißt im Grunde somit nur die Hoheit meines Willens gegen die Sache manifestieren, und aufweisen, daß diese nicht an und für sich, nicht Selbstzweck ist. Diese Manifestation geschieht dadurch, daß ich in die Sache einen anderen Zweck lege, als sie unmittelbar hatte: ich gebe dem Lebendigen als meinem Eigentum eine andere Seele, als es hatte; ich gebe ihm meine Seele. Der freie Wille ist somit der Idealismus, der die Dinge nicht, wie sie sind, für an und für sich hält, während der Realismus dieselben für absolut erklärt, wenn sie sich auch nur in der Form der Endlichkeit befinden. Schon das Tier hat nicht mehr diese realistische Philosophie, denn es zehrt die Dinge auf, und beweist dadurch, daß sie nicht absolut selbständig sind.

§ 45

Daß Ich etwas in meiner selbst äußeren Gewalt habe, macht den *Besitz* aus, so wie die besondere Seite, daß Ich etwas aus natürlichem Bedürfnisse, Triebe und der Willkür zu dem Meinigen mache, das besondere Interesse des Besitzes ist. Die Seite aber, daß Ich als freier Wille mir im Besitze gegenständlich und hiermit auch erst wirklicher Wille bin, macht das Wahrhafte und Rechtliche darin, die Bestimmung des *Eigentums* aus.

Eigentum zu haben, erscheint in Rücksicht auf das Bedürfnis, indem dieses zum Ersten gemacht wird, als Mittel; die wahrhafte Stellung aber ist, daß vom Standpunkte der Freiheit aus das Eigentum als das erste Dasein derselben, wesentlicher Zweck für sich ist.

§ 46

Da mir im Eigentum mein Wille als persönlicher, somit als Wille des Einzelnen objektiv wird, so erhält es den Charakter von *Privateigentum*, und gemeinschaftliches Eigentum, das seiner Natur nach vereinzelt besessen werden kann, die Bestimmung von einer *an sich auflösbaren* Gemeinschaft, in der meinen Anteil zu lassen, für sich Sache der Willkür ist.

Die Benutzung *elementarischer* Gegenstände ist, ihrer Natur nach, nicht fähig, zu Privatbesitz partikularisiert zu werden. – *Die agrarischen Gesetze* in Rom enthalten einen Kampf zwischen Gemeinsamkeit und Privateigentümlichkeit des Grundbesitzes; die letztere mußte als das vernünftigere Moment, obgleich auf Kosten anderen Rechts, die Oberhand behalten.[1]) – *Familien-fideikommissarisches* Eigentum enthält ein Moment, dem das Recht der Persönlichkeit und damit des Privateigentums entgegensteht.[2]) Aber die Bestimmungen, die das Privateigentum betreffen, können höhern Sphären des Rechts, einem Gemeinwesen, dem Staate untergeordnet werden müssen, wie in Rücksicht auf Privateigentümlichkeit beim Eigentum einer sogenannten moralischen Person, Eigentum in toter Hand, der Fall ist. Jedoch können solche Ausnahmen nicht im Zufall, in Privatwillkür, Privatnutzen, sondern nur in dem vernünftigen Organismus des Staats begründet sein.[3]) – Die Idee des *platonischen* Staats enthält das Unrecht gegen die Person, des Privateigentums unfähig zu sein, als allgemeines Prinzip.[4]) Die Vorstellung von einer frommen oder freundschaftlichen und selbst erzwungenen Verbrüderung der Menschen mit *Gemeinschaft der Güter* und der Verbannung des privateigentümlichen Prinzips kann sich der Gesinnung leicht darbieten, welche die Natur der Freiheit des Geistes und des Rechts verkennt und sie nicht in ihren bestimmten Momenten erfaßt. Was die moralische oder religiöse Rücksicht betrifft, so hielt *Epikur*[5]) seine Freunde, wie sie, einen solchen Bund der Gütergemeinschaft zu errichten, vorhatten, gerade aus dem Grunde davon ab, weil dies ein Mißtrauen beweise, und die einander mißtrauen, nicht Freunde seien. (Diog. Laërt. I. X.n. VI.)

Zusatz. Im Eigentum ist mein Wille persönlich, die Person ist aber ein Dieses: also wird das Eigentum das Persönliche dieses Willens. Da ich meinem Willen Dasein durch das Eigentum gebe, so muß das Eigentum auch die Bestimmung haben, das Diese, das Meine zu sein. Dies ist die wichtige Lehre von der Notwendigkeit des *Privateigentums*. Wenn Ausnahmen durch den Staat gemacht werden können, so ist es doch dieser allein, der sie machen kann: häufig ist aber von demselben, namentlich in unserer Zeit, das Privateigentum wieder hergestellt worden. So haben z. B. viele Staaten mit Recht die Klöster aufgehoben, weil ein Gemeinwesen letztlich kein solches Recht am Eigentum hat, als die Person.

§ 47

Als Person bin Ich selbst *unmittelbar Einzelner*, – dies heißt in seiner weitern Bestimmung zunächst: Ich bin *lebendig* in diesem *organischen Körper*, welcher mein dem Inhalte nach *allgemeines* ungeteiltes äußeres Dasein, die reale Möglichkeit alles weiter bestimmten Daseins ist. Aber als Person habe ich zugleich *mein Leben und Körper*, wie andere Sachen, nur *insofern es mein Wille ist*.

Daß Ich nach der Seite, nach welcher Ich nicht als der für sich seiende, sondern als der unmittelbare Begriff existiere, *lebendig* bin und einen organischen Körper habe, beruht auf dem Begriffe des Lebens und dem des Geistes als Seele, – auf Momenten, die aus der Naturphilosophie[1]) aufgenommen sind.

Ich habe diese Glieder, das Leben nur, *insofern ich will*; das Tier kann sich nicht selbst verstümmeln oder umbringen, aber der Mensch.

Zusatz. Die Tiere haben sich zwar im Besitz: ihre Seele ist im Besitz ihres Körpers, aber sie haben kein Recht auf ihr Leben, weil sie es nicht wollen.

§ 48

Der Körper, insofern er unmittelbares Dasein ist, ist er dem Geiste nicht angemessen; um williges Organ und beseeltes Mittel desselben zu sein, muß er erst von ihm *in Besitz genommen* werden. (§ 57) – Aber *für andere* bin ich wesentlich ein Freies in meinem Körper, wie ich ihn unmittelbar habe.[1])

Nur weil Ich als Freies im Körper lebendig bin, darf dieses lebendige Dasein nicht zum Lasttiere mißbraucht werden. Insofern Ich lebe, ist meine Seele (der Begriff und höher das Freie) und der Leib nicht geschieden, dieser ist das Dasein der Freiheit und Ich empfinde in ihm. Es ist daher nur ideeloser, sophistischer Verstand, welcher die Unterscheidung machen kann, daß *das Ding an sich*, die Seele, nicht berührt oder angegriffen werde, wenn der *Körper* mißhandelt und die *Existenz* der Person der Gewalt eines andern unterworfen wird. Ich kann mich aus meiner Existenz in mich zurückziehen und sie zur äußerlichen machen, –

die besondere Empfindung aus mir hinaushalten und in den Fesseln frei sein. Aber dies ist *mein* Wille, *für den andern* bin Ich in meinem Körper; *frei für den andern* bin ich nur als frei im *Dasein*, ist ein identischer Satz.[2]) *Meinem Körper* von andern angetane Gewalt ist *Mir* angetane Gewalt.

Daß, weil Ich empfinde, die Berührung und Gewalt gegen meinen Körper mich unmittelbar als *wirklich* und *gegenwärtig* berührt, macht den Unterschied zwischen persönlicher Beleidigung und zwischen Verletzung meines äußern Eigentums, als in welchem mein Wille nicht in dieser unmittelbaren Gegenwart und Wirklichkeit ist.

§ 49

Im Verhältnisse zu äußerlichen Dingen ist das *Vernünftige*, daß Ich Eigentum besitze[1]); die Seite des *Besonderen* aber begreift die subjektiven Zwecke, Bedürfnisse, die Willkür, die Talente, äußere Umstände usf. (§ 45); hiervon hängt der Besitz bloß als solcher ab, aber diese besondere Seite ist in dieser Sphäre der abstrakten Persönlichkeit noch nicht identisch mit der Freiheit gesetzt. *Was* und *wieviel* Ich besitze, ist daher eine rechtliche Zufälligkeit.

In der Persönlichkeit sind die *mehrern* Personen, wenn man hier von mehrern sprechen will, wo noch kein solcher Unterschied stattfindet, gleich. Dies ist aber ein leerer tautologischer Satz; denn die Person ist als das Abstrakte eben das noch nicht Besonderte und in bestimmtem Unterschiede Gesetzte. – *Gleichheit* ist die abstrakte Identität des Verstandes, auf welche das reflektierende Denken und damit die Mittelmäßigkeit des Geistes überhaupt, zunächst verfällt, wenn ihm die Beziehung der Einheit auf einen Unterschied vorkommt. Hier wäre die Gleichheit nur Gleichheit der abstrakten Personen als solcher, *außer welcher* eben damit alles, was den Besitz betrifft, dieser *Boden der Ungleichheit*, fällt. – Die bisweilen gemachte Forderung der *Gleichheit* in Austeilung des Erdbodens oder gar des weiter vorhandenen Vermögens, ist ein um so leererer und oberflächlicherer Verstand, als in diese Besonderheit nicht nur die äußere Naturzufälligkeit, sondern auch der ganze Umfang der geistigen

Natur in ihrer unendlichen Besonderheit und Verschiedenheit, sowie in ihrer zum Organismus entwickelten Vernunft fällt. – Von einer *Ungerechtigkeit der Natur* über ungleiches Austeilen des Besitzes und Vermögens kann nicht gesprochen werden, denn die Natur ist nicht frei, und darum weder gerecht, noch ungerecht. Daß alle Menschen ihr Auskommen für ihre Bedürfnisse haben sollen[2]), ist teils ein moralischer und, in dieser Unbestimmtheit ausgesprochen, zwar wohlgemeinter, aber, wie das bloß Wohlgemeinte überhaupt, nichts Objektives seiender *Wunsch*, teils ist Auskommen etwas anderes als *Besitz* und gehört einer anderen Sphäre, der bürgerlichen Gesellschaft, an.

Zusatz. Die Gleichheit, die man etwa in Beziehung auf die Verteilung der Güter einführen möchte, würde, da das Vermögen vom Fleiß abhängt, ohnehin in kurzer Zeit wieder zerstört werden.[3]) Was sich aber nicht ausführen läßt, das soll auch nicht ausgeführt werden. Denn die Menschen sind freilich gleich, aber nur als Personen, das heißt rücksichtlich der Quelle ihres Besitzes. Demzufolge müßte jeder Mensch Eigentum haben. Will man daher von Gleichheit sprechen, so ist es diese Gleichheit, die man betrachten muß. Außer derselben fällt aber die Bestimmung der Besonderheit, die Frage, wieviel ich besitze. Hier ist die Behauptung falsch, daß die Gerechtigkeit fordere, das Eigentum eines jeden solle gleich sein; denn diese fordert nur, daß jeder Eigentum haben solle. Vielmehr ist die Besonderheit, das, wo gerade die Ungleichheit ihren Platz hat, und die Gleichheit wäre hier Unrecht. Es ist ganz richtig, daß die Menschen häufig nach den Gütern der anderen Lust bekommen; dies ist aber eben das Unrecht, denn das Recht ist das, was gleichgültig gegen die Besonderheit bleibt.

§ 50

Daß die Sache dem in der Zeit *zufällig Ersten*, der sie in Besitz nimmt, angehört, ist, weil ein Zweiter nicht in Besitz nehmen kann, was bereits Eigentum eines andern ist, eine sich unmittelbar verstehende, überflüssige Bestimmung.[1])

Zusatz. Die bisherigen Bestimmungen betrafen hauptsächlich den Satz, daß die Persönlichkeit Dasein im Eigentum haben müsse. Daß nun der erste Besitzergreifende auch Eigentümer sei, geht aus dem Gesagten hervor. Der Erste ist nicht dadurch rechtlicher Eigentümer, weil er der Erste ist, sondern weil er freier Wille ist, denn erst dadurch, daß ein anderer nach ihm kommt, wird er der Erste.

§ 51

Zum Eigentum als dem *Dasein* der Persönlichkeit, ist meine *innerliche* Vorstellung und Wille, daß etwas *mein* sein solle, nicht hinreichend, sondern es wird dazu die *Besitzergreifung* erfordert. Das *Dasein*, welches jenes Wollen hierdurch erhält, schließt die Erkennbarkeit für andere in sich. – Daß die Sache, von der Ich Besitz nehmen kann, *herrenlos* sei, ist (wie § 50) eine sich von selbst verstehende negative Bedingung, oder bezieht sich vielmehr auf das antizipierte Verhältnis zu andern.

Zusatz. Daß die Person ihren Willen in eine Sache legt, ist erst der Begriff des Eigentums und das weitere ist eben die Realisation desselben. Mein innerer Willensaktus, welcher sagt, daß etwas mein sei, muß auch für andere erkennbar werden. Mache ich eine Sache zur meinigen, so gebe ich ihr dieses Prädikat, das an ihr in äußerlicher Form erscheinen, und nicht bloß in meinem inneren Willen stehen bleiben muß. Unter Kindern pflegt es zu geschehen, daß diese gegen die Besitzergreifung anderer das frühere Wollen hervorheben: für Erwachsene ist aber dieses Wollen nicht hinreichend, denn die Form der Subjektivität muß entfernt werden, und sich zur Objektivität herausarbeiten.

§ 52

Die Besitzergreifung macht die *Materie* der Sache zu meinem Eigentum, da die Materie für sich nicht ihr eigen ist.

Die Materie leistet mir Widerstand (und sie ist nur dies, mir Widerstand zu leisten), d. i. sie zeigt mir ihr abstraktes Fürsichsein nur als abstraktem Geiste, nämlich als *sinnlichem* (verkehrter Weise hält das sinnliche Vorstellen das sinnliche Sein des Geistes für das Konkrete und das Vernünftige für das Abstrakte), aber in Beziehung auf den Willen und Eigentum hat dies Fürsichsein der Materie keine Wahrheit. Das Besitzergreifen als *äußerliches Tun*, wodurch das allgemeine Zueignungsrecht der Naturdinge verwirklicht wird, tritt in die Bedingungen der physischen Stärke, der List, der Geschicklichkeit, der Vermittelung überhaupt, wodurch man körperlicherweise etwas habhaft wird. Nach der qualitativen Verschiedenheit der Naturdinge hat deren Bemächtigung und Besitznahme einen unendlich vielfachen Sinn und eine ebenso unendliche Beschränkung und Zufälligkeit. Ohnehin ist die Gattung und das Elementarische, als solches, nicht *Gegenstand der persönlichen Einzelnheit*; um dies zu werden und ergriffen werden zu können, muß es erst vereinzelt werden (ein Atemzug der Luft, – ein Schluck Wassers). An der Unmöglichkeit, eine äußerliche Gattung als solche und das Elementarische in Besitz nehmen zu können, ist nicht die äußerliche physische Unmöglichkeit als das letzte zu betrachten, sondern daß die Person als Wille sich als Einzelnheit bestimmt und als Person zugleich unmittelbare Einzelnheit ist, hiermit sich auch als solche zum Äußerlichen als zu Einzelnheiten verhält. (§ 13 Anm., § 43) – Die Bemächtigung und das äußerliche Besitzen wird daher auch auf unendliche Weise mehr oder weniger unbestimmt und unvollkommen. Immer aber ist die Materie nicht ohne wesentliche Form und nur durch diese ist sie etwas. Je mehr ich mir diese Form aneigne, desto mehr komme ich auch in den *wirklichen* Besitz der Sache. Das Verzehren von Nahrungsmitteln ist eine Durchdringung und Veränderung ihrer qualitativen Natur, durch die sie vor dem Verzehren das sind, was sie sind. Die Ausbildung meines organischen Körpers zu Geschicklichkeiten, so wie die Bildung meines Geistes ist gleichfalls eine mehr oder weniger vollkommene Besitznahme und Durchdringung; der Geist ist es, den ich mir am vollkommensten zu eigen machen kann. Aber diese *Wirklichkeit der Besitzergreifung* ist verschieden von dem Eigentum, als solchem, welches durch den freien Willen vollendet ist. Gegen ihn hat die Sache nicht ein Eigentümliches für sich zurückbehalten, wenn schon im Besitze, als einem äußerlichen Verhältnis, noch eine Äußerlichkeit zurückbleibt. Über das leere Abstraktum einer Materie ohne Eigenschaften, welches im

Eigentum außer mir und der Sache eigen bleiben soll, muß der Gedanke Meister werden.

Zusatz. Fichte hat die Frage aufgeworfen[1]), ob, wenn ich die Materie formiere, dieselbe auch mein sei. Es muß, nach ihm, wenn ich aus Gold einen Becher verfertigt habe, einem anderen freistehen, das Gold zu nehmen, wenn er nur dadurch meine Arbeit nicht verletzt. So trennbar dies auch in der Vorstellung ist, so ist in der Tat dieser Unterschied eine leere Spitzfindigkeit; denn wenn ich ein Feld in Besitz nehme und beackere, so ist nicht nur die Furche mein Eigentum, sondern das weitere, die Erde, die dazu gehört. Ich *will* nämlich diese Materie, das Ganze in Besitz nehmen: sie bleibt daher nicht herrenlos, nicht ihr eigen. Denn wenn die Materie auch außerhalb der Form bleibt, die ich dem Gegenstande gegeben habe, so ist die Form eben ein Zeichen, daß die Sache mein sein soll: sie bleibt daher nicht außer meinem Willen, nicht außerhalb dessen, was ich gewollt habe. Es ist daher nichts da, was von einem anderen in Besitz zu nehmen wäre.

§ 53

Das Eigentum hat seine näheren Bestimmungen im Verhältnisse des Willens zur Sache; dieses ist α) unmittelbar *Besitznahme*, insofern der Wille in der Sache, als einem *Positiven*, sein Dasein hat, β) insofern sie ein Negatives gegen ihn ist, hat er sein Dasein in ihr als einem zu Negierenden, – *Gebrauch*, γ) die Reflexion des Willens in sich aus der Sache – *Veräußerung*; – *positives*, *negatives* und *unendliches Urteil* des Willens über die Sache.

A. Besitznahme

§ 54

Die Besitznahme ist teils die unmittelbare *körperliche Ergreifung*, teils die *Formierung*, teils die bloße *Bezeichnung*.

Zusatz. Diese Weisen der Besitznahme enthalten den Fortgang von der Bestimmung der Einzelnheit zu der der Allgemeinheit. Die körperliche Ergreifung kann nur an der einzelnen Sache stattfinden, dagegen die Bezeichnung die Besitznahme durch die Vorstellung ist. Ich verhalte mich dabei vorstellend, und meine, daß die Sache nach ihrer Ganzheit mein sei, nicht bloß der Teil, den ich körperlich in Besitz nehmen kann.

§ 55

α) *Die körperliche Ergreifung* ist nach der sinnlichen Seite, indem Ich in diesem Besitzen unmittelbar gegenwärtig bin und damit mein Wille ebenso erkennbar ist, die vollständigste Weise; aber überhaupt nur subjektiv, temporär und dem Umfange nach, so wie auch durch die qualitative Natur der Gegenstände höchst eingeschränkt. – Durch den Zusammenhang, in den ich etwas mit anderwärts mir schon eigentümlichen Sachen bringen kann, oder etwas sonst zufälliger Weise kommt, durch andere Vermittelungen wird der Umfang dieser Besitznahme etwas ausgedehnt.

Mechanische Kräfte, Waffen, Instrumente erweitern den Bereich meiner Gewalt. – Zusammenhänge, wie des meinen Boden bespülenden Meeres, Stromes, eines zur Jagd, Weide, und anderer Benutzung tauglichen Bodens, der an mein festes Eigentum angrenzt, der Steine und anderer Mineralienlager unter meinem Acker, Schätze in oder unter meinem Grundeigentum usf. – oder Zusammenhänge, die erst in der Zeit und zufällig erfolgen (wie ein Teil der sogenannten natürlichen Accecessionen, Alluvion[1]) und dergleichen, auch Strandung –), die Foetura[2]) ist wohl eine Accession zu meinem Vermögen, aber, als ein organisches Verhältnis, kein äußerliches Hinzukommen zu einer andern von mir besessenen Sache und daher von ganz anderer Art, als die sonstigen Accessionen, – sind teils leichtere zum Teil ausschließende *Möglichkeiten*, etwas in Besitz zu nehmen oder zu benutzen für einen Besitzer gegen einen andern, teils kann das Hinzugekommene als ein unselbständiges *Accidens der Sache*, zu der es hinzugekommen, angesehen werden. Es sind dies überhaupt *äußerliche* Verknüpfungen, die nicht den Begriff und die Lebendigkeit zu ihrem Bande haben. Sie fallen daher dem Verstande für Herbeibringung und Abwägung der Gründe und Gegengründe und der positiven

Gesetzgebung zur Entscheidung, nach einem Mehr oder Weniger von Wesentlichkeit oder Unwesentlichkeit der Beziehungen, anheim.

Zusatz. Die Besitznahme ist ganz vereinzelter Art: ich nehme nicht mehr in Besitz, als ich mit meinem Körper berühre, aber das Zweite ist sogleich, daß die äußeren Dinge eine weitere Ausdehnung haben, als ich fassen kann. Indem ich so was in Besitz habe, ist auch damit ein anderes in Verbindung. Ich übe die Besitznahme durch die Hand, aber der Bereich derselben kann erweitert werden. Die Hand ist dieses große Organ, das kein Tier hat, und was ich mit ihr fasse, kann selbst ein Mittel werden, womit ich weiter greife. Wenn ich etwas besitze, so geht der Verstand gleich dahin über, daß nicht bloß das unmittelbar Besessene, sondern das damit Zusammenhängende mein sei. Hier muß das positive Recht seine Feststellungen machen, denn aus dem Begriffe läßt sich nichts weiter herleiten.

§ 56

β) Durch die *Formierung* erhält die Bestimmung, daß etwas das Meinige ist, *eine für sich bestehende* Äußerlichkeit und hört auf, auf meine Gegenwart in *diesem* Raum und in *dieser* Zeit und auf die Gegenwart meines Wissens und Wollens beschränkt zu sein.

Das Formieren ist insofern die der Idee angemessenste Besitznahme, weil sie das Subjektive und Objektive in sich vereinigt, übrigens nach der qualitativen Natur der Gegenstände und nach der Verschiedenheit der subjektiven Zwecke unendlich verschieden. – Es gehört hierher auch das Formieren des Organischen, an welchem das, was ich an ihm tue, nicht als ein Äußerliches bleibt, sondern assimiliert wird; Bearbeitung der Erde, Kultur der Pflanzen, Bezähmen, Füttern und Hegen der Tiere; – weiter vermittelnde Veranstaltungen zur Benutzung elementarischer Stoffe oder Kräfte, veranstaltete Einwirkung eines Stoffes auf einen andern usf.

Zusatz. Diese Formierung kann empirisch die verschiedenartigsten Gestalten annehmen. Der Acker, den ich bebaue, wird dadurch formiert. In Beziehung auf das Unorganische ist die Formierung nicht immer direkt. Wenn ich z. B. eine Windmühle baue, so habe ich die Luft nicht formiert, aber ich mache eine Form zur Benutzung der Luft, die mir deswegen nicht genommen werden darf, weil ich sie selbst nicht formiert habe. Auch, daß ich Wild schone, kann als eine Weise der Formierung angesehen werden, denn es ist ein Benehmen in Rücksicht auf die Erhaltung des Gegenstandes. Nur ist freilich die Dressur der Tiere eine direktere, mehr von mir ausgehende Formierung.

§ 57

Der Mensch ist nach der *unmittelbaren* Existenz an ihm selbst ein Natürliches, seinem Begriffe Äußeres; erst durch die *Ausbildung* seines eigenen Körpers und Geistes, *wesentlich* dadurch, daß *sein Selbstbewußtsein sich als freies erfaßt*, nimmt er sich in Besitz und wird das Eigentum seiner selbst und gegen Andere. Dieses Besitznehmen ist umgekehrt ebenso dies, das, was er seinem Begriffe nach (als eine *Möglichkeit*, Vermögen, Anlage) ist, in die *Wirklichkeit* zu setzen, wodurch es ebensowohl erst als das Seinige gesetzt, als auch als Gegenstand und vom einfachen Selbstbewußtsein unterschieden und dadurch fähig wird, die *Form der Sache* zu erhalten (vergl. Anm. zu § 43).

Die behauptete Berechtigung *der Sklaverei* (in allen ihren näheren Begründungen durch die physische Gewalt, Kriegsgefangenschaft, Rettung und Erhaltung des Lebens, Ernährung, Erziehung, Wohltaten, eigene Einwilligung usf.), so wie die Berechtigung einer *Herrschaft*, als bloßer Herrenschaft überhaupt und alle *historische* Ansicht über das Recht der Sklaverei und der Herrenschaft beruht auf dem Standpunkt, den Menschen als *Naturwesen* überhaupt nach *einer Existenz*, (wozu auch die Willkür gehört,) zu nehmen, die seinem Begriffe nicht angemessen ist.[1] Die Behauptung des absoluten Unrechts der Sklaverei hingegen hält am *Begriffe* des Menschen als Geistes, als des *an sich* freien, fest und ist einseitig darin, daß sie den Menschen als *von Natur* frei, oder, was dasselbe ist, den Begriff als solchen in seiner Unmittelbarkeit, nicht die Idee, als das Wahre nimmt.[2] Diese *Antinomie* beruht, wie alle Antinomie, auf dem formellen Denken, das die beiden Momente einer Idee, getrennt, jedes für sich, damit der Idee nicht angemessen und in seiner Unwahrheit, festhält und behauptet. Der freie Geist ist eben dieses (§ 21) nicht als der bloße Begriff oder *an sich* zu sein, sondern diesen Formalismus seiner selbst und damit die unmittelbare natürliche Existenz aufzuheben und sich die Existenz nur als die seinige, als freie Existenz, zu geben. Die Seite der Antinomie, die den Begriff der Freiheit behauptet, hat daher den Vorzug, den absoluten *Ausgangspunkt*, aber auch nur den Ausgangspunkt für die Wahrheit zu enthalten, während die andere Seite, welche bei der begrifflosen Existenz stehenbleibt, den Gesichtspunkt von Vernünftigkeit und Recht gar nicht enthält. Der Standpunkt des freien Willens, womit das Recht und die Rechtswissenschaft anfängt, ist über den unwahren Standpunkt, auf welchem der Mensch als Naturwesen und nur als an sich seiender Begriff, der Sklaverei daher fähig ist, schon hinaus. Diese frühere unwahre Erscheinung betrifft den Geist, welcher nur erst auf dem Standpunkte seines Bewußtseins ist, die Dialektik des Begriffs und des nur erst unmittelbaren Bewußtseins der Freiheit, bewirkt daselbst den *Kampf des Anerkennens* und das Verhältnis der *Herrenschaft* und der *Knechtschaft*.[3]) Daß aber der objektive Geist, der Inhalt des Rechts, nicht selbst wieder nur in seinem subjektiven Begriffe, und damit, daß dies, daß der Mensch an und für sich nicht zur Sklaverei bestimmt sei, nicht wieder als ein bloßes *Sollen* aufgefaßt werde, dies findet allein in der Erkenntnis statt, daß die Idee der Freiheit wahrhaft nur als *der Staat* ist.

Zusatz. Hält man die Seite fest, daß der Mensch an und für sich frei sei, so verdammt man damit die Sklaverei. Aber daß jemand Sklave ist, liegt in seinem eigenen Willen, so wie es im Willen eines Volkes liegt, wenn es unterjocht wird. Es ist somit nicht bloß ein Unrecht derer, welche Sklaven machen, oder welche unterjochen, sondern der Sklaven und Unterjochten selbst. Die Sklaverei fällt in den Übergang von der Natürlichkeit der Menschen zum wahrhaft sittlichen Zustande: sie fällt in eine Welt, wo noch ein Unrecht Recht ist. Hier *gilt* das Unrecht, und befindet sich ebenso notwendig an seinem Platz.

§ 58

γ) Die für sich nicht wirkliche, sondern meinen Willen nur *vorstellende* Besitznahme ist ein *Zeichen* an der Sache, dessen Bedeutung sein soll, daß Ich meinen Willen in sie gelegt habe. Diese Besitznahme ist nach dem gegenständlichen Umfang und der Bedeutung sehr unbestimmt.

Zusatz. Die Besitznahme durch die Bezeichnung ist die vollkommenste von allen, denn auch die übrigen Arten haben mehr oder minder die Wirkung des *Zeichens* an sich. Wenn ich eine Sache ergreife, oder formiere, so ist die letzte Bedeutung ebenfalls ein Zeichen, und zwar für andere, um diese auszuschließen, und um zu zeigen, daß ich meinen Willen in die Sache gelegt habe. Der Begriff des Zeichens ist nämlich, daß die Sache nicht gilt, als das, was sie ist, sondern als das, was sie bedeuten soll. Die Kokarde bedeutet z. B. das Bürgersein in einem Staate, obgleich die Farbe mit der Nation keinen Zusammenhang hat, und nicht sich, sondern die Nation darstellt. Darin, daß der Mensch ein Zeichen geben, und durch dieses erwerben kann, zeigt er eben seine Herrschaft über die Dinge.

B. Der Gebrauch der Sache

§ 59

Durch die Besitznahme erhält die Sache das Prädikat die *meinige* zu sein, und der Wille hat eine *positive* Beziehung auf sie. In dieser Identität ist die Sache ebenso sehr als ein *Negatives* gesetzt und mein Wille in dieser Bestimmung ein *besonderer*, Bedürfnis, Belieben usf. Aber mein Bedürfnis als Besonderheit *eines* Willens ist das Positive, welches sich befriedigt, und die Sache, als das an sich Negative, ist nur *für dasselbe* und *dient* ihm. – Der *Gebrauch* ist diese Realisierung meines Bedürfnisses durch die Veränderung, Vernichtung, Verzehrung der Sache, deren selbstlose Natur dadurch geoffenbart wird und die so ihre Bestimmung erfüllt.

Daß der Gebrauch die *reelle* Seite und Wirklichkeit des Eigentums ist, schwebt der Vorstellung vor, wenn sie Eigentum, von dem kein Gebrauch gemacht wird, für totes und herrenloses ansieht und bei unrechtmäßiger Bemächtigung desselben es als Grund, daß es vom Eigentümer nicht gebraucht worden sei, anführt. – Aber der Wille des Eigentümers, nach welchem eine Sache die seinige ist, ist die erste substantielle Grundlage, von der die weitere Bestimmung, der Gebrauch, nur die Erscheinung und besondere Weise ist, die jener allgemeinen Grundlage nachsteht.

Zusatz. Wenn ich im Zeichen die Sache überhaupt auf allgemeine Weise in Besitz nehme, so liegt im Gebrauche noch ein allgemeineres Verhältnis, indem die Sache alsdann nicht in ihrer Besonderheit anerkannt, sondern von mir negiert wird. Die Sache ist zum Mittel der Befriedigung meines Bedürfnisses herabgesetzt. Wenn ich und die Sache zusammenkommen, so muß, damit wir identisch werden, einer seine Qualität verlieren. Ich bin aber lebendig, der Wollende und wahrhaft Affirmative; die Sache dagegen ist das Natürliche. Diese muß also zugrunde gehen und ich erhalte mich, was überhaupt der Vorzug und die Vernunft des Organischen ist.

§ 60

Die *Benutzung* einer Sache in unmittelbarer Ergreifung ist für sich eine *einzelne* Besitznahme. Insofern aber die Benutzung sich auf ein fortdauerndes Bedürfnis gründet und wiederholte Benutzung eines sich erneuernden Erzeugnisses ist, etwa auch zum Behufe der Erhaltung dieser Erneuerung sich beschränkt, so machen diese und andere Umstände jene unmittelbare einzelne Ergreifung zu einem *Zeichen*, daß sie die Bedeutung einer allgemeinen Besitznahme, damit der Besitznahme der elementarischen oder organischen *Grundlage* oder der sonstigen Bedingungen solcher Erzeugnisse haben soll.[1])

§ 61

Da die Substanz der Sache für sich, die mein Eigentum ist, ihre Äußerlichkeit d. i. ihre Nichtsubstantialität ist, – sie ist gegen mich nicht Endzweck in sich selbst (§ 42) – und diese realisierte Äußerlichkeit der Gebrauch oder die Benutzung, die ich von ihr mache, ist, so ist *der ganze Gebrauch* oder Benutzung, *die Sache in ihrem ganzen Umfange*, so daß, wenn jener mir zusteht, Ich der Eigentümer der Sache bin, von welcher über den ganzen Umfang des Gebrauchs hinaus nichts übrig bleibt, was Eigentum eines anderen sein könnte.

Zusatz. Das Verhältnis des Gebrauchs zum Eigentum ist dasselbe, wie von der Substanz zum Accidentellen, vom Inneren zum Äußeren, von der Kraft zu der Äußerung derselben. Dies letztere ist nur insofern sie sich äußert, der Acker ist nur Acker, insofern er Ertrag hat. Wer also den Gebrauch eines Ackers hat, ist der Eigentümer des Ganzen und es ist eine leere Abstraktion, noch ein anderes Eigentum am Gegenstand selbst anzuerkennen.

§ 62

Nur ein *teilweiser* oder *temporärer Gebrauch*, so wie ein *teilweiser* oder *temporärer Besitz* (als die selbst teilweise oder temporäre *Möglichkeit*, die Sache zu gebrauchen) der mir zusteht, ist daher vom *Eigentume* der Sache selbst *unterschieden*. Wenn der ganze Umfang des Gebrauches mein wäre, das abstrakte Eigentum aber eines anderen sein sollte, so wäre die Sache als die meinige von meinem Willen gänzlich durchdrungen (vorh. § und § 52), und zugleich darin ein für mich Undurchdringliches, der und zwar leere Wille eines anderen, – Ich mir in der Sache als positiver Wille objektiv und zugleich nicht objektiv, – das Verhältnis eines absoluten Widerspruchs. – Das Eigentum ist daher wesentlich *freies volles* Eigentum.[1])

Die Unterscheidung zwischen dem Rechte auf den *ganzen Umfang des Gebrauches* und [dem] *abstrakte*[*n*] *Eigentum* gehört dem leeren Verstande, dem die Idee, hier als Einheit des Eigentums oder auch des persönlichen Willens überhaupt, und der *Realität* desselben, nicht das Wahre ist, sondern dem diese beiden Momente in ihrer Absonderung voneinander für etwas Wahres gelten. Diese Unterscheidung ist daher als wirkliches Verhältnis das einer leeren Herrschaft, das (wenn die Verrücktheit nicht nur von der bloßen Vorstellung des Subjekts und seiner Wirklichkeit, die in unmittelbarem Widerspruche in einem sind, gesagt würde) eine Verrücktheit der Persönlichkeit genannt werden könnte, weil das *Mein* in *einem* Objekte unvermittelt mein einzelner ausschließender Wille und ein anderer einzelner ausschließender Wille sein sollte. – In den Institut. libr. II. tit. IV. ist gesagt: ususfructus est jus *alienis* rebus utendi, fruendi salva rerum substantia. Weiterhin heißt es ebendaselbst: ne tamen in universum *inutiles* essent proprietates, *semper* abscedente usufructu: *placuit* certis modis extingui usumfructum et ad proprietatem reverti.[2]) – Placuit[3]) – als ob es erst ein Belieben oder Beschluß wäre, jener leeren Unterscheidung durch diese Bestimmung einen Sinn zu geben. Eine proprietas *semper* abscedente usufructu wäre nicht nur inutilis, sondern keine proprietas mehr.[4]) – Andere Unterscheidungen des Eigentums selbst, wie in res mancipi und nec mancipi, das dominium Quiritarium und Bonitarium und dergleichen zu erörtern, gehört nicht hierher, da sie sich auf keine Begriffsbestimmung des Eigentums beziehen, und bloß historische Delikatessen dieses Rechts sind[5]), – aber die Verhältnisse des dominii directi und des dominii utilis, *der emphyteutische* Vertrag[6]) und die weiteren Verhältnisse von Lehngütern mit ihren Erb- und anderen Zinsen, Gilten, Handlohn usf. in ihren mancherlei Bestimmungen, wenn solche Lasten unablösbar sind, enthalten einerseits die obige Unterscheidung, andererseits auch nicht, eben insofern mit dem dominio utili Lasten verbunden sind, wodurch das dominium directum zugleich ein dominium utile wird. Enthielten solche Verhältnisse nichts, als nur jene Unterscheidung in ihrer strengen Abstraktion, so stünden darin eigentlich nicht *zwei Herren* (domini), sondern ein *Eigentümer* und ein leerer *Herr* einander gegenüber. Um der Lasten willen aber sind es *zwei Eigentümer*, welche im Verhältnisse stehen. Jedoch sind sie nicht im Verhältnisse eines *gemeinschaftlichen* Eigentums. Zu solchem Verhältnisse liegt der Übergang von jenem am nächsten; – ein Übergang, der dann darin schon begonnen hat, wenn an dem dominium directum der Ertrag berechnet und als das *Wesentliche* angesehen, somit das Unberechenbare der Herrenschaft über ein Eigentum, welche etwa für das *Edle* gehalten worden, dem Utile, welches hier das Vernünftige ist, nachgesetzt wird.

Es ist wohl an die anderthalb tausend Jahre, daß die *Freiheit der Person* durch das Christentum zu erblühen angefangen hat und unter einem übrigens kleinen Teile des

Menschengeschlechts allgemeines Prinzip geworden ist.[7]) *Die Freiheit des Eigentums* aber ist seit gestern, kann man sagen, hier und da als Prinzip anerkannt worden. – Ein Beispiel aus der Weltgeschichte über die Länge der Zeit, die der Geist braucht, in seinem Selbstbewußtsein fortzuschreiten – und gegen die Ungeduld des Meinens.[8])

§ 63

Die Sache im Gebrauch ist eine einzelne nach Qualität und Quantität bestimmte und in Beziehung auf ein spezifisches Bedürfnis. Aber ihre spezifische Brauchbarkeit ist zugleich als *quantitativ* bestimmt *vergleichbar* mit anderen Sachen von derselben Brauchbarkeit, so wie das spezifische Bedürfnis, dem sie dient, zugleich *Bedürfnis überhaupt* und darin nach seiner Besonderheit ebenso mit anderen Bedürfnissen vergleichbar ist, und darnach auch die Sache mit solchen, die für andere Bedürfnisse brauchbar sind. Diese ihre *Allgemeinheit*, deren einfache Bestimmtheit aus der Partikularität der Sache hervorgeht, so daß von dieser spezifischen Qualität zugleich abstrahiert wird, ist der *Wert* der Sache, worin ihre wahrhafte Substantialität *bestimmt* und Gegenstand des Bewußtseins ist. Als voller Eigentümer der Sache bin ich es eben so von ihrem *Werte*, als von dem Gebrauche derselben.

Der Lehnsträger hat den Unterschied in seinem Eigentum, daß er nur der Eigentümer des *Gebrauchs*, nicht des *Werts* der Sache sein soll.

Zusatz. Das Qualitative verschwindet hier in der Form des Quantitativen. Indem ich nämlich vom Bedürfnis spreche, ist dieses der Titel, worunter die vielfachsten Dinge sich bringen lassen, und die Gemeinsamkeit derselben macht, daß ich sie alsdann messen kann. Der Fortgang des Gedankens ist hier somit von der spezifischen Qualität der Sache zur Gleichgültigkeit dieser Bestimmtheit, also zur Quantität. Ähnliches kommt in der Mathematik vor. Definiere ich z. B. was der Kreis, was die Elipse und Parabel sind, so sehen wir, daß sie spezifisch verschieden gefunden werden. Trotzdem bestimmt sich der Unterschied dieser verschiedenen Kurven bloß quantitativ so nämlich, daß es nur auf einen quantitativen Unterschied ankommt, der sich auf den Koeffizienten, allein, auf die bloß empirische Größe bezieht. Im Eigentum ist die quantitative Bestimmtheit, die aus der qualitativen hervortritt, der *Wert*. Das Qualitative gibt hier das Quantum für die Quantität, und ist als solches ebenso erhalten, wie aufgehoben. Betrachtet man den Begriff des Werts, so wird die Sache selbst nur als ein Zeichen angesehen und sie gilt nicht, als sie selber, sondern als das, was sie wert ist. Ein Wechsel z. B. stellt nicht seine Papiernatur vor, sondern ist nur ein Zeichen eines anderen Allgemeinen, des Wertes. Der Wert einer Sache kann sehr verschiedenartig sein in Beziehung auf das Bedürfnis, wenn man aber nicht das Spezifische, sondern das Abstrakte des Wertes ausdrücken will, so ist dieses das *Geld*. Das Geld repräsentiert alle Dinge, aber indem es nicht das Bedürfnis selbst darstellt, sondern nur ein Zeichen für dasselbe ist, wird es selbst wieder von dem spezifischen Werte regiert, den es als Abstraktes nur ausdrückt. Man kann überhaupt Eigentümer einer Sache sein, ohne zugleich der ihres Werts zu werden. Eine Familie, die ihr Gut nicht verkaufen oder verpfänden kann, ist nicht Herrin des Wertes. Da diese Form des Eigentums aber dem Begriffe desselben unangemessen ist, so sind solche Beschränkungen (Lehen, Fideikommisse) meistens im Verschwinden.

§ 64

Die dem Besitze gegebene Form und das Zeichen sind selbst äußere Umstände, ohne die subjektive Gegenwart des Willens, die allein deren Bedeutung und Wert ausmacht. Diese Gegenwart aber, die der Gebrauch, Benutzung oder sonstiges Äußern des Willens ist, fällt in *die Zeit*, in Rücksicht welcher die *Objektivität* die *Fortdauer* dieses Äußerns ist. Ohne diese wird die Sache, als von der Wirklichkeit des Willens und Besitzes verlassen, herrenlos; Ich verliere oder erwerbe daher Eigentum durch *Verjährung*.

Die Verjährung ist daher nicht bloß aus einer äußerlichen dem strengen Recht zuwiderlaufenden Rücksicht in das Recht eingeführt worden, der Rücksicht, die Streitigkeiten und Verwirrungen abzuschneiden, die durch alte Ansprüche in die Sicherheit des Eigentums kommen würden usf.

Sondern die Verjährung gründet sich auf die Bestimmung der *Realität* des Eigentums, der Notwendigkeit, daß der Wille, etwas zu haben, sich äußere. – *Öffentliche Denkmale* sind Nationaleigentum oder eigentlich, wie die Kunstwerke überhaupt in Rücksicht auf *Benutzung*, gelten sie durch die ihnen inwohnende Seele der Erinnerung und der Ehre, als lebendige und selbständige Zwecke; verlassen von dieser Seele, werden sie nach dieser Seite für eine Nation herrenlos und zufälliger Privatbesitz, wie z. B. die griechischen, ägyptischen Kunstwerke in der Türkei. – Das *Privateigentumsrecht* der Familie eines *Schriftstellers* an dessen Produktionen verjährt sich aus ähnlichem Grunde; sie werden in dem Sinne herrenlos, daß sie (auf entgegengesetzte Weise, wie jene Denkmale) in allgemeines Eigentum übergehen und nach ihrer besonderen Benutzung der Sache in zufälligen Privatbesitz.[1]) – Bloßes *Land*, zu Gräbern oder auch für sich auf ewige Zeiten zum *Nichtgebrauch* geweiht, enthält eine leere ungegenwärtige Willkür, durch deren Verletzung nichts Wirkliches verletzt wird, deren Achtung daher auch nicht garantiert werden kann.

Zusatz. Die Verjährung beruht auf der Vermutung, daß ich aufgehört habe, die Sache als die meinige zu betrachten. Denn dazu, daß etwas das Meinige bleibe, gehört Fortdauer meines Willens, und diese zeigt sich durch Gebrauch oder Aufbewahrung. – Der Verlust des Wertes öffentlicher Denkmale hat sich in der Reformation häufig bei den Meßstiftungen erwiesen. Der Geist der alten Konfession, das heißt der Meßstiftungen war entflogen, und sie konnten daher als Eigentum in Besitz genommen werden.

C. Entäußerung des Eigentums

§ 65

Meines Eigentums kann ich mich *entäußern*, da es das meinige nur ist, insofern ich meinen Willen darin lege, – so daß ich meine Sache überhaupt von mir als herrenlos lasse, (derelinquire) oder sie dem Willen eines anderen zum Besitzen überlasse, – aber nur insofern die Sache *ihrer Natur* nach ein *Äußerliches* ist.

Zusatz. Wenn die Verjährung eine Entäußerung mit nicht direkt erklärtem Willen ist, so ist die wahre Entäußerung eine Erklärung des Willens, daß ich die Sache nicht mehr als die meinige ansehen will. Das Ganze kann auch so gefaßt werden, daß die Entäußerung eine wahre Besitzergreifung sei. Die unmittelbare Besitznahme ist das erste Moment des Eigentums. Durch den Gebrauch wird ebenfalls Eigentum erworben, und das dritte Moment ist aldann die Einheit beider, Besitzergreifung durch Entäußerung.

§ 66

Unveräußerlich sind daher diejenigen Güter, oder vielmehr substantiellen Bestimmungen, so wie das Recht an sie *unverjährbar*, welche meine eigenste Person und das allgemeine Wesen meines Selbstbewußtseins ausmachen, wie meine Persönlichkeit überhaupt, meine allgemeine Willensfreiheit, Sittlichkeit, Religion.

Daß das, was der Geist seinem Begriffe nach oder *an sich* ist, auch im Dasein und für sich sei, (somit Person, des Eigentums fähig sei, Sittlichkeit, Religion habe) — diese Idee ist selbst sein Begriff; (als causa sui, das ist, als freie Ursache, ist er solches, cujus natura non potest concipi nisi existens.[1]) Spinoza Eth. S. I. Def. I.). In eben diesem Begriffe, *nur durch sich selbst* und als *unendliche Rückkehr in sich* aus der natürlichen Unmittelbarkeit seines Daseins, das zu sein, was er ist, liegt die Möglichkeit des Gegensatzes zwischen dem, was er nur *an sich* und nicht auch *für sich* ist, (§ 57) so wie umgekehrt zwischen dem, was er nur *für sich*, nicht *an sich* ist (im Willen das Böse); — und hierin die *Möglichkeit* der *Entäußerung* der *Persönlichkeit* und seines substantiellen Seins — diese Entäußerung geschehe auf eine bewußtlose oder ausdrückliche Weise. — Beispiele von Entäußerung der Persönlichkeit sind die Sklaverei, Leibeigenschaft, Unfähigkeit Eigentum zu besitzen, die Unfreiheit desselben usf., Entäußerung der intelligenten Vernünftigkeit, Moralität, Sittlichkeit, Religion kommt vor in Aberglauben, in der anderen eingeräumten Autorität und Vollmacht, mir, was ich für Handlungen begehen solle, (wenn einer sich ausdrücklich zum Raube, Morde usf. oder zur

Möglichkeit von Verbrechen verdingt) mir, was Gewissenspflicht, religiöse Wahrheit sei usf. zu bestimmen und vorzuschreiben.[2]) — Das Recht an solches Unveräußerliche ist unverjährbar, denn der Akt, wodurch ich von meiner Persönlichkeit und substantiellem Wesen Besitz nehme, mich zu einem Rechts- und Zurechnungsfähigen, Moralischen, Religiösen mache, entnimmt diese Bestimmungen eben der Äußerlichkeit, die allein ihnen die Fähigkeit gab, im Besitz eines anderen zu sein. Mit diesem Aufheben der Äußerlichkeit fällt die Zeitbestimmung und alle Gründe weg, die aus meinem früheren Konsens oder Gefallenlassen genommen werden können. Diese Rückkehr meiner in mich selbst, wodurch Ich mich als Idee, als rechtliche und moralische Person existierend mache, hebt das bisherige Verhältnis und das Unrecht auf, das Ich und der andere meinem Begriff und Vernunft angetan hat, die unendliche Existenz des Selbstbewußtseins als ein Äußerliches behandeln lassen und behandelt zu haben. — Diese Rückkehr in mich deckt den Widerspruch auf, anderen meine Rechtsfähigkeit, Sittlichkeit, Religiosität in Besitz gegeben zu haben, was ich selbst nicht besaß, und was, sobald ich es besitze, eben wesentlich nur als das Meinige und nicht als ein Äußerliches existiert.

Zusatz. Es liegt in der Natur der Sache, daß der Sklave ein absolutes Recht hat, sich frei zu machen, daß wenn jemand seine Sittlichkeit zu Raub und Mord verdungen hat, dieses an und für sich nichtig ist, und jeder die Befugnis besitzt, diesen Vertrag zurückzunehmen. Ebenso verhält es sich mit der Verdingung der Religiosität an einen Priester, der mein Beichtvater ist, denn solche Innerlichkeit hat der Mensch mit sich allein abzumachen. Eine Religiosität, bei welcher der eine Teil in die Hand eines anderen gelegt wird, ist keine Religiosität, denn der Geist ist nur einer, und er soll in mir wohnen: mir soll die Vereinigung des An- und Fürsichseins angehören.

§ 67

Von *meinen besonderen, körperlichen* und geistigen *Geschicklichkeiten* und Möglichkeiten der Tätigkeit kann ich *einzelne* Produktionen und einen in *der Zeit beschränkten* Gebrauch von einem anderen *veräußern*, weil sie nach dieser Beschränkung ein äußerliches Verhältnis zu meiner *Totalität* und *Allgemeinheit* erhalten. Durch die Veräußerung meiner *ganzen* durch die Arbeit konkreten Zeit und der Totalität meiner Produktion würde ich das Substantielle derselben, meine *allgemeine* Tätigkeit und Wirklichkeit, meine Persönlichkeit zum Eigentum eines anderen machen.

Es ist dasselbe Verhältnis, wie oben § 61 zwischen der Substanz der *Sache* und ihrer *Benutzung*; wie diese, nur insofern sie beschränkt ist, von jener verschieden ist, so ist auch der Gebrauch meiner Kräfte von ihnen selbst und damit von mir nur unterschieden, insofern er quantitativ beschränkt ist; – die *Totalität* der Äußerungen einer Kraft ist die Kraft selbst, – der Accidenzen die Substanz, – der Besonderungen das Allgemeine.

Zusatz. Der hier auseinandergesetzte Unterschied ist der zwischen einem Sklaven, und dem heutigen Gesinde, oder einem Tagelöhner. Der athenäische Sklave hatte vielleicht leichtere Verrichtung und geistigere Arbeit, als in der Regel unsere Dienstboten, aber er war dennoch Sklave, weil der ganze Umfang seiner Tätigkeit dem Herrn veräußert war.[1])

§ 68

Das Eigentümliche an der geistigen Produktion kann durch die Art und Weise der Äußerung unmittelbar in solche Äußerlichkeit einer Sache umschlagen, die nun ebenso von anderen produziert werden kann; so daß mit deren Erwerb der nunmehrige Eigentümer, außerdem daß er damit sich die mitgeteilten Gedanken oder die technische Erfindung zu eigen machen kann, welche Möglichkeit zum Teil (bei schriftstellerischen Werken) die einzige Bestimmung und den Wert des Erwerbs ausmacht, zugleich in den Besitz der *allgemeinen Art* und *Weise*, sich so zu äußern und solche Sachen vielfältig hervorzubringen, kommt.

Bei Kunstwerken ist die den Gedanken in einem äußerlichen Material verbildlichende Form als Ding so sehr das Eigentümliche des produzierenden Individuums, daß ein Nachmachen derselben wesentlich das Produkt der eigenen geistigen und technischen Geschicklichkeit ist. Bei einem schriftstellerischen Werke ist die Form, wodurch es eine äußerliche Sache ist, so wie bei der Erfindung einer technischen Vorrichtung, *mechanischer Art*, – dort, weil der Gedanke nur in einer Reihe vereinzelter abstrakter *Zeichen*, nicht in konkreter Bildnerei dargestellt wird, hier, weil er überhaupt einen mechanischen Inhalt hat, – und die Art und Weise, solche Sachen als Sachen zu produzieren, gehört unter die gewöhnlichen Fertigkeiten. – Zwischen den Extremen des Kunstwerks und der handwerksmäßigen Produktion gibt es übrigens Übergänge, die bald mehr, bald weniger von dem einen oder dem anderen an sich haben.

§ 69

Indem der Erwerber eines solchen Produkts an dem Exemplar als *Einzelnem* den vollen Gebrauch und Wert desselben besitzt, so ist er vollkommener und freier Eigentümer desselben als eines Einzelnen, obgleich der Verfasser der Schrift oder der Erfinder der technischen Vorrichtung Eigentümer der *allgemeinen* Art und Weise bleibt, dergleichen Produkte und Sachen zu vervielfältigen, als welche allgemeine Art und Weise er nicht unmittelbar veräußert hat, sondern sich dieselbe als eigentümliche Äußerung vorbehalten kann.

Das Substantielle des Rechts des Schriftstellers und Erfinders ist zunächst nicht darin zu suchen, daß er bei der Entäußerung des einzelnen Exemplars es willkürlich zur *Bedingung* macht, daß die damit in den Besitz des anderen kommende Möglichkeit, solche Produkte nunmehr als Sachen gleichfalls hervorzubringen, nicht Eigentum des anderen werde, sondern Eigentum des Erfinders bleibe. Die erste Frage ist, ob eine solche Trennung des Eigentums der Sache von der mit ihr gegebenen Möglichkeit, sie gleichfalls zu produzieren, im Begriffe zulässig ist und das volle, freie Eigentum (§ 62) nicht aufhebt, – worauf es erst in die Willkür des ersten geistigen Produzenten kommt, diese Möglichkeit für sich zu behalten, oder als einen Wert zu veräußern oder für sich keinen Wert darauf zu legen und mit der einzelnen Sache auch sie preiszugeben. Diese Möglichkeit hat nämlich das Eigene, an der Sache die Seite zu sein, wonach diese nicht nur eine Besitzung, sondern ein *Vermögen* ist (s. unten § 170ff.), so daß dies in der besonderen Art und Weise des äußeren Gebrauchs liegt, der von der Sache gemacht wird, und von dem Gebrauche, zu welchem die Sache unmittelbar bestimmt ist, verschieden und trennbar ist (er ist nicht, wie man es heißt, eine solche accessio naturalis[1]), wie die foetura). Da nun der Unterschied in das seiner Natur nach Teilbare, in den äußerlichen Gebrauch fällt, so ist die Zurückbehaltung des einen Teils bei der Veräußerung des anderen Teils des Gebrauchs nicht der Vorbehalt einer Herrenschaft ohne Utile.[2]) – Die bloß negative, aber allererste Beförderung der Wissenschaften und Künste ist, diejenigen, die darin arbeiten, gegen *Diebstahl* zu sichern und ihnen den Schutz ihres Eigentums angedeihen zu lassen[3]); wie die allererste und wichtigste Beförderung des Handels und der Industrie war, sie gegen die Räuberei auf den Landstraßen sicherzustellen. – Indem übrigens das Geistesprodukt die Bestimmung hat, von anderen Individuen aufgefaßt und ihrer Vorstellung, Gedächtnis, Denken usf. zu eigen gemacht zu werden und ihre Äußerung, wodurch sie das *Gelernte* (denn Lernen heißt nicht nur, mit dem Gedächtnis die Worte auswendig lernen – die Gedanken anderer können nur durch Denken aufgefaßt werden, und dies Nach-denken ist auch Lernen) gleichfalls zu einer *veräußerbaren Sache* machen, hat immer leicht irgendeine eigentümliche *Form*, so daß sie das daraus erwachsende Vermögen als ihr Eigentum betrachten und für sich das Recht solcher Produktion daraus behaupten können. Die Fortpflanzung der Wissenschaften. überhaupt und das bestimmte Lehrgeschäft insbesondere ist, seiner Bestimmung und Pflicht nach, am bestimmtesten bei positiven Wissenschaften, der Lehre einer Kirche, der Jurisprudenz usf. die *Repetition* festgesetzter, überhaupt schon geäußerter und von außen aufgenommener Gedanken, somit auch in Schriften, welche dies Lehrgeschäft und die Fortpflanzung und Verbreitung der Wissenschaften zum Zweck haben.[4]) Inwiefern nun die in der wiederholenden Äußerung sich ergebende *Form* den vorhandenen wissenschaftlichen Schatz und insbesondere die Gedanken solcher anderer, die noch im äußerlichen Eigentum ihrer Geistesprodukte sind, in ein spezielles geistiges Eigentum des reproduzierenden Individuums verwandle, und ihm hiermit das Recht, sie auch zu seinem äußerlichen

Eigentum zu machen, gebe oder inwiefern nicht, – inwiefern solche Wiederholung in einem schriftstellerischen Werke ein *Plagiat* werde, läßt sich nicht durch eine genaue Bestimmung angeben und hiermit nicht rechtlich und gesetzlich festsetzen. Das Plagiat müßte daher eine Sache der *Ehre* sein und von dieser zurückgehalten werden. – Gesetze gegen den *Nachdruck* erfüllen daher ihren Zweck, das Eigentum der Schriftsteller und der Verleger rechtlich zu sichern, zwar in dem bestimmten, aber sehr beschränkten Umfange. Die Leichtigkeit, absichtlich an der Form etwas zu ändern oder ein Modifikatiönchen an einer großen Wissenschaft, an einer umfassenden Theorie, welche das Werk eines anderen ist, zu erfinden, oder schon die Unmöglichkeit, im Vortrage des Aufgefaßten bei den Worten des Urhebers zu bleiben, führen für sich außer den besonderen Zwecken, für welche eine solche Wiederholung nötig wird, die unendliche Vielfachheit von Veränderungen herbei, die dem fremden Eigentum den mehr oder weniger oberflächlichen Stempel des *Seinigen* aufdrücken; wie die hundert und aber hundert Kompendien, Auszüge, Sammlungen usf. Rechenbücher, Geometrien, Erbauungsschriften usf. zeigen, wie jeder Einfall einer kritischen Zeitschrift, Musenalmanachs, Konversationslexikons usf. sogleich ebenfalls unter demselben oder einem veränderten Titel wiederholt, aber als etwas Eigentümliches behauptet werden kann; – wodurch denn leicht dem Schriftsteller oder erfindenden Unternehmer der Gewinn, den ihm sein Werk oder Einfall versprach, zunichte gemacht oder gegenseitig heruntergebracht oder allein ruiniert wird. – Was aber die *Wirkung der Ehre* gegen das Plagiat betrifft, so ist dabei dies auffallend, daß der Ausdruck *Plagiat* oder gar *gelehrter Diebstahl* nicht mehr gehört wird – es sei, entweder daß die Ehre ihre Wirkung getan, das Plagiat zu verdrängen, oder daß es aufgehört hat, gegen die Ehre zu sein und das Gefühl hierüber verschwunden ist, oder daß ein Einfällchen und Veränderung einer äußeren Form sich als Originalität und selbstdenkendes Produzieren so hoch anschlägt, um den Gedanken an ein Plagiat gar nicht in sich aufkommen zu lassen.[5])

§ 70

Die *umfassende* Totalität der äußerlichen Tätigkeit, *das Leben,* ist gegen die Persönlichkeit, als welche selbst *diese* und *unmittelbar* ist, kein Äußerliches. Die Entäußerung oder Aufopferung desselben ist vielmehr das Gegenteil, als das Dasein *dieser* Persönlichkeit. Ich habe daher zu jener Entäußerung überhaupt kein *Recht*, und nur eine sittliche Idee, als in welcher *diese unmittelbar* einzelne Persönlichkeit an sich untergegangen, und die deren *wirkliche* Macht ist, hat ein Recht darauf, so daß zugleich wie das Leben als solches *unmittelbar*, auch der Tod die *unmittelbare* Negativität desselben ist, daher er von außen, als eine Natursache, oder im Dienste der Idee, von fremder Hand empfangen werden muß.

Zusatz. Die einzelne Person ist allerdings ein Untergeordnetes, das dem sittlichen Ganzen sich weihen muß. Wenn der Staat daher das Leben fordert, so muß das Individuum es geben, aber darf der Mensch sich selbst das Leben nehmen? Man kann das Sichtöten zuvörderst als eine Tapferkeit ansehen, aber als eine schlechte von Schneidern und Mägden. Dann kann es wiederum als ein Unglück betrachtet werden, indem Zerrissenheit des Innern dazu führt, aber die Hauptfrage ist, habe ich ein Recht dazu? Die Antwort wird sein, daß ich als dies Individuum nicht Herr über mein Leben bin, denn die umfassende Totalität der Tätigkeit, das Leben, ist gegen die Persönlichkeit, die selbst diese unmittelbar ist, kein Äußerliches. Spricht man also von einem Recht, das die Person über ihr Leben habe, so ist dies ein Widerspruch, denn es hieße, die Person habe ein Recht über sich. Dieses hat sie aber nicht, denn sie steht nicht über sich, und kann sich nicht richten. Wenn Herkules[1]) sich verbrannte, wenn Brutus[2]) sich in sein Schwert stürzte, so ist dieses das Benehmen des Heroen gegen seine Persönlichkeit; aber wenn vom einfachen Recht, sich zu töten, gehandelt wird, so darf dies auch den Heroen abgesprochen werden.

Übergang vom Eigentum zum Vertrage

§ 71

Das Dasein ist als bestimmtes Sein wesentlich Sein für anderes; (siehe oben Anmerkung zu § 48) das Eigentum, nach der Seite, das es ein Dasein als äußerliche Sache ist, ist für andere Äußerlichkeiten und im Zusammenhange dieser Notwendigkeit und Zufälligkeit. Aber als Dasein des *Willens* ist es als für anderes nur *für den Willen* einer anderen Person. Diese Beziehung von Willen auf Willen ist der eigentümliche und wahrhafte Boden, in welchem die Freiheit *Dasein* hat. Diese Vermittelung, Eigentum nicht mehr nur vermittelst einer Sache und meines subjektiven Willens zu haben, sondern ebenso vermittelst eines anderen Willens, und hiermit in einem gemeinsamen Willen zu haben, macht die Sphäre des *Vertrags* aus.

Es ist durch die Vernunft ebenso notwendig, daß die Menschen in Vertragsverhältnisse eingehen, – schenken, tauschen, handeln usf., als daß sie Eigentum besitzen (§ 45 Anmerkung). Wenn für ihr Bewußtsein das Bedürfnis überhaupt, das Wohlwollen, der Nutzen usf. es ist, was sie zu Verträgen führt, so ist es an sich die Vernunft, nämlich die Idee des reellen (d. i. nur im Willen vorhandenen) Daseins der freien Persönlichkeit. – Der Vertrag setzt voraus, daß die darin Tretenden sich als Personen und Eigentümer *anerkennen*; da er ein Verhältnis des objektiven Geistes ist, so ist das Moment der Anerkennung schon in ihm enthalten und vorausgesetzt (vergl. §§ 35, 57 Anmerk.).

Zusatz. Im Vertrage habe ich Eigentum durch gemeinsamen Willen: es ist nämlich das Interesse der Vernunft, daß der subjektive Wille allgemeiner werde und sich zu dieser Verwirklichung erhebe. Die Bestimmung *dieses* Willens bleibt also im Vertrage, aber in Gemeinsamkeit mit einem anderen Willen. Der allgemeine Wille dagegen tritt hier nur noch in der Form und Gestalt der Gemeinsamkeit auf.

Zweiter Abschnitt
Der Vertrag

§ 72

Das Eigentum, von dem die *Seite* des Daseins oder *der Äußerlichkeit* nicht mehr nur eine Sache ist, sondern das Moment eines (und hiermit anderen) Willens in sich enthält, kommt durch den *Vertrag* zustande, – als den Prozeß, in welchem der Widerspruch, daß Ich für mich seiender, den anderen Willen ausschließender Eigentümer insofern *bin* und *bleibe*, als Ich in einem mit dem andern identischen Willen *aufhöre*, Eigentümer zu sein, sich darstellt und vermittelt.

§ 73

Ich *kann* mich eines Eigentums nicht nur (§ 65) als einer äußerlichen Sache entäußern, sondern *muß* durch den Begriff mich desselben als Eigentums entäußern, damit mir *mein* Wille, als *daseiend*, gegenständlich sei. Aber nach diesem Momente ist mein Wille als entäußerter zugleich ein *anderer*. Dies somit, worin diese Notwendigkeit des Begriffes reell ist, ist *die Einheit* unterschiedener Willen, in der also ihre Unterschiedenheit und Eigentümlichkeit sich aufgibt. Aber in dieser Identität ihres Willens ist (auf dieser Stufe) ebenso dies enthalten, daß jeder ein mit dem anderen *nicht identischer*, für sich eigentümlicher Wille sei und bleibe.

§ 74

Dies Verhältnis ist somit die Vermittelung eines in der absoluten Unterscheidung fürsichseiender Eigentümer identischen Willens, und enthält, daß jeder mit seinem und des anderen Willen, *aufhört* Eigentümer zu sein, es *bleibt* und es *wird*; – die Vermittelung des Willens, ein und zwar einzelnes Eigentum aufzugeben und des Willens, ein solches, hiermit das eines anderen, anzunehmen, und zwar in dem identischen Zusammenhange, daß das eine Wollen nur zum Entschluß kommt, insofern das andere Wollen vorhanden ist.

§ 75

Da die beiden kontrahierenden Teile als *unmittelbare* selbständige Personen sich zueinander verhalten, so geht der Vertrag α) von der *Willkür* aus; β) der identische Wille, der durch den Vertrag in das Dasein tritt, ist nur *ein durch sie gesetzter*, somit nur *gemeinsamer*, nicht an und für sich allgemeiner; γ) der Gegenstand des Vertrages ist eine *einzelne äußerliche* Sache, denn nur eine solche ist ihrer bloßen Willkür, sie zu entäußern (§ 65ff.) unterworfen.

Unter den Begriff vom Vertrag kann daher die *Ehe* nicht subsumiert werden; diese Subsumtion ist in ihrer – Schändlichkeit, muß man sagen, – bei *Kant* (Metaphys. Anfangsgr. der Rechtslehre S. 106ff.) aufgestellt.[1]) – Ebensowenig liegt die Natur des *Staats* im Vertragsverhältnisse, ob der Staat als ein Vertrag aller mit allen, oder als ein Vertrag dieser aller mit dem Fürsten und der Regierung genommen werde.[2]) – Die Einmischung dieses, so wie der Verhältnisse des Privateigentums überhaupt, in das Staatsverhältnis, hat die größten Verwirrungen im Staatsrecht und in der Wirklichkeit hervorgebracht. Wie in früheren Perioden die Staatsrechte und Staatspflichten als ein unmittelbares Privateigentum besonderer Individuen gegen das Recht des Fürsten und Staats angesehen und behauptet worden[3]), so sind in einer neueren Zeitperiode die Rechte des Fürsten und des Staats als Vertragsgegenstände und auf ihn gegründet, als ein bloß *Gemeinsames* des Willens und aus der Willkür der in einen Staat Vereinigten Hervorgegangenes, betrachtet worden. – So verschieden einerseits jene beiden Standpunkte sind, so haben sie dies gemein, die Bestimmungen des Privateigentums in eine Sphäre übergetragen zu haben, die von ganz anderer und höherer Natur ist. – Siehe unten: Sittlichkeit und Staat. –

Zusatz. In neuerer Zeit ist es sehr beliebt gewesen, den Staat als Vertrag aller mit allen anzusehen. Alle schlössen, sagt man, mit dem Fürsten einen Vertrag, und dieser wieder mit den Untertanen. Diese Ansicht kommt daher, daß man oberflächlicherweise nur an *eine* Einheit verschiedener Willen denkt. Im Vertrage aber sind zwei identische Willen, die beide Personen sind, und Eigentümer bleiben wollen, der Vertrag geht also von der Willkür der Person aus, und diesen Ausgangspunkt hat die Ehe ebenfalls mit dem Vertrage gemein. Beim Staat aber ist dies gleich anders, denn es liegt nicht in der Willkür der Individuen, sich vom Staate zu trennen, da man schon Bürger desselben nach der Naturseite hin ist. Die vernünftige Bestimmung des Menschen ist, im Staate zu leben, und ist noch kein Staat da, so ist die Forderung der Vernunft vorhanden, daß er gegründet werde. Ein Staat muß eben die Erlaubnis dazu geben, daß man in ihn trete, oder ihn verlasse: dies ist also nicht von der Willkür der Einzelnen abhängig, und der Staat beruht somit nicht auf Vertrag, der Willkür voraussetzt. Es ist falsch, wenn man sagt, es sei in der Willkür aller einen Staat zu gründen: es ist vielmehr für jeden absolut notwendig, daß er im Staate sei. Der große Fortschritt des Staats in neuerer Zeit ist, daß derselbe Zweck an und für sich bleibt, und nicht jeder in Beziehung auf denselben, wie im Mittelalter nach seiner Privatstipulation verfahren darf.

§ 76

Formell ist der Vertrag, insofern die beiden Einwilligungen, wodurch der gemeinsame Wille zustande kommt, das negative Moment der Entäußerung einer Sache und das Positive der Annahme derselben, an die beiden Kontrahenten verteilt sind; – *Schenkungsvertrag*. – *Reell* aber kann er genannt werden, insofern *jeder* der *beiden* kontrahierenden Willen die Totalität dieser vermittelnden Momente ist, somit darin ebenso Eigentümer wird und bleibt; – *Tauschvertrag*.

Zusatz. Zum Vertrag gehören zwei Einwilligungen über zwei Sachen: ich will nämlich Eigentum erwerben und aufgeben. Der reelle Vertrag ist der, wo jeder das Ganze tut, Eigentum aufgibt und erwirbt, und im Aufgeben Eigentümer bleibt: der formelle Vertrag ist, wo nur einer Eigentum erwirbt oder aufgibt.

§ 77

Indem jeder im reellen Vertrage *dasselbe* Eigentum behält, mit welchem er eintritt und welches er zugleich aufgibt, so unterscheidet sich jenes *identisch* bleibende als das im Vertrage *an sich* seiende Eigentum von den äußerlichen Sachen, welche im Tausche ihren Eigentümer verändern. Jenes ist der *Wert*, in welchem die Vertragsgegenstände bei aller qualitativen äußern Verschiedenheit der Sachen einander *gleich* sind, das *Allgemeine* derselben. (§ 63)

Die Bestimmung, daß eine laesio enormis die im Vertrag eingegangene Verpflichtung aufhebe[1]), hat somit ihre Quelle im Begriffe des Vertrags und näher in dem Momente, daß der Kontrahierende durch die Entäußerung seines Eigentums, *Eigentümer* und in näherer Bestimmung, quantitativ derselbe *bleibt*. Die Verletzung aber ist nicht nur enorm (als eine solche wird sie angenommen, wenn sie die *Hälfte* des Werts übersteigt), sondern *unendlich*, wenn über ein *unveräußerliches* Gut (§ 66) ein Vertrag oder Stipulation überhaupt zu ihrer Veräußerung eingegangen wäre. – Eine *Stipulation*[2]) übrigens ist zunächst ihrem Inhalte nach vom Vertrage unterschieden, daß sie irgend einen einzelnen Teil oder Moment des ganzen Vertrags bedeutet, dann auch daß sie die *förmliche* Festsetzung desselben ist, wovon nachher. Sie enthält nach jener Seite nur die formelle Bestimmung des Vertrags, die Einwilligung des einen, etwas zu leisten, und die Einwilligung des anderen zu sein, es anzunehmen; sie ist darum zu den sogenannten *einseitigen* Verträgen gezählt worden. Die Unterscheidung der Verträge in einseitige und zweiseitige, sowie andere Einteilungen derselben im römischen Rechte sind teils oberflächliche Zusammenstellungen nach einer einzelnen oft äußerlichen Rücksicht, wie der Art und Weise ihrer Förmlichkeit, teils vermischen sie unter anderen auch Bestimmungen, welche die Natur des Vertrags selbst betreffen, und solche, welche sich erst auf die Rechtspflege (actiones) und die rechtlichen Wirkungen nach dem positiven Gesetze beziehen, oft aus ganz äußerlichen Umständen herstammen und den Begriff des Rechts verletzen.

§ 78

Der Unterschied von Eigentum und Besitz, der substantiellen und der äußerlichen Seite (§.45), wird im Vertrag zu dem Unterschiede des gemeinsamen Willens als *Übereinkunft*, und der Verwirklichung derselben durch die *Leistung*. Jene zustande gekommene Übereinkunft ist, für sich im Unterschiede von der Leistung, ein Vorgestelltes, welchem daher nach der eigentümlichen Weise des *Daseins* der *Vorstellungen* in *Zeichen*, (Enzyklopädie der philosophischen Wissenschaften) ein besonderes *Dasein*, in dem Ausdruck der *Stipulation* durch Förmlichkeiten der *Gebärden* und anderer symbolischer Handlungen, insbesondere in bestimmter Erklärung durch die *Sprache*, dem der geistigen Vorstellung würdigsten Elemente, zu geben ist.[1])

Die Stipulation ist nach dieser Bestimmung zwar die Form, wodurch der im Vertrag *abgeschlossene* Inhalt als ein erst *vorgestellter* sein Dasein hat. Aber das Vorstellen ist nur Form und hat nicht den Sinn, als ob damit der Inhalt noch ein Subjektives, so oder so zu Wünschendes und zu Wollendes sei, sondern der Inhalt ist die durch den Willen vollbrachte Abschließung hierüber.

Zusatz. Wie wir in der Lehre vom Eigentum den Unterschied zwischen Eigentum und Besitz, zwischen dem Substantiellen und bloß Äußerlichen hatten, so haben wir im Vertrage die Differenz zwischen dem gemeinsamen Willen als Übereinkunft, und dem besonderen als Leistung. In der Natur des Vertrags liegt es, daß sowohl der gemeinsame als auch der besondere Wille sich äußere, weil hier Wille sich zu Willen verhält. Die Übereinkunft, die sich in einem Zeichen manifestiert, und die Leistung liegen daher bei gebildeten Völkern auseinander, während sie bei rohen zusammenfallen können. In den Wäldern von Ceylon gibt es ein handeltreibendes Volk, das sein Eigentum hinlegt, und ruhig abwartet, bis andere kommen, das Ihrige dagegenzusetzen: hier ist die stumme Erklärung des Willens von der Leistung nicht verschieden.

§ 79

Die Stipulation enthält die Seite des Willens, daher das *Substantielle* des Rechtlichen im Vertrage, gegen welches der, insofern der Vertrag noch nicht erfüllt ist, noch bestehende Besitz für sich nur das Äußerliche ist, das seine Bestimmung allein in jener Seite hat. Durch die Stipulation habe ich ein Eigentum und besondere Willkür darüber aufgegeben und es ist *bereits Eigentum des anderen* geworden, ich bin daher durch sie unmittelbar zur *Leistung* rechtlich verbunden.

Der Unterschied von einem bloßen Versprechen und einem Vertrag liegt darin, daß in jenem das, was ich schenken, tun, leisten wolle, als ein *Zukünftiges* ausgesprochen ist und noch eine *subjektive* Bestimmung meines Willens bleibt, die ich hiermit noch ändern kann. Die Stipulation des Vertrags hingegen ist schon selbst das *Dasein* meines Willensbeschlusses in dem Sinne, daß ich meine Sache hiermit veräußert, sie *jetzt* aufgehört habe, mein Eigentum zu sein und daß ich sie bereits als Eigentum des anderen anerkenne. Die römische Unterscheidung zwischen pactum und contractus ist von schlechter Art.[1]) – *Fichte* hat einst die Behauptung aufgestellt[2]), daß die *Verbindlichkeit*, den Vertrag zu halten, nur erst mit der *beginnenden* Leistung des anderen für mich *anfange*, weil ich vor der Leistung in der Unwissenheit darüber sei, ob der andere es *ernstlich* mit seiner Äußerung *gemeint* habe; die Verbindlichkeit vor der Leistung sei daher nur *moralischer*, nicht rechtlicher Natur. Allein die Äußerung der Stipulation ist nicht eine Äußerung überhaupt, sondern enthält den zustande gekommenen *gemeinsamen Willen*, in welchem die Willkür der *Gesinnung* und ihrer Änderung sich aufgehoben hat. Es handelt sich deswegen nicht um die Möglichkeit, ob der andere *innerlich* anders gesinnt gewesen oder geworden sei, sondern ob er das Recht dazu habe. Wenn der andere auch zu leisten anfängt, bleibt mir gleichfalls die Willkür des Unrechts. Jene Ansicht zeigt ihre Nichtigkeit gleich dadurch, daß das Rechtliche des Vertrags auf die schlechte Unendlichkeit, den Prozeß ins Unendliche[3]), gestellt wäre, auf die unendliche Teilbarkeit der Zeit, der Materie, des Tuns usf. Das *Dasein*, das der *Wille* in der Förmlichkeit der Gebärde, oder in der für sich bestimmten Sprache hat, ist schon sein als des intellektuellen, vollständiges Dasein, von dem die Leistung nur die selbstlose Folge ist. – Daß es übrigens im positiven Rechte sogenannte *Real*-Kontrakte gibt, zum Unterschiede von sogenannten *Konsensual*-Kontrakten in dem Sinne, daß jene nur für vollgültig angesehen werden, wenn zu der Einwilligung die wirkliche Leistung (res, traditio rei) hinzukommt, tut nichts zur Sache.[4]) Jene sind teils die besonderen Fälle, wo mich diese Übergabe erst in den Stand setzt, meinerseits leisten zu können, und meine Verbindlichkeit, zu leisten, sich allein auf die Sache insofern ich sie in die Hände erhalten, bezieht, wie beim Darlehn, Leihkontrakt und Depositum, (was auch noch bei anderen Verträgen der Fall sein kann); – ein Umstand, der nicht die Natur des Verhältnisses der Stipulation zur Leistung, sondern die Art und Weise des Leistens betrifft – teils bleibt es überhaupt der Willkür überlassen, in einem Vertrag zu stipulieren, daß die Verbindlichkeit des einen zur Leistung nicht im Vertrage als solchem selbst liegen, sondern erst von der Leistung des anderen abhängig sein solle.

§ 80

Die *Einteilung* der Verträge und eine darauf gegründete verständige Abhandlung ihrer Arten ist nicht von äußerlichen Umständen, sondern von Unterschieden, die in der Natur des Vertrags selbst liegen, herzunehmen. – Diese Unterschiede sind der von formellem und von reellem Vertrag, dann von Eigentum und von Besitz und Gebrauch, Wert und von spezifischer Sache. Es ergeben sich demnach *folgende Arten:* (Die hier gegebene Einteilung trifft im ganzen mit der kantischen Einteilung Metaph. Anfangsgründe der Rechtslehre S. 120ff. zusammen[1]), und es wäre längst zu erwarten gewesen, daß der gewöhnliche Schlendrian der Einteilung der Verträge in Real- und Konsensual- genannte und ungenannte Kontrakte[2]) usf. gegen die vernünftige Einteilung aufgegeben worden wäre.)

A) *Schenkungs*vertrag, und zwar
  1) einer Sache; eigentlich sogenannte *Schenkung*,
  2) das *Leihen* einer Sache, als Verschenkung eines *Teils*

oder des *beschränkten Genusses* und *Gebrauchs* derselben, der Verleiher bleibt hierbei Eigentümer der Sache; (mutuum und commodatum ohne Zinsen). Die Sache ist dabei entweder eine *spezifische*, oder aber wird sie, wenn sie auch eine solche ist, doch als eine allgemeine angesehen oder gilt (wie Geld) als eine für sich allgemeine.

3) *Schenkung* einer *Dienstleistung* überhaupt, z. B. der bloßen Aufbewahrung eines Eigentums (depositum); – die Schenkung einer Sache mit der besonderen Bedingung, daß der andere erst Eigentümer wird auf den *Zeitpunkt des Todes* des Schenkenden d. h. auf den Zeitpunkt, wo dieser ohnehin nicht mehr Eigentümer ist, die *testamentarische* Disposition, liegt nicht im Begriffe des Vertrags, sondern setzt die bürgerliche Gesellschaft und eine positive Gesetzgebung voraus.

B) *Tauschvertrag*,

1) *Tausch* als solcher;

α) einer *Sache* überhaupt d. i. einer spezifischen Sache gegen eine andere desgleichen.

β) *Kauf* oder *Verkauf* (emtio venditio); Tausch einer *spezifischen Sache* gegen eine, die als die allgemeine bestimmt ist, d. i. welche nur als der *Wert* ohne die andere spezifische Bestimmung zur Benutzung gilt, – gegen *Geld*.

2) *Vermietung* (locatio conductio), Veräußerung des *temporären Gebrauchs* eines Eigentums gegen *Mietzins*, und zwar

α) einer *spezifischen* Sache, eigentliche Vermietung – oder

β) einer *allgemeinen Sache*, so daß der Verleiher nur Eigentümer dieser, oder, was dasselbe ist, des *Wertes* bleibt, – *Anleihe* (mutuum, jenes auch commodatum mit einem Mietzins; – die weitere empirische Beschaffenheit der Sache, ob sie ein Stock, Geräte, Haus usf. res fungibilis oder non fungibilis ist, bringt (wie im Verleihen als Schenken No. 2) andere besondere, übrigens aber nicht wichtige Bestimmungen herbei.)

3) *Lohnvertrag* (locatio operae), Veräußerung meines *Produzierens* oder *Dienstleistens*, insofern es nämlich veräußerlich ist, auf eine beschränkte Zeit oder nach sonst einer Beschränkung (s. § 67).

Verwandt ist hiermit das *Mandat* und andere Verträge,

wo die Leistung auf Charakter und Zutrauen oder auf höheren Talenten beruht und eine Inkommensurabilität des Geleisteten gegen einen äußern Wert (der hier auch nicht *Lohn*, sondern *Honorar* heißt) eintritt.

C) *Vervollständigung* eines *Vertrags* (cautio) durch *Verpfändung.*[3])

Bei den Verträgen, wo ich die Benutzung einer Sache veräußere, bin ich nicht im Besitz, aber noch Eigentümer derselben; (wie bei der Vermietung). Ferner kann ich bei Tausch-, Kauf-, auch Schenkungsverträgen Eigentümer geworden sein, ohne noch im Besitz zu sein, so wie überhaupt in Ansehung irgend einer Leistung, wenn nicht: *Zug um Zug*, stattfindet, diese Trennung eintritt. Daß ich nun auch im wirklichen *Besitze des Werts*, als welcher noch oder bereits mein Eigentum ist, in dem einen Falle bleibe, oder in dem anderen Falle darein gesetzt werde, ohne daß ich im Besitze der *spezifischen* Sache bin, die ich überlasse oder die mir werden soll, dies wird durch das *Pfand* bewirkt, – eine spezifische Sache, die aber nur nach dem *Werte* meines zum Besitz überlassenen oder des mir schuldigen Eigentums, mein Eigentum ist, nach ihrer spezifischen Beschaffenheit und Mehrwerte aber Eigentum des Verpfändenden bleibt. Die Verpfändung ist daher nicht selbst ein Vertrag, sondern nur eine Stipulation (§ 77), das einen Vertrag in Rücksicht auf den Besitz des Eigentums vervollständigende Moment. – *Hypothek*, *Bürgschaft* sind besondere Formen hiervon.

Zusatz. Beim Vertrage wurde der Unterschied gemacht, daß durch die Übereinkunft (Stipulation) zwar das Eigentum mein wird, ich aber den Besitz nicht habe, und diesen durch Leistung erst erhalten soll. Bin ich nun schon von Hause aus Eigentümer der Sache, so ist die Absicht der Verpfändung, das ich zu gleicher Zeit auch in den Besitz des Wertes des Eigentums komme, und somit schon in der Übereinkunft die Leistung gesichert werde. Eine besondere Art der Verpfändung ist die Bürgschaft, bei welcher jemand sein Versprechen, seinen Kredit für meine Leistung einsetzt. Hier wird durch die Person bewirkt, was bei der Verpfändung nur sachlich geschieht.

§ 81

Im Verhältnis unmittelbarer Personen zueinander überhaupt ist ihr Wille, ebensosehr wie *an sich identisch* und im Vertrage von ihnen *gemeinsam* gesetzt, so auch ein *besonderer*. Es ist, weil sie *unmittelbare* Personen sind, zufällig, ob ihr *besonderer* Wille mit dem *an sich seienden* Willen übereinstimmend sei, der durch jenen allein seine Existenz hat. Als besonderer *für sich* vom allgemeinen *verschieden*, tritt er in Willkür und Zufälligkeit der Einsicht und des Wollens gegen das auf, was *an sich* Recht ist, – das *Unrecht*.

Den Übergang zum Unrecht macht die logische höhere Notwendigkeit, daß die Momente des Begriffs, hier das Recht *an sich*, oder der Wille als *allgemeiner*, und das Recht in seiner *Existenz*, welche eben die *Besonderheit* des Willens ist, als *für sich verschieden* gesetzt seien, was zur *abstrakten Realität* des Begriffs gehört. – Diese Besonderheit des Willens für sich aber ist Willkür und Zufälligkeit, die ich im Vertrage nur als Willkür über eine *einzelne* Sache, nicht als die Willkür und Zufälligkeit des Willens selbst aufgegeben habe.

Zusatz. Im Vertrage hatten wir das Verhältnis zweier Willen, als eines gemeinsamen. Dieser identische Wille ist aber nur relativ allgemeiner, gesetzter allgemeiner Wille, und somit noch im Gegensatz gegen den besonderen Willen. In dem Vertrage, in der Übereinkunft liegt allerdings das Recht, die Leistung zu verlangen: diese ist aber wiederum Sache des besonderen Willens, der als solcher dem an sich seienden Recht zuwider handeln kann. Hier also kommt die Negation, die früher schon im an sich seienden Willen lag, zum Vorschein, und diese Negation ist eben das *Unrecht.* Der Gang überhaupt ist, den Willen von seiner Unmittelbarkeit zu reinigen, und so aus der Gemeinsamkeit desselben die Besonderheit hervorzurufen, die gegen sie auftritt. Im Vertrage behalten die Übereinkommenden noch ihren besonderen Willen, der Vertrag ist also aus der Stufe der Willkür noch nicht heraus, und bleibt somit dem Unrechte preisgegeben.

Dritter Abschnitt
Das Unrecht

§ 82

Im Vertrage ist das Recht *an sich* als ein *Gesetztes*, seine innere Allgemeinheit als ein *Gemeinsames* der Willkür und besonderen Willens. Diese *Erscheinung* des Rechts, in welchem dasselbe und sein wesentliches Dasein, der besondere Wille, unmittelbar d. i. zufällig übereinstimmen, geht im *Unrecht* zum *Schein* fort[1]) – zur Entgegensetzung des Rechts an sich und des besonderen Willens, als in welchem es ein *besonderes Recht* wird. Die Wahrheit dieses Scheins aber ist, daß er nichtig ist und daß das Recht durch das Negieren dieser seiner Negation sich wieder herstellt, durch welchen Prozeß seiner Vermittelung, aus seiner Negation zu sich zurückzukehren, es sich als *Wirkliches* und *Geltendes* bestimmt, da es zuerst nur *an sich* und etwas *Unmittelbares* war.

Zusatz. Das Recht an sich, der allgemeine Wille, als wesentlich bestimmt durch den besonderen ist in Beziehung auf ein Unwesentliches. Es ist das Verhältnis des Wesens zu seiner Erscheinung. Ist die Erscheinung auch dem Wesen gemäß, so ist sie von anderer Seite angesehen demselben wieder nicht gemäß, denn die Erscheinung ist die Stufe der Zufälligkeit, das Wesen in Beziehung auf Unwesentliches. Im Unrecht aber geht die Erscheinung zum Scheine fort. Schein ist Dasein, das dem Wesen unangemessen ist, das leere Abtrennen und Gesetztsein des Wesens, so daß an beiden der Unterschied als Verschiedenheit ist. Der Schein ist daher das Unwahre, welches verschwindet, indem es für sich sein will, und an diesem Verschwinden hat das Wesen sich als Wesen, das heißt als Macht des Scheins gezeigt. Das Wesen hat die Negation seiner negiert, und ist so das Bekräftigte. Das Unrecht ist ein solcher Schein, und durch das Verschwinden desselben erhält das Recht die Bestimmung eines Festen und Geltenden. Was wir eben Wesen nannten, ist das Recht an sich, dem gegenüber der besondere Wille als unwahr sich aufhebt. Wenn es früher nur ein unmittelbares Sein hatte, so wird es jetzt *wirklich*, indem es aus seiner Negation zurückkehrt; denn Wirklichkeit ist das, was wirkt, und sich in seinem Anderssein erhält, während das Unmittelbare noch für die Negation empfänglich ist.

§ 83

Das Recht, das als ein *Besonderes* und damit Mannigfaltiges gegen seine *an sich* seiende Allgemeinheit und Einfachheit die Form eines *Scheines* erhält, ist ein solcher Schein teils *an sich* oder unmittelbar, teils wird es durch *das Subjekt als Schein*, teils *schlechthin als nichtig* gesetzt, – *unbefangenes oder bürgerliches Unrecht*, *Betrug* und *Verbrechen.*

Zusatz. Das Unrecht ist also der Schein des Wesens, der sich als selbständig setzt. Ist der Schein nur an sich und nicht auch für sich, das heißt, gilt mir das Unrecht für Recht, so ist dasselbe hier unbefangen. Der Schein ist hier für das Recht, nicht aber für mich. Das zweite Unrecht ist der Betrug. Hier ist das Unrecht kein Schein für das Recht an sich, sondern es findet so statt, daß ich dem anderen einen Schein vormache. Indem ich betrüge, ist für mich das Recht ein Schein. Im ersten Falle war für das Recht das Unrecht ein Schein. Im zweiten ist mir selber, als dem Unrecht, das Recht nur ein Schein. Das dritte Unrecht ist endlich das Verbrechen. Dies ist an sich und für mich Unrecht: ich will aber hier das Unrecht, und gebrauche auch den Schein des Rechts nicht. Der andere, gegen den das Verbrechen geschieht, soll das an und für sich seiende Unrecht nicht als Recht ansehen. Der Unterschied zwischen Verbrechen und Betrug ist, daß in diesem in der Form des Tuns noch eine Anerkennung des Rechts liegt, was bei dem Verbrechen ebenfalls fehlt.

A. Unbefangenes Unrecht

§ 84

Die Besitznahme (§ 54) und der Vertrag für sich und nach ihren besondern Arten, zunächst verschiedene Äußerungen und Folgen meines Willens überhaupt, sind, weil der Wille das in sich Allgemeine ist, in Beziehung auf das Anerkennen anderer *Rechtsgründe.* In ihrer Äußerlichkeit gegeneinander und Mannigfaltigkeit liegt es[1]), daß sie in Beziehung auf eine und dieselbe Sache verschiedenen Personen angehören können, deren jede aus ihrem besonderen Rechtsgrunde die Sache für ihr Eigentum ansieht; womit *Rechtskollisionen* entstehen.

§ 85

Diese Kollision, in der die Sache *aus einem Rechtsgrunde* angesprochen wird, und welche die Sphäre des *bürgerlichen Rechtsstreits* ausmacht, enthält die *Anerkennung* des Rechts als des Allgemeinen und Entscheidenden, so daß die Sache dem gehören soll, der das Recht dazu hat. Der Streit betrifft nur die *Subsumtion* der Sache unter das Eigentum des einen oder des anderen; – ein *schlechtweg negatives* Urteil, wo im Prädikate des Meinigen nur das Besondere negiert wird.

§ 86

In den Parteien ist die Anerkennung des Rechts mit dem entgegengesetzten besonderen Interesse und ebensolcher Ansicht verbunden. Gegen diesen *Schein* tritt zugleich *in ihm selbst* (vorherg. §) das Recht *an sich* als vorgestellt und gefordert hervor. Es ist aber zunächst nur als ein *Sollen*, weil der Wille noch nicht als ein solcher vorhanden ist, der sich von der Unmittelbarkeit des Interesses befreit, als besonderer den allgemeinen Willen zum Zwecke hätte; noch ist er hier als eine solche anerkannte Wirklichkeit bestimmt, gegen welche die Parteien auf ihre besondere Ansicht und Interesse Verzicht zu tun hätten.

Zusatz. Was an sich Recht ist, hat einen bestimmten Grund, und mein Unrecht, das ich für Recht halte, verteidige ich auch aus irgendeinem Grunde. Es ist die Natur des Endlichen und Besonderen, Zufälligkeiten Raum zu geben: Kollisionen müssen also hier stattfinden, denn wir sind hier auf der Stufe des Endlichen. Dies erste Unrecht negiert nur den besonderen Willen, während das allgemeine Recht respektiert wird, es ist also das leichteste Unrecht überhaupt. Wenn ich sage, eine Rose sei nicht rot, so erkenne ich doch noch an, daß sie Farbe habe, ich leugne daher die Gattung nicht, und negiere nur das Besondere, das Rote. Ebenso wird hier das Recht anerkannt, jede Person will das Rechte, und ihr soll nur werden, was das Rechte ist; ihr Unrecht besteht nur darin, daß sie das, was sie will, für das Recht hält.

B. Betrug

§ 87

Das Recht *an sich* in seinem Unterschiede von dem Recht als besonderem und daseienden, ist als ein *gefordertes*, zwar als das Wesentliche bestimmt, aber darin zugleich *nur* ein gefordertes, nach dieser Seite etwas bloß subjektives, damit unwesentliches und bloß scheinendes. So das Allgemeine von dem besonderen Willen zu einem nur Scheinenden, – zunächst im Vertrage zur nur äußerlichen Gemeinsamkeit des Willens herabgesetzt, ist es der *Betrug*.

Zusatz. Der besondere Wille wird in dieser zweiten Stufe des Unrechts respektiert, aber das allgemeine Recht nicht. Im Betruge wird der besondere Wille nicht verletzt, indem dem Betrogenen aufgebürdet wird, daß ihm Recht geschehe. Das geforderte Recht ist also als ein subjektives und bloß scheinendes gesetzt, was den Betrug ausmacht.

§ 88

Im Vertrage erwerbe ich ein Eigentum um der besonderen Beschaffenheit der Sache willen, und zugleich nach ihrer inneren Allgemeinheit teils nach dem *Werte*, teils als aus dem *Eigentum* des anderen. Durch die Willkür des anderen kann mir ein falscher Schein hierüber vorgebracht werden, so daß es mit dem Vertrage als beiderseitiger freier Einwilligung des Tausches über *diese* Sache, nach ihrer *unmittelbaren* Einzelnheit, seine Richtigkeit hat, aber die Seite des *an sich* seienden Allgemeinen darin fehlt. (Das unendliche Urteil nach seinem positiven Ausdrucke oder identischen Bedeutung. (s. Enzyklop.[1]) der philosoph. Wissensch.))

§ 89

Daß gegen diese Annahme der Sache bloß *als dieser*, und gegen den bloß meinenden, so wie den willkürlichen Willen, das Objektive oder Allgemeine teils als *Wert*, erkennbar, teils als Recht geltend sei, teils die gegen das Recht subjektive Willkür aufgehoben werde, – ist hier zunächst gleichfalls nur eine Forderung.

Zusatz. Auf das bürgerliche und unbefangene Unrecht ist keine Strafe gesetzt, denn ich habe hier nichts gegen das Recht gewollt. Beim Betruge hingegen treten Strafen ein, weil es sich hier um das Recht handelt, das verletzt ist.[1])

C. Zwang und Verbrechen

§ 90

Daß mein Wille im Eigentum sich in eine *äußerliche Sache* legt, darin liegt, daß er ebensosehr als er in ihr reflektiert wird, an ihr ergriffen und unter die Notwendigkeit gesetzt wird. Er kann darin teils *Gewalt* überhaupt leiden, teils kann ihm durch die Gewalt zur Bedingung irgendeines Besitzes oder positiven Seins eine Aufopferung oder Handlung gemacht, – *Zwang* angetan werden.

Zusatz. Das eigentliche Unrecht ist das Verbrechen, wo weder das Recht an sich, noch wie es mir scheint, respektiert wird, wo also beide Seiten, die objektive und subjektive, verletzt sind.

§ 91

Als Lebendiges kann der Mensch wohl *bezwungen* d. h. seine physische und sonst äußerliche Seite unter die Gewalt anderer gebracht, aber der freie Wille kann an und für sich nicht *gezwungen* werden (§ 5), als nur sofern *er sich selbst aus der Äußerlichkeit*, an der er festgehalten wird, oder aus deren Vorstellung *nicht zurückzieht* (§ 7). Es kann nur der zu etwas gezwungen werden, der sich *zwingen* lassen *will*.

§ 92

Weil der Wille, nur insofern er Dasein hat, Idee oder wirklich frei und das Dasein, in welches er sich gelegt hat, Sein der Freiheit ist, so zerstört Gewalt oder Zwang in ihrem Begriff sich unmittelbar selbst, als Äußerung eines Willens, welche die Äußerung oder Dasein eines Willens aufhebt. Gewalt oder Zwang ist daher, abstrakt genommen, *unrechtlich*.

§ 93

Der Zwang hat *davon*, daß er sich in seinem Begriffe zerstört, die reelle Darstellung darin, *daß Zwang durch Zwang aufgehoben wird*; er ist daher nicht nur bedingt rechtlich, sondern notwendig, – nämlich als *zweiter* Zwang, der ein Aufheben eines ersten Zwanges ist.

Verletzung eines Vertrages durch Nichtleistung des Stipulierten, oder der Rechtspflichten gegen die Familie, Staat, durch Tun oder Unterlassen, ist insofern erster Zwang oder wenigstens Gewalt, als ich ein Eigentum, das eines anderen ist, oder eine schuldige Leistung demselben vorenthalte oder entziehe. – Pädagogischer Zwang, oder Zwang gegen Wildheit und Roheit ausgeübt, erscheint zwar als erster nicht auf Vorangehung eines ersten erfolgend. Aber der nur natürliche Wille ist *an sich* Gewalt gegen die an sich seiende Idee der Freiheit, welche gegen solchen ungebildeten Willen in Schutz zu nehmen und in ihm zur Geltung zu bringen ist. Entweder ist ein sittliches Dasein in Familie oder Staat schon gesetzt, gegen welche jene Natürlichkeit eine Gewalttätigkeit ist, oder es ist nur ein Naturzustand, – Zustand der Gewalt überhaupt vorhanden, so begründet die Idee gegen diesen ein *Heroenrecht*.[1])

Zusatz. Im Staat kann es keine Heroen mehr geben: diese kommen nur im ungebildeten Zustande vor. Der Zweck derselben ist ein rechtlicher, notwendiger und staatlicher, und diesen führen sie als ihre Sache aus. Die Heroen, die Staaten stifteten, Ehe und Ackerbau einführten, haben dieses freilich nicht als anerkanntes Recht getan, und diese Handlungen erscheinen noch als ihr besonderer Wille, aber als das höhere Recht der Idee gegen die Natürlichkeit ist dieser Zwang der Heroen ein rechtlicher, denn in Güte läßt sich gegen die Gewalt der Natur wenig ausrichten.

§ 94

Das abstrakte Recht ist *Zwangsrecht*, weil das Unrecht gegen dasselbe eine Gewalt gegen das Dasein meiner Freiheit in einer *äußerlichen* Sache ist; die Erhaltung dieses Daseins gegen die Gewalt hiermit selbst als eine äußerliche Handlung und eine jene erste aufhebende Gewalt ist.

Das abstrakte oder strenge Recht sogleich von vornherein als ein *Recht* definieren, zu dem man zwingen dürfe, – heißt es an einer Folge auffassen, welche erst in dem Umwege des Unrechts eintritt.

Zusatz. Hier ist der Unterschied zwischen dem Rechtlichen und Moralischen hauptsächlich zu berücksichtigen. Bei dem Moralischen, d. h. bei der Reflexion in mich ist auch eine Zweiheit, denn das Gute ist mir Zweck, und nach dieser Idee soll ich mich bestimmen. Das Dasein des Guten ist mein Entschluß, und ich verwirkliche dasselbe in mir, aber dieses Dasein ist ganz innerlich, und es kann daher kein Zwang stattfinden. Die Staatsgesetze können sich also auf die Gesinnung nicht erstrecken wollen, denn im Moralischen bin ich für mich selbst, und die Gewalt hat hier keinen Sinn.

§ 95

Der erste Zwang als Gewalt von dem Freien ausgeübt, welche das Dasein der Freiheit in seinem *konkreten* Sinne, das Recht als Recht verletzt, ist *Verbrechen*[1]), – ein *negativ-unendliches* Urteil in seinem vollständigen Sinne[2]), durch welches nicht nur das Besondere, die Subsumtion einer Sache unter meinen Willen (§ 85), sondern zugleich das Allgemeine, Unendliche im Prädikate des Meinigen, die *Rechtsfähigkeit* und zwar ohne die Vermittelung meiner Meinung (wie im Betrug) (§ 88), ebenso gegen diese negiert wird, – die Sphäre des *peinlichen Rechts.*

Das Recht, dessen Verletzung das Verbrechen ist, hat

zwar bis hierher nur erst die Gestaltungen, die wir gesehen haben, das Verbrechen hiermit auch zunächst nur die auf diese Bestimmungen[3]) sich beziehende nähere Bedeutung. Aber das in diesen Formen Substantielle ist das Allgemeine, das in seiner weiteren Entwickelung und Gestaltung dasselbe bleibt und daher ebenso dessen Verletzung, das Verbrechen, seinem Begriffe nach. Den besonderen, weiter bestimmten Inhalt, z. B. in Meineid, Staatsverbrechen, Münz-, Wechselverfälschung usf. betrifft daher auch die im folgenden § zu berücksichtigende Bestimmung.

§ 96

Insofern es der *daseiende* Wille ist, welcher allein verletzt werden kann, dieser aber im Dasein in die Sphäre eines quantitativen Umfangs, so wie qualitativer Bestimmungen eingetreten, somit darnach verschieden ist, so macht es eben so einen Unterschied für die objektive Seite der Verbrechen aus, ob solches Dasein und dessen Bestimmtheit überhaupt in ihrem ganzen Umfang, hiermit in der ihrem Begriffe gleichen Unendlichkeit (wie in Mord, Sklaverei, Religionszwang usf.), oder nur nach einem Teile, so wie nach welcher qualitativen Bestimmung verletzt ist.

Die stoische Ansicht, daß es nur *eine* Tugend und *ein* Laster gibt[1]), die drakonische Gesetzgebung[2]), die jedes Verbrechen mit dem Tode bestraft, wie die Roheit der formellen Ehre, welche die unendliche Persönlichkeit in jede Verletzung legt, haben dies gemein, daß sie bei dem abstrakten Denken des freien Willens und der Persönlichkeit stehenbleiben, und sie nicht in ihrem konkreten und bestimmten Dasein, das sie als Idee haben muß, nehmen. – Der Unterschied von *Raub* und *Diebstahl* bezieht sich auf das Qualitative, daß bei jenem Ich auch als gegenwärtiges Bewußtsein, also als *diese subjektive* Unendlichkeit verletzt und persönliche Gewalt gegen mich verübt ist.[3]) Manche qualitative Bestimmungen, wie *die Gefährlichkeit für die öffentliche Sicherheit*, haben in den weiter bestimmten Verhältnissen ihren Grund, aber sind auch öfters erst auf dem Umwege der Folgen, statt aus dem Begriffe der Sache, aufgefaßt; – wie eben das gefährlichere Verbrechen für sich in seiner unmittelbaren Beschaffenheit, eine dem Umfange oder der Qualität nach schwerere Verletzung ist. – Die subjektive *moralische* Qualität bezieht sich auf den höheren Unterschied, inwiefern ein Ereignis und Tat überhaupt eine Handlung ist, und betrifft deren subjektive Natur selbst, wovon nachher.

Zusatz. Wie ein jedes Verbrechen zu bestrafen sei, läßt sich durch den Gedanken nicht angeben, sondern hierzu sind positive Bestimmungen notwendig.[4]) Durch das Fortschreiten der Bildung werden indessen die Ansichten über die Verbrechen milder, und man bestraft heutzutage lange nicht mehr so hart, als man es vor hundert Jahren getan. Nicht gerade die Verbrechen oder die Strafen sind es, die anders werden, aber ihr Verhältnis.

§ 97

Die geschehene Verletzung des Rechts als Rechts ist zwar eine *positive*, äußerliche *Existenz*, die aber *in sich* nichtig ist. Die *Manifestation* dieser ihrer Nichtigkeit ist die ebenso in die Existenz tretende Vernichtung jener Verletzung, – die Wirklichkeit des Rechts, als seine sich mit sich durch Aufhebung seiner Verletzung vermittelnde Notwendigkeit.

Zusatz. Durch ein Verbrechen wird irgend etwas verändert, und die Sache existiert in dieser Veränderung, aber diese Existenz ist das Gegenteil ihrer selbst, und insofern in sich nichtig. Das Nichtige ist dies, das Recht als Recht aufgehoben zu haben. Das Recht nämlich als Absolutes ist unaufhebbar, also ist die Äußerung des Verbrechens an sich nichtig, und diese Nichtigkeit ist das Wesen der Wirkung des Verbrechens. Was aber nichtig ist, muß sich als solches manifestieren, das heißt sich als selbstverletzbar hinstellen. Die Tat des Verbrechens ist nicht ein Erstes, Positives, zu welchem die Strafe als Negation käme, sondern ein Negatives, so daß die Strafe nur Negation der Negation ist. Das wirkliche Recht ist nun Aufhebung dieser Verletzung, das eben darin seine Gültigkeit zeigt, und sich als ein notwendiges vermitteltes Dasein bewährt.

§ 98

Die Verletzung als nur an dem äußerlichen Dasein oder Besitze ist ein *Übel, Schaden* an irgendeiner Weise des Eigentums oder Vermögens; die Aufhebung der Verletzung als einer Beschädigung ist die zivile Genugtuung als *Ersatz,* insofern ein solcher überhaupt stattfinden kann.

In dieser Seite der Genugtuung muß schon an die Stelle der qualitativen spezifischen Beschaffenheit des Schadens, insofern die Beschädigung eine Zerstörung und überhaupt unwiederherstellbar ist, die *allgemeine* Beschaffenheit derselben, als Wert, treten.[1])

§ 99

Die Verletzung aber, welche dem *an sich* seienden Willen (und zwar hiermit ebenso diesem Willen des Verletzers, als des Verletzten und aller) widerfahren, hat an diesem *an sich* seienden Willen als solchem keine *positive Existenz,* so wenig als an dem bloßen Produkte. *Für sich* ist dieser an sich seiende Wille (das Recht, Gesetz an sich) vielmehr das nicht äußerlich Existierende und insofern das Unverletzbare. Ebenso ist die Verletzung für den besonderen Willen des Verletzten und der übrigen nur etwas Negatives. Die *positive Existenz der Verletzung* ist nur als der *besondere Wille des Verbrechers.* Die Verletzung dieses als eines daseienden Willens also ist das Aufheben des Verbrechens, *das sonst gelten würde* und ist die Wiederherstellung des Rechts.

Die Theorie der Strafe ist eine der Materien, die in der positiven Rechtswissenschaft neuerer Zeit am schlechtesten weggekommen sind, weil in dieser Theorie der Verstand nicht ausreicht, sondern es wesentlich auf den Begriff ankommt. – Wenn das Verbrechen und dessen Aufhebung, als welche sich weiterhin als Strafe bestimmt, nur als ein *Übel* überhaupt betrachtet wird, so kann man es freilich als unvernünftig ansehen, ein Übel bloß deswegen zu wollen, *weil schon ein anderes Übel vorhanden ist.* (Klein[1]), Grunds. des peinlichen Rechts, § 9f.) Dieser oberflächliche Charakter eines *Übels* wird in den verschiedenen Theorien über die Strafe der Verhütungs-, Abschreckungs-, Androhungs-, Besserungs- usw. Theorie, als das Erste vorausgesetzt, und was dagegen herauskommen soll, ist ebenso oberflächlich als ein *Gutes* bestimmt. Es ist aber weder bloß um ein Übel, noch um dies oder jenes Gute zu tun, sondern es handelt sich bestimmt um *Unrecht* und um *Gerechtigkeit.*[2]) Durch jene oberflächlichen Gesichtspunkte aber[3]) wird die objektive Betrachtung der *Gerechtigkeit*, welche der erste und substantielle Gesichtspunkt bei dem Verbrechen ist, beiseite gestellt, und es folgt von selbst, daß der moralische Gesichtspunkt, die subjektive Seite des Verbrechens, vermischt mit trivialen psychologischen Vorstellungen von den Reizen und der Stärke sinnlicher Triebfedern gegen die Vernunft, von psychologischem Zwang und Einwirkung auf die Vorstellung (als ob eine solche nicht durch die Freiheit ebensowohl zu etwas nur Zufälligem herabgesetzt würde) – zum Wesentlichen wird. Die verschiedenen Rücksichten, welche zu der Strafe als Erscheinung und ihrer Beziehung auf das besondere Bewußtsein gehören, und die Folgen auf die Vorstellung (abzuschrecken, zu bessern usf.) betreffen, sind an ihrer Stelle, und zwar vornehmlich bloß in Rücksicht der *Modalität* der Strafe, wohl von wesentlicher Betrachtung, aber setzen die Begründung voraus, daß das Strafen an und für sich *gerecht sei.* In dieser Erörterung kommt es allein darauf an, daß das Verbrechen und zwar nicht als die Hervorbringung eines *Übels*, sondern als Verletzung des Rechts als Rechts aufzuheben ist, und dann welches die *Existenz* ist, die das Verbrechen hat und die aufzuheben ist; sie ist das wahrhafte Übel, das wegzuräumen ist, und worin sie liege, der wesentliche Punkt; solange die Begriffe hierüber nicht bestimmt erkannt sind, so lange muß Verwirrung in der Ansicht der Strafe herrschen.

Zusatz. Die *Feuerbachische* Straftheorie[4]) begründet die Strafe auf Androhung und meint, wenn jemand trotz derselben ein Verbrechen begehe, so müsse die Strafe erfolgen, weil sie der Verbrecher früher gekannt habe. Wie steht es aber mit der Rechtlichkeit der Drohung? Dieselbe setzt den Menschen als nicht Freien voraus, und will durch die Vorstellung eines Übels zwingen. Das Recht und die Gerechtigkeit müssen aber ihren Sitz in der Freiheit und im Willen haben, und nicht in der Unfreiheit, an welche sich die Drohung wendet. Es ist mit der Begründung der Strafe auf diese Weise, als wenn man gegen einen Hund den Stock erhebt, und der Mensch wird nicht nach seiner Ehre und Freiheit, sondern wie ein Hund behandelt. Aber die Drohung, die im Grunde den Menschen empören kann, daß er seine Freiheit gegen dieselbe beweist, stellt die Gerechtigkeit ganz beiseite. Der psychologische Zwang kann sich nur auf den qualitativen und quantitativen Unterschied des Verbrechens beziehen, nicht auf die Natur des Verbrechens selbst, und die Gesetzbücher, die etwa aus dieser Lehre hervorgegangen sind, haben somit des eigentlichen Fundaments entbehrt.[5)]

§ 100

Die Verletzung, die dem Verbrecher widerfährt, ist nicht nur *an sich* gerecht, – als gerecht ist sie zugleich sein *an sich* seiender Wille, ein Dasein seiner Freiheit, *sein* Recht; sondern sie ist auch ein *Recht an den Verbrecher* selbst, d. i. in seinem daseienden Willen, in seiner Handlung *gesetzt*. Denn in seiner als eines *Vernünftigen* Handlung liegt, daß sie etwas Allgemeines, daß durch sie ein Gesetz aufgestellt ist, das er in ihr für sich anerkannt hat, unter welches er also, als unter *sein* Recht subsumiert werden darf.

Beccaria[1)] hat dem Staate das Recht zur Todesstrafe bekanntlich aus dem Grunde abgesprochen, weil nicht präsumiert werden könne, daß im gesellschaftlichen Vertrage die Einwilligung der Individuen, sich töten zu lassen, enthalten sei, vielmehr das Gegenteil angenommen werden müsse. Allein der Staat ist überhaupt nicht ein Vertrag (s. § 75), noch ist der *Schutz* und die *Sicherung* des Lebens und Eigentums der Individuen als einzelner so unbedingt sein substantielles Wesen, vielmehr ist er das Höhere, welches dieses Leben und Eigentum selbst auch in Anspruch nimmt und die Aufopferung desselben fordert. – Ferner ist nicht nur *der Begriff* des Verbrechens, das Vernünftige desselben *an und für sich*, *mit* oder *ohne* Einwilligung der Einzelnen, was der Staat geltend zu machen hat, sondern auch die formelle Vernünftigkeit, das *Wollen* des *Einzelnen*, liegt in *der Handlung* des Verbrechers. Daß die Strafe darin als *sein* eigenes *Recht* enthaltend, angesehen wird, darin wird der Verbrecher als Vernünftiges *geehrt*. – Diese Ehre wird ihm nicht zuteil, wenn aus seiner Tat selbst nicht der Begriff und der Maßstab seiner Strafe genommen wird; – ebensowenig auch, wenn er nur als schädliches Tier betrachtet wird, das unschädlich zu machen sei, oder in den Zwecken der Abschreckung und Besserung. – Ferner in Rücksicht auf die Weise der Existenz der Gerechtigkeit ist ohnehin die Form, welche sie im Staate hat, nämlich *als Strafe*, nicht die einzige Form und der Staat nicht die bedingende Voraussetzung der Gerechtigkeit an sich.

Zusatz. Was *Beccaria* verlangt[2]), daß der Mensch nämlich seine Einwilligung zur Bestrafung geben müsse, ist ganz richtig, aber der Verbrecher erteilt sie schon, durch seine Tat. Es ist ebensowohl die Natur des Verbrechens, wie der eigene Wille des Verbrechers, daß die von ihm ausgehende Verletzung aufgehoben werde.[3]) Trotzdem hat diese Bemühung Beccarias', die Todesstrafe aufheben zu lassen, vorteilhafte Wirkungen hervorgebracht. Wenn auch weder Joseph II., noch die Franzosen, die gänzliche Abschaffung derselben jemals haben durchsetzen können[4]), so hat man doch einzusehen angefangen, was todeswürdige Verbrechen seien, und was nicht. Die Todesstrafe ist dadurch seltener geworden, wie diese höchste Spitze der Strafe es auch verdient.

§ 101

Das Aufheben des Verbrechens ist insofern *Wiedervergeltung*, als sie dem Begriffe nach Verletzung der Verletzung ist und dem Dasein nach das Verbrechen einen bestimmten, qualitativen und quantitativen Umfang, hiermit auch dessen Negation als Dasein einen ebensolchen hat. Diese auf dem Begriffe beruhende Identität ist aber nicht die *Gleichheit* in der spezifischen, sondern in der *an sich* seienden Beschaffenheit der Verletzung, – nach dem Werte derselben.[1])

Da in der gewöhnlichen Wissenschaft die Definition einer Bestimmung, hier der Strafe, aus der *allgemeinen Vorstellung* der psychologischen Erfahrung des Bewußtseins genommen werden soll, so würde diese wohl zeigen, daß das allgemeine Gefühl der Völker und Individuen bei dem Verbrechen ist und gewesen ist, daß es Strafe *verdiene* und *dem Verbrecher geschehen solle, wie er getan hat.* Es ist nicht abzusehen, wie diese Wissenschaften, welche die Quelle ihrer Bestimmungen in der allgemeinen Vorstellung haben, das andere Mal einer solchen auch sogenannten allgemeinen *Tatsache* des Bewußtseins widersprechende Sätze annehmen. – Eine Hauptschwierigkeit hat aber die Bestimmung der *Gleichheit* in die Vorstellung der Wiedervergeltung hereingebracht; die Gerechtigkeit der Strafbestimmungen nach ihrer qualitativen und quantitativen Beschaffenheit ist aber ohnehin ein Späteres, als das Substantielle der Sache selbst. Wenn man sich auch für dieses weitere Bestimmen nach anderen Prinzipien umsehen müßte, als für das Allgemeine der Strafe, so bleibt dieses, was es ist. Allein der Begriff selbst muß überhaupt das Grundprinzip auch für das Besondere enthalten. Diese Bestimmung des Begriffs ist aber eben jener Zusammenhang der Notwendigkeit, daß das Verbrechen als der an sich nichtige Wille, somit seine Vernichtung, – die als Strafe erscheint, in sich selbst enthält. Die innere *Identität* ist es, die am äußerlichen Dasein sich für den Verstand als *Gleichheit* reflektiert. Die qualitative und quantitative Beschaffenheit des Verbrechens und seines Aufhebens fällt nun in die Sphäre der Äußerlichkeit; in dieser ist ohnehin keine absolute Bestimmung möglich; (vergl. § 49) diese bleibt *im Felde der Endlichkeit* nur eine Forderung, die der Verstand immer mehr zu begrenzen hat, was von der höchsten Wichtigkeit ist, die aber ins Unendliche fortgeht und nur eine *Annäherung* zuläßt, die perennierend ist. – Übersieht man nicht nur diese Natur der Endlichkeit, sondern bleibt man auch vollends bei der abstrakten, *spezifischen Gleichheit* stehen, so entsteht nicht nur eine unübersteigliche Schwierigkeit, die Strafen zu bestimmen (vollends wenn noch die Psychologie die Größe der sinnlichen Triebfedern, und die damit verbundene, – *wie man will*, entweder um so *größere Stärke* des bösen Willens, oder auch die *um so geringere Stärke* und Freiheit des Willens überhaupt herbeibringt), sondern es ist sehr leicht, die Wiedervergeltung der Strafe, (als Diebstahl um Diebstahl, Raub um Raub, Aug um Aug, Zahn um Zahn[2]), wobei man sich vollends den Täter als einäugig oder zahnlos vorstellen kann), als Absurdität darzustellen, mit der aber der Begriff nichts zu tun hat, sondern die allein jener herbeigebrachten *spezifischen Gleichheit* zu Schulden kommt. Der *Wert* als das *innere Gleiche* von Sachen, die in ihrer Existenz spezifisch ganz verschieden sind, ist eine Bestimmung, die schon bei den Verträgen (s. oben) ingleichen in der Zivilklage gegen Verbrechen (§ 95) vorkommt[3]), und wodurch die Vorstellung aus der *unmittelbaren* Beschaffenheit der Sache in das Allgemeine hinübergehoben wird. Bei dem Verbrechen, als in welchem das *Unendliche* der Tat die Grundbestimmung ist, verschwindet das bloß äußerlich Spezifische um so mehr und die Gleichheit bleibt nur die Grundregel für das *Wesentliche*, was der Verbrecher verdient hat, aber nicht für die äußere spezifische Gestalt dieses Lohns. Nur nach der letzteren sind Diebstahl, Raub und Geld-, Gefängnisstrafe usf. schlechthin Ungleiche, aber nach ihrem Werte, ihrer allgemeinen Eigenschaft, Verletzungen zu sein, sind sie *Vergleichbare*. Es ist dann, wie bemerkt, die Sache des Verstandes, die Annäherung an die Gleichheit dieses ihres Wertes zu suchen. Wird der an sich seiende Zusammenhang des Verbrechens und seiner Vernichtung und dann der Gedanke des *Wertes* und der Vergleichbarkeit beider nach dem Werte nicht gefaßt, so kann es dahin kommen, daß man (Klein[4]) Grunds. des peinl. Rechts § 9) in einer eigentlichen Strafe eine nur *willkürliche* Verbindung eines Übels mit einer unerlaubten Handlung sieht.

Zusatz. Die Wiedervergeltung ist der innere Zusammenhang und die Identität zweier Bestimmungen, die als verschieden erscheinen, und auch eine verschiedene äußere Existenz gegeneinander haben. Indem dem Verbrecher vergolten wird, hat dies das Ansehen einer fremden Bestimmung, die ihm nicht angehört, aber die Strafe ist doch nur, wie wir gesehen haben, Manifestation des Verbrechens, d. h., die andere Hälfte, die die eine notwendig voraussetzt. Was die Wiedervergeltung zunächst gegen sich hat, ist, daß sie als etwas Unmoralisches, als Rache erscheint, und daß sie so für ein Persönliches gelten kann. Aber nicht das Persönliche, sondern der Begriff führt die Wiedervergeltung selbst aus. *Die Rache ist mein*, sagt Gott in der Bibel[5]), und wenn man in dem Worte *Wieder*vergeltung etwa die Vorstellung eines besonderen Beliebens des subjektiven Willens haben wollte, so muß gesagt werden, daß es nur die Umkehrung der Gestalt selbst des Verbrechens gegen sich bedeutet. Die Eumeniden[6]) schlafen, aber das Verbrechen weckt sie, und so ist es die eigene Tat, die sich geltend macht. Wenn nun bei der Vergeltung nicht auf spezifische Gleichheit gegangen werden kann, so ist dies doch anders beim Morde, worauf notwendig die Todesstrafe steht. Denn da das Leben der ganze Umfang des Daseins ist, so kann die Strafe nicht in einem *Werte*, den es dafür nicht gibt, sondern wiederum nur in der Entziehung des Lebens bestehen.

§ 102

Das Aufheben des Verbrechens ist in dieser Sphäre der Unmittelbarkeit des Rechts zunächst *Rache*, dem *Inhalte* nach gerecht, insofern sie Wiedervergeltung ist.[1]) Aber der *Form* nach ist sie die Handlung eines *subjektiven* Willens, der in jede geschehene Verletzung *seine Unendlichkeit* legen kann und dessen Gerechtigkeit daher überhaupt zufällig, so wie er auch *für den anderen* nur als *besonderer* ist. Die Rache wird hierdurch, daß sie als positive Handlung eines *besonderen* Willens ist, *eine neue Verletzung*; sie verfällt als dieser Widerspruch in den Progreß ins Unendliche und erbt sich von Geschlechtern zu Geschlechtern ins Unbegrenzte fort.

Wo die Verbrechen nicht als crimina publica, sondern privata (wie bei den Juden, bei den Römern Diebstahl, Raub, bei den Engländern noch in einigem usf.) verfolgt und bestraft werden, hat die Strafe wenigstens noch einen Teil von Rache an sich.[2]) Von der Privatrache ist die Racheübung der Heroen, abenteuernder Ritter usf. verschieden, die in die Entstehung der Staaten fällt.

Zusatz. In einem Zustande der Gesellschaft, wo weder Richter noch Gesetze sind, hat die Strafe immer die Form der Rache, und diese bleibt insofern mangelhaft, als sie die Handlung eines subjektiven Willens, also nicht dem Inhalte gemäß ist. Die Personen des Gerichts sind zwar auch Personen, aber ihr Wille ist der allgemeine des Gesetzes, und sie wollen nichts in die Strafe hineinlegen, was nicht in der

Natur der Sache sich vorfindet. Dagegen erscheint dem Verletzten das Unrecht nicht in seiner quantitativen und qualitativen Begrenzung, sondern nur als Unrecht überhaupt, und in der Vergeltung kann er sich übernehmen, was wieder zu neuem Unrechte führen würde. Bei ungebildeten Völkern ist die Rache eine unsterbliche, wie bei den Arabern, wo sie nur durch höhere Gewalt oder Unmöglichkeit der Ausübung unterdrückt werden kann, und in mehreren heutigen Gesetzgebungen ist noch ein Rest von Rache übriggeblieben, indem es den Individuen überlassen bleibt, ob sie eine Verletzung vor Gericht bringen wollen oder nicht.

§ 103

Die Forderung, daß dieser Widerspruch, (wie der Widerspruch beim anderen Unrecht) (§§ 86, 89) der hier an der Art und Weise des Aufhebens des Unrechts vorhanden ist, aufgelöst sei, ist die Forderung einer vom subjektiven Interesse und Gestalt, so wie von der Zufälligkeit der Macht befreiten, so *nicht rächenden*, sondern *strafenden Gerechtigkeit*. Darin liegt *zunächst* die Forderung eines Willens, der als besonderer *subjektiver* Wille das Allgemeine als solches wolle. Dieser Begriff der *Moralität* aber ist nicht nur ein Gefordertes, sondern in dieser Bewegung selbst hervorgegangen.

Übergang von Recht in Moralität

§ 104

Das Verbrechen und die rächende Gerechtigkeit stellt nämlich die *Gestalt* der Entwickelung des Willens, als in die Unterscheidung des *allgemeinen an sich* und des *einzelnen für sich* gegen jenen seienden, hinausgegangen dar und ferner, daß der *an sich* seiende Wille durch Aufheben dieses Gegensatzes in sich zurückgekehrt und damit selbst *für sich* und *wirklich* geworden ist. *So ist* und *gilt* das Recht, gegen den bloß *für sich seienden* einzelnen Willen bewährt, als durch seine Notwendigkeit *wirklich*. – Diese Gestaltung ist ebenso zugleich die fortgebildete innere Begriffsbestimmtheit des Willens. Nach seinem Begriffe ist seine Verwirklichung an ihm selbst dies, das Ansichsein und die Form der Unmittelbarkeit, in welcher er zunächst ist und diese als Gestalt am abstrakten Rechte hat, aufgehoben, (§ 21) – somit sich zunächst in dem Gegensatze des allgemeinen *an sich* und des einzelnen *für sich* seienden Willens zu setzen, und dann durch das Aufheben dieses Gegensatzes, die Negation der Negation, sich als Wille *in seinem Dasein*, daß er nicht nur freier Wille an sich, sondern für sich selbst ist, als sich auf sich beziehende Negativität zu bestimmen. Seine *Persönlichkeit*, als welche der Wille im abstrakten Rechte nur ist, hat derselbe so nunmehr zu seinem *Gegenstande*; die so *für sich* unendliche Subjektivität der Freiheit macht das Prinzip des moralischen Standpunktes aus.

Sehen wir näher auf die Momente zurück, durch welche der Begriff der Freiheit sich aus der zunächst abstrakten zur sich auf sich selbst beziehenden Bestimmtheit des Willens, hiermit zur *Selbstbestimmung* der *Subjektivität* fortbildet, so ist diese Bestimmtheit im Eigentum das *abstrakte Meinige* und daher in einer äußerlichen Sache, – im Vertrage das durch *Willen vermittelte* und nur *gemeinsame Meinige*, – im Unrecht ist der Wille der Rechtssphäre, sein abstraktes Ansichsein oder Unmittelbarkeit als *Zufälligkeit* durch den einzelnen selbst *zufälligen* Willen gesetzt. Im moralischen Standpunkt ist sie so überwunden, daß diese Zufälligkeit selbst als *in sich* reflektiert und *mit sich identisch* die unendliche in sich seiende Zufälligkeit des Willens, seine *Subjektivität* ist.

Zusatz. Zur Wahrheit gehört, daß der Begriff sei, und daß dieses Dasein demselben entspreche. Im Recht hat der Wille sein Dasein in einem Äußerlichen; das Weitere ist aber, daß der Wille dasselbe in ihm selbst, in einem Innerlichen habe: er muß für sich selbst, Subjektivität sein, und sich sich selbst gegenüber haben. Dies Verhalten zu sich ist das *Affirmative*, aber dies kann er nur durch Aufhebung seiner Unmittelbarkeit erlangen. Die im Verbrechen aufgehobene Unmittelbarkeit führt so durch die Strafe, d. h., durch die Nichtigkeit dieser Nichtigkeit zur Affirmation – zur *Moralität*.

Zweiter Teil

Die Moralität

§ 105

Der moralische Standpunkt ist der Standpunkt des Willens, insofern er nicht bloß *an sich*, sondern *für sich unendlich* ist. (vorh. §) Diese Reflexion des Willens in sich und seine für sich seiende Identität gegen das Ansichsein und die Unmittelbarkeit und die darin sich entwickelnden Bestimmtheiten bestimmt die *Person* zum *Subjekte*.

§ 106

Indem die Subjektivität nunmehr die Bestimmtheit des Begriffs ausmacht und von ihm als solchem, dem an sich seienden Willen, unterschieden und zwar indem der Wille des Subjekts als des für sich seienden Einzelnen zugleich ist, (die Unmittelbarkeit auch noch an ihm hat), macht sie das *Dasein* des Begriffs aus. – Es hat sich damit für die Freiheit ein höherer *Boden* bestimmt; an der Idee ist jetzt die Seite der *Existenz* oder ihr reales Moment, die *Subjektivität* des Willens. Nur im Willen, als subjektivem, kann die Freiheit oder der *an sich* seiende Wille wirklich sein.

Die zweite Sphäre, die Moralität, stellt daher im Ganzen die reale Seite des Begriffs der Freiheit dar, und der Prozeß dieser Sphäre ist, den zunächst nur für sich seienden Willen, der unmittelbar nur *an sich* identisch ist mit dem *an sich* seienden oder allgemeinen Willen, nach diesem Unterschiede, in welchem er sich in sich vertieft, aufzuheben, und ihn für sich als *identisch* mit dem an sich seienden Willen zu setzen. Diese Bewegung ist sonach die Bearbeitung dieses nunmehrigen Bodens der Freiheit, der Subjektivität, die zunächst *abstrakt* nämlich vom Begriffe unterschieden ist, ihm gleich und dadurch für die Idee ihre wahrhafte Realisation zu erhalten, – daß der subjektive Wille sich zum ebenso objektiven hiermit wahrhaft konkreten bestimmt.

Zusatz. Beim strengen Recht kam es nicht darauf an, was mein Grundsatz, oder meine Absicht war. Diese Frage nach der Selbstbestimmung und Triebfeder des Willens, wie nach dem Vorsatze, tritt hier nun beim Moralischen ein. Indem der Mensch nach seiner Selbstbestimmung beurteilt sein will, ist er in dieser Beziehung frei, wie die äußeren Bestimmungen sich auch verhalten mögen. In diese Überzeugung des Menschen in sich kann man nicht einbrechen; ihr kann keine Gewalt geschehen, und der moralische Wille ist daher unzugänglich. Der Wert des Menschen wird nach seiner inneren Handlung geschätzt, und somit ist der moralische Standpunkt, die für sich seiende Freiheit.

§ 107

Die *Selbstbestimmung* des Willens ist zugleich Moment seines Begriffs und die Subjektivität nicht nur die Seite seines Daseins, sondern seine eigene Bestimmung (§ 104). Der als subjektiv bestimmte, für sich freie Wille, zunächst als Begriff hat, um als *Idee* zu sein, selbst *Dasein*. Der moralische Standpunkt ist daher in seiner Gestalt das *Recht des subjektiven Willens*. Nach diesem Rechte *anerkennt* und ist der Wille nur etwas, insofern es das *Seinige*, er darin sich als Subjektives ist.

Derselbe Prozeß des moralischen Standpunkts (s. Anmerkung zum vor. §) hat nach dieser Seite die Gestalt, die Entwickelung des *Rechts* des subjektiven Willens zu sein – oder der Weise seines Daseins, – so daß er das, was er als das Seinige in seinem Gegenstande erkennt, dazu fortbestimmt, sein wahrhafter Begriff, das Objektive im Sinne seiner Allgemeinheit zu sein.

Zusatz. Diese ganze Bestimmung der Subjektivität des Willens ist wieder ein Ganzes, das als Subjektivität auch Objektivität haben muß. Am Subjekt kann sich erst die Freiheit realisieren, denn es ist das wahrhafte Material zu dieser Realisation; aber dieses Dasein des Willens, welches wir Subjektivität nannten, ist verschieden von dem an und für sich seienden Willen. Von dieser anderen Einseitigkeit der bloßen Subjektivität muß sich der Wille nämlich befreien, um an und für sich seiender Wille zu werden. In der Moralität ist es das eigentümliche Interesse des Menschen, das in Frage kommt, und dies ist eben der hohe Wert desselben, daß dieser sich selbst als absolut weiß, und sich bestimmt. Der ungebildete Mensch läßt sich von der Gewalt der Stärke und von Naturbestimmtheiten alles auferlegen, die Kinder haben keinen moralischen Willen, sondern lassen sich von ihren Eltern bestimmen; aber der gebildete, innerlich werdende Mensch, will, daß er selbst in allem sei, was er tut.[1])

§ 108

Der subjektive Wille als unmittelbar für sich und von dem an sich seienden unterschieden (§ 106 Anmerkung) ist daher abstrakt, beschränkt und formell. Die Subjektivität ist aber nicht nur formell, sondern macht als das unendliche Selbstbestimmen des Willens das *Formelle* desselben aus. Weil es in diesem seinem ersten Hervortreten am einzelnen Willen noch nicht als identisch mit dem Begriffe des Willens gesetzt ist, so ist der moralische Standpunkt der Standpunkt des *Verhältnisses* und des *Sollens* oder der *Forderung*. – Und indem die Differenz der Subjektivität ebenso die Bestimmung gegen die Objektivität als äußerliches Dasein enthält, so tritt hier auch der Standpunkt des *Bewußtseins* ein, (§ 8) – überhaupt der Standpunkt der Differenz, *Endlichkeit* und *Erscheinung* des Willens.

Das Moralische ist zunächst nicht schon als das dem Unmoralischen Entgegengesetzte bestimmt, wie das Recht nicht unmittelbar das dem Unrecht Entgegengesetzte, sondern es ist der allgemeine Standpunkt des Moralischen sowohl, als des Unmoralischen, der auf der Subjektivität des Willens beruht.

Zusatz. Das Selbstbestimmen ist in der Moralität als die reine Unruhe und Tätigkeit zu denken, die noch zu keinem *was ist* kommen kann. Erst im Sittlichen ist der Wille identisch mit dem Begriff des Willens, und hat nur diesen zu seinem Inhalte. Im Moralischen verhält sich der Wille noch zu dem was an sich ist: es ist also der Standpunkt der Differenz, und der Prozeß dieses Standpunkts ist die

Identifikation des subjektiven Willens mit dem Begriff desselben. Das Sollen, welches daher noch in der Moralität ist, ist erst im Sittlichen erreicht, und zwar ist dieses andere, zu dem der subjektive Wille in einem Verhältnis steht, ein Doppeltes, einmal das Substantielle des Begriffs, und dann das äußerlich Daseiende. Wenn das *Gute* auch im subjektiven Willen gesetzt wäre, so wäre es damit noch nicht ausgeführt.

§ 109

Dieses Formelle enthält seiner allgemeinen Bestimmung nach zuerst die Entgegensetzung der Subjektivität und Objektivität und die sich darauf beziehende Tätigkeit (§ 8), deren Momente näher diese sind: *Dasein* und *Bestimmtheit* ist im Begriffe identisch (vergl. § 104) und der Wille als subjektiv ist selbst dieser Begriff, – beides und zwar *für sich* zu unterscheiden und sie als identisch zu setzen. Die Bestimmtheit ist im sich selbst bestimmenden Willen α) zunächst als durch ihn selbst *in ihm* gesetzt; – die Besonderung seiner in ihm selbst, ein *Inhalt*, den er sich gibt. Dies ist die *erste* Negation und deren formelle Grenze, nur ein *Gesetztes*, Subjektives zu sein. Als die *unendliche Reflexion* in sich ist diese Grenze *für ihn selbst* und er β) das Wollen, diese Schranke aufzuheben, – die *Tätigkeit*, diesen Inhalt aus der Subjektivität in die Objektivität überhaupt, in ein *unmittelbares Dasein* zu übersetzen. γ) Die einfache *Identität* des Willens mit sich in dieser Entgegensetzung ist der sich in beiden gleichbleibende, und gegen diese Unterschiede der Form gleichgültige *Inhalt*, der *Zweck*.

§ 110

Diese Identität des Inhalts erhält aber auf dem moralischen Standpunkt, wo die Freiheit, diese Identität des Willens mit sich, für ihn ist, (§ 105) die nähere eigentümliche Bestimmung.

a) Der Inhalt ist für mich als der *meinige* so bestimmt, daß er in seiner Identität nicht nur als mein *innerer* Zweck, sondern auch, insofern er die *äußerliche Objektivität* erhalten hat, meine Subjektivität *für mich enthalte*.

Zusatz. Der Inhalt des subjektiven oder moralischen Willens enthält eine eigene Bestimmung: er soll nämlich, wenn er auch die Form der Objektivität erlangt hat, dennoch meine Subjektivität immerfort enthalten, und die Tat soll nur gelten, insofern sie innerlich von mir bestimmt, mein Vorsatz meine Absicht war. Mehr als in meinem subjektiven Willen lag, erkenne ich nicht in der Äußerung als das Meinige an, und ich verlange in derselben mein subjektives Bewußtsein wiederzusehen.

§ 111

b) Der Inhalt, ob er zwar ein Besonderes enthält (dies sei sonst genommen, woher es wolle), hat als Inhalt des in seiner Bestimmtheit in *sich reflektierten*, hiermit mit sich identischen und allgemeinen Willens, α) die Bestimmung in ihm selbst, dem *an sich* seienden Willen angemessen zu sein oder die *Objektivität* des *Begriffes* zu haben, aber β) indem der subjektive Wille als für sich seiender zugleich noch formell ist (§ 108), ist dies nur *Forderung*, und er enthält ebenso die Möglichkeit, dem Begriffe nicht angemessen zu sein.

§ 112

c) Indem ich meine Subjektivität in Ausführung meiner Zwecke *erhalte* § 110), hebe ich darin als der Objektivierung derselben diese Subjektivität *zugleich* als *unmittelbare*, somit als diese meine einzelne auf. Aber die so mit mir identische äußerliche Subjektivität ist der *Wille* anderer (§ 73). – Der Boden der *Existenz* des Willens ist nun die *Subjektivität* (§ 106) und der Wille anderer die zugleich, mir andere, Existenz, die ich meinem Zwecke gebe. – Die Ausführung meines Zwecks hat daher diese Identität meines und anderer Willen in sich, – sie hat eine *positive* Beziehung auf den Willen anderer.

Die *Objektivität* des ausgeführten Zwecks schließt daher die drei Bedeutungen in sich, oder enthält vielmehr in einem die drei Momente: α) *äußerliches* unmittelbares Dasein (§ 109), β) dem *Begriffe* angemessen (§ 112)[1]), γ) *all-*

gemeine Subjektivität zu sein.[2]) Die *Subjektivität*, die sich in dieser Objektivität *erhält*, ist α) daß der objektive Zweck der *meinige* sei, so daß Ich mich als *Diesen* darin erhalte (§ 110) β) und γ) der Subjektivität ist schon mit den Momenten β) und γ) der Objektivität zusammengefallen. – Daß diese Bestimmungen so, auf dem moralischen Standpunkte sich unterscheidend, nur zum *Widerspruche* vereinigt sind, macht näher das *Erscheinende* oder die *Endlichkeit* dieser Sphäre aus (§ 108) und die Entwicklung dieses Standpunkts ist die Entwicklung dieser Widersprüche und deren Auflösungen, die aber innerhalb desselben nur *relativ* sein können.

Zusatz. Beim formellen Rechte war gesagt worden[3]), daß es nur Verbote enthalte, daß die streng rechtliche Handlung also eine nur negative Bestimmung in Rücksicht des Willens anderer habe. Im Moralischen dagegen ist die Bestimmung meines Willens in Beziehung auf den Willen anderer positiv, das heißt, der subjektive Wille hat in dem, was er realisiert, den an sich seienden Willen, als ein Innerliches. Es ist hier eine Hervorbringung, oder eine Veränderung des Daseins vorhanden, und dieses hat eine Beziehung auf den Willen anderer. Der Begriff der Moralität ist das innerliche Verhalten des Willens zu sich selbst. Aber hier ist nicht nur *ein* Wille, sondern die Objektivierung hat zugleich die Bestimmung in sich, daß der einzelne Wille in derselben sich aufhebt und damit also eben, indem die Bestimmung der Einseitigkeit wegfällt, zwei Willen, und eine positive Beziehung derselben aufeinander gesetzt sind. Im Rechte kommt es nicht darauf an, ob der Wille der anderen etwas möchte in Beziehung auf meinen Willen, der sich Dasein im Eigentum gibt. Im Moralischen dagegen handelt es sich um das Wohl auch anderer, und diese positive Beziehung kann erst hier eintreten.

§ 113

Die Äußerung des Willens als *subjektiven* oder *moralischen* ist *Handlung*. Die Handlung enthält die aufgezeigten Bestimmungen, α) von mir in ihrer Äußerlichkeit als die meinige gewußt zu werden[1]), β) die wesentliche Beziehung auf den

Begriff als ein Sollen[2]) und γ) auf den Willen anderer zu sein.[3])

Erst die Äußerung des moralischen Willens ist *Handlung*. Das *Dasein*, das der Wille im formellen Rechte sich gibt, ist in *einer unmittelbaren Sache*, ist selbst unmittelbar und hat für sich zunächst keine *ausdrückliche* Beziehung auf den Begriff, der als noch nicht gegen den subjektiven Willen, von ihm nicht unterschieden ist, noch eine *positive* Beziehung auf den Willen anderer; das Rechtsgebot ist seiner Grundbestimmung nach nur *Verbot* (§ 38). Der Vertrag und das Unrecht fangen zwar an, eine Beziehung auf den Willen anderer zu haben – aber die *Übereinstimmung*, die in jenem zustande kommt, gründet sich auf die Willkür und die *wesentliche* Beziehung, die darin auf den Willen des andern ist, ist als rechtliche das Negative, mein Eigentum (dem Werte nach) zu behalten und dem andern das Seinige zu lassen. Die Seite des Verbrechens dagegen als aus dem *subjektiven Willen* kommend und nach der Art und Weise, wie es in ihm seine Existenz hat, kommt hier erst in Betracht. – Die gerichtliche Handlung[4]) (actio) als mir nicht nach ihrem Inhalt, der durch Vorschriften bestimmt ist, imputabel, enthält nur einige Momente der moralischen eigentümlichen Handlung und zwar in *äußerlicher* Weise; eigentliche moralische Handlung zu sein ist daher eine von ihr als gerichtlicher unterschiedene Seite.

§ 114

Das Recht des moralischen Willens[1]) enthält die drei Seiten:

a) Das *abstrakte* oder *formelle* Recht der Handlung, daß, wie sie ausgeführt in *unmittelbarem* Dasein ist, ihr Inhalt überhaupt der *meinige*, daß sie so *Vorsatz* des subjektiven Willens sei.

b) Das *Besondere* der Handlung ist ihr *innerer* Inhalt, α) wie *für mich*, dessen allgemeiner Charakter bestimmt ist, was den *Wert* der Handlung und das, wonach sie für mich gilt, – die *Absicht*, ausmacht; – β) ihr Inhalt, als *mein besonderer* Zweck meines partikulären subjektiven Daseins, – ist das *Wohl*.[2])

c) Dieser Inhalt als *Inneres* zugleich in seine *Allgemeinheit*, als in die an und für sich seiende *Objektivität* erhoben, ist der absolute Zweck des Willens, das *Gute*, in der Sphäre der Reflexion mit dem Gegensatze der *subjektiven* Allgemeinheit, teils des *Bösen*, teils des *Gewissens*.

Zusatz. Jede Handlung muß, um moralisch zu sein, zunächst mit meinem Vorsatze übereinstimmen, denn das Recht des moralischen Willens ist, daß im Dasein desselben nur anerkannt werde, was innerlich als Vorsatz bestand. Der Vorsatz betrifft nur das Formelle, daß der äußerliche Wille auch als Innerliches in mir sei. Dagegen wird in dem zweiten Momente nach der Absicht der Handlung gefragt, d. h. nach dem relativen Werte der Handlung in Beziehung auf mich: das dritte Moment ist endlich nicht bloß der relative, sondern der allgemeine Wert der Handlung, das *Gute*. Der erste Bruch der Handlung ist der des Vorgesetzten und des Daseienden und Vorgebrachten, der zweite Bruch ist zwischen dem, was äußerlich als allgemeiner Wille da ist, und der innerlichen besonderen Bestimmung, die ich ihm gebe, das dritte endlich ist, daß die Absicht auch der allgemeine Inhalt sei. Das Gute ist die Absicht, erhoben zu dem Begriffe des Willens.

Erster Abschnitt

Der Vorsatz und die Schuld

§ 115

Die *Endlichkeit* des subjektiven Willens in der Unmittelbarkeit des Handelns besteht unmittelbar darin, daß er für sein Handeln einen *vorausgesetzten* äußerlichen Gegenstand mit mannigfaltigen Umständen hat. Die *Tat* setzt eine Veränderung an diesem vorliegenden Dasein und der Wille hat *Schuld* überhaupt daran, insofern in dem veränderten Dasein das abstrakte Prädikat des *Meinigen* liegt.

Eine Begebenheit, ein hervorgegangener Zustand ist eine *konkrete* äußerliche Wirklichkeit, die deswegen unbestimmbar viele Umstände an ihr hat. Jedes einzelne Moment, das sich als *Bedingung*, *Grund*, *Ursache* eines solchen Umstandes zeigt, und somit das *Seinige* beigetragen hat, kann angesehen werden, daß es *Schuld* daran *sei* oder wenigstens Schuld daran *habe*. Der formelle Verstand hat daher bei einer reichen Begebenheit (z. B. der französischen Revolution) an einer unzähligen Menge von Umständen die Wahl, welchen er als einen, der Schuld sei, behaupten will.[1])

Zusatz. Zugerechnet kann mir das werden, was in meinem Vorsatz gelegen hat, und beim Verbrechen kommt es vornehmlich darauf an. Aber in der Schuld liegt nur noch die ganz äußerliche Beurteilung, ob ich etwas getan habe, oder nicht, und daß ich schuld an etwas bin, macht noch nicht, daß mir die Sache imputiert werden könne.

§ 116

Meine eigene Tat ist es zwar nicht, wenn Dinge, deren Eigentümer ich bin, und die als äußerliche in mannigfaltigem Zusammenhange stehen und wirken (wie es auch mit mir selbst als mechanischem Körper oder als Lebendigem der Fall sein kann), andern dadurch Schaden verursachen. Dieser fällt mir aber *mehr* oder *weniger* zur Last, weil jene Dinge überhaupt die meinigen, jedoch auch nach ihrer eigentümlichen Natur nur mehr oder weniger meiner Herrschaft, Aufmerksamkeit usf. unterworfen sind.

§ 117

Der selbst handelnde Wille hat in seinem auf das vorliegende Dasein gerichteten Zwecke die *Vorstellung der Umstände* desselben. Aber weil er, um dieser Voraussetzung willen, *endlich* ist, ist die gegenständliche Erscheinung für ihn *zufällig* und kann in sich etwas anderes enthalten, als in seiner Vorstellung. Das Recht des Willens aber ist, in seiner *Tat* nur dies als seine *Handlung* anzuerkennen, und nur an dem *Schuld* zu haben, was er von ihren Voraussetzungen in seinem Zwecke weiß, was davon in seinem *Vorsatze* lag. – Die Tat kann nur als *Schuld des Willens zugerechnet* werden; – *das Recht des Wissens*.

Zusatz. Der Wille hat ein Dasein vor sich, auf welches er handelt; um dies aber zu können, muß er eine Vorstellung desselben haben, und wahrhafte Schuld ist nur in mir, insofern das vorliegende Dasein in meinem Wissen lag. Der Wille, weil er eine solche Voraussetzung hat, ist endlich, oder vielmehr, weil er endlich ist, hat er eine solche Voraussetzung. Insofern ich vernünftig denke und will, bin ich nicht auf diesem Standpunkte der Endlichkeit, denn der Gegenstand, auf den ich handle, ist nicht ein anderes gegen mich, aber die Endlichkeit hat die stete Grenze und Beschränktheit an sich. Ich habe ein anderes gegenüber, das nur ein Zufälliges, ein bloß äußerlich Notwendiges ist, und das mit mir zusammenfallen, oder davon verschieden sein kann. Ich bin aber nur, was in Beziehung auf meine Freiheit ist, und die Tat ist nur Schuld meines Willens, insofern ich darum weiß. Ödipus[1]), der seinen Vater erschlagen, ohne es zu wissen, ist nicht als Vatermörder anzuklagen, aber in den alten Gesetzgebungen hat man auf das Subjektive, auf die Zurechnung nicht so viel Wert gelegt, als heute. Darum entstanden bei den Alten die Asyle, damit der der Rache Entfliehende geschützt und aufgenommen werde.

§ 118

Die Handlung ferner als in äußerliches Dasein versetzt, das sich nach seinem Zusammenhange in äußerer Notwendigkeit nach allen Seiten entwickelt, hat mannigfaltige *Folgen.* Die Folgen, als die *Gestalt,* die den *Zweck* der Handlung zur *Seele* hat, sind das Ihrige (das der Handlung Angehörige), — zugleich aber ist sie, als der in die *Äußerlichkeit* gesetzte Zweck, den äußerlichen Mächten preisgegeben, welche ganz anderes daran knüpfen, als sie für sich ist und sie in entfernte, fremde Folgen fortwälzen.[1]) Es ist ebenso das Recht des Willens, sich nur das erstere *zuzurechnen,* weil nur sie in seinem *Vorsatze* liegen.

Was *zufällige* und was *notwendige* Folgen sind, enthält die Unbestimmtheit dadurch, daß die innere Notwendigkeit am Endlichen als *äußere* Notwendigkeit, als ein Verhältnis von einzelnen Dingen zueinander ins Dasein tritt, die als selbständige gleichgültig gegeneinander und äußerlich zusammenkommen. Der Grundsatz: bei den Handlungen die Konsequenzen verachten, und der andere: die Handlungen aus den Folgen beurteilen, und sie zum Maßstabe dessen, was recht und gut sei, zu machen – ist beides gleich abstrakter Verstand. Die Folgen, als die eigene *immanente* Gestaltung der Handlung, manifestieren nur deren Natur und sind nichts anderes als sie selbst; die Handlung kann sie daher nicht verleugnen und verachten. Aber umgekehrt ist unter ihnen ebenso das äußerlich Eingreifende und zufällig Hinzukommende begriffen, was die Natur der Handlung selbst nichts angeht. – Die Entwicklung des Widerspruchs, den die *Notwendigkeit* des *Endlichen* enthält, ist im Dasein eben das Umschlagen von Notwendigkeit in Zufälligkeit und umgekehrt. Handeln heißt daher nach dieser Seite, *sich diesem Gesetze preisgeben*. – Hierin liegt, daß es dem Verbrecher, wenn seine Handlung weniger schlimme Folgen hat, zugute kommt, so wie die gute Handlung es sich muß gefallen lassen, keine oder weniger Folgen gehabt zu haben, und daß dem Verbrechen, aus dem sich die Folgen vollständiger entwickelt haben, diese zur Last fallen. – Das *heroische* Selbstbewußtsein (wie in den Tragödien der Alten, Ödipus[2]) usf.) ist aus seiner Gediegenheit noch nicht zur Reflexion des Unterschiedes von *Tat* und *Handlung*, der äußerlichen Begebenheit und dem Vorsatze und Wissen der Umstände, so wie zur Zersplitterung der Folgen fortgegangen, sondern übernimmt die Schuld im ganzen Umfange der Tat.[3])

Zusatz. Darin, daß ich nur anerkenne, was meine Vorstellung war, liegt der Übergang zur Absicht. Nur das nämlich, was ich von den Umständen wußte, kann mir zugerechnet werden. Aber es gibt notwendige Folgen, die sich an jede Handlung knüpfen, wenn ich auch nur ein Einzelnes, Unmittelbares hervorbringe, und die insofern das Allgemeine sind, das es in sich hat. Die Folgen, die gehemmt werden könnten, kann ich zwar nicht voraussehen, aber ich muß die allgemeine Natur der einzelnen Tat kennen. Die Sache ist hier nicht das Einzelne, sondern das Ganze, das sich nicht auf das Bestimmte der besonderen Handlung bezieht, sondern auf die allgemeine Natur derselben. Der Übergang vom Vorsatze zur Absicht ist nun, daß ich nicht bloß meine einzelne Handlung, sondern das Allgemeine, das mit ihr zusammenhängt, wissen soll. So auftretend ist das Allgemeine das von mir Gewollte, meine *Absicht*.

Zweiter Abschnitt
Die Absicht und das Wohl

§ 119

Das äußerliche Dasein der Handlung ist ein mannigfaltiger Zusammenhang, der, unendlich in *Einzelnheiten* geteilt, betrachtet werden kann und die Handlung so, daß sie nur *eine solche Einzelnheit zunächst berührt* habe. Aber die Wahrheit des *Einzelnen* ist das *Allgemeine* und die Bestimmtheit der Handlung ist für sich nicht ein zu einer äußerlichen Einzelnheit isolierter, sondern den mannigfaltigen Zusammenhang in sich enthaltender *allgemeiner* Inhalt. Der Vorsatz, als von einem *Denkenden* ausgehend, enthält nicht bloß die Einzelnheit, sondern wesentlich jene *allgemeine* Seite, – die *Absicht.*

Absicht enthält etymologisch die *Abstraktion,* teils die Form der *Allgemeinheit,* teils das Herausnehmen einer *besonderen* Seite der konkreten Sache. Das Bemühen der Rechtfertigung durch die Absicht ist das Isolieren einer einzelnen Seite überhaupt, die als das subjektive Wesen der Handlung behauptet wird. – Das Urteil über eine Handlung als äußerliche Tat noch ohne die Bestimmung ihrer rechtlichen oder unrechtlichen Seite, erteilt derselben ein *allgemeines* Prädikat, daß sie Brandstiftung, Tötung usf. ist. – Die *vereinzelte* Bestimmtheit der äußerlichen Wirklichkeit zeigt das, was ihre *Natur* ist, als äußerlichen *Zusammenhang.* Die Wirklichkeit wird zunächst nur an einem einzelnen Punkte berührt, (wie die Brandstiftung nur einen kleinen Punkt des Holzes unmittelbar trifft, was nur einen Satz, kein Urteil gibt) aber die allgemeine Natur dieses Punktes enthält seine Ausdehnung. Im Lebendigen ist das Einzelne unmittelbar nicht als Teil, sondern als Organ, in welchem das Allgemeine als solches gegenwärtig existiert, so daß beim Morde nicht ein Stück Fleisch, als etwas Einzelnes, sondern darin selbst das Leben verletzt wird. Es ist einesteils die subjektive Reflexion, welche die logische Natur des Einzelnen und Allgemeinen nicht kennt, die sich in die Zersplitterung in Einzelheiten und Folgen einläßt, andererseits ist es die Natur der endlichen Tat selbst, solche Absonderungen der Zufälligkeiten zu enthalten. – Die Erfindung des dolus indirectus hat in dem Betrachteten ihren Grund.[1])

Zusatz. Es ist allerdings der Fall, daß bei einer Handlung mehr oder weniger Umstände zuschlagen können: es kann bei einer Brandstiftung das Feuer nicht auskommen: oder auf der anderen Seite dasselbe weiter greifen, als der Täter es wollte. Trotzdem ist hier keine Unterscheidung von Glück und Unglück zu machen, denn der Mensch muß sich handelnd mit der Äußerlichkeit abgeben. Ein altes Sprichwort sagt mit Recht: der Stein, der aus der Hand geworfen wird, ist des Teufels. Indem ich handele, setze ich mich selbst dem Unglück aus: dieses hat also ein Recht an mich, und ist ein Dasein meines eigenen Wollens.

§ 120

Das *Recht der Absicht* ist, daß die *allgemeine* Qualität der Handlung nicht nur *an sich* sei, sondern von dem Handelnden *gewußt* werde, somit schon in seinem subjektiven Willen gelegen habe; sowie umgekehrt, das Recht der *Objektivität* der Handlung, wie es genannt werden kann, ist, sich vom Subjekt als *Denkendem* als gewußt und gewollt zu behaupten.

Dies Recht zu dieser Einsicht führt die gänzliche oder geringere *Zurechnungsunfähigkeit* der Kinder, Blödsinnigen, Verrückten usf. bei ihren Handlungen mit sich. – Wie aber die Handlungen nach ihrem äußerlichen Dasein Zufälligkeiten der Folgen in sich schließen, so enthält auch das *subjektive* Dasein die Unbestimmtheit, die sich auf die Macht und Stärke des Selbstbewußtseins und der Besonnenheit bezieht, – eine Unbestimmtheit, die jedoch nur in Ansehung des Blödsinns, der Verrücktheit, u. dergleichen wie des Kindesalters in Rücksicht kommen kann, – weil nur solche entschiedene Zustände den Charakter des Denkens und der Willensfreiheit aufheben und es zulassen, den Handelnden nicht nach der Ehre, ein Denkendes und ein Wille zu sein, zu nehmen.

§ 121

Die allgemeine Qualität der Handlung ist der auf die *einfache Form* der Allgemeinheit zurückgebrachte, mannigfaltige *Inhalt* der Handlung überhaupt. Aber das Subjekt hat als in sich reflektiertes, somit gegen die objektive Besonderheit *Besonderes*, in seinem Zwecke, seinen eigenen besonderen Inhalt, der die bestimmende Seele der Handlung ist. Daß dies Moment der *Besonderheit* des Handelnden in der Handlung enthalten und ausgeführt ist, macht die *subjektive Freiheit* in ihrer konkreteren Bestimmung aus, das *Recht* des *Subjekts*, in der Handlung seine *Befriedigung* zu finden.[1])

Zusatz. Ich für mich, in mich reflektiert, bin noch ein Besonderes gegen die Äußerlichkeit meiner Handlung. Mein *Zweck* macht den bestimmenden Inhalt derselben aus. Mord und Brand, zum Beispiel, sind als Allgemeines noch nicht der positive Inhalt meiner, als des Subjekts. Hat jemand dergleichen Verbrechen begangen, so fragt man, warum er sie verübt hat. Es ist nicht der Mord des Mordes wegen geschehen, sondern es war dabei noch ein besonderer positiver Zweck. Würden wir aber sagen, der Mord geschah aus Mordlust, so wäre die Lust schon der positive Inhalt des Subjekts als solcher, und die Tat ist alsdann die Befriedigung des Wollens desselben. Der *Beweggrund* einer Tat ist somit näher das, was man das *Moralische* nennt, und dieses hat insofern den gedoppelten Sinn des Allgemeinen im Vorsatze, und des Besonderen der Absicht. In den neueren Zeiten ist es vornehmlich eingetreten, daß man bei den Handlungen immer nach den Beweggründen fragt, während man sonst bloß fragte: Ist dieser Mann rechtschaffen? tut er, was seine Pflicht ist? Man will jetzt auf das Herz sehen, und setzt dabei einen Bruch des Objektiven der Handlungen und des Inneren, des Subjektiven der Beweggründe voraus. Allerdings ist die Bestimmung des Subjekts zu betrachten: es will etwas, das in ihm begründet ist; es will seine Lust befriedigen, seiner Leidenschaft Genüge tun. Aber das Gute und Rechte ist auch ein solcher nicht bloß natürlicher, sondern durch meine Vernünftigkeit gesetzter Inhalt: meine Freiheit zum Inhalt meines Willens gemacht, ist eine reine Bestimmung meiner Freiheit selbst. Der höhere moralische Standpunkt ist daher, in der Handlung die Befriedigung zu finden, und nicht bei dem Bruche zwischen dem Selbstbewußtsein des Menschen und der Objektivität der Tat stehenzubleiben, welche Auffassungsweise jedoch, sowohl in der Weltgeschichte als in der Geschichte der Individuen ihre Epochen hat.

§ 122

Durch dies Besondere hat die Handlung subjektiven *Wert*, *Interesse* für mich. Gegen diesen Zweck, *die Absicht dem Inhalte* nach, ist das Unmittelbare der Handlung in ihrem weiteren Inhalte zum Mittel herabgesetzt. Insofern solcher Zweck ein Endliches ist, kann er wieder zum Mittel für eine weitere Absicht usf. ins Unendliche herabgesetzt werden.

§ 123

Für den Inhalt dieser Zwecke ist hier nur α) die formelle Tätigkeit selbst vorhanden, – daß das Subjekt bei dem, was es als seinen Zweck ansehen und befördern soll, mit seiner *Tätigkeit* sei; – wofür sich die Menschen als für das Ihrige interessieren oder interessieren[1]) sollen, dafür wollen sie tätig sein. β) Weiter bestimmten Inhalt aber hat die noch abstrakte und formelle Freiheit der Subjektivität nur an ihrem *natürlichen subjektiven Dasein*, Bedürfnissen, Neigungen, Leidenschaften, Meinungen, Einfällen usf. Die Befriedigung dieses Inhalts ist das *Wohl* oder die *Glückseligkeit* in ihren besonderen Bestimmungen und im Allgemeinen, die Zwecke der Endlichkeit überhaupt.

Es ist dies als der Standpunkt des *Verhältnisses* (§ 108), auf dem das Subjekt zu seiner Unterschiedenheit bestimmt, somit als *Besonderes* gilt, der Ort, wo der Inhalt des natürlichen Willens (§ 11) eintritt; er ist hier aber nicht, wie er unmittelbar ist, sondern dieser Inhalt ist als dem in sich reflektierten Willen angehörig, zu einem *allgemeinen* Zwecke, des *Wohls* oder der *Glückseligkeit* erhoben[2]), – dem Standpunkt des, den Willen noch nicht in seiner Freiheit erfassenden, sondern über seinen Inhalt als einen natürlichen und gegebenen *reflektierenden* Denkens, – wie z. B. zu *Krösus* und *Solons* Zeit.[3])

Zusatz. Insofern die Bestimmungen der Glückseligkeit vorgefunden sind, sind sie keine wahren Bestimmungen der Freiheit, welche erst in ihrem Selbstzwecke im Guten *sich* wahrhaft ist. Hier können wir die Frage aufwerfen: hat der Mensch ein Recht sich solche unfreie Zwecke zu setzen, die allein darauf beruhen, daß das Subjekt ein Lebendiges ist? Daß der Mensch ein Lebendiges ist, ist aber nicht zufällig, sondern vernunftgemäß, und insofern hat er ein Recht, seine Bedürfnisse zu seinem Zweck zu machen. Es ist nichts Herabwürdigendes darin, daß jemand lebt, und ihm steht keine höhere Geistigkeit gegenüber, in der man existieren könnte. Nur das Heraufheben des Vorgefundenen zu einem Aus-sich-Erschaffen, gibt den höheren Kreis des Guten welche Unterschiedenheit indessen keine Unverträglichkeit beider Seiten in sich schließt.[4])

§ 124

Indem auch die *subjektive* Befriedigung des Individuums selbst (darunter die Anerkennung seiner in Ehre und Ruhm) in der Ausführung *an und für sich geltender* Zwecke enthalten ist, so ist beides die Forderung, daß nur ein solcher als gewollt und erreicht erscheine, wie die Ansicht, als ob die objektiven und die subjektiven Zwecke einander im Wollen ausschließen, eine leere Behauptung des abstrakten Verstandes. Ja sie wird zu etwas Schlechtem, wenn sie darein übergeht, die subjektive Befriedigung, weil solche (wie *immer* in einem vollbrachten Werke) vorhanden, als die *wesentliche Absicht* des Handelnden und den objektiven Zweck als ein solches zu behaupten, das ihm nur ein *Mittel* zu jener gewesen sei. – Was das Subjekt ist, *ist die Reihe seiner Handlungen.* Sind diese eine Reihe wertloser Produktionen, so ist die Subjektivität des Wollens ebenso eine wertlose; ist dagegen die Reihe seiner Taten substantieller Natur, so ist es auch der innere Wille des Individuums.[1])

Das Recht der *Besonderheit* des Subjekts, sich befriedigt zu finden, oder, was dasselbe ist, das Recht der *subjektiven Freiheit* macht den Wende- und Mittelpunkt in dem Unterschiede des *Altertums* und der *modernen* Zeit. Dies Recht in seiner Unendlichkeit ist im Christentum ausgesprochen und zum allgemeinen wirklichen Prinzip einer neuen Form der Welt gemacht worden.[2]) Zu dessen näheren Gestaltungen gehören die Liebe, das Romantische, der Zweck der ewigen Seligkeit des Individuums, usf. – alsdann die Moralität und das Gewissen, ferner die anderen Formen, die teils im folgenden als Prinzip der bürgerlichen Gesellschaft und als Momente der politischen Verfassung sich hervortun werden, teils aber überhaupt in der Geschichte, insbesondere in der Geschichte der Kunst, der Wissenschaften und der Philosophie auftreten. – Dies Prinzip der Besonderheit ist nun allerdings ein Moment des Gegensatzes, und zunächst wenigstens *ebensowohl* identisch mit dem Allgemeinen, als unterschieden von ihm. Die abstrakte Reflexion fixiert aber dies Moment in seinem Unterschiede und Entgegensetzung gegen das Allgemeine und bringt so eine Ansicht der Moralität hervor, daß diese nur als feindseliger Kampf gegen die eigene Befriedigung perenniere, – die Forderung[3]).

„mit Abscheu zu tun was die Pflicht gebeut".

Eben dieser Verstand bringt diejenige psychologische Ansicht der Geschichte hervor, welche alle großen Taten und Individuen damit kleinzumachen und herabzuwürdigen versteht, daß sie Neigungen und Leidenschaften, die aus der substantiellen Wirksamkeit gleichfalls ihre Befriedigung fanden, so wie Ruhm und Ehre und andere Folgen, überhaupt die besondere Seite, welche er vorher zu etwas für sich Schlechtem dekretierte, zur Hauptabsicht und wirkenden Triebfeder der Handlungen umschafft; – er versichert, weil große Handlungen und die Wirksamkeit, die in einer Reihe solcher Handlungen bestand, Großes in der *Welt* hervorgebracht, und für das *handelnde Individuum* die Folge der Macht, der Ehre und des Ruhms gehabt, so gehöre nicht jenes Große, sondern nur dies Besondere und Äußerliche, das davon auf das Individuum fiel, diesem an; weil dies Besondere Folge, so sei es *darum* auch als Zweck, und zwar selbst als einziger Zweck gewesen. – Solche Reflexion hält sich an das Subjektive der großen Individuen, als in welchem sie selbst steht und *übersieht* in dieser selbstgemachten Eitelkeit das Substantielle derselben; – es ist die Ansicht „der psychologischen Kammerdiener, für welche es keine

Helden gibt, nicht, weil diese keine Helden, sondern, weil jene nur die Kammerdiener sind.“ [4])

Zusatz. In magnis voluisse sat est [5]) hat den richtigen Sinn, daß man etwas Großes wollen solle, aber man muß auch das Große ausführen können: sonst ist es ein nichtiges Wollen. Die Lorbeeren des bloßen Wollens sind trockene Blätter, die niemals gegrünt haben.

§ 125

Das Subjektive mit dem *besonderen* Inhalte des *Wohls* steht als in sich Reflektiertes, Unendliches zugleich in Beziehung auf das Allgemeine, den an sich seienden Willen. Dies Moment, zunächst an dieser Besonderheit selbst gesetzt, ist es das *Wohl auch anderer*, – in vollständiger, aber ganz leerer Bestimmung, das Wohl *aller*. Das Wohl *vieler anderer* Besonderer überhaupt ist dann auch wesentlicher Zweck und Recht der Subjektivität. Indem sich aber das von solchem besonderen Inhalt unterschiedene, *an und für sich seiende Allgemeine* hier weiter noch nicht bestimmt hat, denn als *das Recht*, so können jene Zwecke des Besonderen von diesem verschieden, demselben gemäß sein, aber auch nicht.

§ 126

Meine sowie der anderen Besonderheit ist aber nur überhaupt ein Recht, insofern ich *ein Freies* bin. Sie kann sich daher nicht im Widerspruch dieser ihrer substantiellen Grundlage behaupten und eine Absicht meines Wohls, sowie des Wohls anderer, – in welchem Falle sie insbesondere eine *moralische Absicht* genannt wird, – kann nicht eine *unrechtliche Handlung* rechtfertigen.

Es ist vorzüglich eine der verderbten Maximen unserer Zeit, die teils aus der vorkantischen Periode des guten Herzens herstammt [1]), und z. B. die Quintessenz bekannter rührender dramatischer Darstellungen ausmacht [2]), bei *unrechtlichen* Handlungen für die sogenannte *moralische Absicht* zu interessieren und schlechte Subjekte mit einem seinsollenden guten Herzen, d. i. einem solchen, welches sein eigenes Wohl und etwa auch das Wohl anderer will, vorzustellen; teils aber ist diese Lehre in gesteigerter Gestalt wieder aufgewärmt und die innere Begeisterung und das Gemüt, d. i. die *Form* der Besonderheit als solche, zum Kriterium dessen, was recht, vernünftig und vortrefflich sei, gemacht worden, so daß Verbrechen und deren leitende Gedanken, wenn es die plattsten, hohlsten Einfälle und törichtsten Meinungen seien, darum rechtlich, vernünftig und vortrefflich wären, weil sie aus dem Gemüt und aus der *Begeisterung* kommen; das Nähere s. unten § 140 Anmerkung.[3]) – Es ist übrigens der Standpunkt zu beachten, auf dem Recht und Wohl hier betrachtet sind, nämlich als formelles Recht und als besonderes Wohl des Einzelnen; das sogenannte *allgemeine Beste*, das *Wohl* des Staates, d. i. das Recht des wirklichen konkreten Geistes, ist eine ganz andere Sphäre, in der das formelle Recht ebenso ein untergeordnetes Moment ist, als das besondere Wohl und die Glückseligkeit des Einzelnen. Daß es einer der häufigen Mißgriffe der Abstraktion ist, das Privatrecht wie das Privatwohl, *als an und für sich* gegen das Allgemeine des Staats geltend zu machen, ist schon oben[4]) bemerkt.

Zusatz. Hierher gehört die berühmte Antwort, die dem Libellisten, der sich mit einem il faut donc que je vive entschuldigte, gegeben wurde: je n'en vois pas la necessité.[5]) Das Leben ist nicht notwendig gegen das Höhere der Freiheit. Wenn der heilige Krispinus Leder zu Schuhen für die Armen stiehlt, so ist die Handlung moralisch und unrechtlich, und somit ungültig.[6])

§ 127

Die *Besonderheit* der Interessen des natürlichen Willens in ihre einfache *Totalität* zusammengefaßt, ist das persönliche Dasein als *Leben.* Dieses *in der letzten Gefahr* und in der Kollision mit dem rechtlichen Eigentum eines anderen hat ein *Notrecht* (nicht als Billigkeit, sondern als Recht) anzusprechen[1]), indem auf der einen Seite die unendliche Verletzung des Daseins und darin die totale Rechtlosigkeit, auf der anderen Seite nur die Verletzung eines einzelnen beschränkten Daseins der Freiheit steht, wobei zugleich das Recht als solches und die Rechtsfähigkeit des nur in *diesem* Eigentum Verletzten anerkannt wird.

Aus dem Notrecht fließt die Wohltat der Kompetenz[2]), daß einem Schuldner Handwerkszeuge, Ackergeräte, Kleider, überhaupt von seinem Vermögen, d. i. vom Eigentum der Gläubiger so viel gelassen wird, als zur Möglichkeit seiner – sogar standesmäßigen Ernährung dienend, angesehen wird.

Zusatz. Das Leben, als Gesamtheit der Zwecke, hat ein Recht gegen das abstrakte Recht. Wenn es z. B. durch Stehlen eines Brotes gefristet werden kann, so ist dadurch zwar das Eigentum eines Menschen verletzt, aber es wäre unrecht, diese Handlung als gewöhnlichen Diebstahl zu betrachten. Sollte dem am Leben gefährdeten Menschen nicht gestattet sein, so zu verfahren, daß er sich erhalte, so würde er als rechtlos bestimmt sein, und indem ihm das Leben abgesprochen würde, wäre seine ganze Freiheit negiert. Zur Sicherung des Lebens gehört freilich ein Mannigfaches, und sehen wir auf die Zukunft, so müssen wir uns auf diese Einzelnheiten einlassen. Aber notwendig ist es nur, *jetzt* zu leben, die Zukunft ist nicht absolut und bleibt der Zufälligkeit anheimgestellt. Daher kann nur die Not der unmittelbaren Gegenwart zu einer unrechtlichen Handlung berechtigen, weil in ihrer Unterlassung selbst wieder das Begehen eines, und zwar des höchsten Unrechts, läge, nämlich die totale Negation des Daseins der Freiheit; – das beneficium competentiae[2]) hat hier seine Stelle, indem in verwandtschaftlichen Beziehungen, oder in anderen Verhältnissen der Nähe, das Recht liegt, zu verlangen, daß man nicht gänzlich dem Rechte hingeopfert werde.

§ 128

Die Not offenbart sowohl die Endlichkeit und damit die Zufälligkeit des Rechts als des Wohls, – des abstrakten Daseins der Freiheit, ohne daß es als Existenz der besonderen Person ist, und der Sphäre des besonderen Willens ohne die Allgemeinheit des Rechts. Ihre Einseitigkeit und Idealität ist damit *gesetzt*, wie sie an ihnen selbst im Begriffe schon bestimmt ist;

das Recht hat bereits (§ 106) sein *Dasein* als den besondern Willen bestimmt, und die Subjektivität in ihrer umfassenden Besonderheit ist selbst das Dasein der Freiheit (§ 127), so wie sie[1]) an sich als unendliche Beziehung des Willens auf sich das Allgemeine der Freiheit ist. Die beiden Momente an ihnen so zu ihrer Wahrheit, ihrer Identität, integriert, aber zunächst noch in *relativer* Beziehung aufeinander, sind das *Gute*, als das *erfüllte*, an und für sich bestimmte Allgemeine, und das *Gewissen*, als die in sich wissende und in sich den Inhalt bestimmende unendliche Subjektivität.

Dritter Abschnitt
Das Gute und das Gewissen

§ 129

Das *Gute* ist die Idee, als Einheit des *Begriffs* des Willens und des *besondern* Willens, – in welcher das abstrakte Recht, wie das Wohl und die Subjektivität des Wissens und die Zufälligkeit des äußerlichen Daseins, als *für sich selbständig* aufgehoben, damit aber *ihrem Wesen* nach darin *enthalten* und *erhalten* sind, – die *realisierte Freiheit*, der *absolute Endzweck der Welt*.

Zusatz. Jede Stufe ist eigentlich die Idee, aber die früheren enthalten sie nur in abstrakterer Form. So ist z. B. Ich als Persönlichkeit auch schon die Idee, aber in abstraktester Gestalt. Das Gute ist daher die *weiter bestimmte* Idee, die Einheit des Begriffs des Willens und des besonderen Willens. Es ist nicht ein abstrakt Rechtliches, sondern ein Inhaltvolles, dessen Gehalt sowohl das Recht, als das Wohl ausmacht.

§ 130

Das Wohl hat in dieser Idee keine Gültigkeit für sich als Dasein des einzelnen besondern Willens, sondern nur als *allgemeines* Wohl und wesentlich als *allgemein an sich*, d. i. nach der Freiheit; – das Wohl ist nicht ein Gutes ohne das *Recht*. Ebenso ist das Recht nicht das Gute ohne das Wohl (fiat justitia soll nicht pereat mundus[1]) zur Folge haben). Das Gute hiermit, als die Notwendigkeit, wirklich zu sein durch den besondern Willen und zugleich als die Substanz desselben, hat das *absolute Recht* gegen das abstrakte Recht des Eigentums und die besondern Zwecke des Wohls.[2]) Jedes dieser Momente, insofern es von dem Guten unterschieden wird, hat nur Gültigkeit, insofern es ihm gemäß und ihm untergeordnet ist.

§ 131

Für den *subjektiven* Willen ist das Gute ebenso das schlechthin Wesentliche und er hat nur Wert und Würde, insofern er in seiner Einsicht und Absicht demselben gemäß ist. Insofern das Gute hier noch diese *abstrakte Idee* des Guten ist, so ist der subjektive Wille noch nicht als in dasselbe aufgenommen und ihm gemäß gesetzt; er steht somit in einem *Verhältnis* zu demselben und zwar in dem, daß das Gute für denselben das Substantielle sein, — daß er dasselbe zum Zwecke machen und vollbringen *soll*, — wie das Gute seinerseits nur im subjektiven Willen die Vermittelung hat, durch welche es in Wirklichkeit tritt.

Zusatz. Das Gute ist die Wahrheit des besonderen Willens, aber der Wille ist nur das, wozu er sich setzt: er ist nicht von Hause aus gut, sondern kann, was er ist, nur durch seine Arbeit werden. Andererseits ist das Gute, ohne den subjektiven Willen selbst nur eine Abstraktion ohne Realität, die ihm erst durch denselben kommen soll. Die Entwikkelung des Guten enthält demgemäß die drei Stufen: 1) Daß das Gute für mich, als wollenden, besonderer Wille sei, und daß ich dasselbe wisse, 2) daß man sage, was gut sei, und die besonderen Bestimmungen des Guten entwickele, 3) endlich das Bestimmen des Guten für sich, die Besonderheit des Guten als unendliche, für sich seiende Subjektivität. Dieses innerliche Bestimmen ist das Gewissen.

§ 132

Das *Recht* des *subjektiven Willens* ist, daß das, was er als gültig anerkennen soll, von ihm *als gut eingesehen* werde, und daß ihm eine Handlung, als der in die äußerliche Objektivität tretende Zweck, nach seiner *Kenntnis* von ihrem Werte, den sie in dieser Objektivität, als rechtlich oder unrechtlich, gut oder böse, gesetzlich oder ungesetzlich zugerechnet werde.

Das *Gute* ist überhaupt das Wesen des Willens in seiner *Substantialität* und *Allgemeinheit*, – der Wille in seiner Wahrheit; – es ist deswegen schlechthin nur *im Denken* und durch *das Denken*. Die Behauptung daher, daß der Mensch das Wahre nicht erkennen könne, sondern es nur mit Erscheinungen zu tun habe, – daß das Denken dem guten Willen schade, diese und dergleichen Vorstellungen nehmen, wie den intellektuellen, ebenso allen sittlichen Wert und Würde aus dem Geiste hinweg. – Das Recht, nichts anzuerkennen, was Ich nicht als vernünftig einsehe, ist das höchste Recht des Subjekts, aber durch seine subjektive Bestimmung zugleich *formell*, und das *Recht des Vernünftigen* als des Objektiven an das Subjekt bleibt dagegen fest stehen.[1]) – Wegen ihrer formellen Bestimmung ist die Einsicht ebensowohl fähig, *wahr*, als bloße *Meinung* und *Irrtum* zu sein. Daß das Individuum zu jenem Rechte seiner Einsicht gelange, dies gehört nach dem Standpunkte der noch moralischen Sphäre, seiner besondern subjektiven Bildung an. Ich kann an mich die Forderung machen, und es als ein subjektives Recht in mir ansehen, daß Ich eine Verpflichtung aus *guten* Gründen einsehe und die *Überzeugung* von derselben habe, und noch mehr, daß ich sie aus ihrem Begriffe und Natur erkenne. Was ich für die Befriedigung meiner Überzeugung von dem Guten, Erlaubten oder Unerlaubten einer Handlung und damit von ihrer Zurechnungsfähigkeit in dieser Rücksicht, fordere, tut aber dem *Rechte der Objektivität* keinen Eintrag.[2]) – Dieses Recht der Einsicht in das *Gute* ist unterschieden vom Recht der Einsicht (§ 117) in Ansehung der *Handlung* als solcher; das Recht der Objektivität hat nach dieser die Gestalt, daß da die Handlung eine Veränderung ist, die in einer wirklichen Welt existieren soll, also in dieser anerkannt sein will, sich dem, was darin *gilt*, überhaupt gemäß sein muß. Wer in dieser Wirklichkeit handeln will, hat sich *eben damit* ihren Gesetzen unterworfen, und das Recht der Objektivität anerkannt. – Gleicherweise hat im *Staate*, als der *Objektivität* des Vernunftbegriffs, die *gerichtliche Zurechnung* nicht bei dem stehenzubleiben, was einer seiner Vernunft gemäß hält, oder nicht, nicht bei der subjektiven Einsicht in die Rechtlichkeit oder Unrechtlichkeit, in das Gute oder Böse, und bei den Forderungen, die er für die Befriedigung seiner Überzeugung macht. In diesem objektiven Felde gilt das Recht der Einsicht als Einsicht in das *Gesetzliche* oder *Ungesetzliche,* als in das *geltende* Recht, und sie beschränkt sich auf ihre nächste Bedeutung, nämlich *Kenntnis* als *Bekanntschaft* mit dem zu sein, was gesetzlich und insofern verpflichtend ist.[3]) Durch die Öffentlichkeit der Gesetze und durch die allgemeinen Sitten benimmt der Staat dem Rechte der Einsicht die formelle Seite und die Zufälligkeit für das Subjekt, welche dies Recht auf dem dermaligen Standpunkte noch hat. Das Recht des Subjekts, die Handlung in der Bestimmung des *Guten* oder *Bösen,* des Gesetzlichen oder Ungesetzlichen zu kennen, hat bei Kindern, Blödsinnigen, Verrückten die Folge, auch nach dieser Seite die Zurechnungsfähigkeit zu vermindern oder aufzuheben. Eine bestimmte Grenze läßt sich jedoch für diese Zustände und deren Zurechnungsfähigkeit nicht festsetzen. Verblendung des Augenblicks aber, Gereiztheit der Leidenschaft, Betrunkenheit, überhaupt was man die Stärke sinnlicher Triebfedern nennt (insofern das, was ein Notrecht (§ 120)[4]) begründet, ausgeschlossen ist), zu Gründen in der Zurechnung und der Bestimmung des *Verbrechens* selbst und seiner *Strafbarkeit* zu machen, und solche Umstände anzusehen, als ob durch sie die *Schuld* des Verbrechens hinweggenommen werde, heißt ihn gleichfalls (vergl. §§ 100, 119[5]) Anm.) nicht nach dem Rechte und der Ehre des Menschen behandeln, als dessen Natur eben dies ist, wesentlich ein Allgemeines, nicht ein Abstrakt-Augenblickliches und Vereinzeltes des Wissens zu sein. – Wie der Mordbrenner nicht diese zollgroße Fläche eines Holzes, die er mit dem Lichte berührte, als isoliert, sondern in ihr das Allgemeine, das Haus, in Brand gesteckt hat, so ist er als Subjekt nicht das Einzelne *dieses* Augenblicks oder *diese* isolierte Empfindung der Hitze der Rache; so wäre er ein Tier, das wegen seiner Schädlichkeit und der Unsicherheit, Anwandlungen der Wut unterworfen zu sein, vor den Kopf geschlagen werden müßte. – Daß der Verbrecher im Augenblick seiner Handlung sich das Unrecht und die Strafbarkeit derselben *deutlich* müsse *vorgestellt* haben, um ihm als Verbrechen zugerechnet werden zu können – diese Forderung, die ihm das Recht seiner moralischen Subjektivität zu bewahren scheint, spricht ihm vielmehr die innewohnende intelligente Natur ab, die in ihrer tätigen Gegenwärtigkeit nicht an die wolffisch-psychologische Gestalt *von deutlichen Vorstellungen* gebunden[6]), und nur im Falle des Wahnsinns so verrückt ist, um von dem Wissen und Tun einzelner Dinge getrennt zu sein. – Die Sphäre, wo jene Umstände als Milderungsgründe der Strafe in Betracht kommen, ist eine andere als die des Rechts, die Sphäre der *Gnade*.[7])

§ 133

Das Gute hat zu dem besondern Subjekte das Verhältnis, das *Wesentliche* seines Willens zu sein, der hiermit darin schlechthin seine *Verpflichtung* hat. Indem die *Besonderheit* von dem Guten unterschieden ist und in den subjektiven Willen fällt, so hat das Gute zunächst nur die Bestimmung der *allgemeinen abstrakten Wesentlichkeit*, – der *Pflicht*; – um dieser ihrer Bestimmung willen soll die *Pflicht* um der *Pflicht willen* getan werden.

Zusatz. Das Wesentliche des Willens ist mir Pflicht: wenn ich nun nichts weiß, als daß das Gute mir Pflicht ist, so bleibe ich noch beim Abstrakten derselben stehen. Die Pflicht soll ich um ihrer selbst willen tun, und es ist meine eigene Objektivität im wahrhaften Sinne, die ich in der Pflicht vollbringe: indem ich sie tue, bin ich bei mir selbst und frei. Es ist das Verdienst und der hohe Standpunkt der *Kantischen* Philosophie im Praktischen gewesen, diese Bedeutung der Pflicht hervorgehoben zu haben.[1])

§ 134

Weil das Handeln für sich einen besondern Inhalt und bestimmten Zweck erfordert, das Abstraktum der Pflicht aber noch keinen solchen enthält, so entsteht die Frage: *was ist Pflicht?* Für diese Bestimmung ist zunächst noch nichts vorhanden, als dies: *Recht* zu tun und für das *Wohl*, sein eigenes Wohl und das Wohl in allgemeiner Bestimmung, das Wohl anderer, zu sorgen (s. § 119).

Zusatz. Es ist dies dieselbige Frage, die an Jesus gerichtet wurde, als man von ihm wissen wollte, was getan werden solle, das ewige Leben zu erlangen[1]; denn das Allgemeine des Guten, das Abstrakte ist als Abstraktes nicht zu vollbringen, und es muß dazu noch die Bestimmung der Besonderheit erhalten.

§ 135

Diese Bestimmungen sind aber in der Bestimmung der Pflicht selbst nicht enthalten, sondern indem beide bedingt und beschränkt sind, führen sie eben damit den Übergang in die höhere Sphäre des *Unbedingten*, der Pflicht, herbei. Der Pflicht selbst, insofern sie im moralischen Selbstbewußtsein, das Wesentliche oder Allgemeine desselben ist, wie es sich innerhalb seiner auf sich nur bezieht, bleibt damit nur die abstrakte Allgemeinheit, hat die *inhaltslose Identität*, oder das Abstrakte *Positive*, das Bestimmungslose zu ihrer Bestimmung.

So wesentlich es ist, die reine unbedingte Selbstbestimmung des Willens als die Wurzel der Pflicht herauszuheben, wie denn die Erkenntnis des Willens erst durch die *Kantische* Philosophie[1] ihren festen Grund und Ausgangspunkt durch den Gedanken seiner unendlichen Autonomie gewonnen hat (s. § 133), so sehr setzt die Festhaltung des bloß moralischen Standpunkts, der nicht in den Begriff der Sittlichkeit übergeht, diesen Gewinn zu einem *leeren Formalismus* und die moralische Wissenschaft zu einer Rednerei von *der Pflicht um der Pflicht willen* herunter. Von diesem Standpunkt aus ist keine immenante Pflichtenlehre möglich; man kann *von außen* her wohl einen Stoff hereinnehmen, und dadurch auf *besondere* Pflichten kommen, aber aus jener Bestimmung der Pflicht, als *dem Mangel des Widerspruchs, der formellen Übereinstimmung mit sich*, welche nichts anderes ist, als die Festsetzung *der abstrakten Unbestimmtheit*, kann nicht zur Bestimmung von besonderen Pflichten übergegangen werden, noch wenn ein solcher besonderer Inhalt für das Handeln zur Betrachtung kommt, liegt ein Kriterium in jenem Prinzip, ob er eine Pflicht sei oder nicht. – Im Gegenteil kann alle unrechtliche und unmoralische Handlungsweise auf diese Weise gerechtfertigt werden. – Die weitere *Kantische* Form, die Fähigkeit einer Handlung, als *allgemeine* Maxime vorgestellt zu werden[2]), führt zwar die *konkretere* Vorstellung eines Zustandes herbei, aber enthält für sich kein weiteres Prinzip, als jenen Mangel des Widerspruchs und die formelle Identität. – Daß *kein Eigentum* stattfindet, enthält für sich ebensowenig einen Widerspruch, als daß dieses oder jenes einzelne Volk, Familie usf. nicht existiere, oder daß überhaupt *keine Menschen leben*. Wenn es sonst für sich fest und vorausgesetzt ist, daß Eigentum und Menschenleben sein und respektiert werden soll, dann ist es ein Widerspruch, einen Diebstahl oder Mord zu begehen; ein Widerspruch kann sich nur mit etwas ergeben, das ist, mit einem Inhalt, der als festes Prinzip zum voraus zugrunde liegt. In Beziehung auf ein solches ist erst eine Handlung entweder damit übereinstimmend, oder im Widerspruch. Aber die Pflicht, welche nur als solche, nicht um eines Inhalts willen, gewollt werden soll, die *formelle Identität* ist eben dies, allen Inhalt und Bestimmung auszuschließen.

Die weiteren Antinomien und Gestaltungen des perennierenden *Sollens*, in welchen sich der bloß moralische Standpunkt des *Verhältnisses* nur herumtreibt, ohne sie lösen und über das Sollen hinauskommen zu können, habe ich in der Phänomenologie des Geistes entwickelt.[3])

Zusatz. Wenn wir auch oben den Standpunkt der *Kantischen* Philosophie hervorhoben, der, insofern er das Gemäßsein der Pflicht mit der Vernunft aufstellt, ein erhabener ist, so muß doch hier der Mangel aufgedeckt werden, daß diesem Standpunkte alle Gliederung fehlt. Denn der Satz: Betrachte ob deine Maxime könne als ein allgemeiner Grundsatz aufgestellt werden[4]), wäre sehr gut, wenn wir schon bestimmte Prinzipien über das hätten, was zu tun sei. Indem wir nämlich von einem Prinzipe verlangen, es solle auch Bestimmung einer allgemeinen Gesetzgebung sein können, so setzt eine solche einen Inhalt schon voraus, und wäre dieser da, so müßte die Anwendung leicht werden. Hier aber ist der Grundsatz selbst noch nicht vorhanden, und das Kriterium, daß kein Widerspruch sein solle, erzeugt nichts, da, wo nichts ist, auch kein Widerspruch sein kann.

§ 136

Um der abstrakten Beschaffenheit des Guten willen fällt das andere Moment der Idee, die *Besonderheit* überhaupt, in die Subjektivität, die in ihrer in sich reflektierten Allgemeinheit die absolute Gewißheit ihrer selbst in sich, das Besonderheit Setzende, das Bestimmende und Entscheidende ist, – *das Gewissen.*[1])

Zusatz. Man kann von der Pflicht sehr erhaben sprechen, und dieses Reden stellt den Menschen höher, und macht sein Herz weit, aber wenn es zu keiner Bestimmung fortgeht, wird es zuletzt langweilig; der Geist fordert eine Besonderheit, zu der er berechtigt ist. Dagegen ist das Gewissen diese tiefste innerliche Einsamkeit mit sich, wo alles Äußerliche, und alle Beschränktheit verschwunden ist, diese durchgängige Zurückgezogenheit in sich selbst. Der Mensch ist als Gewissen von den Zwecken der Besonderheit nicht mehr gefesselt, und dieses ist somit ein hoher Standpunkt, ein Standpunkt der modernen Welt, welche erst zu diesem Bewußtsein, zu diesem Untergange in sich gekommen ist. Die vorangegangenen sinnlicheren Zeiten haben ein Äußerliches und Gegebenes vor sich, sei es Religion oder Recht: aber das Gewissen weiß sich selbst als das Denken, und daß dieses mein Denken das allein für mich Verpflichtende ist.

§ 137

Das wahrhafte Gewissen ist die Gesinnung, das, was *an und für sich* gut ist, zu wollen; es hat daher feste Grundsätze; und zwar sind ihm diese, die für sich objektiven Bestimmungen und Pflichten. Von diesem, seinem Inhalte, der Wahrheit, unterschieden ist es nur die *formelle Seite* der Tätigkeit des Willens, der als *dieser* keinen eigentümlichen Inhalt hat. Aber das objektive System dieser Grundsätze und Pflichten und die Vereinigung des subjektiven Wissens mit demselben, ist erst auf dem Standpunkte der Sittlichkeit vorhanden. Hier auf dem formellen Standpunkte der Moralität ist das Gewissen ohne diesen objektiven Inhalt, so für sich die unendliche formelle Gewißheit seiner selbst, die eben darum zugleich als die Gewißheit *dieses* Subjekts ist.

Das *Gewissen* drückt die absolute Berechtigung des subjektiven Selbstbewußtseins aus, nämlich *in sich* und *aus sich* selbst zu wissen, was Recht und Pflicht ist, und nichts anzuerkennen, als was es so als das Gute weiß, zugleich in der Behauptung, daß was es so weiß und will, in *Wahrheit* Recht und Pflicht ist. Das Gewissen ist als diese Einheit des subjektiven Wissens, und dessen was an und für sich ist, ein Heiligtum, welches anzutasten Frevel wäre. Ob aber das Gewissen eines *bestimmten Individuums*, dieser Idee des Gewissens gemäß ist, ob das, was es *für gut hält* oder ausgibt, auch wirklich gut ist, dies erkennt sich allein aus *dem Inhalt* dieses Gutseinsollenden. Was Recht und Pflicht ist, ist als das an und für sich Vernünftige der Willensbestimmungen, wesentlich weder das *besondere* Eigentum eines Individuums, noch in der *Form* von Empfindung oder sonst einem einzelnen, d. i. sinnlichen Wissen, sondern wesentlich von *allgemeinen*, gedachten Bestimmungen, d. i. in der Form von *Gesetzen* und *Grundsätzen*. Das Gewissen ist daher diesem Urteil unterworfen, ob es *wahrhaft* ist oder nicht, und seine Berufung nur *auf sein Selbst* ist unmittelbar dem entgegen, was es sein will, die Regel einer vernünftigen, an und für sich gültigen allgemeinen Handlungsweise.[1]) Der Staat kann deswegen das Gewissen in seiner eigentümlichen Form, d. i. als *subjektives Wissen* nicht anerkennen, so wenig als in der Wissenschaft die subjektive *Meinung*, die *Versicherung* und *Berufung* auf eine subjektive Meinung, eine Gültigkeit hat. Was im wahrhaften Gewissen nicht unterschieden ist, ist aber unterscheidbar, und es ist die bestimmende Subjektivität des Wissens und Wollens, welche sich von dem wahrhaften Inhalte trennen, sich für sich setzen und denselben zu einer *Form* und *Schein* herabsetzen kann. Die Zweideutigkeit in Ansehung des Gewissens liegt daher darin, daß es in der Bedeutung jener Identität des subjektiven Wissens und Wollens und des wahrhaften Guten vorausgesetzt, und so als ein Heiliges behauptet und anerkannt wird, und ebenso als die nur subjektive Reflexion des Selbstbewußtseins in sich, doch auf die Berechtigung Anspruch macht, welche jener Identität selbst nur vermöge ihres an und für sich gültigen vernünftigen Inhalts zukommt. In den moralischen Standpunkt, wie er in dieser

Abhandlung von dem sittlichen unterschieden wird, fällt nur das formelle Gewissen, das wahrhafte ist nur erwähnt worden, um seinen Unterschied anzugeben und das mög liche Mißverständnis zu beseitigen, als ob hier, wo nur das formelle Gewissen betrachtet wird, von dem wahrhaften die Rede wäre, welches in der, in der Folge erst vorkommenden sittlichen Gesinnung enthalten ist. Das religiöse Gewissen gehört aber überhaupt nicht in diesen Kreis.[2])

Zusatz. Sprechen wir vom Gewissen, so kann leicht gedacht werden, daß dasselbe um seiner Form willen, welche das abstrakt Innerliche ist, schon an und für sich das Wahrhafte sei. Aber das Gewissen als Wahrhaftes ist diese Bestimmung seiner selbst, das zu wollen, was an und für sich das Gute und die Pflicht ist. Hier aber haben wir erst mit dem abstrakt Guten zu tun, und das Gewissen ist noch ohne diesen objektiven Inhalt, ist nur erst die unendliche Gewißheit seiner selbst.

§ 138

Diese Subjektivität als die abstrakte Selbstbestimmung und reine Gewißheit nur ihrer selbst, *verflüchtigt* ebenso alle *Bestimmtheit* des Rechts, der Pflicht und des Daseins in sich, als sie die *urteilende* Macht ist, für einen Inhalt nur aus sich zu bestimmen, was gut ist und zugleich die Macht, welcher das zuerst nur vorgestellte und sein *sollende* Gute eine *Wirklichkeit* verdankt.

Das Selbstbewußtsein, das überhaupt zu dieser absoluten Reflexion in sich gekommen ist, weiß sich in ihr als ein solches, dem alle vorhandene und gegebene Bestimmung nichts anhaben kann noch soll. Als allgemeinere Gestaltung in der Geschichte (bei Sokrates[1]), den Stoikern usf.) erscheint die Richtung, *nach Innen* in sich zu suchen und aus sich zu wissen und zu bestimmen, was recht und gut ist, in Epochen, wo das, was als das Rechte und Gute in der Wirklichkeit und Sitte gilt, den besseren Willen nicht befriedigen kann; wenn die vorhandene Welt der Freiheit ihm ungetreu geworden, findet er sich in den geltenden Pflichten nicht mehr, und muß die in der Wirklichkeit verlorene Harmonie nur in der ideellen Innerlichkeit zu gewinnen suchen. Indem so das Selbstbewußtsein sein formelles Recht erfaßt und erworben, kommt es nun darauf an, wie der Inhalt beschaffen ist, den es sich gibt.

Zusatz. Betrachten wir dieses Verflüchtigen näher, und sehen wir, daß in diesen einfachen Begriff alle Bestimmungen aufgehen, und von ihm wieder ausgehen müssen, so besteht es zunächst darin, daß alles, was wir als Recht oder als Pflicht anerkennen, vom Gedanken als ein Nichtiges, Beschränktes und durchaus nicht Absolutes kann aufgewiesen werden. Dagegen darf die Subjektivität, wie sie allen Inhalt in sich verflüchtigt, auch wiederum denselben aus sich entwickeln. Alles was in der Sittlichkeit entsteht, wird durch diese Tätigkeit des Geistes hervorgebracht. Andererseits ist der Mangel dieses Standpunkts, daß er ein bloß abstrakter ist. Wenn ich meine Freiheit als Substanz in mir weiß, so bin ich tatlos und handele nicht. – Gehe ich aber zu Handlungen fort, suche ich nach Grundsätzen, so greife ich nach Bestimmungen, und die Forderung ist alsdann, daß diese aus dem Begriff des freien Willens abgeleitet seien. Wenn es daher recht ist, das Recht und die Pflicht in die Subjektivität zu verflüchtigen, so ist es andererseits unrecht, wenn diese abstrakte Grundlage sich nicht wiederum entwickelt. Nur in Zeiten, wo die Wirklichkeit eine hohle geist- und haltungslose Existenz ist, mag es dem Individuum gestattet sein, aus der wirklichen in die innerliche Lebendigkeit zurückzufliehen. Sokrates stand in der Zeit des Verderbens der atheniensischen Demokratie auf: er verflüchtigte das Daseiende, und floh in sich zurück, um dort das Rechte und Gute zu suchen. Auch in unserer Zeit findet es mehr oder weniger statt, daß die Ehrfurcht vor dem Bestehenden nicht mehr vorhanden ist, und daß der Mensch das Geltende als seinen Willen, als das von ihm Anerkannte haben will.

§ 139

Das Selbstbewußtsein in der Eitelkeit aller sonst geltenden Bestimmungen und in der reinen Innerlichkeit des Willens, ist ebensosehr die Möglichkeit, das *an und für sich Allgemeine*, als die *Willkür*, die *eigene Besonderheit* über das Allgemeine zum Prinzipe zu machen, und sie durch Handeln zu realisieren – *böse* zu sein.

Das Gewissen ist als formelle Subjektivität schlechthin dies, auf dem Sprunge zu sein, ins *Böse* umzuschlagen; an der für sich seienden, für sich wissenden und beschließenden Gewißheit seiner selbst haben beide, die Moralität und das Böse, ihre gemeinschaftliche Wurzel.

Der *Ursprung des Bösen* überhaupt liegt in dem Mysterium, d. i. in dem Spekulativen der Freiheit, ihrer Notwendigkeit, aus der *Natürlichkeit* des Willens herauszugehen, und gegen sie *innerlich* zu sein. Es ist diese Natürlichkeit des Willens, welche als der Widerspruch seiner selbst, und mit sich unverträglich in jenem Gegensatz zur Existenz kommt, und es ist so diese *Besonderheit* des Willens selbst, welche sich weiter als das Böse bestimmt. Die Besonderheit ist nämlich nur als das *Gedoppelte*, hier der Gegensatz der Natürlichkeit gegen die Innerlichkeit des Willens, welche in diesem Gegensatze nur ein *relatives* und formelles Fürsichsein ist, das seinen Inhalt allein aus den Bestimmungen des natürlichen Willens, der Begierde, Trieb, Neigung usf. schöpfen kann. Von diesen Begierden, Trieben usf. heißt es nun, daß sie gut *oder* auch böse sein *können*. Aber indem der Wille sie in dieser Bestimmung von *Zufälligkeit*, die sie als natürliche haben, und damit die Form, die er hier hat, die Besonderheit selbst zur Bestimmung seines Inhalts macht, so ist er der *Allgemeinheit*, als dem inneren Objektiven, dem Guten, welches zugleich mit der Reflexion des Willens in sich und dem erkennenden Bewußtsein, als das andere Extrem zur unmittelbaren Objektivität, dem bloß Natürlichen, eintritt, entgegengesetzt, und so ist diese Innerlichkeit des Willens böse. Der Mensch ist daher zugleich sowohl *an sich* oder *von Natur*, als durch seine *Reflexion in sich*, böse, so daß weder die Natur als solche, d. i. wenn sie nicht Natürlichkeit des in ihrem besonderen Inhalte bleibenden Willens wäre, noch die *in sich gehende* Reflexion, das Erkennen überhaupt, wenn es sich nicht in jenem Gegensatz hielte, für sich das Böse ist. – Mit dieser Seite *der Notwendigkeit des Bösen* ist ebenso absolut vereinigt, daß dies Böse bestimmt ist als das, was notwendig *nicht sein soll*, – d. i. daß es aufgehoben werden soll, *nicht* daß jener erste Standpunkt der Entzweiung überhaupt nicht hervortreten solle, – er macht vielmehr die Scheidung des unvernünftigen Tieres und des Menschen aus, – sondern daß nicht auf ihm stehengeblieben, und die Besonderheit nicht zum Wesentlichen gegen das Allgemeine festgehalten, daß er als nichtig überwunden werde. Ferner bei dieser Notwendigkeit des Bösen ist es die *Subjektivität*, als die Unendlichkeit dieser Reflexion, welche diesen Gegensatz vor sich hat und in ihm ist; wenn sie auf ihm stehenbleibt, d. i. böse ist, so ist sie damit *für sich*, hält sich als Einzelne und ist selbst diese Willkür. Das einzelne *Subjekt* als solches hat deswegen schlechthin *die Schuld seines Bösen.*

Zusatz. Die abstrakte Gewißheit, die sich selbst als Grundlage von allem weiß, hat die Möglichkeit in sich, das Allgemeine des Begriffs zu wollen, aber auch die, einen besonderen Inhalt zum Prinzipe zu machen, und zu realisieren. Zum *Bösen*, welches dieses letztere ist, gehört somit immer die Abstraktion der Gewißheit seiner selbst und *nur* der Mensch, und zwar insofern er auch böse sein kann, ist gut. Das Gute und das Böse sind untrennbar, und ihre Untrennbarkeit liegt darin, daß der Begriff sich gegenständlich wird, und als Gegenstand unmittelbar die Bestimmung des Unterschiedes hat. Der böse Wille will ein der Allgemeinheit des Willens Entgegengesetztes, der gute dagegen verhält sich seinem wahrhaften Begriffe gemäß. Die Schwierigkeit bei der Frage, wie der Wille auch könne böse sein, kommt gewöhnlich daher, daß man sich den Willen nur in positivem Verhältnis zu sich selbst denkt, und als ein Bestimmtes, das für ihn ist, als das Gute, vorstellt. Aber die Frage nach dem Ursprunge des Bösen hat nun den näheren Sinn, wie kommt in das Positive das Negative hinein? Wird bei der Erschaffung der Welt Gott als das absolut Positive vorausgesetzt, dann mag man sich drehen, wie man will, das Negative ist in diesem Positiven nicht zu erkennen: denn will man ein Zulassen von Seiten Gottes annehmen, so ist solches passives Verhältnis ein ungenügendes und nichtssagendes. In der mythologisch religiösen Vorstellung wird der Ursprung des Bösen nicht begriffen, d. h., das eine wird nicht in dem anderen erkannt, sondern es gibt nur eine Vorstellung von einem Nacheinander und Nebeneinander, so daß von außen her das Negative an das Positive kommt. Dies kann aber dem Gedanken nicht genügen, welcher nach einem Grunde, und nach einer Notwendigkeit verlangt und im Positiven das Negative als selbst wurzelnd auffassen will. Die Auflösung nun, wie der Begriff dies faßt, ist im Begriffe schon enthalten: denn der Begriff, oder konkreter gesprochen, die Idee hat wesentlich das an sich, sich zu unterscheiden, und sich negativ zu setzen. Bleibt man bloß beim Positiven, d. h. beim rein Guten stehen, das gut in seiner Ursprünglichkeit sein soll, so ist dies eine leere Bestimmung des Verstandes, der solch Abstraktes und Einseitiges festhält, und dadurch, daß er die Frage stellt, dieselbe eben zu einer schwierigen erhebt. Von dem Standpunkte aber des Begriffes aus wird die Positivität so aufgefaßt, daß sie Tätigkeit und Unterscheidung ihrer von sich selbst ist. Das Böse hat also, wie das Gute im Willen seinen Ursprung, und der Wille ist in seinem Begriffe sowohl gut als böse. Der natürliche Wille ist an sich der Widerspruch, sich von sich selbst zu unterscheiden, für sich und innerlich zu sein. Wenn man nun sagte, das Böse enthält die nähere Bestimmung, daß der Mensch böse ist, insofern er natürlicher Wille ist, so würde dies der gewöhnlichen Vorstellung entgegengesetzt sein, welche sich gerade den natürlichen Willen, als den unschuldigen und guten denkt. Aber der natürliche Wille steht dem Inhalte der Freiheit gegenüber, und das Kind, der ungebildete Mensch, die diesen ersteren haben, sind deswegen einem minderen Grad von Zurechnungsfähigkeit unterworfen. Wenn man nun vom Menschen spricht, so meint man nicht das Kind, sondern den selbstbewußten Menschen; wenn man vom Guten redet, so meint man das Wissen desselben. Nun ist freilich das Natürliche an sich unbefangen, weder gut noch böse, aber das Natürliche bezogen auf den Willen als Freiheit, und als Wissen derselben, enthält die Bestimmung des Nichtfreien, und ist daher böse. Insofern der Mensch das Natürliche will, ist dieses nicht mehr das bloß Natürliche, sondern das Negative gegen das Gute, als den Begriff des Willens. – Wenn man nun aber sagen wollte, daß, weil das Böse im Begriffe liegt und notwendig ist, der Mensch ohne Schuld wäre, wenn er es ergriffe: so muß erwidert werden, daß die Entschließung des Menschen eigenes Tun, das Tun seiner Freiheit und seiner Schuld ist. Im religiösen Mythos wird gesagt, dadurch sei der Mensch gottähnlich, daß er die Erkenntnis vom Guten und Bösen habe[1]), und die Gottähnlichkeit ist allerdings vorhanden, indem die Notwendigkeit hier keine Naturnotwendigkeit, sondern die Entschließung eben die Aufhebung dieses Gedoppelten des Guten und Bösen ist. Ich habe, da das Gute wie das Böse mir entgegensteht, die Wahl zwischen beiden, kann mich zu beiden entschließen, und das eine, wie das andere in meine Subjektivität aufnehmen. Es ist also die Natur des Bösen, daß der Mensch es wollen kann, aber nicht notwendig wollen muß.

§ 140

Indem das Selbstbewußtsein an seinem Zwecke eine *positive* Seite (§ 135), deren er notwendig hat, weil er dem Vorsatze des *konkreten wirklichen* Handelns angehört, herauszubringen weiß, so vermag es um solcher, als einer *Pflicht und vortrefflichen Absicht* willen, die Handlung, deren negativer wesentlicher Inhalt zugleich *in ihm*, als in sich Reflektierten, somit des Allgemeinen des Willens sich Bewußten, in der Vergleichung mit diesem steht, *für andere* und *sich selbst* als gut zu behaupten, — andere[1]), so ist es die *Heuchelei*, *sich selbst*[2]), — so ist es die noch höhere Spitze der sich als *das Absolute behauptenden Subjektivität*.

Diese letzte abstruseste Form des Bösen, wodurch das Böse in Gutes, und das Gute in Böses verkehrt wird, das Bewußtsein sich als diese Macht, und deswegen sich als absolut weiß, — ist die höchste Spitze der Subjektivität im moralischen Standpunkte, die Form, zu welcher das Böse in unserer Zeit und zwar durch die Philosophie d. h. eine Seichtigkeit des Gedankens, welche einen tiefen Begriff in diese Gestalt verrückt hat, und sich den Namen der Philosophie, ebenso wie sie dem Bösen den Namen des Guten anmaßt, gediehen ist. Ich will in dieser Anmerkung die Hauptgestalten dieser Subjektivität, die gäng und gebe geworden sind, kurz angeben. Was

a) *die Heuchelei* betrifft, so sind in ihr die Momente enthalten α) das Wissen des wahrhaften Allgemeinen, es sei in Form nur des Gefühls von *Recht* und *Pflicht*, oder in Form weiterer Kenntnis und Erkenntnis davon; β) das Wollen des diesem Allgemeinen widerstrebenden *Besonderen* und zwar γ) als *vergleichendes* Wissen beider Momente, so daß für das wollende Bewußtsein selbst sein besonderes Wollen als Böses bestimmt ist. Diese Bestimmungen drücken das *Handeln mit bösem Gewissen aus*, noch nicht die Heuchelei als solche. – Es ist eine zu einer Zeit sehr wichtig gewordene Frage gewesen, ob *eine Handlung nur insofern böse sei*, als sie *mit bösem Gewissen geschehen*, d. h.mit dem *entwickelten* Bewußtsein der so eben angegebenen Momente. – Pascal[3]) zieht (Les Provinc. 4e lettre) sehr gut die Folge aus der Bejahung der Frage: Ils seront tous damnés ces demipécheurs, qui ont quelque amour pour la vertu. Mais pour ces francspécheurs, pécheurs endurcis, pécheurs sans mélange, pleins et achevés, l'enfer ne les tient pas: ils ont trompé le diable à force de s'y abandonner.*) – Das subjektive Recht des Selbstbewußtseins, daß es die Handlung unter der Bestimmung wie sie an und für sich gut oder böse ist, *wisse*, muß

---

* Pascal führt daselbst auch die Fürbitte *Christi* am Kreuze für seine Feinde an: *Vater vergib ihnen, denn sie wissen nicht, was sie tun*; – eine überflüssige Bitte, wenn der Umstand, daß sie nicht gewußt, was sie getan, ihrer Handlung die Qualität erteilt hatte, nicht böse zu sein, somit der Vergebung nicht zu bedürfen. Ingleichen führt er die Ansicht des *Aristoteles*[4]) an: (die Stelle steht Eth. Nicom. III, 2) welcher unterscheidet, ob der Handelnde *οὐχ εἰδὼς* oder *ἀγνοῶν* sei; in jenem Falle der Unwissenheit handelt er *unfreiwillig* (diese Unwissenheit bezieht sich auf die *äußern Umstände*) (s. oben § 117) und die Handlung ist ihm nicht zuzurechnen. Über den andern Fall aber sagt Aristoteles: „Jeder Schlechte erkennt nicht was zu tun und was zu lassen ist, und eben dieser Mangel (*ἁμαρτία*) ist es, was die Menschen ungerecht und überhaupt böse macht. Die Nichterkenntnis der Wahl des Guten und Bösen macht nicht, daß eine Handlung unfreiwillig ist (nicht zugerechnet werden kann), *sondern nur, daß sie schlecht ist*." Aristoteles hatte freilich eine tiefere Einsicht in den Zusammenhang des Erkennens und Wollens, als in einer flachen Philosophie gäng und gebe geworden ist, welche lehrt, daß das *Nichterkennen*, das *Gemüt* und die *Begeisterung* die wahrhaften Prinzipien des sittlichen Handelns seien.

mit dem absoluten Rechte der *Objektivität* dieser Bestimmung nicht so in Kollision gedacht werden, daß beide als *trennbar gleichgültig* und *zufällig* gegeneinander vorgestellt werden, welches Verhältnis insbesondere auch bei den vormaligen Fragen über die *wirksame Gnade* zugrunde gelegt wurde. Das Böse ist nach der formellen Seite das Eigenste des Individuums, indem es eben seine sich schlechthin für sich eigen setzende Subjektivität ist, und damit schlechthin seine Schuld (s. § 139 und Anm. zu vorhergeh. §) und nach der objektiven Seite ist der Mensch, *seinem Begriffe nach* als Geist, Vernünftiges überhaupt, und hat die Bestimmung der sich wissenden Allgemeinheit schlechthin in sich. Es heißt ihn daher nicht nach der Ehre seines Begriffes behandeln, wenn die Seite des Guten und damit die Bestimmung seiner bösen Handlung als einer bösen von ihm getrennt, und sie ihm nicht als böse zugerechnet würde. Wie bestimmt oder in welchem Grade der Klarheit oder Dunkelheit das Bewußtsein jener Momente in ihrer Unterschiedenheit zu einem *Erkennen entwickelt*, und inwiefern eine böse Handlung mehr oder weniger mit *förmlichem* bösen Gewissen vollbracht sei, dies ist die gleichgültigere, mehr das Empirische betreffende Seite.

b) Böse aber und mit bösem Gewissen handeln ist noch nicht die *Heuchelei*, in dieser kommt die formelle Bestimmung der Unwahrheit hinzu, das *Böse* zunächst *für andere* als *gut* zu behaupten, und sich überhaupt äußerlich als gut, gewissenhaft, fromm und dergl. zu stellen, was auf diese Weise nur ein Kunststück des Betrugs *für andere* ist.[5]) Der Böse kann aber ferner in seinem sonstigen Gutestun oder Frömmigkeit, überhaupt in *guten Gründen, für sich* selbst eine Berechtigung zum Bösen finden, indem er durch sie es für sich zum Guten verkehrt. Diese Möglichkeit liegt in der Subjektivität, welche als abstrakte Negativität alle Bestimmungen sich unterworfen, und aus ihr kommend weiß. Zu dieser Verkehrung ist

c) diejenige Gestalt zunächst zu rechnen, welche als der *Probabilismus* bekannt ist.[6]) Er macht zum Prinzip, daß eine Handlung, für die das Bewußtsein *irgendeinen* guten Grund aufzutreiben weiß, es sei auch nur die *Autorität* eines Theologen, und wenn es auch andere Theologen von dessen Urteil noch so sehr abweichend weiß, – erlaubt ist, und daß das Gewissen darüber sicher sein kann. Selbst bei dieser Vorstellung ist noch dies richtige Bewußtsein vorhanden, daß ein solcher Grund und Autorität nur *Probabilität* gebe, obgleich dies zur Sicherheit des Gewissens hinreiche; es ist darin zugegeben, daß ein guter Grund nur von solcher Beschaffenheit ist, daß es neben ihm andere, wenigstens ebenso gute Gründe geben könne. Auch diese Spur von Objektivität ist noch hierbei zu erkennen, daß es ein *Grund* sein soll, der bestimme. Indem aber die Entscheidung des Guten oder Bösen auf die vielen *guten Gründe*, worunter auch jene Autoritäten begriffen sind, gestellt ist, dieser Gründe aber so viele und entgegengesetzte sind, so liegt hierin zugleich dies, daß es *nicht* diese Objektivität der Sache, sondern die *Subjektivität* ist, welche zu entscheiden hat, – die Seite, wodurch Belieben und Willkür über gut und böse zum Entscheidenden gemacht wird, und die Sittlichkeit, wie die Religiosität, untergraben ist. Daß es aber die eigene Subjektivität ist, in welche die Entscheidung fällt, dies ist noch nicht als das Prinzip ausgesprochen, vielmehr wird, wie bemerkt, ein Grund als das Entscheidende ausgegeben, der Probabilismus ist soweit noch eine Gestalt der Heuchelei.

d) Die nächst höhere Stufe ist, daß der gute Wille darin bestehen soll, *daß er das Gute will*; dies Wollen des *Abstrakt-Guten* soll hinreichen, ja die einzige Erfordernis sein, damit die Handlung gut sei. Indem die Handlung als *bestimmtes* Wollen einen Inhalt hat, das *abstrakte Gute* aber nichts bestimmt, so ist es der besondern Subjektivität vorbehalten, ihm seine Bestimmung und Erfüllung zu geben. Wie im Probabilismus für den, der nicht selbst ein gelehrter Révérend Père[7]) ist, es die Autorität eines solchen Theologen ist, auf welche[8]) die Subsumtion eines bestimmten Inhalts unter die allgemeine Bestimmung des *Guten* gemacht werden kann, so ist hier jedes Subjekt unmittelbar in diese Würde eingesetzt, in das abstrakte Gute den Inhalt zu legen, oder was dasselbe ist, einen Inhalt unter ein Allgemeines zu subsumieren. Dieser Inhalt ist an der Handlung als konkreter überhaupt eine Seite, deren sie mehrere hat, Seiten, welche ihr vielleicht sogar das Prädikat einer verbrecherischen und schlechten geben können. Jene meine subjektive Bestimmung des Guten aber ist das in der Handlung von mir *gewußte* Gute, *die gute Absicht* (§ 111).[9]) Es tritt hiermit ein Gegensatz von Bestimmungen ein, nach deren einer die Handlung gut, nach anderen aber verbrecherisch ist. Damit scheint auch die Frage bei der wirklichen Handlung einzutreten, ob denn die *Absicht wirklich gut sei*. Daß aber das Gute *wirkliche* Absicht ist, dies kann nun nicht nur überhaupt, sondern muß auf dem Standpunkte, wo das Subjekt das abstrakte Gute zum Bestimmungsgrund hat, sogar immer der Fall sein können. Was durch eine solche nach anderen Seiten sich als verbrecherisch und böse bestimmende Handlung von der guten Absicht verletzt wird, ist freilich auch gut, und es schiene darauf anzukommen, welche unter diesen Seiten die *wesentlichste* wäre. Aber diese objektive Frage fällt hier hinweg, oder vielmehr ist es die Subjektivität des Bewußtseins selbst, deren Entscheidung das Objektive allein ausmacht. *Wesentlich* und *gut* sind ohnehin gleichbedeutend; jenes ist eine ebensolche Abstraktion, wie dieses; gut ist, was in Rücksicht des Willens wesentlich ist, und das Wesentliche in dieser Rücksicht soll eben das sein, daß eine Handlung für mich als gut bestimmt ist. Die Subsumtion aber jeden beliebigen Inhalts unter das Gute ergibt sich für sich unmittelbar daraus, daß dies abstrakte Gute, da es gar keinen Inhalt hat, sich ganz nur darauf reduziert, überhaupt etwas Positives zu bedeuten, – etwas, das in irgendeiner Rücksicht gilt, und nach seiner unmittelbaren Bestimmung auch als ein wesentlicher Zweck gelten kann; – z. B. Armen Gutes tun, für mich, für mein Leben, für meine Familie sorgen usf. Ferner wie das Gute das Abstrakte ist, so ist damit auch das Schlechte das Inhaltslose, das von meiner Subjektivität seine Bestimmung erhält; und es ergibt sich nach dieser Seite auch der moralische Zweck, das unbestimmte Schlechte zu hassen und auszurotten. – Diebstahl, Feigheit, Mord usf., haben als Handlungen, d. i. überhaupt als von einem subjektiven Willen vollbrachte, unmittelbar die Bestimmung, die *Befriedigung* eines solchen Willens, hiermit ein *Positives* zu sein, und um die Handlung zu einer guten zu machen, kommt es nur darauf an, diese positive

Seite als meine *Absicht* bei derselben zu wissen, und diese Seite ist für die Bestimmung der Handlung, daß sie gut ist, die *wesentliche*, darum weil ich sie als das Gute in meiner Absicht weiß. Diebstahl, um den Armen Gutes zu tun, Diebstahl, Entlaufen aus der Schlacht, um der Pflicht willen für sein Leben, für seine (vielleicht auch dazu arme) Familie zu sorgen – Mord, aus Haß und Rache, das ist um das Selbstgefühl seines Rechts, des Rechts überhaupt, und das Gefühl der Schlechtigkeit des andern, seines Unrechts gegen mich oder gegen andere, gegen die Welt oder das *Volk* überhaupt, durch die Vertilgung dieses schlechten Menschen, der das Schlechte selbst in sich hat, womit zum Zwecke der Ausrottung des Schlechten wenigstens ein Beitrag geliefert wird, zu befriedigen, sind auf diese Weise, um der positiven Seite ihres Inhalts willen, zur guten Absicht und damit zur guten Handlung gemacht. Es reicht eine *höchst geringe* Verstandesbildung dazu hin, um, wie jene gelehrten Theologen, für jede Handlung eine positive Seite, und damit einen guten Grund und Absicht herauszufinden. – So hat man gesagt, daß es eigentlich keinen *Bösen* gebe, denn er will das Böse nicht um des Bösen willen, d. i. nicht das *rein Negative* als solches, sondern er will immer etwas *Positives*, somit nach diesem Standpunkte ein Gutes. In diesem abstrakten Guten ist der Unterschied von *gut* und *böse*, und alle wirklichen Pflichten verschwunden; deswegen bloß das Gute wollen, und bei einer Handlung eine gute Absicht haben, dies ist so vielmehr das Böse, insofern das Gute nur in dieser Abstraktion gewollt, und damit die *Bestimmung* desselben der Willkür des Subjekts vorbehalten wird.

An diese Stelle gehört auch der berüchtigte Satz: *der Zweck heiligt die Mittel.* – So für sich zunächst ist dieser Ausdruck trivial und nichtssagend. Man kann ebenso unbestimmt erwidern, daß ein heiliger Zweck wohl die Mittel heilige, aber ein unheiliger Zweck sie nicht heilige.[10]) Wenn der Zweck recht ist, so sind es auch die Mittel, ist insofern ein tautologischer Ausdruck, als das Mittel eben das ist, was nichts für sich, sondern um eines andern willen ist, und darin, in dem Zwecke, seine Bestimmung und Wert hat, – *wenn es nämlich in Wahrheit ein Mittel* ist. – Es ist aber mit jenem Satze nicht der bloß formelle Sinn gemeint, sondern es wird darunter etwas Bestimmteres verstanden, daß nämlich für einen guten Zweck etwas als Mittel zu gebrauchen, was für sich schlechthin kein Mittel ist, etwas zu verletzen, was für sich heilig ist, ein Verbrechen also zum Mittel eines guten Zwecks zu machen, erlaubt, ja auch wohl Pflicht sei. Es schwebt bei jenem Satze einerseits das unbestimmte Bewußtsein von der Dialektik des vorhin bemerkten *Positiven* in vereinzelten rechtlichen oder sittlichen Bestimmungen, oder solcher ebenso unbestimmten allgemeinen Sätze vor, wie: *du sollst nicht töten,*[11]) oder: *du sollst für dein Wohl, für das Wohl deiner Familie sorgen.* Die Gerichte, Krieger haben nicht nur das Recht, sondern die Pflicht, Menschen zu töten, wo aber *genau bestimmt* ist, wegen welcher Qualität Menschen und unter welchen Umständen dies erlaubt und Pflicht sei. So muß auch mein Wohl, meiner Familie Wohl höheren Zwecken nach- und somit zu Mitteln herabgesetzt werden. Was sich aber als Verbrechen bezeichnet, ist nicht so eine unbestimmt gelassene Allgemeinheit, die noch einer Dialektik unterläge, sondern hat bereits seine bestimmte objektive Begrenzung. Was solcher Bestimmung nun in dem Zwecke, der dem Verbrechen seine Natur benehmen sollte, entgegengestellt wird, der heilige Zweck, ist nichts anders, als die *subjektive Meinung* von dem, was gut und besser sei. Es ist dasselbe, was darin geschieht, daß das Wollen beim abstrakt Guten stehenbleibt, daß nämlich alle an und für sich seiende und geltende Bestimmtheit des Guten und Schlechten, des Rechts und Unrechts, aufgehoben, und dem Gefühl, Vorstellen und Belieben des Individuums diese Bestimmung zugeschrieben wird. – Die *subjektive Meinung* wird endlich ausdrücklich als die Regel des Rechts und der Pflicht ausgesprochen, indem

e) die *Überzeugung,* welche *etwas für recht hält,* es sein soll, wodurch die sittliche Natur einer Handlung bestimmt werde. Das Gute, das man will, hat noch keinen Inhalt, das Prinzip der Überzeugung enthält nun dies Nähere, daß die Subsumtion einer Handlung unter die Bestimmung des Guten dem *Subjekte* zustehe. Hiermit ist auch der Schein von einer sittlichen Objektivität vollends verschwunden.

Solche Lehre hängt unmittelbar mit der öfters erwähnten sich so nennenden Philosophie zusammen,[12]) welche die Erkennbarkeit des *Wahren,* – und das Wahre des wollenden Geistes, seine Vernünftigkeit, insofern er sich verwirklicht, sind die sittlichen Gebote, – leugnet. Indem ein solches Philosophieren die Erkenntnis des Wahren für eine leere, den Kreis des Erkennens, der nur das Scheinende sei, überfliegende Eitelkeit ausgibt, muß es unmittelbar auch das Scheinende in Ansehung des Handelns zum Prinzip machen und das Sittliche somit in die *eigentümliche* Weltansicht des Individuums und seine *besondere Überzeugung* setzen. Die Degradation, in welche so die Philosophie herabgesunken ist, erscheint freilich zunächst vor der Welt als eine höchst gleichgültige Begebenheit, die nur dem müßigen Schulgeschwätze widerfahren sei, aber notwendig bildet sich solche Ansicht in die Ansicht des Sittlichen, als in einen wesentlichen Teil der Philosophie hinein, und dann erst erscheint an der Wirklichkeit und für sie, was an jenen Ansichten ist. – Durch die Verbreitung der Ansicht, daß die subjektive Überzeugung es sei, wodurch die sittliche Natur einer Handlung allein bestimmt werde, ist es geschehen, daß wohl vormals viel, aber heutigestags wenig mehr von *Heuchelei* die Rede ist; denn die Qualifizierung des Bösen als Heuchelei hat zugrunde liegen, daß gewisse Handlungen *an und für sich* Vergehen, Laster und Verbrechen sind, daß, der sie begehe, sie notwendig als solche wisse, insofern er die Grundsätze und äußern Handlungen der Frömmigkeit und Rechtlichkeit eben in dem Scheine, zu dem er sie mißbraucht, wisse und anerkenne. Oder in Ansehung des Bösen überhaupt galt die Voraussetzung, daß es Pflicht sei, das Gute zu erkennen, und es vom Bösen zu unterscheiden zu wissen. Auf allen Fall aber galt die absolute Forderung, daß der Mensch keine lasterhafte und verbrecherische Handlungen begehe, und daß sie ihm, insofern er ein Mensch und kein Vieh ist, als solche zugerechnet werden müssen. Wenn aber das gute Herz, die gute Absicht und die subjektive Überzeugung für das erklärt wird, was den Handlungen ihren Wert gebe, so gibt es keine Heuchelei und überhaupt kein Böses mehr, denn was einer tut, weiß er durch die Reflexion der guten Absichten und Bewegungsgründe zu etwas Gutem zu machen, und durch das Moment seiner *Überzeugung* ist es gut.*) So gibt es nicht mehr Verbrechen und Laster an und für sich, und an die Stelle des oben angeführten frank und freien, verhärteten, ungetrübten Sündigens ist das Bewußtsein der vollkommenen Rechtfertigung durch die Absicht und Überzeugung getreten. Meine Absicht des Guten bei meiner Handlung, und meine Überzeugung davon, daß es gut ist, *macht sie zum Guten.* Insofern von einem Beurteilen und Richten der Handlung die Rede wird, ist es vermöge dieses Prinzips nur nach der Absicht und Überzeugung des Handelnden, nach seinem *Glauben,* daß er gerichtet werden solle, – nicht in dem Sinne, wie *Christus* einen Glauben an die *objektive* Wahrheit fordert, so daß für den, der einen schlechten Glauben hat, d. h. eine ihrem *Inhalte* nach böse Überzeugung, auch das Urteil schlecht, d. h. diesem bösen Inhalte gemäß ausfalle, sondern nach dem Glauben im Sinn der *Überzeugungstreue,* ob der Mensch in seinem Handeln seiner *Überzeugung treu* geblieben, der formellen subjektiven Treue, welche allein das Pflichtmäßige enthalte. – Bei diesem Prinzip der Überzeugung, weil sie zugleich als ein *Subjektives* bestimmt ist, muß sich zwar auch der Gedanke an die Möglichkeit *eines Irrtums* aufdringen, worin somit die Voraussetzung eines an und für sich seienden Gesetzes liegt. Aber *das Gesetz handelt nicht,* es ist nur der wirkliche Mensch, der

* „Daß er sich vollkommen *überzeugt* fühle, daran zweifle ich nicht im mindesten. Aber wieviele Menschen beginnen nicht aus einer solchen gefühlten Überzeugung die ärgsten Frevel. Also, wenn dieser Grund überall entschuldigen mag, so gibt es *kein vernünftiges Urteil* mehr über *gute und böse, ehrwürdige und verächtliche Entschließungen;* der *Wahn* hat dann gleiche Rechte mit der Vernunft, oder die Vernunft hat dann überhaupt keine Rechte, kein gültiges Ansehen mehr; ihre Stimme ist ein Unding; wer *nur nicht zweifelt, der ist in der Wahrheit*!

Mir schaudert vor den Folgen einer solchen Toleranz, die eine ausschließende zum Vorteil der Unvernunft wäre."

Fr. H. *Jacobi* an den Grafen Holmer. Eutin 5. Aug. 1800. über Gr. Stolbergs Rel. Veränderung (Brennus. Berlin Aug. 1802).

handelt, und bei dem Werte der menschlichen Handlungen kann es nach jenem Prinzipe nur darauf ankommen, inwiefern er jenes Gesetz *in seine Überzeugung* aufgenommen hat.

Wenn es aber sonach nicht die Handlungen sind, die nach jenem Gesetze zu beurteilen, d. h. überhaupt darnach zu bemessen sind, so ist nicht abzusehen, zu was jenes Gesetz noch sein und dienen soll. Solches Gesetz ist zu einem nur *äußern Buchstaben*, in der Tat einem leeren Wort heruntergesetzt, denn erst durch meine Überzeugung wird es zu *einem Gesetze*, einem mich Verpflichtenden und Bindenden, *gemacht*. – Daß solches Gesetz die Autorität Gottes, des Staats, für sich hat, auch die Autorität von Jahrtausenden, in denen es das Band war, in welchem die Menschen und alles ihr Tun und Schicksal sich zusammenhält und Bestehen hat, – Autoritäten, welche eine Unzahl *Überzeugungen von Individuen* in sich schließen, – und daß *Ich* dagegen die *Autorität* meiner *einzelnen* Überzeugung setze, – als meine subjektive Überzeugung ist ihre Gültigkeit nur Autorität, – dieser zunächst ungeheuer scheinende Eigendünkel ist durch das Prinzip selbst beseitigt, als welches die subjektive Überzeugung zur Regel macht. – Wenn nun zwar durch die höhere Inkonsequenz, welche die durch seichte Wissenschaft und schlechte Sophisterei unvertreibliche Vernunft und Gewissen hereinbringen, die *Möglichkeit eines Irrtums* zugegeben wird, so ist damit, daß das Verbrechen und das Böse überhaupt ein Irrtum sei, der Fehler auf sein Geringstes reduziert. Denn *Irren* ist *menschlich*, – wer hätte sich nicht über dies und jenes, ob ich gestern Kohl oder Kraut zu Mittag gegessen habe, und über Unzähliges, Unwichtigeres und Wichtigeres, geirrt? Jedoch der Unterschied von Wichtigem und Unwichtigem fällt hinweg, wenn es allein die Subjektivität der Überzeugung und das Beharren bei derselben ist, worauf es ankommt. Jene höhere Inkonsequenz von der Möglichkeit eines Irrtums aber, die aus der Natur der Sache kommt, setzt sich in der Wendung, daß eine schlechte Überzeugung nur ein Irrtum ist, in der Tat nur in die andere Inkonsequenz der Unredlichkeit um; das éine Mal soll es die Überzeugung sein, auf welche das Sittliche und der höchste Wert des Menschen gestellt ist, sie wird hiermit für das Höchste und Heilige erklärt; und das andere Mal ist es weiter nichts, um das es sich handelt, als ein Irren, mein Überzeugtsein ein geringfügiges und zufälliges, – eigentlich etwas Äußerliches, das mir *so oder so begegnen* kann. In der Tat ist mein Überzeugtsein etwas höchst Geringfügiges, wenn ich nichts Wahres erkennen kann; so ist es gleichgültig, *wie* ich denke, und es bleibt mir zum Denken jenes leere Gute, das Abstraktum des Verstandes. – Es ergibt sich übrigens, um dies noch zu bemerken, nach diesem Prinzip der Berechtigung aus dem Grunde der Überzeugung die Konsequenz für die Handlungsweise anderer gegen mein Handeln, daß indem sie nach *ihrem* Glauben und Überzeugung meine Handlungen für *Verbrechen* halten, sie *ganz recht daran* tun; – eine Konsequenz, bei der ich nicht nur nichts zum voraus behalte, sondern im Gegenteil nur von dem Standpunkte der Freiheit und Ehre in das Verhältnis der Unfreiheit und Unehre herabgesetzt bin, nämlich in der Gerechtigkeit, welche an sich auch das Meinige ist, nur eine fremde subjektive Überzeugung zu erfahren, und in ihrer Ausübung mich nur von einer äußern Gewalt behandelt zu meinen.

f) Die höchste Form endlich, in welcher diese Subjektivität sich vollkommen erfaßt und ausspricht, ist die Gestalt, die man mit einem vom *Plato* erborgten Namen *Ironie* genannt hat[13]); – denn nur der Name ist von *Plato* genommen, der ihn von einer Weise des *Sokrates* brauchte, welche dieser in einer persönlichen Unterredung gegen die Einbildung des ungebildeten und des sophistischen Bewußtseins zum Behuf der Idee der Wahrheit und Gerechtigkeit anwandte, aber nur jenes Bewußtsein, die Idee selbst nicht, ironisch behandelte. Die Ironie betrifft nur ein Verhalten des Gesprächs gegen *Personen*; ohne die persönliche Richtung ist die wesentliche Bewegung des Gedankens die Dialektik, und *Plato* war so weit entfernt, das Dialektische für sich oder gar die Ironie für das Letzte und für die Idee selbst zu nehmen, daß er im Gegenteil das Herüber- und Hinübergehen des Gedankens vollends einer subjektiven Meinung in die Substantialität der Idee versenkte und endigte.*) – Die hier noch zu betrachtende Spitze der sich als das Letzte erfassenden Subjektivität kann nur dies sein, sich noch als jenes Beschließen und Entscheiden über Wahrheit, Recht und Pflicht *zu wissen*, welches in den vorhergehenden Formen schon an sich vorhanden ist. Sie besteht also darin, das sittlich Objektive wohl zu wissen, aber nicht sich selbst vergessend und auf

* Mein verstorbener Kollege, Professor *Solger*, hat zwar den vom Herrn Fried. *v. Schlegel* in einer früheren Periode seiner schriftstellerischen Laufbahn aufgebrachten und bis zu jener sich selbst als das Höchste wissenden Subjektivität gesteigerten Ausdruck der *Ironie* aufgenommen, aber sein von solcher Bestimmung entfernter besserer Sinn und seine philosophische Einsicht hat darin nur vornehmlich die Seite des eigentlichen Dialektischen, des bewegenden Pulses der spekulativen Betrachtung ergriffen und festgehalten.[14]) Ganz klar aber kann ich das nicht finden, noch mit den Begriffen übereinstimmen, welche derselbe noch in seiner letzten, gehaltvollen Arbeit, einer ausführlichen *Kritik* über die *Vorlesungen* des Herrn *August Wilhelm v. Schlegel über dramatische Kunst und Literatur* (Wiener Jahrb. Bd. VII, S. 90ff.) entwickelt. „Die wahre *Ironie*, sagt Solger daselbst S. 92, geht von dem Gesichtspunkt aus, daß der Mensch, solange er in dieser gegenwärtigen Welt lebt, seine Bestimmung auch im höchsten Sinne des Worts nur in dieser Welt erfüllen kann. Alles, womit wir über *endliche Zwecke hinauszugehen* glauben, ist *eitle* und *leere* Einbildung. – Auch das Höchste ist für unser Handeln nur *in begrenzter endlicher Gestaltung da.*“ Dies ist, richtig verstanden, platonisch und sehr wahr gegen das daselbst vorher erwähnte leere Streben in das (*abstrakte*) Unendliche gesagt. Daß aber das Höchste in begrenzter *endlicher Gestaltung* ist, wie das Sittliche, und das Sittliche ist wesentlich als Wirklichkeit und Handlung, dies ist sehr verschieden davon, daß es ein *endlicher* Zweck sei; die Gestaltung, die Form des Endlichen, benimmt dem Inhalt, dem Sittlichen, nichts von seiner Substantialität und der Unendlichkeit, die es in sich selbst hat. Es heißt weiter: „Und eben deswegen ist *es* (das Höchste) *an uns so nichtig*, als das Geringste, und *gehet notwendig mit uns und unserm nichtigen Sinne unter*, denn in Wahrheit ist es nur da in Gott, und in diesem Untergange verklärt es sich als ein Göttliches, an welchem wir nicht teilhaben würden, wenn es nicht eine unmittelbare Gegenwart dieses Göttlichen gäbe, die sich eben im Verschwinden unserer Wirklichkeit offenbart; die Stimmung aber, welcher dieses

sich Verzicht tuend in den Ernst desselben sich zu vertiefen und aus ihm zu handeln, sondern in der Beziehung darauf dasselbe zugleich von sich zu halten, und *sich* als das zu wissen, welches so *will* und *beschließt*, und auch *ebensogut* anders wollen und beschließen kann. – Ihr nehmt ein Gesetz in der Tat und ehrlicherweise als an und für sich seiend, Ich bin auch dabei und darin, aber auch noch

---

unmittelbar in den menschlichen Begebenheiten selbst einleuchtet, ist die tragische Ironie." Auf den willkürlichen Namen Ironie käme es nicht an, aber darin liegt etwas Unklares, daß es *das Höchste* sei, was mit unserer Nichtigkeit *untergehe*, und daß erst im Verschwinden unserer Wirklichkeit das Göttliche sich offenbare, wie es auch S. 91 ebendaselbst heißt: „wir sehen die Helden irre werden an dem Edelsten und Schönsten in ihren Gesinnungen und Gefühlen, nicht bloß in Rücksicht des Erfolgs, sondern auch *ihrer Quelle* und *ihres Wertes*, ja wir erheben uns an dem *Untergange des Besten* selbst." Daß der tragische Untergang höchst sittlicher Gestalten nur insofern interessieren, (der gerechte Untergang aufgespreizter reiner Schurken und Verbrecher, wie z. B. der Held in einer modernen Tragödie, *der Schuld*[15]), einer ist, hat zwar ein kriminaljuristisches Interesse, aber keines für die wahre Kunst, von der hier die Rede ist), erheben und mit sich selbst versöhnen kann, als solche Gestalten gegeneinander mit gleichberechtigten unterschiedenen sittlichen Mächten, welche durch Unglück in *Kollision* gekommen, auftreten und so nun durch diese ihre Entgegensetzung gegen ein Sittliches *Schuld* haben, woraus das Recht und das Unrecht beider, und damit die wahre sittliche Idee gereinigt und triumphierend über diese *Einseitigkeit*, somit versöhnt in uns hervorgeht, daß sonach nicht das *Höchste* in uns es ist, welches untergeht, und wir uns nicht *am Untergange des Besten*, sondern im Gegenteile am Triumphe des Wahren *erheben*, – daß dies das wahrhafte rein sittliche Interesse der antiken Tragödie ist (in der romantischen erleidet diese Bestimmung noch eine weitere Modifikation), habe ich in der *Phänomenologie des Geistes*[16]) ausgeführt. Die sittliche Idee aber *ohne jenes Unglück* der *Kollision* und den Untergang der in diesem Unglück befangenen Individuen, ist in der sittlichen Welt *wirklich* und *gegenwärtig* und daß dies Höchste sich *nicht in seiner Wirklichkeit* als *ein Nichtiges* darstellt, dies ist es, was die reale sittliche Existenz, der Staat, bezweckt und bewirkt, und was in *ihm* das sittliche Selbstbewußtsein besitzt, anschaut und weiß, und das denkende Erkennen begreift.

weiter als Ihr, ich bin auch darüber hinaus und kann es *so oder so* machen. Nicht die Sache ist das Vortreffliche, sondern *Ich* bin der Vortreffliche, und bin der Meister über das Gesetz und die Sache, der damit, als mit seinem Belieben, *nur spielt*, und in diesem ironischen Bewußtsein, in welchem Ich das Höchste untergehen lasse, *nur mich genieße*. – Diese Gestalt ist nicht nur die *Eitelkeit* alles sittlichen *Inhalts* der Rechte, Pflichten, Gesetze, – das Böse, und zwar das in sich ganz allgemeine Böse, sondern sie tut auch die Form, die *subjektive* Eitelkeit, hinzu, sich selbst als diese Eitelkeit alles Inhalts zu wissen, und in diesem Wissen *sich* als das Absolute zu wissen. – Inwiefern diese absolute Selbstgefälligkeit nicht ein einsamer Gottesdienst seiner selbst bleibt, sondern etwa auch eine *Gemeinde* bilden kann, deren Band und Substanz etwa auch die gegenseitige Versicherung von Gewissenhaftigkeit, guten Absichten, das Erfreuen über diese wechselseitige Reinheit, vornehmlich aber das Laben an der Herrlichkeit dieses Sich-Wissens und Aussprechens, und an der Herrlichkeit dieses Hegens und Pflegens ist, – inwiefern das, was *schöne Seele* genannt worden, die in der Eitelkeit aller Objektivität und damit in der Unwirklichkeit ihrer selbst verglimmende edlere Subjektivität, ferner andere Gestaltungen, mit der betrachteten Stufe verwandte Wendungen sind, – habe ich Phänomenologie des Geistes abgehandelt[17]), wo der ganze Abschnitt *das Gewissen*, insbesondere auch in Rücksicht des Übergangs in eine – dort übrigens anders bestimmte, höhere Stufe überhaupt, verglichen werden kann.

Zusatz. Die Vorstellung kann weiter gehen, und sich den bösen Willen in den Schein des Guten verkehren. Wenn sie das Böse auch seiner Natur nach nicht verändern kann, so kann sie demselben doch den Schein verleihen, als sei es das Gute. Denn jede Handlung hat ein Positives, und indem sich die Bestimmung des Guten gegen das Böse ebenfalls auf das Positive reduziert, kann ich die Handlung in Beziehung auf meine Absicht als gute behaupten. Also nicht bloß im Bewußtsein, sondern auch von der positiven Seite steht das Böse mit dem Guten in Verbindung. Gibt das Selbstbewußtsein die Handlung nur für andere als gut aus, so ist diese Form die *Heuchelei*, vermag es aber die Tat für sich selbst als gut zu behaupten, so ist dies die noch höhere Spitze der sich als das Absolute wissenden Subjektivität, für die das Gute und Böse, an und für sich, verschwunden ist, und die dafür ausgeben kann, was sie will und vermag. Dies ist der Standpunkt der absoluten Sophisterei, die sich als Gesetzgeberin aufwirft und den Unterschied von gut und böse auf ihre Willkür bezieht. Was nun die Heuchelei betrifft, so gehören z. B. vornehmlich die religiösen Heuchler (die *Tartüffes*)[18]) dahin, die sich allen Zeremonien unterwerfen, auch für sich fromm sein mögen, nach der anderen Seite aber alles tun, was sie wollen. Heutzutage spricht man wenig mehr von Heuchlern, weil einerseits diese Beschuldigung eine zu harte scheint, andererseits aber die Heuchelei mehr oder weniger in ihrer unmittelbaren Gestalt verschwunden ist. Diese bare Lüge, diese Verdeckung des Guten ist jetzt zu durchsichtig geworden, als daß man sie nicht durchschauen sollte, und die Trennung, daß man auf der einen Seite das Gute, auf der anderen das Böse tut, ist nicht mehr so vorhanden, seitdem die zunehmende Bildung die entgegengesetzten Bestimmungen schwankend gemacht hat. Die feinere Gestalt dagegen, die die Heuchelei jetzt angenommen hat, ist die des *Probabilismus*[19]), die das enthält, daß man eine Übertretung als etwas Gutes für das eigene Gewissen vorstellig zu machen sucht. Sie kann nur eintreten, wo das Moralische und Gute durch eine Autorität bestimmt ist, so daß es ebensoviel Autoritäten als Gründe gibt, das Böse als Gutes zu behaupten. Kasuistische Theologen, besonders Jesuiten, haben solche Gewissensfälle bearbeitet und sie ins Unendliche vermehrt.

Indem diese Fälle nun zur höchsten Subtilität gebracht werden, entstehen viele Kollisionen, und die Gegensätze des Guten und Bösen werden so schwankend, daß sie sich in Beziehung auf die Einzelnheit als umschlagend beweisen. Was man verlangt, ist nur das *Probable*, d. h. das sich annähernde Gute, das mit irgendeinem Grunde, oder irgendeiner Autorität belegt werden kann. Dieser Standpunkt hat also die eigentümliche Bestimmung, daß er nur ein Abstraktes enthält und der konkrete Inhalt als etwas Unwesentliches aufgestellt wird, der vielmehr der bloßen Meinung überlassen bleibt. So kann also jemand ein Verbrechen begangen, und das Gute gewollt haben: Wenn z. B. ein Böser gemordet wird, so kann für die positive Seite das ausgegeben werden, daß man dem Bösen habe widerstehen und es habe vermindern wollen. Der weitere Fortgang vom Probabilismus ist nun, daß es nicht mehr auf die Autorität und die Behauptung eines andern, sondern auf das Subjekt selbst ankommt, d. h. auf *seine* Überzeugung, und daß nur etwas durch *sie* gut werden kann. Das Mangelhafte ist hier, daß es bloß auf die Überzeugung sich beziehen soll, und daß es kein an und für sich seiendes Recht mehr gibt, für welches diese Überzeugung nur die Form wäre. Es ist allerdings nicht gleichgültig, ob ich etwas aus Gewohnheit und Sitte, oder von der Wahrheit desselben durchdrungen tue, aber die objektive Wahrheit ist von meiner Überzeugung auch verschieden; denn diese letzere hat den Unterschied von gut und böse gar nicht, da Überzeugung stets Überzeugung ist, und schlecht nur das wäre, von dem ich nicht überzeugt bin. Indem dieser Standpunkt nun ein höchster, das Gute und Böse auslöschender ist, wird dabei zugegeben, dieses Höchste sei auch der Irrung ausgesetzt, und insofern wird es von seiner Höhe herab wieder zufällig, und scheint keine Achtung zu verdienen. Diese Form nun ist die *Ironie*, das Bewußtsein, daß es mit solchem Prinzip der Überzeugung nicht weit her sei, und daß in diesem höchsten Kriterium nur Willkür herrsche. Dieser Standpunkt ist eigentlich aus der *Fichteschen* Philosophie hervorgegangen[20]), die das Ich als das Absolute ausspricht, d. h. als die absolute Gewißheit, als die allgemeine Ichheit, die durch die weitere Entwicklung zur Objektivität fortgeht. Von Fichte ist eigentlich nicht zu sagen, daß er im Praktischen die Willkür des Subjekts zum Prinzip gemacht habe, aber späterhin ist im Sinne der besonderen Ichheit von *Friedrich v. Schlegel*[21]) dieses Besondere selbst in betreff des Guten und Schönen als Gott aufgestellt worden, so daß das objektiv Gute nur ein Gebilde meiner Überzeugung sei, nur durch mich einen Halt bekommt, und daß ich es als Herr und Meister hervortreten und verschwinden lassen kann. Indem ich mich zu etwas Objektivem verhalte, ist es zugleich für mich untergegangen, und so schwebe ich über einem ungeheuren Raume, Gestalten hervorrufend und zerstörend. Dieser höchste Standpunkt der Subjektivität kann nur in einer Zeit hoher Bildung entstehen, wo der Ernst des Glaubens zugrunde gegangen ist, und nur noch in der Eitelkeit aller Dinge sein Wesen hat.

Übergang von der Moralität in Sittlichkeit

§ 141

Für das *Gute*, als das substantielle Allgemeine der Freiheit, aber noch *Abstrakte* sind daher ebensosehr Bestimmungen überhaupt und das Prinzip derselben, aber als mit ihm *identisch*, *gefordert*, wie für das *Gewissen*, das nur abstrakte Prinzip des Bestimmens die Allgemeinheit und Objektivität seiner Bestimmungen gefordert ist. Beide, jedes so für sich zur Totalität gesteigert, werden zum Bestimmungslosen, das bestimmt sein *soll*. – Aber die Integration beider relativen Totalitäten zur absoluten Identität, ist schon *an sich* vollbracht, indem eben diese für sich in ihrer Eitelkeit verschwebende Subjektivität der *reinen Gewißheit* seiner selbst *identisch* ist mit der *abstrakten Allgemeinheit* des Guten; – die, somit *konkrete*, Identität des Guten und des subjektiven Willens, die Wahrheit derselben ist die *Sittlichkeit*.[1])

Das Nähere über einen solchen Übergang des Begriffs macht sich in der Logik verständlich. Hier nur soviel, daß die Natur des Beschränkten und Endlichen, – und *solches* sind hier das abstrakte, nur *sein sollende* Gute und die ebenso abstrakte, nur *gut sein sollende* Subjektivität, *an ihnen selbst* ihr Gegenteil, das Gute seine Wirklichkeit, und die Subjektivität (das Moment der *Wirklichkeit* des Sittlichen) das Gute, haben, aber daß sie als einseitige, noch nicht *gesetzt* sind als das was sie *an sich* sind. Dies Gesetztwerden erreichen sie in ihrer Negativität, darin daß sie, wie sie sich *einseitig*, jedes das nicht an ihnen haben zu sollen, was *an sich* an ihnen ist, – das Gute ohne Subjektivität und Bestimmung, und das Bestimmende, die Subjektivität ohne das Ansichseiende – als Totalitäten für sich konstituieren, sich aufheben und dadurch zu

Momenten herabsetzen, – zu Momenten des *Begriffs*, der als ihre Einheit offenbar wird und eben durch dies Gesetztsein seiner Momente *Realität* erhalten hat, somit nun als *Idee* ist, – Begriff, der seine Bestimmungen zur Realität herausgebildet und zugleich in ihrer Identität als ihr *an sich seiendes* Wesen ist. – Das Dasein der Freiheit, welches unmittelbar als das *Recht* war, ist in der Reflexion des Selbstbewußtseins zum *Guten* bestimmt; das Dritte, hier in seinem Übergange als die Wahrheit dieses Guten und der Subjektivität, ist daher ebensosehr die Wahrheit dieser und des Rechts. – Das *Sittliche* ist subjektive Gesinnung, aber des an sich seienden Rechts; – daß diese Idee die *Wahrheit* des Freiheitsbegriffs ist, dies kann nicht ein Vorausgesetztes, aus dem Gefühl oder woher sonst Genommenes, sondern – in der Philosophie, – nur ein *Bewiesenes* sein. Diese Deduktion desselben ist allein darin enthalten, daß das Recht und das moralische Selbstbewußtsein an ihnen selbst sich zeigen, darein als in ihr *Resultat* zurückzugehen. – Diejenigen, welche des Beweisens und Deduzierens in der Philosophie entübrigt sein zu können glauben, zeigen, daß sie von dem ersten Gedanken dessen, was Philosophie ist, noch entfernt sind und mögen wohl sonst reden, aber in der Philosophie haben die kein Recht mitzureden, die ohne Begriff reden wollen.

Zusatz. Beide Prinzipien, die wir bisher betrachtet haben, das abstrakte Gute sowohl, wie das Gewissen ermangeln ihres Entgegengesetzten: das abstrakte Gute verflüchtigt sich zu einem vollkommen Kraftlosen, in das ich allen Inhalt bringen kann, und die Subjektivität des Geistes wird nicht minder gehaltlos, indem ihr die objektive Bedeutung abgeht. Es kann daher die Sehnsucht nach einer Objektivität entstehen, in welcher der Mensch sich lieber zum Knechte und zur vollendeten Abhängigkeit erniedrigt, um nur der Qual der Leerheit und der Negativität zu entgehen. Wenn neuerlich manche Protestanten zur katholischen Kirche übergegangen sind[2]), so geschah es, weil sie ihr Inneres gehaltlos fanden, und nach einem Festen, einem Halt, einer Autorität griffen, wenn es auch eben nicht die Festigkeit des Gedankens war, die sie erhielten. Die Einheit des subjektiven und des objektiven an und für sich seienden Guten ist die *Sittlichkeit*, und in ihr ist dem Begriffe nach die Versöhnung geschehen. Denn, wenn die Moralität die Form des Willens überhaupt nach der Seite der Subjektivität ist, so ist die Sittlichkeit nicht bloß die subjektive Form, und die Selbstbestimmung des Willens, sondern das, ihren Begriff, nämlich die Freiheit zum Inhalte zu haben. Das Rechtliche und das Moralische kann nicht für sich existieren, und sie müssen das Sittliche zum Träger und zur Grundlage haben, denn dem Rechte fehlt das Moment der Subjektivität, das die Moral wiederum für sich allein hat, und so haben beide Momente für sich keine Wirklichkeit. Nur das Unendliche, die Idee ist wirklich: das Recht existiert nur als Zweig eines Ganzen, als sich anrankende Pflanze eines an und für sich festen Baumes.

Dritter Teil

Die Sittlichkeit

§ 142

Die Sittlichkeit ist die *Idee der Freiheit*, als das lebendige Gute, das in dem Selbstbewußtsein sein Wissen, Wollen, und durch dessen Handeln seine Wirklichkeit, sowie dieses an dem sittlichen Sein seine an und für sich seiende Grundlage und bewegenden Zweck hat, – der *zur vorhandenen Welt* und *zur Natur des Selbstbewußtseins gewordene Begriff der Freiheit.*

§ 143

Indem diese Einheit des *Begriffs* des Willens und seines Daseins, welches der besondere Wille ist, Wissen ist, ist das Bewußtsein des Unterschiedes dieser Momente der Idee vorhanden, aber so, daß nunmehr jedes für sich selbst die Totalität der Idee ist, und sie zur Grundlage und Inhalt hat.

§ 144

α) Das objektive Sittliche, das an die Stelle des abstrakten Guten tritt, ist die durch die Subjektivität *als unendliche Form konkrete* Substanz. Sie setzt daher *Unterschiede* in sich welche hiermit durch den Begriff bestimmt sind, und wodurch das Sittliche einen festen *Inhalt* hat, der für sich notwendig und ein über das subjektive Meinen und Belieben erhabenes Bestehen ist, die *an und für sich seienden Gesetze* und *Einrichtungen.*

Zusatz. Im Ganzen der Sittlichkeit ist sowohl das objektive, als das subjektive Moment vorhanden: beide sind aber nur Formen derselben. Das Gute ist hier Substanz, d. h. Erfüllung des Objektiven mit der Subjektivität. Betrachtet man die Sittlichkeit von dem objektiven Standpunkt, so kann man sagen, der sittliche Mensch sei sich unbewußt. In diesem Sinne verkündet Antigone[1]), niemand wisse, woher die Gesetze kommen; sie seien ewig: d. h., sie sind die an und für sich seiende, aus der Natur der Sache fließende Bestimmung. Aber nicht minder hat dieses Substantielle auch ein Bewußtsein, obgleich diesem immer nur die Stellung eines Moments zukommt.

§ 145

Daß das Sittliche das *System* dieser Bestimmungen der Idee ist, macht die *Vernünftigkeit* desselben aus. Es ist auf diese Weise die Freiheit oder der an und für sich seiende Wille als das Objektive, Kreis der Notwendigkeit, dessen Momente die *sittlichen Mächte* sind, welche das Leben der Individuen regieren und in diesen als ihren Akzidenzen, ihre Vorstellung, erscheinende Gestalt und Wirklichkeit haben.

Zusatz. Weil die sittlichen Bestimmungen den Begriff der Freiheit ausmachen, sind sie die Substantialität oder das allgemeine Wesen der Individuen, welche sich dazu nur als ein Akzidentelles verhalten. Ob das Individuum sei, gilt der objektiven Sittlichkeit gleich, welche allein das Bleibende und die Macht ist, durch welche das Leben der Individuen regiert wird. Die Sittlichkeit ist daher den Völkern als die ewige Gerechtigkeit, als an und für sich seiende Götter vorgestellt worden, gegen die das eitle Treiben der Individuen nur ein anwogendes Spiel bleibt.

§ 146

β) Die Substanz ist in diesem ihrem *wirklichen Selbstbewußtsein* sich wissend und damit Objekt des Wissens. Für das Subjekt haben die sittliche Substanz, ihre Gesetze und Gewalten einerseits als Gegenstand das Verhältnis, daß *sie sind*, im höchsten Sinne der Selbständigkeit, – eine absolute, unendlich festere Autorität und Macht, als das Sein der Natur.[1]

Die Sonne, Mond, Berge, Flüsse, überhaupt die umgebenden Naturobjekte *sind*, sie haben für das Bewußtsein die Autorität nicht nur überhaupt zu *sein*, sondern auch eine besondere Natur zu haben, welche es gelten läßt, nach ihr in seinem Verhalten zu ihnen, seiner Beschäftigung mit ihnen und ihrem Gebrauche sich richtet. Die Autorität der sittlichen Gesetze ist unendlich höher, weil die Naturdinge nur auf die ganz *äußerliche* und *vereinzelte* Weise die Vernünftigkeit darstellen, und sie unter die Gestalt der Zufälligkeit verbergen.

§ 147

Andererseits sind sie dem Subjekte nicht ein *Fremdes*, sondern es gibt das *Zeugnis des Geistes* von ihnen als von *seinem eigenen Wesen*, in welchem es sein *Selbstgefühl* hat, und darin als seinem von sich ununterschiedenen Elemente lebt, – ein Verhältnis, das unmittelbar noch identischer, als selbst *Glaube* und *Zutrauen* ist.

Glaube und Zutrauen gehören der beginnenden Reflexion an und setzen eine Vorstellung und Unterschied voraus; – wie es z. B. verschieden wäre, an die heidnische Religion glauben, und ein Heide sein. Jenes Verhältnis oder vielmehr verhältnislose Identität, in der das Sittliche die wirkliche Lebendigkeit des Selbstbewußtseins ist, kann allerdings in ein Verhältnis des Glaubens und der Überzeugung, und in ein durch *weitere Reflexion* vermitteltes übergehen, in eine Einsicht durch Gründe, die auch von irgend besonderen Zwecken, Interessen und Rücksichten, von Furcht oder Hoffnung, oder von geschichtlichen Voraussetzungen anfangen können. Die *adäquate Erkenntnis* derselben aber gehört dem denkenden Begriffe an.

§ 148

Als diese substantiellen Bestimmungen sind sie für das Individuum, welches sich von ihnen als das Subjektive und in sich Unbestimmte oder als besonders Bestimmte unterscheidet, *hiermit im Verhältnisse* zu ihnen als zu seinem Substantiellen steht, – *Pflichten* für seinen Willen bindend.

Die ethische *Pflichtenlehre*, d. i. wie sie *objektiv* ist, nicht in dem leeren Prinzip der moralischen Subjektivität befaßt sein soll, als welches vielmehr nichts bestimmt

(§ 134) – ist daher die in diesem *dritten Teile* folgende systematische Entwickelung des Kreises der sittlichen Notwendigkeit. Der Unterschied dieser Darstellung von der Form einer *Pflichtenlehre* liegt allein darin, daß in dem Folgenden die sittlichen Bestimmungen sich als die notwendigen Verhältnisse ergeben, hierbei stehengeblieben und nicht zu jeder derselben noch der Nachsatz gefügt wird, *also ist diese Bestimmung für den Menschen eine Pflicht.*[1] – Eine Pflichtenlehre, insofern sie nicht philosophische Wissenschaft ist, nimmt aus den Verhältnissen als vorhandenen ihren Stoff, und zeigt den Zusammenhang desselben mit den eigenen Vorstellungen, allgemein sich vorfindenden Grundsätzen und Gedanken, Zwecken, Trieben, Empfindungen usf., und kann als Gründe die weiteren Folgen einer jeden Pflicht in Beziehung auf die anderen sittlichen Verhältnisse, sowie auf das Wohl und die Meinung hinzufügen. Eine immanente und konsequente Pflichtenlehre kann aber nichts anders sein, als die Entwickelung *der Verhältnisse*, die durch die Idee der Freiheit notwendig, und daher *wirklich* in ihrem ganzen Umfange, im Staat sind.

§ 149

Als *Beschränkung* kann die bindende Pflicht nur gegen die unbestimmte Subjektivität oder abstrakte Freiheit, und gegen die Triebe des natürlichen, oder das sein unbestimmtes Gute aus seiner Willkür bestimmenden moralischen Willens erscheinen. Das Individuum hat aber in der Pflicht vielmehr seine *Befreiung*, teils von der Abhängigkeit, in der es in dem bloßen Naturtriebe stehet, sowie von der Gedrücktheit, in der es als subjektive Besonderheit in den moralischen Reflexionen des Sollens und Mögens ist, teils von der unbestimmten Subjektivität, die nicht zum Dasein und der objektiven Bestimmtheit des Handelns kommt, und *in sich* und als eine Unwirklichkeit bleibt. In der Pflicht befreit das Individuum sich zur substantiellen Freiheit.

Zusatz. Die Pflicht beschränkt nur die Willkür der Subjektivität, und stößt nur gegen das abstrakte Gute an welches die Subjektivität festhält. Wenn die Menschen sagen, wir wollen frei sein, so heißt das zunächst nur, wir wollen abstrakt frei sein, und jede Bestimmung und Gliederung im Staate gilt für eine Beschränkung dieser Freiheit.[1]) Die Pflicht ist insofern nicht Beschränkung der Freiheit, sondern nur der Abstraktion derselben, d. h. der Unfreiheit: sie ist das Gelangen zum Wesen, das Gewinnen der affirmativen Freiheit.

§ 150

Das Sittliche, insofern es sich an dem individuellen durch die Natur bestimmten Charakter als solchem reflektiert, ist die *Tugend*, die, insofern sie nichts zeigt, als die einfache Angemessenheit des Individuums an die Pflichten der Verhältnisse, denen es angehört, *Rechtschaffenheit* ist.

Was der Mensch tun müsse, *welches* die Pflichten sind, die er zu erfüllen hat, um tugendhaft zu sein, ist in einem sittlichen Gemeinwesen leicht zu sagen, – es ist nichts anderes von ihm zu tun, als was ihm in seinen Verhältnissen vorgezeichnet, ausgesprochen und bekannt ist. Die Rechtschaffenheit ist das Allgemeine, was an ihn teils rechtlich, teils sittlich gefordert werden kann. Sie erscheint aber für den moralischen Standpunkt leicht als etwas Untergeordneteres, über das man an sich und andere noch mehr fordern müsse; denn die Sucht, etwas *Besonderes* zu sein, genügt sich nicht mit dem, was das An- und Fürsichseiende und Allgemeine ist; sie findet erst in einer *Ausnahme* das Bewußtsein der Eigentümlichkeit. – Die *verschiedenen Seiten* der Rechtschaffenheit können ebensogut auch *Tugenden* genannt werden, weil sie ebensosehr Eigentum, – obwohl in der Vergleichung mit andern nicht besonderes, – des *Individuums* sind. Das Reden aber von *der* Tugend grenzt leicht an leere Deklamation, weil damit nur von einem Abstrakten und Unbestimmten gesprochen wird, sowie auch solche Rede mit ihren Gründen und Darstellungen sich an das Individuum als an eine Willkür und subjektives Belieben wendet. Unter einem vorhandenen sittlichen Zustande, dessen Verhältnisse vollständig entwickelt und verwirklicht sind, hat die *eigentliche Tugend* nur in außerordentlichen Umständen und Kollisionen jener Verhältnisse ihre Stelle und Wirklichkeit; – in wahrhaften *Kollisionen*, denn die moralische Reflexion kann sich allenthalben Kollisionen erschaffen und sich das Bewußtsein von etwas Besonderem und von gebrachten *Opfern* geben. Im ungebildeten Zustande der Gesellschaft und des Gemeinwesens kommt deswegen mehr die Form der Tugend als solcher vor, weil hier das Sittliche und dessen Verwirklichung mehr ein individuelles Belieben und eine eigentümliche geniale Natur des Individuums ist, wie denn die Alten besonders von *Herkules* die Tugend prädiziert haben.[1]) Auch in den alten Staaten, weil in ihnen die Sittlichkeit nicht zu diesem freien System einer selbständigen Entwickelung und Objektivität gediehen war, mußte es die eigentümliche Genialität der Individuen sein, welche diesen Mangel ersetzte. – Die Lehre von den Tugenden, insofern sie nicht bloß Pflichtenlehre ist, somit das Besondere, auf Naturbestimmtheit Gegründete des Charakters umfaßt, wird hiermit eine *geistige Naturgeschichte* sein.

Indem die Tugenden das Sittliche in der Anwendung auf das Besondere, und nach dieser subjektiven Seite ein Unbestimmtes sind, so tritt für ihre Bestimmung das Quantitative des Mehr und Weniger ein; ihre Betrachtung führt daher die gegenüberstehenden Mängel oder Laster herbei, wie bei *Aristoteles*, der die besondere Tugend daher seinem richtigen Sinne nach als die Mitte zwischen einem *Zuviel* und einem *Zuwenig* bestimmte.[2]) – Derselbe Inhalt, welcher die Form von *Pflichten* und dann von *Tugenden* annimmt, ist es auch, der die Form von *Trieben* hat (§ 19 Anmerkung). Auch sie haben denselben Inhalt zu ihrer Grundlage, aber weil er in ihnen noch dem unmittelbaren Willen und der natürlichen Empfindung angehört, und zur Bestimmung der Sittlichkeit nicht heraufgebildet ist, so haben sie mit dem Inhalte der Pflichten und Tugenden nur den abstrakten Gegenstand gemein, der als bestimmungslos in sich selbst, die Grenze des Guten oder Bösen für sie nicht enthält, – oder sie sind nach der Abstraktion des Positiven *gut*, und umgekehrt nach der Abstraktion des Negativen *böse* (§ 18).

Zusatz. Wenn ein Mensch dieses oder jenes Sittliche

tut, so ist er nicht gerade tugendhaft, aber wohl dann, wenn diese Weise des Benehmens eine Stetigkeit seines Charakters ist. Die Tugend ist mehr die sittliche Virtuosität, und wenn man heutzutage nicht so viel von Tugend spricht als sonst, so hat dies seinen Grund darin, daß die Sittlichkeit nicht mehr so sehr die Form eines besonderen Individuums ist. Die Franzosen sind hauptsächlich dasjenige Volk, das am meisten von Tugend spricht, weil bei ihnen das Individuum mehr Sache seiner Eigentümlichkeit und einer natürlichen Weise des Handelns ist. Die Deutschen dagegen sind mehr denkend, und bei ihnen gewinnt derselbe Inhalt die Form der Allgemeinheit.

§ 151

Aber in der einfachen *Identität* mit der Wirklichkeit der Individuen erscheint das Sittliche, als die allgemeine Handlungsweise derselben – als *Sitte,* – die *Gewohnheit* desselben als eine *zweite Natur*, die an die Stelle des ersten bloß natürlichen Willens gesetzt, und die durchdringende Seele[1]), Bedeutung und Wirklichkeit ihres Daseins ist, der als eine Welt lebendige und vorhandene *Geist*, dessen Substanz so erst als Geist ist.

Zusatz. Wie die Natur ihre Gesetze hat, wie das Tier, die Bäume, die Sonne ihr Gesetz vollbringen, so ist die Sitte das dem Geist der Freiheit Angehörende. Was das Recht und die Moral noch nicht sind, das ist die Sitte, nämlich Geist. Denn im Rechte ist die Besonderheit noch nicht die des Begriffs, sondern nur des natürlichen Willens. Ebenso ist auf dem Standpunkte der Moralität das Selbstbewußtsein noch nicht geistiges Bewußtsein. Es ist dabei nur um den Wert des Subjekts in sich selbst zu tun, d. h. das Subjekt, was sich nach dem Guten gegen das Böse bestimmt, hat noch die Form der Willkür. Hier hingegen auf dem sittlichen Standpunkt ist der Wille als Wille des Geistes, und hat einen substantiellen sich entsprechenden Inhalt. Die Pädagogik ist die Kunst, die Menschen sittlich zu machen: sie betrachtet den Menschen als natürlich, und zeigt den Weg ihn wiederzugebären, seine erste Natur zu einer zweiten geistigen umzuwandeln, so daß dieses Geistige in ihm zur *Gewohnheit* wird. In ihr verschwindet der Gegensatz des natürlichen und subjektiven Willens, der Kampf des Subjekts ist gebrochen, und insofern gehört zum Sittlichen die Gewohnheit, wie sie auch zum philosophischen Denken gehört, da dieses erfordert, daß der Geist gegen willkürliche Einfälle gebildet sei, und diese gebrochen und überwunden seien, damit das vernünftige Denken freien Weg hat. Der Mensch stirbt auch aus Gewohnheit, d. h., wenn er sich ganz im Leben eingewohnt hat, geistig und physisch stumpf geworden, und der Gegensatz von subjektivem Bewußtsein und geistiger Tätigkeit verschwunden ist, denn tätig ist der Mensch nur, insofern er etwas nicht erreicht hat, und sich in Beziehung darauf produzieren und geltend machen will. Wenn dies vollbracht ist, verschwindet die Tätigkeit und Lebendigkeit, und die Interesselosigkeit, die alsdann eintritt, ist geistiger oder physischer Tod.

§ 152

Die *sittliche Substantialität* ist auf diese Weise zu ihrem *Rechte* und dieses zu seinem *Gelten* gekommen, daß in ihr nämlich die Eigenwilligkeit und das eigene Gewissen des Einzelnen, das für sich wäre und einen Gegensatz gegen sie machte, verschwunden, indem der sittliche Charakter das unbewegte, aber in seinen Bestimmungen zur wirklichen Vernünftigkeit aufgeschlossene Allgemeine als seinen bewegenden Zweck weiß, und seine Würde, sowie alles Bestehen der besonderen Zwecke in ihm gegründet erkennt und wirklich darin hat. Die Subjektivität ist selbst die absolute Form und die existierende Wirklichkeit der Substanz, und der Unterschied des Subjekts von ihr als seinem Gegenstande, Zwecke uud Macht ist nur der zugleich ebenso unmittelbar verschwundene Unterschied der Form.

Die Subjektivität, welche den Boden der Existenz für den Freiheitsbegriff ausmacht (§ 106) und auf dem moralischen Standpunkte noch im Unterschiede von diesem ihrem Begriff ist, ist im Sittlichen die ihm adäquate Existenz desselben.

§ 153

Das *Recht der Individuen* für ihre *subjektive Bestimmung* zur *Freiheit* hat darin, daß sie der sittlichen Wirklichkeit angehören, seine Erfüllung, indem die *Gewißheit* ihrer Freiheit in solcher Objektivität ihre *Wahrheit* hat, und sie im Sittlichen *ihr eigenes* Wesen, ihre *innere* Allgemeinheit *wirklich* besitzen (§ 147).

Auf die Frage eines Vaters, nach der besten Weise seinen Sohn sittlich zu erziehen, gab ein Pythagoreer (auch anderen[1]) wird sie in den Mund gelegt) die Antwort: wenn du ihn zum *Bürger eines Staats von guten Gesetzen* machst.[2])

Zusatz. Die pädagogischen Versuche, den Menschen dem allgemeinen Leben der Gegenwart zu entziehen und auf dem Lande heraufzubilden (*Rousseau*[3]) im *Emile*), sind vergeblich gewesen, weil es nicht gelingen kann, den Menschen den Gesetzen der Welt zu entfremden. Wenn auch die Bildung der Jugend in Einsamkeit geschehen muß, so darf man ja nicht glauben, daß der Duft der Geisterwelt nicht endlich durch diese Einsamkeit wehe, und daß die Gewalt des Weltgeistes zu schwach sei, um sich dieser entlegenen Teile zu bemächtigen. Darin, daß es Bürger eines guten Staates ist, kommt erst das Individuum zu seinem Recht.

§ 154

Das Recht der Individuen an ihre *Besonderheit* ist ebenso in der sittlichen Substantialität enthalten, denn die Besonderheit ist die äußerlich erscheinende Weise, in welcher das Sittliche existiert.

§ 155

In dieser Identität des allgemeinen und besonderen Willens fällt somit *Pflicht* und *Recht* in Eins, und der Mensch hat durch das Sittliche insofern Rechte, als er Pflichten, und Pflichten insofern er Rechte hat. Im abstrakten Rechte habe Ich das Recht, und ein anderer die Pflicht gegen dasselbe[1]), —

im Moralischen *soll* nur das Recht meines eigenen Wissens und Wollens, sowie meines Wohls mit den Pflichten geeint und objektiv sein.

Zusatz. Der Sklave kann keine Pflichten haben, und nur der freie Mensch hat solche. Wären auf einer Seite alle Rechte, auf der anderen alle Pflichten, so würde das Ganze sich auflösen, denn nur die Identität ist die Grundlage, die wir hier festzuhalten haben.

§ 156

Die sittliche Substanz, als das für sich seiende Selbstbewußtsein mit seinem Begriffe geeint enthaltend, ist der *wirkliche Geist* einer Familie und eines Volks.

Zusatz. Das Sittliche ist nicht abstrakt, wie das Gute, sondern in intensivem Sinne wirklich. Der Geist hat Wirklichkeit, und die Akzidenzen derselben sind die Individuen. Beim Sittlichen sind daher immer nur die zwei Gesichtspunkte möglich, daß man entweder von der Substantialität ausgeht, oder atomistisch verfährt und von der Einzelnheit als Grundlage hinaufsteigt: dieser letztere Gesichtspunkt ist geistlos, weil er nur zu einer Zusammensetzung führt, der Geist aber nichts Einzelnes ist, sondern Einheit des Einzelnen und Allgemeinen.

§ 157

Der Begriff dieser Idee ist nur als Geist, als sich Wissendes und Wirkliches, indem er die Objektivierung seiner selbst, die Bewegung durch die Form seiner Momente ist. Er ist daher:

A) der unmittelbare oder *natürliche* sittliche Geist; – die *Familie.*

Diese Substantialität geht in den Verlust ihrer Einheit, in die Entzweiung und in den Standpunkt des Relativen über, und ist so

B) *bürgerliche Gesellschaft*, eine Verbindung der Glieder als *selbständiger Einzelner* in einer somit *formellen Allgemeinheit*, durch ihre *Bedürfnisse*, und durch die *Rechtsverfassung* als Mittel der Sicherheit der Personen und des Eigentums und durch eine *äußerliche Ordnung* für ihre besonderen und gemeinsamen Interessen, welcher *äußerliche Staat* sich

C) in den Zweck und die Wirklichkeit des substantiellen Allgemeinen, und des demselben gewidmeten öffentlichen Lebens, — in die *Staatsverfassung* zurück- und zusammennimmt.

Erster Abschnitt
Die Familie

§ 158

Die Familie hat als die *unmittelbare Substantialität* des Geistes, seine sich *empfindende* Einheit, die *Liebe*, zu ihrer Bestimmung, so daß die Gesinnung ist, das Selbstbewußtsein seiner Individualität *in dieser Einheit* als an und für sich seiender Wesentlichkeit zu haben, um in ihr nicht als eine Person für sich, sondern als *Mitglied* zu sein.

Zusatz. Liebe heißt überhaupt das Bewußtsein meiner Einheit mit einem anderen, so daß ich für mich nicht isoliert bin, sondern mein Selbstbewußtsein nur als Aufgebung meines Fürsichseins gewinne, und durch das Mich-Wissen, als der Einheit meiner mit dem anderen, und des anderen mit mir. Die Liebe ist aber Empfindung, das heißt die Sittlichkeit in Form des Natürlichen: im Staate ist sie nicht mehr: da ist man sich der Einheit als des Gesetzes bewußt, da muß der Inhalt vernünftig sein, und ich muß ihn wissen.[1]) Das erste Moment in der Liebe ist, daß ich keine selbständige Person für mich sein will, und daß, wenn ich dies wäre, ich mich mangelhaft und unvollständig fühle. Das zweite Moment ist, daß ich mich in einer anderen Person gewinne, daß ich in ihr gelte, was sie wiederum in mir erreicht. Die Liebe ist daher der ungeheuerste Widerspruch, den der Verstand nicht lösen kann, indem es nichts Härteres gibt, als diese Punktualität des Selbstbewußtseins, die negiert wird, und die ich doch als affirmativ haben soll. Die Liebe ist das Hervorbringen und die Auflösung des Widerspruchs zugleich: als die Auflösung ist sie die sittliche Einigkeit.

§ 159

Das *Recht*, welches dem *Einzelnen* auf den Grund der Familien-Einheit zukommt, und was zunächst sein Leben in dieser Einheit selbst ist, tritt nur insofern in die *Form rechtens* als des abstrakten Moments der *bestimmten Einzelnheit* hervor, als die Familie in die Auflösung übergeht, und die, welche als Glieder sein sollen, in ihrer Gesinnung und Wirklichkeit, als selbständige Personen werden, und was sie in der Familie für ein bestimmtes Moment ausmachten, nun in der Absonderung, also nur nach äußerlichen Seiten (Vermögen, Alimentation, Kosten der Erziehung u. dergl.) erhalten.[1])

Zusatz. Das Recht der Familie besteht eigentlich darin, daß ihre Substantialität Dasein haben soll: es ist also ein Recht gegen die Äußerlichkeit, und gegen das Heraustreten aus dieser Einheit. Dagegen ist aber wieder die Liebe eine Empfindung, ein Subjektives, gegen das die Einigkeit sich nicht geltend machen kann. Wenn also die Einigkeit gefordert wird, so kann sie es nur in Beziehung auf solche Dinge, die ihrer Natur nach äußerlich sind, und nicht durch die Empfindung bedingt werden.

§ 160

Die Familie vollendet sich in den drei Seiten:
a) in der Gestalt ihres unmittelbaren Begriffes als *Ehe*,
b) in dem äußerlichen Dasein, dem *Eigentum* und *Gut* der Familie und der Sorge dafür;
c) in der *Erziehung* der Kinder und der Auflösung der Familie.

A. Die Ehe

§ 161

Die Ehe enthält, als das *unmittelbare sittliche Verhältnis*, *erstens* das Moment der *natürlichen* Lebendigkeit, und zwar als substantielles Verhältnis die Lebendigkeit in ihrer Totalität, nämlich als Wirklichkeit der *Gattung* und deren Prozeß.[1]) Aber im Selbstbewußtsein wird *zweitens* die nur *innerliche* oder *an sich* seiende und eben damit in ihrer Existenz nur äußerliche *Einheit* der natürlichen Geschlechter, in eine *geistige*, in selbstbewußte Liebe, umgewandelt.

Zusatz. Die Ehe ist wesentlich ein sittliches Verhältnis. Früher ist, besonders in den meisten Naturrechten, dieselbe nur, nach der physischen Seite hin, angesehen worden, nach demjenigen, was sie von Natur ist.[2]) Man hat sie so nur als ein Geschlechtsverhältnis betrachtet, und jeder Weg zu den übrigen Bestimmungen der Ehe blieb verschlossen. Ebenso roh ist es aber, die Ehe bloß als einen bürgerlichen Kontrakt zu begreifen, eine Vorstellung, die auch noch bei Kant vorkommt, wo denn die gegenseitige Willkür über die Individuen sich verträgt, und die Ehe zur Form eines gegenseitigen vertragsmäßigen Gebrauchs herabgewürdigt wird.[3]) Die dritte ebenso zu verwerfende Vorstellung ist die, welche die Ehe nur in die Liebe setzt, denn die Liebe, welche Empfindung ist, läßt die Zufälligkeit in jeder Rücksicht zu, eine Gestalt, welche das Sittliche nicht haben darf.[4]) Die Ehe ist daher näher so zu bestimmen, daß sie die rechtlich sittliche Liebe ist, wodurch das Vergängliche, Launenhafte und bloß Subjektive derselben aus ihr verschwindet.

§ 162

Als subjektiver Ausgangspunkt der Ehe kann mehr die *besondere Neigung* der beiden Personen, die in dies Verhältnis treten, oder die *Vorsorge* und Veranstaltung der Eltern usf. erscheinen; der objektive Ausgangspunkt aber ist die freie Einwilligung der Personen und zwar dazu, *Eine Person auszumachen*, ihre natürliche und einzelne Persönlichkeit in jener Einheit aufzugeben, welche nach dieser Rücksicht eine Selbstbeschränkung, aber eben, indem sie in ihr ihr substantielles Selbstbewußtsein gewinnen, ihre Befreiung ist.

Die objektive Bestimmung, somit die sittliche Pflicht, ist, in den Stand der Ehe zu treten. Wie der äußerliche Ausgangspunkt beschaffen ist, ist seiner Natur nach zufällig, und hängt insbesondere von der Bildung der Reflexion ab. Die Extreme hierin sind das eine, daß die Veranstaltung der wohlgesinnten Eltern den Anfang macht, und in den zur Vereinigung der Liebe für einander bestimmt werdenden Personen hieraus, daß sie sich, als hierzu bestimmt, bekannt werden, die Neigung entsteht, – das andere, daß die Neigung in den Personen, als in *diesen* unendlich partikularisierten zuerst erscheint. –Jenes Extrem oder überhaupt der Weg, worin der Entschluß zur Verehelichung den Anfang macht, und die Neigung zur Folge hat, so daß bei der wirklichen Verheiratung nun beides vereinigt ist, kann selbst als der sittlichere Weg angesehen werden. – In dem anderen Extrem ist es die *unendlich besondere* Eigentümlichkeit, welche ihre Prätensionen geltend macht und mit dem subjektiven Prinzip der modernen Welt (s. oben § 124 Anm.) zusammenhängt. – In modernen Dramen und anderen Kunstdarstellungen aber, wo die Geschlechterliebe das Grundinteresse ausmacht, wird das Element von durchdringender Frostigkeit, das darin angetroffen wird, in die Hitze der dargestellten Leidenschaft durch die damit verknüpfte gänzliche *Zufälligkeit*, dadurch nämlich gebracht, daß das ganze Interesse als nur auf *diesen* beruhend vorgestellt wird, was wohl für *diese* von unendlicher Wichtigkeit sein kann, aber es *an sich* nicht ist.[1])

Zusatz. Bei Völkern, wo das weibliche Geschlecht in geringer Achtung steht, verfügen die Eltern über die Ehe nach ihrer Willkür ohne die Individuen zu fragen, und diese lassen es sich gefallen, da die Besonderheit der Empfindung noch keine Prätension macht. Dem Mädchen ist es nur um einen Mann, diesem um eine Frau überhaupt zu tun. In anderen Zuständen können Rücksichten des Vermögens, der Konnexion, politische Zwecke das Bestimmende sein. Hier können große Härten vorfallen, indem die Ehe zum Mittel für andere Zwecke gemacht wird. In den modernen Zeiten wird dagegen der subjektive Ausgangspunkt, das *Verliebtsein*, als der allein wichtige angesehen. Man stellt sich hier vor, jeder müsse warten, bis seine Stunde geschlagen hat, und man könne nur einem bestimmten Individuum seine Liebe schenken.

§ 163

Das *Sittliche* der Ehe besteht in dem Bewußtsein dieser Einheit als substantiellen Zweckes, hiermit in der Liebe, dem Zutrauen und der Gemeinsamkeit der ganzen individuellen Existenz, – in welcher Gesinnung und Wirklichkeit der natürliche Trieb zur Modalität eines Naturmoments, das eben in seiner Befriedigung zu erlöschen bestimmt ist, herabgesetzt wird das geistige Band in *seinem Rechte* als das Substantielle, hiermit als das über die Zufälligkeit der Leidenschaften und des zeitlichen besonderen Beliebens erhabene, *an sich* unauflösliche sich heraushebt.

Daß die Ehe nicht das Verhältnis eines Vertrags über ihre wesentliche Grundlage ist, ist oben bemerkt worden (§ 75), denn sie ist gerade dies, vom Vertrags-Standpunkte der in ihrer Einzelnheit selbständigen Persönlichkeit auszugehen, *um ihn aufzuheben*. Die Identifizierung der Persönlichkeiten, wodurch die Familie *eine Person* ist, und die Glieder derselben Akzidenzen (die Substanz ist aber wesentlich das Verhältnis von ihr selbst zu Akzidenzen (s. Enzyklop.[1]) der philos. Wissensch.) ist der sittliche Geist, der für sich, abgestreift von der mannigfaltigen Äußerlichkeit, die er in seinem Dasein, als in *diesen* Individuen und den in der Zeit und auf mancherlei Weisen bestimmten Interessen der Erscheinung hat, – als eine Gestalt für die Vorstellung herausgehoben, als die Penaten[2]) und sofort verehrt worden ist, und überhaupt das ausmacht, worin der *religiöse* Charakter der Ehe und Familie, die *Pietät* liegt. Es ist eine weitere Abstraktion, wenn das Göttliche, Substantielle von seinem Dasein getrennt, und so auch die Empfindung und das Bewußtsein der geistigen Einheit, als fälschlich sogenannte *platonische Liebe* fixiert worden ist; diese Trennung hängt mit der mönchischen Ansicht zusammen, durch welche das Moment der natürlichen Lebendigkeit als das schlechthin *Negative* bestimmt, und ihm eben durch diese Trennung eine unendliche Wichtigkeit für sich gegeben wird.

Zusatz. Die Ehe unterscheidet sich vom *Konkubinat*, daß es bei diesem letzteren hauptsächlich auf die Befriedigung des Naturtriebes ankommt, während dieser bei der Ehe zurückgedrängt ist. Deswegen wird bei der Ehe ohne Erröten von natürlichen Ereignissen gesprochen, die bei unehelichen Verhältnissen ein Schamgefühl hervorbrächten. Darum ist aber auch die Ehe *an sich* für unauflöslich zu achten[3]; denn der Zweck der Ehe ist der sittliche, der so hoch steht, daß alles andere dagegen gewaltlos und ihm unterworfen erscheint. Die Ehe soll nicht durch Leidenschaft gestört werden, denn diese ist ihr untergeordnet. Aber sie ist nur *an sich* unauflöslich, denn wie Christus sagt: Nur um ihres Herzens Härtigkeit ist die Scheidung zugestanden.[4] Weil die Ehe das Moment der Empfindung enthält, ist sie nicht absolut, sondern schwankend, und hat die Möglichkeit der Auflösung in sich. Aber die Gesetzgebungen müssen diese Möglichkeit aufs höchste erschweren, und das Recht der Sittlichkeit gegen das Belieben aufrechterhalten.[5]

§ 164

Wie die Stipulation des Vertrags schon für sich den wahrhaften Übergang des Eigentums enthält (§ 79), so macht die feierliche Erklärung der Einwilligung zum sittlichen Bande der Ehe und die entsprechende Anerkennung und Bestätigung desselben durch die Familie und Gemeinde (daß in dieser Rücksicht die *Kirche* eintritt[1], ist eine weitere hier nicht auszuführende Bestimmung) – die förmliche *Schließung* und *Wirklichkeit* der Ehe aus, so daß diese Verbindung nur durch das *Vorangehen* dieser Zeremonie als der Vollbringung des *Substantiellen* durch das *Zeichen*, die Sprache, als das geistigste Dasein des Geistigen (§ 78), als sittlich konstituiert ist. Damit ist das sinnliche, der natürlichen Lebendigkeit angehörige Moment in sein sittliches Verhältnis als eine Folge und Akzidentalität gesetzt, welche dem äußerlichen Dasein der sittlichen Verbindung angehört, die auch in der gegenseitigen Liebe und Beihilfe allein erschöpft sein kann.

Wenn darnach gefragt wird, was als der *Hauptzweck* der Ehe angesehen werden müsse, um daraus die gesetzlichen Bestimmungen schöpfen oder beurteilen zu können, so wird unter diesem Hauptzwecke verstanden, welche von den einzelnen Seiten ihrer Wirklichkeit als die vor den anderen wesentliche angenommen werden müsse. Aber keine für sich macht den ganzen Umfang ihres an und für sich seienden Inhalts, des Sittlichen, aus, und die eine oder die andere Seite ihrer Existenz kann, unbeschadet des Wesens der Ehe, fehlen. – Wenn das *Schließen der Ehe* als solches, die Feierlichkeit, wodurch das Wesen dieser Verbindung als ein über das *Zufällige* der Empfindung und *besonderer Neigung* erhabenes Sittliches ausgesprochen und *konstatiert* wird, für eine *äußerliche Formalität* und ein sogenanntes bloß *bürgerliches Gebot* genommen wird, so bleibt diesem Akte nichts übrig, als etwa den Zweck der Erbaulichkeit und der Beglaubigung des bürgerlichen Verhältnisses zu haben, oder gar die bloß positive Willkür eines bürgerlichen oder kirchlichen Gebotes zu sein, das der Natur der Ehe nicht nur gleichgültig sei, sondern das auch, insofern von dem Gemüt von wegen des Gebots ein Wert auf dies förmliche Schließen gelegt, und als voranzugehende Bedingung der gegenseitigen vollkommenen Hingebung angesehen werde, die Gesinnung der Liebe veruneinige[2]) und als ein Fremdes der Innigkeit dieser Einigung zuwiderlaufe. Solche Meinung, indem sie den höchsten Begriff von der Freiheit, Innigkeit und Vollendung der Liebe zu geben die Prätension hat, leugnet vielmehr das Sittliche der Liebe, die höhere Hemmung und Zurücksetzung des bloßen Naturtriebes, welche schon auf eine natürliche Weise in der *Scham* enthalten ist, und durch das bestimmtere geistige Bewußtsein zur *Keuschheit* und *Zucht* erhoben ist.[3]) Näher ist durch jene Ansicht die sittliche Bestimmung verworfen, die darin besteht, daß das Bewußtsein sich aus seiner Natürlichkeit und Subjektivität zum Gedanken des Substantiellen sammelt, und statt sich das Zufällige und die Willkür der sinnlichen Neigung immer noch vorzubehalten, die Verbindung dieser Willkür entnimmt und dem Substantiellen, den Penaten sich verpflichtend, übergibt, und das sinnliche Moment zu einem von dem Wahrhaften und Sittlichen des Verhältnisses und der Anerkennung der Verbindung als einer sittlichen, nur *bedingten* herabsetzt. – Es ist die Frechheit und der sie unterstützende Verstand, welcher die spekulative Natur des substantiellen Verhältnisses nicht zu fassen vermag, der aber das sittliche unverdorbene Gemüt, wie die Gesetzgebungen christlicher Völker entsprechend sind.

Zusatz. Daß die Zeremonie der Schließung der Ehe überflüssig, und eine Formalität sei, die weggelassen werden könnte, weil die Liebe das Substantielle ist, und sogar durch diese Feierlichkeit an Wert verliert, ist von *Friedrich v. Schlegel* in der Lucinde, und von einem Nachtreter desselben in den Briefen eines Ungenannten (Lübeck und Leipzig 1800) aufgestellt worden.[4]) Die sinnliche Hingebung wird dort vorgestellt als gefordert für den Beweis der Freiheit und Innigkeit der Liebe, eine Argumentation, die Verführern nicht fremd ist. Es ist über das Verhältnis von Mann und Frau zu bemerken, daß das Mädchen in der sinnlichen Hingebung ihre Ehre aufgibt, was bei dem Manne, der noch ein anderes Feld seiner sittlichen Tätigkeit als die Familie hat, nicht so der Fall ist. Die Bestimmung des Mädchens besteht wesentlich nur im Verhältnis der Ehe; die Forderung ist also, daß die Liebe die Gestalt der Ehe erhalte, und daß die verschiedenen Momente, die in der Liebe sind, ihr wahrhaft vernünftiges Verhältnis zueinander bekommen.

§ 165

Die *natürliche* Bestimmtheit der beiden Geschlechter erhält durch ihre Vernünftigkeit *intellektuelle* und *sittliche* Bedeutung. Diese Bedeutung ist durch den Unterschied bestimmt, in welchen sich die sittliche Substantialität als Begriff an sich selbst dirimiert, um aus ihm ihre Lebendigkeit als konkrete Einheit zu gewinnen.

§ 166

Das *Eine* ist daher das Geistige, als das sich Entzweiende in die *für sich* seiende persönliche Selbständigkeit und in das Wissen und Wollen der *freien Allgemeinheit*, das Selbstbewußtsein des begreifenden Gedankens und Wollen des objektiven Endzwecks; – das *Andere* das in der Einigkeit sich erhaltende Geistige als Wissen und Wollen des Substantiellen in Form der konkreten *Einzelnheit* und der *Empfindung*; – jenes im Verhältnis nach außen das Mächtige und Betätigende, dieses das Passive und Subjektive. Der Mann hat daher sein wirkliches substantielles Leben im Staate, der Wissenschaft und dergleichen, und sonst im Kampfe und der Arbeit mit der Außenwelt und mit sich selbst, so daß er nur aus seiner Entzweiung die selbständige Einigkeit mit sich erkämpft, deren ruhige Anschauung und die empfindende subjektive Sittlichkeit er in der Familie hat, in welcher die *Frau* ihre substantielle Bestimmung und in dieser *Pietät* ihre sittliche Gesinnung hat.

Die Pietät wird daher in einer der erhabensten Darstellungen derselben, der *sophokleischen Antigone*, vorzugsweise als das Gesetz des Weibes ausgesprochen, und als das Gesetz der empfindenden subjektiven Substantialität, der Innerlichkeit, die noch nicht ihre vollkommene Verwirklichung erlangt, als das Gesetz der alten Götter, des Unterirdischen, als ewiges Gesetz, von dem niemand weiß, von wannen es erschien, und im Gegensatz gegen das offenbare, das Gesetz des Staates dargestellt[1]); — ein Gegensatz, der der höchste sittliche und darum der höchste tragische, und in der Weiblichkeit und Männlichkeit daselbst individualisiert ist.[2])

Zusatz. Frauen können wohl gebildet sein, aber für die höheren Wissenschaften, die Philosophie und für gewisse Produktionen der Kunst, die ein Allgemeines fordern, sind sie nicht gemacht.[3]) Frauen können Einfälle, Geschmack, Zierlichkeit haben, aber das Ideale haben sie nicht.[4]) Der Unterschied zwischen Mann und Frau ist der des Tieres und der Pflanze: das Tier entspricht mehr dem Charakter des Mannes, die Pflanze mehr dem der Frau, denn sie ist mehr ruhiges Entfalten, das die unbestimmtere Einigkeit der Empfindung zu seinem Prinzipe erhält. Stehen Frauen an der Spitze der Regierung, so ist der Staat in Gefahr, denn sie handeln nicht nach den Anforderungen der Allgemeinheit, sondern nach zufälliger Neigung und Meinung. Die Bildung der Frauen geschieht, man weiß nicht wie, gleichsam durch die Atmosphäre der Vorstellung, mehr durch das Leben, als durch das Erwerben von Kenntnissen, während der Mann seine Stellung nur durch die Errungenschaft des Gedankens und durch viele technische Bemühungen erlangt.

§ 167

Die Ehe ist wesentlich *Monogamie*, weil die Persönlichkeit, die unmittelbare ausschließende *Einzelnheit* es ist, welche sich in dies Verhältnis legt und hingibt, dessen Wahrheit und *Innigkeit* (*die subjektive Form der Substantialität*) somit nur aus der gegenseitigen *ungeteilten* Hingebung dieser Persönlichkeit hervorgeht; diese kommt zu ihrem Rechte, im *anderen* ihrer selbst bewußt zu sein, nur insofern das andere als Person, d. i. als atome Einzelnheit in dieser Identität ist.[1])

Die Ehe, und wesentlich die Monogamie, ist eines der absoluten Prinzipien, worauf die Sittlichkeit eines Gemeinwesens beruht; die Stiftung der Ehe wird daher als eines der Momente der göttlichen oder heroischen Gründung der Staaten aufgeführt.

§ 168

Weil es ferner diese sich selbst unendlich eigene Persönlichkeit der beiden Geschlechter ist, aus deren *freien Hingebung* die Ehe hervorgeht, so muß sie nicht innerhalb des schon *natürlich-identischen*, sich bekannten und in aller Einzelheit vertraulichen Kreises, in welchem die Individuen nicht eine sich selbst eigentümliche Persönlichkeit gegeneinander haben, geschlossen werden, sondern aus getrennten Familien und ursprünglich verschiedener Persönlichkeit sich finden. Die Ehe unter *Blutsverwandten* ist daher dem Begriffe, welchem die Ehe als eine sittliche Handlung der Freiheit, nicht als eine Verbindung unmittelbarer Natürlichkeit und deren Triebe ist, somit auch wahrhafter natürlicher Empfindung zuwider.

Wenn man die Ehe selbst als nicht im *Naturrecht*, sondern bloß als im natürlichen Geschlechtstrieb gegründet und als einen willkürlichen Vertrag betrachtet, ebenso, wenn man für die Monogamie äußere Gründe sogar aus dem physischen Verhältnisse der Anzahl der Männer und Weiber, ebenso für das Verbot der Ehe unter Blutsverwandten nur dunkele Gefühle angegeben hat: so lag dabei die gewöhnliche Vorstellung von einem Naturzustande und einer Natürlichkeit des Rechts, und der Mangel am Begriffe der Vernünftigkeit und Freiheit, zum Grunde.

Zusatz. Zunächst ist die Ehe zwischen Blutsverwandten schon dem Gefühle der Scham entgegengesetzt, aber dieses Zurücrkschauen ist im Begriffe der Sache gerechtfertigt. Was nämlich schon vereinigt ist, kann nicht erst durch die Ehe vereinigt werden. Von der Seite des bloß natürlichen Verhältnisses ist es bekannt, daß die Begattungen unter einer Familie von Tieren schwächlichere Früchte erzeugen, denn was sich vereinigen soll, muß ein vorher Getrenntes sein; die Kraft der Zeugung, wie des Geistes ist desto größer, je größer auch die Gegensätze sind, aus denen sie sich wiederherstellt. Die Vertraulichkeit, Bekanntschaft, Gewohnheit des gemeinsamen Tuns soll noch nicht vor der Ehe sein: sie soll erst in derselben gefunden werden, und dies Finden hat um so höheren Wert, je reicher es ist, und je mehr Teile es hat.

§ 169

Die Familie hat als Person ihre äußerliche Realität in einem *Eigentum*, in dem sie das Dasein ihrer substantiellen Persönlichkeit nur als in einem *Vermögen* hat.

B. Das Vermögen der Familie

§ 170

Die Familie hat nicht nur Eigentum, sondern für sie als *allgemeine* und *fortdauernde* Person tritt das Bedürfnis und die Bestimmung eines *bleibenden* und *sicheren* Besitzes, eines *Vermögens*[1] ein. Das im abstrakten Eigentum willkürliche Moment des besonderen Bedürfnisses des *bloß Einzelnen* und die Eigensucht der Begierde verändert sich hier in die Sorge und den Erwerb für ein *Gemeinsames*, in ein *Sittliches*.

Einführung des festen Eigentums erscheint mit Einführung der Ehe in den Sagen von den Stiftungen der Staaten, oder wenigstens eines geselligen gesitteten Lebens, in Verbindung. – Worin übrigens jenes Vermögen bestehe, und welches die wahrhafte Weise seiner Befestigung sei, ergibt sich in der Sphäre der bürgerlichen Gesellschaft.

§ 171

Die Familie als rechtliche Person gegen andere hat der Mann als ihr Haupt zu vertreten. Ferner kommt ihm vorzüglich der Erwerb nach außen, die Sorge für die Bedürfnisse, sowie die Disposition und Verwaltung des Familienvermögens zu. Dieses ist gemeinsames Eigentum[1]), so daß kein Glied der Familie ein besonderes Eigentum, jedes aber sein Recht an das Gemeinsame hat. Dieses Recht und jene dem Haupte der Familie zustehende Disposition können aber in Kollision kommen, indem das in der Familie noch Unmittelbare der sittlichen Gesinnung (§ 158) der Besonderung und Zufälligkeit offen ist.

§ 172

Durch eine Ehe konstituiert sich eine *neue Familie*, welche ein für sich *Selbständiges* gegen die *Stämme* oder Häuser ist, von denen sie ausgegangen ist; die Verbindung mit solchen hat die natürliche Blutsverwandtschaft zur Grundlage, die neue Familie aber die sittliche Liebe. Das Eigentum eines Individuums steht daher auch in wesentlichem Zusammenhang mit seinem Eheverhältnis, und nur in entfernterem mit seinem Stamme oder Hause.

Die *Ehepakten*, wenn in ihnen für die Gütergemeinschaft der Eheleute eine Beschränkung liegt, die Anordnung eines bestehenden Rechtsbeistandes der Frau und dergl., haben insofern den Sinn, gegen den Fall der Trennung der Ehe durch natürlichen Tod, Scheidung und dergl. gerichtet und Sicherungsversuche zu sein, wodurch den unterschiedenen Gliedern auf solchen Fall ihr Anteil an dem Gemeinsamen erhalten wird.

Zusatz. In vielen Gesetzgebungen ist der weitere Umfang der Familie festgehalten, und dieser wird als das wesentliche Band angesehen, während das andere einer jeden speziellen Familie dagegen geringer erscheint. So ist im älteren römischen Rechte die Frau der laxen Ehe in näherem Verhältnis zu ihren Verwandten, als zu ihren Kindern und zu ihrem Manne[1]), und in den Zeiten des Feudalrechts machte die Erhaltung des splendor familiae es notwendig, daß nur die männlichen Glieder dazu gerechnet wurden, und daß das Ganze der Familie für die Hauptsache galt, während die neugebildete dagegen verschwand.[2]) Trotzdem ist jede neue Familie das Wesentlichere gegen den weiteren Zusammenhang der Blutsverwandtschaft, und Ehegatten und Kinder bilden den eigentlichen Kern, im Gegensatz dessen, was man im gewissen Sinne auch Familie nennt. Das Vermögensverhältnis der Individuen muß daher einen wesentlicheren Zusammenhang mit der Ehe, als mit der weiteren Blutsverwandtschaft haben.

C. Die Erziehung der Kinder und die Auflösung der Familie

§ 173

In den Kindern wird die *Einheit* der Ehe, welche als substantiell nur *Innigkeit* und *Gesinnung*, als existierend aber in den beiden Subjekten gesondert ist, als *Einheit selbst eine für sich seiende Existenz* und *Gegenstand*, den sie als ihre Liebe, als ihr substantielles Dasein, lieben. – Der natürlichen Seite nach wird die Voraussetzung *unmittelbar* vorhandener Personen, – als Eltern, – hier zum *Resultate*, – ein Fortgang, der sich in den unendlichen Progreß der sich erzeugenden und voraussetzenden Geschlechter verläuft, – die Weise, wie in der endlichen Natürlichkeit der einfache Geist der Penaten seine Existenz als Gattung darstellt.

Zusatz. Zwischen Mann und Frau ist das Verhältnis der Liebe noch nicht objektiv; denn wenn die Empfindung auch die substantielle Einheit ist, so hat diese noch keine Gegenständlichkeit. Eine solche erlangen die Eltern erst in ihren Kindern, in welchen sie das Ganze der Vereinigung vor sich haben. Die Mutter liebt im Kinde den Gatten, dieser darin die Gattin; beide haben in ihm ihre Liebe vor sich. Während im Vermögen die Einheit nur in einer äußerlichen Sache ist, ist sie in den Kindern in einem Geistigen, in dem die Eltern geliebt werden, und das sie lieben.

§ 174

Die Kinder haben das Recht, aus dem gemeinsamen Familienvermögen *ernährt* und *erzogen* zu werden.[1]) Das Recht der Eltern auf die *Dienste* der Kinder als Dienste, gründet und beschränkt sich auf das Gemeinsame der Familiensorge überhaupt. Ebenso bestimmt sich das Recht der Eltern über die *Willkür* der Kinder durch den Zweck, sie in Zucht zu halten und zu erziehen. Der Zweck von Bestrafungen ist nicht die Gerechtigkeit als solche, sondern subjektiver, moralischer Natur, Abschreckung der noch in Natur befangenen Freiheit und Erhebung des Allgemeinen in ihr Bewußtsein und ihren Willen.

Zusatz. Was der Mensch sein soll, hat er nicht aus Instinkt, sondern er hat es sich erst zu erwerben. Darauf begründet sich das Recht des Kindes, erzogen zu werden. Ebenso ist es mit den Völkern bei väterlichen Regierungen: hier werden die Menschen aus Magazinen ernährt und nicht als Selbständige und Majorenne angesehen. Die Dienste, die von den Kindern gefordert werden dürfen, können daher nur den Zweck der Erziehung haben, und sich auf dieselbe beziehen: sie müssen nicht für sich etwas sein wollen, denn das unsittlichste Verhältnis überhaupt ist das Sklavenverhältnis der Kinder. Ein Hauptmoment der Erziehung ist die Zucht, welche den Sinn hat, den Eigenwillen des Kindes zu brechen, damit das bloß Sinnliche und Natürliche ausgereutet werde.[2]) Hier muß man nicht meinen, bloß mit Güte auszukommen; denn gerade der unmittelbare Wille handelt nach unmittelbaren Einfällen und Gelüsten, nicht nach Gründen und Vorstellungen. Legt man den Kindern Gründe vor, so überläßt man es denselben, ob sie diese wollen gelten lassen, und stellt daher alles in ihr Belieben. Daran, daß die Eltern das Allgemeine und Wesentliche ausmachen, schließt sich das Bedürfnis des Gehorsams der Kinder an. Wenn das Gefühl der Unterordnung bei den Kindern, das die Sehnsucht, groß zu werden, hervorbringt, nicht genährt wird, so entsteht vorlautes Wesen und Naseweisheit.

§ 175

Die Kinder sind *an sich* Freie, und das Leben ist das unmittelbare Dasein nur dieser Freiheit, sie gehören daher weder anderen, noch den Eltern als Sachen an. Ihre *Erziehung* hat die in Rücksicht auf das Familienverhältnis *positive* Bestimmung, daß die Sittlichkeit in ihnen zur unmittelbaren, noch gegensatzlosen *Empfindung* gebracht, und das Gemüt darin als dem *Grunde* des sittlichen Lebens, in Liebe, Zutrauen und Gehorsam sein erstes Leben gelebt habe, – dann aber die in Rücksicht auf dasselbe Verhältnis *negative* Bestimmung, die Kinder aus der natürlichen Unmittelbarkeit, in der sie sich ursprünglich befinden, zur Selbständigkeit und freien Persönlichkeit und damit zur Fähigkeit, aus der natürlichen Einheit der Familie zu treten, zu erheben.

Das Sklavenverhältnis der römischen Kinder ist eine der diese Gesetzgebung befleckendsten Institutionen, und diese Kränkung der Sittlichkeit in ihrem innersten und zartesten Leben ist eins der wichtigsten Momente, den weltgeschichtlichen Charakter der Römer und ihre Richtung auf den Rechts-Formalismus zu verstehen.[1]) – Die Notwendigkeit, erzogen zu werden, ist in den Kindern als das eigene Gefühl, in sich, wie sie sind, unbefriedigt zu sein, – als der Trieb, der Welt der Erwachsenen, die sie als ein Höheres ahnen, anzugehören, der Wunsch, groß zu werden. Die spielende Pädagogik nimmt das Kindische schon selbst als etwas, das an sich gelte, gibt es den Kindern so und setzt ihnen das Ernsthafte und sich selbst in kindische, von den Kindern selbst gering geachtete Form herab.[2]) Indem sie so dieselben in der Unfertigkeit, in der sie sich fühlen, vielmehr als fertig vorzustellen und darin befriedigt zu machen bestrebt ist, – stört und verunreinigt sie deren wahres eigenes besseres Bedürfnis, und bewirkt teils die Interesselosigkeit und Stumpfheit für die substantiellen Verhältnisse der geistigen Welt, teils die Verachtung der Menschen, da sich ihnen als Kindern dieselbe selbst kindisch und verächtlich vorgestellt haben, und dann die sich an der eigenen Vortrefflichkeit weidende Eitelkeit und Eigendünkel.

Zusatz. Als Kind muß der Mensch im Kreise der Liebe und des Zutrauens bei den Eltern gewesen sein, und das

Vernünftige muß als seine eigenste Subjektivität in ihm erscheinen. Vorzüglich ist in der ersten Zeit die Erziehung der Mutter wichtig, denn die Sittlichkeit muß als Empfindung in das Kind gepflanzt worden sein. Es ist zu bemerken, daß im ganzen die Kinder die Eltern weniger lieben, als die Eltern die Kinder, denn sie gehen der Selbständigkeit entgegen und erstarken, haben also die Eltern hinter sich, während die Eltern in ihnen die objektive Gegenständlichkeit ihrer Verbindung besitzen.

§ 176

Weil die Ehe nur erst die unmittelbare sittliche Idee ist, hiermit ihre objektive Wirklichkeit in der Innigkeit der subjektiven Gesinnung und Empfindung hat, so liegt darin die erste Zufälligkeit ihrer Existenz. So wenig ein Zwang stattfinden kann, in die Ehe zu treten, so wenig gibt es sonst ein nur rechtliches positives Band, das die Subjekte bei entstandenen widrigen und feindseligen Gesinnungen und Handlungen zusammenzuhalten vermöchte. Es ist aber eine dritte sittliche Autorität gefordert, welche das Recht der Ehe, der sittlichen Substantialität, gegen die bloße Meinung von solcher Gesinnung und gegen die Zufälligkeit bloß temporärer Stimmung usf. festhält, diese von der totalen Entfremdung unterscheidet, und die letztere konstatiert, um erst in diesem Falle *die Ehe scheiden* zu können.[1])

Zusatz. Weil die Ehe nur auf der subjektiven zufälligen Empfindung beruht, so kann sie geschieden werden.[2]) Der Staat dagegen ist der Trennung nicht unterworfen, denn er beruht auf dem Gesetz. Die Ehe *soll* allerdings unauflöslich sein, aber es bleibt hier auch nur beim *Sollen.* Indem sie aber etwas Sittliches ist, kann sie nicht durch Willkür, sondern nur durch eine sittliche Autorität geschieden werden, sei diese nun die Kirche oder das Gericht. Ist eine totale Entfremdung, wie z. B. durch Ehebruch geschehen, dann muß auch die religiöse Autorität die Ehescheidung erlauben.

§ 177

Die sittliche Auflösung der Familie liegt darin, daß die Kinder zur freien Persönlichkeit erzogen, in der *Volljährigkeit* anerkannt werden, als rechtliche Personen und fähig zu sein, teils eigenes freies Eigentum zu haben, teils eigene Familien zu stiften, – die Söhne als Häupter, und die Töchter als Frauen, – eine Familie, in welcher sie nunmehr ihre substantielle Bestimmung haben, gegen die ihre erste Familie als nur erster Grund und Ausgangspunkt zurücktritt, und noch mehr das Abstraktum des Stammes keine Rechte hat.[1])

§ 178

Die natürliche Auflösung der Familie durch den Tod der Eltern, insbesondere des Mannes, hat die *Erbschaft* in Ansehung des Vermögens zur Folge[1]); ihrem Wesen nach ein Eintreten in den eigentümlichen Besitz des *an sich* gemeinsamen Vermögens, – ein Eintreten, das mit den entferntern Graden der Verwandtschaft und im Zustande der die Personen und Familien verselbständigenden Zerstreuung der bürgerlichen Gesellschaft um so unbestimmter wird, als die Gesinnung der Einheit sich um so mehr verliert, und als jede Ehe das Aufgeben der vorigen Familienverhältnisse und die Stiftung einer neuen selbständigen Familie wird.[2])

Der Einfall, als Grund der Erbschaft den Umstand anzusehen, daß durch den Tod das Vermögen *herrenloses Gut* werde, und als solches dem, der sich zuerst in Besitz setzt, zufalle, diese Besitzergreifung aber wohl *meistens* von den Verwandten, als der *gewöhnlich* nächsten Umgebung, werde vorgenommen werden, – welcher gewöhnliche Zufall dann durch die positiven Gesetze der Ordnung wegen zur Regel erhoben werde, – dieser Einfall läßt die Natur des Familienverhältnisses unberücksichtigt.[3])

§ 179

Es entstehet durch dies Auseinanderfallen die Freiheit für die Willkür der Individuen, teils überhaupt ihr Vermögen mehr nach Belieben, Meinungen und Zwecken der Einzelnheit zu verwenden, teils gleichsam einen Kreis von Freunden, Bekannten usf. statt einer Familie anzusehen und diese Erklärung mit den rechtlichen Folgen der Erbschaft in einem *Testamente* zu machen.[1])

In die Bildung eines solchen Kreises, worin die sittliche Berechtigung des Willens zu einer solchen Disposition über das Vermögen läge, tritt, besonders insofern sie schon die Beziehung auf das Testieren mit sich führt, so viele Zufälligkeit, Willkür, Absichtlichkeit für selbstsüchtige Zwecke usf. ein, daß das sittliche Moment etwas sehr Vages ist, und die Anerkennung der Befugnis der Willkür, zu testieren, viel leichter für Verletzung sittlicher Verhältnisse und für niederträchtige Bemühungen und ebensolche Abhängigkeiten Veranlassung wird, wie sie auch törichter Willkür und der Heimtücke, an die sogenannten Wohltaten und Geschenke, die auf den Fall des Todes, in welchem mein Eigentum ohnehin aufhört, mein zu sein, Bedingungen der Eitelkeit und einer herrischen Quälerei zu knüpfen, Gelegenheit und Berechtigung gibt.

§ 180

Das Prinzip, daß die Glieder der Familie zu selbständigen rechtlichen Personen werden (§ 177), läßt innerhalb des Kreises der Familie etwas von dieser Willkür und Unterscheidung unter den natürlichen Erben eintreten, die aber nur höchst beschränkt stattfinden kann, um das Grundverhältnis nicht zu verletzen.

Die bloße direkte Willkür des Verstorbenen kann nicht zum Prinzip für das *Recht*, zu *testieren*, gemacht werden, insbesondere nicht insofern sie dem substantiellen Rechte der Familie gegenüberstehet, deren Liebe, Verehrung gegen ihr ehemaliges Mitglied es doch vornehmlich nur sein könnte, welche dessen Willkür nach seinem Tode beachtete.[1]) Eine solche Willkür enthält für sich nichts, das höher als das Familienrecht selbst zu respektieren wäre; im Gegenteil. Das sonstige Gelten einer Letzten-Willens-Disposition läge allein in der willkürlichen Anerkennung der anderen.[2]) Ein solches Gelten kann ihr vornehmlich nur eingeräumt werden, insofern das Familienverhältnis, in welchem sie absorbiert ist, entfernter und unwirksamer wird. Unwirksamkeit desselben aber, wo es wirklich vorhanden ist, gehört zum Unsittlichen, und die ausgedehnte Gültigkeit jener Willkür gegen ein solches enthält die Schwächung seiner Sittlichkeit in sich. – Diese Willkür aber innerhalb der Familie zum Hauptprinzip der Erbfolge zu machen, gehörte zu der vorhin[3]) bemerkten Härte und Unsittlichkeit der römischen Gesetze, nach denen der Sohn auch vom Vater verkauft werden konnte, und wenn er von anderen freigelassen wurde, in die Gewalt des Vaters zurückkehrte, und erst auf die dritte Freilassung aus der Sklaverei wirklich frei wurde, – nach denen der Sohn überhaupt nicht de jure volljährig und eine rechtliche Person wurde und nur den Kriegsraub, peculium castrense, als Eigentum besitzen konnte, und wenn er durch jenen dreimaligen Verkauf und Loslassung aus der väterlichen Gewalt trat, nicht mit denen, die noch in der Familienknechtschaft geblieben waren, ohne Testamentseinsetzung erbte[4]), – ebenso daß die Frau (insofern sie nicht in die Ehe als in ein Sklavenverhältnis, in manum conveniret, in mancipio esset, sondern als *Matrone* trat) nicht so sehr der Familie, die sie durch die Heirat an ihrem Teile gestiftet und die nunmehr wirklich die *ihrige* ist, als vielmehr der, aus der sie abstammte, angehörig blieb, und daher vom Erben des Vermögens der *wirklich ihrigen* ebenso ausgeschlossen, als die Gattin und Mutter von diesen nicht beerbt wurde.[5]) – Daß das Unsittliche solcher und anderer Rechte bei weiterhin erwachendem Gefühle der Vernünftigkeit im Wege der Rechtspflege, z. B. mit Beihilfe des Ausdrucks: von bonorum possessio (daß hiervon wieder possessio bonorum unterschieden ist, gehört zu solchen Kenntnissen, die den gelehrten Juristen ausmachen) statt hereditas[6]), durch die Fiktion, eine filia in einen filius umzutaufen, eludiert wurde, ist oben schon (§ 3 Anm.) als die traurige Notwendigkeit für den Richter bemerkt worden, das Vernünftige *pfiffigerweise* gegen schlechte Gesetze, wenigstens in einigen Folgen einzuschwärzen.[7]) Die fürchterliche Instabilität der wichtigsten Institutionen und ein tumultuarisches Gesetzgeben gegen die Ausbrüche der daraus entspringenden Übel, hängt damit zusammen. – Welche unsittliche Folgen dies

Recht der Willkür im Testamentmachen bei den Römern hatte, ist sattsam aus der Geschichte und Lucians[8]) und anderer Schilderungen bekannt. – Es liegt in der Natur der Ehe selbst, als der unmittelbaren Sittlichkeit die Vermischung vom substantiellen Verhältnis, natürlicher Zufälligkeit und innerer Willkür; – wenn nun der Willkür durch das Knechtschaftsverhältnis der Kinder und die anderen bemerkten und sonst damit zusammenhängenden Bestimmungen, vollends auch durch die Leichtigkeit der Ehescheidungen bei den Römern, gegen das Recht des Substantiellen der Vorzug eingeräumt wird, so daß selbst *Cicero*, und wieviel Schönes hat er nicht über das Honestum und Decorum in seinen Officiis und allenthalben anderwärts geschrieben! die Spekulation machte, seine Gattin fortzuschicken, um durch das Heiratsgut einer neuen seine Schulden zu bezahlen[9]), – so ist dem Verderben der Sitten ein gesetzlicher Weg gebahnt, oder vielmehr die Gesetze sind die Notwendigkeit desselben.

Die Institution des Erbrechts, zur *Erhaltung* und zum *Glanz* der *Familie* durch *Substitutionen* und *Familienfideikommisse*[10]), entweder die Töchter zugunsten der Söhne, oder zugunsten des ältesten Sohnes die übrigen Kinder von der Erbschaft auszuschließen, oder überhaupt eine Ungleichheit eintreten zu lassen, verletzt teils das Prinzip der Freiheit des Eigentums (§ 62), teils beruhet sie auf einer Willkür, die an und für sich kein Recht hat, anerkannt zu werden, – näher auf dem Gedanken, *diesen* Stamm oder Haus, nicht sowohl *diese* Familie aufrechterhalten zu wollen.[11]) Aber nicht *dieses* Haus oder Stamm, sondern die *Familie als solche* ist die Idee, die solches Recht hat, und durch die Freiheit des Vermögens und die Gleichheit des Erbrechts wird ebensowohl die sittliche Gestaltung erhalten, als *die Familien* vielmehr als durch das Gegenteil erhalten werden.[12]) – In solchen Institutionen ist, wie in den römischen, das Recht der Ehe (§ 172) überhaupt verkannt, daß sie die vollständige Stiftung einer eigentümlichen wirklichen Familie ist, und gegen sie das, was Familie überhaupt heißt, stirps, gens[13]), nur ein sich mit den Generationen immer weiter entfernendes und sich verunwirklichendes Abstraktum wird (§ 177). Die Liebe, das sittliche Moment der

Ehe, ist als Liebe Empfindung für wirkliche, gegenwärtige Individuen, nicht für ein Abstraktum. – Daß sich die Verstandesabstraktion als das weltgeschichtliche Prinzip des Römerreichs zeigt, s. unten § 357. – Daß aber die höhere politische Sphäre ein Recht der Erstgeburt und ein eisernes Stammvermögen, doch nicht als eine Willkür, sondern als aus der Idee des Staates notwendig herbeiführt, davon unten § 306.

Zusatz. Bei den Römern konnte in früheren Zeiten der Vater seine Kinder enterben, wie er sie auch töten konnte: späterhin war beides nicht mehr gestattet. Diese Inkonsequenz des Unsittlichen und der Versittlichung desselben hat man in ein System zu bringen gesucht, und das Festhalten daran macht das Schwierige und Fehlerhafte in unserem Erbrechte aus. Testamente können allerdings gestattet werden, aber der Gesichtspunkt hierbei muß sein, daß dieses Recht der Willkür mit dem Auseinanderfallen und der Entfernung der Familienglieder entsteht oder größer wird, und daß die sogenannte *Familie der Freundschaft*, welche das Testament hervorbringt, nur in Ermangelung der näheren Familie der Ehe und der Kinder eintreten kann. Mit dem Testamente überhaupt ist etwas Widriges und Unangenehmes verbunden, denn ich erkläre in demselben, wer die seien, denen ich geneigt bin. Die Zuneigung ist aber willkürlich; sie kann auf diese oder jene Weise erschlichen werden, an diesen oder jenen läppischen Grund geknüpft sein, und es kann gefordert werden, daß ein Eingesetzter sich deshalb den größten Niedrigkeiten unterwerfe. In England, wo überhaupt viel Marotten einheimisch sind, werden unendlich viel läppische Einfälle an Testamente geknüpft.

Übergang der Familie in die bürgerliche Gesellschaft

§ 181

Die Familie tritt auf natürliche Weise, und wesentlich durch das Prinzip der Persönlichkeit in eine *Vielheit* von Familien auseinander, welche sich überhaupt als selbständige konkrete Personen und daher äußerlich zueinander verhalten. Oder die in der Einheit der Familie als der sittlichen Idee, als die noch in ihrem Begriffe ist, gebundenen Momente, müssen von ihm zur selbständigen Realität entlassen werden; – die Stufe der *Differenz.* Zunächst abstrakt ausgedrückt gibt dies die Bestimmung der *Besonderheit*, welche sich zwar auf die *Allgemeinheit* bezieht, so daß diese die, aber nur noch *innerliche*, Grundlage und deswegen auf formelle in das Besondere nur *scheinende* Weise ist. Dies Reflexionsverhältnis stellt daher zunächst den Verlust der Sittlichkeit dar, oder, da sie als das Wesen notwendig *scheinend* ist[1]), macht es die *Erscheinungswelt* des Sittlichen, die *bürgerliche Gesellschaft* aus.

Die Erweiterung der Familie als Übergehen derselben in ein anderes Prinzip ist in der Existenz teils die ruhige Erweiterung derselben zu einem Volke, – einer *Nation*, die somit einen gemeinschaftlichen natürlichen Ursprung hat, teils die Versammlung zerstreuter Familiengemeinden, entweder durch herrische Gewalt, oder durch freiwillige von den verknüpfenden Bedürfnissen und der Wechselwirkung ihrer Befriedigung eingeleitete Vereinigung.

Zusatz. Die Allgemeinheit hat hier zum Ausgangspunkt die Selbständigkeit der Besonderheit, und die Sittlichkeit scheint somit auf diesem Standpunkte verloren, denn für das Bewußtsein ist eigentlich die Identität der Familie das Erste, Göttliche und Pflichtgebietende. Jetzt aber tritt das Verhältnis ein, daß das Besondere das erste für mich Bestimmende sein soll, und somit ist die sittliche Bestimmung aufgehoben. Aber ich bin eigentlich darüber nur im Irrtum, denn indem ich das Besondere festzuhalten glaube, bleibt doch das Allgemeine und die Notwendigkeit des Zusammenhangs das Erste und Wesentliche: ich bin also überhaupt auf der Stufe des Scheins, und indem meine Besonderheit mir das Bestimmende bleibt, d. h. der Zweck, diene ich damit der Allgemeinheit, welche eigentlich die letzte Macht über mich behält.

Zweiter Abschnitt
Die bürgerliche Gesellschaft

§ 182

Die konkrete Person, welche sich als *besondere* Zweck ist, als ein Ganzes von Bedürfnissen und eine Vermischung von Naturnotwendigkeit und Willkür, ist das *eine Prinzip* der bürgerlichen Gesellschaft, – aber die besondere Person als wesentlich in *Beziehung* auf andere solche Besonderheit, so daß jede durch die andere und zugleich schlechthin nur als durch die Form der *Allgemeinheit, das andere Prinzip, vermittelt* sich geltend macht und befriedigt.

Zusatz. Die bürgerliche Gesellschaft ist die Differenz, welche zwischen die Familie und den Staat tritt, wenn auch die Ausbildung derselben später als die des Staates erfolgt; denn als die Differenz setzt sie den Staat voraus, den sie als Selbständiges vor sich haben muß, um zu bestehen. Die Schöpfung der bürgerlichen Gesellschaft gehört übrigens der modernen Welt an, welche allen Bestimmungen der Idee erst ihr Recht widerfahren läßt. Wenn der Staat vorgestellt wird als eine Einheit verschiedener Personen, als eine Einheit, die nur Gemeinsamkeit ist, so ist damit nur die Bestimmung der bürgerlichen Gesellschaft gemeint. Viele der neueren Staatsrechtslehrer haben es zu keiner anderen Ansicht vom Staate bringen können. In der bürgerlichen Gesellschaft ist jeder sich Zweck, alles andere ist ihm nichts. Aber ohne Beziehung auf andere kann er den Umfang seiner Zwecke nicht erreichen: diese andern sind daher Mittel zum Zweck des Besonderen. Aber der besondere Zweck gibt sich durch die Beziehung auf andere die Form der Allgemeinheit und befriedigt sich, indem er zugleich das Wohl des anderen mitbefriedigt. Indem die Besonderheit an die Bedingung der Allgemeinheit gebunden ist, ist das Ganze der Boden der Vermittelung, wo alle Einzelnheiten, alle Anlagen, alle Zufälligkeiten der Geburt und des Glücks sich frei machen, wo die Wellen aller Leidenschaften ausströmen, die nur durch die hineinscheinende Vernunft regiert werden. Die Besonderheit, beschränkt durch die Allgemeinheit, ist allein das Maß, wodurch jede Besonderheit ihr Wohl befördert.[1])

§ 183

Der selbstsüchtige Zweck in seiner Verwirklichung, so durch die Allgemeinheit bedingt, begründet ein System allseitiger Abhängigkeit, daß die Subsistenz und das Wohl des Einzelnen und sein rechtliches Dasein in die Subsistenz, das Wohl und Recht aller verflochten, darauf gegründet und nur in diesem Zusammenhang wirklich und gesichert ist. – Man kann dies System zunächst als den *äußeren Staat*, – *Not*- und *Verstandesstaat* ansehen.[1])

§ 184

Die Idee in dieser ihrer Entzweiung erteilt den *Momenten eigentümliches Dasein*, der *Besonderheit* – das Recht, sich nach allen Seiten zu entwickeln und zu ergehen, und der Allgemeinheit das Recht, sich als Grund und notwendige Form der Besonderheit, sowie als die Macht über sie und ihren letzten Zweck zu erweisen. – Es ist das System der in ihre Extreme verlorenen Sittlichkeit, was das abstrakte Moment der *Realität* der Idee ausmacht, welche hier nur als die *relative Totalität* und *innere Notwendigkeit* an dieser äußern *Erscheinung* ist.

Zusatz. Das Sittliche ist hier in seine Extreme verloren und die unmittelbare Einheit der Familie ist in eine Vielheit zerfallen. Die Realität ist hier Äußerlichkeit, Auflösung des Begriffs, Selbständigkeit der freigewordenen daseienden Momente. Indem in der bürgerlichen Gesellschaft Besonderheit und Allgemeinheit auseinandergefallen sind, sind sie dennoch beide wechselseitig gebunden und bedingt. Indem das eine gerade das dem anderen Entgegengesetzte zu tun scheint, und nur sein zu können vermeint, indem es sich das andere vom Leibe hält, hat jedes das andere doch zu seiner Bedingung. So sehen die meisten z. B. die Bezahlung von Abgaben für ein Verletzen ihrer Besonderheit an, für ein ihnen Feindseliges, das ihren Zweck verkümmert: aber so wahr dies *scheint*, so kann doch die Besonderheit des Zwecks nicht befriedigt werden, ohne das Allgemeine, und ein Land, worin keine Abgaben bezahlt werden, dürfte sich auch nicht durch die Erkräftigung der Besonderheit auszeichnen.[1]) Ebenso könnte es scheinen, die Allgemeinheit verhielte sich besser, wenn sie die Kräfte der Besonderheit an sich zieht, wie dies z. B. im platonischen Staate ausgeführt ist[2]); aber auch dieses ist wiederum nur ein Schein, indem beide nur durch- und füreinander sind, und ineinander umschlagen. Meinen Zweck befördernd, befördere ich das Allgemeine, und dieses befördert wiederum meinen Zweck.

§ 185

Die Besonderheit für sich, einerseits als sich nach allen Seiten auslassende Befriedigung ihrer Bedürfnisse, zufälliger Willkür und subjektiven Beliebens, zerstört in ihren Genüssen sich selbst und ihren substantiellen Begriff; andererseits als unendlich erregt, und in durchgängiger Abhängigkeit von äußerer Zufälligkeit und Willkür, sowie von der Macht der Allgemeinheit beschränkt, ist die Befriedigung des notwendigen, wie des zufälligen Bedürfnisses zufällig. Die bürgerliche Gesellschaft bietet in diesen Gegensätzen und ihrer Verwickelung das Schauspiel ebenso der Ausschweifung, des Elends und des beiden gemeinschaftlichen physischen und sittlichen Verderbens dar.[1])

Die selbständige Entwickelung der Besonderheit (vergl. § 124 Anm.) ist das Moment, welches sich in den alten Staaten als das hereinbrechende Sittenverderben und der letzte Grund des Untergangs derselben zeigt. Diese Staaten, teils im patriarchalischen und religiösen Prinzip, teils im Prinzip einer geistigern, aber einfachern Sittlichkeit, – überhaupt auf *ursprüngliche* natürliche Anschauung gebaut, konnten die Entzweiung derselben und die unendliche Reflexion des Selbstbewußtseins in sich nicht aushalten, und erlagen dieser Reflexion, wie sie sich hervorzutun anfing, der Gesinnung und dann der Wirklichkeit nach, weil ihrem noch einfachen Prinzip die wahrhaft unendliche Kraft mangelte, die allein in derjenigen Einheit liegt, welche den *Gegensatz* der Vernunft *zu seiner ganzen Stärke ausein-*

andergehen läßt, und ihn überwältigt hat, in ihm somit sich erhält, und *ihn in sich zusammenhält*. – *Plato* in seinem Staate stellt die substantielle Sittlichkeit in ihrer idealen *Schönheit* und *Wahrheit* dar, er vermag aber mit dem Prinzip der selbständigen Besonderheit, das in seiner Zeit in die griechische Sittlichkeit hereingebrochen war, nicht anders fertig zu werden, als daß er ihm seinen nur substantiellen Staat entgegenstellte und dasselbe bis in seine Anfänge hinein, die es im *Privateigentum* (§ 46 Anm.) und in der *Familie* hat, und dann in seiner weiteren Ausbildung als die eigene Willkür und Wahl des Standes usf., ganz ausschloß.[2]) Dieser Mangel ist es, der auch die große *substantielle* Wahrheit seines Staates verkennen und denselben gewöhnlich für eine Träumerei des abstrakten Gedankens, für das, was man oft gar ein *Ideal* zu nennen pflegt, ansehen macht. Das Prinzip der *selbständigen in sich unendlichen Persönlichkeit* des Einzelnen, der subjektiven Freiheit, das innerlich in der *christlichen* Religion und äußerlich daher mit der abstrakten Allgemeinheit verknüpft in der *römischen* Welt aufgegangen ist, kommt in jener nur substantiellen Form des wirklichen Geistes nicht zu seinem Rechte. Dies Prinzip ist geschichtlich später als die griechische Welt, und ebenso ist die philosophische Reflexion, die bis zu dieser Tiefe hinabsteigt, später als die substantielle Idee der griechischen Philosophie.

Zusatz. Die Besonderheit für sich ist das Ausschweifende und Maßlose, und die Formen dieser Ausschweifung selbst sind maßlos. Der Mensch erweitert durch seine Vorstellungen und Reflexionen seine Begierden, die kein beschlossener Kreis, wie der Instinkt des Tieres sind, und führt sie in das schlecht Unendliche. Ebenso ist aber auf der anderen Seite die Entbehrung und Not ein Maßloses, und die Verworrenheit dieses Zustandes kann nur zu seiner Harmonie durch den ihn gewältigenden Staat kommen. Wenn der platonische Staat die Besonderheit ausschließen wollte, so ist damit nicht zu helfen, denn solche Hilfe würde dem unendlichen Rechte der Idee widersprechen, die Besonderheit frei zu lassen. In der christlichen Religion ist vornehmlich das Recht der Subjektivität aufgegangen, wie die Unendlichkeit des Fürsichseins, und hierbei muß die Ganzheit zugleich die Stärke erhalten, die Besonderheit in Harmonie mit der sittlichen Einheit zu setzen.[3])

§ 186

Aber das Prinzip der Besonderheit geht eben damit, daß es sich für sich zur Totalität entwickelt, in die *Allgemeinheit* über, und hat allein in dieser seine Wahrheit und das Recht seiner positiven Wirklichkeit. Diese Einheit, die wegen der Selbständigkeit beider Prinzipien auf diesem Standpunkte der Entzweiung (§ 184) nicht die sittliche Identität ist, ist eben damit nicht als *Freiheit*, sondern als *Notwendigkeit*, daß das *Besondere* sich zur *Form der Allgemeinheit* erhebe, in dieser Form sein Bestehen suche und habe.[1])

§ 187

Die Individuen sind als Bürger dieses Staates *Privatpersonen*, welche ihr eigenes Interesse zu ihrem Zwecke haben.[1]) Da dieser durch das Allgemeine vermittelt ist, das ihnen somit als *Mittel erscheint*, so kann er von ihnen nur erreicht werden, insofern sie selbst ihr Willen, Wollen und Tun auf allgemeine Weise bestimmen, und sich zu einem *Gliede* der Kette dieses *Zusammenhangs* machen.[2]) Das Interesse der Idee hierin, das nicht im Bewußtsein dieser Mitglieder der bürgerlichen Gesellschaft als solcher liegt, ist der *Prozeß*, die Einzelnheit und Natürlichkeit derselben durch die Naturnotwendigkeit ebenso als durch die Willkür der Bedürfnisse, zur *formellen Freiheit* und formellen *Allgemeinheit des Wissens und Wollens* zu erheben, die Subjektivität in ihrer Besonderheit zu *bilden*.

Es hängt mit den Vorstellungen von der *Unschuld* des Naturzustandes, von Sitteneinfalt ungebildeter Völker einerseits, und andererseits mit dem Sinne, der die Bedürfnisse, deren Befriedigung, die Genüsse und Bequemlichkeiten des partikularen Lebens usf. als *absolute* Zwecke betrachtet, zusammen, wenn die *Bildung* dort als etwas nur *Äußerliches*, dem Verderben Angehöriges, hier als bloßes *Mittel* für jene Zwecke betrachtet wird; die eine wie die andere Ansicht zeigt die Unbekanntschaft mit der Natur des Geistes und dem Zwecke der Vernunft. Der Geist hat seine

Wirklichkeit nur dadurch, daß er sich in sich selbst entzweit, in den Naturbedürfnissen und in dem Zusammenhange dieser äußeren Notwendigkeit sich diese Schranke und Endlichkeit gibt, und eben damit, daß *er sich in sie hinein bildet*, sie überwindet und darin sein *objektives* Dasein gewinnt. Der Vernunftzweck ist deswegen weder jene natürliche Sitteneinfalt, noch in der Entwickelung der Besonderheit die Genüsse als solche, die durch die Bildung erlangt werden, sondern daß die *Natureinfalt*, d. i. teils die passive Selbstlosigkeit, teils die Roheit des Wissens und Willens, d. i. die *Unmittelbarkeit* und *Einzelnheit*, in die der Geist versenkt ist, weggearbeitet werde und zunächst diese seine Äußerlichkeit die Vernünftigkeit, *der sie fähig ist*, erhalte, nämlich *die Form der Allgemeinheit, die Verständigkeit*. Auf diese Weise nur ist der Geist in dieser *Äußerlichkeit* als solcher *einheimisch* und *bei sich*. Seine Freiheit hat so in derselben ein Dasein, und er wird in diesem seiner Bestimmung zur Freiheit *an sich* fremden Elemente *für sich*, hat es nur mit solchem zu tun, dem sein Siegel aufgedrückt und von ihm *produziert* ist. – Eben damit kommt denn die *Form der Allgemeinheit* für sich im Gedanken zur Existenz, – die Form, welche allein das würdige Element für die Existenz der Idee ist. – Die *Bildung* ist daher in ihrer absoluten Bestimmung die *Befreiung* und die *Arbeit* der höheren Befreiung, nämlich der absolute Durchgangspunkt zu der, nicht mehr unmittelbaren, natürlichen, sondern geistigen, ebenso zur Gestalt der Allgemeinheit erhobenen unendlich subjektiven Substantialität der Sittlichkeit. – Diese Befreiung ist im Subjekt die *harte Arbeit* gegen die bloße Subjektivität des Benehmens, gegen die Unmittelbarkeit der Begierde, sowie gegen die subjektive Eitelkeit der Empfindung und die Willkür des Beliebens. Daß sie diese harte Arbeit ist, macht einen Teil der Ungunst aus, der auf sie fällt. Durch diese Arbeit der Bildung ist es aber, daß der subjektive Wille selbst in sich die *Objektivität* gewinnt, in der er seinerseits allein würdig und fähig ist, die *Wirklichkeit* der Idee zu sein. – Ebenso macht zugleich diese Form der Allgemeinheit, zu der sich die Besonderheit verarbeitet und heraufgebildet hat, die Verständigkeit, daß die Besonderheit zum wahrhaften *Fürsichsein* der Einzelnheit *wird*, und indem sie der Allgemeinheit den erfüllenden Inhalt und ihre unendliche Selbstbestimmung gibt, selbst in der Sittlichkeit als unendlich fürsichseiende, freie Subjektivität ist. Dies ist der Standpunkt, der die *Bildung* als immanentes Moment des Absoluten, und ihren unendlichen Wert erweist.

Zusatz. Unter gebildeten Menschen kann man zunächst solche verstehen, die alles machen können, was andere tun, und die ihre Partikularität nicht herauskehren, während bei ungebildeten Menschen gerade diese sich zeigt, indem das Benehmen sich nicht nach den allgemeinen Eigenschaften des Gegenstandes richtet.[3]) Ebenso kann im Verhältnis zu anderen Menschen der Ungebildete sie leicht kränken, indem er sich nur gehen läßt, und keine Reflexionen für die Empfindungen der anderen hat. Er will andere nicht verletzen, aber sein Betragen ist mit seinem Willen nicht in Einklang. Bildung also ist Glättung der Besonderheit, daß sie sich nach der Natur der Sache benimmt. Die wahre Originalität verlangt, als die Sache hervorbringend, wahre Bildung, während die unwahre Abgeschmacktheiten annimmt, die nur Ungebildeten einfallen.

§ 188

Die bürgerliche Gesellschaft enthält die drei Momente:

A) Die Vermittlung des *Bedürfnisses* und die Befriedigung des *Einzelnen* durch seine Arbeit und durch die Arbeit und Befriedigung der Bedürfnisse *aller Übrigen*, – das System der *Bedürfnisse*.[1])

B) Die Wirklichkeit des darin enthaltenen Allgemeinen der *Freiheit*, der Schutz des Eigentums durch die *Rechtspflege*.[2])

C) Die Vorsorge gegen die in jenen Systemen zurückbleibende Zufälligkeit und die Besorgung des besonderen Interesses als eines *Gemeinsamen*, durch die *Polizei* und *Korporation*.[3])

A. Das System der Bedürfnisse

§ 189

Die Besonderheit zunächst als das gegen das Allgemeine des Willens überhaupt Bestimmte (§ 60)[1]) ist *subjektives Bedürfnis*, welches seine Objektivität das ist *Befriedigung* durch das Mittel α) äußerer Dinge, die nun ebenso das *Eigentum* und Produkt anderer Bedürfnisse und *Willen* sind, und β) durch die Tätigkeit und Arbeit, als das die beiden Seiten Vermittelnde erlangt. Indem sein Zweck die Befriedigung der subjektiven *Besonderheit* ist, aber in der Beziehung auf die Bedürfnisse und die freie Willkür anderer *die Allgemeinheit* sich geltend macht, so ist dies Scheinen der Vernünftigkeit in diese Sphäre der Endlichkeit der *Verstand* die Seite, auf die es in der Betrachtung ankommt, und welche das Versöhnende innerhalb dieser Sphäre selbst ausmacht.

Die *Staatsökonomie* ist die Wissenschaft, die von diesen Gesichtspunkten ihren Ausgang hat, dann aber das Verhältnis und die Bewegung der Massen in ihrer qualitativen und quantitativen Bestimmtheit und Verwickelung darzulegen hat. – Es ist dies eine der Wissenschaften, die in neuerer Zeit als ihrem Boden entstanden ist. Ihre Entwickelung zeigt das Interessante, wie der *Gedanke* (s. Smith, Say, Ricardo)[2]) aus der unendlichen Menge von Einzelnheiten, die zunächst vor ihm liegen, die einfachen Prinzipien der Sache, den in ihr wirksamen und sie regierenden Verstand herausfindet. – Wie es einerseits das Versöhnende ist, in der Sphäre der Bedürfnisse dies in der Sache liegende und sich betätigende Scheinen der Vernünftigkeit zu erkennen, so ist umgekehrt dies das Feld, wo der Verstand der subjektiven Zwecke und moralischen Meinungen seine Unzufriedenheit und moralische Verdrießlichkeit ausläßt. –

Zusatz. Es gibt gewisse allgemeine Bedürfnisse, wie Essen, Trinken, Kleidung usw., und es hängt durchaus von zufälligen Umständen ab, wie diese befriedigt werden. Der Boden ist hier oder dort mehr oder weniger fruchtbar, die Jahre sind in ihrer Ergiebigkeit verschieden, der eine Mensch ist fleißig, der andere faul, aber dieses Wimmeln von Willkür erzeugt aus sich allgemeine Bestimmungen, und dieses anscheinend Zerstreute und Gedankenlose wird von einer Notwendigkeit gehalten, die von selbst eintritt. Dieses Notwendige hier aufzufinden ist Gegenstand der Staatsökonomie, einer Wissenschaft, die dem Gedanken Ehre macht, weil sie zu einer Masse von Zufälligkeiten die Gesetze findet. Es ist ein interessantes Schauspiel, wie alle Zusammenhänge hier rückwirkend sind, wie die besonderen Sphären sich gruppieren, auf andere Einfluß haben, und von ihnen ihre Beförderung oder Hinderung erfahren. Dies Ineinandergehen, an das man zunächst nicht glaubt, weil alles der Willkür des Einzelnen anheimgestellt scheint, ist vor allem bemerkenswert und hat eine Ähnlichkeit mit dem Planetensystem, das immer dem Auge nur unregelmäßige Bewegungen zeigt, aber dessen Gesetze doch erkannt werden können.

a) Die Art des Bedürfnisses und der Befriedigung

§ 190

Das *Tier* hat einen beschränkten Kreis von Mitteln und Weisen der Befriedigung seiner gleichfalls beschränkten Bedürfnisse. Der *Mensch* beweist auch in dieser Abhängigkeit zugleich sein Hinausgehen über dieselbe und seine Allgemeinheit, zunächst durch die *Vervielfältigung* der Bedürfnisse und Mittel, und dann durch *Zerlegung* und *Unterscheidung* des konkreten Bedürfnisses in einzelne Teile und Seiten, welche verschiedene *partikularisierte*, damit *abstraktere* Bedürfnisse werden.

Im Rechte ist der Gegenstand die *Person*, im moralischen Standpunkte das *Subjekt*, in der Familie das *Familienglied*, in der bürgerlichen Gesellschaft überhaupt der *Bürger* (als bourgeois) – hier auf dem Standpunkte der Bedürfnisse (vergl. § 123 Anm.) ist es das Konkretum *der Vorstellung*, das man *Mensch* nennt; es ist also erst hier und auch eigentlich nur hier vom *Menschen* in diesem Sinne die Rede.

Zusatz. Das Tier ist ein Partikulares, es hat seinen Instinkt, und die abgegrenzten nicht zu übersteigenden Mittel der Befriedigung. Es gibt Insekten, die an eine bestimmte Pflanze gebunden sind, andere Tiere, die einen weitern

Kreis haben, in verschiedenen Klimaten leben können, aber es tritt immer ein Beschränktes gegen den Kreis ein, welcher für den Menschen ist. Das Bedürfnis der Wohnung und Kleidung, die Notwendigkeit, die Nahrung nicht mehr roh zu lassen, sondern sie sich adäquat zu machen, und ihre natürliche Unmittelbarkeit zu zerstören, macht, daß es der Mensch nicht so bequem hat, wie das Tier, und es als Geist auch nicht so bequem haben darf. Der Verstand, der die Unterschiede auffaßt, bringt Vervielfältigung in diese Bedürfnisse, und indem Geschmack und Nützlichkeit Kriterien der Beurteilung werden, sind auch die Bedürfnisse selbst davon ergriffen. Es ist zuletzt nicht mehr der Bedarf, sondern die Meinung, die befriedigt werden muß, und es gehört eben zur Bildung das Konkrete in seine Besonderheiten zu zerlegen. In der Vervielfältigung der Bedürfnisse liegt gerade eine Hemmung der Begierde, denn wenn die Menschen vieles gebrauchen, ist der Drang nach einem, dessen sie bedürftig wären, nicht so stark, und es ist ein Zeichen, daß die Not überhaupt nicht so gewaltig ist.

§ 191

Ebenso *teilen* und *vervielfältigen* sich die *Mittel* für die partikularisierten Bedürfnisse und überhaupt die Weisen ihrer Befriedigung, welche wieder relative Zwecke und abstrakte Bedürfnisse werden; – eine ins Unendliche fortgehende Vervielfältigung, welche in eben dem Maße eine *Unterscheidung* dieser Bestimmungen und *Beurteilung* der Angemessenheit der Mittel zu ihren Zwecken, – die *Verfeinerung*, ist.

Zusatz. Das was die Engländer comfortable nennen, ist etwas durchaus Unerschöpfliches und ins Unendliche Fortgehendes, denn jede Bequemlichkeit zeigt wieder ihre Unbequemlichkeit, und diese Erfindungen nehmen kein Ende. Es wird ein Bedürfnis daher, nicht sowohl von denen, welche es auf unmittelbare Weise haben, als vielmehr durch solche hervorgebracht, welche durch sein Entstehen einen Gewinn suchen.

§ 192

Die Bedürfnisse und die Mittel werden als reelles Dasein ein *Sein* für *andere*, durch deren Bedürfnisse und Arbeit die Befriedigung gegenseitig bedingt ist. Die Abstraktion, die eine Qualität der Bedürfnisse und der Mittel wird (s. vorherg. §), wird auch eine Bestimmung der gegenseitigen Beziehung der Individuen aufeinander; diese Allgemeinheit als *Anerkanntsein* ist das Moment, welches sie in ihrer Vereinzelung und Abstraktion zu *konkreten* als *gesellschaftlichen* Bedürfnissen, Mitteln und Weisen der Befriedigung macht.

Zusatz. Dadurch, daß ich mich nach dem anderen richten muß, kommt hier die Form der Allgemeinheit herein. Ich erwerbe von anderen die Mittel der Befriedigung und muß demnach ihre Meinung annehmen. Zugleich aber bin ich genötigt Mittel für die Befriedigung anderer hervorzubringen. Das eine also spielt in das andere und hängt damit zusammen: alles Partikulare wird insofern ein Gesellschaftliches; in der Art der Kleidung, in der Zeit des Essens liegt eine gewisse Konvenienz, die man annehmen muß, weil es in diesen Dingen nicht der Mühe wert ist seine Einsicht zeigen zu wollen, sondern es am klügsten ist, darin wie andere zu verfahren.[1])

§ 193

Dies Moment wird so eine besondere Zweckbestimmung für die Mittel für sich und deren Besitz, sowie für die Art und Weise der Befriedigung der Bedürfnisse. Es enthält ferner unmittelbar die Forderung der *Gleichheit* mit den anderen hierin; das Bedürfnis dieser Gleichheit einerseits und das Sich-gleichmachen, die *Nachahmung*, wie andererseits das Bedürfnis der darin ebenso vorhandenen *Besonderheit*, sich durch eine Auszeichnung geltend zu machen, wird selbst eine wirkliche Quelle der Vervielfältigung der Bedürfnisse und ihrer Verbreitung.[1])

§ 194

Indem im gesellschaftlichen Bedürfnisse, als der Verknüpfung vom unmittelbaren oder natürlichen und vom geistigen Bedürfnisse der *Vorstellung*, das letztere sich als das Allgemeine zum Überwiegenden macht, so liegt in diesem gesellschaftlichen Momente die Seite der *Befreiung*, daß die strenge Naturnotwendigkeit des Bedürfnisses versteckt wird, und der Mensch sich zu *seiner*, und zwar einer allgemeinen *Meinung* und einer nur selbstgemachten Notwendigkeit, statt nur zu äußerlicher, zu innerer Zufälligkeit, zur *Willkür*, verhält.

Die Vorstellung als ob der Mensch in einem sogenannten Naturzustande, worin er nur sogenannte einfache Naturbedürfnisse hätte, und für ihre Befriedigung nur Mittel gebrauchte, wie eine zufällige Natur sie ihm unmittelbar gewährte, in Rücksicht auf die Bedürfnisse in *Freiheit* lebte, ist, noch ohne Rücksicht des Moments der Befreiung, die in der Arbeit liegt, wovon nachher, – eine unwahre Meinung, weil das Naturbedürfnis als solches und dessen unmittelbare Befriedigung nur der Zustand der in die Natur versenkten Geistigkeit und damit der Rohheit und Unfreiheit wäre, und die Freiheit allein in der Reflexion des Geistigen in sich, seiner Unterscheidung von dem Natürlichen und seinem Reflexe auf dieses, liegt.

§ 195

Diese Befreiung ist *formell*, indem die Besonderheit der Zwecke der zugrunde liegende Inhalt bleibt. Die Richtung des gesellschaftlichen Zustandes auf die unbestimmte Vervielfältigung und Spezifizierung der Bedürfnisse, Mittel und Genüsse, welche, sowie der Unterschied zwischen natürlichem und ungebildetem[1]) Bedürfnisse, keine Grenzen hat, – der *Luxus*[2]) ist eine ebenso unendliche Vermehrung der Abhängigkeit und Not, welche es mit einer den unendlichen Widerstand leistenden Materie, nämlich mit äußeren Mitteln von der besonderen Art, Eigentum des freien Willens zu sein, dem somit absolut Harten, zu tun hat.[3])

Zusatz. Diogenes in seiner ganzen zynischen Gestalt ist eigentlich nur ein Produkt des atheniensischen gesellschaftlichen Lebens, und was ihn determinierte, war die Meinung, gegen welche seine Weise überhaupt agierte.[4]) Sie ist daher nicht unabhängig, sondern nur durch dieses Gesellschaftliche entstanden, und selbst ein unartiges Produkt des Luxus. Wo auf der einen Seite derselbe sich auf seiner Höhe befindet, da ist auch die Not und Verworfenheit auf der anderen Seite ebensogroß, und der Zynismus wird dann durch den Gegensatz der Verfeinerung hervorgebracht.[5])

b) Die Art der Arbeit

§ 196

Die Vermittelung, den *partikularisierten* Bedürfnissen angemessene ebenso *partikularisierte* Mittel zu bereiten und zu erwerben ist die *Arbeit*, welche das von der Natur unmittelbar gelieferte Material für diese vielfachen Zwecke durch die mannigfaltigsten Prozesse spezifiziert. Diese Formierung gibt nun dem Mittel den Wert und seine Zweckmäßigkeit, so daß der Mensch in seiner Konsumtion sich vornehmlich zu *menschlichen* Produktionen verhält und solche Bemühungen es sind, die er verbraucht.

Zusatz. Das unmittelbare Material, das nicht verarbeitet zu werden braucht, ist nur gering: selbst die Luft hat man sich zu erwerben, indem man sie warm zu machen hat; nur etwa das Wasser kann man so trinken, wie man es vorfindet. Menschenschweiß und Menschenarbeit erwirbt dem Menschen die Mittel des Bedürfnisses.[1])

§ 197

An der Mannifgaltigkeit der interessierenden Bestimmungen und Gegenstände entwickelt sich die *theoretische Bildung*, nicht nur eine Mannigfaltigkeit von Vorstellungen und Kenntnissen, sondern auch eine Beweglichkeit und Schnelligkeit des Vorstellens und des Übergehens von einer Vorstellung zur anderen, das Fassen verwickelter und allgemeiner Beziehungen usf. – die Bildung des Verstandes überhaupt damit auch der Sprache. – Die *praktische Bildung* durch die Arbeit besteht in dem sich erzeugenden Bedürfnis und der *Gewohnheit* der *Beschäftigung* überhaupt, dann der *Beschränkung seines Tuns* teils nach der Natur des Materials, teils aber vornehmlich nach der Willkür anderer, und einer durch diese Zucht sich erwerbenden Gewohnheit *objektiver* Tätigkeit und *allgemeingültiger* Geschicklichkeiten.[1])

Zusatz. Der Barbar ist faul, und unterscheidet sich vom Gebildeten dadurch, daß er in der Stumpfheit vor sich hin brütet, denn die praktische Bildung besteht eben in der Gewohnheit und in dem Bedürfen der Beschäftigung. Der Ungeschickte bringt immer etwas anderes heraus, als er will, weil er nicht Herr über sein eigenes Tun ist, während der Arbeiter geschickt genannt werden kann, der die Sache hervorbringt, wie sie sein soll, und der keine Sprödigkeit in seinem subjektiven Tun gegen den Zweck findet.

§ 198

Das Allgemeine und Objektive in der Arbeit liegt aber in der *Abstraktion*, welche die Spezifizierung der Mittel und Bedürfnisse bewirkt, damit ebenso die Produktion spezifiziert und die *Teilung der Arbeiten* hervorbringt. Das Arbeiten des Einzelnen wird durch die Teilung *einfacher* und hierdurch die Geschicklichkeit in seiner abstrakten Arbeit, sowie die Menge seiner Produktionen größer. Zugleich vervollständigt diese Abstraktion der Geschicklichkeit und des Mittels die *Abhängigkeit* und die *Wechselbeziehung* der Menschen für die Befriedigung der übrigen Bedürfnisse zur gänzlichen Notwendigkeit. Die Abstraktion des Produzierens macht das Arbeiten ferner immermehr *mechanisch* und damit am Ende fähig, daß der Mensch davon wegtreten und an seine Stelle die *Maschine* eintreten lassen kann.[1])

c) Das Vermögen [und die Stände]

§ 199

In dieser Abhängigkeit und Gegenseitigkeit der Arbeit und der Befriedigung der Bedürfnisse schlägt die *subjektive Selbstsucht* in den *Beitrag zur Befriedigung der Bedürfnisse aller andern* um, – in die Vermittelung des Besonderen durch das Allgemeine als dialektische Bewegung, so daß, indem jeder für sich erwirbt, produziert und genießt, er eben damit für den Genuß der Übrigen produziert und erwirbt. Diese Notwendigkeit, die in der allseitigen Verschlingung der Abhängigkeit aller liegt, ist nunmehr für jeden das *allgemeine, bleibende Ver-*

mögen (s. § 170), das für ihn die Möglichkeit enthält, durch seine Bildung und Geschicklichkeit daran teilzunehmen, um für seine Subsistenz gesichert zu sein, – so wie dieser durch seine Arbeit vermittelte Erwerb das allgemeine Vermögen erhält und vermehrt.[1])

§ 200

Die *Möglichkeit der Teilnahme* an dem allgemeinen Vermögen, das *besondere* Vermögen, ist aber *bedingt*, teils durch eine unmittelbare eigene Grundlage (Kapital), teils durch die Geschicklichkeit, welche ihrerseits wieder selbst durch jenes, dann aber durch die zufälligen Umstände bedingt ist, deren Mannigfaltigkeit die *Verschiedenheit* in der *Entwickelung* der schon *für sich ungleichen* natürlichen körperlichen und geistigen Anlagen hervorbringt, – eine Verschiedenheit, die in dieser Sphäre der Besonderheit nach allen Richtungen und von allen Stufen sich hervortut und mit der übrigen Zufälligkeit und Willkür die *Ungleichheit* des *Vermögens* und der *Geschicklichkeiten* der Individuen zur notwendigen Folge hat.

Dem in der Idee enthaltenen objektiven *Rechte der Besonderheit* des Geistes, welches die von der Natur – dem Elemente der Ungleichheit – gesetzte Ungleichheit der Menschen, in der bürgerlichen Gesellschaft nicht nur nicht aufhebt, sondern aus dem Geiste produziert, sie zu einer Ungleichheit der Geschicklichkeit, des Vermögens[1]) und selbst der intellektuellen und moralischen Bildung erhebt, – die Forderung der *Gleichheit* entgegensetzen, gehört dem leeren Verstande an, der dies sein Abstraktum und sein *Sollen* für das Reelle und Vernünftige nimmt. Diese Sphäre der Besonderheit, die sich das Allgemeine einbildet, behält in dieser nur relativen Identität mit demselben ebensosehr die natürliche als willkürliche Besonderheit, damit den Rest des Naturzustandes, in sich. Ferner ist es die im Systeme menschlicher Bedürfnisse und ihrer Bewegung immanente Vernunft, welche dasselbe zu einem organischen Ganzen von Unterschieden gliedert; s. folg. §.[2])

§ 201

Die unendlich mannigfachen Mittel und deren ebenso unendlich sich verschränkende Bewegung in der gegenseitigen Hervorbringung und Austauschung *sammelt* durch die ihrem Inhalte inwohnende Allgemeinheit und *unterscheidet* sich in *allgemeinen Massen*, so daß der ganze Zusammenhang sich zu *besonderen Systemen* der Bedürfnisse, ihrer Mittel und Arbeiten, der Arten und Weisen der Befriedigung und der theoretischen und praktischen Bildung, – Systemen, denen die Individuen zugeteilt sind, – zu einem Unterschiede *der Stände*, ausbildet.

Zusatz. Die Art und Weise der Teilnahme am allgemeinen Vermögen ist jeder Besonderheit der Individuen überlassen, aber die allgemeine Verschiedenheit der Besonderung der bürgerlichen Gesellschaft ist ein Notwendiges. Wenn die erste Basis des Staats die Familie ist, so sind die Stände die zweite. Diese ist um dessentwillen so wichtig, weil die Privatpersonen, obgleich selbstsüchtig, die Notwendigkeit haben nach anderen sich herauszuwenden. Hier ist also die Wurzel, durch die die Selbstsucht sich an das Allgemeine, an den Staat knüpft, dessen Sorge es sein muß, daß dieser Zusammenhang ein gediegener und fester sei.[1])

§ 202

Die Stände bestimmen sich nach *dem Begriffe* als der *substantielle* oder unmittelbare[1]), der reflektierende oder *formelle*[2]), und dann als der *allgemeine* Stand.[3])

§ 203

a) Der *substantielle* Stand hat sein Vermögen an den Naturprodukten eines *Bodens*, – den er bearbeitet, eines Bodens, der ausschließendes Privateigentum zu sein fähig ist und nicht nur unbestimmte Abnutzung, sondern eine objektive Formierung erfordert. Gegen die Anknüpfung der Arbeit und des Erwerbs an *einzelne* feste Naturepochen und die Abhängigkeit des Ertrags von der veränderlichen Beschaffenheit des Naturprozesses macht sich der Zweck des Bedürfnisses zu einer

Vorsorge auf die Zukunft, behält aber durch ihre Bedingungen die Weise einer weniger durch die Reflexion und eigenen Willen vermittelten Subsistenz, und darin überhaupt die substantielle Gesinnung einer unmittelbaren auf dem Familienverhältnisse und dem Zutrauen beruhenden Sittlichkeit.

Mit Recht ist der eigentliche Anfang und die erste Stiftung der Staaten in die Einführung des *Ackerbaues*, nebst der Einführung der *Ehe* gesetzt worden, indem jenes Prinzip das Formieren des Bodens und damit ausschließendes Privateigentum mit sich führt (vergl. § 170 Anmerkung), und das im Schweifenden seine Subsistenz suchende, schweifende Leben des Wilden zur Ruhe des Privatrechts und zur Sicherheit der Befriedigung des Bedürfnisses zurückführt, womit sich die Beschränkung der Geschlechterliebe zur Ehe, und damit die Erweiterung dieses Bandes zu einem *fortdauernden* in sich allgemeinen Bunde, des Bedürfnisses zur *Familiensorge* und des Besitzes zum *Familiengute* verknüpft. Sicherung, Befestigung, Dauer der Befriedigung der Bedürfnisse usf. – Charaktere, wodurch sich diese Institutionen zunächst empfehlen, sind nichts anderes als Formen der Allgemeinheit und Gestaltungen, wie die Vernünftigkeit, der absolute Endzweck, sich in diesen Gegenständen geltend macht. – Was kann für diese Materie interessanter sein, als meines sehr verehrten Freundes, Herrn *Creuzers*, ebenso geistreiche als gelehrte *Aufschlüsse*, die derselbe insbesondere im *vierten* Band seiner *Mythologie* und *Symbolik*, über die *agronomischen* Feste, Bilder und Heiligtümer der Alten uns gegeben hat, welche sich der Einführung des Ackerbaues und der damit zusammenhängenden Institutionen als göttlicher Taten bewußt worden sind, und ihnen so religiöse Verehrung widmeten.[1])

Daß der substantielle Charakter dieses Standes von Seiten der Gesetze des Privatrechts, insbesondere der Rechtspflege, sowie von seiten des Unterrichts und der Bildung, auch der Religion, Modifikationen, *nicht* in Ansehung des *substantiellen Inhalts*, aber in Ansehung der *Form* und *Reflexions-Entwickelung* nach sich zieht ist eine weitere Folge, die ebenso in Ansehung der anderen Stände statthat.

Zusatz. In unserer Zeit wird die Ökonomie auch auf reflektierende Weise, wie eine Fabrik betrieben, und nimmt dann einen ihrer Natürlichkeit widerstrebenden Charakter des zweiten Standes an. Indessen wird dieser erste Stand immer mehr die Weise des patriarchalischen Lebens und die substantielle Gesinnung desselben behalten. Der Mensch nimmt hier mit unmittelbarer Empfindung das Gegebene und Empfangene auf, ist Gott dafür dankbar, und lebt im gläubigen Zutrauen, daß diese Güte fortdauern werde. Was er bekommt, reicht ihm hin: er braucht es auf, denn es kommt ihm wieder. Dies ist die einfache, nicht auf Erwerbung des Reichtums gerichtete Gesinnung: man kann sie auch die *altadelige* nennen, die, was da ist, verzehrt. Bei diesem Stande tut die Natur die Hauptsache, und der eigene Fleiß ist dagegen das Untergeordnete, während beim zweiten Stande gerade der Verstand das Wesentliche ist, und das Naturprodukt nur als Material betrachtet werden kann.[2])

§ 204

b) Der *Stand des Gewerbs* hat die *Formierung* des Naturprodukts zu seinem Geschäfte, und ist für die Mittel seiner Subsistenz an seine *Arbeit*, an die *Reflexion* und den Verstand, sowie wesentlich an die Vermittelung mit den Bedürfnissen und den Arbeiten anderer angewiesen. Was er vor sich bringt und genießt, hat er vornehmlich *sich selbst*, seiner eigenen Tätigkeit zu danken.[1]) – Sein Geschäft unterscheidet sich wieder als Arbeit für einzelne Bedürfnisse in konkreterer Weise, und auf Verlangen Einzelner *in den Handwerksstand*, – als abstraktere Gesamtmasse der Arbeit für einzelne Bedürfnisse aber eines allgemeinen Bedarfs, *in den Fabrikantenstand*; – und als Geschäft des Tausches der vereinzelten Mittel gegeneinander vornehmlich durch das allgemeine Tauschmittel, das Geld, in welchem der abstrakte Wert aller Waren wirklich ist, – in den *Handelsstand*.

Zusatz. Das Individuum im Stande des Gewerbes ist an sich gewiesen, und dieses Selbstgefühl hängt mit der Forderung eines rechtlichen Zustandes aufs engste zusammen. Der Sinn für Freiheit und Ordnung ist daher hauptsächlich in den Städten aufgegangen. Der erste Stand hat dagegen wenig selbst zu denken: was er erwirbt, ist Gabe eines Fremden, der Natur: dies Gefühl der Abhängigkeit ist bei ihm ein Erstes, und damit verbindet sich leicht auch dies von Menschen, über sich das ergehen zu lassen, was da kommen mag: der erste Stand ist daher mehr zur Unterwürfigkeit, der zweite mehr zur Freiheit geneigt.

§ 205

c) Der *allgemeine Stand* hat *die allgemeinen Interessen* des gesellschaftlichen Zustandes zu seinem Geschäfte; der direkten Arbeit für die Bedürfnisse muß er daher entweder durch Privatvermögen oder dadurch enthoben sein, daß er vom Staat, der seine Tätigkeit in Anspruch nimmt, schadlos gehalten wird, so daß das Privatinteresse in seiner Arbeit für das Allgemeine seine Befriedigung findet.[1])

§ 206

Der *Stand*, als die sich objektiv gewordene Besonderheit, teilt sich so einerseits nach dem Begriffe in seine allgemeinen Unterschiede. Andererseits aber, welchem besonderen Stande das *Individuum* angehöre, darauf haben Naturell, Geburt und Umstände ihren Einfluß, aber die letzte und wesentliche Bestimmung liegt in *der subjektiven Meinung* und *der besondern Willkür*, die sich in dieser Sphäre ihr Recht, Verdienst und ihre Ehre gibt, so daß, *was* in ihr durch *innere Notwendigkeit* geschieht, zugleich *durch* die *Willkür vermittelt* ist und für das subjektive Bewußtsein die Gestalt hat, das Werk seines Willens zu sein.

Auch in dieser Rücksicht tut sich in bezug auf das Prinzip der Besonderheit und der subjektiven Willkür der Unterschied in dem politischen Leben des Morgenlands und Abendlands, und der antiken und der modernen Welt hervor. Die Einteilung des Ganzen in Stände erzeugt sich bei jenen zwar *objektiv von selbst*, weil sie *an sich* vernünftig ist, aber das Prinzip der subjektiven Besonderheit erhält dabei nicht zugleich sein Recht, indem z. B. die Zuteilung der Individuen zu den Ständen den Regenten, wie in dem *platonischen* Staate[1]) (de Rep. III, p. 320 ed. Bip. T. VI), oder der *bloßen* Geburt, wie in den *indischen Kasten*[2]) überlassen ist. So in die Organisation des Ganzen nicht aufgenommen und in ihm nicht versöhnt, zeigt sich deswegen die subjektive Besonderheit, weil sie als wesentliches Moment gleichfalls hervortritt, als Feindseliges, als Verderben der gesellschaftlichen Ordnung (s. § 185 Anm.), entweder als sie über den Haufen werfend, wie in den griechischen Staaten und in der römischen Republik, oder wenn diese als gewalthabend oder etwa als religiöse Autorität sich erhält, als innere Verdorbenheit und vollkommene Degradation, – wie gewissermaßen bei den *Lakedämoniern* und jetzt am vollständigsten bei den *Indiern* der Fall ist. – Von der objektiven Ordnung aber, in Angemessenheit mit ihr und zugleich in ihrem Recht erhalten, wird die subjektive Besonderheit zum Prinzip aller Belebung der bürgerlichen Gesellschaft, der Entwickelung der denkenden Tätigkeit, des Verdiensts und der Ehre. Die Anerkennung und das Recht, daß, was in der bürgerlichen Gesellschaft und im Staate durch die Vernunft notwendig ist, zugleich *durch die Willkür vermittelt* geschehe, ist die nähere Bestimmung dessen, was vornehmlich in der allgemeinen Vorstellung *Freiheit* heißt. (§ 121).

§ 207

Das Individuum gibt sich nur Wirklichkeit, indem es in das *Dasein* überhaupt, somit in *die bestimmte Besonderheit* tritt, hiermit *ausschließend* sich auf eine der *besonderen* Sphären des Bedürfnisses beschränkt. Die sittliche Gesinnung in diesem Systeme ist daher die *Rechtschaffenheit* und die *Standesehre*, sich und zwar aus eigener Bestimmung durch seine Tätigkeit, Fleiß und Geschicklichkeit zum Gliede eines der Momente der bürgerlichen Gesellschaft zu machen und als solches zu erhalten, und nur durch diese Vermittelung mit dem Allgemeinen für sich zu sorgen, sowie dadurch in seiner Vorstellung und der Vorstellung anderer *anerkannt* zu sein.[1]) – Die *Moralität* hat ihre eigentümliche Stelle in dieser Sphäre, wo die Reflexion [des Individuums] auf sein Tun, der Zweck der besonderen Bedürfnisse und des Wohls herrschend ist, und die Zufälligkeit in Befriedigung derselben auch eine zufällige und einzelne Hilfe zur Pflicht macht.

Daß das Individuum sich zunächst (d. i. besonders in der

Jugend) gegen die Vorstellung sträubt, sich zu einem besonderen Stand zu entschließen und dies als eine Beschränkung seiner allgemeinen Bestimmung und als eine bloß *äußerliche* Notwendigkeit ansieht, liegt in dem abstrakten Denken, das an dem Allgemeinen und damit Unwirklichen stehen bleibt, und nicht erkennt, daß um *dazusein*, der Begriff überhaupt in den Unterschied des Begriffs und seiner Realität, und damit in die Bestimmtheit und Besonderheit tritt (s. § 7), und daß es nur damit Wirklichkeit und sittliche Objektivität gewinnen kann.

Zusatz. Darunter, daß der Mensch *etwas* sein müsse, verstehen wir, daß er einem bestimmten Stande angehöre; denn dies etwas will sagen, daß er alsdann etwas Substantielles ist. Ein Mensch ohne Stand ist eine bloße Privatperson und steht nicht in wirklicher Allgemeinheit. Von der anderen Seite kann sich der Einzelne in seiner Besonderheit für das Allgemeine halten, und vermeinen, daß wenn er in einen Stand ginge, er sich einem Niedrigeren hingebe. Dies ist die falsche Vorstellung, daß wenn etwas ein Dasein, das ihm nötig ist, gewinnt, es sich dadurch beschränke und aufgebe.

§ 208

Das Prinzip dieses Systems der Bedürfnisse hat als die eigene Besonderheit des Wissens und des Wollens die *an und für sich* seiende Allgemeinheit, die Allgemeinheit der *Freiheit* nur *abstrakt*, somit als *Recht des Eigentums* in sich, welches aber hier nicht mehr nur *an sich*, sondern in seiner geltenden Wirklichkeit, als *Schutz des Eigentums* durch die *Rechtspflege*, ist.

B. Die Rechtspflege

§ 209

Das *Relative* der Wechselbeziehung der Bedürfnisse und der Arbeit für sie hat zunächst seine *Reflexion in sich*, überhaupt in der unendlichen Persönlichkeit, *dem* (abstrakten) *Rechte*. Es ist aber diese Sphäre des Relativen, als *Bildung*, selbst, welche dem Rechte das *Dasein* gibt, als *allgemein Anerkanntes*,

Gewußtes und *Gewolltes* zu sein, und vermittelt durch dies Gewußt- und Gewolltsein Gelten und objektive Wirklichkeit zu haben.

Es gehört der Bildung, dem *Denken* als Bewußtsein des Einzelnen in Form der Allgemeinheit, daß Ich als *allgemeine* Person aufgefaßt werde, worin *Alle* identisch sind. Der *Mensch gilt so, weil er Mensch ist,* nicht weil er Jude, Katholik, Protestant, Deutscher, Italiener usf. ist, – dies Bewußtsein, dem der *Gedanke* gilt, ist von unendlicher Wichtigkeit, – nur dann mangelhaft, wenn es etwa als *Kosmopolitismus* sich dazu fixiert, dem konkreten Staatsleben gegenüberzustehen.

Zusatz. Einerseits ist es durch das System der Partikularität, daß das Recht äußerlich notwendig wird als Schutz für die Besonderheit. Wenn es auch aus dem Begriffe kommt, so tritt es doch nur in die Existenz, weil es nützlich für die Bedürfnisse ist.[1]) Damit man den Gedanken des Rechts habe, muß man zum Denken gebildet sein und nicht mehr im bloß Sinnlichen verweilen: man muß den Gegenständen die Form der Allgemeinheit anpassen und sich ebenso im Willen nach einem Allgemeinen richten. Erst nachdem die Menschen sich vielfache Bedürfnisse erfunden haben, und die Erwerbung derselben sich in der Befriedigung verschlingt, vermögen sich Gesetze zu bilden.[2])

§ 210

Die objektive Wirklichkeit des Rechts ist, teils für das Bewußtsein zu sein, überhaupt *gewußt* zu werden[1]), teils die Macht der Wirklichkeit zu haben und zu gelten[2]) und damit auch als *allgemein Gültiges gewußt* zu werden.[3])

a) Das Recht als Gesetz

§ 211

Was *an sich* Recht ist, ist in seinem objektiven Dasein *gesetzt*, d. i. durch den Gedanken für das Bewußtsein bestimmt, und als das, was Recht ist und gilt, *bekannt*, das *Gesetz*; und das Recht ist durch diese Bestimmung *positives* Recht überhaupt.

Etwas als *Allgemeines* setzen, d. i. es als Allgemeines zum Bewußtsein bringen – ist bekanntlich *denken* (vergl. oben § 13 Anm. und § 21 Anm.); indem es so den Inhalt auf seine einfachste Form zurückbringt, gibt es ihm seine letzte *Bestimmtheit*. Was Recht ist, erhält erst damit, daß es zum Gesetze wird, nicht nur die *Form* seiner Allgemeinheit, sondern seine wahrhafte Bestimmtheit. Es ist darum bei der Vorstellung des Gesetzgebens nicht bloß das eine Moment vor sich zu haben, daß dadurch etwas als die für alle gültige Regel des Benehmens ausgesprochen werde; sondern das innere wesentliche Moment ist vor diesem anderen die *Erkenntnis des Inhalts* in seiner *bestimmten Allgemeinheit*. *Gewohnheitsrechte* selbst, da nur die Tiere ihr Gesetz als Instinkt haben, nur die Menschen aber es sind, die es als Gewohnheit haben, enthalten das Moment, als *Gedanken* zu sein und *gewußt* zu werden. Ihr Unterschied von Gesetzen bestehet nur darin, daß sie auf eine subjektive und zufällige Weise gewußt werden, daher für sich unbestimmter und die Allgemeinheit des Gedankens getrübter, außerdem die Kenntnis des Rechts nach dieser und jener Seite und überhaupt ein zufälliges Eigentum Weniger ist. Daß sie durch ihre Form, als *Gewohnheiten* zu sein, den Vorzug haben sollen, ins *Leben* übergegangen zu sein (– man spricht heutigentags übrigens gerade da am meisten vom *Leben* und vom *Übergehen ins Leben*, wo man in dem totesten Stoffe und in den totesten Gedanken versiert –) ist eine Täuschung, da die geltenden Gesetze einer Nation dadurch, daß sie geschrieben und gesammelt sind, nicht aufhören, seine Gewohnheiten zu sein. Wenn die Gewohnheitsrechte dazu kommen, gesammelt und zusammengestellt zu werden, was bei einem nur zu einiger Bildung gediehenen Volke bald geschehen muß, so ist dann diese Sammlung das *Gesetzbuch*, das sich freilich, weil es bloße Sammlung ist, durch seine *Unförmlichkeit*, Unbestimmtheit und Lückenhaftigkeit auszeichnen wird. Es wird sich vornehmlich von einem eigentlich sogenannten Gesetzbuche dadurch unterscheiden, daß dieses die Rechtsprinzipien in ihrer *Allgemeinheit* und damit in ihrer Bestimmtheit denkend auffaßt und ausspricht. *Englands Landrecht* oder gemeines Recht ist bekanntlich in *Statuten* (förmlichen Gesetzen) und in einem sogenannten *ungeschriebenen Gesetze* enthalten[1]); dieses ungeschriebene Gesetz ist übrigens ebensogut geschrieben, und dessen Kenntnis kann und muß durch Lesen allein (der vielen Quartanten, die es ausfüllt) erworben werden. Welche ungeheure Verwirrung aber auch in der dortigen Rechtspflege sowohl, als in der Sache liegt, schildern die Kenner derselben. Insbesondere bemerken sie den Umstand, daß, da dies ungeschriebene Gesetz in den Dezisionen der Gerichtshöfe und Richter enthalten ist, die Richter damit fortdauernd die *Gesetzgeber* machen[2]), daß sie auf die Autorität ihrer Vorgänger, als die nichts getan als das ungeschriebene Gesetz ausgesprochen haben, ebenso angewiesen sind, als *nicht* angewiesen sind, da sie selbst das ungeschriebene Gesetz in sich haben, und daraus das Recht haben, über die vorhergegangenen Entscheidungen zu urteilen, ob sie demselben angemessen sind oder nicht. – Gegen eine ähnliche Verwirrung, die in der spätern römischen Rechtspflege aus den Autoritäten aller der verschiedenen berühmten Juriskonsulten entstehen konnte, wurde von einem Kaiser das sinnreiche Auskunftsmittel getroffen, das den Namen *Zitiergesetz*[3]) führt und eine Art von kollegialischer Einrichtung unter den *längst verstorbenen* Rechtsgelehrten, mit Mehrheit der Stimmen und einem Präsidenten, einführte (s. Herrn Hugos röm. Rechtsgeschichte § 354). – Einer gebildeten Nation oder dem juristischen Stande in derselben die Fähigkeit abzusprechen, ein Gesetzbuch zu machen, – da es nicht darum zu tun sein kann, ein System ihrem *Inhalte* nach *neuer* Gesetze zu machen[4]), sondern den vorhandenen gesetzlichen Inhalt in seiner bestimmten Allgemeinheit zu erkennen, d. i. ihn *denkend* zu fassen, – mit Hinzufügung der Anwendung aufs Besondere, – wäre einer der größten Schimpfe, der einer Nation oder jenem Stande angetan werden könnte. –

Zusatz. Die Sonne wie die Planeten haben auch ihre Gesetze, aber sie wissen sie nicht: Barbaren werden durch Triebe, Sitten, Gefühle regiert, aber sie haben kein Bewußtsein davon. Dadurch, daß das Recht gesetzt und gewußt ist, fällt alles Zufällige der Empfindung, des Meinens, die Form der Rache, des Mitleids, der Eigensucht fort, und so erlangt das Recht erst seine wahrhafte Bestimmtheit und kommt zu seiner Ehre. Erst durch die Zucht des Auffassens wird es der Allgemeinheit fähig.[5]) Daß es bei der Anwendung der Gesetze Kollisionen gibt, wo der Verstand des Richters seinen Platz hat, ist durchaus notwendig, weil sonst eben die Ausführung etwas durchaus Maschinenmäßiges würde. Wenn man darauf gekommen ist, die Kollision dadurch abzuschaffen, daß man vieles dem Gutdünken der Richter überlassen will, so ist ein solcher Ausweg weit schlechter, weil auch die Kollision dem Gedanken, dem denkenden Bewußtsein und seiner Dialektik angehört, die bloße Entscheidung durch den Richter aber Willkür wäre. Man führt in der Regel für das Gewohnheitsrecht an, daß es lebendig sei, aber diese Lebendigkeit, d. h. die Identität der Bestimmung mit dem Subjekte macht das Wesen der Sache noch nicht aus; das Recht muß denkend gewußt werden, es muß ein System in sich selbst sein, und nur als solches kann es bei gebildeten Nationen gelten. Wenn man in der neuesten Zeit den Völkern den Beruf zur Gesetzgebung abgesprochen hat[6]), so ist dies nicht allein ein Schimpf, sondern enthält das Abgeschmackte, daß bei der unendlichen Menge vorhandener Gesetze nicht einmal den Einzelnen die Geschicklichkeit zugetraut wird, dieselben in ein konsequentes System zu bringen, während gerade das Systematisieren, d. h. das Erheben ins Allgemeine der unendliche Drang der Zeit ist. Ebenso hat man Sammlungen von Dezisionen, wie sie sich im Corpus juris vorfinden[7]), für vorzüglicher, wie ein im allgemeinsten Sinne ausgearbeitetes Gesetzbuch gehalten, weil in solchen Dezisionen immer noch eine gewisse Besonderheit und eine geschichtliche Erinnerung festgehalten wird, von der man nicht lassen will. Wie arg solche Sammlungen sind, zeigt zur Genüge die Praxis des englischen Rechts.[8])

§ 212

In dieser Identität des *Ansichseins* und des *Gesetztseins* hat nur das als *Recht* Verbindlichkeit, was *Gesetz* ist. Indem das Gesetztsein die Seite des Daseins ausmacht, in der auch das Zufällige des Eigenwillens und anderer Besonderheit eintreten kann, so kann das, was Gesetz ist, in seinem Inhalte noch von dem verschieden sein, was an sich Recht ist.[1])

Im positiven Rechte ist daher das, was *gesetzmäßig* ist, die Quelle der Erkenntnis dessen, was *Recht* ist, oder eigentlich, was *rechtens* ist; – die positive Rechtswissenschaft ist insofern eine historische Wissenschaft, welche die Autorität zu ihrem Prinzip hat. Was noch übriges geschehen kann, ist Sache des Verstandes und betrifft die äußere Ordnung, Zusammenstellung, Konsequenz, weitere Anwendung und dergl. Wenn der Verstand sich auf die Natur der Sache selbst einläßt, so zeigen die Theorien, z. B. des Kriminalrechts, was er mit seinem Räsonnement aus Gründen anrichtet. – Indem die positive Wissenschaft einerseits nicht nur das Recht, sondern auch die notwendige Pflicht hat, sowohl die historischen Fortgänge, als die Anwendungen und Zerspaltungen der gegebenen Rechtsbestimmungen in alle Einzelnheiten aus ihren positiven Datis zu deduzieren, und ihre Konsequenz zu zeigen, so darf sie auf der anderen Seite sich wenigstens nicht absolut verwundern, wenn sie es auch als eine Querfrage für ihre Beschäftigung ansieht, wenn nun gefragt wird, ob denn nach allen diesen Beweisen eine Rechtsbestimmung *vernünftig* ist. – Vergl. über das *Verstehen* § 3 Anm.

§ 213

Das Recht, indem es in das Dasein zunächst in der Form des Gesetztseins tritt, tritt auch dem *Inhalte* nach als *Anwendung* in die Beziehung auf den *Stoff* der in der bürgerlichen Gesellschaft ins Unendliche sich vereinzelnden und verwickelnden Verhältnisse und Arten des Eigentums und der Verträge, – ferner der auf Gemüt, Liebe und Zutrauen beruhenden sittlichen Verhältnisse, jedoch dieser nur insofern sie die Seite des abstrakten Rechts enthalten (§ 159); die moralische Seite und moralischen Gebote, als welche den Willen nach seiner eigensten Subjektivität und Besonderheit betreffen, können nicht Gegenstand der positiven Gesetzgebung sein. Weitern Stoff liefern die aus der Rechtspflege selbst, aus dem Staat usf. fließenden Rechte und Pflichten.

Zusatz. An den höheren Verhältnissen der Ehe, Liebe, Religion, des Staats, können nur die Seiten Gegenstand der Gesetzgebung werden, die ihrer Natur nach fähig sind, die Äußerlichkeit an sich zu haben. Indessen macht hierbei die Gesetzgebung verschiedener Völker einen großen Unterschied. Bei den Chinesen ist es z. B. Staatsgesetz, daß der Mann seine erste Frau mehr lieben soll, als die anderen Weiber, die er hat. Wird er überführt, das Gegenteil getan zu haben, so bestraft man ihn mit Prügeln. Ebenso finden sich in älteren Gesetzgebungen viel Vorschriften über Treue und Redlichkeit, die der Natur des Gesetzes unangemessen sind, weil sie ganz in das Innerliche fallen.[1]) Nur beim Eide, wo die Dinge dem Gewissen anheimgestellt sind, muß Redlichkeit und Treue als Substantielles berücksichtigt werden.

§ 214

Außer der Anwendung auf das *Besondere* schließt aber das Gesetztsein des Rechts die *Anwendbarkeit* auf den *einzelnen Fall* in sich. Damit tritt es in die Sphäre des durch den Begriff unbestimmten *Quantitativen* (des Quantitativen für sich oder als Bestimmung des Werts bei Tausch eines Qualitativen gegen eines andern Qualitativen). Die Begriffsbestimmtheit gibt nur eine allgemeine Grenze, innerhalb deren noch ein Hin- und Hergehen stattfindet. Dieses muß aber zum Behuf der Verwirklichung abgebrochen werden, womit eine innerhalb jener Grenze zufällige und willkürliche Entscheidung eintritt.

In dieser *Zuspitzung* des Allgemeinen, nicht nur zum Besonderen, sondern zur Vereinzelung, d. i. zur *unmittelbaren Anwendung*, ist es vornehmlich, wo das rein *Positive* der Gesetze liegt. Es läßt sich nicht *vernünftig* bestimmen, noch durch die Anwendung einer aus dem Begriffe herkommenden Bestimmtheit entscheiden, ob für ein Vergehen eine Leibesstrafe von vierzig Streichen oder von vierzig weniger eins, noch ob eine Geldstrafe von fünf Talern oder aber von vier Talern und dreiundzwanzig usf. Groschen, noch ob eine Gefängnisstrafe von einem Jahre oder von dreihundertundvierundsechzig usf. [Tagen] oder von einem Jahre und einem, zwei oder drei Tagen, das Gerechte sei. Und doch ist schon *ein* Streich zuviel, *ein* Taler oder *ein* Groschen, *eine* Woche, *ein* Tag Gefängnis zuviel oder zuwenig eine Ungerechtigkeit. – Die Vernunft ist es selbst, welche anerkennt, daß die Zufälligkeit, der Widerspruch und Schein ihre, *aber beschränkte*, Sphäre und Recht hat, und sich nicht bemüht, dergleichen Widersprüche ins Gleiche und Gerechte zu bringen; hier ist allein noch das Interesse der *Verwirklichung*, das Interesse, daß überhaupt bestimmt und entschieden sei, es sei, auf welche Weise es (innerhalb einer Grenze) wolle, vorhanden. Dieses Entscheiden gehört der formellen Gewißheit seiner selbst, der abstrakten Subjektivität an, welche sich ganz nur daran halten mag, daß sie, – *innerhalb jener Grenze*, nur abbreche und festsetze, damit festgesetzt sei, – oder auch an solche Bestimmungsgründe, wie eine *runde* Zahl ist, oder als die Zahl Vierzig weniger Eins enthalten mag.[1]) –

Daß das Gesetz etwa nicht diese letzte Bestimmtheit, welche die Wirklichkeit erfordert, festsetzt, sondern sie dem Richter zu entscheiden überläßt, und ihn nur durch ein Minimum und Maximum beschränkt, tut nichts zur Sache, denn dies Minimum und Maximum ist jedes selbst eine solche runde Zahl, und hebt es nicht auf, daß von dem Richter alsdann eine solche endliche, rein positive Bestimmung gefaßt werde, sondern gesteht es demselben, wie notwendig, zu.

Zusatz. Es ist wesentlich eine Seite an den Gesetzen und der Rechtspflege, die eine Zufälligkeit enthält, und die darin liegt, daß das Gesetz eine allgemeine Bestimmung ist, die auf den einzelnen Fall angewandt werden soll. Wollte man sich gegen diese Zufälligkeit erklären, so würde man eine Abstraktion aussprechen. Das Quantitative einer Strafe kann z. B. keiner Begriffsbestimmung adäquat gemacht werden, und was auch entschieden wird, ist nach dieser Seite zu immer eine Willkür. Diese Zufälligkeit aber ist selbst notwendig, und wenn man daraus etwa gegen ein Gesetzbuch überhaupt argumentiert, daß es nicht vollkommen sei, so übersieht man eben die Seite, woran eine Vollendung nicht zu erreichen ist, und die daher genommen werden muß, wie sie liegt.

b) Das Dasein des Gesetzes

§ 215

Die Verbindlichkeit gegen das Gesetz schließt von den Seiten des Rechts des Selbstbewußtseins (§ 132 mit der Anmerkung) die Notwendigkeit ein, daß die Gesetze *allgemein bekannt* gemacht seien.

Die Gesetze so hoch aufhängen, wie *Dionysius der Tyrann* tat, daß sie kein Bürger lesen konnte, – oder aber sie in den weitläufigen Apparat von gelehrten Büchern, Sammlungen, von Dezisionen abweichender Urteile und Meinungen, – Gewohnheiten und so fort und noch dazu in einer fremden Sprache vergraben, so daß die Kenntnis des geltenden Rechts nur denen zugänglich ist, die sich gelehrt darauf legen, – ist ein und dasselbe Unrecht. – Die Regenten, welche ihren Völkern, wenn auch nur eine unförmliche Sammlung, wie Justinian[1]), noch mehr aber ein *Landrecht*[2]), als geordnetes und bestimmtes Gesetzbuch, gegeben haben, sind nicht nur die größten Wohltäter derselben geworden und mit Dank dafür von ihnen gepriesen worden, sondern sie haben damit einen großen *Akt der Gerechtigkeit* exerziert.[3])

Zusatz. Der Juristenstand, der die besondere Kenntnis der Gesetze hat, hält dies oft für sein Monopol, und wer nicht vom Metier ist, soll nicht mitsprechen. So haben die Physiker Goethes Farbenlehre übelgenommen, weil er nicht vom Handwerk war, und noch dazu ein Dichter.[4]) Aber so wenig jemand Schuhmacher zu sein braucht, um zu wissen, ob ihm die Schuhe passen, ebensowenig braucht er überhaupt zum Handwerk zu gehören, um über Gegenstände, die von allgemeinem Interesse sind, Kenntnis zu haben. Das Recht betrifft die Freiheit, dies Würdigste und Heiligste im Menschen, was er selbst, insofern es für ihn verbindlich sein soll, kennen muß.

§ 216

Für das öffentliche Gesetzbuch sind einerseits *einfache* allgemeine Bestimmungen zu fordern, andererseits führt die Natur *des endlichen Stoffs* auf endlose Fortbestimmung. Der Um fang der Gesetze soll einerseits ein *fertiges* geschlossenes Ganzes sein, andererseits ist das fortgehende Bedürfnis neuer gesetzlichen Bestimmungen. Da diese Antinomie aber in die *Spezialisierung* der allgemeinen Grundsätze fällt, welche fest bestehen bleiben, so bleibt dadurch das Recht an ein fertiges Gesetzbuch ungeschmälert, sowie daran, daß diese allgemeinen einfachen Grundsätze für sich, unterschieden von ihrer Spezialisierung, faßlich und aufstellbar sind.

Eine Hauptquelle der Verwickelung der Gesetzgebung ist zwar, wenn in die ursprünglichen ein Unrecht enthaltenden, somit bloß historischen Institutionen, mit der Zeit das Vernünftige, an und für sich Rechtliche eindringt, wie bei den römischen oben (§ 180 Anm.) bemerkt worden, dem alten Lehensrechte usf. Aber es ist wesentlich einzusehen, daß die Natur des endlichen Stoffes selbst es mit sich bringt, daß an ihm die Anwendung auch der an und für sich vernünftigen, der in sich allgemeinen Bestimmungen auf den Progreß ins Unendliche führt. – An ein Gesetzbuch die Vollendung zu fordern, daß es ein absolut fertiges, keiner weiteren Fortbestimmung fähiges sein solle, – eine Forderung, welche vornehmlich eine *deutsche* Krankheit ist, – und aus dem Grunde, weil es nicht so vollendet werden könne, es nicht zu etwas sogenannten Unvollkommenen, d. h. nicht zur Wirklichkeit, kommen zu lassen, beruht beides auf der Mißkennung der Natur endlicher Gegenstände, wie das Privatrecht ist, als in denen die sogenannte Vollkommenheit das *Perennieren* der *Annäherung* ist, und auf der Mißkennung des Unterschiedes des Vernunft-Allgemeinen und des Verstandes-Allgemeinen und dessen *Anwenden* auf den ins Unendliche gehenden Stoff der Endlichkeit und Einzelnheit. – Le plus grand ennemi du Bien c'est le Mieux[1]), – ist der Ausdruck des wahrhaften gesunden Menschenverstandes gegen den eitlen räsonnierenden und reflektierenden.

Zusatz. Vollständigkeit heißt die vollendete Sammlung alles Einzelnen, was in eine Sphäre gehört, und in diesem Sinne kann keine Wissenschaft und Kenntnis vollständig sein. Wenn man nun sagt, die Philosophie oder irgendeine Wissenschaft sei unvollständig, so liegt die Ansicht nahe, daß man warten müsse, bis sie sich ergänzt habe, denn das

Beste könne noch fehlen. Aber auf diese Weise wird nichts vorwärts gebracht, weder die geschlossen scheinende Geometrie, in der dennoch neue Bestimmungen hervortreten, noch die Philosophie, die es freilich mit der allgemeinen Idee zu tun hat, aber dennoch immer weiter spezialisiert werden kann. Das allgemeine Gesetz waren sonst immer die zehn Gebote[2]: darum nun, weil ein Gesetzbuch nicht vollständig sein kann, das Gesetz, Du sollst nicht töten, nicht aufstellen, erhellt sogleich als eine Absurdität. Jedes Gesetzbuch könnte noch besser sein, die müßige Reflexion darf dies behaupten, denn das Herrlichste, Höchste, Schönste kann noch herrlicher, höher und schöner gedacht werden. Aber ein großer alter Baum verzweigt sich mehr und mehr, ohne deshalb ein neuer Baum zu werden; töricht wäre es jedoch, keinen Baum der neuen Zweige wegen, die kommen könnten, pflanzen zu wollen.

§ 217

Wie in der bürgerlichen Gesellschaft das Recht *an sich* zum Gesetze wird, so geht auch das vorhin *unmittelbare* und *abstrakte* Dasein meines einzelnen Rechts in die Bedeutung des Anerkanntseins als eines Daseins in dem existierenden allgemeinen Willen und Wissen über. Die Erwerbungen und Handlungen über Eigentum müssen daher mit der *Form,* welche ihnen jenes Dasein gibt, vorgenommen und ausgestattet werden. Das Eigentum beruht nun auf *Vertrag* und auf den dasselbe des Beweises fähig und rechtskräftig machenden *Förmlichkeiten.*

Die ursprünglichen d. i. unmittelbaren Erwerbungsarten und Titel (§ 54ff.) fallen in der bürgerlichen Gesellschaft eigentlich hinweg und kommen nur als einzelne Zufälligkeiten oder beschränkte Momente vor. – Es ist teils das im Subjektiven stehenbleibende Gefühl, teils die Reflexion, die am Abstraktum ihrer Wesentlichkeiten hält, welche die Förmlichkeiten verwirft, die seinerseits wieder der tote Verstand gegen die Sache festhalten und ins Unendliche vermehren kann. – Übrigens liegt es im Gange der Bildung, von der sinnlichen und unmittelbaren Form eines Inhaltes, mit langer und harter Arbeit zur Form seines Gedankens und damit einem ihm gemäßen einfachen Ausdruck zu gelangen, daß im Zustande einer nur erst beginnenden Rechtsbildung die Solennitäten und Formalitäten von großer Umständlichkeit und mehr als Sache selbst, denn als das Zeichen gelten; woher denn auch im römischen Rechte eine Menge von Bestimmungen und besonders von Ausdrücken aus den Solennitäten beibehalten worden sind, statt durch Gedankenbestimmungen und deren adäquaten Ausdruck ersetzt worden zu sein.

Zusatz. Das Gesetz ist das Recht, als das gesetzt, was es an sich war. Ich besitze etwas, habe ein Eigentum, das ich als herrenlos ergriffen habe: dies muß nun noch als das Meinige anerkannt und gesetzt werden. In der Gesellschaft kommen deswegen in Beziehung auf das Eigentum *Förmlichkeiten* vor: man setzt Grenzsteine zum Zeichen für das Anerkenntnis anderer: man legt Hypothekenbücher, Verzeichnisse des Eigentums an. Das meiste Eigentum in der bürgerlichen Gesellschaft beruht auf Vertrag, dessen Förmlichkeiten fest und bestimmt sind. Man kann nun gegen solche Förmlichkeiten einen Widerwillen haben, und meinen, sie seien nur da, um der Obrigkeit Geld einzubringen; man kann sie sogar als etwas Beleidigendes und als Zeichen des Mißtrauens ansehen, indem der Satz nicht mehr gelte, ein Mann ein Wort: aber das Wesentliche der Form ist, daß das, was an sich Recht ist, auch als solches gesetzt sei. Mein Wille ist ein vernünftiger, er gilt, und dies Gelten soll von dem anderen anerkannt sein. Hier muß nun meine Subjektivität und die des anderen hinwegfallen, und der Wille muß eine Sicherheit, Festigkeit und Objektivität erlangen, welche er nur durch die Form erhalten kann.

§ 218

Indem Eigentum und Persönlichkeit in der bürgerlichen Gesellschaft gesetzliche Anerkennung und Gültigkeit haben, so ist das *Verbrechen* nicht mehr nur Verletzung eines *subjektiv-Unendlichen*, sondern der *allgemeinen* Sache, die eine in sich feste und starke Existenz hat. Es tritt damit der Gesichtspunkt der *Gefährlichkeit* der Handlung für die Gesellschaft ein, wodurch einerseits die Größe des Verbrechens verstärkt wird, andererseits aber setzt die ihrer selbst sicher gewordene Macht der Gesellschaft die äußerliche *Wichtigkeit* der Verletzung herunter, und führt daher eine größere Milde in der Ahndung desselben herbei.

Daß in *einem* Mitglieder der Gesellschaft die anderen *alle* verletzt sind, verändert die Natur des Verbrechens nicht nach seinem Begriffe, sondern nach der Seite der äußeren *Existenz*, der Verletzung, die nun die Vorstellung und das Bewußtsein der bürgerlichen Gesellschaft, nicht nur das Dasein des unmittelbar Verletzten trifft. In den Heroenzeiten (siehe die Tragödien der Alten) sehen sich die Bürger durch die Verbrechen, welche die Glieder der Königshäuser gegeneinander begehen, nicht als verletzt an. – Indem das Verbrechen, *an sich* eine unendliche Verletzung, als ein *Dasein* nach qualitativen und quantitativen Unterschieden bemessen werden muß (§ 96), welches nun wesentlich als *Vorstellung* und *Bewußtsein von dem Gelten der Gesetze* bestimmt ist, so ist die *Gefährlichkeit für die bürgerliche Gesellschaft* eine Bestimmung seiner Größe, oder auch *eine* seiner qualitativen Bestimmungen. – Diese Qualität nun oder Größe ist aber nach dem *Zustande* der bürgerlichen Gesellschaft veränderlich, und in ihm liegt die Berechtigung, sowohl einen Diebstahl von etlichen Sous oder einer Rübe mit dem Tode, als einen Diebstahl, der das Hundert- und Mehrfache von dergleichen Werten beträgt, mit einer gelinden Strafe zu belegen. Der Gesichtspunkt der Gefährlichkeit für die bürgerliche Gesellschaft, indem er die Verbrechen zu aggravieren scheint, ist es vielmehr vornehmlich, der ihre Ahndung vermindert hat. Ein Strafkodex gehört darum vornehmlich seiner Zeit und dem Zustand der bürgerlichen Gesellschaft in ihr an.

Zusatz. Der Umstand, daß das in der Gesellschaft verübte Verbrechen ein größeres erscheint und trotzdem milder bestraft wird, scheint sich zu widersprechen. Wenn es aber einerseits für die Gesellschaft unmöglich wäre, das Verbrechen unbestraft zu lassen, weil es alsdann als Recht gesetzt würde, so ist doch, weil die Gesellschaft ihrer selbst sicher ist, das Verbrechen immer nur eine Einzelnheit gegen sie, ein Unfestes und Isoliertes. Durch die Festigkeit der Gesellschaft selbst erhält das Verbrechen die Stellung eines bloß Subjektiven, das nicht so aus dem besonnenen Willen als aus natürlichen Antrieben entsprungen scheint. Durch diese Ansicht erhält das Verbrechen eine mildere Stellung, und die Strafe wird deswegen auch milder. Ist die Gesellschaft noch an sich wankend, dann müssen durch Strafen Exempel statuiert werden, denn die Strafe ist selbst ein Exempel gegen das Exempel des Verbrechens. In der Gesellschaft aber, die in sich fest ist, ist das Gesetztsein des Verbrechens so schwach, daß hiernach auch die Aufhebung dieses Gesetztseins zu messen sein muß. Harte Strafen sind also an und für sich nichts Ungerechtes, sondern stehen im Verhältnis mit dem Zustande der Zeit: ein Kriminal-Kodex kann nicht für alle Zeiten gelten, und Verbrechen sind Scheinexistenzen, die eine größere oder geringere Abweisung nach sich ziehen können.

c) Das Gericht

§ 219

Das Recht in der Form des Gesetzes in das Dasein getreten[1]), ist für sich, steht *dem besonderen Wollen* und *Meinen* vom Rechte selbständig gegenüber[2]) und hat sich als *Allgemeines* geltend zu machen.[3]) Diese *Erkenntnis* und *Verwirklichung* des Rechts im besonderen Falle, ohne die subjektive Empfindung des *besondern* Interesses, kommt einer öffentlichen Macht, dem *Gerichte*, zu.

Die historische Entstehung des Richters und der Gerichte mag die Form des patriarchalischen Verhältnisses, oder der Gewalt, oder der freiwilligen Wahl gehabt haben; für den Begriff der Sache ist dies gleichgültig.[4]) Die Einführung des Rechtsprechens von seiten der Fürsten und Regierungen als bloße Sache einer *beliebigen Gefälligkeit* und Gnade anzusehen, wie *Herr von Haller* (in seiner Restauration der Staatswissenschaft) tut[5]), gehört zu der Gedankenlosigkeit, die davon nichts ahnet, daß beim Gesetz und Staate davon die Rede sei, daß ihre Institutionen überhaupt als vernünftig an und für sich notwendig sind, und die Form, wie sie entstanden und eingeführt worden, das nicht ist, um das es sich bei Betrachtung ihres vernünftigen Grundes handelt. – Das andere Extrem zu dieser Ansicht ist die Roheit, die Rechtspflege, wie in den Zeiten des Faustrechts, für ungehörige Gewalttätigkeit, Unterdrückung der Freiheit und Despotismus zu achten. Die Rechtspflege ist so sehr als Pflicht wie als Recht der öffentlichen Macht anzusehen, das ebensowenig auf einem Belieben der Individuen, eine Macht damit zu beauftragen oder nicht, beruhet.

§ 220

Das Recht gegen das Verbrechen in der Form der *Rache* (§ 102) ist nur Recht *an sich*, nicht in der Form rechtens, d. i. nicht in seiner Existenz gerecht. Statt der verletzten Partei tritt das verletzte *Allgemeine* auf, das im Gerichte eigentümliche Wirklichkeit hat, und übernimmt die Verfolgung und Ahndung des Verbrechens, welche damit die nur *subjektive* und zufällige Wiedervergeltung durch Rache zu sein aufhört, und sich in die wahrhafte Versöhnung des Rechts mit sich selbst, in *Strafe* verwandelt, – in objektiver Rücksicht, als Versöhnung des durch Aufheben des Verbrechens sich selbst wiederherstellenden und damit als *gültig verwirklichenden Gesetzes*, und in subjektiver Rücksicht des Verbrechers, als *seines von ihm gewußten* und für ihn und zu *seinem Schutze gültigen Gesetzes*, in dessen Vollstreckung an ihm er somit selbst die Befriedigung der Gerechtigkeit, nur die Tat des *Seinigen*, findet.

§ 221

Das Mitglied der bürgerlichen Gesellschaft hat das *Recht, im Gericht zu stehen*, sowie die *Pflicht, sich vor Gericht zu stellen*, und sein streitiges Recht nur von dem Gericht zu nehmen.

Zusatz. Weil jedes Individuum das Recht hat im Gericht zu stehen, muß es auch die Gesetze kennen, denn sonst würde ihm diese Befugnis nichts helfen. Aber das Individuum hat auch die Pflicht sich vor Gericht zu stellen. Im Feudalzustande stellte oft der Mächtige sich nicht, forderte das Gericht heraus, und behandelte es als ein Unrecht des Gerichts, den Mächtigen vor sich zu fordern. Dies sind aber Zustände, die dem, was ein Gericht sein soll, widersprechen.

In der neueren Zeit muß der Fürst in Privatsachen die Gerichte über sich erkennen, und gewöhnlich gehen in freien Staaten die Prozesse desselben verloren.[1])

§ 222

Vor den Gerichten erhält das Recht die Bestimmung, ein *erweisbares* sein zu müssen. Der *Rechtsgang* setzt die Parteien in den Stand, ihre Beweismittel und Rechtsgründe geltend zu machen, und den Richter sich in die Kenntnis der Sache zu setzen. Diese *Schritte sind selbst Rechte*, ihr Gang muß somit gesetzlich bestimmt sein und sie machen auch einen wesentlichen Teil der theoretischen Rechtswissenschaft aus.

Zusatz. Es mag den Menschen empören, daß er weiß ein Recht zu haben, das ihm als ein unerweisbares abgesprochen wird, aber das Recht, das ich habe, muß zugleich ein Gesetztes sein: ich muß es darstellen, erweisen können, und nur dadurch, daß das Ansichseiende auch gesetzt wird, kann es in der Gesellschaft gelten.

§ 223

Durch die Zersplitterung dieser Handlungen in immer mehr vereinzelte Handlungen und deren Rechte, die in sich keine Grenze enthält, tritt der Rechtsgang, *an sich* schon Mittel, als etwas Äußerliches seinem Zwecke gegenüber. – Indem den Parteien das Recht, solchen weitläufigen Formalismus durchzumachen, der *ihr* Recht ist, zusteht, so ist, indem er ebenso zu einem Übel und selbst Werkzeuge des Unrechts gemacht werden kann, es ihnen von Gerichts wegen, um die Parteien und das Recht selbst als die substantielle Sache, worauf es ankommt, gegen den Rechtsgang und dessen Mißbrauch in Schutz zu nehmen, – zur Pflicht zu machen, einem einfachen Gerichte,' (Schieds-Friedensgericht) und dem Versuche des Vergleichs sich zu unterwerfen, ehe sie zu jenem schreiten.

Die *Billigkeit* enthält einen dem formellen Rechte aus moralischen oder anderen Rücksichten geschehenen Abbruch, und bezieht sich zunächst auf den *Inhalt* des Rechtsstreits. Ein *Billigkeitsgerichtshof*[1]) aber wird die Bedeutung haben, daß er über den einzelnen Fall, ohne sich an die sich Formalitäten des Rechtsganges und insbesondere an die objektiven

Beweismittel, wie sie gesetzlich gefaßt werden können, zu halten, sowie auch dem eigenen Interesse des einzelnen Falles als *dieses*, nicht im Interesse einer allgemeinen zu machenden gesetzlichen Disposition, entscheidet.

§ 224

Wie die öffentliche Bekanntmachung der Gesetze unter die Rechte des subjektiven Bewußtseins fällt (§ 215), so auch die Möglichkeit, die *Verwirklichung* des Gesetzes im besonderen Falle, nämlich den Verlauf von äußerlichen Handlungen, von Rechtsgründen usf. zu kennen, indem dieser Verlauf an sich eine allgemein gültige Geschichte ist, und der Fall seinem besonderen Inhalte nach zwar nur das Interesse der Parteien, der allgemeine Inhalt aber das Recht darin und dessen Entscheidung das Interesse aller betrifft, — *Öffentlichkeit der Rechtspflege.*[1])

Deliberationen der Mitglieder des Gerichts über das zu fällende Urteil unter sich sind Äußerungen der noch *besonderen* Meinungen und Ansichten, also ihrer Natur nach nichts Öffentliches.

Zusatz. Die Öffentlichkeit der Rechtspflege nimmt der gerade Menschensinn für das Rechte und Richtige. Ein großer Grund dagegen war ewig die Vornehmheit der Gerichtsherren, die sich nicht jedem zeigen wollen, und sich als Horte des Rechts ansehen, in das die Laien nicht eindringen sollen. Es gehört zum Rechte aber namentlich das Zutrauen, das die Bürger zu demselben haben, und diese Seite ist es, welche die Öffentlichkeit des Rechtsprechens fordert. Das Recht der Öffentlichkeit beruht darauf, daß der Zweck des Gerichts das Recht ist, welches *als* eine Allgemeinheit auch *vor* die Allgemeinheit gehört; dann aber auch darauf, daß die Bürger die Überzeugung gewinnen, daß wirklich Recht gesprochen wird.[2])

§ 225

In dem Geschäfte des Rechtsprechens als der Anwendung des Gesetzes auf den *einzelnen Fall* unterscheiden sich die *zwei Seiten*, *erstens* die Erkenntnis der Beschaffenheit des Falls nach seiner *unmittelbaren Einzelnheit*, ob ein Vertrag usf. vorhanden, eine verletzende Handlung begangen, und wer deren Täter sei, und im *peinlichen* Rechte die Reflexion als Bestimmung der Handlung nach ihrem *substantiellen*, verbrecherischen Charakter (§ 119 Anmerkung) – *zweitens* die Subsumtion des Falles unter das *Gesetz* der Wiederherstellung des Rechts, worunter im Peinlichen die Strafe begriffen ist. Die Entscheidungen über diese beiden verschiedenen Seiten sind verschiedene Funktionen.[1])

In der römischen Gerichtsverfassung kam die Unterscheidung dieser Funktionen darin vor, daß der Prätor seine Entscheidung gab, *im Fall sich* die Sache so oder so verhalte, und daß er zur Untersuchung dieses Verhaltens einen besondern Judex bestellte.[2]) – Die Charakterisierung einer Handlung nach ihrer bestimmten verbrecherischen Qualität (ob z. B. ein Mord oder Tötung) ist im englischen Rechtsverfahren der Einsicht oder Willkür des Anklägers überlassen, und das Gericht kann keine andere Bestimmung fassen, wenn es jene unrichtig findet.

§ 226

Vornehmlich die Leitung des ganzen Ganges der Untersuchung, dann der Rechtshandlungen der Parteien, als welche selbst Rechte sind (§ 222), dann auch die zweite Seite des Rechtsurteils (s. vorherg. §) ist ein eigentümliches Geschäft des juristischen Richters, für welchen als Organ des Gesetzes der Fall zur Möglichkeit der Subsumtion vorbereitet, d. i. aus seiner erscheinenden empirischen Beschaffenheit heraus, zur anerkannten Tatsache und zur allgemeinen Qualifikation erhoben worden sein muß.

§ 227

Die erstere Seite, die *Erkenntnis* des Falles in seiner *unmittelbaren* Einzelnheit und seine Qualifizierung enthält für sich kein Rechtsprechen. Sie ist eine Erkenntnis, wie sie *jedem gebildeten Menschen* zusteht. Insofern für die Qualifikation der Handlung das subjektive Moment der Einsicht und Absicht des Handelnden (s. II. Th.) wesentlich ist[1]), und der Beweis ohnehin nicht Vernunft- oder abstrakte Verstandesgegenstände, sondern nur Einzelnheiten, Umstände und Gegenstände sinnlicher Anschauung und subjektiver Gewißheit betrifft, daher keine absolut objektive Bestimmung in sich enthält, so ist das Letzte in der Entscheidung die *subjektive Überzeugung* und das Gewissen (animi sententia)[2]), wie in Ansehung des Beweises, der auf Aussagen und Versicherungen anderer beruht, der *Eid* die zwar subjektive, aber letzte Bewährung ist.

Bei dem in Rede stehenden Gegenstand ist es eine Hauptsache, die Natur des *Beweisens*, auf welches es hier ankommt, ins Auge zu fassen und es von dem Erkennen und Beweisen anderer Art zu unterscheiden. Eine Vernunftbestimmung, wie der Begriff des Rechts selbst ist, zu beweisen, d. i. ihre Notwendigkeit zu erkennen, erfordert eine andere Methode, als der Beweis eines geometrischen Lehrsatzes. Ferner bei letzterem ist die Figur vom Verstande bestimmt und einem Gesetze gemäß bereits abstrakt gemacht; aber bei einem empirischen Inhalt, wie eine *Tatsache* ist, ist der Stoff des Erkennens die gegebene sinnliche Anschauung und die sinnliche subjektive Gewißheit und das Aussprechen und Versichern von solcher, – woran nun das Schließen und Kombinieren aus solchen Aussagen, Zeugnissen, Umständen u. dergl. tätig ist. Die objektive Wahrheit, welche aus solchem Stoffe und der ihm gemäßen Methode, bei dem Versuche sie für sich objektiv zu bestimmen, auf *halbe Beweise* und in weiterer wahrhafter Konsequenz, die zugleich eine formelle Inkonsequenz in sich enthält, auf *außerordentliche Strafen* führt, hervorgeht, hat einen ganz anderen Sinn, als die Wahrheit einer Vernunftbestimmung oder eines Satzes, dessen Stoff sich der Verstand bereits abstrakt bestimmt hat. Daß nun solche empirische Wahrheit einer Begebenheit zu erkennen, in der eigentlich juristischen Bestimmung eines Gerichts, daß in dieser eine eigentümliche Qualität hierfür und damit ein ausschließendes Recht *an sich* und Notwendigkeit liege, dies aufzuzeigen machte einen Hauptgesichtspunkt bei der Frage aus, inwiefern den förmlichen juristischen Gerichtshöfen das Urteil über das Faktum wie über die Rechtsfrage zuzuschreiben sei.

Zusatz. Es ist kein Grund vorhanden, anzunehmen, daß der juristische Richter allein den Tatbestand feststellen solle, da dies die Sache jeder allgemeinen Bildung ist, und nicht einer bloß juristischen: die Beurteilung des Tatbestandes geht von empirischen Umständen aus, von Zeugnissen über die Handlung und dergleichen Anschauungen, dann aber wieder von Tatsachen, aus denen man auf die Handlung schließen kann, und die sie wahrscheinlich oder unwahrscheinlich machen. Es soll hier eine *Gewißheit* erlangt werden, keine Wahrheit im höheren Sinne, welche etwas durchaus Ewiges ist: diese Gewißheit ist hier die subjektive Überzeugung, das Gewissen, und die Frage ist, welche Form soll diese Gewißheit im Gericht erhalten.[3]) Die Forderung des Eingeständnisses, von seiten des Verbrechers, welche sich gewöhnlich im deutschen Rechte vorfindet, hat das Wahre, daß dem Recht des subjektiven Selbstbewußtseins dadurch ein Genüge geschieht: denn das, was die Richter sprechen, muß im Bewußtsein nicht verschieden sein, und erst, wenn der Verbrecher eingestanden hat, ist kein Fremdes mehr gegen ihn in dem Urteil. Hier tritt nun aber die Schwierigkeit ein, daß der Verbrecher leugnen kann, und dadurch das Interesse der Gerechtigkeit gefährdet wird. Soll nun wieder die subjektive Überzeugung des Richters gelten, so geschieht abermals eine Härte, indem der Mensch nicht mehr als Freier behandelt wird. Die Vermittelung ist nun, daß gefordert wird, der Ausspruch der Schuld oder Unschuld solle aus der Seele des Verbrechers gegeben sein, — *das Geschworenengericht*.[4])

§ 228

Das Recht des Selbstbewußtseins der Partei ist im Richterspruch, nach der Seite, daß er die *Subsumtion* des qualifizierten Falles unter das *Gesetz* ist, in Ansehung des *Gesetzes* dadurch bewahrt, daß das Gesetz bekannt und damit das Gesetz der Partei selbst, und in Ansehung der *Subsumtion*, daß der Rechtsgang öffentlich ist. Aber in Ansehung der Entscheidung über den *besondern*, subjektiven und äußerlichen *Inhalt* der Sache, dessen Erkenntnis in die ersten der § 225 angegebenen Seiten fällt, findet jenes Recht in dem *Zutrauen* zu der Subjektivität der Entscheidenden seine Befriedigung. Dies Zutrauen gründet sich vornehmlich auf die Gleichheit der Partei mit denselben nach ihrer Besonderheit, dem Stande, und dergleichen.

Das Recht des Selbstbewußtseins, das Moment *der subjektiven Freiheit*, kann als der substantielle Gesichtspunkt in der Frage über Notwendigkeit der öffentlichen Rechtspflege und der sogenannten *Geschworenengerichte* angesehen werden. Auf ihn reduziert sich das Wesentliche, was in der Form der *Nützlichkeit* für diese Institutionen vorgebracht werden kann. Nach anderen Rücksichten und Gründen von diesen oder jenen Vorteilen oder Nachteilen, kann herüber und hinüber gestritten werden, sie sind wie alle Gründe des Räsonnements sekundär und nicht entscheidend, oder aber aus andern vielleicht höhern Sphären genommen. Daß die Rechtspflege an sich von rein juristischen Gerichten gut, vielleicht besser als mit anderen Institutionen, ausgeübt werden *könne*, um diese Möglichkeit handelt es sich insofern nicht, als, wenn sich auch diese Möglichkeit zur Wahrscheinlichkeit, ja selbst zur Notwendigkeit steigern ließe, es von der andern Seite immer das *Recht des Selbstbewußtseins* ist, welches dabei seine Ansprüche behält und sie nicht befriedigt findet. – Wenn die Kenntnis des Rechtes durch die Beschaffenheit dessen, was die Gesetze in ihrem Umfange ausmacht, ferner des Ganges der gerichtlichen Verhandlungen, und die Möglichkeit das Recht zu verfolgen, *Eigentum* eines auch durch Terminologie, die für die, um deren Recht es geht, eine fremde Sprache ist, sich ausschließend machenden Standes ist, so sind die Mitglieder der bürgerlichen Gesellschaft, die für die Subsistenz auf *ihre Tätigkeit, ihr eigenes Wissen* und *Wollen* angewiesen sind, gegen das nicht nur Persönlichste und Eigenste, sondern auch das Substantielle und Vernünftige darin, *das Recht, fremde* gehalten und unter *Vormundschaft*, selbst in eine Art von Leibeigenschaft gegen solchen Stand, gesetzt. Wenn sie wohl das Recht haben, im Gerichte leiblich, mit den *Füßen*, zugegen zu sein (in judicio *stare*), so ist dies wenig, wenn sie nicht *geistig*, mit ihrem eigenen *Wissen* gegenwärtig sein sollen, und das Recht, das sie erlangen, bleibt ein äußerliches *Schicksal* für sie.

§ 229

In der Rechtspflege führt sich die bürgerliche Gesellschaft, in der sich die Idee in der Besonderheit verloren und in die Trennung des Inneren und Äußeren auseinandergegangen ist, zu deren *Begriffe*, der Einheit des an sich seienden Allgemeinen mit der subjektiven Besonderheit zurück, jedoch diese im einzelnen Falle und jenes in der Bedeutung des *abstrakten Rechts*. Die Verwirklichung dieser Einheit in der Ausdehnung auf den ganzen Umfang der Besonderheit, zunächst als relativer Vereinigung, macht die Bestimmung der *Polizei*, und in beschränkter, aber konkreter Totalität, die *Korporation* aus.

Zusatz. In der bürgerlichen Gesellschaft ist die Allgemeinheit nur Notwendigkeit: im Verhältnis der Bedürfnisse ist nur das Recht als solches das Feste. Aber dies Recht, ein bloß beschränkter Kreis, bezieht sich nur auf die Beschützung dessen, was ich habe: dem Rechte als solchem ist das Wohl ein Äußerliches. Dieses Wohl ist jedoch in dem System der Bedürfnisse eine wesentliche Bestimmung. Das Allgemeine also, das zunächst nur das Recht ist, hat sich über das ganze Feld der Besonderheit auszudehnen. Die Gerechtigkeit ist ein Großes in der bürgerlichen Gesellschaft: gute Gesetze werden den Staat blühen lassen, und freies Eigentum ist eine Grundbedingung des Glanzes desselben; aber indem ich ganz in die Besonderheit verflochten bin, habe ich ein Recht zu fordern, daß in diesem Zusammenhang auch mein besonderes Wohl gefördert werde: es soll auf mein Wohl, auf meine Besonderheit Rücksicht genommen werden, und dies geschieht durch die Polizei und Korporation.

C. Die Polizei und Korporation

§ 230

Im *System der Bedürfnisse* ist die Subsistenz und das Wohl jedes Einzelnen als eine *Möglichkeit*, deren Wirklichkeit durch seine Willkür und natürliche Besonderheit, ebenso als durch das objektive System der Bedürfnisse bedingt ist; durch die Rechtspflege wird die *Verletzung* des Eigentums und der Persönlichkeit getilgt. Das *in der Besonderheit wirkliche* Recht enthält aber sowohl, daß die *Zufälligkeiten* gegen den einen und den anderen Zweck *aufgehoben* seien, und die *ungestörte Sicherheit* der *Person* und des *Eigentums* bewirkt, als daß die *Sicherung* der Subsistenz und des Wohls der Einzelnen, — daß das *besondere* Wohl als *Recht behandelt* und *verwirklicht* sei.

a) Die Polizei [1]

§ 231

Die sichernde Macht des Allgemeinen bleibt zunächst, insofern für den einen oder anderen Zweck der besondere Wille noch das Prinzip ist, teils auf den Kreis der *Zufälligkeiten* beschränkt, teils eine *äußere Ordnung*.

§ 232

Außer den Verbrechen, welche die allgemeine Macht zu verhindern oder zur gerichtlichen Behandlung zu bringen hat, — der Zufälligkeit als Willkür des Bösen, — hat die erlaubte Willkür für sich rechtlicher Handlungen und des Privatgebrauchs des Eigentums, auch äußerliche Beziehungen auf andere Einzelne, sowie auf sonstige öffentliche Veranstaltungen eines gemeinsamen Zwecks. Durch diese allgemeine Seite werden Privathandlungen eine Zufälligkeit, die aus meiner Gewalt tritt, und den anderen zum Schaden und Unrecht gereichen kann oder gereicht.

§ 233

Dies ist zwar *nur* eine *Möglichkeit* des Schadens, aber daß die Sache nichts schadet, ist als eine Zufälligkeit gleichfalls nicht mehr; dies ist die Seite des *Unrechts*, die in solchen Handlungen liegt, somit der letzte Grund der polizeilichen Strafgerechtigkeit.

§ 234

Die Beziehungen des äußerlichen Daseins fallen in die Verstandes-Unendlichkeit; es ist daher keine Grenze *an sich* vorhanden, was schädlich oder nicht schädlich, auch in Rücksicht auf Verbrechen, was verdächtig oder unverdächtig sei, was zu verbieten oder zu beaufsichtigen, oder mit Verboten, Beaufsichtigung und Verdacht, Nachfrage und Rechenschaftgebung verschont zu lassen sei. Es sind die Sitten, der Geist der übrigen Verfassung, der jedesmalige Zustand, die Gefahr des Augenblicks usf., welche die näheren Bestimmungen geben.

Zusatz. Es sind hier keine festen Bestimmungen zu geben und keine absoluten Grenzen zu ziehen. Alles ist hier persönlich, das subjektive Meinen tritt ein, und der Geist der Verfassung, die Gefahr der Zeit haben die näheren Umstände mitzuteilen. In Kriegszeiten ist z. B. manches sonst Unschädliche als schädlich anzusehen. Durch diese Seiten der Zufälligkeit und willkürlichen Persönlichkeit erhält die Polizei etwas *Gehässiges.* Sie kann bei sehr gebildeter Reflexion die Richtung nehmen, alles Mögliche in ihr Bereich zu ziehen: denn in allem läßt sich eine Beziehung finden, durch die etwas schädlich werden könnte. Darin kann die Polizei sehr pedantisch zu Werke gehen, und das gewöhnliche Leben der Individuen genieren. Aber, welcher Übelstand dies auch ist, eine objektive Grenzlinie kann hier nicht gezogen werden.

§ 235

In der unbestimmten Vervielfältigung und Verschränkung der täglichen Bedürfnisse ergeben sich in Rücksicht auf die *Herbeischaffung* und den *Umtausch der Mittel* ihrer Befriedigung, auf deren ungehinderte Möglichkeit sich jeder verläßt, sowie in Rücksicht der darüber so sehr als möglich abzukürzenden Untersuchungen und Verhandlungen, Seiten, die ein gemeinsames Interesse sind, und zugleich für *alle* das Geschäft *von einem,* – und Mittel und Veranstaltungen, welche für gemeinschaftlichen Gebrauch sein können. Diese *allgemeinen Geschäfte* und *gemeinnützigen* Veranstaltungen fordern die Aufsicht und Vorsorge der öffentlichen Macht.

§ 236

Die verschiedenen Interessen der Produzenten und Konsumenten können in Kollision miteinander kommen, und wenn sich zwar das richtige Verhältnis *im Ganzen* von selbst herstellt, so bedarf die Ausgleichung auch einer über beiden stehenden mit Bewußtsein vorgenommenen Regulierung. Das Recht zu einer solchen für das Einzelne (z. B. Taxation der Artikel der gemeinsten Lebensbedürfnisse) liegt darin, daß das öffentliche Ausstellen von Waren, die von ganz allgemeinem, alltäglichen Gebrauche sind, nicht sowohl einem Individuum als solchem, sondern ihm als Allgemeinen, dem Publikum angeboten werden, dessen Recht, nicht betrogen zu werden, und die Untersuchung der Waren, als ein gemeinsames Geschäft von einer öffentlichen Macht vertreten und besorgt werden kann. – Vornehmlich aber macht die Abhängigkeit großer Industriezweige von auswärtigen Umständen und entfernten Kombinationen, welche die an jene Sphären angewiesenen und gebundenen Individuen in ihrem Zusammenhang nicht übersehen können, eine allgemeine Vorsorge und Leitung notwendig.

Gegen die Freiheit des Gewerbes und Handels in der bürgerlichen Gesellschaft ist das andere Extrem die Versorgung, sowie die Bestimmung der Arbeit aller durch öffentliche Veranstaltung, – wie etwa auch die alte Arbeit der Pyramiden und der anderen ungeheuren ägyptischen und asiatischen Werke, welche für öffentliche Zwecke ohne die Vermittelung der Arbeit des Einzelnen durch seine besondere Willkür und sein besonderes Interesse hervorgebracht wurden. Dieses Interesse ruft jene Freiheit gegen die höhere Regulierung an, bedarf aber, je mehr es blind in den selbstsüchtigen Zweck vertieft, um so mehr einer solchen, um zum allgemeinen zurückgeführt zu werden, und um die gefährlichen Zuckungen und die Dauer des Zwischenraumes, in welchem sich die Kollisionen auf dem Wege bewußtloser Notwendigkeit ausgleichen sollen, abzukürzen und zu mildern.

Zusatz. Die polizeiliche Aufsicht und Vorsorge hat den Zweck, das Individuum mit der allgemeinen Möglichkeit zu vermitteln, die zur Erreichung der individuellen Zwecke vorhanden ist. Sie hat für Straßenbeleuchtung, Brückenbau, Taxation der täglichen Bedürfnisse, sowie für die Gesundheit Sorge zu tragen. Hier sind nun zwei Hauptansichten herrschend. Die eine behauptet, daß der Polizei die Aufsicht über alles gebühre, die andere, daß die Polizei hier nichts zu bestimmen habe, indem jeder sich nach dem Bedürfnis des anderen richten werde. Der Einzelne muß freilich ein Recht haben, sich auf diese oder jene Weise sein Brot zu verdienen, aber auf der anderen Seite hat auch das Publikum ein Recht zu verlangen, daß das Nötige auf gehörige Weise geleistet werde. Beide Seiten sind zu befriedigen, und die Gewerbefreiheit darf nicht von der Art sein, daß das allgemeine Beste in Gefahr kommt.[1])

§ 237

Wenn nun die Möglichkeit der Teilnahme an dem allgemeinen Vermögen für die Individuen vorhanden und durch die öffentliche Macht gesichert ist, so bleibt sie, ohnehin daß diese Sicherung unvollständig bleiben muß, noch von der subjektiven Seite den Zufälligkeiten unterworfen und um so mehr, je mehr sie Bedingungen der Geschicklichkeit, Gesundheit, Kapital usw. voraussetzt.[1])

§ 238

Zunächst ist die Familie das substantielle Ganze, dem die Vorsorge für diese besondere Seite des Individuums sowohl in Rücksicht der Mittel und Geschicklichkeiten, um aus dem allgemeinen Vermögen sich erwerben zu können, als auch seiner Subsistenz und Versorgung im Falle eintretender Unfähigkeit, angehört. Die bürgerliche Gesellschaft reißt aber das Individuum aus diesem Bande heraus, entfremdet dessen Glieder einander, und anerkennt sie als selbständige Personen; sie substituiert ferner statt der äußeren unorganischen Natur und des väterlichen Bodens, in welchem der Einzelne seine Subsistenz hatte, den ihrigen, und unterwirft das Bestehen der ganzen Familie selbst, der Abhängigkeit von ihr, der Zufälligkeit. So ist das Individuum *Sohn der bürgerlichen Gesellschaft* geworden, die ebensosehr Ansprüche an ihn, als er Rechte auf sie hat.

Zusatz. Die Familie hat allerdings für das Brot der einzelnen zu sorgen, aber sie ist in der bürgerlichen Gesellschaft ein Untergeordnetes und legt nur den Grund: sie ist nicht mehr von so umfassender Wirksamkeit. Die bürgerliche

Gesellschaft ist vielmehr die ungeheure Macht, die den Menschen an sich reißt, von ihm fordert, daß er für sie arbeite, und daß er alles durch sie sei und vermittelst ihrer tue. Soll der Mensch so ein Glied der bürgerlichen Gesellschaft sein, so hat er ebenso Rechte und Ansprüche an sie, wie er sie in der Familie hatte. Die bürgerliche Gesellschaft muß ihr Mitglied schützen, seine Rechte verteidigen, sowie der Einzelne den Rechten der bürgerlichen Gesellschaft verpflichtet ist.

§ 239

Sie hat in diesem Charakter *der allgemeinen Familie* die Pflicht und das Recht gegen die *Willkür* und Zufälligkeit *der Eltern*, auf die *Erziehung*, insofern sie sich auf die Fähigkeit, Mitglied der Gesellschaft zu werden, bezieht, vornehmlich wenn sie nicht von den Eltern selbst, sondern von anderen zu vollenden ist, Aufsicht und Einwirkung zu haben, – ingleichen insofern gemeinsame Veranstaltungen dafür gemacht werden können, diese zu treffen.

Zusatz. Die Grenze zwischen den Rechten der Eltern und der bürgerlichen Gesellschaft ist hier sehr schwer zu ziehen. Die Eltern meinen gewöhnlich in betreff auf Erziehung volle Freiheit zu haben, und alles machen zu können, was sie nur mögen. Bei aller Öffentlichkeit der Erziehung kommt die Hauptopposition gewöhnlich von den Eltern her, und sie sind es, die über Lehrer und Anstalten schreien und reden, weil sich ihr Belieben gegen dieselben setzt. Trotzdem hat die Gesellschaft ein Recht, nach ihren geprüften Ansichten hierbei zu verfahren, die Eltern zu zwingen ihre Kinder in die Schule zu schicken, ihnen die Pocken impfen zu lassen usw. Die Streitigkeiten, die in Frankreich zwischen der Forderung des freien Unterrichts, d. h. des Beliebens der Eltern, und der Aufsicht des Staates bestehen, gehören hierher.[1])

§ 240

Gleicherweise hat sie die Pflicht und das Recht über die, welche durch Verschwendung die Sicherheit ihrer und ihrer Familie Subsistenz vernichten, in Vormundschaft zu nehmen und an ihrer Stelle den Zweck der Gesellschaft und den ihrigen auszuführen.

Zusatz. In Athen war es Gesetz[1]), daß jeder Bürger darüber Rechenschaft geben mußte, wovon er lebe: jetzt hat man die Ansicht, daß dies niemanden etwas angehe. Allerdings ist jedes Individuum einerseits für sich, andererseits aber ist es auch Mitglied im System der bürgerlichen Gesellschaft, und insofern jeder Mensch von ihr das Recht hat, die Subsistenz zu verlangen, muß sie ihn auch gegen sich selbst schützen. Es ist nicht allein das Verhungern, um was es zu tun ist, sondern der weitere Gesichtspunkt ist, daß kein Pöbel entstehen soll. Weil die bürgerliche Gesellschaft schuldig ist die Individuen zu ernähren, hat sie auch das Recht dieselben anzuhalten, für ihre Subsistenz zu sorgen.

§ 241

Aber ebenso als die Willkür, können zufällige, physische und in den äußeren Verhältnissen (§ 200) liegende Umstände Individuen zur *Armut* herunterbringen, einem Zustande, der ihnen die Bedürfnisse der bürgerlichen Gesellschaft läßt, und der, indem sie ihnen zugleich die natürlichen Erwerbsmittel (§ 217) entzogen und das weitere Band der Familie als eines Stammes aufhebt, (§ 181) dagegen sie aller Vorteile der Gesellschaft, Erwerbsfähigkeit von Geschicklichkeiten und Bildung überhaupt, auch der Rechtspflege, Gesundheitssorge, selbst oft des Trostes der Religion, usf. mehr oder weniger verlustig macht. Die allgemeine Macht übernimmt die Stelle der Familie bei den *Armen*, ebensosehr in Rücksicht ihres unmittelbaren Mangels, als der Gesinnung der Arbeitsscheu, Bösartigkeit, und der weiteren Laster, die aus solcher Lage und dem Gefühl ihres Unrechts entspringen.[1])

§ 242

Das Subjektive der Armut und überhaupt der Not aller Art, der schon in seinem Naturkreise jedes Individuum ausgesetzt ist, erfordert auch eine *subjektive* Hilfe ebenso in Rücksicht der *besonderen* Umstände als des *Gemüts* und der *Liebe*. Hier ist der Ort, wo bei aller allgemeinen Veranstaltung, die *Moralität* genug zu tun findet. Weil aber diese Hilfe für sich und in ihren Wirkungen von der Zufälligkeit abhängt, so geht das Streben der Gesellschaft dahin, in der Notdurft und ihrer Abhilfe das Allgemeine herauszufinden und zu veranstalten, und jene Hilfe entbehrlicher zu machen.

Das Zufällige des Almosens, der Stiftungen, wie des Lampenbrennens bei Heiligenbildern usf. wird ergänzt durch öffentliche Armenanstalten, Krankenhäuser, Straßenbeleuchtung usw. Der Mildtätigkeit bleibt noch genug für sich zu tun übrig, und es ist eine falsche Ansicht, wenn sie der *Besonderheit* des Gemüts und der *Zufälligkeit* ihrer Gesinnung und Kenntnis diese Abhilfe der Not allein vorbehalten wissen will, und sich durch die *verpflichtenden* allgemeinen Anordnungen und Gebote verletzt und gekränkt fühlt. Der öffentliche Zustand ist im Gegenteil für um so vollkommener zu achten, je weniger dem Individuum für sich nach seiner besondern Meinung, in Vergleich mit dem, was auf allgemeine Weise veranstaltet ist, zu tun übrig bleibt.

§ 243

Wenn die bürgerliche Gesellschaft sich in ungehinderter Wirksamkeit befindet, so ist sie innerhalb ihrer selbst in *fortschreitender Bevölkerung* und *Industrie* begriffen. – Durch die *Verallgemeinerung* des Zusammenhangs der Menschen durch ihre Bedürfnisse, und der Weisen, die Mittel für diese zu bereiten und herbeizubringen, vermehrt sich die *Anhäufung der Reichtümer*[1]), denn aus dieser gedoppelten Allgemeinheit wird der größte Gewinn gezogen, – auf der einen Seite, wie auf der andern Seite die *Vereinzelung* und *Beschränktheit* der besondern Arbeit und damit die *Abhängigkeit* und *Not* der an diese Arbeit gebundenen Klasse[2]), womit die Unfähigkeit der Empfindung und des Genusses der weiteren Freiheiten und besonders der geistigen Vorteile der bürgerlichen Gesellschaft zusammenhängt.[3])

§ 244

Das Herabsinken einer großen Masse unter das Maß einer gewissen Subsistenzweise, die sich von selbst als die für ein Mitglied der Gesellschaft notwendige reguliert, – und damit zum

Verluste des Gefühls des Rechts, der Rechtlichkeit und der Ehre, durch eigene Tätigkeit und Arbeit zu bestehen, – bringt die Erzeugung des *Pöbels* hervor[1]), die hinwiederum zugleich die größere Leichtigkeit, unverhältnismäßige Reichtümer in wenige Hände zu konzentrieren, mit sich führt.

Zusatz. Die niedrigste Weise der Subsistenz, die des Pöbels, macht sich von selbst: dies Minimum ist jedoch bei verschiedenen Völkern sehr verschieden. In England glaubt auch der Ärmste sein Recht zu haben: dies ist etwas anderes, als womit in anderen Ländern die Armen zufrieden sind. Die Armut an sich macht keinen zum Pöbel: dieser wird erst bestimmt durch die mit der Armut sich verknüpfende Gesinnung, durch die innere Empörung[2]) gegen die Reichen, gegen die Gesellschaft, die Regierung usw. Ferner ist damit verbunden, daß der Mensch, der auf die Zufälligkeit angewiesen ist, leichtsinnig und arbeitsscheu wird, wie z. B. die Lazzaronis in Neapel. Somit entsteht im Pöbel das Böse, daß er die Ehre nicht hat, seine Subsistenz durch seine Arbeit zu finden, und doch seine Subsistenz zu finden als sein Recht anspricht. Gegen die Natur kann kein Mensch ein Recht behaupten, aber im Zustande der Gesellschaft gewinnt der Mangel sogleich die Form eines Unrechts, was dieser oder jener Klasse angetan wird.[3]) Die wichtige Frage, wie der Armut abzuhelfen sei, ist eine vorzüglich die modernen Gesellschaften bewegende und quälende.

§ 245

Wird der reichern Klasse die direkte Last aufgelegt, oder es wären in anderem öffentlichen Eigentum (reichen Hospitälern, Stiftungen, Klöstern) die direkten Mittel vorhanden, die der Armut zugehende Masse auf dem Stande ihrer ordentlichen Lebensweise zu erhalten, so würde die Subsistenz der Bedürftigen gesichert, ohne durch die Arbeit vermittelt zu sein, was gegen das Prinzip der bürgerlichen Gesellschaft und des Gefühls ihrer Individuen von ihrer Selbständigkeit und Ehre wäre, oder sie würde durch Arbeit (durch Gelegenheit dazu) vermittelt, so würde die Menge der Produktionen vermehrt, in deren Überfluß und dem Mangel der verhältnismäßigen selbst produktiven Konsumenten, gerade das Übel bestehet, das auf beide Weisen sich nur vergrößert. Es kommt hierin zum Vorschein, daß bei dem *Übermaße des Reichtums* die bürgerliche Gesellschaft *nicht reich genug* ist, d. h. an dem ihr eigentümlichen Vermögen nicht genug besitzt, dem Übermaße der Armut und der Erzeugung des Pobels zu steuern.[1])

Diese Erscheinungen lassen sich im großen an *Englands* Beispiel studieren, sowie näher die Erfolge, welche die Armentaxe, unermeßliche Stiftungen und ebenso unbegrenzte Privatwohltätigkeit, vor allem auch dabei das Aufheben der Korporationen gehabt haben. Als das direkteste Mittel hat sich daselbst (vornehmlich in Schottland) gegen Armut sowohl als insbesondere gegen die Abwerfung der Scham und Ehre, der subjektiven Basen der Gesellschaft, und gegen die Faulheit und Verschwendung usf. woraus der Pöbel hervorgeht, dies erprobt, die Armen ihrem Schicksal zu überlassen und sie auf den öffentlichen Bettel anzuweisen.[2])

§ 246

Durch diese ihre Dialektik wird die bürgerliche Gesellschaft über sich hinausgetrieben, zunächst *diese bestimmte* Gesellschaft, um außer ihr in anderen Völkern, die ihr an den Mitteln, woran sie Überfluß hat, oder überhaupt an Kunstfleiß usf. nachstehen, Konsumenten und damit die nötigen Subsistenzmittel zu suchen.

§ 247

Wie für das Prinzip des Familienlebens die Erde fester *Grund* und *Boden*, Bedingung ist, so ist für die Industrie das nach außen sie belebende natürliche Element, das *Meer*. In der Sucht des Erwerbs, dadurch, daß sie ihn der Gefahr aussetzt, erhebt sie sich zugleich über ihn und versetzt das Festwerden an der Erdscholle und den begrenzten Kreisen des bürgerlichen Lebens, seine Genüsse und Begierden, mit dem Elemente der Flüssigkeit, der Gefahr und des Unterganges. So bringt sie ferner durch dies größte Medium der Verbindung entfernte Länder in die Beziehung des Verkehrs, eines den Vertrag einführenden rechtlichen Verhältnisses, in welchem Verkehr sich zugleich das größte Bildungsmittel, und der Handel seine welthistorische Bedeutung findet.

Daß die Flüsse *keine natürlichen Grenzen* sind, für welche sie in neueren Zeiten haben sollen geltend gemacht werden, sondern sie und ebenso die Meere vielmehr die Menschen verbinden, daß es ein unrichtiger Gedanke ist, wenn *Horaz* sagt (Carm. I, 3):

— — deus *abscidit*
Prudens Oceano dissociabili
Terras[1]), — —

zeigen nicht nur die Bassins der Flüsse, die von einem Stamme oder Volke bewohnt werden, sondern auch z. B. die sonstigen Verhältnisse Griechenlands, Ioniens und Großgriechenlands, — Bretagnes und Britanniens, Dänemarks und Norwegens, Schwedens, Finnlands, Livlands usf. — vornehmlich auch im Gegensatze des geringern Zusammenhangs der Bewohner des Küstenlandes mit denen des innern Landes. — Welches Bildungsmittel aber in dem Zusammenhange mit dem Meere liegt, dafür vergleiche man das Verhältnis der Nationen, in welchen der Kunstfleiß aufgeblüht ist, zum Meere, mit denen, die sich die Schiffahrt untersagt, und wie die Ägypter, die Indier, in sich verdumpft und in den fürchterlichsten und schmählichsten Aberglauben versunken sind, und wie alle großen, in sich strebenden Nationen sich zum Meere drängen.[2])

§ 248

Dieser erweiterte Zusammenhang bietet auch das Mittel der *Kolonisation*, zu welcher — einer sporadischen oder systematischen — die ausgebildete bürgerliche Gesellschaft getrieben wird, und wodurch sie teils einem Teil ihrer Bevölkerung in einem neuen Boden die Rückkehr zum Familienprinzip, teils sich selbst damit einen neuen Bedarf und Feld ihres Arbeitsfleißes verschafft.

Zusatz. Die bürgerliche Gesellschaft wird dazu getrieben, Kolonien anzulegen. Die Zunahme der Bevölkerung hat schon für sich diese Wirkung, besonders aber entsteht eine Menge, die die Befriedigung ihrer Bedürfnisse nicht durch ihre Arbeit gewinnen kann, wenn die Produktion das Bedürfnis der Konsumtion übersteigt. Sporadische Kolonisation findet besonders in Deutschland statt. Die Kolonisten ziehen nach Amerika, Rußland, bleiben ohne Zusammenhang mit ihrem Vaterlande, und gewähren so diesem keinen Nutzen. Die zweite und ganz von der ersten verschiedene Kolonisation ist die systematische. Sie wird von dem Staate veranlaßt, mit dem Bewußtsein und der Regulierung der gehörigen Weise der Ausführung. Diese Art der Kolonisation ist vielfältig bei den Alten, und namentlich bei den Griechen vorgekommen, bei denen harte Arbeit nicht die Sache des Bürgers war, dessen Tätigkeit vielmehr den öffentlichen Dingen sich zuwendete. Wenn nun die Bevölkerung so anwuchs, daß Not entstehen konnte für sie zu sorgen, dann wurde die Jugend in eine neue Gegend geschickt, die teils besonders gewählt, teils dem Zufall des Findens überlassen war. In den neueren Zeiten hat man den Kolonien nicht solche Rechte, wie den Bewohnern des Mutterlandes zugestanden, und es sind Kriege und endlich Emanzipationen aus diesem Zustande hervorgegangen, wie die Geschichte der englischen und spanischen Kolonien zeigt. Die Befreiung der Kolonien erweist sich selbst als der größte Vorteil für den Mutterstaat, so wie die Freilassung der Sklaven als der größte Vorteil für den Herrn.

§ 249

Die polizeiliche Vorsorge verwirklicht und erhält zunächst das Allgemeine, welches in der Besonderheit der bürgerlichen Gesellschaft enthalten ist, als *eine äußere Ordnung und Veranstaltung* zum Schutz und Sicherheit der Massen von besonderen Zwecken und Interessen, als welche in diesem Allgemeinen ihr Bestehen haben, sowie sie als höhere Leitung Vorsorge für die Interessen (§ 246), die über diese Gesellschaft hinausführen, trägt. Indem nach der Idee die Besonderheit selbst dieses Allgemeine, das in ihren immanenten Interessen ist, zum Zweck und Gegenstand ihres Willens und ihrer Tätigkeit macht, so *kehrt* das *Sittliche* als ein Immanentes in die bürgerliche Gesellschaft *zurück*; dies macht die Bestimmung der *Korporation* aus.[1])

b) Die Korporation

§ 250

Der *ackerbauende Stand* hat an der Substantialität seines Familien- und Naturlebens in ihm selbst unmittelbar sein konkretes Allgemeines, in welchem er lebt, der *allgemeine Stand* hat in seiner Bestimmung das Allgemeine für sich zum Zwecke seiner Tätigkeit und zu seinem Boden. Die Mitte zwischen beiden, der Stand des Gewerbes, ist auf das *Besondere* wesentlich gerichtet und ihm ist daher vornehmlich die Korporation eigentümlich.[1])

§ 251

Das Arbeitswesen der bürgerlichen Gesellschaft zerfällt nach der Natur seiner Besonderheit in verschiedene Zweige. Indem solches an sich Gleiche der Besonderheit als *Gemeinsames* in der *Genossenschaft* zur Existenz kommt, faßt und betätigt der auf sein Besonderes gerichtete, *selbstsüchtige* Zweck zugleich sich als allgemeinen, und das Mitglied der bürgerlichen Gesellschaft ist, nach seiner *besondern Geschicklichkeit*, Mitglied der Korporation, deren allgemeiner Zweck damit ganz *konkret* ist und keinen weiteren Umfang hat, als der im Gewerbe, dem eigentümlichen Geschäfte und Interesse, liegt.[1])

§ 252

Die Korporation hat nach dieser Bestimmung unter der Aufsicht der öffentlichen Macht das Recht, ihre eigenen innerhalb ihrer eingeschlossenen Interessen zu besorgen, Mitglieder nach der objektiven Eigenschaft ihrer Geschicklichkeit und Rechtschaffenheit, in einer durch den allgemeinen Zusammenhang sich bestimmenden Anzahl anzunehmen und für die ihr angehörigen die Sorge gegen die besonderen Zufälligkeiten, sowie für die Bildung zur Fähigkeit, ihr zugeteilt zu werden, zu tragen – überhaupt für sie als *zweite* Familie einzutreten, welche Stellung für die allgemeine, von den Individuen und ihrer besonderen Notdurft entferntere bürgerliche Gesellschaft unbestimmter bleibt.

Der Gewerbsmann ist verschieden vom Tagelöhner, wie von dem, der zu einem einzelnen zufälligen Dienst bereit ist. Jener, der *Meister*, oder der es werden will, ist Mitglied der Genossenschaft nicht für einzelnen zufälligen Erwerb, sondern für den *ganzen* Umfang, das Allgemeine seiner besonderen Subsistenz. – *Privilegien* als Rechte eines in eine Korporation gefaßten Zweigs der bürgerlichen Gesellschaft, und eigentliche Privilegien nach ihrer Etymologie[1]), unterscheiden sich dadurch voneinander, daß die letzteren Ausnahmen vom allgemeinen Gesetze nach Zufälligkeit sind, jene aber nur gesetzlich gemachte Bestimmungen, die in der *Natur der Besonderheit* eines wesentlichen Zweigs der Gesellschaft selbst liegen.

§ 253

In der Korporation *hat* die Familie nicht nur ihren festen Boden als die durch *Befähigung* bedingte *Sicherung* der Subsistenz, ein festes *Vermögen* (§ 170), sondern beides ist auch *anerkannt*, so daß das Mitglied einer Korporation seine Tüchtigkeit und sein ordentliches Aus- und Fortkommen, daß es *etwas* ist, durch keine weitere *äußere Bezeigungen* darzulegen nötig hat. So ist auch anerkannt, daß es einem Ganzen, das selbst ein Glied der allgemeinen Gesellschaft ist, angehört und für den uneigennützigen Zweck dieses Ganzen Interesse und Bemühungen hat: – es hat so in *seinem Stande seine Ehre.*

Die Institution der Korporation entspricht durch ihre Sicherung des Vermögens insofern der Einführung des Ackerbaues und des Privateigentums in einer anderen Sphäre (§ 203 Anmerkung). – Wenn über Luxus und Verschwendungssucht der gewerbtreibenden Klassen, womit die Erzeugung des Pöbels (§ 244) zusammenhängt, Klagen zu erheben sind, so ist bei den anderen Ursachen (z. B. das immer mehr mechanisch werdende der Arbeit) – der *sittliche* Grund, wie er im obigen liegt, nicht zu übersehen. Ohne Mitglied einer berechtigten Korporation zu sein, (und nur als berechtigt ist ein Gemeinsames eine Korporation) ist der Einzelne ohne *Standesehre*, durch seine Isolierung auf die selbstsüchtige Seite des Gewerbs reduziert, seine Subsistenz und Genuß nichts *Stehendes.* Er wird somit *seine Anerken-*

nung durch die äußerlichen Darlegungen seines Erfolgs in seinem Gewerbe zu erreichen suchen, – Darlegungen, welche unbegrenzt sind, weil seinem Stande gemäß zu leben nicht stattfindet, da der Stand nicht existiert – denn nur das Gemeinsame *existiert* in der bürgerlichen Gesellschaft, was gesetzlich konstituiert und anerkannt ist – sich also auch keine ihm angemessene allgemeinere Lebensweise macht. – In der Korporation verliert die Hilfe, welche die Armut empfängt, ihr Zufälliges, sowie ihr mit Unrecht Demütigendes, und der Reichtum in seiner Pflicht gegen seine Genossenschaft, den Hochmut und den Neid, den er, und zwar jenen in seinem Besitzer, diesen in den anderen erregen kann, – die Rechtschaffenheit erhält ihre wahrhafte Anerkennung und Ehre.

§ 254

In der Korporation liegt nur insofern eine Beschränkung des sogenannten *natürlichen Rechts*, seine Geschicklichkeit auszuüben und damit zu erwerben, was zu erwerben ist, als sie darin zur Vernünftigkeit bestimmt, nämlich von der eigenen Meinung und Zufälligkeit, der eigenen Gefahr wie der Gefahr für andere, befreit, anerkannt, gesichert und zugleich zur bewußten Tätigkeit für einen gemeinsamen Zweck erhoben wird.[1])

§ 255

Zur *Familie* macht die *Korporation* die zweite, die in der bürgerlichen Gesellschaft gegründete *sittliche* Wurzel des Staats aus. Die erstere enthält die Momente der subjektiven Besonderheit und der objektiven Allgemeinheit in *substantieller* Einheit; die zweite aber diese Momente, die zunächst in der bürgerlichen Gesellschaft zur *in sich reflektierten* Besonderheit des Bedürfnisses und Genusses und zur *abstrakten* rechtlichen Allgemeinheit entzweit sind, auf innerliche Weise vereinigt, so daß in dieser Vereinigung das besondere Wohl als Recht und verwirklicht ist.

Heiligkeit der Ehe, und die Ehre in der Korporation sind die zwei Momente, um welche sich die Desorganisation der bürgerlichen Gesellschaft dreht.

Zusatz. Wenn man in neueren Zeiten die Korporationen aufgehoben hat, so hat dies den Sinn, daß der Einzelne für sich sorgen solle. Kann man dieses aber auch zugeben, so wird durch die Korporation die Verpflichtung des Einzelnen, seinen Erwerb zu schaffen, nicht verändert. In unseren modernen Staaten haben die Bürger nur beschränkten Anteil an den allgemeinen Geschäften des Staates: es ist aber notwenig, dem sittlichen Menschen außer seinem Privatzwecke eine allgemeine Tätigkeit zu gewähren. Dieses Allgemeine, das ihm der moderne Staat nicht immer reicht, findet er in der Korporation. Wir sahen früher[1]), daß das Individuum für sich in der bürgerlichen Gesellschaft sorgend, auch für andere handelt. Aber diese bewußtlose Notwendigkeit ist nicht genug: zu einer gewußten und denkenden Sittlichkeit wird sie erst in der Korporation. Freilich muß über dieser die höhere Aufsicht des Staates sein, weil sie sonst verknöchern, sich in sich verhausen und zu einem elenden Zunftwesen herabsinken würde. Aber an und für sich ist die Korporation keine geschlossene Zunft: sie ist vielmehr die Versittlichung des einzeln stehenden Gewerbes und sein Hinaufnehmen in einen Kreis, in dem es Stärke und Ehre gewinnt.[2])

§ 256

Der Zweck der Korporation als beschränkter und endlicher hat seine Wahrheit, – sowie die in der polizeilichen äußerlichen Anordnung vorhandene Trennung und deren relative Identität, – in dem an und für sich *allgemeinen Zwecke* und dessen absoluter Wirklichkeit; die Sphäre der bürgerlichen Gesellschaft geht daher in den *Staat* über.

Stadt und Land, jene der Sitz des bürgerlichen Gewerbes, der in sich aufgehenden und vereinzelnden Reflexion, – dieses der Sitz der auf der Natur ruhenden Sittlichkeit, – die im Verhältnis zu anderen rechtlichen Personen ihre Selbsterhaltung vermittelnden Individuen, und die Familie, machen die beiden noch ideellen Momente überhaupt aus, aus denen der Staat als ihr wahrhafter *Grund hervorgehet.* – Diese Entwickelung der unmittelbaren Sittlichkeit durch die Entzweiung der bürgerlichen Gesellschaft hindurch, zum Staate, der als ihren wahrhaften Grund sich zeigt, und nur eine solche Entwickelung ist der *wissenschaftliche Beweis* des Begriffs des Staats. – Weil im Gange des wissenschaftlichen Begriffs der Staat als *Resultat* erscheint, indem er sich als *wahrhafter* Grund ergibt, so *hebt* jene *Vermittelung* und jener Schein sich ebensosehr zur *Unmittelbarkeit auf*. In der Wirklichkeit ist darum der *Staat* überhaupt vielmehr das *Erste*, innerhalb dessen sich erst die Familie zur bürgerlichen Gesellschaft ausbildet, und es ist die Idee des Staates selbst, welche sich in diese beiden Momente dirimiert; in der Entwickelung der bürgerlichen Gesellschaft gewinnt die sittliche Substanz ihre *unendliche Form*, welche die beiden Momente in sich enthält: 1. der unendlichen *Unterscheidung* bis zum für-sich-seienden *Insichsein* des Selbstbewußtseins, und 2. der Form der *Allgemeinheit*, welche in der Bildung ist, der Form des *Gedankens*, wodurch der Geist sich in *Gesetzen* und *Institutionen*, seinem *gedachten* Willen, als *organische* Totalität objektiv und wirklich ist.

Dritter Abschnitt
Der Staat

§ 257

Der Staat ist die Wirklichkeit der sittlichen Idee, – der sittliche Geist, als der *offenbare*, sich selbst deutliche, substantielle Wille, der sich denkt und weiß und das was er weiß, und insofern er es weiß, vollführt. An der *Sitte* hat er seine unmittelbare, und an dem *Selbstbewußtsein* des Einzelnen, dem Wissen und Tätigkeit desselben seine vermittelte Existenz, sowie dieses durch die Gesinnung in ihm, als seinem Wesen, Zweck und Produkte seiner Tätigkeit, seine *substantielle Freiheit* hat.

Die *Penaten* sind die inneren, *unteren* Götter, der *Volksgeist*[1]) (Athene) das sich *wissende* und *wollende* Göttliche; die *Pietät* die Empfindung und in Empfindung sich benehmende Sittlichkeit – die *politische Tugend* das Wollen des an und für sich seienden gedachten Zweckes.

§ 258

Der Staat ist als die Wirklichkeit des substantiellen *Willens*, die er in dem zu seiner Allgemeinheit erhobenen besonderen *Selbstbewußtsein* hat, das an und für sich *Vernünftige*. Diese substantielle Einheit ist absoluter unbewegter Selbstzweck, in welchem die Freiheit zu ihrem höchsten Recht kommt, so wie dieser Endzweck das höchste Recht gegen die Einzelnen hat, deren *höchste Pflicht* es ist, Mitglieder des Staats zu sein.

Wenn der Staat mit der bürgerlichen Gesellschaft verwechselt und seine Bestimmung in die Sicherheit und den Schutz des Eigentums und der persönlichen Freiheit gesetzt wird, so ist *das Interesse der Einzelnen als solcher* der letzte Zweck, zu welchem sie vereinigt sind, und es folgt hieraus ebenso, daß es etwas Beliebiges ist, Mitglied des Staates zu sein. – Er hat aber ein ganz anderes Verhältnis zum Individuum; indem er objektiver Geist ist, so hat das Individuum selbst nur Objektivität, Wahrheit und Sittlichkeit, als es ein Glied desselben ist. Die *Vereinigung* als solche ist selbst der wahrhafte Inhalt und Zweck, und die Bestimmung der Individuen ist ein allgemeines Leben zu führen; ihre weitere besondere Befriedigung, Tätigkeit, Weise des Verhaltens hat dies Substantielle und Allgemeingültige zu seinem Ausgangspunkte und Resultate. – Die Vernünftigkeit besteht, abstrakt betrachtet, überhaupt in der sich durchdringenden Einheit der Allgemeinheit und der Einzelnheit, und hier konkret dem Inhalte nach in der Einheit der objektiven Freiheit d. i. des allgemeinen substantiellen Willens und der subjektiven Freiheit als des individuellen Wissens und seines besondere Zwecke suchenden Willens – und deswegen der Form nach in einem nach *gedachten*, d. h. *allgemeinen* Gesetzen und Grundsätzen sich bestimmenden Handeln. – Diese Idee ist das an und für sich ewige und notwendige Sein des Geistes. – Welches nun aber der *historische* Ursprung des Staates überhaupt, oder vielmehr jedes besondern Staates, seiner Rechte und Bestimmungen sei oder gewesen sei, ob er zuerst aus patriarchalischen Verhältnissen, aus Furcht oder Zutrauen, aus der Korporation usf. hervorgegangen, und wie sich das, worauf sich solche Rechte gründen, im Bewußtsein als göttliches, positives Recht, oder Vertrag, Gewohnheit und sofort gefaßt und befestigt habe, geht die Idee des Staates selbst nicht an, sondern ist in Rücksicht auf das wissenschaftliche Erkennen, von dem hier allein die Rede ist, als die Erscheinung eine historische Sache; in Rücksicht auf die Autorität eines wirklichen Staates, insofern sie sich auf Gründe einläßt, sind diese aus den Formen des in ihm gültigen Rechts genommen. – Die philosophische Betrachtung hat es nur mit dem Inwendigen von allem diesem, dem *gedachten Begriffe* zu tun. In Ansehung des Aufsuchens dieses Begriffes hat *Rousseau* das Verdienst gehabt[1]), ein Prinzip, das nicht nur seiner Form nach, (wie etwa der Sozialitätstrieb, die göttliche Autorität) sondern dem Inhalte nach *Gedanke* ist, und zwar das *Denken* selbst ist, nämlich den *Willen* als Prinzip des Staats aufgestellt zu haben. Allein indem er den Willen nur in bestimmter Form des *einzelnen* Willens (wie nachher auch Fichte[2])) und den allgemeinen Willen, nicht als das an und für sich Vernünftige des Willens, sondern nur als das *Gemeinschaftliche*, das aus diesem einzelnen Willen *als bewußtem* hervorgehe, faßte: so wird die Vereinigung der Einzelnen[3]) im Staat zu einem *Vertrag*, der somit ihre Willkür, Meinung und beliebige, ausdrückliche Einwilligung zur Grundlage hat, und es folgen die weiteren bloß verständigen, das an und für sich seiende Göttliche und dessen absolute Autorität und Majestät zerstörenden Konsequenzen. Zur Gewalt gediehen, haben diese Abstraktionen deswegen wohl einerseits das, seit wir vom Menschengeschlechte wissen, erste ungeheuere Schauspiel hervorgebracht, die Verfassung eines großen wirklichen Staates mit Umsturz alles Bestehenden und Gegebenen, nun ganz von vorne und vom *Gedanken* anzufangen[4]), und ihr bloß das *vermeinte Vernünftige* zur Basis geben zu *wollen*, andererseits, weil es nur ideenlose Abstraktionen sind, haben sie den Versuch zur fürchterlichsten und grellsten Begebenheit gemacht. – Gegen das Prinzip des einzelnen Willens ist an den Grundbegriff zu erinnern, daß der objektive Wille das an sich in seinem *Begriffe* Vernünftige ist, ob es von einzelnen erkannt und von ihrem Belieben gewollt werde oder nicht; – daß das Entgegengesetzte, die Subjektivität der Freiheit, das Wissen und Wollen, die in jenem Prinzip *allein* festgehalten ist, nur das *eine*, darum einseitige Moment der *Idee des vernünftigen* Willens enthält, der dies nur dadurch ist, daß er ebenso *an sich*, als daß er *für sich* ist. – Das andere Gegenteil von dem Gedanken, den Staat in der Erkenntnis als ein für sich Vernünftiges zu fassen, ist, die *Äußerlichkeit* der Erscheinung, der Zufälligkeit der Not, der Schutzbedürftigkeit, der Stärke, des Reichtums usf. nicht als Momente der historischen Entwickelung, sondern für die *Substanz* des Staates zu nehmen. Es ist hier gleichfalls die Einzelnheit der Individuen, welche das Prinzip des Erkennens ausmacht, jedoch nicht einmal der *Gedanke* dieser Einzelnheit, sondern im Gegenteil die empirischen Einzelnheiten nach ihren zufälligen Eigenschaften, Kraft und Schwäche, Reichtum und Armut usf. Solcher Einfall, das an und für sich *Unendliche* und *Vernünftige* im Staat zu übersehen und den *Gedanken* aus dem Auffassen seiner innern Natur zu *verbannen*, ist wohl nie so unvermischt aufgetreten, als in Herrrn *v. Hallers Restauration der Staatswissenschaft*[5]), – *unvermischt*, denn in allen Versuchen, das Wesen des Staats zu fassen, wenn auch die Prinzipien noch so einseitig oder oberflächlich sind, führt diese Absicht selbst, den Staat zu *begreifen*, Gedanken, allgemeine Bestimmungen mit sich; hier aber ist mit Bewußtsein auf den vernünftigen Inhalt, der der Staat ist, und auf die Form des Gedankens nicht nur Verzicht getan, sondern es wird gegen das eine und gegen das andere mit leidenschaftlicher Hitze gestürmt. Einen Teil der, wie Hr. v. Haller versichert, ausgebreiteten Wirkung seiner Grundsätze verdankt diese *Restauration* wohl dem Umstande, daß er in der Darstellung *aller Gedanken* sich abzutun gewußt, und das Ganze so aus einem Stücke gedankenlos zu halten gewußt hat, denn auf diese Weise fällt die Verwirrung und Störung hinweg, welche den Eindruck einer Darstellung schwächt, in der unter das Zufällige Anmahnung an das Substantielle, unter das bloß Empirische und Äußerliche eine Erinnerung an das Allgemeine und Vernünftige gemischt, und so in der Sphäre des Dürftigen und Gehaltlosen an das Höhere, Unendliche erinnert wird. – *Konsequent* ist darum diese Darstellung gleichfalls, denn indem statt des Substantiellen die Sphäre des Zufälligen als das Wesen des Staats genommen wird, so besteht die Konsequenz bei solchem Inhalt eben in der völligen Inkonsequenz einer Gedankenlosigkeit, die sich ohne Rückblick fortlaufen läßt und sich in dem Gegenteil dessen, was sie soeben gebilligt, ebensogut zu Hause findet.*)

---

* Das genannte Buch ist um des angegebenen Charakters willen von origineller Art. Der Unmut des Verf. könnte für sich etwas Edles haben, indem derselbe sich an den vorhin erwähnten, von *Rousseau* vornehmlich ausgegangenen falschen Theorien und hauptsächlich an deren versuchter Realisierung entzündet hat. Aber der Herr v. Haller hat sich, um sich zu retten, in ein Gegenteil geworfen, das ein völliger Mangel an Gedanken ist, und bei dem deswegen von Gehalt nicht die Rede sein kann; – nämlich in den bittersten Haß gegen alle *Gesetze, Gesetzgebung, alles förmlich und gesetzlich bestimmte Rechte.* Der Haß des *Gesetzes, gesetzlich* bestimmten *Rechts* ist das Schibboleth, an dem sich der Fanatismus, der Schwachsinn und die Heuchelei der guten Absichten offenbaren und unfehlbar zu erkennen geben, was sie sind, sie mögen sonst Kleider umnehmen welche sie wollen. – Eine Originalität, wie die von Hallersche, ist immer eine merkwürdige Erscheinung und für diejenigen meiner Leser, welche das Buch noch nicht kennen, will ich einiges zur Probe anführen. Nachdem Hr. v. H. (Seite 342 ff. 1. Bd.) seinen Hauptgrundsatz aufgestellt, „daß nämlich wie im *Unbelebten* das Größere das Kleinere, das Mächtige das Schwache verdrängt, usf., so auch unter den *Tieren,* und dann unter den Menschen *dasselbe* Gesetz, unter edleren Gestalten (oft wohl auch unter unedlen?) wiederkomme", und „daß dies *also die ewige unabänderliche Ordnung Gottes* sei, daß der *Mächtigere* herrsche, herrschen müsse und immer herrschen werde;" – man sieht schon hieraus und ebenso aus dem Folgenden, in welchem Sinne hier die *Macht* gemeint ist, nicht die Macht des Gerechten und Sittlichen, sondern die zufällige Naturgewalt; – so belegt er dies nun weiterhin, und unter anderen Gründen auch damit (S. 365f.), daß die Natur es mit bewundernswürdiger Weisheit also geordnet, daß gerade das Gefühl *eigener Überlegenheit* unwiderstehlich den Charakter veredelt und die Entwickelung eben derjenigen Tugenden begünstigt, welche für die Untergebenen am notwendigsten sind. Er fragt mit vieler schulrhetorischen Ausführung, „ob es im Reiche der Wissenschaften die Starken oder Schwachen sind, welche Autorität und Zutrauen mehr zu niedrigen eigennützigen Zwecken und zum Verderben der gläubigen Menschen mißbrauchen, ob unter den

Zusatz. Der Staat an und für sich ist das sittliche Ganze, die Verwirklichung der Freiheit, und es ist absoluter Zweck der Vernunft, daß die Freiheit wirklich sei. Der Staat ist der

---

Rechtsgelehrten die Meister in der Wissenschaft die Legulejen und Rabulisten sind, welche die Hoffnung gläubiger Klienten betrügen, die das Weiße schwarz, das Schwarze weiß machen, die die Gesetze zum Vehikel des Unrechts mißbrauchen, ihre Schutzbedürftigen dem Bettelstab entgegenführen und wie hungrige *Geier* das unschuldige *Lamm* zerfleischen," usf. Hier vergißt Hr. v. H., daß er solche Rhetorik gerade zur Unterstützung des Satzes anführt, daß die *Herrschaft* des *Mächtigern* ewige Ordnung Gottes sei, die Ordnung, nach welcher der Geier das unschuldige Lamm zerfleischt, daß also die durch Gesetzeskenntnis Mächtigeren ganz recht daran tun, die gläubigen Schutzbedürftigen als die Schwachen zu plündern. Es wäre aber zuviel gefordert, daß da zwei Gedanken zusammengebracht wären, wo sich nicht einer findet. – Daß Hr. v. Haller ein Feind von *Gesetzbüchern* ist, versteht sich von selbst; die bürgerlichen Gesetze sind nach ihm überhaupt einesteils „unnötig, indem sie aus *dem natürlichen Gesetze* sich *von selbst* verstehen," es wäre, seit es Staaten gibt, viele Mühe erspart worden, die auf das Gesetzgeben und die Gesetzbücher verwandt worden, und die noch darauf und auf das Studium des gesetzlichen Rechts verwendet wird, wenn man sich von je bei dem gründlichen Gedanken, *das sich alles das von selbst verstehe*, beruhigt hätte, – „andernteils werden die Gesetze eigentlich nicht den Privatpersonen gegeben, sondern als *Instruktionen* für die Unterrichter, um ihnen den Willen des Gerichtsherrn bekannt zu machen. Die *Gerichtsbarkeit* ist ohnehin (1. B. S. 297; 1. T. S. 254 und allerwärts) nicht eine Pflicht des Staats, sondern eine Wohltat, nämlich eine Hilfleistung von Mächtigern, und bloß suppletorisch; unter den Mitteln zur Sicherung des Rechts ist sie nicht das vollkommenste, vielmehr *unsicher* und *ungewiß*, das Mittel, das uns unsere neueren Rechtsgelehrten allein lassen, und uns die *drei anderen Mittel* rauben, gerade diejenigen, die am *schnellsten* und *sichersten* zum *Ziele führen*, und die außer jenem dem Menschen die *freundliche* Natur zur *Sicherung seiner rechtlichen Freiheit* gegeben hat" – und diese drei sind (was meint man wohl?) „1. *eigene Befolgung* und *Einschärfung* des natürlichen Gesetzes, 2. *Widerstand* gegen Unrecht, 3. *Flucht*, wo keine Hilfe mehr zu finden." (wie unfreundlich sind doch die Rechtsgelehrten in Vergleich der freundlichen Natur!) „Das *natürliche göttliche* Gesetz aber, das (1. B. S. 292) die allgütige Natur jedem gegeben, ist: Ehre in jedem deinesgleichen

Geist, der in der Welt steht und sich in derselben mit *Bewußtsein* realisiert, während er sich in der Natur nur als das andere seiner, als schlafender Geist verwirklicht. Nur

---

(nach dem Prinzip des Verfassers müßte es heißen: Ehre der *nicht* deinesgleichen, sondern der der Mächtigere ist); beleidige niemand, *der dich nicht beleidigt*; fordere nichts, was er dir nicht *schuldig* ist, (was ist er aber schuldig?) ja noch mehr: Liebe deinen Nächsten und nütze ihm wo du kannst." – Die *Einpflanzung dieses Gesetzes* soll es sein, was Gesetzgebung und Verfassung überflüssig mache. Es wäre merkwürdig zu sehen, wie Hr. v. H. es sich begreiflich macht, daß dieser Einpflanzung ungeachtet, doch Gesetzgebungen und Verfassungen in die Welt gekommen sind! – In Bd. 3. S. 362f. kommt der Herr Verf. auf die „sogenannten Nationalfreiheiten" – d. i. die Rechts- und Verfassungsgesetze der Nationen; jedes gesetzlich bestimmte Recht hieß in diesem großen Sinne *eine Freiheit*; – er sagt von diesen Gesetzen unter andern „daß ihr Inhalt gewöhnlich *sehr unbedeutend* sei, ob man gleich in *Büchern* auf dergleichen *urkundliche* Freiheiten einen großen Wert setzen möge." Wenn man dann sieht, daß es die Nationalfreiheiten der deutschen Reichsstände, der englischen Nation – die Charta magna[6]), „*die aber wenig gelesen* und wegen der *veralteten Ausdrücke noch weniger* verstanden wird," die bill of rights usf. – der hungarischen Nation usf. sind, von welchen der Verfasser spricht: so wundert man sich zu erfahren, daß diese sonst für so wichtig gehaltenen Besitztümer etwas Unbedeutendes sind, und daß bei diesen Nationen auf ihre Gesetze, die zu jedem Stück Kleidung, das die Individuen tragen, zu jedem Stück Brot, das sie essen, konkurriert haben und täglich und stündlich in allem konkurrieren, *bloß in Büchern* ein Wert gelegt werde. – Auf das *preußische allgemeine* Gesetzbuch[7]), um noch dies anzuführen, ist H. v. H. besonders übel zu sprechen (1. B. S. 185ff.), weil die unphilosophischen[8]) Irrtümer (wenigstens noch nicht die *Kantische* Philosophie, auf welche Hr. v. Haller am erbittertsten ist) dabei ihren *unglaublichen* Einfluß bewiesen haben, unter anderen vornehmlich, weil darin vom *Staate*, Staatsvermögen, dem Zwecke des Staats, vom Oberhaupte des Staats, von *Pflichten* des Oberhaupts, Staatsdienern usf. die Rede sei. Am ärgsten ist dem Hrn. v. H. „das Recht, *zur Bestreitung der Staatsbedürfnisse* das Privatvermögen der Personen, ihr Gewerbe, Produkte oder Konsumtion mit *Abgaben* zu belegen; – weil somit der *König* selbst, da das Staatsvermögen nicht als Privateigentum des Fürsten, sondern als Staatsvermögen qualifiziert wird, so auch die *preußischen Bürger nichts Eigenes* mehr haben, weder ihren Leib noch ihr Gut, als im Bewußtsein vorhanden, sich selbst als existierender Gegenstand wissend, ist er der Staat. Bei der Freiheit muß man nicht von der Einzelnheit, vom einzelnen Selbstbewußtsein ausgehen, sondern nur vom Wesen des Selbstbewußtseins, denn der Mensch mag es wissen oder nicht, dies Wesen realisiert sich als selbständige Gewalt, in der die einzelnen Individuen nur Momente sind: es ist der Gang Gottes in der Welt, daß der Staat ist: sein Grund ist die Gewalt der sich als Wille verwirklichenden Vernunft. Bei der Idee des Staats muß man nicht besondere Staaten vor Augen haben, nicht besondere Institutionen, man muß vielmehr die Idee, diesen wirklichen Gott, für sich betrachten. Jeder Staat, man mag ihn auch nach den Grundsätzen, die man hat, für schlecht erklären, man mag diese oder jene Mangelhaftigkeit daran erkennen, hat immer, wenn er namentlich zu den ausgebildeten unserer Zeit gehört, die wesentlichen Momente seiner Existenz in sich. Weil es aber leichter ist, Mängel aufzufinden, als das Affirmative zu begreifen, verfällt man leicht in den Fehler, über einzelne

---

und alle Untertanen *gesetzlich Leibeigene* seien, denn – *sie dürfen sich dem Dienst des Staats nicht entziehen.*“

Zu aller dieser unglaublichen Krudität könnte man die Rührung am possierlichsten finden, mit der Hr. v. Haller das unaussprechliche Vergnügen über seine Entdeckungen beschreibt (1. B. Vorrede) – „eine Freude wie nur der Wahrheitsfreund sie fühlen kann, wenn er nach redlichem Forschen die Gewißheit erhält, daß er *gleichsam* (jawohl, gleichsam!) den Ausspruch der *Natur*, das Wort *Gottes selbst*, getroffen habe“; (das Wort Gottes unterscheidet vielmehr seine Offenbarungen von den Aussprüchen der Natur und des natürlichen Menschen sehr ausdrücklich), – „wie er vor lauter Bewunderung hätte niedersinken mögen, ein Strom von freudigen Tränen seinen Augen entquoll, und die lebendige Religiosität von da in ihm entstanden ist.“ – Hr. v. H. hätte es aus Religiosität vielmehr als das härteste Strafgericht Gottes beweinen müssen, denn es ist das Härteste, was dem Menschen widerfahren kann, – vom Denken und der Vernünftigkeit, von der Verehrung der Gesetze und von der Erkenntnis, wie unendlich wichtig, göttlich es ist, daß die Pflichten des Staats und die Rechte der Bürger, wie die Rechte des Staats und die Pflichten der Bürger *gesetzlich* bestimmt sind, – soweit abgekommen zu sein, daß sich ihm das Absurde für das *Wort Gottes* unterschiebt.

Seiten den inwendigen Organismus des Staates selbst zu vergessen. Der Staat ist kein Kunstwerk, er steht in der Welt, somit in der Sphäre der Willkür, des Zufalls und des Irrtums, übles Benehmen kann ihn nach vielen Seiten defigurieren. Aber der häßlichste Mensch, der Verbrecher, ein Kranker und Krüppel ist immer noch ein lebender Mensch: das Affirmative, das Leben, besteht trotz des Mangels, und um dieses Affirmative ist es hier zu tun.

§ 259

Die Idee des Staates hat: a) *unmittelbare* Wirklichkeit und ist der individuelle Staat als sich auf sich beziehender Organismus, *Verfassung* oder *inneres Staatsrecht* [1]);

b) geht sie in das *Verhältnis* des einzelnen Staates zu anderen Staaten über, – *äußeres Staatsrecht* [2]);

c) ist sie die allgemeine Idee als *Gattung* und absolute Macht gegen die individuellen Staaten, der Geist, der sich im Prozesse der *Weltgeschichte* seine Wirklichkeit gibt.[3])

Zusatz. Der Staat als wirklich ist wesentlich individueller Staat, und weiter hinaus noch besonderer Staat. Die Individualität ist von der Besonderheit zu unterscheiden: sie ist Moment der Idee des Staates selbst, während die Besonderheit der Geschichte angehört. Die Staaten, als solche, sind unabhängig voneinander, und das Verhältnis kann also nur ein äußerliches sein, so daß ein drittes Verbindendes über ihnen sein muß. Dies Dritte ist nun der Geist, der sich in der Weltgeschichte Wirklichkeit gibt, und den absoluten Richter über sie ausmacht. Es können zwar mehrere Staaten als Bund gleichsam ein Gericht über andere bilden, es können Staatenverbindungen eintreten, wie z. B. die heilige Allianz [4]), aber diese sind immer nur relativ und beschränkt, wie der ewige Frieden.[5]) Der alleinige absolute Richter, der sich immer und gegen das Besondere geltend macht, ist der an und für sich seiende Geist, der sich als das Allgemeine und als die wirkende Gattung in der Weltgeschichte darstellt.

A. Das innere Staatsrecht

§ 260

Der Staat ist die Wirklichkeit der konkreten Freiheit; die *konkrete Freiheit* aber besteht darin, daß die persönliche Einzelnheit und deren besondere Interessen sowohl ihre vollständige *Entwickelung* und die *Anerkennung ihres Rechts* für sich (im Systeme der Familie und der bürgerlichen Gesellschaft) haben, als sie durch sich selbst in das Interesse des Allgemeinen teils *übergehen*, teils mit Wissen und Willen dasselbe und zwar als ihren eigenen *substantiellen Geist* anerkennen und für dasselbe als ihren *Endzweck tätig* sind, so daß weder das Allgemeine ohne das besondere Interesse, Wissen und Wollen gelte und vollbracht werde, noch daß die Individuen bloß für das letztere als Privatpersonen leben, und nicht zugleich in und für das Allgemeine wollen und eine dieses Zwecks bewußte Wirksamkeit haben. Das Prinzip der modernen Staaten hat diese ungeheuere Stärke und Tiefe, das Prinzip der Subjektivität sich zum *selbständigen Extreme* der persönlichen Besonderheit vollenden zu lassen, und zugleich es in die *substantielle Einheit zurückzuführen* und so in ihm selbst diese zu erhalten.

Zusatz. Die Idee des Staates in neuer Zeit hat die Eigentümlichkeit, daß der Staat die Verwirklichung der Freiheit nicht nach subjektivem Belieben, sondern nach dem Begriffe des Willens, d. h. nach seiner Allgemeinheit und Göttlichkeit ist. Die unvollkommenen Staaten sind die, in denen die Idee des Staates noch eingehüllt ist, und wo die besonderen Bestimmungen derselben nicht zu freier Selbständigkeit gekommen sind. In den Staaten des klassischen Altertums findet sich allerdings schon die Allgemeinheit vor, aber die Partikularität war noch nicht losgebunden und freigelassen, und zur Allgemeinheit, d. h. zum allgemeinen Zweck des Ganzen zurückgeführt. Das Wesen des neuen Staates ist, daß das Allgemeine verbunden sei mit der vollen Freiheit der Besonderheit und dem Wohlergehen der Individuen, daß also das Interesse der Familie und bürgerlichen Gesellschaft sich zum Staate zusammennehmen muß, daß aber die Allgemeinheit des Zwecks nicht ohne das eigene Wissen und Wollen der Besonderheit, die ihr Recht behalten muß, fortschreiten kann. Das Allgemeine muß also betätigt sein, aber die Subjektivität auf der anderen Seite ganz und lebendig entwickelt werden. Nur dadurch, daß beide Momente in ihrer Stärke bestehen, ist der Staat als ein gegliederter und wahrhaft organisierter anzusehen.

§ 261

Gegen die Sphären des Privatrechts und Privatwohls, der Familie und der bürgerlichen Gesellschaft, ist der Staat einerseits eine *äußerliche* Notwendigkeit und ihre höhere Macht, deren Natur ihre Gesetze, sowie ihre Interessen untergeordnet und davon abhängig sind; aber andererseits ist er ihr *immanenter* Zweck und hat seine Stärke in der Einheit seines allgemeinen Endzwecks und des besonderen Interesses der Individuen, darin, daß sie insofern *Pflichten* gegen ihn haben, als sie zugleich Rechte haben (§ 155).

Daß den Gedanken der Abhängigkeit insbesondere auch der privatrechtlichen Gesetze von dem bestimmten Charakter des Staats, und die philosophische Ansicht, den Teil nur in seiner Beziehung auf das Ganze zu betrachten, – vornehmlich *Montesquieu* in seinem berühmten Werke: *Der Geist der Gesetze*, ins Auge gefaßt, und auch ins Einzelne auszuführen versucht hat, ist schon oben § 3 Anm. bemerkt worden.[1]) – Da die *Pflicht* zunächst das Verhalten *gegen* etwas für mich *Substantielles*, an und für sich Allgemeines ist, das Recht dagegen das *Dasein* überhaupt dieses Substantiellen ist, damit die Seite seiner *Besonderheit* und meiner *besondern* Freiheit ist, so erscheint beides auf den formellen Stufen an verschiedene Seiten oder Personen verteilt. Der Staat, als Sittliches, als Durchdringung des Substantiellen und des Besonderen, enthält, daß meine Verbindlichkeit gegen das Substantielle zugleich das Dasein meiner besonderen Freiheit d. i. in ihm Pflicht und Recht in *einer und derselben Beziehung vereinigt* sind. Weil aber ferner zugleich im Staate die unterschiedenen Momente zu ihrer *eigentümlichen* Gestaltung und Realität kommen, hiermit der Unterschied von Recht und Pflicht wieder eintritt, so sind sie, indem sie *an sich*, d. i. formell identisch sind, zugleich *ihrem Inhalte* nach *verschieden*. Im Privatrechtlichen und Moralischen fehlt die *wirkliche* Notwendigkeit der Beziehung, und damit ist nur die *abstrakte* Gleichheit des Inhalts vorhanden; *was* in diesen abstrakten Sphären dem einen recht ist, soll auch dem andern recht, und *was* dem einen Pflicht ist, soll auch dem andern Pflicht sein. Jene absolute Identität der Pflicht und des Rechts findet nur als gleiche Identität des *Inhalts* statt, in der Bestimmung, daß dieser Inhalt selbst der ganz allgemeine, nämlich das eine Prinzip der Pflicht und des Rechts, die persönliche Freiheit des Menschen ist. Sklaven haben deswegen keine Pflichten, weil sie keine Rechte haben; und umgekehrt – (von religiösen Pflichten[2]) ist hier nicht die Rede). – Aber in der konkreten, sich in sich entwickelnden Idee unterscheiden sich ihre Momente und ihre Bestimmtheit wird zugleich ein verschiedener Inhalt; in der Familie hat der Sohn nicht Rechte *desselben Inhalts* als er Pflichten gegen den Vater, und der Bürger nicht Rechte *desselben Inhalts* als er Pflichten gegen Fürst und Regierung hat. – Jener Begriff von Vereinigung von Pflicht und Recht ist eine der wichtigsten Bestimmungen und enthält die innere Stärke der Staaten. – Die abstrakte Seite der Pflicht bleibt dabei stehen, das besondere Interesse als ein unwesentliches, selbst unwürdiges Moment zu übersehen und zu verbannen. Die konkrete Betrachtung, die Idee, zeigt das Moment der Besonderheit ebenso wesentlich und damit seine Befriedigung als schlechthin notwendig; das Individuum muß in seiner Pflichterfüllung auf irgendeine Weise zugleich sein eigenes Interesse, seine Befriedigung oder Rechnung finden, und ihm aus seinem Verhältnis im Staat ein Recht erwachsen, wodurch die allgemeine Sache *seine eigene besondere* Sache wird. Das besondere Interesse soll wahrhaft nicht beiseite gesetzt oder gar unterdrückt, sondern mit dem Allgemeinen in Übereinstimmung gesetzt werden, wodurch es selbst und das Allgemeine erhalten wird. Das Individuum, nach seinen Pflichten Untertan, findet als Bürger in ihrer Erfüllung den Schutz seiner Person und Eigentums, die Berücksichtigung seines besonderen Wohls, und die Befriedigung seines substantiellen Wesens, das Bewußtsein und das Selbstgefühl, Mitglied dieses Ganzen zu sein, und in dieser Vollbringung der Pflichten als Leistungen und Geschäfte für den

Staat hat dieser seine Erhaltung und sein Bestehen. Nach der abstrakten Seite wäre das Interesse des Allgemeinen nur, daß seine Geschäfte, die Leistungen, die es erfordert, als Pflichten vollbracht werden.

Zusatz. Auf die Einheit der Allgemeinheit und Besonderheit im Staate kommt alles an. In den alten Staaten war der subjektive Zweck mit dem Wollen des Staates schlechthin eins, in den modernen Zeiten dagegen fordern wir eine eigene Ansicht, ein eigenes Wollen und Gewissen. Die Alten hatten keines in diesem Sinne: das Letzte war ihnen der Staatswille. Während in den asiatischen Despotien das Individuum keine Innerlichkeit und keine Berechtigung in sich hat, will der Mensch in der modernen Welt in seiner Innerlichkeit geehrt sein. Die Verbindung von Pflicht und Recht hat die gedoppelte Seite, daß das was der Staat als Pflicht fordert, auch das Recht der Individualität unmittelbar sei, indem es nichts eben ist, als Organisation des Begriffs der Freiheit. Die Bestimmungen des individuellen Willens sind durch den Staat in ein objektives Dasein gebracht, und kommen durch ihn erst zu ihrer Wahrheit und Verwirklichung. Der Staat ist die alleinige Bedingung der Erreichung des besonderen Zwecks und Wohls.[3])

§ 262

Die wirkliche Idee, der Geist, der sich selbst in die zwei ideellen Sphären seines Begriffs, die Familie und die bürgerliche Gesellschaft, als in seine Endlichkeit scheidet, um aus ihrer Idealität für sich unendlicher wirklicher Geist zu sein, teilt somit diesen Sphären das Material dieser seiner endlichen Wirklichkeit, die Individuen als die *Menge* zu, so daß diese Zuteilung am Einzelnen durch die Umstände, die Willkür und eigene Wahl seiner Bestimmung *vermittelt* erscheint (§ 185 und Anm. das.).

Zusatz. Im platonischen Staate gilt die subjektive Freiheit noch nichts, indem die Obrigkeit noch den Individuen die Geschäfte zuweist.[1]) In vielen orientalischen Staaten geschieht diese Zuweisung durch die Geburt.[2]) Die subjektive Freiheit, die berücksichtigt werden muß, fordert aber freie Wahl der Individuen.[3])

§ 263

In diesen Sphären, in denen seine Momente, die Einzelnheit und Besonderheit, ihre unmittelbare und reflektierte Realität haben, ist der Geist als ihre in *sie scheinende* objektive Allgemeinheit, als die Macht des Vernünftigen in der Notwendigkeit (§ 184), nämlich als die im Vorherigen betrachteten *Institutionen.*

Zusatz. Der Staat als Geist unterscheidet sich in die besonderen Bestimmmungen seines Begriffs, seiner Weise zu sein. Wollen wir hier ein Beispiel aus der Natur beibringen, so ist das Nervensystem das eigentlich empfindende System: es ist das abstrakte Moment, bei sich selbst zu sein und die Identität seiner selbst darin zu haben. Die Analyse der Empfindung gibt aber nun zwei Seiten an, und teilt sich so, daß die Unterschiede als ganze Systeme erscheinen: das erste ist das abstrakte Fühlen, das Beisichbehalten, die dumpfe Bewegung in sich, die Reproduktion, das innerliche Sichnähren, Produzieren und Verdauen. Das zweite Moment ist, daß dies Beisichselbstsein das Moment der Differenz, das Nachaußengehen sich gegenüber hat. Dieses ist die Irritabilität, das Nachaußengehen der Empfindung. Diese macht ein eigenes System aus, und es gibt niedrige Tierklassen, die nur dieses ausgebildet haben, nicht die seelenvolle Einheit der Empfindung in sich. Vergleichen wir diese Naturbeziehungen mit denen des Geistes, so ist die Familie mit der Sensibilität, die bürgerliche Gesellschaft mit der Irritabilität zusammenzustellen. Das Dritte ist nun der Staat, das Nervensystem für sich, in sich organisiert, aber es ist nur lebendig, insofern beide Momente, hier die Familie und bürgerliche Gesellschaft, in ihm entwickelt sind. Die Gesetze, die sie regieren, sind die Institutionen des in sie scheinenden Vernünftigen. Der Grund, die letzte Wahrheit dieser Institutionen ist aber der Geist, der ihr allgemeiner Zweck und gewußter Gegenstand ist. Die Familie ist zwar auch sittlich, allein der Zweck ist nicht als gewußter; in der bürgerlichen Gesellschaft dagegen ist die Trennung das Bestimmende.

§ 264

Die Individuen der Menge, da sie selbst geistige Naturen und damit das gedoppelte Moment, nämlich das Extrem der *für sich* wissenden und wollenden *Einzelnheit* und das Extrem der das Substantielle wissenden und wollenden *Allgemeinheit* in sich enthalten, und daher zu dem Rechte dieser beiden Seiten nur gelangen, insofern sie sowohl als Privat- wie als substantielle Personen wirklich sind; – erreichen in jenen Sphären teils unmittelbar das erstere, teils das andere so, daß sie in den Institutionen, als dem an sich seienden *Allgemeinen* ihrer besonderen Interessen ihr wesentliches Selbstbewußtsein haben, teils daß sie ihnen ein auf einen allgemeinen Zweck gerichtetes Geschäft und Tätigkeit in der Korporation gewähren.

§ 265

Diese Institutionen machen die *Verfassung*, d. i. die entwickelte und verwirklichte Vernünftigkeit, *im Besonderen* aus, und sind darum die feste Basis des Staats, sowie des Zutrauens und der Gesinnung der Individuen für denselben, und die Grundsäulen der öffentlichen Freiheit, da in ihnen die besondere Freiheit realisiert und vernünftig, damit in ihnen selbst *an sich* die Vereinigung der Freiheit und Notwendigkeit vorhanden ist.[1])

Zusatz. Schon früher ist bemerkt worden[2]), daß die Heiligkeit der Ehe und die Institutionen, worin die bürgerliche Gesellschaft als sittlich erscheint, die Festigkeit des Ganzen ausmache, d. h. das Allgemeine sei zugleich die Sache eines jeden als Besonderen. Worauf es ankommt ist, daß sich das Gesetz der Vernunft und der besonderen Freiheit durchdringe, und mein besonderer Zweck identisch mit dem Allgemeinen werde, sonst steht der Staat in der Luft. Das Selbstgefühl der Individuen macht seine Wirklichkeit aus, und seine Festigkeit ist die Identität jener beiden Seiten. Man hat oft gesagt, der Zweck des Staates sei das Glück der Bürger[3]); dies ist allerdings wahr: ist ihnen nicht wohl, ist ihr subjektiver Zweck nicht befriedigt, finden sie nicht, daß die Vermittelung dieser Befriedigung der Staat als solcher ist, so steht derselbe auf schwachen Füßen.

§ 266

Aber der Geist ist nicht nur als diese Notwendigkeit und als ein Reich der Erscheinung, sondern als die *Idealität* derselben, und als ihr Inneres sich objektiv und wirklich; so ist diese substantielle Allgemeinheit *sich selbst* Gegenstand und Zweck, und jene Notwendigkeit hierdurch sich ebensosehr in *Gestalt* der Freiheit.

§ 267

Die *Notwendigkeit* in der Idealität ist die *Entwickelung* der Idee innerhalb ihrer selbst; sie ist als *subjektive* Substantialität die politische *Gesinnung*, als *objektive* in Unterscheidung von jener der *Organismus* des Staats, der eigentlich *politische* Staat und *seine Verfassung*.

Zusatz. Die Einheit der sich wollenden und wissenden Freiheit ist zunächst als Notwendigkeit. Das Substantielle ist nun hier als subjektive Existenz der Individuen; die andere Weise der Notwendigkeit ist aber der Organismus, das heißt der Geist ist ein Prozeß in sich selbst, gliedert sich in sich, setzt Unterschiede in sich, durch die er seinen Kreislauf macht.

§ 268

Die politische *Gesinnung*, der *Patriotismus* überhaupt, als die in *Wahrheit* stehende Gewißheit (bloß subjektive Gewißheit gehet nicht aus der *Wahrheit* hervor, und ist nur Meinung) und das zur *Gewohnheit* gewordene Wollen ist nur Resultat der im Staate bestehenden Institutionen, als in welchem die Vernünftigkeit *wirklich* vorhanden ist, sowie sie durch das ihnen gemäße Handeln ihre Betätigung erhält. – Diese Gesinnung ist überhaupt das *Zutrauen* (das zu mehr oder weniger gebildeter Einsicht übergehen kann,) – das Bewußtsein, daß mein substantielles und besonderes Interesse, im Interesse und Zwecke eines andern (hier des Staats) als im Verhältnis zu mir als Einzelnen bewahrt und enthalten ist, – womit eben dieser unmittelbar kein anderer für mich ist und Ich in diesem Bewußtsein frei bin.[1])

Unter Patriotismus wird häufig nur die Aufgelegtheit zu

außerordentlichen Aufopferungen und Handlungen verstanden. Wesentlich aber ist er die Gesinnung, welche in dem gewöhnlichen Zustande und Lebensverhältnisse das Gemeinwesen für die substantielle Grundlage und Zweck zu wissen gewohnt ist. Dieses bei dem gewöhnlichen Lebensgange sich in allen Verhältnissen bewährende Bewußtsein ist es dann, aus dem sich auch die Aufgelegtheit zu außergewöhnlicher Anstrengung begründet. Wie aber die Menschen häufig lieber großmütig als rechtlich sind, so überreden sie sich leicht, jenen außerordentlichen Patriotismus zu besitzen, um sich diese wahrhafte Gesinnung zu ersparen, oder ihren Mangel zu entschuldigen. – Wenn ferner die *Gesinnung* als das angesehen wird, das für sich den Anfang machen, und aus subjektiven Vorstellungen und Gedanken hervorgehen könne, so wird sie mit der Meinung verwechselt, da sie bei dieser Ansicht ihres wahrhaften Grundes, der objektiven Realität, entbehrt.

Zusatz. Ungebildete Menschen gefallen sich im Räsonnieren und Tadeln, denn Tadel finden ist leicht, schwer aber das Gute und die innere Notwendigkeit desselben zu kennen. Beginnende Bildung fängt immer mit dem Tadel an, vollendete aber sieht in jedem das Positive. In der Religion ist ebenso bald gesagt, dies oder jenes sei Aberglauben, aber es ist unendlich schwerer die Wahrheit davon zu begreifen. Die erscheinende politische Gesinnung ist also von dem zu unterscheiden, was die Menschen wahrhaft wollen, denn sie wollen eigentlich innerlich die Sache, aber sie halten sich an Einzelnheiten und gefallen sich in der Eitelkeit des Besserverstehenwollens. Das Zutrauen haben die Menschen, daß der Staat bestehen müsse und in ihm nur das besondere Interesse könne zustande kommen, aber die Gewohnheit macht das unsichtbar, worauf unsere ganze Existenz beruht. Geht jemand zur Nachtzeit sicher auf der Straße, so fällt es ihm nicht ein, daß dieses anders sein könne, denn diese Gewohnheit der Sicherheit ist zur andern Natur geworden, und man denkt nicht gerade nach, wie dies erst die Wirkung besonderer Institutionen sei. Durch die Gewalt, meint die Vorstellung oft, hänge der Staat zusammen, aber das Haltende ist allein das Grundgefühl der Ordnung, das alle haben.

§ 269

Ihren besonders bestimmten *Inhalt* nimmt die Gesinnung aus den verschiedenen Seiten des Organismus des Staats. Dieser *Organismus* ist die Entwickelung der Idee zu ihren Unterschieden und zu deren objektiven Wirklichkeit. Diese unterschiedenen Seiten sind so die *verschiedenen Gewalten*, und deren Geschäfte und Wirksamkeiten, wodurch das Allgemeine sich fortwährend, und zwar indem sie durch die *Natur des Begriffes* bestimmt sind, auf *notwendige* Weise *hervorbringt*, und indem es ebenso seiner Produktion vorausgesetzt ist, sich *erhält*; — dieser Organismus ist die *politische Verfassung*.[1])

Zusatz. Der Staat ist Organismus, d. h. Entwickelung der Idee zu ihren Unterschieden. Diese unterschiedenen Seiten sind so die verschiedenen Gewalten und deren Geschäfte und Wirksamkeiten, wodurch das Allgemeine sich fortwährend auf notwenige Weise hervorbringt, und indem es eben in seiner Produktion vorausgesetzt ist, sich erhält. Dieser Organismus ist die politische Verfassung: sie geht ewig aus dem Staate hervor, wie er sich durch sie erhält: fallen beide auseinander, machen sich die unterschiedenen Seiten frei, so ist die Einheit nicht mehr gesetzt, die sie hervorbringt. Es paßt auf sie die Fabel vom Magen und den übrigen Gliedern.[2]) Es ist die Natur des Organismus, daß wenn nicht alle Teile zur Identität übergehen, wenn sich einer als selbständig setzt, alle zugrunde gehen müssen. Mit Prädikaten, Grundsätzen usw. kommt man bei der Beurteilung des Staates nicht fort, der als Organismus gefaßt werden muß, ebensowenig wie durch Prädikate die Natur Gottes begriffen wird, dessen Leben ich vielmehr in sich selber anschauen muß.

§ 270

Daß der Zweck des Staates das allgemeine Interesse als solches und darin als ihrer Substanz die Erhaltung der besonderen Interessen ist, ist seine 1. *abstrakte Wirklichkeit* oder Substantialität; aber sie ist 2. seine *Notwendigkeit*, als sie sich in die Begriffsunterschiede seiner Wirksamkeit dirimiert, welche durch jene Substantialität ebenso wirkliche *feste* Bestimmungen, Gewalten sind; 3. eben diese Substantialität ist aber der als durch *die Form der Bildung hindurch gegangene* sich wissende und wollende Geist.[1]) Der Staat *weiß* daher, was er will, und weiß es in seiner *Allgemeinheit*, als *Gedachtes*; er wirkt und handelt deswegen nach gewußten Zwecken, gekannten Grundsätzen, und nach Gesetzen, die es nicht nur *an sich*, sondern fürs Bewußtsein sind; und ebenso, insofern seine Handlungen sich auf vorhandene Umstände und Verhältnisse beziehen, nach der bestimmten Kenntnis derselben.

Es ist hier der Ort *das Verhältnis des Staats zur Religion* zu berühren[2]), da in neueren Zeiten so oft wiederholt worden ist, daß die Religion die Grundlage des Staates sei, und da diese Behauptung auch mit der Prätension gemacht wird, als ob mit ihr die Wissenschaft des Staats erschöpft sei, – und keine Behauptung mehr geeignet ist, so viele Verwirrung hervorzubringen, ja die Verwirrung selbst zur Verfassung des Staats, zur Form, welche die Erkenntnis haben solle, zu erheben. – Es kann zunächst verdächtig scheinen, daß die Religion vornehmlich auch für die Zeiten öffentlichen Elends, der Zerrüttung und Unterdrückung empfohlen und gesucht, und an sie für Trost gegen das *Unrecht* und für Hoffnung zum Ersatz des *Verlustes* gewiesen wird. Wenn es dann ferner als eine Anweisung der Religion angesehen wird, gegen die weltlichen Interessen, den Gang und die Geschäfte der Wirklichkeit gleichgültig zu sein, der Staat aber der Geist ist, *der in der Welt steht*: so scheint die Hinweisung auf die Religion entweder nicht geeignet, das Interesse und Geschäft des Staats zum wesentlichen ernstlichen Zweck zu erheben, oder scheint andererseits im Staatsregiment alles für Sache gleichgültiger Willkür auszugeben, es sei, daß nur die Sprache geführt werde, als ob im Staate die Zwecke der Leidenschaften, unrechtlicher Gewalt usf. das Herrschende wären, oder daß solches Hinweisen auf die Religion weiter für sich allein gelten, und das Bestimmen und Handhaben des Rechten in Anspruch nehmen will. Wie es für Hohn angesehen würde, wenn alle Empfindung gegen die Tyrannei damit abgewiesen würde, daß der Unterdrückte seinen Trost in der Religion finde: so ist ebenso nicht zu vergessen, daß die Religion eine Form annehmen kann, welche die härteste Knechtschaft unter den Fesseln des Aberglaubens[3]) und die Degradation des Menschen unter das Tier (wie bei den Ägyptern und Indern[4]), welche Tiere als ihre höhere Wesen verehren) zur Folge hat. Diese Erscheinung kann wenigstens darauf aufmerksam machen, daß nicht von der Religion ganz überhaupt zu sprechen sei, und gegen sie, wie sie in gewissen Gestalten ist, vielmehr eine rettende Macht gefordert ist, die sich der Rechte der Vernunft und des Selbstbewußtseins annehme. – Die wesentliche Bestimmung aber über das Verhältnis von Religion und Staat ergibt sich nur, indem an ihren Begriff erinnert wird. Die Religion hat die absolute Wahrheit zu ihrem Inhalt, und damit fällt auch das Höchste der Gesinnung in sie. Als Anschauung, Gefühl, vorstellende Erkenntnis, die sich mit Gott, als der uneingeschränkten Grundlage und Ursache, an der alles hängt, beschäftigt, enthält sie die Forderung, daß alles auch in dieser Beziehung gefaßt werde und in ihr seine Bestätigung, Rechtfertigung, Vergewisserung erlange. Staat und Gesetze, wie die Pflichten, erhalten in diesem Verhältnis für das Bewußtsein die höchste Bewährung und die höchste Verbindlichkeit; denn selbst Staat, Gesetze und Pflichten sind in ihrer Wirklichkeit ein Bestimmtes, das in eine höhere Sphäre als in seine Grundlage übergeht. (s. Enzyklop.[5]) der philos. Wissensch.) Deswegen enthält die Religion auch den Ort, der in aller Veränderung und in dem Verlust wirklicher Zwecke, Interessen und Besitztümer, das Bewußtsein des Unwandelbaren und der höchsten Freiheit und Befriedigung gewährt.*) Wenn nun die Religion so die *Grundlage* ausmacht, welche das Sittliche überhaupt und näher die Natur des Staats als den göttlichen

---

* Die *Religion* hat, wie die *Erkenntnis und Wissenschaft*, eine eigentümliche von der des Staates verschiedene Form zu ihrem Prinzip; sie treten daher in den Staat ein, teils im Verhältnis von *Mitteln* der Bildung und Gesinnung, teils, insofern sie wesentlich *Selbstzwecke* sind, nach der Seite, daß sie äußerliches Dasein haben. In beiden Rücksichten verhalten sich die Prinzipien des Staates *anwendend* auf sie; in einer vollständig konkreten Abhandlung vom Staate müssen jene Sphären, so wie die Kunst, die bloß natürlichen Verhältnisse, usf. gleichfalls in der Beziehung und Stellung, die sie im Staate haben, betrachtet werden; aber hier in dieser Abhandlung, wo es das Prinzip des Staats ist, das

Willen enthält, so ist es zugleich nur *Grundlage*, was sie ist, und hier ist es, worin beide auseinandergehen. Der Staat ist göttlicher Wille, als gegenwärtiger, sich zur wirklichen Gestalt und *Organisation einer Welt entfaltender* Geist. Diejenigen, die bei der Form der Religion gegen den Staat stehen bleiben wollen, verhalten sich wie die, welche in der Erkenntnis das Rechte zu haben meinen, wenn sie nur immer beim *Wesen* bleiben und von diesem Abstraktum nicht zum Dasein fortgehen, oder wie die (s. oben § 140 Anm.), welche nur das *abstrakte Gute* wollen, und der Willkür das, *was* gut ist, zu bestimmen vorbehalten. Die Religion ist das Verhältnis zum Absoluten in *Form des Gefühls, der Vorstellung, des Glaubens*, und in ihrem alles enthaltenden Zentrum ist alles nur als ein Akzidentelles, auch Verschwindendes. Wird an dieser Form auch in Beziehung auf den Staat so festgehalten, daß sie auch für ihn das wesentlich Bestimmende und Gültige sei, so ist er, als der zu bestehenden Unterschieden, Gesetzen und Einrichtungen entwickelte Organismus, dem Schwanken, der Unsicherheit und Zerrüttung preisgegeben. Das Objektive und Allgemeine, die Gesetze, anstatt als bestehend und gültig bestimmt zu sein, erhalten die Bestimmung eines Negativen gegen jene alles Bestimmte einhüllende und eben damit zum Subjektiven werdende Form, und für das Betragen der Menschen ergibt sich die Folge: dem Gerechten ist kein Gesetz gegeben, seid fromm, so könnt ihr sonst treiben, was ihr wollt, – ihr könnt der eigenen Willkür und Leidenschaft euch überlassen und die anderen, die Unrecht dadurch erleiden, an den Trost und die Hoffnung der Religion verweisen, oder noch schlimmer, sie als irreligiös verwerfen und verdammen. Insofern aber dies negative Verhalten nicht bloß eine innere Gesinnung und Ansicht bleibt, sondern sich an die Wirklichkeit wendet und in ihr sich geltend macht, entsteht der religiöse *Fanatismus*, der, wie der politische, alle Staatseinrichtung und gesetzliche Ordnung als beengende der innern, der Unendlichkeit des Gemüts unangemessene Schran-

---

in seiner eigentümlichen Sphäre nach seiner Idee durchgeführt wird, kann von ihren Prinzipien und der *Anwendung* des Rechts des Staats auf sie nur beiläufig gesprochen werden.

ken, und somit Privateigentum, Ehe, die Verhältnisse und Arbeiten der bürgerlichen Gesellschaft und so fort als der Liebe und der Freiheit des Gefühls unwürdig verbannt. Da für wirkliches Dasein und Handeln jedoch entschieden werden muß, so tritt dasselbe ein, wie bei der sich als das Absolute wissenden Subjektivität des Willens überhaupt (§ 140), daß aus der subjektiven Vorstellung, das ist dem *Meinen* und dem *Belieben* der *Willkür* entschieden wird. – Das Wahre aber gegen dieses in die Subjektivität des Fühlens und Vorstellens sich einhüllende Wahre ist der ungeheure Überschritt des Innern in das Äußere, der Einbildung der Vernunft in die Realität, woran die ganze Weltgeschichte gearbeitet, und durch welche Arbeit die gebildete Menschheit die Wirklichkeit und das Bewußtsein des vernünftigen Daseins, der Staatseinrichtungen und der Gesetze gewonnen hat. Von denen, die den *Herrn suchen*, und in ihrer ungebildeten Meinung alles *unmittelbar* zu haben sich versichern, statt sich die Arbeit aufzulegen, ihre Subjektivität zur Erkenntnis der Wahrheit und zum Wissen des objektiven Rechts und der Pflicht zu erheben, kann nur Zertrümmerung aller sittlichen Verhältnisse, Albernheit und Abscheulichkeit ausgehen, – notwendige Konsequenzen der auf ihrer Form ausschließend bestehenden und sich so gegen die Wirklichkeit und die in Form des Allgemeinen, der Gesetze, vorhandene Wahrheit wendenden Gesinnung der Religion. Doch ist nicht notwendig, daß diese Gesinnung so zur Verwirklichung fortgehe, sie kann mit ihrem negativen Standpunkt allerdings auch als ein Inneres bleiben, sich den Einrichtungen und Gesetzen fügen und es bei der Ergebung und dem Seufzen oder dem Verachten und Wünschen bewenden lassen. Es ist nicht die Kraft, sondern die Schwäche, welche in unseren Zeiten die Religiosität zu einer *polemischen* Art von Frömmigkeit gemacht hat, sie hänge nun mit einem wahren Bedürfnis, oder auch bloß mit nicht befriedigter Eitelkeit zusammen. Statt sein Meinen mit der Arbeit des Studiums zu bezwingen und sein Wollen der Zucht zu unterwerfen und es dadurch zum freien Gehorsam zu erheben, ist es das Wohlfeilste, auf die Erkenntnis objektiver Wahrheit Verzicht zu tun, ein Gefühl der Gedrücktheit und damit den Eigendünkel zu bewahren, und an der Gottseligkeit bereits alle Erfordernis zu haben, um die Natur der Gesetze und der Staatseinrichtungen zu durchschauen, über sie abzusprechen und wie sie beschaffen sein sollten und müßten anzugeben, und zwar, weil solches aus einem frommen Herzen komme, auf eine unfehlbare und unantastbare Weise; denn dadurch, daß Absichten und Behauptungen die Religion zur Grundlage machen, könne man ihnen weder nach ihrer Seichtigkeit, noch nach ihrer Unrechtlichkeit etwas anhaben.

Insofern aber die Religion, wenn sie wahrhafter Art ist, ohne solche negative und polemische Richtung gegen den Staat ist, ihn vielmehr anerkennt und bestätigt, so hat sie ferner für sich ihren *Zustand* und ihre *Äußerung*. Das Geschäft ihres Kultus besteht in *Handlungen* und *Lehre*; sie bedarf dazu *Besitztümer* und *Eigentums*, sowie dem *Dienste* der Gemeinde gewidmeter *Individuen*. Es entsteht damit ein Verhältnis von Staat und Kirchengemeinde. Die Bestimmung dieses Verhältnisses ist einfach. Es ist in der Natur der Sache, daß der Staat eine Pflicht erfüllt, der Gemeinde für ihren religiösen Zweck allen Vorschub zu tun und Schutz zu gewähren, ja, indem die Religion das ihn für das Tiefste der Gesinnung integrierende Moment ist, von allen seinen Angehörigen zu fordern, daß sie sich zu einer Kirchengemeinde halten, – übrigens zu irgendeiner[6]), denn auf den Inhalt, insofern er sich auf das Innere der Vorstellung bezieht, kann sich der Staat nicht einlassen. Der in seiner Organisation ausgebildete und darum starke Staat kann sich hierin desto liberaler verhalten, Einzelnheiten, die ihn berührten, ganz übersehen, und selbst Gemeinden (wobei es freilich auf die Anzahl ankommt) in sich aushalten, welche selbst die direkten Pflichten gegen ihn religiös nicht anerkennen, indem er nämlich die Mitglieder derselben der bürgerlichen Gesellschaft unter deren Gesetzen überläßt und mit passiver, etwa durch Verwandelung und Tausch vermittelter, Erfüllung der direkten Pflichten gegen ihn zufrieden ist.*) In-

* Von Quäkern, Wiedertäufern usf. kann man sagen, daß sie nur aktive Mitglieder der bürgerlichen Gesellschaft sind, und als Privatpersonen nur im Privatverkehr mit anderen stehen, und selbst in diesem Verhältnisse hat man ihnen den Eid erlassen;

sofern aber die kirchliche Gemeinde *Eigentum* besitzt, sonstige *Handlungen* des Kultus ausübt, und Individuen dafür im Dienste hat, tritt sie aus dem Innern in das Weltliche und damit in das Gebiet des Staats herüber und stellt sich dadurch *unmittelbar* unter seine Gesetze. Der Eid, das Sitt-

---

die direkten Pflichten gegen den Staat erfüllen sie auf eine passive Weise und von einer der wichtigsten Pflichten, ihn gegen Feinde zu verteidigen, die sie direkt verleugnen, wird etwa zugegeben, sie durch Tausch gegen andere Leistung zu erfüllen. Gegen solche Sekten ist es im eigentlichen Sinne der Fall, daß der Staat *Toleranz* ausübt; denn da sie die Pflichten gegen ihn nicht anerkennen, können sie auf das Recht, Mitglieder desselben zu sein, nicht Anspruch machen.[7]) Als einst im nordamerikanischen Kongreß die Abschaffung der Sklaverei der Neger mit größerem Nachdruck betrieben wurde, machte ein Deputierter aus den südlichen Provinzen die treffende Erwiderung: „Gebt uns die Neger zu, wir geben euch die Quäker zu." – Nur durch seine sonstige Stärke kann der Staat solche Anomalien übersehen und dulden, und sich dabei vornehmlich auf die Macht der Sitten und der inneren Vernünftigkeit seiner Institutionen verlassen, daß diese, indem er seine Rechte hierin nicht strenge geltend macht, die Unterscheidung vermindern und überwinden werde. So formelles Recht man etwa gegen die *Juden*[8]) in Ansehung der Verleihung selbst von bürgerlichen Rechten gehabt hätte, indem sie sich nicht bloß als eine besondere Religionspartei, sondern als einem fremden Volke angehörig ansehen sollten, so sehr hat das aus diesen und anderen Gesichtspunkten erhobene Geschrei[9]) übersehen, daß sie zu allererst *Menschen* sind und daß dies nicht nur eine flache, abstrakte Qualität ist (§ 209 Anmerkung), sondern daß darin liegt, daß durch die zugestandenen bürgerlichen Rechte vielmehr das *Selbstgefühl*, als *rechtliche* Personen in der bürgerlichen Gesellschaft zu gelten, und aus dieser unendlichen von allem anderen freien Wurzel die verlangte Ausgleichung der Denkungsart und Gesinnung zustande kommt. Die den Juden vorgeworfene Trennung hätte sich vielmehr erhalten und wäre dem ausschließenden Staate mit Recht zur Schuld und Vorwurf geworden; denn er hätte damit sein Prinzip, die objektive Institution und deren Macht verkannt (vergl. § 268 Anm. am Ende). Die Behauptung dieser Ausschließung, indem sie aufs Höchste rechtzuhaben vermeinte, hat sich auch in der Erfahrung am törichtsten, die Handlungsart der Regierungen hingegen als das Weise und Würdige erwiesen. –

liche überhaupt, wie das Verhältnis der Ehe führen zwar die innere Durchdringung und die Erhebung der *Gesinnung* mit sich, welche durch die Religion ihre tiefste Vergewisserung erhält; indem die sittlichen Verhältnisse wesentlich Verhältnisse der *wirklichen Vernünftigkeit* sind, so sind es die Rechte dieser, welche darin zuerst zu behaupten sind, und zu welchen die kirchliche Vergewisserung als die nur innere, abstraktere Seite hinzutritt. – In Ansehung weiterer Äußerungen, die von der kirchlichen Vereinigung ausgehen, so ist bei der *Lehre* das Innere gegen das Äußere das Überwiegendere als bei den *Handlungen* des Kultus und anderen damit zusammenhängenden Benehmungen, wo die *rechtliche* Seite wenigstens sogleich für sich als Sache des Staats erscheint; (wohl haben sich Kirchen auch die Exemtion ihrer Diener und ihres Eigentums von der Macht und Gerichtsbarkeit des Staates, sogar die Gerichtsbarkeit über weltliche Personen in Gegenständen, bei denen wie Ehescheidungssachen, Eidesangelegenheiten usf. die Religion konkurriert, genommen). – Die *polizeiliche* Seite in Rücksicht solcher Handlungen ist freilich unbestimmter, aber dies liegt in der Natur dieser Seite ebenso auch gegen andere ganz bürgerliche Handlungen (s. oben § 234). Insofern die religiöse Gemeinschaftlichkeit von Individuen sich zu einer Gemeinde, einer Korporation erhebt, steht sie überhaupt unter der oberpolizeilichen Oberaufsicht des Staats. – Die *Lehre* selbst aber hat ihr Gebiet in dem Gewissen, stehet in dem Rechte der subjektiven Freiheit des Selbstbewußtseins, – der Sphäre der Innerlichkeit, die als solche nicht das Gebiet des Staates ausmacht. Jedoch hat auch der Staat eine Lehre, da seine Einrichtungen und das ihm Geltende überhaupt über das Rechtliche, Verfassung usf. wesentlich in der Form des *Gedankens* als Gesetz ist, und indem er kein Mechanismus, sondern das vernünftige Leben der selbstbewußten Freiheit, das System der sittlichen Welt ist, so ist die *Gesinnung*, sodann das Bewußtsein derselben in *Grundsätzen* ein wesentliches Moment im wirklichen Staate. Hinwiederum ist die Lehre der Kirche nicht bloß ein Inneres des Gewissens, sondern als Lehre vielmehr *Äußerung*, und Äußerung zugleich über einen Inhalt, der mit den sittlichen Grundsätzen und Staatsgesetzen aufs innigste zusammenhängt oder sie unmittelbar selbst betrifft. Staat und Kirche treffen also hier direkt *zusammen* oder *gegeneinander*. Die Verschiedenheit beider Gebiete kann von der Kirche zu dem schroffen Gegensatz getrieben werden, daß sie als den absoluten Inhalt der Religion in sich enthaltend, das *Geistige* überhaupt und damit auch das sittliche Element als ihren Teil betrachtet, den Staat aber als ein mechanisches Gerüste für die ungeistigen äußerlichen Zwecke, sich als das Reich Gottes oder wenigstens als den Weg und Vorplatz dazu, den Staat aber als das Reich der Welt, d. i. des Vergänglichen und Endlichen, sich damit als den Selbstzweck, den Staat aber nur als bloßes *Mittel* begreift. Mit dieser Prätension verbindet sich dann in Ansehung des *Lehrens* die Forderung, daß der Staat die Kirche darin nicht nur mit vollkommener Freiheit gewähren lasse, sondern unbedingten Respekt vor ihrem Lehren, wie es auch beschaffen sein möge, denn diese Bestimmung komme nur ihr zu, als Lehren habe. Wie die Kirche zu dieser Prätension aus dem ausgedehnten Grunde, daß das geistige Element überhaupt ihr Eigentum sei, kommt, die *Wissenschaft* und Erkenntnis überhaupt aber gleichfalls in diesem Gebiete steht, für sich wie eine Kirche sich zur Totalität von eigentümlichem Prinzipe ausbildet, welche sich auch als an die Stelle der Kirche selbst noch mit größerer Berechtigung tretend betrachten kann, so wird dann für die Wissenschaft dieselbe Unabhängigkeit vom Staate, der nur als ein Mittel für sie als einen Selbstzweck zu sorgen habe, verlangt. – Es ist für dieses Verhältnis übrigens gleichgültig, ob die dem Dienste der Gemeinde sich widmenden Individuen und Vorsteher es etwa zu einer vom Staate ausgeschiedenen Existenz getrieben haben, so daß nur die übrigen Mitglieder dem Staate unterworfen sind, oder sonst im Staate stehen und ihre kirchliche Bestimmung nur eine Seite ihres Standes sei, welche sie gegen den Staat getrennt halten. Zunächst ist zu bemerken, daß ein solches Verhältnis mit der Vorstellung vom Staat zusammenhängt, nach welcher er seine Bestimmung nur hat im Schutz und Sicherheit des Lebens, Eigentums und der Willkür eines jeden, insofern sie das Leben und Eigentum und die Willkür der anderen nicht verletzt, und der Staat so nur als eine Veranstaltung der Not betrachtet wird. Das Element des höheren Geistigen, des an und für sich Wahren, ist auf diese Weise als subjektive Religiosität oder als theoretische Wissenschaft jenseits des Staates gestellt, der als der *Laie* an und für sich, nur zu respektieren habe, und das eigentliche Sittliche fällt so bei ihm ganz aus. Daß es nun geschichtlich Zeiten und Zustände von Barbarei gegeben, wo alles höhere Geistige in der Kirche seinen Sitz hatte, und der Staat nur ein weltliches Regiment der Gewalttätigkeit, der Willkür und Leidenschaft, und jener abstrakte Gegensatz das Hauptprinzip der Wirklichkeit war, (s. § 359) gehört in die Geschichte. Aber es ist ein zu blindes und seichtes Verfahren, diese Stellung als die wahrhaft der Idee gemäße anzugeben. Die Entwickelung dieser Idee hat vielmehr dies als die Wahrheit erwiesen, daß der Geist als frei und vernünftig, an sich sittlich ist, und die wahrhafte Idee die *wirkliche* Vernünftigkeit, und diese es ist, welche als Staat existiert. Es ergab sich ferner aus dieser Idee ebensosehr, daß die sittliche *Wahrheit* in derselben für das *denkende* Bewußtsein, als in die Form der *Allgemeinheit* verarbeiteter *Inhalt*, als *Gesetz*, ist, – der Staat überhaupt seine Zwecke *weiß*, sie mit bestimmtem Bewußtsein und nach Grundsätzen erkennt und betätigt. Wie oben bemerkt ist, hat nun die Religion das Wahre zu ihrem allgemeinen Gegenstande, jedoch als einen *gegebenen* Inhalt, der in seinen Grundbestimmungen nicht durch Denken und Begriffe erkannt ist; ebenso ist das Verhältnis des Individuums zu diesem Gegenstande eine auf Autorität gegründete Verpflichtung, und das *Zeugnis* des *eigenen* Geistes und Herzens, als worin das Moment der Freiheit enthalten ist, ist *Glaube* und *Empfindung*. Es ist die philosophische Einsicht, welche erkennt, daß Kirche und Staat nicht im Gegensatze des *Inhalts* der Wahrheit und Vernünftigkeit, aber im Unterschied der Form stehen. Wenn daher die Kirche in das *Lehren* übergeht (es gibt und gab auch Kirchen, die nur einen Kultus haben; andere, worin er die Hauptsache und das Lehren und das gebildetere Bewußtsein nur Nebensache ist) und ihr Lehren *objektive Grundsätze*, die Gedanken des Sittlichen und Vernünftigen betrifft, so geht sie in dieser Äußerung unmittelbar in das Gebiet des Staats herüber. Gegen ihren *Glauben* und ihre *Autorität* über das Sittliche,

Recht, Gesetze, Institutionen, gegen ihre *subjektive Überzeugung* ist der Staat vielmehr das *Wissende*[10]); in seinem Prinzip bleibt wesentlich der Inhalt nicht in der Form des Gefühls und Glaubens stehen, sondern gehört dem bestimmten Gedanken an. Wie der an und für sich seiende Inhalt, in der Gestalt der Religion als besonderer Inhalt, als die der Kirche als religiöser Gemeinschaft eigentümlichen Lehren, erscheint, so bleiben sie außer dem Bereiche des Staats (im Protestantismus[11]) gibt es auch keine Geistlichkeit, welche ausschließender Depositär der kirchlichen Lehre wäre, weil es in ihm keine *Laien* gibt); indem sich die sittlichen Grundsätze und die Staatsordnung überhaupt in das Gebiet der Religion herüberziehen und nicht nur in Beziehung darauf setzen lassen, sondern auch gesetzt werden sollen, so gibt diese Beziehung einerseits dem Staate selbst die religiöse Beglaubigung; andererseits bleibt ihm das Recht und die Form der selbstbewußten, objektiven Vernünftigkeit, das Recht, sie geltend zu machen und gegen Behauptungen, die aus der *subjektiven* Gestalt der Wahrheit entspringen, mit welcher *Versicherung* und *Autorität* sie sich auch umgebe, zu behaupten. Weil das Prinzip seiner Form als Allgemeines wesentlich der Gedanke ist, so ist es auch geschehen, daß *von seiner Seite die Freiheit des Denkens* und *der Wissenschaft* ausgegangen ist, (und eine Kirche hat vielmehr den *Jordanus Bruno*[12]) verbrannt, den *Galilei* wegen der Darstellung des *kopernikanischen* Sonnensystems auf den Knien Abbitte tun lassen[13]) usf.*) Auf seiner Seite hat darum auch

---

* *Laplace Darstellung des Weltsystems*, V. Buch, 4. Kap. „Da *Galilei* die Entdeckungen (zu denen ihm das Teleskop verhalf, die Lichtgestalten der Venus usf.) bekannt machte, zeigte er zugleich, daß sie die Bewegungen der Erde unwidersprechlich bewiesen. Aber die Vorstellung dieser Bewegung wurde durch eine Versammlung der Kardinäle für ketzerisch erklärt, *Galilei*, ihr berühmtester Verteidiger, vor das Inquisitionsgericht[14]) gefordert und genötigt, sie zu widerrufen, um einem harten Gefängnis zu entgehen. Bei dem Manne von Geist ist die Leidenschaft für die Wahrheit eine der stärksten Leidenschaften. – *Galilei*, durch seine eigenen Beobachtungen von der Bewegung der Erde überzeugt, dachte lange Zeit auf ein neues Werk, worin er alle Beweise dafür zu entwickeln sich vorgenommen hatte.

die *Wissenschaft* ihre Stelle; denn sie hat dasselbe Element der Form, als der Staat, sie hat den Zweck des *Erkennens*, und zwar der gedachten *objektiven* Wahrheit und Vernünftigkeit. Das denkende Erkennen kann zwar auch aus der Wissenschaft in das Meinen, und in das Räsonnieren aus Gründen herunterfallen, sich auf sittliche Gegenstände und die Staatsorganisation wendend in Widerspruch gegen deren Grundsätze sich setzen, und dies etwa auch mit denselben Prätensionen, als die Kirche für ihr Eigentümliches macht, auf dies *Meinen* als auf Vernunft und das Recht des subjektiven Selbstbewußtseins, in seiner Meinung und Überzeugung frei zu sein. Das Prinzip dieser Subjektivität des

---

Aber um sich zugleich der Verfolgung zu entziehen, deren Opfer er hätte werden müssen, wählte er die Auskunft, sie in der Form von Dialogen zwischen drei Personen darzustellen; man sieht wohl, daß der Vorteil auf der Seite des Verteidigers des kopernikanischen Systems war; da aber Galilei nicht zwischen ihnen entschied, und den Einwürfen der Anhänger des Ptolemäus so viel Gewicht gab, als nur möglich war, so durfte er wohl erwarten, im Genusse der Ruhe, die sein hohes Alter und seine Arbeiten verdienten, nicht gestört zu werden. Er wurde in seinem siebzigsten Jahre aufs neue vor das Inquisitionstribunal gefordert; man schloß ihn in ein Gefängnis ein, wo man eine zweite Widerrufung seiner Meinungen von ihm forderte, unter Androhung der für die wieder abgefallenen Ketzer bestimmten Strafe. Man ließ ihn folgende Abschwörungsformel[15]) unterschreiben: „Ich *Galilei*, der ich in meinem siebzigsten Jahre mich persönlich vor dem Gerichte eingefunden, auf den Knien liegend, und die Augen auf die heiligen Evangelien, die ich mit meinen Händen berühre, gerichtet, schwöre ab, verfluche und verwünsche mit redlichem Herzen und wahrem Glauben die Ungereimtheit, Falschheit und Ketzerei der Lehre von der Bewegung der Erde usf." Welch ein Anblick war das, einen ehrwürdigen Greis, berühmt durch ein langes, der Erforschung der Natur einzig gewidmetes Leben, gegen das Zeugnis seines eigenen Gewissens die Wahrheit, die er mit Überzeugungskraft erwiesen hatte, auf den Knien abschwören zu sehen. Ein Urteil der Inquisition verdammte ihn zu immerwährender Gefangenschaft. Ein Jahr hernach wurde er, auf die Verwendung des Großherzogs von Florenz, in Freiheit gesetzt.[16]) – Er starb 1642. Seinen Verlust betrauerte Europa, das durch seine Arbeiten erleuchtet, und über das von einem verhaßten Tribunale gegen einen so großen Mann gefällte Urteil aufgebracht war."

Wissens ist oben (§ 140 Anmerkung) betrachtet worden; hierher gehört nur die Bemerkung, daß nach einer Seite der Staat gegen das *Meinen*, eben insofern es nur Meinung, ein subjektiver Inhalt ist und darum, es spreize sich noch so hoch auf, keine wahre Kraft und Gewalt in sich hat, ebenso, wie die Maler, die sich auf ihrer Palette an die drei Grundfarben halten, gegen die *Schulweisheit* von den sieben Grundfarben, eine unendliche Gleichgültigkeit ausüben kann. Nach der anderen Seite aber hat der Staat gegen dies *Meinen* schlechter Grundsätze, indem es sich zu einem allgemeinen und die Wirklichkeit anfressenden Dasein macht, ohnehin insofern der Formalismus der unbedingten Subjektivität, der den wissenschaftlichen Ausgangspunkt zu seinem Grunde nehmen und die Lehrveranstaltungen des Staates selbst zu der Prätension einer Kirche gegen ihn erheben und kehren wollte, die objektive Wahrheit und die Grundsätze des sittlichen Lebens in Schutz zu nehmen, sowie er im ganzen gegen die, eine unbeschränkte und unbedingte *Autorität* ansprechende, Kirche umgekehrt das formelle Recht des Selbstbewußtseins an die eigene Einsicht, Überzeugung und überhaupt Denken dessen, was als objektive Wahrheit gelten soll, geltend zu machen hat.

Die *Einheit des Staates* und *der Kirche*, eine auch in neuen Zeiten viel besprochene und als höchstes Ideal aufgestellte Bestimmung, kann noch erwähnt werden. Wenn die wesentliche Einheit derselben ist die der Wahrheit der Grundsätze und Gesinnung, so ist ebenso wesentlich, daß mit dieser Einheit der *Unterschied*, den sie in der Form ihres Bewußtseins haben, zur *besonderen Existenz* gekommen sei. Im orientalischen Despotismus[17]) ist jene so oft gewünschte Einheit der Kirche und des Staats, – aber damit ist der Staat nicht vorhanden, – nicht die selbstbewußte, des Geistes allein würdige Gestaltung in Recht, freier Sittlichkeit und organischer Entwickelung.[18]) – Damit ferner der Staat als die *sich wissende*, sittliche Wirklichkeit des Geistes zum Dasein komme, ist seine Unterscheidung von der Form der Autorität und des Glaubens notwendig; diese Unterscheidung tritt aber nur hervor, insofern die kirchliche Seite in sich selbst zur Trennung kommt; nur so, über den *besonderen* Kirchen, hat der Staat die *Allgemeinheit* des Gedankens, das Prinzip seiner Form, gewonnen und bringt sie zur Existenz; um dies zu erkennen, muß man wissen, nicht nur was die Allgemeinheit *an sich*, sondern was ihre *Existenz* ist. Es ist daher so weit gefehlt, daß für den Staat die kirchliche Trennung ein Unglück wäre oder gewesen wäre, daß er *nur durch sie* hat werden können, was seine Bestimmung ist, die selbstbewußte Vernünftigkeit und Sittlichkeit. Ebenso ist es das Glücklichste, was der Kirche für ihre eigene und was dem Gedanken für seine Freiheit und Vernünftigkeit hat widerfahren können.

Zusatz. Der Staat ist wirklich, und seine Wirklichkeit besteht darin, daß das Interesse des Ganzen sich in die besonderen Zwecke realisiert. Wirklichkeit ist immer Einheit der Allgemeinheit und Besonderheit, das Auseinandergelegtsein der Allgemeinheit in die Besonderheit, die eine selbständige erscheint, obgleich sie nur im Ganzen getragen und gehalten wird. Insofern diese Einheit nicht vorhanden ist, ist etwas nicht *wirklich*, wenn auch *Existenz* angenommen werden dürfte. Ein schlechter Staat ist ein solcher, der bloß existiert, ein kranker Körper existiert auch, aber er hat keine wahrhafte Realität. Eine Hand, die abgehauen ist, sieht auch noch aus wie eine Hand, und existiert, doch ohne wirklich zu sein[19]); die wahrhafte Wirklichkeit ist Notwendigkeit: was wirklich ist, ist in sich notwendig. Die Notwendigkeit besteht darin, daß das Ganze in die Begriffsunterschiede dirimiert sei, und daß dieses Dirimierte eine feste und aushaltende Bestimmtheit abgebe, die nicht totfest ist, sondern in der Auflösung sich immer erzeugt. Zum vollendeten Staat gehört wesentlich das Bewußtsein, das Denken; der Staat weiß daher, was er will, und weiß es als ein Gedachtes. Indem das Wissen nun im Staate seinen Sitz hat, hat ihn auch die Wissenschaft *hier*, und nicht in der Kirche. Trotzdem ist in neueren Zeiten viel davon gesprochen worden, daß der Staat aus der Religion hervorzusteigen habe. Der Staat ist der entwickelte Geist und stellt seine Momente an den Tag des Bewußtseins heraus: dadurch, daß das, was in der Idee liegt, heraus in die Gegenständlichkeit tritt, erscheint der Staat als ein Endliches, und so zeigt sich derselbe als ein Gebiet der Weltlichkeit, während die Religion sich als ein Gebiet der Unendlichkeit darstellt. Der Staat scheint somit das Untergeordnete, und weil das Endliche nicht für sich bestehen kann, so, heißt es, brauche dasselbe die Basis der Kirche. Als Endliches habe es keine Berechtigung, und erst durch die Religion werde es heilig und dem Unendlichen angehörend. Aber diese Betrachtung der Sache ist nur höchst einseitig. Der Staat ist allerdings wesentlich weltlich und endlich, hat besondere Zwecke und besondere Gewalten, aber daß der Staat weltlich ist, ist nur die eine Seite, und nur der geistlosen Wahrnehmung ist der Staat bloß endlich. Denn der Staat hat eine belebende Seele, und dies Beseelende ist die Subjektivität, die eben Erschaffen der Unterschiede, aber andererseits das Erhalten in der Einheit ist. Im religiösen Reiche sind auch Unterschiede und Endlichkeiten. Gott, heißt es, sei dreieinig: da sind also drei Bestimmungen, deren Einheit erst der Geist ist. Wenn man daher die göttliche Natur konkret faßt, so ist dies auch nur durch Unterschiede der Fall. Im göttlichen Reiche kommen also Endlichkeiten wie im Weltlichen vor, und daß der weltliche Geist, d. h. der Staat, nur ein endlicher sei, ist eine einseitige Ansicht, denn die Wirklichkeit ist nichts Unvernünftiges. Ein schlechter Staat freilich ist nur weltlich und endlich, aber der vernünftige Staat ist unendlich in sich. Das Zweite ist, daß man sagt, der Staat habe seine Rechtfertigung in der Religion zu nehmen. Die Idee, als in der Religion, ist Geist im Innern des Gemüts, aber dieselbe Idee ist es, die sich in dem Staate Weltlichkeit gibt, und sich im Wissen und Wollen ein Dasein und eine Wirklichkeit verschafft. Sagt man nun, der Staat müsse auf Religion sich gründen, so kann dies heißen, derselbe solle auf Vernünftigkeit beruhen und aus ihr hervorgehen. Aber dieser Satz kann auch so mißverstanden werden, daß die Menschen, deren Geist durch eine unfreie Religion gebunden ist, dadurch zum Gehorsam am geschicktesten seien. Die christliche Religion aber ist die Religion der Freiheit. Diese kann freilich wieder eine Wendung bekommen, daß die freie zur unfreien verkehrt wird, indem sie vom Aberglauben behaftet ist. Meint man nun dies, daß die Individuen Religion haben müssen, damit ihr gebundener Geist im Staate desto mehr unterdrückt werden könne, so ist dies der schlimme

Sinn des Satzes; meint man, daß die Menschen Achtung vor dem Staat, vor diesem Ganzen, dessen Zweige sie sind, haben sollen, so geschieht dies freilich am besten durch die philosophische Einsicht in das Wesen desselben; aber es kann in Ermangelung dieser auch die religiöse Gesinnung dahin führen.[20]). So kann der Staat der Religion und des Glaubens bedürfen. Wesentlich aber bleibt der Staat von der Religion dadurch unterschieden, daß was er fordert die Gestalt einer rechtlichen Pflicht hat, und daß es gleichgültig ist, in welcher Gemütsweise geleistet wird. Das Feld der Religion dagegen ist die Innerlichkeit, und so wie der Staat, wenn er auf religiöse Weise forderte, das Recht der Innerlichkeit gefährden würde, so artet die Kirche, die wie ein Staat handelt und Strafen auferlegt, in eine tyrannische Religion aus. Ein dritter Unterschied, der hiermit zusammenhängt, ist, daß der Inhalt der Religion ein eingehüllter ist und bleibt, und somit Gemüt, Empfindung und Vorstellung der Boden ist, worauf er seinen Platz hat. Auf diesem Boden hat alles die Form der Subjektivität, der Staat hingegen verwirklicht sich und gibt seinen Bestimmungen festes Dasein. Wenn nun die Religiosität im Staate sich geltend machen wollte, wie sie gewohnt ist auf ihrem Boden zu sein, so würde sie die Organisation des Staates umwerfen, denn im Staate haben die Unterschiede eine Breite des Außereinander: in der Religion dagegen ist immer alles auf die Totalität bezogen. Wollte nun diese Totalität alle Beziehungen des Staates ergreifen, so wäre sie Fanatismus; sie wollte in jedem Besonderen das Ganze haben, und könnte es nicht anders als durch Zerstörung des Besonderen, denn der Fanatismus ist nur das, die besonderen Unterschiede nicht gewähren zu lassen. Wenn man sich so ausdrückt: „*den Frommen sei kein Gesetz gegeben,*“[21]) so ist dies weiter nichts als der Ausspruch jenes Fanatismus. Denn die Frömmigkeit, wo sie an die Stelle des Staates tritt, kann das Bestimmte nicht aushalten und zertrümmert es. Damit hängt ebenso zusammen, wenn die Frömmigkeit das Gewissen, die Innerlichkeit, entscheiden läßt, und nicht von *Gründen* bestimmt wird. Diese Innerlichkeit entwickelt sich nicht zu Gründen, und gibt sich keine Rechenschaft. Soll also die Frömmigkeit als Wirklichkeit des

Staates gelten, so sind alle Gesetze über den Haufen geworfen, und das subjektive Gefühl ist das gesetzgebende. Dieses Gefühl kann bloße Willkür sein, und ob dies sei, muß lediglich aus den Handlungen erkannt werden: aber insofern sie Handlungen, Gebote werden, nehmen sie die Gestalt von Gesetzen an, was gerade jenem subjektivem Gefühl widerspricht. Gott, der der Gegenstand dieses Gefühls ist, könnte man auch zum Bestimmenden machen, aber Gott ist die allgemeine Idee, und in diesem Gefühl das Unbestimmte, das nicht dahin gereift ist, das zu bestimmen, was im Staate als entwickelt da ist. Gerade daß im Staate alles fest und gesichert ist, ist die Schanze gegen die Willkür und die positive Meinung. Die Religion als solche darf also nicht das Regierende sein.

§ 271

Die politische Verfassung ist *fürs erste*: die Organisation des Staates und der Prozeß seines organischen Lebens *in Beziehung auf sich selbst*, in welcher er seine Momente innerhalb seiner selbst unterscheidet und sie zum *Bestehen* entfaltet.

Zweitens ist er als eine Individualität *ausschließendes* Eins, welches sich damit zu *anderen* verhält, seine Unterscheidung also *nach außen* kehrt und nach dieser Bestimmung seine bestehenden Unterschiede innerhalb seiner selbst in ihrer *Idealität* setzt.

Zusatz. Wie die Irritabilität im lebendigen Organismus selbst nach einer Seite ein Innerliches, dem Organismus als solchem Angehörendes ist, so ist auch hier der Bezug nach außen eine Richtung auf die Innerlichkeit. Der innerliche Staat als solcher ist die Zivilgewalt, die Richtung nach außen, die Militärgewalt, die aber im Staate eine bestimmte Seite in ihm selbst ist. Daß nun beide Seiten im Gleichgewichte sich befinden, macht eine Hauptsache in der Gesinnung des Staates aus. Bisweilen ist die Zivilgewalt ganz erloschen und beruht nur auf der Militärgewalt, wie zur Zeit der römischen Kaiser und der Prätorianer, bisweilen ist, wie in modernen Zeiten, die Militärgewalt nur aus der Zivilgewalt hervorgehend, wenn alle Bürger waffenpflichtig sind.

I. Innere Verfassung für sich

§ 272

Die Verfassung ist vernünftig, insofern der Staat seine Wirksamkeit *nach der Natur des Begriffs* in sich *unterscheidet* und bestimmt, und zwar so, daß *jede* dieser *Gewalten* selbst in sich die *Totalität* dadurch ist, daß sie die anderen Momente in sich wirksam hat und enthält, und daß sie, weil sie den Unterschied des Begriffs ausdrücken, schlechthin in seiner Idealität bleiben und nur *ein individuelles* Ganzes ausmachen.[1])

Es ist über Verfassung, wie über die Vernunft selbst, in neueren Zeiten unendlich viel Geschwätze, und zwar in Deutschland das schalste durch diejenigen in die Welt gekommen, welche sich überredeten, es am besten und selbst mit Ausschluß aller anderen und am ersten der Regierungen zu verstehen, was Verfassung sei, und die unabweisliche Berechtigung darin zu haben meinten, daß die Religion und die Frömmigkeit die Grundlage aller dieser ihrer Seichtigkeiten sein sollte.[2]) Es ist kein Wunder, wenn dieses Geschwätze die Folge gehabt hat, daß vernünftigen Männern die Worte Vernunft, Aufklärung, Recht usf. wie Verfassung und Freiheit ekelhaft geworden sind, und man sich schämen möchte, noch über politische Verfassung auch mitzusprechen. Wenigstens aber mag man von diesem Überdrusse die Wirkung hoffen, daß die Überzeugung allgemeiner werde, daß eine philosophische *Erkenntnis* solcher Gegenstände nicht aus dem Räsonnement, aus Zwecken, Gründen und Nützlichkeiten, noch viel weniger aus dem Gemüt, der Liebe und der Begeisterung, sondern allein aus dem Begriffe hervorgehen könne, und daß diejenigen, welche das Göttliche für unbegreiflich und die Erkenntnis des Wahren für ein nichtiges Unternehmen halten, sich enthalten müssen, mitzusprechen. Was sie aus ihrem Gemüte und ihrer Begeisterung an unverdautem Gerede oder an Erbaulichkeit hervorbringen, beides kann wenigstens nicht die Prätension auf philosophische Beachtung machen.

Von den kursierenden Vorstellungen ist in Beziehung auf den § 269 die von der *notwendigen Teilung der Gewalten* des Staats zu erwähnen[3]), — einer höchst wichtigen Bestimmung, welche mit Recht, wenn sie nämlich in ihrem wahren Sinne genommen worden wäre, als die Garantie der öffentlichen Freiheit betrachtet werden konnte, – einer Vorstellung, von welcher aber gerade die, welche aus Begeisterung und Liebe zu sprechen meinen, nichts wissen und nichts wissen wollen; – denn in ihr ist es eben, wo das Moment der *vernünftigen Bestimmtheit* liegt. Das Prinzip der Teilung der Gewalten enthält nämlich das wesentliche Moment des *Unterschiedes*, der *realen* Vernünftigkeit; aber wie es der abstrakte Verstand faßt, liegt darin teils die falsche Bestimmung der *absoluten Selbständigkeit* der Gewalten gegeneinander, teils die Einseitigkeit, ihr Verhältnis zueinander als ein Negatives, als gegenseitige *Beschränkung* aufzufassen. In dieser Ansicht wird es eine Feindseligkeit, eine Angst vor jeder, was jede gegen die andere als gegen ein Übel hervorbringt, mit der Bestimmung sich ihr entgegenzusetzen und durch diese Gegengewichte ein allgemeines Gleichgewicht, aber nicht eine lebendige Einheit zu bewirken. Nur die *Selbstbestimmung* des Begriffs in sich, nicht irgend andere Zwecke und Nützlichkeiten, ist es, welche den absoluten Ursprung der unterschiedenen Gewalten enthält, und um derentwillen allein die Staatsorganisation als das in sich Vernünftige und das Abbild der ewigen Vernunft ist. – Wie der *Begriff*, und dann in konkreter Weise die Idee sich an ihnen selbst bestimmen und damit ihre Momente abstrakt der Allgemeinheit, Besonderheit und Einzelnheit setzen, ist aus der Logik, – freilich nicht der sonst gäng und gäben – zu erkennen.[4]) Überhaupt das Negative zum Ausgangspunkt zu nehmen, und das Wollen des Bösen und das Mißtrauen dagegen zum Ersten zu machen, und von dieser Voraussetzung aus nun pfiffigerweise Dämme auszuklügeln, die als eine Wirksamkeit nur gegenseitiger Dämme bedürfen, charakterisiert dem Gedanken nach den *negativen Verstand* und der Gesinnung nach die Ansicht des Pöbels. (s. oben § 244) – Mit der *Selbständigkeit* der Gewalten, z. B. der, wie sie genannt worden sind, *exekutiven* und der *gesetzgebenden* Gewalt, ist, wie man dies auch im großen gesehen hat[5]), die Zertrümmerung des Staats unmittelbar gesetzt, oder, insofern der Staat sich wesentlich erhält, der Kampf, daß die eine Gewalt die andere unter sich bringt, dadurch zunächst die Einheit, wie sie sonst beschaffen sei, bewirkt und so allein das Wesentliche, das Bestehen des Staats rettet.

Zusatz. Im Staate muß man nichts haben wollen, als was ein Ausdruck der Vernünftigkeit ist. Der Staat ist die Welt, die der Geist sich gemacht hat: er hat daher einen bestimmten an und für sich seienden Gang. Wie oft spricht man nicht von der Weisheit Gottes in der Natur: Man muß aber ja nicht glauben, daß die physische Naturwelt ein Höheres sei, wie die Welt des Geistes, denn so hoch der Geist über der Natur steht, so hoch steht der Staat über dem physischen Leben. Man muß daher den Staat wie ein Irdisch-Göttliches verehren, und einsehen, daß, wenn es schwer ist die Natur zu begreifen, es noch unendlich herber ist den Staat zu fassen. Es ist höchst wichtig, daß man in neueren Zeiten bestimmte Anschauungen über den Staat im Allgemeinen gewonnen hat, und daß man sich so viel mit dem Sprechen und Machen von Verfassungen beschäftigte.[6]) Damit ist es aber noch nicht abgemacht; es ist nötig, daß man zu einer vernünftigen Sache auch die Vernunft der Anschauung mitbringe, daß man wisse, was das Wesentliche sei, und daß nicht immer das Auffallende das Wesentliche ausmache. Die Gewalten des Staates müssen so allerdings unterschieden sein, aber jede muß an sich selbst ein Ganzes bilden und die anderen Momente in sich enthalten. Wenn man von der unterschiedenen Wirksamkeit der Gewalten spricht, muß man nicht in den ungeheuren Irrtum verfallen, dies so anzunehmen, als wenn jede Gewalt für sich abstrakt dastehen sollte, da die Gewalten vielmehr nur als Momente des Begriffs unterschieden sein sollen. Bestehen die Unterschiede dagegen abstrakt für sich, so liegt am Tage, daß zwei Selbständigkeiten keine Einheit ausmachen können, wohl aber Kampf hervorbringen müssen, wodurch entweder das Ganze zerrüttet wird, oder die Einheit durch Gewalt sich wieder herstellt. So hat in der französischen Revolution bald die gesetzgebende Gewalt die sogenannte exekutive, bald die exekutive die gesetzgebende Gewalt verschlungen, und es bleibt abgeschmackt, hier etwa die moralische Forderung der Harmonie zu machen. Denn wirft man die Sache aufs Gemüt, so hat man freilich sich alle Mühe erspart, aber wenn das sittliche Gefühl auch notwendig ist, so hat es nicht aus sich die Gewalten des Staates zu bestimmen. Worauf es also ankommt ist, daß indem die Bestimmungen der Gewalten an sich das Ganze sind, sie auch alle in der Existenz den ganzen Begriff ausmachen. Wenn man gewöhnlich von dreien Gewalten, der gesetzgebenden, der exekutiven und der richterlichen redet, so entspricht die erste der Allgemeinheit, die zweite der Besonderheit, aber die richterliche ist nicht das Dritte des Begriffs, denn ihre Einzelnheit liegt außer jenen Sphären.

§ 273

Der politische Staat dirimiert sich somit in die substantiellen Unterschiede:

a) die Gewalt, das Allgemeine zu bestimmen und festzusetzen, die *gesetzgebende* Gewalt,

b) der Subsumtion der *besonderen* Sphären und einzelnen Fälle unter das Allgemeine, – die *Regierungsgewalt*,

c) der Subjektivität als der letzten Willensentscheidung, *die fürstliche Gewalt*, – in der die unterschiedenen Gewalten zur individuellen Einheit zusammengefaßt sind, die also die Spitze und der Anfang des Ganzen, – der *konstitutionellen Monarchie*, ist.

Die Ausbildung des Staats zur konstitutionellen Monarchie ist das Werk der neuern Welt, in welcher die substantielle Idee die unendliche Form gewonnen hat. Die *Geschichte* dieser Vertiefung des Geistes der Welt in sich, oder was dasselbe ist, diese freie Ausbildung, in der die Idee ihre Momente – und nur ihre Momente sind es – als Totalitäten aus sich entläßt, und sie eben damit in der idealen Einheit des Begriffs enthält, als worin die reelle Vernünftigkeit besteht, – die Geschichte dieser wahrhaften Gestaltung des sittlichen Lebens ist die Sache der allgemeinen Weltgeschichte.

Die alte Einteilung der Verfassungen in *Monarchie, Aristokratie* und *Demokratie*[1]), hat die *noch ungetrennte substantielle Einheit* zu ihrer Grundlage, welche zu ihrer *inneren Unterscheidung* (einer entwickelten Organisation in sich) und damit zur *Tiefe* und *konkreten Vernünftigkeit* noch nicht gekommen ist. Für jenen Standpunkt der alten Welt ist daher diese Einteilung die wahre und richtige; denn der Unterschied als an jener noch substantiellen nicht zur absoluten Entfaltung in sich gediehenen Einheit ist wesentlich ein *äußerlicher* und erscheint zunächst als Unterschied der Anzahl[2]) derjenigen, in welchen jene substantielle Einheit immanent sein soll. Diese Formen, welche auf solche Weise verschiedenen Ganzen angehören, sind in der konstitutionellen Monarchie zu Momenten herabgesetzt; der Monarch ist *einer*; mit der Regierungsgewalt treten *einige* und mit der gesetzgebenden Gewalt tritt die *Vielheit* überhaupt ein. Aber solche bloß quantitative Unterschiede sind, wie gesagt, nur oberflächlich und geben nicht den Begriff der Sache an. Es ist gleichfalls nicht passend, wenn in neuerer Zeit soviel vom demokratischen, aristokratischen Elemente *in der Monarchie* gesprochen worden ist; denn diese dabei gemeinten Bestimmungen, eben insofern sie *in der Monarchie* stattfinden, sind nicht mehr Demokratisches und Aristokratisches. – Es gibt Vorstellungen von Verfassungen, wo nur das *Abstraktum* von Staat oben hingestellt ist, welches regiere und befehle, und es unentschieden gelassen und als gleichgültig angesehen wird, ob an der Spitze dieses Staates *einer* oder *mehrere* oder *alle* stehen. – „Alle diese Formen, sagt so *Fichte*[3]) in seinem Naturrecht, 1. T. S. 196, sind, wenn nur ein *Ephorat*, (ein von ihm erfundenes, sein sollendes Gegengewicht gegen die oberste Gewalt) vorhanden, rechtsgemäß und können allgemeines Recht im Staate hervorbringen und erhalten." – Eine solche Ansicht (wie auch jene Erfindung eines Ephorats) stammt aus der vorhin bemerkten Seichtigkeit des Begriffes vom Staate. Bei einem ganz einfachen Zustande der Gesellschaft haben diese Unterschiede freilich wenig oder keine Bedeutung, wie denn *Moses* in seiner Gesetzgebung für den Fall, daß das Volk einen König verlange, weiter keine Abänderung der Institutionen, sondern nur für den König das Gebot hinzufügt, daß seine Kavallerie, seine Frauen und sein Gold und Silber nicht zahlreich sein solle (5. B. Mose 17, 16ff.). – Man kann übrigens in einem Sinne allerdings sagen, daß auch für die Idee jene drei Formen (die *monarchische* mit eingeschlossen in der beschränkten Bedeutung nämlich, in der sie *neben* die *aristokratische* und *demokratische* gestellt wird) gleichgültig sind, aber in dem entgegengesetzten Sinne, weil sie insgesamt der Idee in ihrer vernünftigen Entwickelung (§ 272) nicht gemäß sind und diese in keiner derselben ihr Recht und Wirklichkeit erlangen könnte. Deswegen ist es auch zur ganz müßigen Frage geworden, welche die vorzüglichste unter ihnen wäre; – von solchen Formen kann nur historischerweise die Rede sein.[4]) – Sonst aber muß man auch in diesem Stücke, wie in so vielen anderen, den tiefen Blick *Montesquieus* in seiner berühmt gewordenen Angabe der Prinzipien dieser Regierungsformen anerkennen, aber diese Angabe, um ihre Richtigkeit anzuerkennen, nicht mißverstehen. Bekanntlich gab er als Prinzip der *Demokratie* die *Tugend* an[5]); denn in der Tat beruht solche Verfassung auf der *Gesinnung*, als der nur substantiellen Form, in welcher die Vernünftigkeit des an und für sich seienden Willens in ihr noch existiert. Wenn Montesquieu aber hinzufügt[6]), daß *England* im siebzehnten Jahrhundert das schöne Schauspiel gegeben habe, die Anstrengungen, eine Demokratie zu errichten, als unmächtig zu zeigen, da die Tugend in den Führern gemangelt habe, – und wenn er ferner hinzusetzt, daß wenn die Tugend in der Republik verschwindet, der Ehrgeiz sich derer, deren Gemüt desselben fähig ist, und die Habsucht sich aller bemächtigt, und der Staat alsdann, eine allgemeine Beute, seine Stärke nur in der Macht einiger Individuen und in der Ausgelassenheit aller habe, – so ist darüber zu bemerken, daß bei einem ausgebildetern Zustande der Gesellschaft und bei der Entwickelung und dem Freiwerden der Mächte der *Besonderheit*, die Tugend der Häupter des Staats unzureichend und eine andere Form des vernünftigen Gesetzes, als nur die der Gesinnung erforderlich wird, damit das Ganze die Kraft, sich zusammenzuhalten und den Kräften der entwickelten Besonderheit ihr positives wie ihr negatives Recht angedeihen zu lassen, besitze. Gleicherweise ist das Mißverständnis zu entfernen, als ob damit, daß in der demokratischen Republik die Gesinnung der Tugend die substantielle Form ist, in der Monarchie diese Gesinnung für entbehrlich oder gar für abwesend erklärt, und vollends als ob Tugend und die in einer *gegliederten* Organisation *gesetzlich bestimmte* Wirksamkeit einander entgegengesetzt und unverträglich wäre.[7]) – Daß in der *Aristokratie* die *Mäßigung* das Prinzip sei[8]), bringt die hier beginnende Abscheidung der öffentlichen Macht und des Privatinteresses mit sich, welche zugleich sich so unmittelbar berühren, daß diese Verfassung in sich auf dem Sprunge steht, unmittelbar zum härtesten Zustande der Tyrannei oder Anarchie (man sehe die römische Geschichte) zu werden und sich zu vernichten. – Daß Montesquieu die *Ehre* als das Prinzip der *Monarchie* erkennt[9]), daraus ergibt sich für sich schon, daß er nicht die patriarchalische oder antike überhaupt, noch die zu objektiver Verfassung gebildete, sondern die *Feudal-Monarchie* und zwar insofern die Verhältnisse ihres innern Staatsrechts zu rechtlichem Privateigentume und Privilegien von Individuen und Korporationen befestigt sind, versteht. Indem in dieser Verfassung das Staatsleben auf privilegierter Persönlichkeit beruht, in deren Belieben ein großer Teil dessen gelegt ist, was für das Bestehen des Staats getan werden muß, so ist das Objektive dieser Leistungen nicht auf *Pflichten*, sondern auf *Vorstellung* und *Meinung* gestellt, somit statt der Pflicht nur die *Ehre* das, was den Staat zusammenhält.

Eine andre Frage bietet sich leicht dar: *wer die Verfassung machen soll?* Diese Frage scheint deutlich, zeigt sich aber bei näherer Betrachtung sogleich sinnlos. Denn sie setzt voraus, daß keine Verfassung vorhanden, somit ein bloßer atomistischer *Haufen* von Individuen beisammen sei. Wie ein Haufen, ob durch sich oder andere, durch Güte, Gedanken oder Gewalt, zu einer Verfassung kommen würde, müßte ihm überlassen bleiben, denn mit einem Haufen hat es der Begriff nicht zu tun. – Setzt aber jene Frage schon eine vorhandene Verfassung voraus, so bedeutet das *Machen* nur eine Veränderung, und die Voraussetzung einer Verfassung enthält es unmittelbar selbst, daß die Veränderung nur auf verfassungsmäßigem Wege geschehen könne. – Überhaupt aber ist es schlechthin wesentlich, daß die Verfassung, obgleich in der Zeit hervorgegangen, *nicht als ein Gemachtes* angesehen werde; denn sie ist vielmehr das schlechthin an und für sich Seiende, das darum als das Göttliche und Beharrende, und als über der Sphäre dessen, was gemacht wird, zu betrachten ist.[10])

Zusatz. Das Prinzip der neuern Welt überhaupt ist Freiheit der Subjektivität, daß alle wesentliche Seiten, die in der geistigen Totalität vorhanden sind, zu ihrem Rechte kommend sich entwickeln. Von diesem Standpunkte ausgehend, kann man kaum die müßige Frage aufwerfen, welche Form, die Monarchie oder die Demokratie die bessere sei[11]). Man darf nur sagen, die Formen aller Staatsverfassungen sind einseitige, die das Prinzip der freien Subjektivität nicht in sich zu ertragen vermögen und einer ausgebildeten Vernunft nicht zu entsprechen wissen.

§ 274

Da der Geist nur als das wirklich ist, als was er sich weiß, und der Staat, als Geist eines Volkes, zugleich das *alle seine Verhältnisse durchdringende* Gesetz, die Sitte und das Bewußtsein seiner Individuen ist, so hängt die Verfassung eines bestimmten Volkes überhaupt von der Weise und Bildung des Selbstbewußtseins desselben ab; in diesem liegt seine subjektive Freiheit, und damit die Wirklichkeit der Verfassung.

Einem Volke eine, wenn auch ihrem Inhalte nach mehr oder weniger vernünftige Verfassung a priori geben zu wollen, – dieser Einfall übersähe gerade das Moment, durch welches sie mehr als ein Gedankending wäre. Jedes Volk hat deswegen die Verfassung, die ihm angemessen ist, und für dasselbe gehört.[1])

Zusatz. Der Staat muß in seiner Verfassung alle Verhältnisse durchdringen. Napoleon hat z. B. den Spaniern eine Verfassung a priori geben wollen, was aber schlecht genug ging.[2]) Denn eine Verfassung ist kein bloß Gemachtes: sie ist die Arbeit von Jahrhunderten, die Idee und das Bewußtsein des Vernünftigen, inwieweit es in einem Volk entwickelt ist. Keine Verfassung wird daher bloß von Subjekten geschaffen. Was Napoleon den Spaniern gab, war vernünftiger, als was sie früher hatten, und doch stießen sie es zurück, als ein ihnen Fremdes, da sie noch nicht bis dahinauf gebildet waren. Das Volk muß zu seiner Verfassung das Gefühl seines Rechts und seines Zustandes haben, sonst kann sie zwar äußerlich vorhanden sein, aber sie hat keine Bedeutung und keinen Wert. Freilich kann oft in Einzelnen sich das Bedürfnis und die Sehnsucht nach einer besseren Verfassung vorfinden, aber daß die ganze Masse von einer solchen Vorstellung durchdrungen werde, ist etwas ganz anderes und folgt erst später nach. Das Prinzip der Moralität, der Innerlichkeit des Sokrates[3]) ist in seinen Tagen notwendig erzeugt, aber dazu, daß es zum allgemeinen Selbstbewußtsein geworden ist, gehörte Zeit.

a) Die fürstliche Gewalt

§ 275

Die fürstliche Gewalt enthält selbst die drei Momente der Totalität in sich (§ 272), die *Allgemeinheit* der Verfassung und der Gesetze, die Beratung als Beziehung des *Besondern* auf das Allgemeine, und das Moment der letzten *Entscheidung*, als der *Selbstbestimmung*, in welche alles Übrige zurückgeht, und wovon es den Anfang der Wirklichkeit nimmt.[1]) Dieses absolute Selbstbestimmen macht das unterscheidende Prinzip der fürstlichen Gewalt als solcher aus, welches zuerst zu entwickeln ist.

Zusatz. Wir fangen mit der fürstlichen Gewalt, d. h. mit dem Momente der Einzelnheit an, denn diese enthält die drei Momente des Staats als eine Totalität in sich. Ich ist nämlich zugleich das Einzelnste und das Allgemeinste. In der Natur ist auch zunächst ein Einzelnes, aber die Realität, die Nicht-Idealität, das Außereinander ist nicht das Beisichseiende, sondern die verschiedenen Einzelnheiten bestehen nebeneinander. Im Geiste ist dagegen alles Verschiedene nur als Ideelles und als eine Einheit. Der Staat ist so als Geistiges die Auslegung aller seiner Momente, aber die Einzelnheit ist zugleich die Seelenhaftigkeit und das belebende Prinzip, die Souveränität, die alle Unterschiede in sich enthält.

§ 276

1. Die Grundbestimmung des politisches Staats ist die substantielle Einheit als *Idealität* seiner Momente, in welcher α) die besonderen Gewalten und Geschäfte desselben ebenso aufge-

löst als erhalten, und nur so erhalten sind, als sie keine unabhängige, sondern allein eine solche und so weitgehende Berechtigung haben, als in der Idee des Ganzen bestimmt ist, von seiner Macht ausgehen und flüssige Glieder desselben als ihres einfachen Selbsts sind.

Zusatz. Mit dieser Idealität der Momente ist es, wie mit dem Leben im organischen Körper: es ist in jedem Punkte: es gibt nur ein Leben in allen Punkten und es ist kein Widerstand dagegen. Getrennt davon ist jeder Punkt tot. Dies ist auch die Idealität aller einzelnen Stände, Gewalten und Korporationen, so sehr sie auch den Trieb haben, zu bestehen und für sich zu sein. Es ist damit wie mit dem Magen im Organischen, der sich auch für sich setzt, aber zugleich aufgehoben und sakrifiziert wird, und in das Ganze übergeht.

§ 277

β) Die besonderen Geschäfte und Wirksamkeiten des Staats sind als die wesentlichen Momente desselben *ihm eigen*, und an die *Individuen*, durch welche sie gehandhabt und betätigt werden, nicht nach deren unmittelbaren Persönlichkeit, sondern nur nach ihren allgemeinen und objektiven Qualitäten geknüpft und daher mit der besonderen Persönlichkeit als solcher, äußerlicher und zufälligerweise verbunden.[1]) Die Staatsgeschäfte und Gewalten können daher nicht *Privateigentum* sein.

Zusatz. Die Wirksamkeit des Staats ist an Individuen geknüpft: sie sind aber nicht durch ihre natürliche Weise berechtigt, die Geschäfte zu besorgen, sondern nach ihrer objektiven Qualität. Fähigkeit, Geschicklichkeit, Charakter gehört zur Besonderheit des Individuums: es muß erzogen und zu einem besonderen Geschäfte gebildet sein. Daher kann ein Amt weder verkauft noch vererbt werden. In Frankreich waren die Parlamentsstellen ehemals verkäuflich[2]), in der englischen Armee sind es die Offizierstellen bis zu einem gewissen Grade noch heute, aber dies hing oder hängt noch mit der mittelalterigen Verfassung gewisser Staaten zusammen, die jetzt allmählich im Verschwinden ist.

§ 278

Diese beiden Bestimmungen, daß die besonderen Geschäfte und Gewalten des Staats weder für sich, noch in dem besonderen Willen von Individuen selbständig und fest sind, sondern in der Einheit des Staats als ihrem einfachen Selbst ihre letzte Wurzel haben, macht die *Souveränität* des *Staats* aus.

Dies ist die Souveränität nach *innen*, sie hat noch eine andere Seite, die nach außen s. unten.[1]) – In der ehemaligen *Feudalmonarchie* war der Staat wohl nach außen, aber nach innen war nicht etwa nur der Monarch nicht, sondern der Staat nicht souverän. Teils waren (vergl. § 273 Anm.) die besonderen Geschäfte und Gewalten des Staats und der bürgerlichen Gesellschaft in unabhängigen Korporationen und Gemeinden verfaßt, das Ganze daher mehr ein Aggregat als ein Organismus, teils waren sie Privateigentum von Individuen, und damit was von denselben in Rücksicht auf das Ganze getan werden sollte, in deren Meinung und Belieben gestellt. – Der *Idealismus*, der die Souveränität ausmacht, ist dieselbe Bestimmung, nach welcher im animalischen Organismus die sogenannten Teile desselben nicht Teile, sondern Glieder, organische Momente sind, und deren Isolieren und Für-sich-bestehen die Krankheit ist[2]), dasselbe Prinzip, das im abstrakten Begriffe des Willens (s. folg. § Anm.) als die sich auf sich beziehende Negativität und damit *zur Einzelnheit sich bestimmende* Allgemeinheit vorkam (§ 7), in welcher alle Besonderheit und Bestimmtheit eine aufgehobene ist, der absolute sich selbst bestimmende Grund; um sie zu fassen, muß man überhaupt den Begriff dessen, was die Substanz und die wahrhafte Subjektivität des Begriffes ist, innehaben. – Weil die Souveränität die Idealität aller besonderen Berechtigung ist, so liegt der Mißverstand nahe, der auch sehr gewöhnlich ist, sie für bloße Macht und leere Willkür und Souveränität für gleichbedeutend mit Despotismus zu nehmen. Aber der Despotismus bezeichnet überhaupt den Zustand der Gesetzlosigkeit, wo der besondere Wille als solcher, es sei nun eines Monarchen oder eines Volks (Ochlokratie), als Gesetz oder vielmehr statt des Gesetzes gilt, da hingegen die Souveränität gerade im gesetzlichen, konstitutionellen Zustande das Moment der Idealität der besondern Sphären und Geschäfte ausmacht, daß nämlich eine solche Sphäre nicht ein Unabhängiges, in ihren Zwecken und Wirkungsweisen Selbständiges und sich nur in sich Vertiefendes, sondern in diesen Zwecken und Wirkungsweisen *vom Zwecke des Ganzen* (den man im Allgemeinen mit einem unbestimmteren Ausdrucke das *Wohl des Staats* genannt hat) bestimmt und abhängig sei. Diese Idealität kommt auf die gedoppelte Weise zur Erscheinung. – Im *friedlichen* Zustande gehen die besonderen Sphären und Geschäfte den Gang der Befriedigung ihrer besonderen Geschäfte und Zwecke fort, und es ist teils nur die Weise der bewußtlosen *Notwendigkeit* der Sache, nach welcher ihre Selbstsucht in den Beitrag zur gegenseitigen Erhaltung und zur Erhaltung des Ganzen *umschlägt* (s. § 183), teils aber ist es die *direkte Einwirkung* von oben, wodurch sie sowohl zu dem Zwecke des Ganzen fortdauernd zurückgeführt und darnach beschränkt (s. Regierungsgewalt § 289), als angehalten werden, zu dieser Erhaltung direkte Leistungen zu machen; – im *Zustande* der *Not* aber, es sei innerer oder äußerlicher, ist es die Souveränität, in deren einfachen Begriff der dort in seinen Besonderheiten bestehende Organismus zusammengeht, und welcher die Rettung des Staats mit Aufopferung dieses sonst Berechtigten anvertraut ist, wo denn jener Idealismus zu seiner eigentümlichen Wirklichkeit kommt (s. unten § 321).

§ 279

2. Die Souveränität, zunächst nur der *allgemeine* Gedanke dieser Idealität, *existiert* nur als die ihrer selbst gewisse *Subjektivität* und als die abstrakte, insofern grundlose *Selbstbestimmung* des Willens, in welcher das Letzte der Entscheidung liegt. Es ist dies das Individuelle des Staats als solches, der selbst nur darin *einer* ist. Die Subjektivtät aber ist in ihrer Wahrheit nur als *Subjekt*, die Persönlichkeit nur als *Person*, und in der zur reellen Vernünftigkeit gediehenen Verfassung hat jedes der drei Momente des Begriffes seine *für sich wirkliche* ausgesonderte Gestaltung. Dies absolut entscheidende Moment des Ganzen ist daher nicht die Individualität überhaupt, sondern ein Individuum, der *Monarch*.[1])

Die immanente Entwickelung einer Wissenschaft, die *Ableitung ihres ganzen Inhalts* aus dem einfachen *Begriffe* (– sonst verdient eine Wissenschaft wenigstens nicht den Namen einer philosophischen Wissenschaft) zeigt das Eigentümliche, daß der eine und derselbe Begriff, hier der Wille, der anfangs, weil es der Anfang ist, abstrakt ist, sich erhält, aber seine Bestimmungen und zwar ebenso nur durch sich selbst verdichtet und auf diese Weise einen konkreten Inhalt gewinnt. So ist es das Grundmoment der zuerst im unmittelbaren Rechte abstrakten Persönlichkeit, welches sich durch seine verschiedenen Formen von Subjektivität fortgebildet hat, und hier im absoluten Rechte, dem Staate, der vollkommen konkreten Objektivität des Willens, die *Persönlichkeit des Staats* ist, seine *Gewißheit seiner selbst* – dieses Letzte, was alle Besonderheiten in dem einfachen Selbst aufhebt, das Abwägen der Gründe und Gegengründe, zwischen denen sich immer herüber und hinüber schwanken läßt, abbricht, und sie durch das: *Ich will, beschließt*, und alle Handlung und Wirklichkeit anfängt.[2]) – Die Persönlichkeit und die Subjektivität überhaupt hat aber ferner, als unendliches sich auf sich Beziehendes, schlechthin nur *Wahrheit* und zwar seine nächste unmittelbare Wahrheit als Person, für sich seiendes Subjekt, und das für sich Seiende ist ebenso schlechthin *Eines*. Die Persönlichkeit des Staates ist nur als eine *Person, der Monarch*, wirklich. – Persönlichkeit drückt den Begriff als solchen aus, die Person enthält zugleich die Wirklichkeit desselben, und der Begriff ist nur mit dieser Bestimmung *Idee*, Wahrheit. – Eine sogenannte *moralische* Person, Gesellschaft, Gemeinde, Familie, so konkret sie in sich ist, hat die Persönlichkeit nur als Moment, abstrakt in ihr; sie ist darin nicht zur Wahrheit ihrer Existenz gekommen, der Staat aber ist eben diese Totalität, in welcher die Momente des Begriffs zur Wirklichkeit nach ihrer eigentümlichen Wahrheit gelangen. – Alle diese Bestimmungen sind schon für sich und in ihren Gestaltungen im ganzen Verlauf dieser Abhandlung erörtert, aber hier darum wiederholt worden, weil man sie zwar in ihren besondern Gestaltungen leicht zugibt, aber da sie gerade nicht wiedererkennt und auffaßt, wo sie in ihrer wahrhaften Stellung, nicht vereinzelt, sondern nach ihrer

Wahrheit, als *Momente* der Idee vorkommen. – Der Begriff des Monarchen ist deswegen der schwerste Begriff für das Räsonnement, d. h. für die reflektierende Verstandesbetrachtung, weil es in den vereinzelten Bestimmungen stehen bleibt, und darum dann auch nur Gründe, endliche Gesichtspunkte und das *Ableiten* aus Gründen kennt. So stellt es dann die Würde des Monarchen als etwas nicht nur der Form, sondern ihrer Bestimmung nach *Abgeleitetes* dar; vielmehr ist sein Begriff, nicht ein Abgeleitetes, sondern das *schlechthin aus sich Anfangende* zu sein.[3]) Am nächsten trifft daher hiermit die Vorstellung zu, das Recht des Monarchen als auf göttliche Autorität gegründet zu betrachten, denn darin ist das Unbedingte desselben enthalten. Aber es ist bekannt, welche Mißverständnisse sich hieran geknüpft haben, und die Aufgabe der philosophischen Betrachtung ist, eben dies Göttliche zu begreifen.

Volkssouveränität kann in dem Sinn gesagt werden, daß ein Volk überhaupt *nach außen* ein selbständiges sei und einen eigenen Staat ausmache, wie das Volk von Großbritannien, aber das Volk von England, oder Schottland, Irland, oder von Venedig, Genua, Ceylon usf. kein souveränes Volk mehr sei, seitdem sie aufgehört haben, eigene Fürsten oder oberste Regierungen für sich zu haben. – Man kann so auch von der *Souveränität nach innen* sagen, daß sie im *Volke* residiere, wenn man nur überhaupt vom *Ganzen* spricht, ganz so wie vorhin (§§ 277, 278) gezeigt ist, daß dem *Staate* Souveränität zukomme. Aber Volkssouveränität als im *Gegensatze gegen die im Monarchen existierende Souveränität* genommen, ist der gewöhnliche Sinn, in welchem man in neueren Zeiten von Volkssouveränität zu sprechen angefangen hat, – in diesem Gegensatze gehört die Volkssouveränität zu den verworrenen Gedanken, denen die *wüste* Vorstellung des *Volkes* zugrunde liegt. *Das Volk, ohne* seinen Monarchen und die eben damit notwendig und unmittelbar zusammenhängende *Gegliederung* des Ganzen genommen, ist die formlose Masse, die kein Staat mehr ist und der *keine* der Bestimmungen, die nur in dem *in sich geformten* Ganzen vorhanden sind, – Souveränität, Regierung, Gerichte, Obrigkeit, Stände und was es sei, mehr zukommt. Damit daß solche auf eine Organisation, das Staatsleben, sich beziehende Momente in einem Volke hervortreten, hört es auf, dies unbestimmte Abstraktum zu sein, das in der bloß allgemeinen Vorstellung *Volk* heißt. — Wird unter der Volkssouveränität die Form der *Republik* und zwar bestimmter der Demokratie verstanden (denn unter Republik begreift man sonstige mannigfache empirische Vermischungen, die in eine philosophische Betrachtung ohnehin nicht gehören), so ist teils oben (bei § 273 in der Anmerkung) das Nötige gesagt, teils kann gegen die entwickelte Idee nicht mehr von solcher Vorstellung die Rede sein.[4]) — In einem Volke, das weder als ein patriarchalischer *Stamm*, noch in dem unentwickelten Zustande, in welchem die Formen der Demokratie oder Aristokratie möglich sind (s. Anmerkung ebenda), noch sonst in einem willkürlichen und unorganischen Zustande vorgestellt, sondern als eine in sich entwickelte, wahrhaft organische Totalität gedacht wird, ist die Souveränität als die Persönlichkeit des Ganzen, und diese in der ihrem Begriffe gemäßen Realität, als die *Person des Monarchen.*

Auf der vorhin[5]) bemerkten Stufe, auf welcher die Einteilung der Verfassungen in Demokratie, Aristokratie und Monarchie gemacht worden ist, dem Standpunkte der noch in sich bleibenden substantiellen Einheit, die noch nicht zu ihrer unendlichen Unterscheidung und Vertiefung in sich gekommen ist, tritt das Moment der *letzten sich selbst bestimmenden Willensentscheidung* nicht als *immanentes* organisches Moment des Staates für sich in *eigentümliche Wirklichkeit* heraus. Immer muß zwar auch in jenen unausgebildeteren Gestaltungen des Staats eine individuelle Spitze, entweder wie in den dahin gehörenden Monarchien, für sich vorhanden sein, oder wie in den Aristokratien, vornehmlich aber in den Demokratien, sich in den Staatsmännern, Feldherren, nach Zufälligkeit und dem *besonderen* Bedürfnis der *Umstände* erheben; denn alle Handlung und Wirklichkeit hat ihren Anfang und ihre Vollführung in der entschiedenen Einheit eines Anführers. Aber eingeschlossen in die gediegen bleibende Vereinigung der Gewalten, muß solche Subjektivität des Entscheidens teils ihrem Entstehen und Hervortreten nach zufällig, teils überhaupt untergeordnet sein; nicht anderswo daher als jenseits solcher bedingten Spitzen konnte das unvermischte, reine Entscheiden, ein von außen her bestimmendes Fatum, liegen. Als Moment der Idee mußte es in die Existenz treten, aber außerhalb der menschlichen Freiheit und ihres Kreises, den der Staat befaßt, wurzelnd. – Hier liegt der Ursprung des Bedürfnisses, von *Orakeln*, dem *Dämon* (beim *Sokrates*) aus Eingeweiden der Tiere, dem Fressen und Fluge der Vögel usf. die *letzte Entscheidung* über die großen Angelegenheiten und für die wichtigen Momente des Staats zu holen – eine Entscheidung, welche die Menschen, noch nicht die Tiefe des Selbstbewußtseins erfassend, und aus der Gediegenheit der substantiellen Einheit zu diesem Fürsichsein gekommen, noch nicht *innerhalb* des menschlichen Seins zu sehen die Stärke hatten. – Im *Dämon* des *Sokrates*[6]) (vergl. oben § 138) können wir den Anfang sehen, daß der sich vorher nur *jenseits* seiner selbst versetzende Wille sich in sich verlegte und sich innerhalb seiner erkannte, – der Anfang der *sich wissenden* und damit wahrhaften Freiheit. Diese reelle Freiheit der Idee, da sie eben dies ist, jedem der Momente der Vernünftigkeit seine eigene, gegenwärtige, *selbstbewußte* Wirklichkeit zu geben, ist es, welche somit die letzte sich selbst bestimmende Gewißheit, die die Spitze im Begriffe des Willens ausmacht, der Funktion eines Bewußtseins zuteilt. Diese letzte Selbstbestimmung kann aber nur insofern in die Sphäre der menschlichen Freiheit fallen, als sie die Stellung *der für sich abgesonderten, über alle Besonderung und Bedingung* erhabenen Spitze hat; denn nur so ist sie nach ihrem Begriffe wirklich.

Zusatz. Bei der Organisation des Staats, d. h. hier bei der konstitutionellen Monarchie[7]), muß man nichts vor sich haben, als die Notwendigkeit der Idee in sich: alle anderen Gesichtspunkte müssen verschwinden. Der Staat muß als ein großes architektonisches Gebäude, als eine Hieroglyphe der Vernunft, die sich in der Wirklichkeit darstellt, betrachtet werden. Alles, was sich also bloß auf Nützlichkeit, Äußerlichkeit usw. bezieht, ist von der philosophischen Behandlung auszuschließen. Daß nun der Staat der sich selbst bestimmende und vollkommen souveräne Wille, das letzte Sichtentschließen ist, begreift die Vorstellung leicht. Das Schwerere ist, daß dieses *Ich will* als Person gefaßt werde.

Hiermit soll nicht gesagt sein, daß der Monarch willkürlich handeln dürfe; vielmehr ist er an den konkreten Inhalt der Beratungen gebunden, und wenn die Konstitution fest ist, so hat er oft nicht mehr zu tun, als seinen Namen zu unterschreiben. Aber dieser *Name* ist wichtig: es ist die Spitze, über die nicht hinausgegangen werden kann. Man könnte sagen, eine organische Gliederung sei schon in der schönen Demokratie Athens vorhanden, aber wir sehen sogleich, daß die Griechen die letzte Entscheidung aus ganz äußeren Erscheinungen genommen haben, aus den Orakeln, den Eingeweiden der Opfertiere, aus dem Fluge der Vögel, und daß sie sich zur Natur, als zu einer Macht verhalten haben, die da verkündet und ausspricht, was den Menschen gut sei. Das Selbstbewußtsein ist in dieser Zeit noch nicht zu der Abstraktion der Subjektivität gekommen, noch nicht dazu, daß über das zu Entscheidende ein Ich will vom Menschen selbst ausgesprochen werden muß. Dieses Ich will macht den großen Unterschied der alten und modernen Welt aus, und so muß es in dem großen Gebäude des Staats seine eigentümliche Existenz haben. Leider wird aber diese Bestimmung nur als äußere und beliebige angesehen.[8])

§ 280

3. Dieses letzte Selbst des Staatswillens ist in dieser seiner Abstraktion einfach und daher *unmittelbare* Einzelnheit; in seinem Begriffe selbst liegt hiermit die Bestimmung der *Natürlichkeit*; der Monarch ist daher wesentlich als *dieses* Individuum, abstrahiert von allem anderen Inhalte, und dieses Individuum auf unmittelbare natürliche Weise, durch die natürliche *Geburt*, zur Würde des Monarchen bestimmt.[1])

Dieser Übergang vom Begriff der reinen Selbstbestimmung in die Unmittelbarkeit des Seins und damit in die Natürlichkeit ist rein spekulativer Natur, seine Erkenntnis gehört daher der logischen Philosophie an. Es ist übrigens im Ganzen derselbe Übergang, welcher als die Natur des Willens überhaupt bekannt und der Prozeß ist, einen Inhalt aus der Subjektivität (als vorgestellten Zweck) in das Dasein zu übersetzen (§ 8). Aber die eigentümliche Form der Idee und des Überganges, der hier betrachtet wird, ist das *unmittelbare Umschlagen* der reinen Selbstbestimmung des Willens (des einfachen Begriffes selbst) in ein *Dieses* und natürliches Dasein, ohne die Vermittelung durch einen *besondern* Inhalt – (einen Zweck im Handeln). – Im sogenannten *ontologischen Beweise* vom *Dasein Gottes*[2]) ist es dasselbe Umschlagen des absoluten Begriffes in das Sein, was die Tiefe der Idee in der neuern Zeit ausgemacht hat, was aber in der neuesten Zeit für das *Unbegreifliche* ausgegeben worden ist, – wodurch man denn, weil nur die Einheit des Begriffs und des Daseins (§ 23) die Wahrheit ist, auf das Erkennen der *Wahrheit* Verzicht geleistet hat. Indem das Bewußtsein des Verstandes diese Einheit nicht in sich hat und *bei der Trennung* der beiden Momente der Wahrheit stehen bleibt, gibt es etwa bei diesem Gegenstande noch einen *Glauben* an jene Einheit zu. Aber indem die Vorstellung des Monarchen, als dem gewöhnlichen Bewußtsein ganz anheimfallend angesehen wird, so bleibt hier um so mehr der Verstand bei seiner Trennung und den daraus fließenden Ergebnissen seiner räsonnierenden Gescheitheit stehen, und leugnet dann, daß das Moment der letzten Entscheidung im Staate *an und für sich* (d. i. im Vernunftbegriff) mit der unmittelbaren Natürlichkeit verbunden sei; woraus zunächst die *Zufälligkeit* dieser Verbindung, und indem die absolute Verschiedenheit jener Momente als das Vernünftige behauptet wird, weiter die Unvernünftigkeit solcher Verbindung gefolgert wird, so daß hieran sich die anderen, die Idee des Staats zerrüttenden, Konsequenzen knüpfen.

Zusatz. Wenn man oft gegen den Monarchen behauptet, daß es durch ihn von der Zufälligkeit abhänge, wie es im Staate zugehe, da der Monarch übel gebildet sein könne, da er vielleicht nicht wert sei, an der Spitze desselben zu stehen, und daß es widersinnig sei, daß ein solcher Zustand als ein vernünftiger existieren solle: so ist eben die Voraussetzung hier nichtig, daß es auf die Besonderheit des Charakters ankomme.[3]) Es ist bei einer vollendeten Organisation nur um die Spitze formellen Entscheidens zu tun, und man braucht zu einem Monarchen nur einen Menschen, der „Ja“ sagt und den Punkt auf das i setzt; denn die Spitze soll so sein, daß die Besonderheit des Charakters nicht das Bedeutende ist. Was der Monarch noch über diese letzte Entscheidung hat, ist etwas, das der Partikularität anheimfällt, auf die es nicht ankommen darf.[4]) Es kann wohl Zustände geben, in denen diese Partikularität allein auftritt, aber alsdann ist der Staat noch kein völlig ausgebildeter, oder kein wohl konstruierter. In einer wohlgeordneten Monarchie kommt dem Gesetz allein die objektive Seite zu, welchem der Monarch nur das subjektive „*Ich will*" hinzuzusetzen hat.[5])

§ 281

Beide Momente in ihrer ungetrennten Einheit, das letzte grundlose Selbst des Willens und die damit ebenso grundlose Existenz, als der *Natur* anheimgestellte Bestimmung, – diese Idee des von der Willkür *Unbewegten* macht die *Majestät* des Monarchen aus. In dieser Einheit liegt die *wirkliche Einheit* des Staats, welche nur durch diese ihre innere und *äußere Unmittelbarkeit*, der Möglichkeit, in die Sphäre der *Besonderheit* deren Willkür, Zwecke und Ansichten herabgezogen zu werden, dem Kampf der Faktionen gegen Faktionen um den Thron, und der Schwächung und Zertrümmerung der Staatsgewalt, entnommen ist.

Geburts- und Erbrecht machen den Grund der *Legitimität* als Grund nicht eines bloß positiven Rechts, sondern zugleich in der Idee aus. – Daß durch die festbestimmte Thronfolge, d. i. die natürliche Sukzession, bei der Erledigung des Throns den Faktionen vorgebeugt ist, ist eine Seite, die mit Recht für die Erblichkeit desselben längst geltend gemacht worden ist. Diese Seite ist jedoch nur Folge, und zum *Grunde* gemacht zieht sie die Majestät in die Sphäre des Räsonnements herunter, und gibt ihr, deren Charakter diese grundlose Unmittelbarkeit und dies letzte Insichsein ist, nicht die ihr immanente Idee des Staates, sondern etwas *außer ihr*, einen von ihr verschiedenen Gedanken, etwa das Wohl des *Staates oder Volkes* zu ihrer Begründung. Aus solcher Bestimmung kann wohl die Erblichkeit durch medios terminos[1] gefolgert werden; sie läßt aber auch andere medios terminos und damit andere Konsequenzen zu, – und es ist nur zu bekannt, welche Konsequenzen aus diesem *Wohl* des Volkes (salut du peuple) gezogen worden sind. – Deswegen *darf* auch *nur* die Philosophie diese Majestät denkend betrachten, denn jede andere Weise der Untersuchung, als die spekulative der unendlichen, in sich selbst begründeten Idee, hebt an und für sich die Natur der Majestät auf. – Das *Wahlreich* scheint leicht die *natürlichste* Vorstellung zu sein, d. h. sie liegt der Seichtigkeit des Gedankens am nächsten; weil es die Angelegenheit und das Interesse des Volks sei, das der Monarch zu besorgen habe, so müsse es auch der Wahl des Volkes überlassen bleiben, wen es mit der Besorgung seines Wohls beauftragen wolle, und nur aus dieser Beauftragung entstehe das Recht zur Regierung. Diese Ansicht, wie die Vorstellungen vom Monarchen, als obersten Staatsbeamten, von einem Vertragsverhältnisse zwischen demselben und dem Volke usf. geht von dem Willen, als *Belieben*, Meinung und Willkür der *Vielen* aus, – einer Bestimmung, die, wie längst betrachtet worden[2]), in der bürgerlichen Gesellschaft als erste gilt, oder vielmehr sich nur geltend machen will, aber weder das Prinzip der Familie, noch weniger des Staats ist, überhaupt der Idee der Sittlichkeit entgegensteht. – Daß das Wahlreich vielmehr die schlechteste der Institutionen ist[3]), ergibt sich schon für das Räsonnement aus den *Folgen*, die für dasselbe übrigens nur als etwas *Mögliches* und *Wahrscheinliches* erscheinen, in der Tat aber wesentlich in dieser Institution liegen. Die Verfassung wird nämlich in einem Wahlreich durch die Natur des Verhältnisses, daß in ihm der *partikuläre* Wille zum letzten Entscheidenden gemacht ist, zu einer *Wahlkapitulation*[4]), d. h. zu einer Ergebung der Staatsgewalt auf die Diskretion des partikulären Willens, woraus die Verwandlung der besonderen Staatsgewalten in Privateigentum, die Schwächung und der Verlust der Souveränität des Staats, und damit seine innere Auflösung und äußere Zertrümmerung, hervorgeht

Zusatz. Wenn man die Idee des Monarchen erfassen will, so kann man sich nicht damit begnügen, zu sagen, daß Gott die Könige eingesetzt habe, denn Gott hat alles, auch das

Schlechteste gemacht.[5]) Auch vom Gesichtspunkte des Nutzens aus kommt man nicht weit, und es lassen sich immer wieder Nachteile aufweisen. Ebensowenig hilft es, wenn man den Monarchen als positives Recht betrachtet. Daß ich Eigentum habe, ist notwendig, aber dieser besondere Besitz ist zufällig, und so erscheint auch das Recht, daß einer an der Spitze stehen muß, wenn man es als abstrakt und positiv betrachtet. Aber dieses Recht ist als gefühltes Bedürfnis und als Bedürfnis der Sache an und für sich vorhanden. Die Monarchen zeichnen sich nicht gerade durch körperliche Kräfte, oder durch Geist aus, und doch lassen sich Millionen von ihnen beherrschen. Wenn man nun sagt, die Menschen ließen sich wider ihre Interessen, Zwecke, Absichten regieren, so ist dies ungereimt, denn so dumm sind die Menschen nicht: es ist ihr Bedürfnis, es ist die innere Macht der Idee, die sie selbst gegen ihr anscheinendes Bewußtsein dazu nötigt und in diesem Verhältnis erhält. Wenn so der Monarch, als Spitze und Teil der Verfassung auftritt, so muß man sagen, daß ein erobertes Volk nicht in der Verfassung identisch mit dem Fürsten ist. Wenn in einer im Kriege eroberten Provinz ein Aufstand geschieht, so ist dies etwas anderes als eine Empörung in einem wohlorganisierten Staat. Die Eroberten sind nicht im Aufstande gegen ihren Fürsten, sie begehen kein Staatsverbrechen, denn sie sind mit dem Herrn nicht im Zusammenhang der Idee, nicht in der inneren Notwendigkeit der Verfassung: es ist nur ein Kontrakt, kein Staatsverband vorhanden. Je ne suis pas votre prince, je suis votre maitre, erwiderte Napoleon den Erfurter Angeordneten.[6])

§ 282

Aus der Souveränität des Monarchen fließt das *Begnadigungsrecht* der Verbrecher, denn ihr nur kommt die Verwirklichung der Macht des Geistes zu, das Geschehene ungeschehen zu machen, und im Vergeben und Vergessen das Verbrechen zu vernichten.

Das Begnadigungsrecht ist eine der höchsten Anerkennungen der Majestät des Geistes. – Dies Recht gehört übrigens zu den Anwendungen oder Reflexen der Bestimmungen der höheren Sphäre auf eine vorhergehende. – Dergleichen Anwendungen aber gehören der besonderen Wissenschaft an, die ihren Gegenstand in seinem empirischen Umfange abzuhandeln hat (vergl. § 270 Anm. *)). – Zu solchen Anwendungen gehört auch, daß die Verletzungen des Staats überhaupt, oder der Souveränität, Majestät und der Persönlichkeit des Fürsten, unter den Begriff des Verbrechens, der früher (§ 95 bis 102) vorgekommen ist, subsumiert, und zwar als die *höchsten* Verbrechen, die besondere Verfahrungsart usf. bestimmt werden.

Zusatz. Die Begnadigung ist die Erlassung der Strafe, die aber das Recht nicht aufhebt. Dieses bleibt vielmehr, und der Begnadigte ist nach wie vor ein Verbrecher; die Gnade spricht nicht aus, daß er kein Verbrechen begangen habe. Diese Aufhebung der Strafe kann durch die Religion vor sich gehen, denn das Geschehen kann vom Geist im Geist ungeschehen gemacht werden. Insofern dieses in der Welt vollbracht wird, hat es seinen Ort aber nur in der Majestät und kann nur der grundlosen Entscheidung zukommen.

§ 283

Das *zweite* in der Fürstengewalt Enthaltene ist das Moment der *Besonderheit*, oder des bestimmten Inhalts und der Subsumtion desselben unter das Allgemeine. Insofern es eine besondere Existenz erhält, sind es oberste beratende Stellen und Individuen, die den Inhalt der vorkommenden Staatsangelegenheiten oder der aus vorhandenen Bedürfnissen nötig werdenden gesetzlichen Bestimmungen, mit ihren *objektiven* Seiten, den Entscheidungsgründen, darauf sich beziehenden Gesetzen, Umständen usf. zur Entscheidung vor den Monarchen bringen. Die Erwählung der *Individuen* zu diesem Geschäfte wie deren Entfernung fällt, da sie es mit der unmittelbaren Person des Monarchen zu tun haben, in seine unbeschränkte Willkür.[1])

§ 284

Insofern das *Objektive* der Entscheidung, die Kenntnis des Inhalts und der Umstände, die gesetzlichen und andere Bestimmungsgründe, allein der *Verantwortung*, d. i. des Beweises der Objektivität fähig ist und daher einer von dem persönlichen Willen des Monarchen als solchem unterschiedenen Beratung zukommen kann, sind diese beratenden Stellen oder Individuen allein der Verantwortung unterworfen, die eigentümliche Majestät des Monarchen, als die letzte entscheidende Subjektivität[1]), ist aber über alle Verantwortlichkeit für die Regierungshandlungen erhoben.[2])

§ 285

Das *dritte* Moment der fürstlichen Gewalt betrifft das an und für sich Allgemeine, welches in subjektiver Rücksicht in dem *Gewissen* des *Monarchen*, in objektiver Rücksicht im *Ganzen* der *Verfassung* und in den *Gesetzen* besteht; die fürstliche Gewalt setzt insofern die anderen Momente voraus, wie jedes von diesen sie voraussetzt.[1])

§ 286

Die *objektive Garantie* der fürstlichen Gewalt, der rechtlichen Sukzession nach der Erblichkeit des Thrones usf. liegt darin, daß wie diese Sphäre ihre von den anderen durch die Vernunft bestimmten Momenten ausgeschiedene Wirklichkeit hat, ebenso die anderen für sich die eigentümlichen Rechte und Pflichten ihrer Bestimmung haben; jedes Glied, indem es sich für sich erhält, erhält im vernünftigen Organismus eben damit die anderen in ihrer Eigentümlichkeit.[1])

Die monarchische Verfassung zur erblichen nach Primogenitur festbestimmten Thronfolge herausgearbeitet zu haben, so daß sie hiermit zum patriarchalischen Prinzip, von dem sie geschichtlich ausgegangen ist, aber in der höheren Bestimmung als die absolute Spitze eines organisch entwickelten Staats zurückgeführt worden, ist eines der späteren Resultate der Geschichte, das für die öffentliche Freiheit und vernünftige Verfassung am wichtigsten ist, obgleich es, wie vorhin bemerkt[2]), wenn schon respektiert, doch häufig am wenigsten begriffen wird. Die ehemaligen bloßen Feudalmonarchien, sowie die Despotien zeigen in der Geschichte darum diese Abwechselung von Empörungen, Gewalttaten der Fürsten, innerlichen Kriegen, Untergang fürstlicher Individuen und Dynastien, und die daraus hervorgehende innere und äußere, allgemeine Verwüstung und Zerstörung, weil in solchem Zustand die Teilung des Staatsgeschäfts, indem seine Teile Vasallen, Paschas usf. übertragen sind, nur mechanisch, nicht ein Unterschied der Bestimmung und Form, sondern nur ein Unterschied größerer oder geringerer Gewalt ist. So erhält und bringt jeder Teil, indem er sich erhält, *nur sich* und darin nicht zugleich die anderen hervor, und hat zur unabhängigen Selbständigkeit alle Momente vollständig an ihm selbst. Im organischen Verhältnisse, in welchem Glieder, nicht Teile, sich zueinander verhalten, erhält jedes die anderen, indem es *seine eigene* Sphäre erfüllt; jedem ist für die *eigene* Selbsterhaltung, ebenso die Erhaltung der *anderen* Glieder substantieller Zweck und Produkt. Die Garantien, nach denen gefragt wird, es sei für die Festigkeit der Thronfolge, der fürstlichen Gewalt überhaupt, für Gerechtigkeit, öffentliche Freiheit, usf. sind Sicherungen durch *Institutionen.*[3]) Als *subjektive* Garantien können Liebe des Volks, Charakter, Eide, Gewalt usf. angesehen werden, aber sowie von *Verfassung* gesprochen wird, ist die Rede nur von *objektiven* Garantien, den Institutionen, d. i. den organisch verschränkten und sich bedingenden Momenten. So sind sich öffentliche Freiheit überhaupt, und Erblichkeit des Thrones gegenseitige Garantien, und stehen im absoluten Zusammenhang, weil die öffentliche Freiheit die vernünftige Verfassung ist, und die Erblichkeit der fürstlichen Gewalt das, wie gezeigt[4]), in ihrem Begriffe liegende Moment.[5])

b) Die Regierungsgewalt[1])

§ 287

Von der Entscheidung ist die Ausführung und Anwendung der fürstlichen Entscheidungen, überhaupt das Fortführen und Imstande-Erhalten des bereits Entschiedenen, der vorhandenen Gesetze, Einrichtungen, Anstalten für gemeinschaftliche Zwecke u. dergl. unterschieden. Dies Geschäft der *Subsumtion* überhaupt begreift die *Regierungsgewalt* in sich, worunter ebenso die *richterlichen* und *polizeilichen* Gewalten begriffen sind, welche unmittelbarer auf das Besondere der bürgerlichen Gesellschaft Beziehung haben, und das allgemeine Interesse in diesen Zwecken geltend machen.

§ 288

Die gemeinschaftlichen *besonderen* Interessen, die in die bürgerliche Gesellschaft fallen, und außer dem an und für sich seienden Allgemeinen des Staats selbst liegen (§ 256), haben ihre Verwaltung in den Korporationen (§ 251) der Gemeinden und sonstiger Gewerbe und Stände, und deren Obrigkeiten, Vorsteher, Verwalter und dergleichen. Insofern diese Angelegenheiten, die sie besorgen, einerseits das *Privateigentum* und *Interesse* dieser *besondern* Sphären sind, und nach dieser Seite ihre Autorität mit auf dem Zutrauen ihrer Standesgenossen und Bürgerschaften beruht, andererseits diese Kreise den höheren Interessen des Staats untergeordnet sein müssen, wird sich für die Besetzung dieser Stellen im allgemeinen eine Mischung von gemeiner Wahl dieser Interessenten und von einer höheren Bestätigung und Bestimmung ergeben.

§ 289

Die *Festhaltung* des *allgemeinen Staatsinteresses* und des *Gesetzlichen* in diesen besonderen Rechten und die Zurückführung derselben auf jenes erfordert eine Besorgung durch Abgeordnete der Regierungsgewalt, die exekutiven *Staatsbeamten* und die höheren beratenden insofern kollegialisch konstituierten Behörden, welche in den obersten, den Monarchen berührenden Spitzen, zusammenlaufen.

Wie die bürgerliche Gesellschaft der Kampfplatz des individuellen Privatinteresses aller gegen alle ist, so hat hier der Konflikt desselben gegen die gemeinschaftlichen besonderen Angelegenheiten, und dieser zusammen mit jenem gegen die höheren Gesichtspunkte und Anordnungen des Staats, seinen Sitz. Der Korporationsgeist, der sich in der Berechtigung der besondern Sphären erzeugt, schlägt in sich selbst zugleich in den Geist des Staats um, indem er an dem Staate das Mittel der Erhaltung der besonderen Zwecke hat. Dies ist das Geheimnis des Patriotismus der Bürger nach dieser Seite, daß sie den Staat als ihre Substanz wissen, weil er ihre besonderen Sphären, deren Berechtigung und Autorität wie deren Wohlfahrt, erhält.[1]) In dem Korporationsgeist, da er die *Einwurzelung des Besonderen in das Allgemeine unmittelbar* enthält, ist insofern die Tiefe und die Stärke des Staates, die er in der *Gesinnung* hat.

Die Verwaltung der Korporations-Angelegenheiten durch ihre eigenen Vorsteher wird, da sie zwar ihre eigentümlichen Interessen und Angelegenheiten, aber unvollständiger den Zusammenhang der entfernteren Bedingungen und die allgemeinen Gesichtspunkte kennen und vor sich haben, häufig ungeschickt sein – außerdem daß weitere Umstände dazu beitragen, z. B. die nahe Privat-Berührung und sonstige Gleichheit der Vorsteher mit den ihnen untergeordnet sein Sollenden, ihre mannigfachere Abhängigkeit usf. Diese eigene Sphäre kann aber als dem Moment der *formellen Freiheit* überlassen angesehen werden, wo das eigene Erkennen, Beschließen und Ausführen, sowie die kleinen Leidenschaften und Einbildungen einen Tummelplatz haben sich zu ergehen, – und dies um so mehr, je weniger der Gehalt der Angelegenheit, die dadurch verdorben, weniger gut, mühseliger usf. besorgt wird, für das Allgemeinere des Staats von Wichtigkeit ist, und je mehr die mühselige oder törichte Besorgung solcher geringfügiger Angelegenheit in direktem Verhältnisse mit der Befriedigung und Meinung von sich steht, die daraus geschöpft wird.

§ 290

In dem Geschäfte der Regierung findet sich gleichfalls die *Teilung der Arbeit* (§ 198) ein. Die *Organisation* der Behörden hat insofern die formelle, aber schwierige Aufgabe, daß von unten, wo das bürgerliche Leben *konkret* ist, dasselbe auf konkrete Weise regiert werde, daß dies Geschäft aber in seine *abstrakte* Zweige geteilt sei, die von eigentümlichen Behörden als unterschiedenen Mittelpunkten behandelt werden, deren Wirksamkeit nach unten, sowie in der obersten Regierungsgewalt in eine konkrete Übersicht wieder zusammenlaufe.

Zusatz. Der hauptsächliche Punkt, worauf es bei der Regierungsgewalt ankommt, ist die Teilung der Geschäfte: sie hat es mit dem Übergang vom Allgemeinen ins Besondere und Einzelne zu tun, und ihre Geschäfte sind nach den verschiedenen Zweigen zu trennen. Das Schwere ist aber, daß sie nach oben und unten auch wieder zusammenkommen. Denn Polizeigewalt und richterliche Gewalt z. B. laufen zwar auseinander, aber sie treffen in irgendeinem Geschäft doch wieder zusammen. Die Auskunft, die man hier anwendet, besteht häufig darin, daß man Staatskanzler, Premierminister, Ministerkonseils ernennt, damit die obere Leitung sich vereinfache. Aber dadurch kann auch alles wieder von oben und von der ministeriellen Gewalt ausgehen, und die Geschäfte, wie man sich ausdrückt, zentralisiert sein. Hiermit ist die größte Leichtigkeit, Schnelligkeit, Wirksamkeit für das, was für das allgemeine Staatsinteresse geschehen soll, verbunden. Dieses Regiment wurde von der fanzösischen Revolution eingeführt, von Napoleon ausgearbeitet, und besteht heute noch in Frankreich. Dagegen entbehrt Frankreich der Korporationen und Kommunen, d. h. der Kreise, wo die besonderen und allgemeinen Interessen zusammenkommen. Im Mittelalter hatten freilich diese Kreise eine zu große Selbständigkeit gewonnen, waren Staaten im Staate, und gerierten sich auf harte Weise als für sich bestehende Körperschaften; aber wenn dieses auch nicht der Fall sein muß, so darf man doch sagen, daß in den Gemeinden die eigentliche Stärke der Staaten liegt. Hier trifft die Regierung auf berechtigte Interessen, die von ihr respektiert werden müssen, und insofern die Administration solchen Interessen nur beförderlich sein kann, sie aber auch beaufsichtigen muß, findet das Individuum den Schutz für die Ausübung seiner Rechte, und so knüpft sich sein partikuläres Interesse an die Erhaltung des Ganzen. Man hat seit einiger Zeit immer von oben her organisiert[1]) und dies Organisieren ist die Hauptbemühung gewesen, aber das Untere, das Massenhafte des Ganzen ist leicht mehr oder weniger unorganisch gelassen; und doch ist es höchst wichtig, daß es organisch werde, denn nur so ist es Macht, ist es Gewalt, sonst ist es nur ein Haufen, eine Menge von zersplitterten Atomen. Die berechtigte Gewalt ist nur im organischen Zustande der besonderen Sphären vorhanden.

§ 291

Die Regierungsgeschäfte sind *objektiver*, für sich ihrer Substanz nach bereits entschiedener Natur (§ 287) und durch *Individuen* zu vollführen und zu verwirklichen. Zwischen beiden liegt keine unmittelbare natürliche Verknüpfung; die Individuen sind daher nicht durch die natürliche Persönlichkeit und die Geburt dazu bestimmt. Für ihre Bestimmung zu demselben ist das objektive Moment die Erkenntnis und der Erweis ihrer Befähigung, – ein Erweis, der dem Staate sein Bedürfnis, und als die einzige Bedingung zugleich jedem Bürger die Möglichkeit, sich dem allgemeinen Stande zu widmen, sichert.[1])

§ 292

Die subjektive Seite, daß *dieses* Individuum aus *mehreren*, deren es, da hier das Objektive nicht (wie z. B. bei der Kunst) in Genialität liegt, notwendig unbestimmt *mehrere* gibt, unter denen der Vorzug nichts absolut Bestimmbares ist, zu einer Stelle gewählt und ernannt und zur Führung des öffentlichen Geschäfts bevollmächtigt wird, diese Verknüpfung des Individuums und des Amtes, als zweier für sich gegeneinander immer zufälligen Seiten, kommt der fürstlichen als der entscheidenden und souveränen Staatsgewalt zu.

§ 293

Die besonderen Staatsgeschäfte, welche die Monarchie den Behörden übergibt, machen einen Teil der *objektiven* Seite der dem Monarchen innewohnenden Souveränität aus[1]); ihr bestimmter *Unterschied* ist ebenso durch die Natur der Sache gegeben; und wie die Tätigkeit der Behörden eine Pflichterfüllung, so ist ihr Geschäft auch ein der Zufälligkeit entnommenes Recht.

§ 294

Das Individuum, das durch den souveränen Akt (§ 292) einem amtlichen Berufe verknüpft ist[1]), ist auf seine Pflichterfüllung, das Substantielle seines Verhältnisses, als Bedingung dieser Verknüpfung angewiesen, in welcher es *als Folge* dieses substantiellen Verhältnisses das Vermögen und die gesicherte Befriedigung seiner Besonderheit (§ 264) und Befreiung seiner äußern Lage und Amtstätigkeit von sonstiger subjektiver Abhängigkeit und Einfluß findet.

Der Staat zählt nicht auf willkürliche, beliebige Leistungen (eine Rechtspflege z. B., die von fahrenden Rittern ausgeübt wurde), eben weil sie beliebig und willkürlich sind, und sich die Vollführung der Leistungen nach subjektiven Ansichten, ebenso wie die beliebige Nichtleistung und die Ausführung subjektiver Zwecke vorbehalten. Das andere Extrem zum fahrenden Ritter wäre in Beziehung auf den Staatsdienst das des *Staatsbedienten*, der bloß nach der Not, ohne wahrhafte Pflicht und ebenso ohne Recht seinem Dienste verknüpft wäre. – Der Staatsdienst fordert vielmehr die Aufopferung selbständiger und beliebiger Befriedigung subjektiver Zwecke, und gibt eben damit das Recht, sie in der pflichtgemäßen Leistung aber nur in ihr zu finden. Hierin liegt nach dieser Seite die Verknüpfung des allgemeinen und besonderen Interesses, welche den Begriff und die innere Festigkeit des Staats ausmacht (§ 260). – Das Amtsverhältnis ist gleichfalls kein *Vertrags*verhältnis (§ 75), obgleich ein gedoppeltes Einwilligen und ein Leisten von beiden Seiten vorhanden ist. Der Bedienstete ist nicht für eine einzelne zufällige Dienstleistung berufen, wie der Mandatarius, sondern legt das Hauptinteresse seiner geistigen und besonderen Existenz in dies Verhältnis. Ebenso ist es nicht eine ihrer Qualität nach äußerliche, nur besondere Sache, die er zu leisten hätte und die ihm anvertraut wäre; der *Wert* einer solchen ist als Inneres von ihrer Äußerlichkeit verschieden und wird bei der Nichtleistung des Stipulierten noch nicht verletzt (§ 77). Was aber der Staatsdiener zu leisten hat, ist wie es unmittelbar ist, ein Wert an und für sich. Das Unrecht durch Nichtleistung oder positive Verletzung (dienstwidrige Handlung, und beides ist eine solche) ist daher Verletzung des allgemeinen Inhalts selbst, (verglichen § 95 ein negativ unendliches Urteil,) deswegen Vergehen oder auch Verbrechen. – Durch die gesicherte Befriedigung des besonderen Bedürfnisses ist die äußere Not gehoben, welche, die Mittel dazu auf Kosten der Amtstätigkeit und Pflicht zu suchen, veranlassen kann.[2]) In der allgemeinen Staatsgewalt finden die mit seinen Geschäften Beauftragten Schutz gegen die andere subjektive Seite, gegen die Privatleidenschaften der Regierten, deren Privatinteresse usf. durch das Geltendmachen des Allgemeinen dagegen beleidigt wird.

§ 295

Die Sicherung des Staats und der Regierten gegen den Mißbrauch der Gewalt von seiten der Behörden und ihrer Beamten liegt einerseits unmittelbar in ihrer Hierarchie[1]) und Verantwortlichkeit, andererseits in der Berechtigung der Gemeinden, Korporationen, als wodurch die Einmischung subjektiver Willkür in die den Beamten anvertraute Gewalt für sich gehemmt und die in das einzelne Benehmen nicht reichende Kontrolle von oben, von unten ergänzt wird.[2])

Im Benehmen und in der Bildung der Beamten liegt der Punkt, wo die Gesetze und Entscheidungen der Regierung die Einzelnheit berühren und in der Wirklichkeit geltend gemacht werden. Dies ist somit die Stelle, von welcher die Zufriedenheit und das Zutrauen der Bürger zur Regierung, sowie die Ausführung oder Schwächung und Vereitelung ihrer Absichten nach der Seite abhängt, daß die *Art* und *Weise* der Ausführung von der Empfindung und Gesinnung leicht so hoch angeschlagen wird, als der *Inhalt* des Auszuführenden selbst, der schon für sich eine Last enthalten kann. In der Unmittelbarkeit und Persönlichkeit dieser Berührung liegt es, daß die Kontrolle von oben von dieser Seite unvollständiger ihren Zweck erreicht, der auch an dem gemeinschaftlichen Interesse der Beamten als eines gegen die Untergebenen und gegen die Obern sich zusammenschließenden Standes, Hindernisse finden kann, deren Beseitigung insbesondere bei etwa sonst noch unvollkommenern Institutionen, das höhere Eingreifen der Souveränität (wie z. B. *Friedrichs II.* in der berüchtigt-gemachten Müller Arnoldschen Sache)[3]) erfordert und berechtigt.[4])

§ 296

Daß aber die Leidenschaftlosigkeit, Rechtlichkeit und Milde des Benehmens *Sitte* werde, hängt teils mit der direkten *sittlichen* und *Gedankenbildung* zusammen[1]), welche dem, was die Erlernung der sogenannten Wissenschaften der Gegenstände dieser Sphären, die erforderliche Geschäftseinübung, die wirkliche Arbeit usf. von Mechanismus und dergleichen in sich hat, das geistige Gleichgewicht hält; teils ist die *Größe* des Staats ein Hauptmoment, wodurch sowohl das Gewicht von Familien- und anderen Privatverbindungen geschwächt, als auch Rache, Haß und andere solche Leidenschaften ohnmächtiger und damit stumpfer werden; in der Beschäftigung mit den in dem großen Staate vorhandenen großen Interessen gehen für sich diese subjektiven Seiten unter und erzeugt sich die Gewohnheit allgemeiner Interessen, Ansichten und Geschäfte.

§ 297

Die Mitglieder der Regierung und die Staatsbeamten machen den Hauptteil des *Mittelstandes* aus, in welchen die gebildete Intelligenz und das rechtliche Bewußtsein der Masse eines Volkes fällt. Daß er nicht die isolierte Stellung einer Aristokratie nehme, und Bildung und Geschicklichkeit nicht zu einem Mittel der Willkür und einer Herrenschaft werde, wird durch die Institutionen der Souveränität von oben herab, und der Korporationsrechte von unten herauf, bewirkt.

So hatte sich vormals die Rechtspflege, deren Objekt das eigentümliche Interesse aller Individuen ist, dadurch, daß die Kenntnis des Rechts sich in Gelehrsamkeit und fremde Sprache und die Kenntnis des Rechtsganges in verwickelten Formalismus verhüllte, in ein Instrument des Gewinns und der Beherrschung verwandelt.

Zusatz. In dem Mittelstande, zu dem die Staatsbeamten gehören, ist das Bewußtsein des Staates und die hervorstechendste Bildung. Deswegen macht er auch die Grundsäule desselben in Beziehung auf Rechtlichkeit und Intelligenz aus. Der Staat, in dem kein Mittelstand vorhanden ist, steht deswegen noch auf keiner hohen Stufe. So z. B. Rußland, das eine Masse hat, welche leibeigen ist, und eine andere, welche regiert. Daß dieser Mittelstand gebildet werde ist ein Hauptinteresse des Staates, aber dies kann nur in einer Organisation, wie die ist, welche wir gesehen haben, geschehen, nämlich durch die Berechtigung besonderer Kreise, die relativ unabhängig sind, und durch eine Beamtenwelt, deren Willkür sich an solchen Berechtigten bricht. Das Handeln nach allgemeinem Rechte und die Gewohnheit dieses Handelns ist eine Folge des Gegensatzes, den die für sich selbständigen Kreise bilden.[1])

c) Die gesetzgebende Gewalt

§ 298

Die *gesetzgebende Gewalt* betrifft die Gesetze als solche, insofern sie weiterer Fortbestimmung bedürfen, und die ihrem Inhalte nach ganz allgemeinen inneren Angelegenheiten. Diese Gewalt ist selbst ein Teil der Verfassung, welche ihr vorausgesetzt ist und insofern an und für sich außer deren direkten Bestimmung liegt, aber in der Fortbildung der Gesetze und in dem fortschreitenden Charakter der allgemeinen Regierungsangelegenheiten ihre weitere Entwickelung erhält.[1])

Zusatz. Die Verfassung muß an und für sich der feste geltende Boden sein, auf dem die gesetzgebende Gewalt steht, und sie muß deswegen nicht erst gemacht werden. Die Verfassung *ist* also, aber ebenso wesentlich *wird* sie, das heißt, sie schreitet in der Bildung fort. Dieses Fortschreiten ist eine Veränderung, die unscheinbar ist, und nicht die Form der Veränderung hat. Wenn z. B. das Vermögen der Fürsten und ihrer Familien in Deutschland zunächst Privatgut war, dann aber ohne Kampf und Widerstand sich in Domänen[2]), d. h. in Staatsvermögen verwandelte, so kam dies daher, weil die Fürsten das Bedürfnis der Ungeteiltheit der Güter fühlten, von Land und Landständen die Garantie derselben forderten, und so diese mit in die Art und Weise des Bestehens des Vermögens verwickelten, über das sie nun nicht mehr alleinige Disposition hatten. Auf ähnliche Weise war früher der Kaiser Richter und zog im Reiche Recht sprechend umher. Durch den bloß scheinbaren Fortgang der Bildung ist es äußerlich notwendig geworden, daß der Kaiser mehr und mehr anderen dies Richteramt überließ, und so machte sich der Übergang der richterlichen Gewalt von der Person des Fürsten auf Kollegien. So ist also die Fortbildung eines Zustandes eine scheinbar ruhige und unbemerkte. Nach langer Zeit kommt auf diese Weise eine Verfassung zu einem ganz anderen Zustande als vorher.[3])

§ 299

Diese Gegenstände bestimmen sich in Beziehung auf die Individuen näher nach den zwei Seiten: α) was durch den Staat ihnen zugute kommt, und sie zu genießen und β) was sie demselben zu leisten haben. Unter jenem sind die privatrechtlichen Gesetze überhaupt, die Rechte der Gemeinden und Korporationen und ganz allgemeine Veranstaltungen und indirekt (§ 298) das Ganze der Verfassung begriffen. Das zu Leistende aber kann nur, indem es auf *Geld*, als den existierenden allgemeinen *Wert* der Dinge und der Leistungen, reduziert wird, auf eine gerechte Weise und zugleich auf eine Art bestimmt werden, daß die *besonderen* Arbeiten und Dienste, die der Einzelne leisten kann, durch seine Willkür vermittelt werden.

Was Gegenstand der allgemeinen Gesetzgebung und was der Bestimmung der Administrativ-Behörden und der Regulierung der Regierung überhaupt anheim zu stellen sei, läßt sich zwar im allgemeinen so unterscheiden, daß in jene nur das dem Inhalte nach ganz Allgemeine die gesetzlichen Bestimmungen, in diese aber das Besondere und die Art und Weise der *Exekution* falle. Aber völlig bestimmt ist diese Unterscheidung schon dadurch nicht, daß das Gesetz, damit es Gesetz, nicht ein bloßes Gebot überhaupt sei, (wie „du sollst nicht töten", vergl. mit Anm. zum § 140) in sich *bestimmt* sein muß; je bestimmter es aber ist, desto mehr nähert sich sein Inhalt der Fähigkeit, so wie es ist, ausgeführt zu werden. Zugleich aber würde die so weit gehende Bestimmung den Gesetzen eine empirische Seite geben, welche in der wirklichen Ausführung Abänderungen unterworfen werden müßte, was dem Charakter von Gesetzen Abbruch täte. In der organischen Einheit der Staatsgewalten liegt es selbst, daß es ein Geist ist, der das Allgemeine festsetzt, und der es zu seiner bestimmten Wirklichkeit bringt und ausführt. – Es kann im Staate zunächst auffallen, daß von den vielen Geschicklichkeiten, Besitztümern, Tätigkeiten, Talenten, und darin liegenden unendlich mannigfaltigen lebendigen *Vermögen*, die zugleich mit Gesinnung verbunden sind, der Staat keine direkte Leistung fordert, sondern nur das *eine* Vermögen in Anspruch nimmt, das als *Geld* erscheint. – Die Leistungen, die sich auf die Verteidigung des Staats gegen Feinde beziehen, gehören erst zu der Pflicht der folgenden Abteilung. In der Tat ist das Geld aber nicht ein *besonderes* Vermögen neben den übrigen, sondern es ist das Allgemeine derselben, insofern sie sich zu der Äußerlichkeit des Daseins produzieren, in der sie als eine *Sache* gefaßt werden können. Nur an dieser äußerlichsten Spitze ist die *quantitative* Bestimmtheit und damit die Gerechtigkeit und Gleichheit der Leistungen möglich. – *Plato* läßt in seinem Staate die Individuen den besonderen Ständen durch die Obern zuteilen und ihnen ihre *besonderen* Leistungen auflegen (vergl. § 185 Anm.); in der Feudalmonarchie hatten Vasallen[1]) ebenso unbestimmte Dienste, aber auch in ihrer *Besonderheit* z. B. das Richteramt usf. zu leisten; die Leistungen im Orient, Ägypten für die unermeßlichen Architekturen usf. sind ebenso von *besonderer* Qualität usf. In diesen Verhältnissen mangelt das Prinzip der *subjektiven Freiheit*, daß das substantielle Tun des Individuums, das in solchen Leistungen ohnehin seinem Inhalte nach ein Besonderes ist, durch seinen *be-*

sonderen Willen vermittelt sei; – ein Recht, das allein durch die Forderung der Leistungen in der Form des allgemeinen Wertes möglich, und das der Grund ist, der diese Verwandelung herbeigeführt hat.

Zusatz. Die zwei Seiten der Verfassung beziehen sich auf die Rechte und Leistungen der Individuen. Was nun die Leistungen betrifft, so reduzieren sie sich jetzt fast alle auf Geld. Die Militärpflicht ist jetzt fast nur die einzige persönliche Leistung. In früheren Zeiten hat man das Konkrete der Individuen weit mehr in Anspruch genommen, und man rief dieselben nach ihrer Geschicklichkeit zur Arbeit auf. Bei uns *kauft* der Staat, was er braucht, und dies kann zunächst als abstrakt, tot und gemütlos erscheinen, und es kann auch aussehen, als wenn der Staat dadurch heruntergesunken wäre, daß er sich mit abstrakten Leistungen befriedigt. Aber es liegt in dem Prinzipe des neueren Staates, daß alles, was das Individuum tut, durch seinen Willen vermittelt sei. Durch Geld kann aber die Gerechtigkeit der Gleichheit weit besser durchgeführt werden. Der Talentvolle würde sonst mehr besteuert sein, als der Talentlose, wenn es auf die konkrete Fähigkeit ankäme. Nun aber wird eben dadurch Respekt vor der subjektiven Freiheit an den Tag gelegt, daß man jemanden nur an dem ergreift, an welchem er ergriffen werden kann.[2])

§ 300

In der gesetzgebenden Gewalt als Totalität sind zunächst die zwei andern Momente wirksam, das *monarchische* als dem die höchste Entscheidung zukommt, – die *Regierungsgewalt* als das, mit der konkreten Kenntnis und Übersicht des Ganzen in seinen vielfachen Seiten und den darin festgewordenen wirklichen Grundsätzen, sowie mit der Kenntnis der Bedürfnisse der Staatsgewalt insbesondere, beratende Moment, – endlich das *ständische* Element.

Zusatz. Es gehört zu den falschen Ansichten vom Staate, wenn man die Regierungsmitglieder, wie etwa die konstituierende Versammlung tat, von den gesetzgebenden Körpern ausschließen will.[1]) In England müssen die Minister Mitglieder des Parlaments sein, und dies ist insofern richtig, als die Teilnehmer an der Regierung im Zusammenhange und nicht im Gegensatze mit der gesetzgebenden Gewalt stehen sollen. Die Vorstellung von der sogenannten Unabhängigkeit der Gewalten[2]) hat den Grundirrtum in sich, daß die unabhängigen Gewalten dennoch einander beschränken sollen. Aber durch diese Unabhängigkeit wird die Einheit des Staates aufgehoben, die vor allem zu verlangen ist.[3])

§ 301

Das *ständische* Element hat die Bestimmung, daß die allgemeine Angelegenheit nicht nur *an sich*, sondern auch *für sich*, d. i. daß das Moment der subjektiven *formellen Freiheit*, das öffentliche Bewußtsein als *empirische Allgemeinheit* der Ansichten und Gedanken der *Vielen*, darin zur Existenz komme.

Der Ausdruck: *die Vielen* (οἱ πολλοί) bezeichnet die empirische Allgemeinheit richtiger, als das gäng und gäbe: *Alle*.[1]) Denn wenn man sagen wird, daß es sich von selbst verstehe, daß unter diesen *Allen* zunächst wenigstens die Kinder, Weiber usf. nicht gemeint seien, so versteht es sich hiermit noch mehr von selbst, daß man den ganz bestimmten Ausdruck: *Alle* nicht gebrauchen sollte, wo es sich um noch etwas ganz Unbestimmtes handelt. – Es sind überhaupt so unsäglich viele schiefe und falsche Vorstellungen und Redensarten über Volk, Verfassung und Stände in den Umlauf der Meinung gekommen, daß es eine vergebliche Mühe wäre, sie aufführen, erörtern und berichtigen zu wollen. Die Vorstellung, die das gewöhnliche Bewußtsein über die Notwendigkeit oder Nützlichkeit der Konkurrenz von Ständen zunächst vor sich zu haben pflegt, ist vornehmlich etwa, daß die Abgeordneten aus dem Volk oder gar das Volk es *am besten verstehen müsse*, was zu seinem Besten diene, und daß es den ungezweifelt besten Willen für dieses Beste habe. Was das erstere betrifft, so ist vielmehr der Fall, daß das Volk, insofern mit diesem Worte ein besonderer Teil der Mitglieder eines Staats bezeichnet ist, den Teil ausdrückt, *der nicht weiß, was er will*.[2]) Zu wissen, was man will, und noch mehr was der an und für sich seiende Wille, die Vernunft, will, ist die Frucht tiefer Erkenntnis und Einsicht, welche eben nicht die Sache des Volks ist. – Die Gewährleistung, die für das allgemeine Beste und die öffentliche Freiheit in den Ständen liegt, findet sich bei einigem Nachdenken nicht in der besonderen Einsicht derselben – denn die höchsten Staatsbeamten haben notwendig tiefere und umfassendere Einsicht in die Natur der Einrichtungen und Bedürfnisse des Staats, sowie die größere Geschicklichkeit und Gewohnheit dieser Geschäfte und *können* ohne Stände das Beste tun, wie sie auch fortwährend bei den ständischen Versammlungen das Beste tun müssen, – sondern sie liegt teils wohl in einer Zutat von Einsicht der Abgeordneten, vornehmlich in das Treiben der den Augen der höheren Stellen ferner stehenden Beamten, und insbesondere in dringendere und speziellere Bedürfnisse und Mängel, die sie in konkreter Anschauung vor sich haben, teils aber in derjenigen Wirkung, welche die zu erwartende Zensur vieler und zwar eine öffentliche Zensur mit sich führt, schon im voraus die beste Einsicht auf die Geschäfte und vorzulegenden Entwürfe zu verwenden und sie nur den reinsten Motiven gemäß einzurichten – eine Nötigung, die ebenso für die Mitglieder der Stände selbst wirksam ist. Was aber den vorzüglich *guten Willen* der Stände für das allgemeine Beste betrifft, so ist schon oben (§ 272 Anm.) bemerkt worden, daß es zu der Ansicht des Pöbels, dem Standpunkte des Negativen überhaupt gehört, bei der Regierung einen bösen oder weniger guten Willen vorauszusetzen; – eine Voraussetzung, die zunächst, wenn in gleicher Form geantwortet werden sollte, die Rekrimination zur Folge hätte, daß die Stände, da sie von der Einzelnheit, dem Privatstandpunkt und den besonderen Interessen herkommen, für diese auf Kosten des allgemeinen Interesses ihre Wirksamkeit zu gebrauchen geneigt seien, da hingegen die anderen Momente der Staatsgewalt schon für sich auf den Standpunkt des Staates gestellt, und dem allgemeinen Zwecke gewidmet sind.[3]) Was hiermit die Garantie überhaupt betrifft, welche besonders in den Ständen liegen soll, so teilt auch jede andere der Staatsinstitutionen dies mit ihnen, eine Garantie des öffentlichen Wohls und der vernünftigen Freiheit zu sein, und es gibt darunter Institutionen, wie die Souveränität des Monarchen, die Erblichkeit der Thronfolge, Gerichtsverfassung usf., in welchen diese Garantie noch in viel stärkerem Grade liegt. Die eigentümliche Begriffsbestimmung der Stände ist deshalb darin zu suchen, daß in ihnen das subjektive Moment der allgemeinen Freiheit, die eigene Einsicht und der eigene Wille der Sphäre, die in dieser Darstellung bürgerliche Gesellschaft genannt worden ist, in *Beziehung auf den Staat zur Existenz* kommt. Daß dies Moment eine Bestimmung der zur Totalität entwickelten Idee ist, diese innere Notwendigkeit, welche nicht mit *äußeren Notwendigkeiten* und *Nützlichkeiten* zu verwechseln ist, folgt, wie überall, aus dem philosophischen Gesichtspunkte.

Zusatz. Die Stellung der Regierung zu den Ständen soll keine wesentlich feindliche sein, und der Glaube an die Notwendigkeit dieses feindseligen Verhältnisses ist ein trauriger Irrtum. Die Regierung ist keine Partei, der eine andere gegenübersteht, so daß beide sich viel abzugewinnen und abzuringen hätten, und wenn ein Staat in eine solche Lage kommt, so ist dies ein Unglück, kann aber nicht als Gesundheit bezeichnet werden. Die Steuern, die die Stände bewilligen, sind ferner nicht wie ein Geschenk anzusehen, das dem Staate gegeben wird, sondern sie werden zum Besten der Bewilligenden selbst bewilligt. Was die eigentliche Bedeutung der Stände ausmacht, ist, daß der Staat dadurch in das subjektive Bewußtsein des Volks tritt, und daß es an demselben teilzuhaben anfängt[4]).

§ 302

Als *vermittelndes* Organ betrachtet, stehen die Stände zwischen der Regierung überhaupt einerseits, und dem in die besonderen Sphären und Individuen aufgelösten Volke andererseits. Ihre Bestimmung fordert an sie so sehr den *Sinn* und die *Gesinnung* des *Staats* und der *Regierung*, als der *Interessen* der *besonderen* Kreise und der *Einzelnen*. Zugleich hat diese Stellung die Bedeutung einer mit der organisierten Regierungsgewalt gemeinschaftlichen Vermittelung, daß weder die fürstliche Gewalt als *Extrem* isoliert, und dadurch als bloße Herrschergewalt und Willkür erscheine, noch daß die besonderen Interessen der Gemeinden, Korporationen und der Individuen sich isolieren, oder noch mehr daß die Einzelnen nicht zur

Darstellung einer *Menge* und eines *Haufens*, zu einem somit unorganischen Meinen und Wollen, und zur bloß massenhaften Gewalt gegen den organischen Staat kommen.

Es gehört zu den wichtigsten logischen Einsichten, daß ein bestimmtes Moment, das als im Gegensatze stehend die Stellung eines Extrems hat, es dadurch zu sein aufhört und *organisches* Moment ist, daß es zugleich *Mitte* ist. Bei dem hier betrachteten Gegenstand ist es um so wichtiger, diese Seite herauszuheben, weil es zu den häufigen aber höchst gefährlichen Vorurteilen gehört, Stände hauptsächlich im Gesichtspunkte des *Gegensatzes* gegen die Regierung, als ob dies ihre wesentliche Stellung wäre, vorzustellen[1]). Organisch, d. i. in die Totalität aufgenommen, beweist sich das ständische Element nur durch die Funktion der Vermittelung. Damit ist der Gegensatz selbst zu einem Schein herabgesetzt. Wenn er, insofern er seine Erscheinung hat, nicht bloß die Oberfläche beträfe, sondern wirklich ein substantieller Gegensatz würde, so wäre der Staat in seinem Untergange begriffen. – Das Zeichen, daß der Widerstreit nicht dieser Art ist, ergibt sich der Natur der Sache nach dadurch, wenn die Gegenstände desselben nicht die wesentlichen Elemente des Staatsorganismus, sondern speziellere und gleichgültigere Dinge betreffen, und die Leidenschaft, die sich doch an diesen Inhalt knüpft, zur Parteisucht um ein bloß subjektives Interesse, etwa um die höheren Staatsstellen, wird.[2])

Zusatz. Die Verfassung ist wesentlich ein System der Vermittelung. In despotischen Staaten, wo es nur Fürsten und Volk gibt, wirkt das letztere, wenn es wirkt, bloß als zerstörende Masse gegen die Organisation. Organisch aber eintretend setzt der Haufen seine Interessen auf recht- und ordnungsmäßige Weise durch. Ist dieses Mittel dagegen nicht vorhanden, so wird das sich Aussprechen der Masse immer ein wildes sein. In despotischen Staaten schont der Despot deswegen das Volk und seine Wut trifft immer nur die Umgebung. Ebenso bezahlt auch das Volk in demselben nur wenig Abgaben, die sich in einem verfassungsmäßigen Staate durch das eigene Bewußtsein des Volkes erheben. In keinem Lande werden so viele Abgaben, als gerade in England bezahlt.

§ 303

Der *allgemeine*, näher dem *Dienst der Regierung* sich widmende Stand hat unmittelbar in seiner Bestimmung, das Allgemeine zum Zwecke seiner wesentlichen Tätigkeit zu haben; in dem *ständischen* Elemente der gesetzgebenden Gewalt kommt der *Privatstand*[1]) zu einer *politischen Bedeutung* und Wirksamkeit.[2]) Derselbe kann nun dabei weder als bloße ungeschiedene Masse, noch als eine in ihre Atome aufgelöste Menge erscheinen, sondern als das, *was er bereits ist*, nämlich unterschieden in den auf das substantielle Verhältnis, und in den auf die besonderen Bedürfnisse und die sie vermittelnde Arbeit sich gründenden *Stand* (§ 201 ff.). Nur so knüpft sich in dieser Rücksicht wahrhaft das im Staate wirkliche *Besondere* an das Allgemeine an.

Dies gehet gegen eine andere gangbare Vorstellung, daß, indem der Privatstand zur Teilnahme an der allgemeinen Sache in der gesetzgebenden Gewalt erhoben wird, er dabei in Form der *Einzelnen* erscheinen müsse, sei es, daß sie Stellvertreter für diese Funktion wählen, oder daß gar selbst jeder eine Stimme dabei exerzieren solle. Diese atomistische, abstrakte Ansicht verschwindet schon in der Familie wie in der bürgerlichen Gesellschaft, wo der Einzelne nur als Mitglied eines Allgemeinen zur Erscheinung kommt. Der Staat aber ist wesentlich eine Organisation von solchen Gliedern, die *für sich Kreise* sind, und in ihm soll sich kein Moment als eine unorganische Menge zeigen. *Die Vielen* als Einzelne, was man gerne unter Volk versteht, sind wohl ein *Zusammen*, aber nur als die *Menge*, – eine formlose Masse, deren Bewegung und Tun eben damit nur elementarisch, vernunftlos, wild und fürchterlich wäre. Wie man in Beziehung auf Verfassung noch vom *Volke*, dieser unorganischen Gesamtheit, sprechen hört, so kann man schon zum voraus wissen, daß man nur Allgemeinheiten und schiefe Deklamationen zu erwarten hat.[3]) – Die Vorstellung, welche die in jenen Kreisen schon vorhandenen Gemeinwesen, wo sie ins Politische, d. i. in den Standpunkt der *höchsten konkreten Allgemeinheit* eintreten, wieder in eine Menge von Individuen auflöst, hält eben damit das bürgerliche und das politische Leben voneinander getrennt, und stellt dieses, sozusagen, in die Luft, da seine Basis nur die abstrakte Einzelnheit der Willkür und Meinung, somit das Zufällige, nicht eine an und für sich *feste* und *berechtigte* Grundlage sein würde. – Obgleich in den Vorstellungen sogenannter Theorien die *Stände* der *bürgerlichen* Gesellschaft überhaupt, und die *Stände* in *politischer* Bedeutung weit auseinander liegen, so hat doch die Sprache noch diese Vereinigung erhalten, die früher ohnehin vorhanden war.[4])

§ 304

Den in den früheren Sphären bereits vorhandenen Unterschied der Stände enthält das politisch-ständische Element zugleich in seiner eigenen Bestimmung. Seine zunächst abstrakte Stellung, nämlich des *Extrems* der *empirischen Allgemeinheit* gegen das *fürstliche* oder *monarchische Prinzip* überhaupt, – in der nur die *Möglichkeit* der *Übereinstimmung*, und damit ebenso die *Möglichkeit feindlicher* Entgegensetzung liegt, – diese abstrakte Stellung wird nur dadurch zum vernünftigen Verhältnisse (zum *Schlusse*, vergl. Anm. zu § 302), daß ihre *Vermittelung* zur Existenz kommt.[1]) Wie von seiten der fürstlichen Gewalt die Regierungsgewalt (§ 300) schon diese Bestimmung hat, so muß auch von der Seite der Stände aus ein Moment derselben nach der Bestimmung gekehrt sein, wesentlich als das Moment der Mitte zu existieren.[2])

§ 305

Der eine der Stände der bürgerlichen Gesellschaft enthält das Prinzip, das für sich fähig ist, zu dieser politischen Beziehung konstituiert zu werden, der Stand der natürlichen Sittlichkeit nämlich, der das Familienleben und in Rücksicht der Subsistenz den Grundbesitz zu seiner Basis, somit in Rücksicht seiner Besonderheit ein auf sich beruhendes Wollen, und die Naturbestimmung, welche das fürstliche Element in sich schließt, mit diesem gemein hat.[1])

§ 306

Für die politische Stellung und Bedeutung wird er näher konstituiert, insofern sein Vermögen ebenso unabhängig vom Staatsvermögen, als von der Unsicherheit des Gewerbes, der Sucht des Gewinns und der Veränderlichkeit des Besitzes überhaupt, – wie von der Gunst der Regierungsgewalt so von der Gunst der Menge, und selbst *gegen die eigene Willkür* dadurch festgestellt ist, daß die für diese Bestimmung berufenen Mitglieder dieses Standes, des Rechts der anderen Bürger, teils über ihr ganzes Eigentum frei zu disponieren, teils es nach der Gleichheit der Liebe zu den Kindern, an sie übergehend zu wissen, entbehren; – das Vermögen wird so ein *unveräußerliches*, mit dem Majorate belastetes *Erbgut*.[1])

Zusatz. Dieser Stand hat ein mehr für sich bestehendes Wollen. Im ganzen wird der Stand der Güterbesitzer sich in den gebildeten Teil desselben, und in den Bauernstand unterscheiden. Indessen beiden Arten steht der Stand des Gewerbes, als der vom Bedürfnis abhängige und darauf hingewiesene, und der allgemeine Stand, als vom Staat wesentlich abhängig, gegenüber.[2]) Die Sicherheit und Festigkeit dieses Standes kann noch durch die Institution des Majorats vermehrt werden, welche jedoch nur in politischer Rücksicht wünschenswert ist, denn es ist damit ein Opfer für den politischen Zweck verbunden, daß der Erstgeborene unabhängig leben könne. Die Begründung des Majorats liegt darin, daß der Staat nicht auf bloße Möglichkeit der Gesinnung, sondern auf ein Notwendiges rechnen soll.[3]) Nun ist die Gesinnung freilich an ein Vermögen nicht gebunden, aber der relativ notwendige Zusammenhang ist, daß wer ein selbständiges Vermögen hat, von äußeren Umständen nicht beschränkt ist, und so ungehemmt auftreten und für den Staat handeln kann. Wo indessen politische Institutionen fehlen, ist die Gründung und Begünstigung von Majoraten nichts als eine Fessel, die der Freiheit des Privatrechts angelegt ist, zu welcher entweder der politische Sinn hinzutreten muß, oder die ihrer Auflösung entgegengeht.

§ 307

Das Recht dieses Teils des substantiellen Standes ist auf diese Weise zwar einerseits auf das Naturprinzip der Familie gegründet, dieses aber zugleich durch harte Aufopferungen für den *politischen Zweck* verkehrt, womit dieser Stand wesentlich an die Tätigkeit für diesen Zweck angewiesen, und gleichfalls infolge hiervon ohne die Zufälligkeit einer Wahl durch die *Geburt* dazu berufen und *berechtigt* ist.[1]) Damit hat er die feste, substantielle Stellung zwischen der subjektiven Willkür oder Zufälligkeit der beiden Extreme, und wie er (s. vorherg. §) ein Gleichnis des Moments der fürstlichen Gewalt in sich trägt, so teilt er auch mit dem anderen Extreme die im übrigen gleichen Bedürfnisse und gleichen Rechte, und wird so zugleich Stütze des Thrones und der Gesellschaft.[2])

§ 308

In den andern Teil des ständischen Elements fällt die *bewegliche* Seite der *bürgerlichen Gesellschaft*, die äußerlich wegen der Menge ihrer Glieder, wesentlich aber wegen der Natur ihrer Bestimmung und Beschäftigung, nur durch *Abgeordnete* eintreten kann. Insofern diese von der bürgerlichen Gesellschaft abgeordnet werden, liegt es unmittelbar nahe, daß dies diese tut *als das, was sie ist*, – somit nicht als in die Einzelnen atomistisch aufgelöst und nur für einen einzelnen und temporären Akt sich auf einen Augenblick ohne weitere Haltung versammelnd, sondern als in ihre ohnehin konstituierten Genossenschaften, Gemeinden und Korporationen gegliedert, welche auf diese Weise einen politischen Zusammenhang erhalten. In ihrer Berechtigung zu solcher von der fürstlichen Gewalt aufgerufenen Abordnung, wie in der Berechtigung des ersten Standes zur Erscheinung (§ 307) findet die Existenz der Stände und ihrer Versammlung eine konstituierte, eigentümliche Garantie.

Daß *alle* einzeln an der Beratung und Beschließung über die allgemeinen Angelegenheiten des Staats Anteil haben sollen, weil diese alle, Mitglieder des Staats und dessen Angelegenheiten die Angelegenheiten *aller* sind, bei denen sie mit ihrem Wissen und Willen zu sein ein *Recht* haben, – diese Vorstellung, welche das *demokratische* Element *ohne alle vernünftige Form* in den Staats-Organismus, der nur durch solche Form es ist, setzen wollte, liegt darum so nahe, weil sie bei der *abstrakten* Bestimmung, Mitglied des Staats zu sein, stehen bleibt, und das oberflächliche Denken sich an Abstraktionen hält.[1]) Die vernünftige Betrachtung, das Bewußtsein der Idee, ist *konkret*, und trifft insofern mit dem wahrhaften *praktischen* Sinne, der selbst nichts anderes als der vernünftige Sinn, der Sinn der Idee ist, zusammen, – der jedoch nicht mit bloßer Geschäftsroutine und dem Horizonte einer beschränkten Sphäre zu verwechseln ist. Der konkrete Staat ist das in *seine besonderen Kreise gegliederte Ganze*; das Mitglied des Staates ist ein *Mitglied* eines solchen *Standes*; nur in dieser seiner objektiven Bestimmung kann es im Staate in Betracht kommen. Seine allgemeine Bestimmung überhaupt enthält das gedoppelte Moment, *Privatperson* und als *denkendes* ebensosehr Bewußtsein und Wollen des *Allgemeinen* zu sein; dieses Bewußtsein und Wollen aber ist nur dann nicht leer, sondern *erfüllt* und wirklich *lebendig*, wenn es mit der Besonderheit, – und diese ist der besondere Stand und Bestimmung, – erfüllt ist; oder das Individuum ist *Gattung*, hat aber seine *immanente* allgemeine *Wirklichkeit* als *nächste* Gattung.[2]) – Seine wirkliche und lebendige Bestimmung für das *Allgemeine* erreicht es daher zunächst in seiner Sphäre der Korporation, Gemeinde usf. (§ 251), wobei ihm offen gelassen ist, durch seine Geschicklichkeit in jede, für die es sich befähigt, worunter auch der allgemeine Stand gehört, einzutreten. Eine andere Voraussetzung, die in der Vorstellung, daß *alle* an den Staatsangelegenheiten teilhaben sollen, liegt, daß nämlich *alle sich auf diese Angelegenheiten verstehen*, ist ebenso abgeschmackt, als man sie dessen ungeachtet häufig hören kann. In der öffentlichen Meinung (s. § 316) aber ist jedem der Weg offen, auch sein subjektives Meinen über das Allgemeine zu äußern und geltend zu machen. –

§ 309

Da die Abordnung zur Beratung und Beschließung über die *allgemeinen* Angelegenheiten geschieht, hat sie den Sinn, daß durch das Zutrauen solche Individuen dazu bestimmt werden, die sich besser auf diese Angelegenheiten verstehen, als die Abordnenden, wie auch, daß sie nicht das besondere Interesse einer Gemeinde, Korporation gegen das allgemeine, sondern wesentlich dieses geltend machen. Sie haben damit nicht das Verhältnis, kommittierte oder Instruktionen überbringende Mandatarien zu sein[1]), um so weniger als die Zusammenkunft die Bestimmung hat, eine lebendige, sich gegenseitig unterrichtende und überzeugende, gemeinsam beratende Versammlung zu sein.[2])

Zusatz. Führt man Repräsentation ein[3]), so liegt darin, daß die Einwilligung nicht unmittelbar durch alle, sondern durch Bevollmächtigte geschehen soll, denn der Einzelne konkurriert nun nicht mehr als unendliche Person. Repräsentation gründet sich auf Zutrauen, Zutrauen aber ist etwas anderes, als ob ich als dieser meine Stimme gebe. Die Majorität der Stimmen ist ebenso dem Grundsatze zuwider, daß bei dem, was mich verpflichten muß, ich als dieser zugegen sein soll. Man hat Zutrauen zu einem Menschen, indem man seine Einsicht dafür ansieht, daß er meine Sache als seine Sache, nach seinem besten Wissen und Gewissen, behandeln wird. Das Prinzip des einzelnen subjektiven Willens fällt also fort, denn das Zutrauen geht auf eine Sache, auf die Grundsätze eines Menschen, seines Benehmens, seines Handelns, auf seinen konkreten Sinn überhaupt. Es ist daher darum zu tun, daß der, welcher in ein ständisches Element eintritt, einen Charakter, eine Einsicht und einen Willen habe, der seiner Aufgabe zu allgemeinen Angelegenheiten zugezogen zu werden entspricht. Es kommt nämlich nicht darauf an, daß das Individuum als abstrakt Einzelnes zum Sprechen kommt, sondern daß seine Interessen sich in einer Versammlung geltend machen, wo über das Allgemeine gehandelt wird. Daß dieses der Abgeordnete vollbringe und befördere, dazu bedarf es für die Wählenden der Garantie.

§ 310

Die Garantie der diesem Zweck entsprechenden Eigenschaften und der Gesinnung, — da das unabhängige Vermögen schon in dem ersten Teile der Stände sein Recht verlangt, — zeigt sich bei dem zweiten Teile, der aus dem beweglichen und veränderlichen Elemente der bürgerlichen Gesellschaft hervorgeht, vornehmlich in der, durch *wirkliche* Geschäftsführung, in *obrigkeitlichen* oder *Staatsämtern* erworbenen und *durch die Tat* bewährten Gesinnung, Geschicklichkeit und Kenntnis der Einrichtungen und Interessen des Staats und der bürgerlichen Gesellschaft, und dem dadurch gebildeten und erprobten *obrigkeitlichen Sinn* und *Sinn des Staats*.[1])

Die subjektive Meinung von sich findet leicht die Forderung solcher Garantien, wenn sie in Rücksicht auf das sogenannte Volk gemacht wird, überflüssig, ja selbst etwa beleidigend. Der Staat hat aber das Objektive, nicht eine subjektive Meinung und deren Selbstzutrauen zu seiner Bestimmung; die Individuen können nur das für ihn sein, was an ihnen objektiv erkennbar und erprobt ist, und er hat hierauf bei diesem Teile des ständischen Elements um so mehr zu sehen, als derselbe seine Wurzel in den auf das Besondere gerichteten Interessen und Beschäftigungen hat, wo die Zufälligkeit, Veränderlichkeit und Willkür ihr Recht sich zu ergehen hat. – Die äußere Bedingung, ein gewisses Vermögen, erscheint bloß für sich genommen als das einseitige Extrem der Äußerlichkeit gegen das andere ebenso einseitige, das bloß subjektive Zutrauen und die Meinung der Wählenden. Eins wie das andere macht in seiner Abstraktion einen Kontrast gegen die konkreten Eigenschaften, die zur Beratung von Staatsgeschäften erforderlich, und die in den im § 302 angedeuteten Bestimmungen enthalten sind. – Ohnehin hat bei der Wahl zu obrigkeitlichen und anderen Ämtern der Genossenschaften und Gemeinden die Eigenschaft des Vermögens schon die Sphäre, wo sie ihre Wirkung hat ausüben können, besonders wenn manche dieser Geschäfte unentgeltlich verwaltet werden, und direkt in Rücksicht auf das ständische Geschäft, wenn die Mitglieder keinen Gehalt beziehen. –

§ 311

Die Abordnung, als von der bürgerlichen Gesellschaft ausgehend, hat ferner den Sinn, daß die Abgeordneten mit deren speziellen Bedürfnissen, Hindernissen, besonderen Interessen bekannt seien, und ihnen selbst angehören. Indem sie nach der

Natur der bürgerlichen Gesellschaft von ihren verschiedenen Korporationen ausgeht (§ 308), und die einfache Weise dieses Ganges nicht durch Abstraktionen und die atomistischen Vorstellungen gestört wird, so erfüllt sie damit unmittelbar jenen Gesichtspunkt, und Wählen ist entweder überhaupt etwas Überflüssiges oder reduziert sich auf ein geringes Spiel der Meinung und der Willkür.

Es bietet sich von selbst das Interesse dar, daß unter den Abgeordneten sich für jeden besonderen großen Zweig der Gesellschaft, z. B. für den Handel, für die Fabriken usf. Individuen befinden, die ihn gründlich kennen und ihm selbst angehören; – in der Vorstellung eines losen unbestimmten Wählens ist dieser wichtige Umstand nur der Zufälligkeit preisgegeben. Jeder solcher Zweig hat aber gegen den andern gleiches Recht, repräsentiert zu werden. Wenn die Abgeordneten als *Repräsentanten* betrachtet werden[1]), so hat dies einen organisch vernünftigen Sinn nur dann, daß sie nicht *Repräsentanten* als von *Einzelnen*, von einer Menge seien, sondern *Repräsentanten* einer der wesentlichen *Sphären* der Gesellschaft, Repräsentanten ihrer großen Interessen. Das Repräsentieren hat damit auch nicht mehr die Bedeutung, daß einer an *der Stelle eines andern* sei, sondern das Interesse selbst ist in seinem Repräsentanten *wirklich gegenwärtig*, sowie der Repräsentant für sein eigenes objektives Element da ist. – Von dem Wählen durch die vielen Einzelnen kann noch bemerkt werden, daß notwendig besonders in großen Staaten die *Gleichgültigkeit* gegen das Geben seiner Stimme, als die in der Menge eine unbedeutende Wirkung hat, eintritt, und die Stimmberechtigten, diese Berechtigung mag ihnen als etwas noch so Hohes angeschlagen und vorgestellt werden, eben zum Stimmgeben nicht erscheinen[2]); – so daß aus solcher Institution vielmehr das Gegenteil ihrer Bestimmung erfolgt, und die Wahl in die Gewalt weniger, einer Partei, somit des besondern, zufälligen Interesses fällt, das gerade neutralisiert werden sollte.

§ 312

Von den zwei im ständischen Elemente enthaltenen Seiten (§§ 305, 308) bringt jede in die Beratung eine besondere Modifikation; und weil überdem das eine Moment die eigentümliche Funktion der Vermittelung innerhalb dieser Sphäre und zwar zwischen Existierenden hat, so ergibt sich für dasselbe gleichfalls eine abgesonderte Existenz; die ständische Versammlung wird sich somit in *zwei Kammern* teilen.[1])

§ 313

Durch diese Sonderung erhält nicht nur die Reife der Entschließung vermittelst einer Mehrheit von *Instanzen* ihre größere Sicherung, und wird die Zufälligkeit einer Stimmung des Augenblicks, wie die Zufälligkeit, welche die Entscheidung durch die Mehrheit der Stimmenanzahl annehmen kann, entfernt, sondern vornehmlich kommt das ständische Element weniger in den Fall, der Regierung direkt gegenüberzustehen, oder im Falle das vermittelnde Moment sich gleichfalls auf der Seite des zweiten Standes befindet, wird das Gewicht seiner Ansicht um so mehr verstärkt, als sie so unparteiischer und sein Gegensatz neutralisiert erscheint.

§ 314

Da die Institution von Ständen nicht die Bestimmung hat, daß durch sie die Angelegenheit des Staats *an sich* aufs beste beraten und beschlossen werde, von welcher Seite sie nur einen Zuwachs ausmachen (§ 301), sondern ihre unterscheidende Bestimmung darin besteht, daß in ihrem Mitwissen, Mitberaten und Mitbeschließen über die allgemeinen Angelegenheiten, in Rücksicht der an der Regierung nicht teilhabenden Glieder der bürgerlichen Gesellschaft, das Moment der *formellen* Freiheit sein Recht erlange, so erhält zunächst das Moment der *allgemeinen* Kenntnis durch die *Öffentlichkeit* der Ständeverhandlungen seine Ausdehnung.

§ 315

Die Eröffnung dieser Gelegenheit von Kenntnissen hat die allgemeinere Seite, daß so die *öffentliche Meinung* erst zu *wahrhaften Gedanken* und zur *Einsicht* in den Zustand und Begriff des Staates und dessen Angelegenheiten, und damit erst zu einer *Fähigkeit, darüber vernünftiger zu urteilen*, kommt; sodann auch die Geschäfte, die Talente, Tugenden und Geschicklichkeiten der Staatsbehörden und Beamten kennen und achten lernt. Wie diese Talente an solcher Öffentlichkeit eine mächtige Gelegenheit der Entwickelung und einen Schauplatz hoher Ehre erhalten, so ist sie wieder das Heilmittel gegen den Eigendünkel der Einzelnen und der Menge, und ein Bildungsmittel für diese und zwar eines der größten.

Zusatz. Die Öffentlichkeit der Ständeversammlungen ist ein großes, die Bürger vorzüglich bildendes Schauspiel, und das Volk lernt daran am meisten das Wahrhafte seiner Interessen kennen. Es herrscht in der Regel die Vorstellung, daß alle schon wissen, was dem Staate gut sei, und daß es in der Ständeversammlung nur zur Sprache komme; aber in der Tat findet gerade das Gegenteil statt: erst hier entwickeln sich Tugenden, Talente, Geschicklichkeiten, die zu Mustern zu dienen haben. Freilich sind solche Versammlungen beschwerlich für die Minister, die selbst mit Witz und Beredsamkeit angetan sein müssen, um den Angriffen zu begegnen, die hier gegen sie gerichtet werden; aber dennoch ist die Öffentlichkeit das größte Bildungsmittel für die Staatsinteressen überhaupt. In einem Volke, wo diese stattfindet, zeigt sich eine ganz andere Lebendigkeit in Beziehung auf den Staat, als da, wo die Ständeversammlung fehlt oder nicht öffentlich ist. Erst durch diese Bekanntwerdung eines jeden ihrer Schritte hängen die Kammern mit dem Weiteren der *öffentlichen Meinung* zusammen, und es zeigt sich, daß es ein anderes ist, was sich jemand zu Hause bei seiner Frau, oder seinen Freunden einbildet, und wieder ein anderes, was in einer großen Versammlung geschieht, wo eine Gescheitheit die andere auffrißt.[1])

§ 316

Die formelle subjektive Freiheit, daß die Einzelnen als solche ihr *eigenes* Urteilen, Meinen und Raten über die allgemeinen Angelegenheiten haben und äußern, hat in dem Zusammen, welches *öffentliche Meinung* heißt, ihre Erscheinung. Das an und für sich Allgemeine, das *Substantielle* und *Wahre*, ist darin mit seinem Gegenteile, dem für sich *Eigentümlichen* und *Be-*

sonderen des Meinens der Vielen verknüpft; diese Existenz ist daher der vorhandene Widerspruch ihrer selbst, das Erkennen als *Erscheinung*; die Wesentlichkeit ebenso unmittelbar als die Unwesentlichkeit.

Zusatz. Die öffentliche Meinung ist die unorganische Weise, wie sich das, was ein Volk will und meint, zu erkennen gibt.[1]) Was sich wirklich im Staate geltend macht, muß sich freilich auf organische Weise betätigen, und dies ist in der Verfassung der Fall. Aber zu allen Zeiten war die öffentliche Meinung eine große Macht, und ist es besonders in unserer Zeit, wo das Prinzip der subjektiven Freiheit diese Wichtigkeit und Bedeutung hat. Was jetzt gelten soll, gilt nicht mehr durch Gewalt, wenig durch Gewohnheit und Sitte, wohl aber durch Einsicht und Gründe.

§ 317

Die öffentliche Meinung enthält daher in sich die ewigen substantiellen Prinzipien der Gerechtigkeit, den wahrhaften Inhalt und das Resultat der ganzen Verfassung, Gesetzgebung und des allgemeinen Zustandes überhaupt, in Form des *gesunden Menschenverstandes*[1]), als der durch alle in Gestalt von Vorurteilen hindurchgehenden sittlichen Grundlage, sowie die wahrhaften Bedürfnisse und richtigen Tendenzen der Wirklichkeit. – Zugleich wie dies Innere ins Bewußtsein tritt und in allgemeinen Sätzen zur Vorstellung kommt, teils für sich, teils zum Behuf des konkreten Räsonnierens über Begebenheiten, Anordnungen und Verhältnisse des Staats und gefühlte Bedürfnisse, so tritt die ganze Zufälligkeit des Meinens, seine Unwissenheit und Verkehrung, falsche Kenntnis und Beurteilung ein. Indem es dabei um das Bewußtsein der *Eigentümlichkeit* der Ansicht und Kenntnis zu tun ist, so ist eine Meinung, je schlechter ihr Inhalt ist, desto eigentümlicher; denn das Schlechte ist das in seinem Inhalte ganz Besondere und Eigentümliche, das Vernünftige dagegen das an und für sich Allgemeine, und das *Eigentümliche* ist das, worauf das Meinen *sich etwas einbildet*.

Es ist darum nicht für eine Verschiedenheit subjektiver Ansicht zu halten, wenn es das eine Mal heißt:

Vox populi, vox dei;[2])

und das andere Mal (bei Ariosto*) z. B.):

Che'l Volgare ignorante ogn' un riprenda
E parli più di quel che meno intenda.[3])

Beides liegt zumal in der öffentlichen Meinung; – indem in ihr Wahrheit und endloser Irrtum so unmittelbar vereinigt ist, so ist es mit dem einen oder dem anderen nicht wahrhafter *Ernst*. Womit es ernst ist, dies kann schwer zu unterscheiden scheinen; in der Tat wird es dies auch sein, wenn man sich an die *unmittelbare Äußerung* der öffentlichen Meinung hält. Indem aber das Substantielle ihr Inneres ist, so ist es nur mit diesem wahrhaft ernst; dies kann aber nicht aus ihr, sondern eben darum, weil es das Substantielle ist, nur aus und für sich selbst erkannt werden. Welche Leidenschaft in das Gemeinte auch gelegt sei, und wie ernsthaft behauptet oder angegriffen und gestritten werde, so ist dies kein Kriterium über das, um was es in der Tat zu tun sei; aber dies Meinen würde am allerwenigsten sich darüber verständigen lassen, daß seine Ernsthaftigkeit nichts Ernstliches sei. – Ein großer Geist hat die Frage zur öffentlichen Beantwortung aufgestellt, *ob es erlaubt sei, ein Volk zu täuschen*?[5]) Man mußte antworten, daß ein Volk über seine substantielle Grundlage, das *Wesen* und bestimmten Charakter seines Geistes sich nicht täuschen lasse, aber über die Weise, wie es diesen weiß, und nach dieser Weise seine Handlungen, Ereignisse usf. beurteilt, – *von sich selbst* getäuscht wird.[6]) –

Zusatz. Das Prinzip der modernen Welt fordert, daß, was jeder anerkennen soll, sich ihm als ein Berechtigtes zeige. Außerdem aber will jeder noch mitgesprochen und geraten haben. Hat er seine Schuldigkeit, d. h. sein Wort dazu getan, so läßt er sich nach dieser Befriedigung seiner Subjektivität gar vieles gefallen. In Frankreich hat die Freiheit der Rede immer weit weniger gefährlich als das Stummsein geschienen, weil das letztere fürchten ließ, man werde das, was man gegen eine Sache habe, bei sich behalten, während das Räsonnement den Ausgang und die Befriedigung nach

* Oder bei *Goethe*: Zuschlagen kann die Masse,
Da ist sie respektabel;
Urteilen gelingt ihr miserabel.[4]

einer Seite enthält, wodurch im übrigen die Sache leichter ihren Gang fortzugehen vermag.[7])

§ 318

Die öffentliche Meinung verdient daher ebenso *geachtet*, als *verachtet* zu werden, dieses nach ihrem konkreten Bewußtsein und Äußerung, jenes nach ihrer wesentlichen Grundlage, die, mehr oder weniger getrübt, in jenes Konkrete nur scheint. Da sie in ihr nicht den Maßstab der Unterscheidung noch die Fähigkeit hat, die substantielle Seite zum bestimmten Wissen in sich heraufzuheben, so ist die Unabhängigkeit von ihr die erste formelle Bedingung zu etwas Großem und Vernünftigem (in der Wirklichkeit wie in der Wissenschaft). Dieses kann seinerseits sicher sein, daß sie es sich in der Folge gefallen lassen, anerkennen und es zu einem ihrer Vorurteile machen werde.

Zusatz. In der öffentlichen Meinung ist alles Falsche und Wahre, aber das Wahre in ihr zu finden ist die Sache des großen Mannes. Wer, was seine Zeit will, ausspricht, ihr sagt, ihr vollbringt, ist der große Mann der Zeit.[1]) Er tut, was das Innere und Wesen der Zeit ist, verwirklicht sie, und wer die öffentliche Meinung, wie er sie hier und da hört, nicht zu verachten versteht, wird es nie zu Großem bringen.

§ 319

Die Freiheit der öffentlichen Mitteilung – (deren eines Mittel, die *Presse*, was es an weitreichender Berührung vor dem andern, der mündlichen Rede, voraus hat, ihm dagegen an der Lebendigkeit zurücksteht), – die Befriedigung jenes prickelnden Triebes, seine Meinung zu sagen und gesagt zu haben, hat ihre direkte Sicherung in den ihre Ausschweifungen teils verhindernden, teils bestrafenden polizeilichen und Rechtsgesetzen und Anordnungen; die indirekte Sicherung aber in der Unschädlichkeit, welche vornehmlich in der Vernünftigkeit der Verfassung, der Festigkeit der Regierung, dann auch in der Öffentlichkeit der Ständeversammlungen begründet ist, – in letzterem, insofern sich in diesen Versammlungen die gediegene und gebildete Einsicht über die Interessen des Staats ausspricht, und anderen wenig Bedeutendes zu sagen übrig läßt, hauptsächlich die Meinung ihnen benommen wird, als ob solches Sagen von eigentümlicher Wichtigkeit und Wirkung sei; – ferner aber in der Gleichgültigkeit und Verachtung gegen seichtes und gehässiges Reden, zu der es sich notwendig bald heruntergebracht hat.[1])

Preßfreiheit definieren als die Freiheit, zu reden und zu schreiben, *was man will*, stehet dem parallel, wenn man die Freiheit überhaupt als die Freiheit angibt, zu *tun, was man will*. – Solches Reden gehört der noch ganz ungebildeten Roheit und Oberflächlichkeit des Vorstellens an. Es ist übrigens der Natur der Sache nach nirgends, daß der Formalismus so hartnäckig festhält und sowenig sich verständigen läßt, als in dieser Materie. Denn der Gegenstand ist das Flüchtigste, Zufälligste, Besonderste, Zufälligste des Meinens in unendlicher Mannigfaltigkeit des Inhalts und der Wendungen; über die direkte Aufforderung zum Diebstahl, Mord, Aufruhr usf. hinaus liegt die Kunst und Bildung der Äußerung, die für sich als ganz allgemein und unbestimmt erscheint, aber teils zugleich auch eine ganz bestimmte Bedeutung versteckt, teils mit Konsequenzen zusammenhängt, die nicht wirklich ausgedrückt sind, und von denen es unbestimmbar ist, sowohl ob sie richtig folgen, als auch ob sie in jener Äußerung enthalten sein sollen. Diese Unbestimmbarkeit des Stoffes und der Form läßt die Gesetze darüber diejenige Bestimmtheit nicht erreichen, welche vom Gesetz gefordert wird, und macht das Urteil, indem Vergehen, Unrecht, Verletzung hier die besonderste *subjektivste* Gestalt haben, gleichfalls zu einer ganz *subjektiven* Entscheidung. Außerdem ist die Verletzung an die Gedanken, die Meinung und den Willen der anderen gerichtet, diese sind das Element, in welchem sie eine Wirklichkeit erlangt; dieses Element gehört aber der Freiheit der anderen an, und es hängt daher von diesen ab, ob jene verletzende Handlung eine wirkliche Tat ist.[2]) – Gegen die Gesetze kann daher sowohl ihre Unbestimmtheit aufgezeigt werden, als sich für die Äußerung Wendungen und Formierungen des Ausdrucks erfinden lassen, wodurch man die Gesetze umgeht oder die richterliche Entscheidung als ein subjektives Urteil behauptet wird. Ferner kann dagegen, wenn die

Äußerung als eine *verletzende Tat* behandelt wird, behauptet werden, daß es keine Tat, sondern sowohl nur ein *Meinen* und *Denken* als nur ein *Sagen* sei; so wird in einem Atem aus der bloßen Subjektivität des Inhalts und der Form, aus der *Unbedeutenheit* und *Unwichtigkeit* eines bloßen Meinens und Sagens die *Straflosigkeit* desselben, und für eben dieses Meinen als für mein und zwar *geistiges* Eigentum und für das Sagen als für die Äußerung und Gebrauch dieses meines Eigentums, der *hohe Respekt* und *Achtung* gefordert. – Das Substantielle aber ist und bleibt, daß Verletzung der Ehre von Individuen überhaupt, Verleumdung, Schmähung, Verächtlichmachung der Regierung, ihrer Behörden und Beamten, der Person des Fürsten insbesondere, Verhöhnung der Gesetze, Aufforderung zum Aufruhr usf. Verbrechen, Vergehen mit den mannigfaltigsten Abstufungen sind.[3]) Die größere Unbestimmbarkeit, welche solche Handlungen durch das Element erhalten, worin sie ihre Äußerung haben, hebt jenen ihren substantiellen Charakter nicht auf, und hat deswegen nur die Folge, daß der *subjektive* Boden, auf welchem sie begangen werden, auch die *Natur* und *Gestalt* der *Reaktion* bestimmt; dieser Boden des Vergehens selbst ist es, welcher in der Reaktion, sei sie nun als polizeiliche Verhinderung der Verbrechen, oder als eigentliche Strafe bestimmt, die Subjektivität der Ansicht, Zufälligkeit u. dergl. zur Notwendigkeit macht. Der Formalismus legt sich hier, wie immer darauf, aus *einzelnen* Seiten, die der äußerlichen Erscheinung angehören, und aus Abstraktionen, die er daraus schöpft, die substantielle und konkrete Natur der Sache weg zu räsonnieren. – Die *Wissenschaften* aber, da sie, wenn sie nämlich anders Wissenschaften sind, sowohl sich überhaupt nicht auf dem Boden des Meinens und subjektiver Ansichten befinden[4]), als auch ihre Darstellung nicht in der Kunst der Wendungen, des Anspielens, halben Aussprechens und Versteckens, sondern in dem unzweideutigen, bestimmten und offenen Aussprechen der Bedeutung und des Sinnes besteht, fallen nicht unter die Kategorie dessen, was die öffentliche Meinung ausmacht (§ 316). – Übrigens indem, wie vorhin bemerkt, das Element, in welchem die Ansichten und deren Äußerungen, als solche zu einer *ausgeführten Handlung* werden und ihre wirkliche Existenz erreichen, die Intelligenz, Grundsätze, Meinungen *anderer* sind, so hängt diese Seite der Handlungen, ihre eigentliche Wirkung und die *Gefährlichkeit* für die Individuen, die Gesellschaft und den Staat (vergl. § 218), auch von der Beschaffenheit dieses Bodens ab, wie ein Funke auf einen Pulverhaufen geworfen eine ganz andere Gefährlichkeit hat, als auf feste Erde, wo er spurlos vergeht. – Wie daher die wissenschaftliche Äußerung ihr Recht, und ihre Sicherung in ihrem Stoffe und Inhalt hat, so kann das Unrecht der Äußerung auch eine Sicherung, oder wenigstens eine Duldung in der Verachtung erhalten, in welche sie sich versetzt hat.[5]) Ein Teil solcher für sich auch gesetzlich strafbaren Vergehen, kann auf die Rechnung derjenigen Art von *Nemesis* kommen, welche die innere Ohnmacht, die sich durch die überwiegenden Talente und Tugenden gedrückt fühlt, auszuüben gedrungen ist, um gegen solche Übermacht zu sich selbst zu kommen, und der eigenen Nichtigkeit ein Selbstbewußtsein wiederzugeben, wie die römischen Soldaten an ihren Imperatoren im Triumphzug, für den harten Dienst und Gehorsam, vornehmlich dafür daß ihr Name in jener Ehre nicht zum Zählen kam, durch Spottlieder eine harmlosere Nemesis ausübten und sich in eine Art von Gleichgewicht mit ihnen setzten.[6]) Jene schlechte und gehässige Nemesis wird durch die Verachtung um ihren Effekt gebracht, und dadurch, wie das Publikum, das etwa einen Kreis um solche Geschäftigkeit bildet, auf die bedeutungslose Schadenfreude und die eigene Verdammnis, die sie in sich hat, beschränkt.

§ 320

Die *Subjektivität*, welche als Auflösung des bestehenden Staatslebens in dem seine Zufälligkeit geltend machen wollenden, und sich ebenso zerstörenden Meinen und Räsonnieren, ihre *äußerlichste* Erscheinung hat, hat ihre wahrhafte Wirklichkeit in ihrem Gegenteile, der *Subjektivität*, als identisch mit dem substantiellen Willen, welche den Begriff der fürstlichen Gewalt ausmacht, und welche als *Idealität* des Ganzen in dem Bisherigen noch nicht zu ihrem Rechte und Dasein gekommen ist.

Zusatz. Wir haben die Subjektivität schon einmal als die

Spitze des Staates im Monarchen betrachtet.[1]) Die andere Seite ist, wie sie willkürlich in der öffentlichen Meinung, als der äußersten Erscheinung sich zeigt. Die Subjektivität des Monarchen ist an sich abstrakt, aber sie soll ein Konkretes und als solches die Idealität sein, die sich über das Ganze ausgießt. Der Staat des Friedens ist der, wo alle Zweige des bürgerlichen Lebens bestehen, aber dieses Bestehen neben- und außereinander aus der Idee des Ganzen hervorgehend haben. Dieses Hervorgehen muß auch als die Idealität des Ganzen zur *Erscheinung* kommen.

II. Die Souveränität gegen außen

§ 321

Die Souveränität nach innen (§ 278) ist diese Idealität insofern, als die Momente des Geistes und seiner Wirklichkeit, des Staates, in ihrer *Notwendigkeit entfaltet* sind, und als *Glieder* desselben *bestehen*. Aber der Geist als in der Freiheit *unendlich negative* Beziehung *auf sich*, ist ebenso wesentlich *Für-sich-sein*, das den bestehenden Unterschied *in sich aufgenommen hat*, und damit ausschließend ist. Der Staat hat in dieser Bestimmung *Individualität*, welche wesentlich als Individuum, und im Souverän als wirkliches, unmittelbares Individuum ist (§ 279).

§ 322

Die Individualität, als ausschließendes Fürsichsein, erscheint *als Verhältnis zu anderen Staaten*, deren jeder selbständig gegen die anderen ist. Indem in dieser Selbständigkeit das *Fürsichsein* des wirklichen Geistes sein *Dasein* hat, ist sie die erste Freiheit und die höchste Ehre eines Volkes.

Diejenigen, welche von Wünschen einer Gesamtheit, die einen mehr oder weniger selbständigen Staat ausmacht und ein eigenes Zentrum hat, sprechen, – von Wünschen, diesen Mittelpunkt und seine Selbständigkeit zu verlieren, um mit einem anderen ein Ganzes auszumachen, wissen wenig von der Natur einer Gesamtheit und dem Selbstgefühl, das ein Volk in seiner Unabhängigkeit hat.[1]) – Die erste Gewalt, in welcher Staaten geschichtlich auftreten, ist daher diese Selbständigkeit überhaupt, wenn sie auch ganz abstrakt ist, und keine weitere innere Entwickelung hat; es gehört deswegen zu dieser ursprünglichen Erscheinung, daß ein Individuum an ihrer Spitze steht, Patriarch, Stammeshaupt usf.

§ 323

Im *Dasein* erscheint so diese *negative* Beziehung des Staates auf sich, als Beziehung eines *andern* auf ein *anderes*, und als ob das Negative ein *Äußerliches* wäre. Die Existenz dieser negativen Beziehung hat darum die Gestalt eines Geschehens und der Verwickelung mit zufälligen Begebenheiten, die *von außen* kommen. Aber sie ist sein höchstes *eigenes* Moment, – seine wirkliche Unendlichkeit als die Idealität alles Endlichen in ihm, – die Seite, worin die Substanz als die absolute Macht gegen alles Einzelne und Besondere, gegen das Leben, Eigentum und dessen Rechte, wie gegen die weiteren Kreise, die Nichtigkeit derselben zum Dasein und Bewußtsein bringt.[1])

§ 324

Diese Bestimmung, mit welcher das Interesse und das Recht der Einzelnen als ein verschwindendes Moment gesetzt ist, ist zugleich das *Positive* nämlich ihrer nicht zufälligen und veränderlichen, sondern *an und für sich seienden* Individualität. Dies Verhältnis und die Anerkennung desselben ist daher ihre substantielle Pflicht, – die Pflicht, durch Gefahr und Aufopferung ihres Eigentums und Lebens, ohnehin ihres Meinens und alles dessen, was von selbst in dem Umfange des Lebens begriffen ist, diese substantielle Individualität, die Unabhängigkeit und Souveränität des Staats zu erhalten.

Es gibt eine sehr schiefe Berechnung, wenn bei der Forderung dieser Aufopferung der Staat nur als bürgerliche Gesellschaft, und als sein Endzweck nur die *Sicherung des Lebens* und *Eigentums* der Individuen betrachtet wird; denn diese Sicherheit wird nicht durch die Aufopferung dessen erreicht, was *gesichert* werden soll; – im Gegenteil. – In dem Angegebenen liegt das sittliche *Moment* des *Krieges*, der nicht als absolutes Übel und als eine bloß äußerliche Zufälligkeit zu betrachten ist, welche, sei es in was es wolle, in den Leidenschaften der Machthabenden oder der Völker, in Ungerechtigkeiten usf. überhaupt in solchem, das nicht sein soll, seinen somit selbst zufälligen Grund habe. Was von der Natur des Zufälligen ist, dem widerfährt das Zufällige, und dieses Schicksal eben ist somit die Notwendigkeit, — wie überhaupt der Begriff und die Philosophie den Gesichtspunkt der bloßen Zufälligkeit verschwinden macht und in ihr, als dem *Schein*, ihr Wesen, die Notwendigkeit, erkennt. Es ist *notwendig*, daß das Endliche, Besitz und Leben als Zufälliges *gesetzt* werde, weil dies der Begriff des Endlichen ist. Diese Notwendigkeit hat einerseits die Gestalt von Naturgewalt und alles Endliche ist sterblich und vergänglich. Im sittlichen Wesen aber, dem Staate, wird der Natur diese Gewalt abgenommen, und die Notwendigkeit zum Werke der Freiheit, einem Sittlichen erhoben; — jene Vergänglichkeit wird ein *gewolltes* Vorübergehen, und die zum Grunde liegende Negativität zur substantiellen eigenen Individualität des sittlichen Wesens. — Der Krieg als der Zustand, in welchem mit der Eitelkeit der zeitlichen Güter und Dinge, die sonst eine erbauliche Redensart zu sein pflegt, ernst gemacht wird, ist hiermit das Moment, worin die Idealität des *Besonderen ihr Recht erhält* und Wirklichkeit wird; — er hat die höhere Bedeutung, daß durch ihn, wie ich es anderwärts ausgedrückt habe [1]), „die sittliche Gesundheit der Völker in ihrer Indifferenz gegen das Festwerden der endlichen Bestimmtheiten erhalten wird, wie die Bewegung der Winde die See vor der Fäulnis bewahrt, in welche sie eine dauernde Ruhe, wie die Völker ein dauernder oder gar ein ewiger Friede [2]) versetzen würde." — Daß dies übrigens *nur* philosophische Idee, oder wie man es anders auszudrücken pflegt, eine Rechtfertigung der *Vorsehung* ist, und daß die wirklichen Kriege noch einer anderen Rechtfertigung bedürfen, davon hernach.[3]) — Daß die Idealität, welche im Kriege als in einem zufälligen Verhältnisse nach außen liegend, zum Vorschein kommt, und die Idealität, nach welcher die inneren Staatsgewalten organische Momente des Ganzen sind, — dieselbe ist, kommt in der geschichtlichen Erscheinung unter andern in der Gestalt vor, daß glückliche Kriege innere Unruhen verhindert und die innere Staatsmacht befestigt haben. Daß Völker die Souveränität nach innen nicht ertragen wollend oder fürchtend, von anderen unterjocht werden, und mit um so weniger Erfolg und Ehre sich für ihre Unabhängigkeit bemüht haben, je weniger es nach innen zu einer ersten Einrichtung der Staatsgewalt kommen konnte (– ihre Freiheit ist gestorben an der Furcht zu sterben –); – daß Staaten, welche die Garantie ihrer Selbständigkeit nicht in ihrer bewaffneten Macht, sondern in anderen Rücksichten haben (wie z. B. gegen Nachbarn unverhältnismäßig kleine Staaten), bei einer innern Verfassung bestehen können, die für sich weder Ruhe nach innen, noch nach außen verbürgte usf. – sind Erscheinungen, die eben dahin gehören.

Zusatz. Im Frieden dehnt sich das bürgerliche Leben mehr aus, alle Sphären hausen sich ein, und es ist auf die Länge ein Versumpfen der Menschen; ihre Partikularitäten werden immer fester und verknöchern. Aber zur Gesundheit gehört die Einheit des Körpers, und wenn die Teile in sich hart werden, so ist der Tod da. Ewiger Friede wird häufig als ein Ideal gefordert, worauf die Menschheit zugehen müsse. *Kant* hat so einen Fürstenbund vorgeschlagen[4]), der die Streitigkeiten der Staaten schlichten sollte, und die heilige Allianz[5]) hatte die Absicht ungefähr ein solches Institut zu sein. Allein der Staat ist Individuum und in der Individualität ist die Negation wesentlich enthalten. Wenn also auch eine Anzahl von Staaten sich zu einer Familie macht, so muß sich dieser Verein als Individualität einen Gegensatz kreieren und einen Feind erzeugen. Aus den Kriegen gehen die Völker nicht allein gestärkt hervor, sondern Nationen, die in sich unverträglich sind, gewinnen durch Kriege nach außen Ruhe im Inneren. Allerdings kommt durch den Krieg Unsicherheit ins Eigentum, aber diese *reale* Unsicherheit ist nichts als die Bewegung, die notwendig ist. Man hört so viel auf den Kanzeln von der Unsicherheit, Eitelkeit und Unstetigkeit zeitlicher Dinge sprechen, aber jeder denkt dabei, so gerührt er auch ist, ich werde doch das Meinige behalten. Kommt nun aber diese Unsicherheit in Form von Husaren mit blanken Säbeln wirklich zur Sprache und ist es ernst damit, dann wendet sich jene gerührte Erbaulichkeit, die alles vorhersagte, dazu, Flüche über die Eroberer auszusprechen. Trotzdem aber finden Kriege, wo sie in der Natur der Sache liegen, statt; die Saaten schießen wieder auf, und das Gerede verstummt vor den ernsten Wiederholungen der Geschichte.

§ 325

Indem die Aufopferung für die Individualität des Staates das substantielle Verhältnis aller und hiermit *allgemeine Pflicht* ist, so wird es zugleich als *die eine Seite* der Idealität gegen die Realität des besonderen Bestehens, selbst zu einem besondern Verhältnis, und ihm ein eigener Stand, der *Stand der Tapferkeit* gewidmet.

§ 326

Zwiste der Staaten miteinander können irgendeine *besondere* Seite ihres Verhältnisses zum Gegenstand haben; für diese Zwiste hat auch der *besondere*, der Verteidigung des Staats gewidmete, Teil seine Hauptbestimmung. Insofern aber der Staat als solcher, seine Selbständigkeit, in Gefahr kommt, so ruft die Pflicht alle seine Bürger zu seiner Verteidigung auf. Wenn so das Ganze zur Macht geworden und aus seinem innern Leben in sich nach außen gerissen ist, so geht damit der Verteidigungskrieg in Eroberungskrieg über.

Daß die bewaffnete Macht des Staats, ein *stehendes Heer*, und die Bestimmung für das besondere Geschäft seiner Verteidigung zu einem *Stande* wird, ist dieselbe Notwendigkeit, durch welche die anderen besonderen Momente, Interessen und Geschäfte zu einer Ehe, zu Gewerbs-, Staats-, Geschäfts- usf. Ständen werden. Das Räsonnement, das an Gründen herüber und hinüber geht[1]), ergeht sich in Betrachtungen über die größern Vorteile oder über die größern Nachteile der Einführung stehender Heere, und die Meinung entscheidet sich gern für das letztere, weil der Begriff der Sache schwerer zu fassen ist als einzelne und äußerliche Seiten, und dann weil die Interessen und Zwecke der Besonderheit (die Kosten mit ihren Folgen, größern Auflagen usf.) in dem Bewußtsein der bürgerlichen Gesellschaft für höher angeschlagen werden, als das an und für sich Notwendige, das auf diese Weise nur als ein Mittel für jene gilt.

§ 327

Die Tapferkeit ist für sich eine *formelle* Tugend, weil für sie die höchste Abstraktion der Freiheit von allen besonderen Zwekken, Besitzen, Genuß und Leben, aber diese Negation auf eine *äußerlich-wirkliche Weise*, und die Entäußerung, als *Vollführung*, an ihr selbst nicht geistiger Natur ist, die innere Gesinnung dieser oder jener Grund, und ihr wirkliches Resultat auch nicht *für sich* und nur für andere sein kann.

Zusatz. Der Militärstand ist der Stand der Allgemeinheit, dem die Verteidigung des Staates zukommt, und der die Pflicht hat, die Idealität an sich selbst zur Existenz zu bringen, d. h. sich aufzuopfern. Die Tapferkeit ist freilich verschieden. Der Mut des Tieres, des Räubers, die Tapferkeit für die Ehre, die ritterliche Tapferkeit sind noch nicht die wahren Formen. Die wahre Tapferkeit gebildeter Völker ist das Bereitsein zur Aufopferung im Dienste des Staates, so daß das Individuum nur eines unter vielen ausmacht. Nicht der persönliche Mut, sondern die Einordnung in das Allgemeine ist hier das Wichtige. In Indien siegten fünfhundert Mann über zwanzigtausend, die nicht feig waren, die aber nur nicht die Gesinnung hatten in der Vereinigung mit anderen geschlossen zu wirken.[1])

§ 328

Der Gehalt der Tapferkeit als Gesinnung liegt in dem wahrhaften absoluten Endzweck, der *Souveränität* des Staates; – die *Wirklichkeit* dieses Endzwecks als Werk der Tapferkeit hat das Hingeben der persönlichen Wirklichkeit zu ihrer Vermittelung. Diese Gestalt enthält daher die Härte der höchsten Gegensätze, die *Entäußerung* selbst aber als *Existenz* der Freiheit; – die höchste *Selbständigkeit* des *Fürsichseins*, deren Existenz zugleich in dem Mechanischen einer *äußern Ordnung* und des *Dienstes* ist, – gänzlichen Gehorsam und Abtun des eigenen Meinens und Räsonnierens, so *Abwesenheit* des eigenen Geistes, und intensivste und umfassende augenblickliche *Gegenwart* des Geistes und Entschlossenheit, – das feindseligste und dabei persönlichste Handeln gegen Individuen, bei vollkommen gleichgültiger, ja guter Gesinnung gegen sie als Individuen.

Das Leben daran setzen, ist freilich mehr als den Tod nur fürchten, aber ist sonach das bloß Negative, und hat darum keine Bestimmung und Wert für sich; – das Positive, der Zweck und Inhalt gibt diesem Mute erst die Bedeutung; Räuber, Mörder, mit einem Zwecke, welcher Verbrechen ist, Abenteurer mit einem sich in seiner Meinung gemachten Zwecke usf. haben auch jenen Mut, das Leben daran zu setzen. – Das Prinzip der modernen Welt, der *Gedanke* und das *Allgemeine*, hat der Tapferkeit die höhere Gestalt gegeben, daß ihre Äußerung mechanischer zu sein scheint und nicht als Tun dieser *besondern* Person, sondern nur als [Tun der] *Glieder* eines Ganzen, – ebenso daß sie als nicht gegen einzelne Personen, sondern gegen ein feindseliges Ganze überhaupt gekehrt, somit der persönliche Mut als ein nicht persönlicher erscheint. Jenes Prinzip hat darum das *Feuergewehr* erfunden, und nicht eine zufällige Erfindung dieser Waffe hat die bloß persönliche Gestalt der Tapferkeit in die abstraktere verwandelt.

§ 329

Seine Richtung nach außen hat der Staat darin, daß er ein individuelles Subjekt ist. Sein Verhältnis zu anderen fällt daher in die *fürstliche Gewalt*, der es deswegen unmittelbar und allein zukommt, die bewaffnete Macht zu befehligen, die Verhältnisse mit den anderen Staaten durch Gesandte usf. zu unterhalten, Krieg und Frieden, und andere Traktate zu schließen.

Zusatz. In fast allen europäischen Ländern ist die individuelle Spitze die fürstliche Gewalt, die die Verhältnisse nach außen zu besorgen hat. Wo ständische Verfassungen sind, kann die Frage entstehen, ob nicht Krieg und Frieden von den Ständen geschlossen werden solle, und jedenfalls werden sie ihren Einfluß, besonders in Hinsicht der Geldmittel behalten. In England kann z. B. kein unpopulärer Krieg geführt werden. Wenn man aber meint, Fürsten und

Kabinette seien mehr der Leidenschaft als Kammern unterworfen, und deswegen in die Hände der letzteren die Entscheidung über Krieg und Frieden zu spielen sucht, so muß gesagt werden, daß oft ganze Nationen noch mehr wie ihre Fürsten enthusiasmiert und in Leidenschaft gesetzt werden können. In England hat mehrmals das ganze Volk auf Krieg gedrungen, und gewissermaßen die Minister genötigt ihn zu führen. Die Popularität von *Pitt* kam daher, daß er das, was die Nation damals wollte, zu treffen wußte. Erst späterhin hat hier die Abkühlung das Bewußtsein hervorgebracht, daß der Krieg unnütz und unnötig war, und ohne Berechnung der Mittel angefangen worden.[1]) Der Staat ist überdies nicht nur mit *einem* andern im Verhältnis, sondern mit mehreren; und die Verwickelungen der Verhältnisse werden so delikat, daß sie nur von der Spitze aus behandelt werden können.

B. Das äußere Staatsrecht

§ 330

Das äußere Staatsrecht geht von dem *Verhältnisse* selbständiger Staaten aus; was *an und für sich* in demselben ist, erhält daher die Form des *Sollens*, weil, daß es wirklich ist, auf *unterschiedenen souveränen Willen* beruht.

Zusatz. Staaten sind keine Privatpersonen, sondern vollkommen selbständige Totalitäten an sich, und so stellt sich ihr Verhältnis anders, als ein bloß moralisches und privatrechtliches. Man hat oft die Staaten privatrechtlich und moralisch haben wollen, aber bei Privatpersonen ist die Stellung so, daß sie über sich ein Gericht haben, das das, was an sich Recht ist, realisiert. Nun soll ein Staatsverhältnis zwar auch an sich rechtlich sein, aber in der Weltlichkeit soll das Ansichseiende auch Gewalt haben. Da nun keine Gewalt vorhanden ist, welche gegen den Staat entscheidet, was an sich Recht ist, und die diese Entscheidung verwirklicht, so muß es in dieser Beziehung immer beim Sollen bleiben. Das Verhältnis von Staaten ist das von Selbständigkeiten, die zwischen sich stipulieren, aber zugleich über diesen Stipulationen stehen.

§ 331

Das Volk als Staat ist der Geist in seiner substantiellen Vernünftigkeit und unmittelbaren Wirklichkeit, daher die absolute Macht auf *Erden*; ein Staat ist folglich gegen den andern in souveräner Selbständigkeit. Als solcher *für den andern* zu sein, d. i. von ihm *anerkannt zu sein*, ist seine erste absolute Berechtigung.[1]) Aber diese Berechtigung ist zugleich nur formell, und die Forderung dieser Anerkennung des Staats, bloß weil er ein solcher sei, abstrakt; ob er ein so an und für sich Seiendes in der Tat sei, kommt auf seinen Inhalt, Verfassung, Zustand an, und die Anerkennung, als eine Identität beider enthaltend, beruht ebenso auf der Ansicht und dem Willen des andern.

So wenig der Einzelne eine wirkliche Person ist ohne Relation zu anderen Personen (§ 71 u. sonst)[2]); so wenig ist der Staat ein wirkliches Individuum ohne Verhältnis zu anderen Staaten (§ 322). Die Legitimität eines Staats und näher, insofern er nach außen gekehrt ist, seiner fürstlichen Gewalt, ist einerseits ein Verhältnis, das sich ganz *nach innen* bezieht (ein Staat soll sich nicht in die inneren Angelegenheiten des anderen mischen) – andererseits muß sie ebenso wesentlich durch die Anerkennung der anderen Staaten *vervollständigt* werden. Aber diese Anerkennung fordert eine Garantie, daß er die anderen, die ihn anerkennen sollen, gleichfalls anerkenne, d. i. sie in ihrer Selbständigkeit respektieren werde, und somit kann es ihnen nicht gleichgültig sein, was in seinem Innern vorgeht. – Bei einem nomadischen Volke z. B., überhaupt bei einem solchen, das auf einer niedern Stufe der Kultur steht, tritt sogar die Frage ein, inwiefern es als ein Staat betrachtet werden könne.[3]) Der religiöse Gesichtspunkt (ehemals bei dem jüdischen Volke, den mohammedanischen Völkern) kann noch eine höhere Entgegensetzung enthalten, welche die allgemeine Identität, die zur Anerkennung gehört, nicht zuläßt.[4])

Zusatz. Wenn Napoleon[5]) vor dem Frieden von *Campoformio* sagte: „Die französische Republik bedarf keiner Anerkennung, so wenig wie die Sonne anerkannt zu werden braucht“, so liegt in diesen Worten weiter nichts, als eben die Stärke der Existenz, die schon die Gewähr der Anerkennung mit sich führt, ohne daß sie ausgesprochen wurde.

§ 332

Die unmittelbare Wirklichkeit, in der die Staaten zueinander sind, besondert sich zu mannigfaltigen Verhältnissen, deren Bestimmung von der beiderseitigen selbständigen Willkür ausgeht, und somit die formelle Natur von *Verträgen* überhaupt hat. Der *Stoff* dieser Verträge ist jedoch von unendlich geringerer Mannigfaltigkeit, als in der bürgerlichen Gesellschaft, in der die Einzelnen nach den vielfachsten Rücksichten in gegenseitiger Abhängigkeit stehen, da hingegen selbständige Staaten vornehmlich sich in sich befriedigende Ganze sind.

§ 333

Der Grundsatz des *Völkerrechts*, als des *allgemeinen*, an und für sich zwischen den Staaten gelten sollenden Rechts, zum Unterschiede von dem besondern Inhalt der positiven Traktate, ist, daß die *Traktate*, als auf welchen die Verbindlichkeiten der Staaten gegeneinander beruhen, *gehalten werden* sollen. Weil aber deren Verhältnis ihre Souveränität zum Prinzip hat, so sind sie insofern im Naturzustande gegeneinander, und ihre Rechte haben nicht in einem allgemeinen zur Macht über sie konstituierten, sondern in ihrem besondern Willen ihre *Wirklichkeit*. Jene allgemeine Bestimmung bleibt daher beim *Sollen* und der Zustand wird eine Abwechselung von dem den Traktaten gemäßen Verhältnisse, und von der Aufhebung desselben.

Es gibt keinen Prätor, höchstens Schiedsrichter und Vermittler zwischen Staaten, und auch diese nur zufälligerweise, d. i. nach besondern Willen. Die *Kantische* Vorstellung eines *ewigen Friedens* durch einen Staatenbund[1]), welcher jeden Streit schlichtete, und als eine von jedem einzelnen Staate anerkannte Macht jede Mißhelligkeit beilegte, und damit die Entscheidung durch Krieg unmöglich machte, setzt die *Einstimmung* der Staaten voraus, welche auf moralischen, religiösen oder welchen Gründen und Rücksichten, überhaupt immer auf besondern souveränen Willen beruhte, und dadurch mit Zufälligkeit behaftet bliebe.

§ 334

Der Streit der Staaten kann deswegen, insofern die besonderen Willen keine Übereinkunft finden, nur durch *Krieg* entschieden werden.[1]) Welche Verletzungen aber, deren in ihrem weit umfassenden Bereich und bei den vielseitigen Beziehungen durch ihre Angehörigen, leicht und in Menge vorkommen können, als bestimmter Bruch der Traktate oder Verletzung der Anerkennung und Ehre anzusehen seien, bleibt ein *an sich* Unbestimmbares, indem ein Staat seine Unendlichkeit und Ehre in jede seiner Einzelnheiten legen kann, und um so mehr zu dieser Reizbarkeit geneigt ist, je mehr eine kräftige Individualität durch lange innere Ruhe dazu getrieben wird, sich einen Stoff der Tätigkeit nach außen zu suchen und zu schaffen.[2])

§ 335

Überdem kann der Staat als Geistiges überhaupt nicht dabei stehenbleiben, bloß die *Wirklichkeit* der Verletzung beachten zu wollen, sondern es kommt die *Vorstellung* von einer solchen als einer von einem andern Staate drohenden *Gefahr*, mit dem Herauf- und Hinabgehen an größeren oder geringeren Wahrscheinlichkeiten, Vermutungen der Absichten usf. als Ursache von Zwisten hinzu.

§ 336

Indem die Staaten in ihrem Verhältnisse der Selbständigkeit als *besondere* Willen gegeneinander sind, und das Gelten der Traktate selbst hierauf beruht, der *besondere Wille* des Ganzen aber *nach seinem Inhalte* sein *Wohl* überhaupt ist, so ist dieses das höchste Gesetz in seinem Verhalten zu anderen, um so mehr, als die Idee des Staats eben dies ist, daß in ihr der Gegensatz von dem Rechte als abstrakter Freiheit, und vom erfüllenden besondern Inhalte, dem Wohl, aufgehoben sei, und die erste Anerkennung der Staaten (§ 331) auf sie als *konkrete* Ganze geht.

§ 337

Das substantielle Wohl des Staats ist sein Wohl als eines *besondern* Staats in seinem bestimmten Interesse und Zustande und den ebenso eigentümlichen äußeren Umständen nebst dem besonderen Traktaten-Verhältnisse; die Regierung ist somit eine *besondere Weisheit*, nicht die allgemeine Vorsehung (vergl. § 324 Anm.) – sowie der Zweck im Verhältnisse zu anderen Staaten und das Prinzip für die Gerechtigkeit der Kriege und Traktate nicht ein allgemeiner (philanthrophischer) Gedanke, sondern das wirklich gekränkte oder bedrohte Wohl in *seiner bestimmten Besonderheit* ist.

Es ist zu einer Zeit der Gegensatz von Moral und Politik, und die Forderung, daß die zweite der erstern gemäß sei, viel besprochen worden. Hierher gehört nur, darüber überhaupt zu bemerken, daß das Wohl eines Staates eine ganz andere Berechtigung hat, als das Wohl des Einzelnen, und die sittliche Substanz, der Staat, ihr Dasein d. i. ihr Recht unmittelbar in einer nicht abstrakten sondern in konkreter Existenz hat, und daß nur diese konkrete Existenz, nicht einer der vielen für moralische Gebote gehaltenen allgemeinen Gedanken, Prinzip ihres Handelns und Benehmens sein kann. Die Ansicht von dem vermeintlichen Unrechte, das die Politik immer in diesem vermeintlichen Gegensatze haben soll, beruht noch vielmehr auf der Seichtigkeit der Vorstellungen von Moralität, von der Natur des Staats und dessen Verhältnisse zum moralischen Gesichtspunkte.[1])

§ 338

Darin, daß die Staaten sich als solche gegenseitig anerkennen, bleibt *auch im Kriege*, dem Zustande der Rechtlosigkeit, der Gewalt und Zufälligkeit, *ein Band*, in welchem sie an und für sich seiend füreinander gelten, so daß im Kriege selbst der Krieg als ein Vorübergehensollendes bestimmt ist. Er enthält damit die völkerrechtliche Bestimmung, daß in ihm die Möglichkeit des Friedens erhalten, somit z. B. die Gesandten respektiert, und überhaupt, daß er nicht gegen die inneren Institutionen und das friedliche Familien- und Privatleben, nicht gegen die Privatpersonen geführt werde.

Zusatz. Die neueren Kriege werden daher menschlich geführt, und die Person ist nicht in Haß, der Person gegenüber. Höchstens treten persönliche Feindseligkeiten bei Vorposten ein, aber in dem Heere als Heer ist die Feindschaft etwas Unbestimmtes, das gegen die Pflicht, die jeder an dem anderen achtet, zurücktritt.

§ 339

Sonst beruht das gegenseitige Verhalten im Kriege (z. B. daß Gefangene gemacht werden) und was im Frieden ein Staat den Angehörigen eines andern an Rechten für den Privatverkehr einräumt usf., vornehmlich auf den *Sitten* der Nationen, als der innern unter allen Verhältnissen sich erhaltenden Allgemeinheit des Betragens.

Zusatz. Die europäischen Nationen bilden eine Familie nach dem allgemeinen Prinzipe ihrer Gesetzgebung, ihrer Sitten, ihrer Bildung und so modifiziert sich hiernach das völkerrechtliche Betragen in einem Zustande, wo sonst das gegenseitige Zufügen von Übeln das Herrschende ist. Das Verhältnis von Staaten zu Staaten ist schwankend: es ist kein Prätor vorhanden, der da schlichtet: der höhere Prätor ist allein der allgemeine an und für sich seiende Geist, der Weltgeist.[1])

§ 340

In das Verhältnis der Staaten gegeneinander, weil sie darin als *besondere* sind, fällt das höchst bewegte Spiel der innern Besonderheit der Leidenschaften, Interessen, Zwecke, der Talente und Tugenden, der Gewalt, des Unrechts und der Laster, wie der äußern Zufälligkeit, in den größten Dimensionen der Erscheinung, – ein Spiel, worin das sittliche Ganze selbst, die Selbständigkeit des Staats, der Zufälligkeit ausgesetzt wird. Die Prinzipien der *Volksgeister*[1]) sind um ihrer Besonderheit Willen, in der sie als existierende Individuen, ihre objektive Wirklichkeit und ihr Selbstbewußtsein haben, überhaupt beschränkte, und ihre Schicksale und Taten in ihrem Verhältnisse zueinander sind die erscheinende Dialektik der Endlichkeit dieser Geister, aus welcher der *allgemeine* Geist, der *Geist der Welt*, als unbeschränkt ebenso sich hervorbringt, als er es ist, der sein Recht, – und sein Recht ist das allerhöchste, – an ihnen in der *Weltgeschichte*, als *dem Weltgerichte*[2]), ausübt.

C. Die Weltgeschichte

§ 341

Das *Element* des Daseins des *allgemeinen Geistes*, welches in der Kunst Anschauung und Bild, in der Religion Gefühl und Vorstellung, in der Philosophie der reine, freie Gedanke ist, ist in der *Weltgeschichte* die geistige Wirklichkeit in ihrem ganzen Umfange von Innerlichkeit und Äußerlichkeit. Sie ist ein Gericht, weil in seiner an und für sich seienden *Allgemeinheit das Besondere*, die Penaten, die bürgerliche Gesellschaft und die Völkergeister in ihrer bunten Wirklichkeit, nur als *Ideelles* sind, und die Bewegung des Geistes in diesem Elemente ist, dies darzustellen.[1])

§ 342

Die Weltgeschichte ist ferner nicht das bloße Gericht seiner *Macht*, d. i. die abstrakte und vernunftlose Notwendigkeit eines blinden Schicksals, sondern weil er an und für sich *Vernunft*, und ihr Fürsichsein im Geiste Wissen ist, ist sie die aus dem *Begriffe* nur seiner Freiheit notwendige Entwickelung der *Momente* der Vernunft und damit seines Selbstbewußtseins und seiner Freiheit, — die Auslegung und *Verwirklichung des allgemeinen Geistes*.[1])

§ 343

Die Geschichte des Geistes ist seine *Tat*, denn er ist nur, was er tut, und seine Tat ist, sich und zwar hier als Geist sich zum Gegenstande seines Bewußtseins zu machen, sich für sich selbst auslegend zu erfassen. Dies erfassen ist sein Sein und Prinzip, und die *Vollendung* eines Erfassens ist zugleich seine Entäußerung und sein Übergang. Der, formell ausgedrückt, von *neuem* dies Erfassen erfassende, und was dasselbe ist, aus der Entäußerung in sich gehende Geist, ist der Geist der höhern Stufe gegen sich, wie er in jenem erstern Erfassen stand.

Die Frage über die *Perfektibilität*[1]) und *Erziehung des Menschengeschlechts*[2]) fällt hierher. Diejenigen, welche diese

Perfektibilität behauptet haben[3]), haben etwas von der Natur des Geistes geahnet, seiner Natur, *Γνῶϑι σεαυτὸν*[4]) zum Gesetze seines *Seins* zu haben, und indem er das erfaßt, was *er* ist, eine höhere Gestalt als diese, die sein Sein ausmachte, zu sein. Aber denen, welche diesen Gedanken verwerfen, ist der Geist ein leeres Wort geblieben, so wie die Geschichte ein oberflächliches Spiel *zufälliger* sogenannter *nur menschlicher* Bestrebungen und Leidenschaften. Wenn sie dabei auch in den Ausdrücken von *Vorsehung* und *Plan* der Vorsehung den Glauben eines höhern Waltens aussprechen, so bleiben dies unerfüllte Vorstellungen, indem sie auch ausdrücklich den Plan der Vorsehung für ein ihnen Unerkennbares und Unbegreifliches ausgeben.[5])

§ 344

Die Staaten, Völker und Individuen in diesem Geschäfte des Weltgeistes stehen in ihrem *besondern bestimmten Prinzipe* auf, das an ihrer *Verfassung* und der ganzen *Breite* ihres *Zustandes* seine Auslegung und Wirklichkeit hat, deren sie sich bewußt und in deren Interesse vertieft, sie zugleich bewußtlose Werkzeuge und Glieder jenes innern Geschäfts sind, worin diese Gestalten vergehen, der Geist an und für sich aber sich den Übergang in seine nächste höhere Stufe vorbereitet und erarbeitet.

§ 345

Gerechtigkeit und Tugend, Unrecht, Gewalt und Laster, Talente und ihre Taten, die kleinen und die großen Leidenschaften, Schuld und Unschuld, Herrlichkeit des individuellen und des Volkslebens, Selbständigkeit, Glück und Unglück der Staaten und der Einzelnen haben in der Sphäre der bewußten Wirklichkeit ihre bestimmte Bedeutung und Wert, und finden darin ihr Urteil und ihre, jedoch unvollkommene, Gerechtigkeit. Die Weltgeschichte fällt außer diesen Gesichtspunkten; in ihr erhält dasjenige notwendige Moment der Idee des Weltgeistes, welches gegenwärtig *seine* Stufe ist, sein *absolutes Recht*[1]), und das darin lebende Volk und dessen Taten erhalten ihre Vollführung, und Glück und Ruhm.

§ 346

Weil die Geschichte der Gestaltung des Geistes in Form des Geschehens, der unmittelbaren natürlichen Wirklichkeit ist, so sind die Stufen der Entwickelung als *unmittelbare natürliche Prinzipien* vorhanden, und diese, weil sie natürliche sind, sind als eine Vielheit außereinander, somit ferner so, daß *einem Volke eines derselben* zukommt, – seine *geographische* und *anthropologische* Existenz.

§ 347

Dem Volke, dem solches Moment als *natürliches* Prinzip zukommt, ist die Vollstreckung desselben in dem Fortgange des sich entwickelnden Selbstbewußtseins des Weltgeistes übertragen. Dieses Volk ist in der Weltgeschichte, für diese Epoche, – *und es kann* (§ 346) *in ihr nur einmal Epoche machen*, das *Herrschende*. Gegen dies sein absolutes Recht, Träger der gegenwärtigen Entwicklungsstufe des Weltgeistes zu sein, sind die Geister der andern Völker rechtlos, und sie, wie die, deren Epoche vorbei ist, zählen nicht mehr in der Weltgeschichte.

Die spezielle Geschichte eines welthistorischen Volks enthält teils die Entwickelung seines Prinzips von seinem kindlichen eingehüllten Zustande aus bis zu seiner Blüte, wo es zum freien sittlichen Selbstbewußtsein gekommen, nun in die allgemeine Geschichte eingreift – teils auch die Periode des Verfalls und Verderbens; – denn so bezeichnet sich an ihm das Hervorgehen eines höheren Prinzips als nur des Negativen seines eigenen. Damit wird der Übergang des Geistes in jenes Prinzip und so der Weltgeschichte an ein *anderes Volk* angedeutet, – eine Periode, von welcher aus jenes Volk das absolute Interesse verloren hat, das höhere Prinzip zwar dann auch positiv in sich aufnimmt und sich hineinbildet, aber darin als in einem Empfangenen nicht mit immanenter Lebendigkeit und Frische sich verhält, – vielleicht seine Selbständigkeit verliert, vielleicht auch sich als besonderer Staat oder ein Kreis von Staaten, fortsetzt oder fortschleppt, und in mannigfaltigen innern Versuchen und äußern Kämpfen nach Zufall herumschlägt.

§ 348

An der Spitze aller Handlungen, somit auch der welthistorischen, stehen *Individuen* als die das Substantielle verwirklichenden Subjektivitäten (§ 279 Anm.). Als diesen Lebendigkeiten der substantiellen Tat des Weltgeistes und so unmittelbar identisch mit derselben, ist sie ihnen selbst verborgen und nicht Objekt und Zweck (§ 344); sie haben auch die *Ehre* derselben und Dank nicht bei ihrer Mitwelt (ebendas.), noch bei der öffentlichen Meinung der Nachwelt, sondern als formelle Subjektivitäten nur bei dieser Meinung ihren Teil als *unsterblichen Ruhm.*[1])

§ 349

Ein Volk ist zunächst noch kein Staat, und der Übergang einer Familie, Horde, Stammes, Menge usf. in den Zustand eines Staats macht die *formelle* Realisierung der Idee überhaupt in ihm aus. Ohne diese Form ermangelt es als sittliche Substanz, die es *an sich* ist, der Objektivität, in Gesetzen, als gedachten Bestimmungen, ein allgemeines und allgemeingültiges Dasein für sich und für die anderen zu haben, und wird daher nicht anerkannt; seine Selbständigkeit, als ohne objektive Gesetzlichkeit und für sich feste Vernünftigkeit nur formell, ist nicht Souveränität.

Auch in der gewöhnlichen Vorstellung nennt man einen patriarchalischen Zustand nicht eine Verfassung, noch ein Volk in diesem Zustande einen Staat, noch seine Unabhängigkeit Souveränität. Vor den Anfang der wirklichen Geschichte fällt daher einerseits die interesselose, dumpfe Unschuld, andererseits die Tapferkeit des formellen Kampfes des Anerkennens und der Rache (vergl. §§ 57, 331).

§ 350

In gesetzlichen Bestimmungen und in objektiven Institutionen, von der Ehe und dem Ackerbau ausgehend (s. § 203 Anm.), hervorzutreten, ist das absolute Recht der Idee, es sei, daß die Form dieser ihrer Verwirklichung als göttliche Gesetzgebung und Wohltat, oder als Gewalt und Unrecht erscheine; – dies Recht ist das *Heroenrecht* zur Stiftung von Staaten.

§ 351

Aus derselben Bestimmung geschieht, daß zivilisierte Nationen andere, welche ihnen in den substantiellen Momenten des Staats zurückstehen, (Viehzuchttreibende die Jägervölker, die Ackerbauenden beide usf.) als Barbaren mit dem Bewußtsein eines ungleichen Rechts, und deren Selbständigkeit als etwas Formelles betrachten und behandeln.

In den Kriegen und Streitigkeiten, die unter solchen Verhältnissen entspringen, macht daher das Moment, daß sie Kämpfe des Anerkennens in Beziehung auf einen bestimmten Gehalt sind, den Zug aus, der ihnen eine Bedeutung für die Weltgeschichte gibt.

§ 352

Die konkreten Ideen, die Völkergeister, haben ihre Wahrheit und Bestimmung in der konkreten Idee, wie sie die *absolute Allgemeinheit* ist, – dem Weltgeist, um dessen Thron sie als die Vollbringer seiner Verwirklichung, und als Zeugen und Zieraten seiner Herrlichkeit stehen.[1]) Indem er als Geist nur die Bewegung seiner Tätigkeit ist, sich absolut zu wissen, hiermit sein Bewußtsein von der Form der natürlichen Unmittelbarkeit zu befreien und zu sich selbst zu kommen, so sind die *Prinzipien* der Gestaltungen dieses Selbstbewußtseins in dem Gange seiner Befreiung, – der *welthistorischen Reiche, viere.*

§ 353

In der *ersten* als *unmittelbaren* Offenbarung hat er zum Prinzip die Gestalt des *substantiellen* Geistes, als der Identität, in welcher die Einzelnheit in ihr Wesen versenkt und für sich unberechtigt bleibt. –

Das *zweite* Prinzip ist das Wissen dieses substantiellen Geistes, so daß er der positive Inhalt und Erfüllung und das *Für-*

sichsein als die lebendige *Form* desselben ist, die *schöne* sittliche Individualität. –

Das *dritte* ist das in sich Vertiefen des wissenden Fürsichseins zur *abstrakten Allgemeinheit* und damit zum unendlichen *Gegensatze* gegen die somit ebenso geistverlassene Objektivität. –

Das Prinzip der *vierten* Gestaltung ist das Umschlagen dieses Gegensatzes des Geistes, in seiner Innerlichkeit seine Wahrheit und konkretes Wesen zu empfangen und in der Objektivität einheimisch und versöhnt zu sein, und weil dieser zur ersten Substantialität zurückgekommene Geist der aus *dem unendlichen Gegensatze zurückgekehrte* ist, diese seine Wahrheit als Gedanke und als Welt gesetzlicher Wirklichkeit zu erzeugen und zu wissen.

§ 354

Nach diesen vier Prinzipien sind der welthistorischen Reiche die *viere*: 1. das *orientalische*, 2. das *griechische*, 3. das *römische*, 4. das *germanische*.

§ 355

1. Das orientalische Reich[1])

Dies erste Reich ist die vom patriarchalischen Naturganzen ausgehende, in sich ungetrennte, substantielle Weltanschauung, in der die weltliche Regierung Theokratie, der Herrscher auch Hoherpriester oder Gott, Staatsverfassung und Gesetzgebung zugleich Religion, sowie die religiösen und moralischen Gebote oder vielmehr Gebräuche ebenso Staats- und Rechtsgesetze sind. In der Pracht dieses Ganzen geht die individuelle Persönlichkeit rechtlos unter, die äußere Natur ist unmittelbar göttlich oder ein Schmuck des Gottes, und die Geschichte der Wirklichkeit Poesie. Die nach den verschiedenen Seiten der Sitten, Regierung und des Staats hin sich entwikkelnden Unterschiede werden, an der Stelle der Gesetze, bei einfacher Sitte, schwerfällige, weitläufige, abergläubische Zeremonien, – Zufälligkeiten persönlicher Gewalt und willkürlichen Herrschens, und die Gegliederung in Stände eine natürliche

Festigkeit von Kasten. Der orientalische Staat ist daher nur lebendig in seiner Bewegung, welche, da in ihm selbst nichts stet und, was fest ist, versteinert ist, nach außen geht, ein elementarisches Toben und Verwüsten wird. Die innerliche Ruhe ist ein Privatleben und Versinken in Schwäche und Ermattung.

Das Moment der noch *substantiellen, natürlichen Geistigkeit* in der Staatsbildung, das *als Form* in der Geschichte jedes Staats den absoluten Ausgangspunkt macht, ist an den besonderen Staaten geschichtlich zugleich mit tiefem Sinn und mit Gelehrsamkeit, in der Schrift: *Vom Untergange der Naturstaaten.* Berlin 1812. (vom Hrn. Dr. Stuhr) hervorgehoben und nachgewiesen[2]), und damit der vernünftigen Betrachtung der Geschichte der Verfassung und der Geschichte überhaupt der Weg gebahnt. Das Prinzip der Subjektivität und selbstbewußten Freiheit ist dort gleichfalls in der germanischen Nation aufgezeigt, jedoch, indem die Abhandlung nur bis zum Untergang der Naturstaaten geht, auch nur bis dahin geführt, wo es teils als unruhige Beweglichkeit, menschliche Willkür und Verderben, teils in seiner besondern Gestalt als *Gemüt* erscheint, und sich nicht bis zur Objektivität der *selbstbewußten* Substantialität, zu organischer *Gesetzlichkeit*, entwickelt hat.

§ 356

2. Das griechische Reich[1])

Dieses hat jene substantielle Einheit des Endlichen und Unendlichen, aber nur zur mysteriösen, in dumpfe Erinnerung, in Höhlen und in Bilder der Tradition zurückgedrängten Grundlage, welche aus dem sich unterscheidenden Geiste zur individuellen Geistigkeit und in den Tag des Wissens herausgeboren, zur Schönheit und zur freien und heitern Sittlichkeit gemäßigt und verklärt ist. In dieser Bestimmung geht somit das Prinzip persönlicher Individualität sich auf, noch als nicht in sich selbst befangen, sondern in seiner idealen Einheit gehalten; – teils zerfällt das Ganze darum in einen Kreis besonderer Volksgeister, teils ist einerseits die letzte Willensentschließung noch nicht in die Subjektivität des für sich seienden Selbstbewußtseins, sondern in eine Macht, die höher und außerhalb desselben sei, gelegt (vergl. § 279 Anm.), und andererseits ist die dem Bedürfnisse angehörige Besonderheit noch nicht in die Freiheit aufgenommen, sondern an einen Sklavenstand ausgeschlossen.

§ 357

3. Das römische Reich[1])

In diesem Reiche vollbringt sich die Unterscheidung zur unendlichen Zerreißung des sittlichen Lebens in die Extreme *persönlichen* privaten Selbstbewußtseins und *abstrakter Allgemeinheit*. Die Entgegensetzung, ausgegangen von der substantiellen Anschauung einer Aristokratie gegen das Prinzip freier Persönlichkeit in demokratischer Form, entwickelt sich nach jener Seite zum Aberglauben und zur Behauptung kalter, habsüchtiger Gewalt, nach dieser zur Verdorbenheit eines Pöbels, und die Auflösung des Ganzen endigt sich in das allgemeine Unglück und den Tod des sittlichen Lebens, worin die Völkerindividualitäten in der Einheit eines Pantheons ersterben, alle Einzelne zu Privatpersonen und zu *Gleichen* mit formellem Rechte herabsinken, welche hiermit nur eine abstrakte ins Ungeheure sich treibende Willkür zusammenhält.

§ 358

4. Das germanische Reich[1])

Aus diesem Verluste seiner selbst und seiner Welt und dem unendlichen Schmerz desselben[2]), als dessen Volk das *israelitische* bereit gehalten war, erfaßt der in sich zurückgedrängte Geist in dem Extreme seiner absoluten *Negativität*, dem an und für sich seienden *Wendepunkt*, die *unendliche Positivität* dieses seines Innern, das Prinzip der Einheit der göttlichen und menschlichen Natur, die Versöhnung als der innerhalb des Selbstbewußtseins und der Subjektivität erschienenen objektiven Wahrheit und Freiheit, welche dem nordischen Prinzip der *germanischen Völker* zu vollführen übertragen wird.[3])

§ 359

Die Innerlichkeit des Prinzips, als die noch abstrakte, in Empfindung als Glauben, Liebe und Hoffnung existierende, Versöhnung und Lösung alles Gegensatzes, entfaltet ihren Inhalt, ihn zur Wirklichkeit und selbstbewußten Vernünftigkeit zu erheben, zu einem vom Gemüte, der Treue und Genossenschaft Freier ausgehenden *weltlichen* Reiche, das in dieser seiner Subjektivität ebenso ein Reich der für sich seienden rohen Willkür und der Barbarei der Sitten ist – gegenüber einer jenseitigen Welt, einem *intellektuellen* Reiche, dessen Inhalt wohl jene Wahrheit seines Geistes, aber als noch *ungedacht* in die Barbarei der Vorstellung gehüllt ist, und als geistige Macht über das wirkliche Gemüt, sich als eine unfreie fürchterliche Gewalt gegen dasselbe verhält.

§ 360

Indem in dem harten Kampfe dieser im Unterschiede, der hier seine absolute Entgegensetzung gewonnen, stehenden und zugleich in *einer* Einheit und Idee wurzelnden Reiche, – das Geistliche die Existenz seines Himmels zum irdischen Diesseits und zur gemeinen Weltlichkeit, in der Wirklichkeit und in der Vorstellung, degradiert, – das Weltliche dagegen sein abstraktes Fürsichsein zum Gedanken und dem Prinzipe vernünftigen Seins und Wissens, zur Vernünftigkeit des Rechts und Gesetzes hinaufbildet, ist *an sich* der Gegensatz zur marklosen Gestalt geschwunden; die Gegenwart hat ihre Barbarei und unrechtliche Willkür und die Wahrheit hat ihr Jenseits und ihre zufällige Gewalt abgestreift, so daß die wahrhafte Versöhnung objektiv geworden, welche den *Staat* zum Bilde und zur Wirklichkeit der Vernunft[1]) entfaltet, worin das Selbstbewußtsein die Wirklichkeit seines substantiellen Wissens und Wollens in organischer Entwickelung, wie in der *Religion* das Gefühl und die Vorstellung dieser seiner Wahrheit als idealer Wesenheit, in der *Wissenschaft* aber die freie begriffene Erkenntnis dieser Wahrheit als einer und derselben in ihren sich ergänzenden Manifestationen, dem *Staate*, der *Natur* und der *ideellen Welt*, findet.

Anhang

Abkürzungsverzeichnis

Hegel/Ästhetik — Hegel: Ästhetik. Edition: F. Bassenge, Berlin 1955.

Hegel/Berichte — Hegel in Berichten seiner Zeitgenossen. Edition: G. Nicolin, Berlin 1971.

Hegel/Briefe — Briefe von und an Hegel. Edition: J. Hoffmeister, Berlin 1970–1980, 4 Bände (Band/Seite).

Hegel/Dokumente — Dokumente zu Hegels Entwicklung. Edition: J. Hoffmeister, Stuttgart 1974.

Hegel/Enzyklopädie — Hegel: Enzyklopädie der philosophischen Wissenschaften im Grundrisse. Edition: Nicolin/Pöggeler, Berlin 1966.

Hegel/Geschichte — Hegel: Vorlesungen über die Philosophie der Weltgeschichte. Edition: G. Lasson, Leipzig 1944 (Band/Seite)

Hegel/Geschichtsvernunft — Hegel: Die Vernunft in der Geschichte. Edition: J. Hoffmeister, Berlin 1966.

Hegel/Griesheim — Karl Gustav Julius v. Griesheim: Natur- und Staatsrecht oder Philosophie des Rechts. Vorlesungsnachschrift nach dem Vortrag Hegels im Wintersemester 1824/25 an der Universität Berlin. – In: Hegel: Vorlesungen über Rechtsphilosophie. Edition: K.-H. Ilting, Bd. 4, Stuttgart 1974, S. 67–752.

Hegel/Homeyer — Carl Gustav Homeyer: Naturrecht und Staatswissenschaft. Vorlesungsnachschrift nach dem Vortrag Hegels im Wintersemester 1818/19 an

	der Berliner Universität. – In: Hegel: Vorlesungen über Rechtsphilosophie. Edition: K.-H. Ilting, Bd. 1, Stuttgart 1973, Bd. 1, S. 227–351.
Hegel/Hotho	Heinrich Gustav Hotho: Natur- und Staatsrecht oder Philosophie des Rechts. Vorlesungsnachschrift nach dem Vortrag Hegels im Wintersemester 1822/23 an der Universität Berlin. – In: Hegel: Vorlesungen über Rechtsphilosophie. Edition: K.-H. Ilting, Bd. 3, Stuttgart 1974, S. 87–841.
Hegel/Jena	Hegel: Jenaer Schriften. Edition: G. Irrlitz, Berlin 1970.
Hegel/Jugend	Hegel: Theologische Jugendschriften. Edition: H. Nohl, Tübingen 1907.
Hegel/Logik	Hegel: Wissenschaft der Logik. Edition: G. Lasson, Berlin 1971 (Band/Seite).
Hegel/Materialien	Materialien zu Hegels Rechtsphilosophie. Edition: M. Riedel, Frankfurt/M 1975, 2 Bände (Band/Seite).
Hegel/Notizen	Hegels Vorlesungsnotizen von 1821 bis 1825 im ersten Band seines durchschossenen Handexemplars seiner Grundlinien der Philosophie des Rechts. – In: Hegel: Vorlesungen über Rechtsphilosophie. Edition: K.-H. Ilting, Bd. 2, Stuttgart 1974, S. 81–629 (jeweils rechte Seite).
Hegel/Phänomenologie	Hegel: Phänomenologie des Geistes. Edition: J. Hoffmeister, Berlin 1967.
Hegel/Philosophiegeschichte	Hegel: Vorlesungen über die Geschichte der Philosophie. Edition: Irrlitz/Gurst, Leipzig 1971 (Band/Seite).
Hegel/Politik	Hegel: Politische Schriften. Edition: G. Irrlitz, Berlin 1970.
Hegel/Realphilosophie	Hegel: Jenaer Realphilosophie. Edition: J. Hoffmeister, Berlin 1969.
Hegel/Rechtsphilosophie	Hegel: Grundlinien der Philosophie des Rechts, Berlin 1981.

Hegel/Strauß David Friedrich Strauß: Natur- und Staatsrecht oder Philosophie des Rechts: Vorlesungsnachschrift nach dem Vortrag Hegels am 10. u. 11. November 1831 an der Berliner Universität. – In: Hegel: Vorlesungen über Rechtsphilosophie. Edition: K.-H. Ilting, Bd. 4, Stuttgart 1974, S. 917–925.

Hegel/Vorlesungen Hegel: Vorlesungen über Rechtsphilosophie. Edition: K.-H. Ilting, Stuttgart 1973/74, 4 Bände (Band/Seite).

Hegel/Werke Hegel: Werke. Edition auf der Grundlage der Freundesvereinsausgabe von 1832–1845: Moldenhauer/Michel, Frankfurt/M 1969–1971, 20 Bde (Band/Seite).

MEGA Marx/Engels: Gesamtausgabe. Berlin ab 1975 (Abteilung/Band/Seite).

MEW Marx/Engels: Werke. Berlin 1957 – 1968, 40 Bände u. 2 Ergänzungsbände (Band/Seite).

Anmerkungen

Zu den Vorreden

[1] Hegels Grundlinien der Philosophie des Rechts erschienen erstmals Berlin 1821 in der Nicolaischen Buchhandlung. – Vgl. im Anhang dieses Buches: Zur vorliegenden Ausgabe.

[2] So der Tenor der meisten zeitgenössischen Rezensionen und Briefe über Hegels Rechtsphilosophie. – Vgl.: *Hegel/Materialien*, 1/53–266, 365–394; *Hegel/Vorlesungen*, 1/358–589; *Hegel/Berichte*, S. 221; *Hegel Briefe*, 2/278f.

[3] Dante: Göttliche Komödie, Hölle, Dritter Gesang, Vers 9, Leipzig 1970, S. 14: „Ihr, die ihr eintretet, laßt alle Hoffnung fahren".

[4] Anspielung auf die Karlsbader Beschlüsse, die vom Deutschen Bundestag am 20. September 1819 verabschiedet (und erst durch die Revolution von 1848 aufgehoben) wurden. Mit ihnen wurden die Universitäten einer verschärften Überwachung unterworfen, die Entlassung politisch mißliebiger Professoren vorgesehen, die studentischen Verbindungen verboten, Zeitschriften und Bücher einer strengeren Zensur unterstellt, eine zentrale Untersuchungskommission „revolutionärer Umtriebe" eingerichtet sowie einer Liberalisierung feudalabsolutistischer Regierungsweise entgegengewirkt.

[5] Anspielung auf F. J. Stahl, der sich im ersten Band seines in Heidelberg 1830 erschienenen Werkes „Die Philosophie des Rechts nach geschichtlicher Ansicht" (S. VIff.) anheischig machte, auf der Grundlage Schellings und gegen Hegel gewendet, der von Savigny geführten Historischen Rechtsschule den philosophischen Unterbau zu liefern.

[6] Hegel hatte bereits in Heidelberg 1817/18 „Naturrecht und Staatswissenschaft" gelesen. An der Berliner Universität las er 1818/19, 1819/20, 1821/22, 1822/23, 1824/25 jeweils im „Winterhalbenjahre" fünfmal wöchentlich je eine Stunde „Naturrecht und Staatswissenschaft" bzw. „Natur- und Staats-

recht oder Philosophie des Rechts" ab 1821 ausdrücklich nach seinem Lehrbuch. Im Sommersemester 1822, 1823, 1824, 1827, 1828 und im Wintersemester 1825/26 las Hegels Repetent Dr. Henning „mit Zuziehung von Hegels Grundlinien der Philosophie des Rechts" fünfmal wöchentlich unter wechselnden Titeln über Rechtsphilosophie. Die von Hegel für 1830/31 angekündigte Vorlesung hat er nicht gehalten. Die von ihm für 1831/32 angesetzte Vorlesung hielt er am Donnerstag, dem 10., und am Freitag, dem 11. November je eine Stunde. Am Montag, dem 14. November 1831 starb Hegel. Vgl.: *Hegel/Briefe*, Bd. 4, Teil 1, Hegels Vorlesungsankündigungen an der Berliner Universität, S. 114–125.

[7] Vgl.: *Hegel/Hotho*, S. 87–841.

[8] Vgl.: *Hegel/Griesheim*, S. 67–752.

[9] Vgl.: *Hegel/Notizen*, S. 81–629 (jeweils rechte Seite).

[10] Vgl. G. W. F. Hegel: Encyklopädie der philosophischen Wissenschaften im Grundrisse, 1. Ausgabe 1817, 2. Ausgabe 1827, 3. Ausgabe 1830, jeweils Heidelberg, Dritter Teil, zweite Abteilung: Der objektive Geist (Recht, Moralität, Sittlichkeit, Familie, Bürgerliche Gesellschaft, Staat). Siehe: *Hegel/Enzyklopädie*, S. 389–439 (3. Ausgabe); *Hegel/Vorlesungen*, 1/136 bis 215 (1. Ausgabe der Enzyklopädie mit Hegels Vorlesungsnotizen).

[11] Nach der altgriechischen Sage hat Penelope, die Frau des für tot gehaltenen Odysseus, ihre Freier mit dem Vorwand hingehalten, sie müsse erst für den Laertes ein Leichengewand wirken, einer Arbeit, mit der sie deshalb nie fertig wurde, weil sie nachts das tagsüber Fertiggestellte wieder auftrennte. Vgl.: Homer: Odyssee, Neunzehnter Gesang, Vers 137ff.

[12] Vgl.: G. W. F. Hegel: Wissenschaft der Logik, Nürnberg 1812 bis 1816, insbesondere Vorrede, Einleitung und letzter Abschnitt über Die absolute Idee.

Unter spekulativem, dialektischem Denken versteht Hegel die Betrachtung des Wesens der Dinge, das Auffassen der entgegengesetzten Momente in ihrer Einheit, eine den Widerspruch festhaltende Totalitätsbetrachtung: „das Spekulative oder Vernünftige und Wahre besteht in der Einheit des Begriffs oder des Subjektiven und der Objektivität" (*Hegel/Werke*, 10/227).

[13] Vgl.: *Hegel/Werke*, 10/170–171: „Damit dieser Fortgang von etwas Abstraktem zu dem dasselbe der Möglichkeit nach enthaltenden Konkreten nicht das Ansehen einer vereinzelten und deshalb bedenklichen Erscheinung habe, können wir daran erinnern, daß in der *Rechtsphilosophie* ein ähnlicher Fortgang

stattfinden muß. Auch in dieser Wissenschaft beginnen wir mit etwas *Abstraktem*, nämlich mit dem *Begriff des Willens*, schreiten dann zu der in einem *äußerlichen* Dasein erfolgenden Verwirklichung des noch *abstrakten* Willens zur Sphäre des *formellen Rechtes* fort, gehen darauf zu dem aus dem äußeren Dasein *in sich reflektierten* Willen, zu dem Gebiete der *Moralität* über und kommen endlich drittens dem *diese beiden abstrakten Momente* in sich *vereinigenden* und darum *konkreten* sittlichen Willen. In der Sphäre der *Sittlichkeit* selber fangen wir dann wieder von einem *Unmittelbaren*, von der *natürlichen, unentwickelten* Gestalt an, welche der sittliche Geist in der *Familie* hat, kommen darauf zu der in der *bürgerlichen Gesellschaft* erfolgenden *Entzweiung* der sittlichen Substanz und gelangen zuletzt zu der im *Staate* vorhandenen *Einheit* und *Wahrheit* jener beiden einseitigen Formen des sittlichen Geistes. – Aus diesem Gange unserer Betrachtung folgt jedoch nicht im mindesten, daß wir die Sittlichkeit zu etwas der Zeit nach *Späterem* als das Recht und die Moralität machen oder die Familie und die bürgerliche Gesellschaft für etwas dem Staate in der Wirklichkeit *Vorangehendes* erklären wollten. Vielmehr wissen wir sehr wohl, daß die Sittlichkeit die *Grundlage* des Rechtes und der Moralität ist, sowie daß die Familie und die bürgerliche Gesellschaft mit ihren wohlgeordneten Unterschieden schon das Vorhandensein des Staates *voraussetzen*. In der *philosophischen Entwicklung* des Sittlichen können wir jedoch nicht mit dem *Staate* beginnen, da in diesem jenes sich zu seiner *konkretesten* Form entfaltet, der *Anfang* dagegen notwendigerweise etwas *Abstraktes* ist. Aus diesem Grunde muß auch das Moralische *vor* dem Sittlichen betrachtet werden, obgleich jenes gewissermaßen nur als eine Krankheit an diesem sich hervortut."

14 So: Das Neue Testament, Evangelium des Lukas, Kapitel 16, Vers. 29.

15 Anspielung auf Jakob Friedrich Fries: Handbuch der praktischen Philosophie, Teil 1, Ethik, Heidelberg 1818, S. 6f.: „Die religiösen Überzeugungen vom heiligen Ursprung aller Dinge, vom Dasein Gottes und vom ewigen Leben sollen nicht wissenschaftlich gestützt und bewiesen, auch nicht wissenschaftlich als Grundsätze der Beweise verwendet werden, sondern sie sind einzig die unmittelbaren Grundgedanken jener lebendigen Gefühle der Ahndung, welche durch Begeisterung und Andacht in der Schönheit der Naturerscheinungen und vor allem in der Geistesschönheit des Menschenlebens die ewige Wahrheit anerkennen."

16 Vgl.: Das Alte Testament, Der Psalter, Psalm 127, Vers 2: „seinen Freunden gibt er's schlafend".

17 Vgl.: *Hegel/Werke*, 5/47: „Eine soeben erschienene neueste Bearbeitung dieser Wissenschaft, *System der Logik* von Fries [Heidelberg 1811], kehrt zu den anthropologischen Grundlagen zurück. Die Seichtigkeit der dabei zugrunde liegenden Vorstellung oder Meinung an und für sich und der Ausführungen überhebt mich der Mühe, irgendeine Rücksicht auf diese bedeutungslose Erscheinung zu nehmen."

18 Zitierungen Hegels aus der Rede, die J. F. Fries auf dem Wartburgfest, dem Treffen patriotischer und nationalistischer Studenten am 18./19. Oktober 1817 auf der Wartburg bei Eisenach, gehalten hat (vgl. Oppositionsblatt oder Weimarische Zeitung vom 30. Oktober 1817: Feierrede des Prof. Fries an die Teutschen Burschen; F. J. Fromman: Das Burschenfest auf der Wartburg, Jena 1818). Jakob Friedrich Fries (1733–1843), habilitierte sich wie Hegel 1801 in Jena, war seit 1805 in Heidelberg (sein Nachfolger dort wurde Hegel), ab 1816 in Jena Philosophie-Professor; er hatte 1818 Aussicht, statt Hegel nach Berlin berufen zu werden. Er wurde wegen seiner Wartburgrede auf Drängen der reaktionären Regierungen Österreichs und Preußens von seinem Amt suspendiert. Fries vertrat eine sich auf Offenbarung, Glauben, Ahnung, Gefühl und Begeisterung stützende Philosophie, politisch argumentierte er mit emotional gefärbten Losungen gegen die Liquidierung feudaler Privilegien und des Partikularismus, gegen die Forderung nach Repräsentativverfassungen, gegen die Kritik an den Teilungen Polens; er war Antisemit. Hegel hat vor und nach dem Wartburgfest die Publikationen von Fries als „vollendete Verseichtigung" der Kantischen Philosophie, als „innere Gehaltlosigkeit", als „Betrug", als „Glückseligkeitslehre", als „äußerste Borniertheit", als „Subjektivität der Willkür, Ignoranz", als „geistlos, kahl, trivial", als „Kathedergewäsche, das nur ein Plattkopf in der Verdauungsstunde von sich geben kann", attackiert. (Vgl.: *Hegel/Werke*, 5/47; 10/266; 20/323, 335, 387, 402; *Hegel/Briefe*, 1/338; 2/222.)

19 Vgl.: *Hegel/Philosophiegeschichte*, 2/332–375. Diogenes Laertius: Leben und Meinungen berühmter Philosophen, Bd. 2, Berlin 195 5,S. 223–295; *MEGA* I/1, S. 5–92; IV/1, S. 5–152.

20 Sonst (vgl.: *Hegel/Phänomenologie*, S. 262) hat Hegel den Mephisto noch mehr verballhornt als hier. Vgl.: J. W. v. Goethe: Faust, Erster Teil, Studierzimmer, Vers 1851–1852 und 1866–1867, Berliner Ausgabe, Bd. 8, Berlin und Weimar 1965, S. 206: „Verachte nur Vernunft und Wissenschaft,/Des

Menschen allerhöchste Kraft, [. . .] Und hätt er sich auch nicht dem Teufel übergeben,/Er müßte doch zugrunde gehen."

21 Vgl.: *Hegel/Rechtsphilosophie*, Fußnote zu § 258 (Hegel stellt so den angeblichen Demagogen Fries, der auf dem Wartburgfest zu den teutschen Studenten sprach, mit dem wirklichen Konterrevolutionär Haller, dessen Bücher auf dem Wartburgfest von den Studenten verbrannt wurden, gleich: beide geben ihren Fanatismus, Schwachsinn und ihre Heuchelei unfehlbar durch ihren Haß gegen das gesetzlich bestimmte Recht zu erkennen und erweisen sich so als falsche Brüder des Volkes.

22 Siehe Anmerkung 4

23 Vgl.: Platon: Der Staat, 493 St, Leipzig 1978, S. 273ff., sowie Platon: Sophistes, Leipzig 1922.

24 Vgl.: L. Winkler: Deutsches Recht im Spiegel deutscher Sprichwörter, Leipzig 1927 (Reprint: Leipzig 1977), S. 205.

25 Man duldet sie wie die Bordelle.

26 Vgl.: *Hegel/Rechtsphilosophie*, § 185.

27 Vgl.: *Hegel/Enzyklopädie*, § 6: „In der *Vorrede* zu meiner *Philosophie des Rechts* befinden sich die Sätze:

Was vernünftig ist, das ist wirklich,
und was wirklich ist, das ist vernünftig.

Diese einfachen Sätze haben manchen auffallend geschienen und Anfeindung erfahren, und zwar selbst von solchen, welche Philosophie und wohl ohnehin Religion zu besitzen nicht in Abrede sein wollen. Die Religion wird es unnötig sein in dieser Beziehung anzuführen, da ihre Lehren von der göttlichen Weltregierung diese Sätze zu bestimmt aussprechen. Was aber den philosophischen Sinn betrifft, so ist so viel Bildung vorauszusetzen, daß man wisse, nicht nur daß Gott wirklich, – daß er das Wirklichste, daß er allein wahrhaft wirklich ist, sondern auch, in Ansehung des Formellen, daß überhaupt das Dasein zum Teil *Erscheinung* und nur zum Teil Wirklichkeit ist. Im gemeinen Leben nennt man etwa jeden Einfall, den Irrtum, das Böse und was auf diese Seite gehört, sowie jede noch so verkümmerte und vergängliche Existenz zufälligerweise eine *Wirklichkeit.* Aber auch schon einem gewöhnlichen Gefühl wird eine zufällige Existenz nicht den emphatischen Namen eines Wirklichen verdienen; – das Zufällige ist eine *Existenz*, die keinen größeren Wert als den eines *Möglichen* hat, die so gut *nicht sein* kann, als sie ist. Wenn aber ich von Wirklichkeit gesprochen habe, so wäre von selbst daran zu denken, in welchem Sinne ich diesen Ausdruck gebrauche, da ich in einer ausführlichen *Logik* auch die Wirklichkeit abgehandelt und sie nicht nur sogleich von dem Zufälligen, was doch auch

Existenz hat, sondern näher von Dasein, Existenz und anderen Bestimmungen genau unterschieden habe. Der *Wirklichkeit des Vernünftigen* stellt sich schon die Vorstellung entgegen, sowohl daß die Ideen, Ideale weiter nichts als Chimären und die Philosophie ein System von solchen Hirngespinsten sei, als umgekehrt, daß die Ideen und Ideale etwas viel zu Vortreffliches seien, um Wirklichkeit zu haben, oder ebenso etwas zu Ohnmächtiges, um sich solche zu verschaffen. Aber die Abtrennung der Wirklichkeit von der Idee ist besonders bei dem Verstande beliebt, der die Träume seiner Abstraktionen für etwas Wahrhaftes hält und auf das *Sollen*, das er vornehmlich auch im politischen Felde gern vorschreibt, eitel ist, als ob die Welt auf ihn gewartet hätte, um zu erfahren, wie sie sein *solle*, aber nicht sei; wäre sie, wie sie sein soll, wo bliebe die Altklugheit seines Sollens? Wenn er sich mit dem Sollen gegen triviale, äußerliche und vergängliche Gegenstände, Einrichtungen, Zustände usf. wendet, die etwa auch für eine gewisse Zeit, für besondere Kreise eine große relative Wichtigkeit haben mögen, so mag er wohl recht haben und in solchem Falle vieles finden, was allgemeinen richtigen Bestimmungen nicht entspricht; wer wäre nicht so klug, um in seiner Umgebung vieles zu sehen, was in der Tat nicht so ist, wie es sein soll? Aber diese Klugheit hat unrecht, sich einzubilden, mit solchen Gegenständen und deren Sollen sich innerhalb der Interessen der philosophischen Wissenschaft zu befinden. Diese hat es nur mit der Idee zu tun, welche nicht so ohnmächtig ist, um nur zu sollen und nicht wirklich zu sein, und damit mit einer Wirklichkeit, an welcher jene Gegenstände, Einrichtungen, Zustände usf. nur die oberflächliche Außenseite sind."

Hegel/Logik, 2/156: „Die Wirklichkeit ist die Einheit des Wesens und der Existenz."

Hegel/Philosophiegeschichte, 2/119: „Was wirklich ist, ist vernünftig. Man muß aber wissen, unterscheiden, was in der Tat wirklich ist; im gemeinen Leben ist alles wirklich, aber es ist ein Unterschied zwischen Erscheinungswelt und Wirklichkeit, Das Wirkliche hat auch äußerliches Dasein; das bietet Willkür, Zufälligkeit dar, . . . An der Oberfläche balgen sie die Leidenschaften herum; das ist nicht die Wirklichkeit der Substanz."

Hegel/Werke, 12/23: „Wer die Welt vernünftig ansieht, den sieht sie auch vernünftig an."

Hegel/Homeyer (1818), S. 232: „Die Philosophie des Rechts bleibt weder bei der Abstraktion noch bei der geschichtlichen Rücksicht stehn, wenn diese der *Idee* nicht gemäß ist. – Sie weiß, daß das Reich des Rechtlichen nur durch fortschreitende

Entwicklung entstehn kann, und keine Stufe derselben zu überspringen ist. Der Rechtszustand aber beruht nur auf dem allgemeinen Geist des Volks [. . .] Ist daher der Geist des Volks auf eine höhere Stufe getreten, so haben die Verfassungsmomente, die sich auf frühere Stufen bezogen, keinen Halt mehr; sie müssen zusammenstürzen, und keine Macht vermag sie zu halten. So erkennt die Philosophie, daß nur das Vernünftige geschehen könne, mögen die äußern einzelnen Erscheinungen ihm auch noch so sehr zu widerstreben scheinen."

Hegel/Griesheim (1824), S. 89: „Es kann ein historisch begründetes Recht von der Philosophie als unvernünftig verworfen werden [. . .] Die historische Rechtfertigung reicht also nicht hin, um etwas als vernünftig aufzuzeigen, und doch kommt es hierauf an."

Hegel/Strauß (1831), S. 923f.: „Was wirklich ist, ist vernünftig. Aber nicht alles ist wirklich, was existiert, das Schlechte ist ein in sich selbst Gebrochenes und Nichtiges . . . Nichts mehr hält man für geltend, was bloß auf Autorität beruht . . . Manches ist nur äußerlich, nicht mehr innerlich anerkannt. Das Recht soll aus der Vernunft geschöpft werden. Gegen diesen Gedanken hilft kein Privileg mehr, alle besonderen Rechte sind in Anspruch genommen von dem Begriffe des Rechts. Dies kann man sagen, ist Menschenwerk, und dem Menschenwerk setzt man das göttliche Recht entgegen, als das höchste. Aber heutigestags ist eben das göttliche Recht das Verworfenste."

Hegel/Vorlesungen (1831), 4/915:
„Positiv – Was die Menschen selbst
einsehen/das Recht – und
daß *sie* es wollen/ihr
Wille dabey sey –
Historisch – Geist hervortreiben
instinctartig,
Maulwurf –"

v. Thaden, Brief vom 8. August 1821 an Hegel, in: *Hegel/Briefe*, 2/279: „Sie sind verschrieen abwechselnd als royalistischer Philosoph und als philosophischer Royalist . . . Sie fordern vor allem und von rechtswegen Einsicht in die Sache, aber Einsicht in eine schlechte Sache, z. B. in die Politik des türkischen Staats, macht diese Sache noch nicht gut. Der allergrößte, allerhöchste und allerwichtigste Satz: ‚Das Seiende ist das Gute und Vernünftige' ist philosophisch wahr aber politisch ist dieser Satz falsch."

Altenstein, Minister, Brief vom 24. August 1821 an Hegel, in: *Hegel/Briefe*, 2/287: „Indem Sie in diesem Werke, wie in

Ihren Vorlesungen überhaupt mit dem Ernste, welcher der Wissenschaft geziemt, darauf dringen, das Gegenwärtige und Wirkliche zu erfassen und das Vernünftige in der Natur und Geschichte zu begreifen, geben Sie der Philosophie, wie mir scheint, die einzig richtige Stellung zur Wirklichkeit, und so wird es Ihnen am sichersten gelingen, Ihre Zuhörer vor dem verderblichen Dünkel zu bewahren, welcher das Bestehende, ohne es erkannt zu haben, verwirft, und sich besonders in Bezug auf den Staat in dem willkürlichen Aufstellen inhaltsleerer Ideale gefällt." (Vgl. auch: *Hegel/Materialien*, 1/58, 76, 84, 106, 147, 244, 296.)

Ernst Förster: „Ins Ungeheuerliche wuchs seine Staatslehre mit dem Fundamentalsatz: ‚Das Wirkliche ist vernünftig und alles Vernünftige ist wirklich!' womit allen Bestrebungen nach Verbesserung gegenwärtiger Zustände, vor allen nach persönlicher, sowie nach erweiterter politischer Freiheit, Einheit und Macht des Vaterlandes die Spitze abgebrochen, Begeisterung dafür als gehaltloser Schaum und kindische Großsprecherei gebrandmarkt wurde . . . Fortan war selbst die Kamptzsche Polizeiwillkür vernünftig, denn sie war wirklich" (*Hegel/Berichte*, S. 205).

Eduard Gans, Nachschrift seiner Naturrechtsvorlesung an der Berliner Universität 1828: „. . . ein Satz, den zu erörtern um so notwendiger ist, weil er Entstellungen und ungereimten Vorwürfen freigestellt ist; er kommt her vom größten Philosophen der jetzigen Welt und kündigt sich so an: *was wirklich ist, ist vernünftig, und was vernünftig ist, ist wirklich* [. . .] Zur Rechtfertigung dieses Satzes braucht man folgendes: Die Wirklichkeit ist dem Erscheinen entgegengesetzt, das Erscheinen ist das Zufällige, das Wirkliche aber in der Erscheinung ist das Gedankenhabende." (E. Gans: Philosophische Schriften, Berlin 1971, S. 44.)

Carl v. Rotteck: „Wenn der berüchtigte Ausspruch eines fast vergötterten Denkers: ‚Alles, was ist, ist vernünftig; alles Vernünftige ist wirklich' – ein Ausspruch, welchen man zwar, als die öffentliche Meinung sich allzu entschieden dagegen auflehnte, hinterher etwas anders zu deuten suchte, als er lautet, doch vergebens, da die Worte klar und bestimmt sind – alsdann erscheinen . . . alle gegen einmal Bestehendes gerichteten Lehren, Beschwerden, Reformbegehren als törichtes oder als verbrecherisches Beginnen" (Das Staatslexikon. Encyklopädie der sämtlichen Staatswissenschaften für alle Stände, Edition: Rotteck/Welcker, Bd. 7, Altona 1847, S. 16).

Heinrich Heine: „Ich sah manchmal, wie er [Hegel] sich

ängstlich umschaute, aus Furcht, man verstände ihn. Er liebte mich sehr, denn er war sicher, daß ich ihn nicht verriet; ich hielt ihn damals sogar für servil. Als ich einst unmutig war über das Wort: ‚Alles, was ist, ist vernünftig', lächelte er sonderbar und bemerkte: ‚Es könnte auch heißen: ‚Alles was vernünftig ist, muß sein'". H. Heine: Sämtliche Werke, Bd. 6, Leipzig 1890, S. 535.)

Friedrich Engels (1842): „Alle Philosophie hat es sich bisher zur Aufgabe gestellt, die Welt als vernünftig zu begreifen. Was vernünftig ist, das ist nun freilich auch notwendig, was notwendig ist, muß wirklich sein oder doch werden. Dies ist die Brücke zu den großen praktischen Resultaten der neueren Philosophie" (*MEW*, Ergbd. 2/180).

Friedrich Engels (1886): „Kein philosophischer Satz hat so sehr den Dank beschränkter Regierungen und den Zorn ebenso beschränkter Liberalen auf sich geladen wie der berühmte Satz Hegels: ‚*Alles was wirklich ist, ist vernünftig, und alles, was vernünftig ist, ist wirklich*'. Das war doch handgreiflich die Heiligsprechung alles Bestehenden, die *philosophische Einsegnung des Despotismus*, des Polizeistaats, der Kabinettjustiz, der Zensur. Und so nahm es Friedrich Wilhelm III., so seine Untertanen. Bei Hegel aber ist keineswegs alles, was besteht, ohne weiteres auch wirklich. Das Attribut der Wirklichkeit kommt bei ihm nur demjenigen zu, was zugleich notwendig ist; ‚*die Wirklichkeit erweist sich in ihrer Entfaltung als die Notwendigkeit*', eine beliebige Regierungsmaßregel – Hegel führt selbst das Beispiel ‚einer gewissen Steuereinrichtung' [*Hegel Werke*, 8/280] an – gilt ihm daher auch keineswegs schon ohne weiteres als wirklich. Was aber notwendig ist, erweist sich in letzter Instanz auch als vernünftig, und auf den damaligen preußischen Staat angewandt, heißt also der Hegelsche Satz nur: Dieser Staat ist vernünftig, der Vernunft entsprechend, soweit er notwendig ist; und wenn er uns dennoch schlecht vorkommt, aber trotz seiner Schlechtigkeit fortexistiert, so findet die Schlechtigkeit der Regierung ihre Berechtigung und ihre Erklärung in der entsprechenden Schlechtigkeit der Untertanen. Die damaligen Preußen hatten die Regierung, die sie verdienten.

Nun ist aber die Wirklichkeit nach Hegel keineswegs ein Attribut, das einer gegebnen gesellschaftlichen oder politischen Sachlage unter allen Umständen und zu allen Zeiten zukommt. Im Gegenteil. Die römische Republik war wirklich, aber das sie verdrängende römische Kaiserreich auch. Die französische Monarchie war 1789 so unwirklich geworden, d. h. so aller Notwendigkeit beraubt, so unvernünftig, daß sie vernichtet werden mußte durch die große Revolution, von der Hegel stets mit der höchsten Begeisterung spricht. Hier war also die Monarchie das Unwirkliche, die Revolution das Wirkliche. Und so wird im Lauf der Entwicklung alles früher Wirkliche unwirklich, verliert seine Notwendigkeit, sein Existenzrecht, seine Vernünftigkeit; an die Stelle des absterbenden Wirklichen tritt eine neue, lebensfähige Wirklichkeit – friedlich, wenn das Alte verständig genug ist, ohne Sträuben mit Tode abzugehn, gewaltsam, wenn es sich gegen diese Notwendigkeit sperrt. Und so dreht sich der Hegelsche Satz durch die Hegelsche Dialektik selbst um in sein Gegenteil: Alles, was im Bereich der Menschengeschichte wirklich ist, wird mit der Zeit unvernünftig, ist also schon seiner Bestimmung nach unvernünftig, ist von vornherein mit Unvernünftigkeit behaftet; und alles, was in den Köpfen der Menschen vernünftig ist, ist bestimmt, wirklich zu werden, mag es auch noch so sehr der bestehenden scheinbaren Wirklichkeit widersprechen. Der Satz von der Vernünftigkeit alles Wirklichen löst sich nach allen Regeln der Hegelschen Denkmethode auf in den andern: Alles was besteht, ist wert, daß es zugrunde geht." (*MEW*, 21/266–267.)

28 Vgl.: Platon: Gesetze, Bd. 2, Buch VII, 789, Leipzig 1945, S. 265.

29 J. G. Fichte: Grundlage des Naturrechts nach Prinzipien der Wissenschaftslehre, 1796, § 21, in: *J. G. Fichte*: Sämtliche Werke, Bd. 3, Berlin 1845, S. 295.

30 Hier ist Rhodus, hier springe! – Lateinisches Sprichwort, auf einer Fabel des Griechen Aisopos beruhend: Einem Weitgereisten, der, nach Hause gekommen, damit prahlt, daß er unterwegs in Rhodos, einen gewaltigen Sprung getan habe, was dortige Zeugen bestätigen könnten, antworten die Umstehenden: wenn es wahr ist, brauchen wir keine Zeugen; hier ist Rhodos, hier springe. (S. Richardson: Sittenlehre für die Jugend in den auserlesensten Aesopischen Fabeln, übersetzt von Gotthold Ephraim Lessing, Leipzig 1757, S. 107f. – Vgl. auch *Hegel/Werke*, 11/466: Hinweis auf die Rosenkreuzer.)

31 Vgl.: F. Bacon, Novum Organon, Buch 1, Abschnitt 84, Berlin 1962, S. 91: „. . . mit Recht nennt man die Wahrheit eine Tochter der Zeit und nicht der menschlichen Autorität."

Hegel/Philosophiegeschichte, 1/139: „Jede Philosophie ist Philosophie ihrer Zeit, sie ist Glied in der ganzen Kette der geistigen Entwicklung; sie kann also nur Befriedigung für die Interessen gewähren, die ihrer Zeit angemessen sind."

32 Vgl. auch *Hegel/Werke*, 16/272: „Die Verworrenheit der Existenz macht nicht allein das aus, was die Gegenwart ist,

und sie ist nicht die Totalität. Das, wodurch das Ideal bestimmt ist, kann vorhanden sein; aber es ist noch nicht erkannt, daß die Idee in der Tat vorhanden ist, weil diese nur betrachtet wird, mit dem endlichen Bewußtsein. Es ist schon durch diese Rinde der substanzielle Kern der Wirklichkeit zu erkennen, aber dazu bedarf es auch einer harten Arbeit; um die Rose im Kreuz der Gegenwart zu pflücken, dazu muß man das Kreuz selbst auf sich nehmen."

Hegel/Notizen, S. 89: „Gegenwart erscheint der Reflexion besonders dem Eigendünkel als ein Kreuz (allerdings: mit Not) – die Rose – d. i. die Vernunft in derem Kreuze lehrt die Philosophie erkennen."

33 Vgl.: *Hegel/Philosophiegeschichte*, 3/172.

34 Vgl.: F. Bacon: Essays, Kapitel XVI, Leipzig 1967, S. 65.

35 Mit der Halbheit, die das Erkennen bloß in eine Annäherung zur Wahrheit setzt, scheint Kant getroffen werden zu sollen. Vgl.: I. Kant: Kritik der reinen Vernunft (A 647 = 1. Auflage, S. 647), Leipzig 1979, S. 694.

36 Vgl.: Das Neue Testament, Die Offenbarung des Johannes, Kapitel 3, Vers 16: „Weil du aber lau bist und weder kalt noch warm, werde ich dich ausspeien aus meinem Munde."

37 Vgl.: *Hegel/Philosophiegeschichte*, 1/147: „Die Philosophie fängt an mit dem Untergange einer reellen Welt; wenn sie auftritt mit ihren Abstraktionen, grau in grau malend, so ist die Frische der Jugend, der Lebendigkeit schon fort; und es ist ihre Versöhnung eine Versöhnung nicht in der Wirklichkeit, sondern in der ideellen Welt."

38 Die Eule der Minerva – der heilige Vogel der Göttin der Weisheit.

Zu §1

Hegel/Homeyer, S. 234: „Der Gegenstand der philosophischen Rechtswissenschaft ist der höhere Begriff von der Natur der Freiheit, ohne Rücksicht auf das was gilt, auf die Vorstellung der Zeit." S. 237: „Das Naturrecht hat den Vernunftsbegriff des Rechts und die Verwirklichung desselben, die *Idee des Rechts* zum Gegenstande. Die Quelle dieser Wissenschaft ist der *Gedanke*, insofern er den Willen in seiner freien Selbstbestimmung erfaßt. Dieselbe Quelle ist der göttliche ewige Ursprung des Vernunft*rechts*, nur daß in der Wissenschaft das Denken sich als *Begreifen* verhält."

Hegel/Notizen, S. 81: „Nicht sogenannte bloße Begriffe; die Philosophie weiß am besten, daß die sogenannten bloßen Begriffe etwas Nichtiges sind – sondern wesentlich deren Verwirklichung – Realisierung. Wirklichkeit ist nur diese Einheit des Innern und Äußern – daß der Begriff nicht ein bloßes Inneres sei, sondern ebenso reales – und das Äußere, Realität nicht eine begrifflose Realität Dasein – Existenz sondern sei wesentlich durch den Begriff bestimmt. – Dies im Allgemeinen Unterschied von Begriff und Idee – Für den unphilosophischen Sinn – Vorläufig historisch – das Nähere verspare ich auf den Begriff des Rechts – den Begriff dieser Idee selbst – denn Recht ist durchaus nur als Idee –

Natur der Sache. Nicht: diese und diese Begriffe und Inhalt haben wir, Recht, Freiheit Eigentum Staat usf. und nun diesen Begriff auch deutlich denken; – formelle Bildung hilft nichts zur Entscheidung über die Sache – Sondern: eben Natur der Sache selbst betrachten, dies ist der Begriff der Sache – jenes nur ein Gegebenes, Gott weiß woher aufgefaßtes, Vorgestelltes usf."

Hegel/Griesheim, S. 96: „Im Recht liegt zugleich die Bestimmung der Verwirklichung und es ist die zweite Frage erst, was verwirklicht werden soll."

Zu §2

Hegel/Notizen, S. 83: „Gottlob! in unsern Staaten darf man die Definition des Menschen – als eines rechtsfähigen – an die Spitze des Gesetzesbuches stellen[5]), – ohne Gefahr zu laufen, auf Bestimmungen über Rechte und Pflichten des Menschen zu treffen, die dem Begriff des Menschen widersprächen."

Hegel/Griesheim, S. 99: „Die vernünftigen Gesetze, Verfassungen sind die, die der Natur des Menschen, dem Begriff des Menschen, der Freiheit gemäß sind."

1 „Jede Definition im Recht ist gefährlich" – eine Regel des römischen Juristen Javolenus Priscus, erstes nachchristliches Jahrhundert, die auch, 533 u. Z., in die Digesten Justinians (Buch 50, Titel 17, Fragment 202) aufgenommen wurden. (Die Digesten werden nach der von P. Krueger/Th. Mommsen besorgten Ausgabe des Corpus Juris Civilis, Berlin 1895 zitiert: Buch/Titel/Fragment.)

2 Aber: omnes homines aut liberi sunt aut servi – die Menschen sind entweder Freie oder Sklaven (Gaius: Institutionen, Buch 1, Kapitel 9, Berlin 1820, S. 4) auch aufgenommen in die Digesten: Buch 1, Titel 5, Fragment 3, in: Corpus Juris Civilis, a. a. O.).

3 Anspielung auf Johann Gottlieb Fichte, dessen 1810/11 an der

Berliner Universität gehaltene Vorlesungen „Die Tatsachen des Bewußtseins", die in Stuttgart/Tübingen 1817 aus dem Nachlaß herausgegeben worden waren und die Hegel (vgl.: *Hegel/Briefe*, 2/177) bei seinem Buchhändler gekauft hat. Jedenfalls auch gegen Fries gerichtet (vgl.: *Hegel/Philosophiegeschichte*, 3/580 und *Hegel/Rechtsphilosophie*, Anmerkungen 15 und 18 zu den Vorreden). Hegels Auffassung von der Begeisterung: „Aber die Wärme des Bluts macht's nicht allein Champagner gibt noch keine Poesie" (vgl.: *Hegel/Ästhetik*, S. 295ff. sowie *Hegel/Phänomenologie*, S. 13).

4 Vgl. insbesondere *Hegel/Logik*, Die absolute Idee, 2/483ff.

5 Anspielung auf „Allgemeines Landrecht für die Preußischen Staaten" (1794), Erster Teil, Erster Titel, § 1: „Der Mensch wird, insofern er gewisse Rechte in der bürgerlichen Gesellschaft genießt, eine Person genannt."

Zu §3

Hegel/Homeyer, S. 238: „Das *positive Recht* ist überhaupt ein Recht, welches in einem Staate Gültigkeit hat. Was darin vernünftiger Inhalt ist, ist durch die Form der Autorität positiv. Das dem Inhalt nach positive Recht kann aber teils vernunftwidrig und unrechtlich sein . . ."

Hegel/Notizen, S. 89: „Man kann etwa meinen, es könne ein Rechtssystem und einen Rechtszustand geben, *der rein vernünftig* – nur vernünftig sei, – Ideal, – man fordert, daß es so sein *soll* – höchste Forderung. Sie hat Richtiges in sich aber auch Unrichtiges –

Richtiges. Die Vernunft soll das Herrschende sein, und ist es in einem gebildeten Staate – im Ganzen auch – mehr Vernunft darin als man meint, davon ist schon gesprochen; Gegenwart erscheint der Reflexion besonders dem Eigendünkel als ein Kreuz allerdings: mit Not – die Rose – d. i. die Vernunft in diesem Kreuz lehrt die Philosophie erkennen."

S. 91: „. . . der Staat, die Gesetze haben selbst diese gedoppelte Seite – in sich vernünftig oder verständig zu sein, und so der eignen Einsicht des Begriffs zu entsprechen, so daß das Individuum ihnen gehorchen kann, weil es selbst sie für gut erkennt, – aber auch die Seite, daß sie *gelten*. Gelten müssen sie; die *subjektive Einsicht* ist zugleich etwas Zufälliges und das Gelten des Rechts kann nicht davon abhängig werden, ob der eine es so meinte und möchte, – oder so. Denn eben sie sind das Nichtzufällige, das worin vielmehr die Zufälligkeit aufgehoben ist. – Die Menschen verhalten sich so zu den Gesetzen, *aus Furcht*, –

und bewußte Furcht, ist Klugheit mit widerstreitender innerlicher *Überzeugung*; – aus *Glauben*, *Zutrauen*, – dann auch bei aller Vernunft und Einsicht – großer Teil der gesetzlichen Bestimmungen, aus *gesundem Menschenverstand*, der eben den richtigen Sinn hat, daß es eine unendliche Sphäre gibt, worin so entschieden werden kann, oder so; – aber wo die Hauptsache ist, daß entschieden ist; es muß befohlen werden in der Welt – rein befohlen; – d. i. in Religion und Vernunft kann man nicht bloß befehlen, – aber eben in der Seite der unendlichen Zufälligkeit." S. 99: „. . . solche Juristen sehen die übrigen Menschen als ihre *Rechtsleibeigenen* an. Gehört zum Metier – Dies Recht zu vernünftigem Begreifen läßt sich kein *Volk* nehmen – Keine Laien – hier noch weniger als in der Religion und es ist die Zeit gekommen, daß man nach der Vernunft der Sache fragt – Laien verstehen nichts von Religion."

Hegel/Hotho, S. 105: „Das Recht heißt positiv insofern es gilt, weil es ist, nicht weil es vernünftig ist."

Hegel/Werke, 12/417: „Das Staatsleben soll nun mit Bewußtsein, der Vernunft gemäß eingerichtet werden. Sitte, Herkommen gilt nicht mehr; die verschiedenen Rechte müssen sich legitimieren als auf vernünftigen Grundsätzen beruhend. So kommt die Freiheit des Geistes erst zur Realität."

1 In der seit dem Mittelalter herkömmlichen Terminologie der europäischen Rechtswissenschaft versteht man unter *positivem Recht* (ius positivum) ein vom Gesetzgeber oder vom Gericht festgesetztes oder festgestelltes Recht; der Gegenbegriff hierfür ist natürliches Recht (ius naturale), worunter ein unabhängig von der staatlichen Rechtsordnung existierendes ewiges Recht verstanden wird, dessen Geltung sich von der Autorität Gottes oder der Vernunft ableitet.

2 Vgl. insbesondere *Hegel/Geschichtsvernunft*, S. 187ff.: Der Naturzusammenhang oder die geographische Grundlage der Weltgeschichte.

3 Der oströmische Kaiser Justinian (er regierte 527–565 u. Z.) ließ das gesamte Recht des Landes kodifizieren. In den *Pandekten* (= Digesten), dem Hauptteil der Kodifikation, sind in 50 Büchern Exzerpte aus Juristenschriften sachlich gegliedert zusammengestellt. Mit der gleichen Rechtsverbindlichkeit vom gleichen Zeitpunkt ab (533 u. Z.) wurden die *Institutionen*, ein Einführungslehrbuch in das Recht und sein Studium, publiziert. Institutionen und Pandekten bilden die ersten beiden Teile des Corpus iuris civilis (Corpus iuris civilis, Vol. 1, Edition P. Krueger/Th. Mommsen, Berlin 1895. Vgl. auch *Hegel/Werke*, 12/408).

[4] Vgl.: Ch. L. Montesquieu: Vom Geist der Gesetze, Bd. 1, Erstes Buch, Kapitel 3, Tübingen 1950, S. 16.

[5] Vgl.: *Hegel/Rechtsphilosophie*, § 180.

[6] Vgl.: *Hegel/Politik*, S. 168: „. . . daß hundertjähriges und wirkliches positives Recht mit Recht zugrunde geht, wenn die Basis wegfällt, welche die Bedingung seiner Existenz ist."

[7] Gustav Ritter von Hugo (1764–1844), Vorgänger von Friedrich Carl von Savigny und damit Stammvater der historischen Rechtsschule, (vgl.: *MEGA*, I/1, S. 191–198), veröffentlichte als Band 3 seines „Lehrbuchs eines civilistischen Cursus" ein „Lehrbuch der Geschichte des Römischen Rechts", dessen 5. Auflage in Berlin 1818 erschien und von Hegel erworben wurde (vgl.: *Hegel/Briefe*, 2/177; 4/1, S. 206). G. Hugo, mehreren Attacken in Hegels „Rechtsphilosophie" (§§ 3, 211) ausgesetzt, rezensierte dieses Buch kurz aber scharf (vgl.: *Hegel/Materialien*, 1/67–71), worauf Hegel (ebenda, S. 72–73) kürzer aber schärfer replizierte.

[8] Vgl.: Cicero: De oratore, Buch 1, Kapitel 44, Von dem Redner Altona 1801, S. 85: Wahrlich alle Sammlungen philosophischer Bücher scheint mir das einzige Büchlein, welches das Zwölftafelgesetz [13]) enthält, sowohl an Gewicht des Ansehens als an Reichhaltigkeit des Nutzens zu übertreffen.

[9] Zu Favorinus, zweites nachchristliches Jahrhundert, vgl.: Diogenes Laertius: Leben und Meinungen berühmter Philosophen, Bd. 2, Berlin 1955 (Register).

[10] Zu Sextus Caecilius Africanus vgl.: Fritz Schulz: Geschichte der römischen Rechtswissenschaft, Weimar 1961, S. 124f.

[11] Vgl.: Aulus Gellius: Attische Nächte (um 175 u. Z.), Bd. 2, Buch 20, Kapitel 1, Abschnitt 22, Leipzig 1876: „Du wirst wohl wissen, daß die Hilfs- und Heilmittel der Gesetze, entsprechend den zeitgenössischen Sitten, den Verfassungstypen, den Gegenwartsbedürfnissen und den abzuhelfenden Übeln umgewandelt werden müssen. Gesetze dürfen nicht starr bleiben, wenn sie nicht durch die Stürme der Ereignisse und des Zufalls so verändert werden sollen wie das Aussehen des Meeres und des Himmels. Was schien heilsamer zu sein als jener Gesetzesvorschlag des Stolo, was vorteilhafter als der Volksbeschluß des Voconius und was nützlicher als das Licinische Gesetz? Und doch sind sie alle in Vergessenheit geraten durch den Wohlstand des Staates."

[12] Vor allem auf Betreiben des Volkstribunen Licinius Stolo wurden 367 v. u. Z. in Rom vermutlich drei Gesetze zugunsten der Plebs angenommen: a) die gezahlten Dahrlehnszinsen wurden auf die Schuld angerechnet, b) kein Bürger durfte mehr

als 500 iugera (1 iugerum = 2523 m²) Gemeindeland besitzen, c) einer der gewählten Konsuln mußte ein Plebejer sein (vgl.: Livius, Römische Geschichte, Bd. 2, Buch 6, Kapitel 35ff., Berlin 1978, S. 56ff.). – Zur lex Voconia (169 v. d. Z.), mit der die testamentarische Erbfolge von Frauen ausgeschlossen wurde, vgl.: Cicero: Über den Staat, Buch 3, Abschnitt 10, in: Cicero: Staatstheoretische Schriften, lateinisch und deutsch, Berlin 1974, S. 138f.).

13 Das Zwölftafelgesetz, eine Zusammenstellung von geltendem Gewohnheitsrecht, der Überlieferung nach 451 v. d. Z. am Forum in Rom auf zwölf Tafeln öffentlich aufgestellt, enthielt auf Tafel drei brutale Regeln der Schuldvollstreckung, auf die Hegel nachfolgend zu sprechen kommt. (Vgl.: Das Zwölftafelgesetz. Texte, Übersetzungen, Erläuterungen. Edition: R. Düll, München 1971 sowie die deutsche Übersetzung in: Römisches Recht. Edition: L. Huchthausen, Berlin 1975, S. 3).

14 W. Shakespeare: Der Kaufmann von Venedig, Erster Aufzug, 3. Szene, in: W. Shakespeare, Dramatische Werke, Bd. 2, Berlin und Weimar 1964, S. 180.

15 So jedenfalls berichtet A. Gellius: Attische Nächte, Bd. 2, Buch 20, Kapitel 1, Abschnitte 41 u. 50), Leipzig 1876, S. 478, 480.

16 Vgl.: G. Hugo: Lehrbuch der Geschichte des Römischen Rechts, Berlin 1818, § 289: „. . . so viel ist ausgemacht, es gibt keine Klasse von Schriftstellern, die im konsequenten Schließen aus Prinzipien so sehr verdienten, den größten Mathematikern, und in der Strenge der Methode dem Schöpfer der Metaphysik an die Seite gesetzt zu werden, als grade die Juristen. Jenes hat jedenfalls Leibniz, ein Mann, der die Mathematik und die Jurisprudenz studiert hatte, behauptet." Vgl.: G. W. Leibniz: Fragmente zur Logik, Berlin 1960, S. 15, 17. Zu Hegels Leibniz-Bild vgl.: *Hegel/Philosophiegeschichte*, 3/374ff. und *Hegel/Logik*, S. 332 („Seichtigkeit").

17 callide – schlau, listig.

18 Vgl.: Anmerkung 6 zu *Hegel/Rechtsphilosophie*, § 180.

19 Vgl.: J. G. Heineccius: Antiquitatum Romanarum iurisprudentiam illustrantium syntagma, 1. Auflage Halle 1719, 19. Auflage 1822 (durch eine Rechtsfiktion des Prätors wurde die Tochter als Sohn im Sinne des Gesetzes behandelt, um ihr ein Erbrecht zu sichern, von dem sie sonst ausgeschlossen gewesen wäre).

Zu § 4

Hegel/Homeyer, S. 241: „Das Prinzip der Freiheit ist das höchste, in dem sich alle Weisen der Existenz als in ihrem Grunde auflösen, indem diese sich immer selbst widersprechen und selbst zerbrechen."

Hegel/Griesheim, S. 99: „Wenn wir so eine Definition vom Menschen geben, so ist er ein Lebendiges, ein selbstbewußtes Lebendiges, mithin denkendes Lebendiges, mithin freies Lebendiges. Die Notwendigkeit der Freiheit muß also für sich als notwendig gezeigt werden und was hinzuzufügen ist, die Freiheit muß sich realisieren, verwirklichen, sich ihre Welt erschaffen, sich ein System der Freiheit erschaffen, sich äußern, sich Dasein geben." S. 109: „Die Freiheit des Willens ist das Prinzip, von dem wir ausgehen, denn das Recht ist nichts anderes, als die Verwirklichung des Willens insofern er frei ist. Das Recht beruht auf Freiheit. Auch *Kant* hat diese Ansicht, setzt jedoch hinzu, daß das Andere sei, daß es im Recht sogleich dazu komme, daß die Freiheit beschränkt werden müsse, so daß Recht eine Beschränkung der Freiheit unmittelbar mit sich führe. Diese Ansicht wird unserer Darstellung entgegen sein. Die Freiheit hat im Recht ihre Verwirklichung, ist nicht darin beschränkt, die Bestimmungen des Rechts sind nicht negativ, beschränkend gegen die Freiheit, sondern das Recht hat ein affirmatives Verhalten zur Freiheit, diese ist im Recht affirmativ, präsent.

Was das Wesen der Freiheit ist, ist näher zu sehen. Es gibt zwar einen natürlichen Willen der frei ist, er ist aber nur formell frei, nicht dem Inhalte nach, nicht seiner Bestimmung nach. Dieser bloß natürliche Willen, diese unsere Freiheit, ist ein Mixtum von Freiheit und Unfreiheit, diese ist zu beschränken. Die Unfreiheit ist es die beschränkt ist und es ist dagegen die Bestimmung der freien Seite, daß die Freiheit ganz verwirklicht wird. Die Freiheit soll wirklich werden durch das Recht, hierzu gehört sowohl das Moralische, als auch das Sittliche überhaupt und alle die sittlichen Sphären die der Staat in sich befaßt. Nicht nur das Recht des Einzelnen als Person soll werden, nicht bloß die Persönlichkeit zum Recht kommen, sondern der Wille nach seiner Wesenheit, seiner Freiheit, soll verwirklicht werden. Der wahrhaft freie Wille soll zu seinem Recht kommen, so haben wir das Recht vor uns, daß die Vernunft insofern sie Wille ist zu ihrer Realisierung kommt."

[1] Vgl.: Das alte Testament: Das erste Buch Mose, Kapitel 2, Vers 23.

[2] Vgl.: Anmerkung 3 zu § 2 dieser Ausgabe von *Hegel/Rechts-*

philosophie; J. G. Fichte: „Die Tatsachen des Bewußtseins" (1817), in: J. G. Fichte: Sämtliche Werke, Bd. 2, Berlin 1845, S. 535, sowie I. Kant: Kritik der praktischen Vernunft, Erstes Buch, Erstes Hauptstück, § 7: „Faktum der Vernunft", Leipzig 1978, S. 42, aber auch Th. Jefferson: Declaration of Independence (of the USA) 1776: "self-evident truths", in: B. Schwartz (ed.): The Bill of Rights. A Documentary History, New York 1971, vol. 1, p. 252.

[3] Vgl.: *Hegel/Enzyklopädie*, §§ 440–482, S. 373ff.

[4] Vgl.: *Hegel/Werke*, 10/229–302, speziell die „Zusätze" zu den §§ 440–482 der „Enzyklopädie".

[5] § 367 der ersten, § 444 der dritten Auflage der „Enzyklopädie" Hegels.

Zu § 5

Hegel/Notizen, S. 115: „Wer sich nicht gedacht hat, ist nicht frei – wer nicht frei ist, hat sich nicht gedacht."

Hegel/Hotho, S. 113: „. . . ein Mensch, der vor dem Feind flieht, ihn negiert, ist nicht frei vor ihm. So ist die Freiheit, durch das was sie negiert, bedingt, ist also nicht unbedingt. Unnegierend *ist* sie nicht, sie ist also nur bedingt. Wenn man also sagt, die Freiheit sei das Schrankenlose, so ist dies eine Negative Ansicht. Der Fanatismus erkennt in allem Dasein eine Schranke, und will diese, um frei zu sein, zerstören, ist also die Freiheit in dieser negativen Form, das Alles Zerstören. Solche Freiheit war eine Zeit der französischen Revolution, wo nur nach der Größe des Vernichtens, die Größe der Freiheit gemessen wurde."

[1] Vgl.: *Hegel/Werke*, 10/190: „Die objektive Bestimmung Brahmans, diese Kategorie des reinen Seins, in welches die indische Vorstellung alles Besondere sich auflösen läßt . . ."

[2] Ausführlicher bei *Hegel/Griesheim* S. 113f.: „Nur indem er etwas zerstört, hat dieser negative Wille das Gefühl seines Daseins, er meint wohl etwa irgend einen positiven Zustand zu wollen z. B. den Zustand allgemeiner Gleichheit oder allgemein religiösen Lebens, aber er will in der Tat nicht die positive Wirklichkeit desselben, denn diese führt sogleich irgend eine Ordnung, eine Besonderung, sowohl von Einrichtungen, als von Individuen herbei, die Besonderung und objektive Bestimmung ist es aber, aus deren Vernichtung dieser negativen Freiheit ihr Selbstbewußtsein hervorgeht. So kann das, was sie zu wollen meint, für sich schon nur eine abstrakte Vorstellung und die Verwirklichung derselben nur die Furie

des Zerstörens sein. Dies zeigt die Geschichte, da soll zustande kommen eine allgemeine Gleichheit, ein allgemein religiöses Leben, da der Zweck aber fanatisch ist, so ist damit verbunden daß er alle bestehende Ordnung aufhebt. So nach der Reformation die Unruhen in Münster, so die französische Revolution, deren Zweck Freiheit und Gleichheit war, das Aufheben alles Unterschiedes.“ (Vgl. auch *Hegel/Phänomenologie,* Die absolute Freiheit und der Schrecken, S. 414–422.)

Zu § 6

Hegel/Griesheim, S. 117f.: „Dieser Inhalt des Willens kann nun weiter als durch die Natur gegeben oder aus dem Begriff des Geistes erzeugt sein. Durch dies Setzen seiner selbst als eines bestimmten tritt Ich in das Dasein überhaupt; das absolute Moment der Endlichkeit oder Besonderung des Ich. Ich habe Triebe, Bedürfnisse, Neigungen diese können der Inhalt meines Willens sein, oder er kann aus dem Begriff des Geistes entstehen, Recht, Sittlichkeit. Was ich will, wozu ich mich bestimme, ist das Meinige, dies tue ich, setze ich, ist nur in mir sofern ich es will. Der Mensch hat Naturtriebe, aber nicht wie das Tier, das wozu der Trieb mich treibt gilt mir nur insofern ich es setzte, will; Ich ist dies Unbestimmte, ich bin zugleich über meine Triebe, und habe zugleich keine Freiheit in der Leidenschaft, da fällt der Trieb ganz außer mir, der Mensch ist außer sich; obgleich es sein Zorn ist, seine Leidenschaft. Bei sich ist der Mensch als Ich für sich, als reines Ich. Der Trieb ist also einerseits Bestimmung der Natur, aber darüber ist das Ich das Unbestimmte, das Beisichsein und das was der Naturtrieb verlangt ist nur das Meinige in dem Sinne, daß Ich es zu dem Seinigen macht, sich darin beschränkt. Der Naturtrieb gilt im freien Menschen nur so weit als Ich selbst beschränkt, er ist zwar eine natürliche Schranke, aber er gilt nur insofern Ich selbst diese Schranke setzt.“

1 Vgl.: J. G. Fichte, Grundlage der gesammten Wissenschaftslehre (1794), Erster Teil, §§ 1 u. 2, in: J. G. Fichte: Sämtliche Werke, Bd. 1, Berlin 1845, S. 91ff.

Zu § 7

1 *Hegel/Notizen,* S. 125: „Einzelnheit, besser: Subjektivität –“.
2 Vgl.: *Hegel/Enzyklopädie,* §§ 163–165, S. 152ff.

Zu § 8

Hegel/Griesheim, S. 123f.: „Auch die Befriedigung im geringfügigsten Tun ist daß ich darin bei mir selbst bin, darin als allgemein bin, so bin ich befriedigt. Friede ist in mir. Mit dem Endilchen hat der Mensch auf dem Standpunkt der Reflexion keinen Frieden, insofern er aber darin bei sich ist, ist darin nichts Feindliches, steht es nicht drüben, hat der Mensch sich in diesem Inhalte. Es ist der Mensch in allem präsent was er tut, und dies ist die Freiheit des Willens."

[1] Vgl.: *Hegel/Enzyklopädie*, S. 355, § 440.

Zu § 10

[1] Handschriftliche Erklärung: „. . . d. i. zum Inhalt und zum Zwecke hat" (*Hegel/Notizen*, S. 132).

Zu § 11

Hegel/Homeyer, S. 245: „Der natürliche Wille oder der Wille in der Sphäre der Begierden, Triebe und Neigungen ist Willkür, insofern er vielerlei innerlich oder äußerlich gegebnes in der Vorstellung vor sich haben, und als einfache Reflexion darüber sich zu einem oder dem andern bestimmen d. i. *wählen* kann. Das gewählte kann er eben so aufgeben, weil es das seinige nur ist durch seine Bestimmung, aber der andre Inhalt, den solcher Wille an die Stelle setzt ist gleichfalls ein beschränkter; er kann daher solchen Inhalt ins unendliche fort aufheben, aber kommt damit für sich aus der Endlichkeit nicht heraus, weil sowohl seine Unbestimmtheit als seine Bestimmtheit endliche Momente sind."

Hegel/Notizen, S. 135: „Ich *finde* mich so und so bestimmt; – *habe* diese Triebe – auch physische Bedürfnisse Essen und Trinken – Muß, Notwendigkeit wie das Tier – ob *sinnliche* Triebe, nur auf Empfindung beruhend, oder geistiger Natur Mitleid – Ehre, Ruhm – *Inhalt der Triebe* und Neigungen kommt nachher als *Pflichten* und *Rechte* vor – *Pflichten für das Subjekt* – Rechte an und für sich – Ihr Inhalt macht sich geltend –"

Hegel/Hotho, S. 128f.: „Das Wahrhafte des Inhalts der Triebe ist das System der Pflichten, aufgefaßt in seiner wahren Stellung im System des Vernünftigen. Der Trieb nimmt nicht auf andre Rücksicht, sondern ist einfache Bestimmtheit, und blind. Diese Bestimmungen sind Momente eines Ganzen, wo auf alle Rücksicht genommen ist, und das ist ihre Wahrheit."

Hegel/Griesheim, S. 128: „Nicht alle Triebe sind vernünftig, aber alle vernünftigen Willensbestimmungen existieren auch als Triebe. Der Wille als natürlicher kann auch unvernünftig sein, teils gegen die Vernunft, teils zufällig. Diese gehen uns aber nichts an, nur die Triebe haben Interesse für uns, die durch vernünftige Entwickelung gesetzt werden. Unvernünftige Triebe, Triebe des Neides, boshafte Triebe haben keinen substantiellen, keinen durch den Begriff bestimmten Inhalt, sie sind zufällig, unvernünftig und als solche gehen sie uns nichts an."

[1] Vgl.: *Hegel/Rechtsphilosophie*, §§ 18f., 150.

Zu § 13

Hegel/Homeyer, S. 248: „Das Ziel des Willens: die Identität desselben mit der Intelligenz herzustellen; das Einseitige der Intelligenz daß sie ihre Bestimmungen als unmittelbar seiende vor sich hat, ihr Inhalt ist immer gegeben; ihr Streben ist ihren Gegenstand, die Welt zu dem ihrigen zu machen. Der Wille aber ist, daß alles durch ihn gesetzt sei. Will nun der Wille sich realisieren so wird er für die Intelligenz vorhanden."

[1] J. W. Goethe: Poetische Werke, Berliner Ausgabe, Bd. 2, Berlin 1966, S. 121: „Wer Großes will, muß sich zusammenraffen;/In der Beschränkung zeigt sich erst der Meister,/Und das Gesetz nur kann uns Freiheit geben."

Zu § 15

Hegel/Griesheim, S. 131: „Willkür ist so Standpunkt der Reflexion, Vermischung von Freiheit und Unfreiheit. Jeder Inhalt ist so unbestimmt, gleichgültig, was ich wähle ist auch unbestimmt, ich bin in der Sphäre der Wahl. Nicht Eines oder das Andere ist notwendig, aber eins muß es sein, wenn ich mich entschließen will, wenn ich wirklicher Willen sein will. Die Willkür ist die Zufälligkeit in der Sphäre des Willens. Was willkürlich ist, ist auch zufällig. In dieser Sphäre ist noch keine Vernunftbestimmung vorhanden, die Vernunft beschließt ebenso frei als notwendig. Das was hier bestimmt sind Bedürfnisse, Begierden, Triebe. Indem ich einen oder den anderen Inhalt vorziehe, kann ich einen guten Grund dafür haben, so scheine ich nicht nach Willkür zu handeln, solcher Grund ist aber selbst nur etwas Beschränktes, Willkürliches, insofern es sich auf meine Reflexion bezieht, das ich gelten lassen kann, wenn ich will. Wenn die Gründe wirklich das Wirksame,

Bewegende wären, so würden die Geistlichen schon mehr wirken durch ihre Gründe, aber es kommt auf die Zuhörer an, ob sie sich wollen bewegen lassen."

[1] Vgl.: *Hegel/Philosophiegeschichte*, 3/399ff.
[2] Vgl.: I. Kant: Metaphysik der Sitten (1797), Leipzig 1945, S. 30: „Nur die Willkür kann also frei genannt werden."

Zu § 17

Hegel/Griesheim, S. 133: „Jeder Trieb verlangt seine Befriedigung, er ist, er gilt, ebenso gut gilt auch ein anderer, es gilt jeder als affirmativ, muß aber als negativ gesetzt werden. Dies ist aber Dialektik. Der Trieb sieht nur auf sich, er ist blind, er geht nur auf sich, hat sein Maß nicht in sich selbst, welchen Trieb ich aufopfern soll, darüber ist in diesem Felde keine Bestimmung, es ist die Willkür die hier bestimmt."

Zu § 18

Hegel/Griesheim, S. 134: „. . . der Trieb ist als solcher ein Einseitiges. Vergleiche ich ihn mit dem Leben, so weiß ich daß wenn ich nur den einen Trieb befriedige, ich zugrunde gehen muß, denn ich bin nicht nur dieser eine Trieb, sondern ein Konvolut von Trieben, von Bedürfnissen. Isoliere ich nun dies Negative, so ist der Trieb nicht wie er sein soll, er ist böse. Beides sind abstrakte Bestimmungen. Der Mensch ist von Natur gut, oder er hat von Natur die Anlage zur Freiheit und Vernunft, dies ist aber keine Wirklichkeit und insofern ist er nicht wie er sein soll. Als von bloßen Trieben beherrscht ist er böse, ist er unfreier Wille. Der Mensch soll nicht so bleiben wie er von Natur ist."

[1] Vgl.: *Hegel/Rechtsphilosophie*, § 139.
[2] Vgl.: Das Alte Testament, Erstes Buch Mose, Kap. 6, Vers 5; Kap. 8, Vers 21; Zweites Buch Mose, Kap. 32, Vers 22.

Zu § 19

Hegel/Hotho, S. 142: „Im Triebe nach Rache z. B. liegt der Trieb nach Gerechtigkeit. Denn die Verletzung fordert Tilgung derselben. Geschieht dies Recht aber durch Rache, so ist in diesem Recht ein subjektiver Inhalt, ein zufälliges, die subjektive Empfindung, die sich rächen will, die das Wirkende ist, es ist nicht das freie Recht, welches als das Tätige auftritt. Die Reinigung der Rache heißt nur, daß sie werden muß zum Willen des Rechts."

[1] Vgl.: *Hegel/Rechtsphilosophie*, § 4.
[2] Vgl.: Ebenda, Anmerkung 3 zu § 2.
[3] Vgl.: Ebenda, § 148.

Zu § 21

Hegel/Hotho, S. 146: „Unter dem Wahrhaften versteht man gewöhnlich, daß etwas Subjektives, meine Vorstellung, übereinstimmt, mit der Wirklichkeit, dem Objektiven. Wir haben hier also zwei Momente. Die Vorstellung also soll mit der Wirklichkeit übereinstimmen. Mit solchem Wahrhaften jedoch hat es die Philosophie nicht zu tun, und man kann sie eher Richtigkeiten als Wahrheiten nennen."

S. 150f.: „Der Sklave wenn er zufrieden ist Sklave zu sein, so denkt er sich nicht, denn die Freiheit ist nicht sein Zweck, er will also seine Allgemeinheit nicht, sondern er will dies oder jenes nicht. Die Griechen haben Sklaven gehabt, d. h. sie sind dahin nicht gekommen, sich als Menschen zu denken, d. h. die Freiheit als das Wesen des Menschen zu wissen. Jeder hat sich als Bürger, als freier Bürger gewußt, und dies war ihnen ihr Wesen, ihr Letztes sie haben sich nicht als an und für sich frei gedacht, sonst hätten sie keine Sklaverei gehabt. Das Denken also ist die Grundlage von Recht und Verfassung überhaupt. –"

[1] Vgl.: *Hegel/Enzyklopädie*, § 112, S. 123.
[2] Vgl.: *Hegel/Rechtsphilosophie*, Anmerkung 3 zu § 2 sowie *Hegel/Phänomenologie*, S. 56: „Indem jener sich auf sein Gefühl, sein inwendiges Orakel beruft, [. . .] tritt er die Wurzel der Humanität mit Füßen. Denn die Natur dieser ist, auf die Übereinkunft mit anderen zu dringen, und ihre Existenz nur in der zustande gebrachten Gemeinsamkeit der Bewußtseine. Das Widermenschliche, das Tierische besteht darin, im Gefühle stehen zu bleiben und nur durch dieses sich mitteilen zu können."

Zu § 22

[1] *Hegel/Notizen*, S. 155: „In diesen Gegensatz fällt die Sklaverei."

Zu § 24

[1] Vgl.: *Hegel/Enzyklopädie*, §§ 169–178, S. 157ff.

Zu § 25

Hegel/Griesheim, S. 144: „Wenn der Mensch willkürlich behandelt wird, nur gehorchen muß, so fühlt er daß er nicht als Subjekt genommen wird, denn dies fordert daß nichts in mir geltend gemacht werde, als was in meinem Selbstbewußtsein ist, was von mir anerkannt ist. Dies ist daß der Mensch für sich Subjekt ist, er soll nicht als Ding als Sache behandelt werden, das Gegenteil davon ist Subjekt, jenes, das Ding, hat Schranken von außen die in ihm gesetzt werden, so ist er nicht als Subjekt. Die reine Subjektivität ist die innerste Wurzel der Gewißheit meiner selbst."

Zu § 28

Hegel/Griesheim, S. 147: „Daß dem Geiste seine Freiheit Gegenstand sei, als das vernünftige System seiner selbst, ist die Entwicklung des subjektiv freien Willens zur objektiven Freiheit so daß diese eine zweite Natur ist, wie im Staate, als natürlich real existierend. Die Gesetze des Staats sind zunächst dem Subjekte Naturmächte und Naturgesetze, denen es gehorchen muß, es kommt nur darauf an ob es sich hiermit begnügt, oder ob es die Ordnung einsehen, erkennen, sich darin fügen will. Die Freiheit soll ihm Gegenstand sein, um für sich als Idee zu sein, was der Wille an sich ist. Indem so der Gegenstand die Entwickelung seines eigenen Begriffs ist, ist er ihm dann nicht mehr Gegenstand. Seine subjektive Freiheit ist aber auch für ihn, aus demselben Grunde. Es ist also diese Verbindung der Subjektivität und Objektivität das was wir Idee nennen. Es ist Subjektivität und Objektivität beide in ihrer unendlichen Bedeutung, in ihrer an sich seienden Einheit die hier zum Bewußtsein gebracht werden."

S. 148: „Der Verbrecher z. B. wird nach Gesetzen gestraft, nach objektiven Gesetzen, er muß aber auch selbst anerkennen daß er die Strafe verdient hat, daß er sich selbst verdammt habe. Daß dies nicht unter allen Umständen nötig ist, gehört in eine höhere Sphäre des Rechts. Die rechtlich sittliche Welt und die Naturordnung zwingt auch das Subjekt als Naturmacht und besteht für sich. So selbständig muß sie bestehen, aber zu dieser

Freiheit in sich muß auch das Subjekt kommen und dann geht erst die Einheit hervor, die die Idee ist, ein Vermitteltes das sich die Momente seiner selbst vorausgesetzt hat."

Zu § 29

Hegel/Notizen, S. 167: „*Recht* erscheint in der nächsten Vorstellung als *Möglichkeit* zu tun oder auch nicht – Ich tue nichts unrechtes wenn ich mein Recht nicht *geltend* mache nur nicht verletzen das Recht des andern – Höhere konkrete Bestimmungen sind nicht nur Rechte, auch Pflichten –"

Hegel/Griesheim, S. 149: „Das Recht gründet sich auf Freiheit, diese muß Idee sein, muß Dasein haben. Realität und diese ist was das Recht ist. Recht hat auch oft die Bedeutung, eine *linea recta*, etwas anderem einer Regel angemessen zu sein, hier ist jedoch Recht das Dasein des freien Willens. Er muß sich realisieren, gibt sich eine Gegenständlichkeit die er selbst ist, der freie Wille ist jedoch hier noch in der formellen Weise daß der Begriff mit seiner Gegenständlichkeit identisch ist, wenn der freie Wille sich zum Inhalt hat sind beide identisch. Ich bin einerseits, die andere Seite ist die Gegenständlichkeit, der freie Wille der für mich ist, muß daher die Weise der Gegenständlichkeit haben, des Daseins, die aber wieder keinen anderen Inhalt hat als den freien Willen."

[1] Vgl.: I. Kant: Metaphysik der Sitten, Einleitung in die Rechtslehre, § C, Leipzig 1945, S. 35: „Handle äußerlich so, daß der freie Gebrauch deiner Willkür mit der Freiheit von jedermann nach einem allgemeinen Gesetze zusammen bestehen könne."

[2] Vgl.: J.-J. Rousseau, Der Gesellschaftsvertrag (1762), Buch 1, Kapitel 6, Leipzig 1978, S. 49, sowie: *Hegel/Rechtsphilosophie*, § 258.

[3] Vermutlich Anspielung auf die französische Revolution.

[4] Ergänzung in *Hegel/Griesheim*, S. 150: „Ferner liegt darin daß ich meine Willkür beschränken müsse nach den Anderen, dies ist richtig, aber daß so auch meine Freiheit beschränkt werden soll nach der Freiheit anderer ist falsch, denn die Freiheit ist nicht zu beschränken, soll nicht beschränkt werden, soll ausgeführt werden, ist absolut. Die Freiheit beschränken wäre auf allgemeine Weise unrecht, denn es wäre ihr ein Dasein nicht geben, oder nehmen. Gegen die Freiheit hat nichts eine Beachtung, sie ist das Allgemeine was zum affirmativen Dasein kommen soll, nichts ist ihr Schranke, ihr Negation."

Zu § 30

Hegel/Griesheim, S. 156: „Auf der Welt ist nichts höher als das Recht, die Grundlage desselben ist das göttliche Beisichselbstsein, die Freiheit, das was ist, ist die verwirklichte Existenz des Göttlichen, das Selbstbewußtsein des Geistes bei sich, dies Dasein ist göttlich, ist das heiligste. Aber so heilig es ist, so ist es doch mannigfaltiger Art, es besondert sich und es tritt ein Rang darin ein." S. 157: „So z. B. ist die Natur, das Recht des Eigentums ein hohes Recht, ist heilig, dabei aber auch sehr untergeordnet, es kann verletzt werden und muß es werden. Der Staat fordert Abgaben, dies ist eine Forderung daß jeder etwas von seinem Eigentum gebe, der Staat spricht so den Bürgern einen Teil ihres Eigentums ab, er nimmt sogar das Leben der Bürger in Anspruch, das die ganze Seite der Existenz umfaßt, das Recht des Lebens ist heilig, und doch muß man es aufgeben. Man kann sich nicht auf diese Heiligkeit berufen, obgleich es genug empfindsame Dichter und Raisonneurs gegeben hat, die behaupten, der Krieg sei etwas Abscheuliches, weil Leben und Eigentum darin gefährdet werden. [. . .] Das Recht ist heilig, aber andererseits auch *Dasein* der Freiheit, als Besonderheit etwas was untergeordnet werden muß. Der Staat ist diese Unterordnung des Rechts, der Rechte unter einander, eine Unterordnung die selbst rechtlich ist. Abgaben sind deswegen keine Verletzung des Eigentumsrechts, so daß der Anspruch etwas Unrechtes wäre. Das Recht des Staates ist etwas Höheres als das Recht des Einzelnen auf sein Eigentum und auf die Person. Aber selbst das Recht des Staats ist nicht das höchste, über dem Recht des Staats steht das Recht des Weltgeistes, dies ist das unbeschränkte, heilige, das heiligste."

Zu § 31

1 Vgl.: *Hegel/Enzyklopädie*, S. 103, § 81: „Oft ist die Dialektik auch weiter nichts als ein subjektives Schaukelsystem von hin- und herübergehendem Räsonnement, wo der Gehalt fehlt und die Blöße durch solchen Scharfsinn bedeckt wird, der solches Räsonnement erzeugt."

2 Vgl.: *Hegel/Philosophiegeschichte*, 2/63ff.

Zu § 33

1 *Hegel/Notizen*, S. 180: „d. i. andere Subjekte".

2 Vgl.: *Hegel/Logik*, 1/51ff.

3 Vgl.: *Hegel/Rechtsphilosophie*, § 182.

Zu § 35

Hegel/Griesheim, S. 172f.: „Als Person bin ich frei und zugleich dieser und ungeachtet ich dieser Einzelne bin, in dieser Zeit, in diesem Raum, abhängig, Zufälligkeiten unterworfen, so bin ich doch frei für mich, dies beides enthält die Person. Der Mensch ist bedürftig, arm, abhängig, aber dies hindert ihn nicht das unendliche Selbstbewußtsein seiner Freiheit, seines Beisichseins zu haben, ungeachtet dessen fordere ich als Freier respektiert zu werden. Was gegenständlich in der Persönlichkeit ist, daß ich als dieser Einzelne, Empirische frei bin, mir allgemein bin, mich denke. Dies ist die Verkettung der absoluten Extreme, die nur im Geist ist. Der Geist ist dies Ungeheure, was der sogenannte gesunde Menschenverstand verrückt nennt, das die so ganz Entgegengesetzten zusammenbindet und so groß ist die Kraft des Geistes. Ich bin kraftloser, vergänglicher als jeder Stein und doch bin ich mir in dieser Schwäche Gegenstand als unendlich Freies."

[1] Vgl.: *Hegel/Phänomenologie*, S. 133ff. und: *Hegel/Enzyklopädie*, § 424.

Zu § 36

Hegel/Griesheim, S. 173f.: „Wer nicht Person ist hat kein Recht, denn nur die Freiheit hat absolutes Dasein. Das Tier hat auch Dasein, aber dies ist nicht zu respektieren, weil es nicht das Dasein eines Freien ist. Zu *Kants* Zeiten hat man viel von einem obersten Grundsatz in dem Rechte gesprochen, daher ist das Rechtsgebot hierher gesetzt. Als Person hast Du Dasein, Sein für Anderes, du bist frei für dich, du bist, du sollst sein als Freier, als Person für dich, und jeder soll dies sein."

G. W. F. Hegel: Einleitung in die Geschichte der Philosophie, Berlin 1966, S. 234: „Ich bin nur insofern frei, als ich die Freiheit Anderer setze und durch Andere als frei anerkannt bin. Reale Freiheit setzt viele Freie voraus."

[1] Anspielung auch auf I. Kant: Grundlegung zur Metaphysik der Sitten (1785), Zweiter Abschnitt, Leipzig 1947, S. 54: „Handle so, daß Du die Menschheit sowohl in Deiner Person als in der Person eines jeden andern jederzeit zugleich als Zweck, niemals bloß als Mittel brauchst."

Vgl. aber *Hegel/Phänomenologie*, S. 342: „Das Allgemeine in die Atome der absolut vielen Individuen zersplittert, dieser gestorbene Geist ist eine *Gleichheit*, worin *Alle* als *Jede*, als *Personen* gelten."

Zu § 37

Hegel/Griesheim, S. 174: „Wenn ich Eigentum habe, so habe ich das Interesse dabei meine Bedürfnisse zu befriedigen, dies ist die eine Seite, aber nicht die Sache worauf es ankommt, denn im Recht kommt es nur auf die Freiheit als solche an."

Zu § 38

[1] Vgl.: *Hegel/Griesheim*, S. 176: „Ich soll das Eigentum des Anderen respektieren, darin liegt nur ein Verbot. Ich bin im Recht als einzelne Person für mich, ich soll den Anderen auch in seiner Einzelnheit lassen, nicht berühren, nicht stören und er mich ebenso. Die Grundbestimmung ist das gegenseitige Ausschließen, das Lassen des Anderen wie er ist. Das Eigentum des Anderen respektieren, ist zwar ein positiver, affirmativer Ausdruck, eigentlich ist es aber nur ein negatives Verhalten zum Andern."

Zu § 39

Hegel/Hotho, S. 197: „Die Philosophie soll dem Menschen Bewußtsein geben dessen was er ist."

Zu § 40

[1] Vgl.: *MEGA*, II/1, S. 37: „Hegel fängt die Rechtsphilosophie richtig mit dem Besitz an, als der einfachsten rechtlichen Beziehung des Subjekts. Es existiert aber kein Besitz vor der Familie oder Herrschafts- und Knechtsverhältnissen, die viel konkretere Verhältnisse sind. Dagegen wäre es richtig zu sagen, daß Familien, Stammesganze existieren, die nur noch *besitzen*, nicht *Eigentum* haben. Die einfachere Kategorie erscheint also als Verhältnis einfacherer Familien- oder Stammgenossenschaften im Verhältnis zum Eigentum. In der höhern Gesellschaft erscheint sie als das einfachere Verhältnis einer entwickelten Organisation. Das konkretere Substrat, dessen Beziehung der Besitz ist, ist aber immer vorausgesetzt. Man kann sich einen einzelnen Wilden besitzend vorstellen. Dann ist aber der Besitz kein Rechtsverhältnis. Es ist unrichtig, daß der Besitz sich historisch zur Familie entwickelt. Er unterstellt vielmehr immer diese „concretere Rechtscategorie"."

[2] Die Digesten (Buch 1, Titel 5, Fragment 1) des Corpus Juris Civilis teilen unter Hinweis auf die Institutionen des Gaius

(Buch 1, Kapitel 8: omne autem ius, quo utimur, vel ad personas pertinet, vel ad res, vel ad actiones) den gesamten Rechtsstoff in Personen-, Sachen- und Klagerecht ein (Gaius, Institutionum Commentarii quattuor, Berlin 1820, S. 4).

3 Vgl.: I. Kant: Metaphysik der Sitten, Der Rechtslehre Erster Teil, 2. Hauptstück, Leipzig 1945, S. 71, 83, 90.

4 I. G. Heineccius: Elementa iuris civilis, 1. Auflage Amsterdam 1725; vgl. auch L. I. Höpfner: Theoretisch- practischer Commentar über die Heineccischen Institutionen, 8. Auflage, Frankfurt/M. 1818, S. 66ff.

5 Vgl.: I. Kant, Metaphysik der Sitten, a. a. O., S. 90ff.

6 Vgl.: *Hegel/Rechtsphilosophie*, § 167.

7 Vgl.: I. Kant, Metaphysik der Sitten, a. a. O., S. 83ff.

Zu § 41

1 Vgl.: *Hegel/Enzyklopädie*, S. 392, § 490: „In dem Eigentum ist die Person mit sich selbst zusammengeschlossen."

Zu § 43

1 Vgl.: *Hegel/Rechtsphilosophie*, § 65.

Zu § 44

Hegel/Homeyer, S. 258: „Die Besitzergreifung macht die *Materie* der Sache zu der meinigen, da die Materie für sich nicht ihr eigen ist. Die Besitznahme ist teils die unmittelbare körperliche Ergreifung, teils die Formierung, teils die bloße Bezeichnung der Sache."

1 Anspielung auf I. Kant: Kritik der reinen Vernunft (1781), Leipzig 1979, S. 113, 285 (A 42, A 190); I. Kant: Prolegomena zu einer jeden künftigen Metaphysik, die als Wissenschaft wird auftreten können (1783), § 13 II, Leipzig 1979, S. 41. Vgl. auch *Hegel/Enzyklopädie*, §§ 44, 125ff. sowie *Hegel/Logik*, 2/105ff.

Zu § 45

Hegel/Griesheim, S. 187: „Die Bedürfnisse eines Sklaven werden in seinem Herrn befriedigt, mancher Sklave hat es so besser wie bei uns der freie Bauer, und man hat oft Beispiele daß Individuen sich ausgebeten haben Leibeigene zu sein, denn da ist der Kreis ihrer Bedürfnisse befriedigt. Dies ist der notwendige Inhalt des höheren Interesses, der mit dieser Befriedigung nicht aufgegeben werden darf, daß der Besitz zugleich mein Eigentum sei, so die Befriedigung ausmache.

Der Besitz ist so nicht der letzte Zweck, sondern der Zweck frei zu sein ist der wesentliche und dieser ist nur im Eigentum. Mein Besitz dient zur Befriedigung meiner Bedürfnisse, dieser Besitz soll Eigentum sein es ist immer die Verbindung dieser beiden Seiten. Es ist dem Menschen um das Recht zu tun, aber nicht allein, eben so wenig ist es nur um die Befriedigung zu tun, im Staat ist die Harmonie beider Seiten."

Zu § 46

[1] Die Lex Thoria, das Agrargesetz vom Jahre 111 v. u. Z. (in: Geschichte der alten Welt. Chrestomathie, Bd. 3, ed.: W. Struwe, Berlin 1957, S. 144ff.) annulierte endgültig die Sozialgesetzgebung der Gracchen und sicherte uneingeschränktes Eigentum an Grund und Boden.

[2] Randbemerkung in *Hegel/Notizen*, S. 217: „Familien Fideikommisse Vormundschaft ins Ewige". Das zu Hegels Zeiten gültige Allgemeine Landrecht für die Preußischen Staaten von 1794 definierte im Teil 2, Titel 4, Abschnitt 2, § 23: „Wenn aber jemand verordnet, daß ein gewisses Grundstück oder Capital, entweder für beständig oder doch durch mehrere Geschlechtsfolgen, bei einer Familie verbleiben solle, so wird solches ein Familien-Fideikommiß genannt."

[3] Vgl.: *Hegel/Griesheim*, S. 192f.: „Es ist z. B. in allen protestantischen Ländern der Fall, daß früher die katholische Kirche viel Eigentum besessen hat. Der Wille der Schenker war, daß es zum katholischen Gottesdienst verwendet würde, die Altäre zu schmücken, die Geistlichen zu unterhalten, Messen zu lesen, Lichter zu brennen pp. Dieser Zweck kann sich verändern, es kann eine Gemeinde, ein Reich, ein Staat seine Religion ändern, so ist der Zweck der moralischen Person geändert, so existiert sie nicht mehr in ihrer vorigen Bestimmtheit und das Eigentum leidet eine Veränderung. Die Größe des Eigentums kann verändert werden nach dem anders bestimmten Zweck. Die katholische Kirche hat behauptet, die Kirche sei etwas unteilbares und das Eigentum bleibe daher Eigentum der noch übrigen Kirche, sei nicht Eigentum der Gemeinde. Aber die Kirche ist wesentlich präsent, lebendig in den Gliedern der Gemeinde und ihre Güter sind so Güter für die Kirche dieser Provinz, insofern sie eine Gemeinde ist. Dies ist ein Gesichtspunkt worauf viel ankommt. In Deutschland hat sich dies durch die Form der Gewalt, des Kriegesrecht, der Friedensschlüsse auf

äußerliche Weise bestimmt. In England dagegen ist dies besonders wichtig, indem der größte Teil, des Eigentums der katholischen Kirche, der englischen Kirche geblieben ist und so angesehen wird, wie Privateigentum über das der Staat keine Kontrolle, keine Disposition habe. Die Kirche ist hier ebenso im Besitz wie jeder Privatmann.

Da erscheinen dann Unangemessenheiten, noch mehr aber ist dies in Irland der Fall. Irland war im Ganzen katholisch, durch die Eroberung durch den König Wilhelm 1688, wurde hier die katholische Kirche im allgemeinen ihres Eigentums beraubt, welches der englisch bischöflichen Kirche als Eigentum übergeben wurde, ohne daß die Irländer ihre Religion veränderten. Seit mehreren Jahren finden in Irland innere Unruhen statt, und seitdem man eingesehen hat, daß diese Unruhen mit der Armut und dem Mangel an Erziehung des Volks zusammenhängen, hat man Vorschläge gemacht den Reichtum der Kirche zur Erziehung der Einwohner zu verwenden. Alle Katholiken müssen den Zehnten den evangelischen Pfarrern zahlen. Der Zehnte ist zur Erhaltung der lebendigen Kirche bebestimmt, d. h. der Kirche der der Geber angehört, ist dies nicht, so widerstrebt es dem Manne.

Alle Jahre hat man im Parlament Versuche gemacht, diese Reichtümer zur Erziehung der Jugend und zur Erhaltung der kirchlichen Gebäude, selbst derer in denen englischer Gottesdienst gehalten wird. Alle Versuche waren fruchtlos. Es gibt so Bischöfe die 10–12000 Pfund Sterling Einkünfte haben, und insofern diese aus den Zehnten entspringen und zur Erhaltung des Bischofs bestimmt sind, kann es sein daß seine Kathedrale zusammenfällt, weil kein Fond vorhanden ist, um die Kirche zu reparieren, und das Parlament soll dann hierzu Geld bewilligen. Die Türken haben es mit den Griechen nicht so arg gemacht, wie die Engländer in Irland, sie haben den Griechen doch ihre Kirchen gelassen und nichts verlangt ihre eigenen Moscheen zu erhalten. Die Irländer müssen die englischen Kirchen erhalten und ihre eigenen ebenfalls. Cromwell hatte es zwar noch toller gemacht, indem er die ganze Bevölkerung von Irland in ein Viertel des Landes zusammendrängte, und Dreiviertel verschenkte und verteilte, dieser früchterliche Zustand ist nachher zurückgenommen, so arg ist es nicht geblieben. Der Hauptgesichtspunkt der immer behauptet wird ist der, daß das Gut der englischen Kirche Privateigentum sei, so daß der König, das Parlament nichts darüber bestimmen kann. Hier wird die Kirche als moralische Person angesehen und ist sogar beschränkt auf die Person des Geistlichen einer anderen

Religion als die haben die die Zahlungen leisten müssen. Das Unangemessene solcher Einnahmen und des Zwecks springt in die Augen, aber man beharrt auf dem abstrakten Begriff des Privateigentums. Es ist aber nur ein Privateigentum geworden durch einen alten Akt des Parlaments. Die Beurteilung hängt davon ab, daß die moralische Person nur durch den Zweck Person ist, von dem Zweck hängt daher das Eigentum ab und ist so unterschieden von dem Eigentum einer Privatperson."

4 Vgl.: *Hegel/Griesheim*, S. 188: „Man hat die Vorstellung von Gemeinschaft der Güter, daß dies vorteilhaft wäre, und es erscheint sogar als sittlicher wie diese Sprödigkeit, Starrheit des Privateigentums, wo jeder für sich Eigentum haben will. Im Platonischen Staate ist dies vorgestellt. Es ist darin vom Sittlichen ausgegangen: die Sittlichkeit ist das Bewußtsein der Einigkeit, der Wesentlichkeit, der Geistigkeit, diese ist an und für sich allgemein, im Sinn der Einigkeit handeln ist sittlich. Diesem Sittlichen erscheint widersprechend dies Fürsichsein, diese Nichteinigkeit, die das Prinzip der Person ist, denn als Person bin ich schlechthin für mich. Ich setze mich als Person als starre Undurchdringlichkeit, ohne Breite jeder Art, als dies Spitzeste. Gegen dies Isolieren ist die Sittlichkeit das andere Prinzip, welches nach der Natur des Geistes auf Einigkeit, Zerschmelzen, Auflösen dieser Sprödigkeit dringt.

Dies ist es im Allgemeinen warum Plato, indem er die Sittlichkeit zum Prinzip machte, das Prinzip der Einigkeit erhielt und das Privateigentum aufhob. Nach dieser Seite ist das Privateigentum als unsittlich erscheinend, und man kann dies nach der Seite der Folgen noch weiter ausführen. In einem weitläufigen schauderhaften Gemälde kann man die ungeheuren Folgen, das grenzenlose Unglück ausführen, welches aus dieser Festigkeit des Eigentums entstanden ist. Durch die Trennung des Eigentums, kann man sagen, kamen alle diese Leidenschaften, dieser Haß, Neid, dieser Streit, Hader, diese Not in die Welt, was muß der Mensch von dieser seiner Höhe der Vernunft herab sich Mühe geben, arbeiten, sich mit den geringsten Dingen beschäftigen, um seine Bedürfnisse zu befriedigen pp. Hierbei kommt es denn immer darauf an, daß das Sittliche diese Einigkeit ist und die Person ihr gegenüber steht. Späterhin haben wir selbst das Sittliche als das Höhere zu erkennen und dort diese Trennung zu betrachten, daß die sittliche Einigkeit selbst vorgeht nach dieser Spitze der Persönlichkeit. Es ist eben die Aufgabe auf dem sittlichen Standpunkt der Unterschiede so weit zu kommen bis zur Persönlichkeit und zum Eigentum. *Plato* ist nicht so weit gegangen, er ist nur bei der Sittlichkeit in ihrer Einigkeit stehen geblieben, ohne in der Verwirklichung bis zur Person fortzugehen. Wir sind nicht vom Sittlichen ausgegangen, sondern vom Begriff der Freiheit, wir haben die Freiheit als unmittelbar als Person betrachtet und als solche besitzt sie sogleich Eigentum, denn das Dasein der Person ist das Eigentum." Vgl.: Platon: Der Staat (462 St), Leipzig 1978, S. 232 sowie Platon: Gesetze (5/739 St), Leipzig 1945, S. 161.

5 Vgl.: Diogenes Laertius: Leben und Meinungen berühmter Philosophen, Bd. 2, Buch 10, Abschnitt 11, Berlin 1955, S. 228.

Zu § 47

1 Vgl.: *Hegel/Enzyklopädie*, §§ 213, 216, 336, 366, 376, 388.

Zu § 48

1 Erläuterung bei *Hegel/Griesheim*, S. 196: „Man hat in dieser Rücksicht einen Unterschied gesetzt der hier näher zu betrachten ist. *Fichte* und *Rehberg* haben zur Zeit der Revolution Schriften herausgegeben, die sich mit abstrakten, allgemeinen Fragen beschäftigen die in die Rechtsphilosophie gehören. Auch andere haben dergleichen geschrieben um die französische Revolution zu widerlegen. Mit kurzen Worten machen sie diesen Unterschied, daß wenn man einem Menschen 100 Prügel gibt man nur seinen Körper schlägt, nicht seinen Geist, so daß seine Seele frei bleibt. Sklaverei sei nichts Unwahres, die Freiheit des Leibeigenen, Sklaven habe nur ihren Sitz im Geist. [...]

Zur Idee gehört unmittelbar Begriff und Dasein, Seele und Leiblichkeit, zu der der unmittelbare Körper gehört. Die philosophische Einsicht zeigt daß das Wahrhafte die Idee ist. Der Geist nur als Geist ist eine leere Vorstellung, er muß Realität, Dasein haben, muß sich objektiv, gegenständlich sein. Für den Anderen bin ich in meinem Körper, ich als Freies in den von mir in Besitz genommenen Dingen. Frei für den Anderen bin ich nur im Dasein, Dasein ist zugleich Sein für Anderes, in dieser Objektivität in der ich ein Gegenstand bin, bin ich zugleich für Anderes. Meine Freiheit kann also nur beeinträchtigt werden in meinem Dasein, und wird dies real insofern das Dasein meiner Freiheit angegriffen wird. Man kann so nicht sagen ich greife nur das Dasein an, nicht die Freiheit."

2 Vgl.: *Hegel/Logik*, 1/104ff. (1. Auflage, Nürnberg 1812, Bd. 1, S. 49ff.).

Zu § 49

[1] Randbemerkung in *Hegel/Notizen,* S. 225: „Legitimität – Gleichheit in dem unendlichen – nicht im Endlichen – ungeheurer Unterschied – Sieg der rechtlichen – bürgerlichen Gesellschaft –".

[2] Vgl.: *Hegel/Rechtsphilosophie,* §§ 236, 240.

[3] Ergänzung in *Hegel/Griesheim,* S. 198: „Wenn man sagt, das Eigentum soll gleich sein, so kann man die Törichtheit leicht in Ansehung der Folgen aufzeigen. Wenn alles, was Besitz ist richtig angeschlagen und gleich geteilt wird, so ist schon in einer Viertelstunde alles wieder anders, und zwar aus dem Grunde, weil man da Gleiches an Individuen geteilt hat die besondere sind, die gegen einander wieder verschieden sind, die ungleich sind, Gleiches wird daher an Ungleiche gegeben. Solchen verschiedenen Gleiches gegeben, wird sogleich die Folge haben, daß das äußerlich Gleiche wieder ungleich wird."

Zu § 50

[1] Die vom Römischen Recht (Institutionen des Gaius, Buch 2, Kapitel 66) entwickelte Regel res nullius occupanti cedit, die das Aneignungsrecht des jeweils ersten Okkupanten legitimiert, galt zu Hegels Zeiten (vgl.: F. Mackeldey: Lehrbuch des heutigen Römischen Rechts, Bd. 2, Gießen 1823, S. 77). Sie scheint so wenig selbstverständlich zu sein, daß sie auch heute noch die Zivilgesetzbücher ziert.

Zu § 52

[1] Vgl.: J. G. Fichte: Grundlage des Naturrechts nach den Prinzipien der Wissenschaftslehre (1797), Zweiter Teil, § 19 A, in: J. G. Fichte: Sämtliche Werke, Bd. 3, Berlin 1845, S. 217–219. – Fichte freilich verfolgt mit seiner Behauptung, der Grund und Boden unterliege, als Substanz, überhaupt keinem Eigentumsrecht, sondern nur die Produkte des Bauern seien sein absolutes Eigentum, revolutionär-demokratische Ziele im Interesse eben dieser Bauern.

Zu § 55

[1] Das zu Hegels Zeiten geltende römische Recht (schon bei Gaius: Institutionen, Buch 2, Kapitel 66–79) unterschied, wie auch das Allgemeine Landrecht Preußens (1. Teil, 9. Titel),

als Eigentumserwerbsarten die Okkupation von den Accessionen. Zu den natürlichen Accessionen zählte u. a. die Grundstücksvergrößerung durch unmerkliche Anschwemmung (Alluvion).

2 Foetura: betrifft den Eigentumserwerb an den Früchten einer Sache (z. B. Feldfrüchte, die Jungen von Tieren, die Kinder von Sklavinnen) durch deren Eigentümer. Hegel dürfte seine Kenntnisse von occupatio accessio. alluvio usw. aus J. C. Heineccius (Elementa iuris civillis) bezogen haben, der auch erörtert, ob die foetura unter die accessiones naturales zu klassifizieren ist.

Zu § 57

Hegel/Homeyer, S. 259f.: „Durch die Ausbildung seines eigenen Körpers und Geistes, wesentlich aber dadurch, daß das Selbstbewußtsein sich als Freies erfaßt, nimmt der Mensch sich in Besitz und wird das Eigentum seiner selbst und gegen andre. Aber diese Formierung mit Allem, was zu ihr gerechnet werden kann, insofern sie durch andere geschieht macht ihn nicht zum Eigentum des andern, sondern hat vielmehr die Bestimmung ihn als freie Person zu erhalten und dazu zu machen. Durch die christliche Religion ist die Freiheit des Menschen ausgesprochen; daß das Göttliche und Menschliche eins sei: Gott sich zum Menschen gemacht hat."

Hegel/Notizen, S. 241: „Sklaverei ist etwas Geschichtliches – d. h. sie fällt, gehört *in einen Zustand vor dem Rechte* – ist relativ – der ganze Zustand soll nicht sein, ist nicht ein Zustand des absoluten Rechts – aber innerhalb eines solchen Zustands notwendig rechtlich d. h. dasjenige Selbstbewußtsein der Freiheit, das auf einer solchen Stufe ist, hat sein Dasein".

S. 243: „... kein Herr kein Sklave – ebenso aber kein Sklave kein Herr – Es kann nicht [von] Schuld dieses oder jenes Individuums – dieser oder jener die Rede sein, daß sie Sklaven sind – aber Aller, des Ganzen – Oft in Westindien haben sich die Neger empört, auf den Inseln noch itzt liest man alle Jahre und öfters im Jahr von Verschwörung – aber sie werden Opfer des allgemeinen Zustands – doch können sie als frei sterben, – der Zustand des Einzelnen bedingt durch das Allgemeine – Verschwörung selbst ein Beweis von bloßer partieller Gesinnung – Ebenso kann nicht von der Schuld dieses oder jenes die Rede sein, daß sie Herren sind – Wovon die Änderung des allgemeinen Zustands abhängt –"

Hegel/Hotho, S. 225f.: „Der Mensch muß seinen Körper wie seinen Geist formieren, sich frei wollen und wissen; dies ist ein sich Machen zu dem, was der Mensch seinem Begriff nach ist. Es ist also zu unterscheiden was der Mensch an sich ist, und was er durch das Formieren geworden ist. Der Mensch ist frei an sich, dies muß aber formiert werden, damit der Mensch für sich frei sei, denn dann ist er erst was er sein soll, und ist wert frei zu sein.“

[1] Gegen Heineccius und die historische Rechtsschule gerichtet, die bei der Untersuchung, ob die Sklaverei Rechtens sein kann, das Resultat schon dadurch für gegeben ansahen, weil sie jahrtausendelang gesetzlich verordnet war und überdies die besten Menschen, z. B. Sokrates, Plato und Christus, an ihr keinen Anstoß genommen hätten. (Vgl.: G. Hugo: Lehrbuch eines civilistischen Cursus, Bd. 2, Berlin 1809, S. 153f.).

[2] Aus der These Kants, daß die Kinder von Sklaven jederzeit frei seien (Metaphysik der Sitten, § 30), ergibt sich seine Auffassung vom absoluten Unrecht der Sklaverei.

[3] Vgl.: *Hegel/Phänomenologie*, S. 141–150 und *Hegel/Enzyklopädie* §§ 430ff. (Es ist ein „Kampf auf Leben und Tod“.)

Zu § 60

[1] Ergänzung bei *Hegel/Hotho*, S. 230: „Wenn Nomadenvölker einen Boden zur Weide benutzen; nehmen sie zunächst dies Gras in Besitz, und dies hat das nähere Zeichen, daß dieser Boden solle der Ihrige sein, und daß Andre jetzt und künftig sollen ausgeschlossen vom Gebrauch sein. Die Benutzung dieses Bodens ist das Zeichen, daß nicht das unmittelbare Eigentum solle das Ihrige sein, sondern der ganze Boden mit seiner künftig möglichen Besitznahme.“ Sowie *Hegel/Griesheim*, S. 215: „Bei Gegenständen von anderer Beschaffenheit, bei organischen, elementarischen Gegenständen, ersetzt sich dies wieder was abgebraucht ist. Die Früchte eines Baumes genieße ich, sie wachsen wieder, Pferde werden müde, sie kommen wieder zu Kräften, Tiere schlachte ich, aber ich bleibe Eigentümer der ganzen Familie und der Abgang ersetzt sich. Ich verderbe einzeln die Luft, sie wird durch ihren eigenen Prozeß wieder respirable, der Strom den ich ableite, die Wiese die ich abmähe ersetzen sich. Da ist immer ein Teil zugrunde gehend, aber die Grundlage erhält sich mehr oder weniger.“

Zu § 62

1 Ergänzung bei *Hegel/Hotho*, S. 233: „Dies ist die Bestimmung, die dem Verhältnis widerspricht wie es im Feudalsystem sich findet. Ich soll den vollen Gebrauch der Sache haben, und doch nicht Eigentümer sein. Dies heißt meist nichts als daß der Andre ein leeres reines *dominium* habe, eine inhaltslose Herrenschaft."

2 Vgl.: Corpus Juris Civilis, vol. 1, Institutiones (Buch 2, Kapitel 4), Berlin 1895, S. 13: „Nießbrauch, usus fructus, ist das Recht auf Gebrauch und Fruchtgenuß einer fremden Sache unter Wahrung ihrer Substanz . . . Damit das Eigentum durch die ständige Trennung vom Nießbrauch nicht gänzlich nutzlos wird, wurde festgelegt, daß der Nießbrauch unter bestimmten Umständen erlischt und zum Eigentum zurückkehrt."

3 Placuit – man beschloß.

4 Ein Eigentum ständig getrennt vom Nießbrauch wäre nicht nur unnütz, sondern kein Eigentum mehr.

5 Die historische Delikatesse der Einteilung aller Vermögensbestandteile in res mancipi und res nec mancipi gehört dem altrömischen Recht an (Gaius, Institutiones, Buch 2, Kapitel 15ff.) ist also dem Corpus Juris Civilis fremd und folglich nicht Bestandteil des in Deutschland rezipierten, zu Hegels Zeiten geltenden römischen Rechts. Zu den res mancipi, den manzipierbaren Sachen, zählten: italischer Grund und Boden, Sklaven, Zug- und Lasttiere. Ihre Veräußerung war erschwert und an Ausländer rechtsungültig. – Die Unterscheidung zwischen dominium ex iure Quiritium und dominium Bonitarium, zwischen quiritischem und bonitarischem Eigentum (Gaius, Institutiones, Buch 2, Kapitel 40) wurde ebenfalls nicht vom Corpus Juris übernommen. Das quiritische Eigentum war die höchste Stufe des Eigentums und stand nur dem römischen Bürger zu; bonitarisches Eigentum konnte formloser übertragen werden.

6 Durch den emphyteutischen Vertrag überträgt der Eigentümer das Recht und die Pflicht zur vollständigen Benutzung eines Grundstückes gegen Zahlung eines Erbzinses auf einen Nutzungsberechtigten. Die Emphyteusis war ein vererbliches und veräußerliches Recht. Das Eigentum war geteilt: Dem Grundherren stand das Obereigentum, dominium directum, dem Nutzungsberechtigten das nutzbare oder Untereigentum, dominium utile, zu. Solche und ähnliche Rechtsformen hatten speziell im Feudalismus eine große Bedeutung: So definierte das Allgemeine Landrecht für die Preußischen Staaten (Teil 1,

Titel 18, Vom getheilten Eigentume, § 14) den Lehnsherren als Obereigentümer und den Vasall als nutzbaren Eigentümer.

7 Vgl.: *Hegel/Griesheim*, S. 221: „Das Christentum ist dem Prinzip der Sklaverei zuwider, diese ist nicht förmlich dadurch abgeschafft, wie denn die Christen noch Sklaven haben, sie ist auch nicht durch christliche Kirchen abgeschafft, selbst die Taufe macht keinen Sklaven frei, es hat also nicht so auf äußerliche Weise die Sklaverei aufgehört, aber der Geist des Christentums ist ihr zuwider und indem der Geist des Christentums sich herrschend gemacht hat in der Geschichte, so ist die Sklaverei im Ganzen in der christlichen Welt abgeschafft.

Selbst in Westindien sind die Priester dagegen daß getaufte Neger verkauft werden und es ist so zum allgemeinen Gesetz gemacht die Sklaven zu taufen und nicht als Christen zu verkaufen, besonders ist dies in den portugiesischen und spanischen Kolonien, in den englischen bekümmert man sich nicht darum."

8 Vgl.: *Hegel/Griesheim*, S. 222f.: „Zur Bestimmung des Eigentums gehören z. B. wie es auch bei uns geschah, Abteilungsgesetze zwischen den Grundhaltern und Lehnsherrn. Dankbar haben wir es unseren früheren Fürsten zu erkennen die nicht zuließen, daß in ihrem Lande Sklaven seien, Monumente haben wir denen zu setzen die auch das Eigentum befreit haben. Die Grundhalter waren mit Lasten, Leistungen behaftet die zum Teil unbestimmt, zum Teil auch bestimmt waren. Die Abteilung hatte daher ihre Schwierigkeit, es muß mit Gerechtigkeit verfahren werden, denn der Herr des *dominii* ist auch wahrhafter Eigentümer.

In anderen Ländern ist hierin hartes geschehen. Wenn der *dominus* als Eigentümer angesehen wird, so kann daraus folgen daß er die Anderen die auf seinem Eigentum leben fortjagen darf. So ist es in Schottland geschehen, wo die Lehnsherrn Acker in Hütung verwandelt und hunderte von Insassen vertrieben haben. Hier wird der Grundbesitzer als einziger Eigentümer angesehen und übersehen daß die Insassen ein Eigentumsrecht haben an einen Boden und auf diesen Boden um sich zu ernähren.

Das andere Extrem ist das was in der französischen Revolution exerziert worden ist, da sind die Grundhalter für die wahrhaften und einzigen Eigentümer angesehen worden und der Besitz ist als volles freies Eigentum erklärt worden ohne Ersatz für den Grundherrn. Man hat den Übergang in Ansehung der Begriffsbestimmung nicht gemacht durch die Bestimmung des gemeinschaftlichen Eigentums. Der Herr des *dominii utilis* ist gemeinschaftlicher Eigentümer mit dem Anderen, insofern einem von beiden kein Anteil zugestanden wird, ist sein Eigentumsrecht verletzt. –

Dies ist die rechtliche Seite; die staatswirtschaftliche Seite ist der Vorteil den es verschafft wenn die Person freies Eigentum, Privateigentum besitzt. Insofern sie dies nicht besitzt, ist ihre Freiheit als Person nicht realisiert. Das Selbstbewußtsein freier Eigentümer zu sein muß für sich wahrhaftes Bewußtsein sein. Aus dem Gefühl daß der Mensch ist und anerkannt ist wie er sein soll und dieses wahrhaft ist, entspringt eine ganz andere Belebung des Fleißes und der Industrie als aus der Leibeigenschaft. Die Bestimmung des Eigentums ist ein ungeheurer Fortschritt, den man oft nicht so hoch schätzt als er es verdient geschätzt zu werden."

Zu § 63

Hegel/Notizen, S. 263: „Es wird vieles klar, – wenn man die feste Bestimmung dessen hat, was Wert ist. – Wert – sich erhaltende Möglichkeit ein Bedürfnis zu befriedigen – Geld kann nicht unmittelbar für sich gebraucht, sondern muß verwandelt werden – in spezifische Dinge – Aus was der *bestimmte Wert* zusammengesetzt ist, – ist ein anderes –". S. 265: „Besitz der Familie auf ewig, aber nicht verkaufen – nicht Kredit darauf – zu Allodium heutigestags das Lehen gemacht, schon Friedrich Wilhelm I. – Beschränkung des Eigentums, daß nicht der freie Begriff reell war – nicht der Vernunft gemäß, d. i. nicht frei – Beschränkung nicht vernünftig noch unvernünftig".

Hegel/Griesheim, S. 226f.: „Wert heißt daß die Sache gilt als allgemeine Sache, die zwar eine spezifische Qualität hat, so daß diese aber reduziert ist auf eine quantitative Bestimmtheit. Nach dieser können Dinge vollkommen gleich sein, während sie verschieden sind nach ihrer Qualität, so kann ein Acker und ein Haus gleich sein in quantitativer Bestimmtheit.

Insofern eine Sache Wert hat, so kann ich mein Bedürfnis damit befriedigen, nicht dies Bedürfnis, sondern alle Bedürfnisse. Insofern ich ein Eigentum als Wert besitze, so ist dies der vernünftige Besitz, ich bin Eigentümer desselben als eines Allgemeinen, sie dient für meine Bedürfnisse nur überhaupt als Allgemeines, mein Bedürfnis ist als denkend ein Allgemeines, ein Bedürfnis überhaupt. So gilt mir die Sache als Möglichkeit meine Bedürfnisse zu befriedigen, sie ist dabei nicht unbestimmt, die Bestimmtheit bleibt und wird nur aus einer qualitativen in eine quantitative verwandelt. Weil die Allgemeinheit die wesentliche Bestimmtheit der Sache ist, so ist die Qualität als [un]wesentlich, als ideell gesetzt, dies ist Quantität. Man kann sagen dies ist die Weise des Eigentums die dem Begriff entspricht. Es ist mein Wille in dies Eigentum gelegt, dies ist zugleich ein Besonderes, hat eine Beziehung auf meine Bedürfnisse, diese Seite meiner Bedürfnisse ist nicht die einzelne, besondere, sondern meiner Bedürfnisse überhaupt, das Besondere ist ins Allgemeine aufgenommen, bleibt aber quantitativ bestimmt. Indem mein Haus einen Wert hat, bin ich auch im Besitz alles dessen was denselben Wert hat und was von ganz anderer spezifischer Beschaffenheit sein kann, als das Haus."

Zu § 64

1 Ergänzung bei *Hegel/Notizen*, S. 267: „Mein Manuskript hat mich ganz andern Aufwand – Zeit, Mühe usf. gekostet, als den der ein Exemplar kauft; – ich verkaufe, und will den Wert – in andrer Gestalt, nämlich Geld – erhalten – Dies ist nun unbestimmbar, – der Wert wird mir durch Nachdruck – entrissen – Der schlechteste Roman kann insofern mehr Wert haben, als das gründlichste Buch – Wert hängt erst vom Verkauf, Geschmack des Publikums ab".

Zu § 65

Hegel/Griesheim, S. 228f.: „Insofern sie Wert haben betrachten wir die Sachen als Waren. Sie gelten nach dem Wert und nur nach dem Wert, nicht nach der spezifischen Seite. Die quantitative Bestimmtheit, wie groß der Wert ist, hängt von der qualitativen Natur der Sache ab, aber nicht allein, sondern auch von vielen anderen Umständen. Mehr oder weniger Mühe des Hervorbringens, Seltenheit, ob sie gesucht ist oder nicht, dies sind Bestimmungen die sich alle in quantitative verwandeln.

Das Zweite ist daß der Wert an und für sich gegenständig wird, daß es Dinge gibt die wesentlich Wert als solcher sind, dies ist das Geld. Es ist der verständigste Besitz, der dem Gedanken des Menschen würdig ist. So besitzen wir Dinge für unsere Bedürfnisse nur als Wert. Die Seite des Gebrauchs ist dabei eine ganz andere. Insofern es Geld ist, hat das Eigentum nur den Sinn als Wert, hier existiert der Wert als solcher.

Das äußere Bedürfnis des Geldes ist ein Tauschmittel zu haben, einen allgemeinen Maßstab für die spezifisch verschiedenen Dinge. Die Seite des Verstandes ist daß die Dinge worin wir Eigentümer sind auf allgemeine Weise existieren. Geld ist deswegen die Äußerung des Verstandes, und es gehört eine hohe Stufe der Bildung dazu, daß Geld in einem Volke vorhanden ist. Es ist viel über das Geld gestritten, man hat gesagt es sei ein Tauschmittel, die Repräsentation des Reichtums, freilich ist es dies als Wert als solcher zur Existenz gebracht. Als Ding ist es auch wieder eine besondere Sache und kommt so als Ware in Betracht, dies ist jedoch ein anderes Verhältnis in das es selbst zurücktritt und so geht es uns hier nichts an.

Die Formen von Waren und Geld sind Formen unseres Eigentums und insofern wir hier die Bestimmung der abstrakten Entäußerung haben, so entäußern wir uns der Ware oder des Geldes überhaupt, aber zugleich steckt etwas anderes darin eine weitere Allgemeinheit, der wir uns nicht entäußern können. Des Geldes als Quantum kann ich mich entäußern, ich habe es nur weil ich es will, diesen Willen kann ich herausziehen.

Es ist nun die dritte Weise des Werts zu betrachten. Indem ich das Allgemeine besitze, so ist dies das Allgemeine der äußeren Dinge, das Geld ist so die reale Existenz des Allgemeinen. Dies Allgemeine ist nicht nur äußerlich, objektiv Allgemein, sondern auch subjektiv Allgemeines, ein Allgemeines ganz anderer Art. Ich bin Eigentümer eines Allgemeinen, welches zu meiner eigenen inneren Allgemeinheit gehört. Ich besitze Geschicklichkeiten, Talente, dies ist auch ein Besitz, ich habe mich darin in Besitz genommen. Dies kann man auch Gebrauch heißen, denn durch den Gebrauch werden sie erst Fertigkeiten etwas zu produzieren, welche Produkte denn in die Qualität von Sachen als solche fallen. Durch meine Geschicklichkeiten bringe ich an den Dingen eine Form hervor, gebe ihnen eine Gestalt für mein Bedürfnis. Hier mache ich nicht nur meinen Willen in meinem Eigentum, sondern auch meinen Geist mein Inneres gegenständlich.. Hierher gehören die Dienstleistungen gegen andere, der Bediente produziert auch, bringt Veränderungen hervor. Ebenso werden auch die Kunstproduktionen, die der Wissenschaften äußere Gegenstände. In allen solchen Produktionen liegt etwas Allgemeines, Geistiges, der Geschicklichkeit angehöriges. Dies ist auch ein Allgemeines und gehört zum Wert der Dinge, ist ein Moment des Werts der Dinge überhaupt."

Zu § 66

Hegel/Homeyer, S. 263f.: „Wenn die unveräußerlichen Güter auch veräußert sind so können sie doch gleich wieder gefordert werden, denn sie sind unverjährbar. (Droits de l'homme) (Man muß nicht bei der Abstraktion dieser Menschenrechte stehn bleiben) aber dieser Grundsatz ist an sich absolut, daß wenn auch eine Nation sich dieser Rechte veräußert hat, sie sie unmittelbar wieder an sich nehmen kann."

Hegel/Griesheim, S. 238: „Zunächst besitze ich Eigentum, bin eigentumsfähig, Eigentum überhaupt zu besitzen kann ich nicht aufgeben, sonst könnte ich Sklave sein. Dies ist daher unveräußerlich. Dies Allgemeine im Eigentum, Eigentum überhaupt zu haben, ist es womit ich also in Beziehung bleibe, es ist meine Eigentumsfähigkeit, meine Persönlichkeit. Die besonderen Modifikationen des Geistes als solchen der konkret in sich ist, Bestimmungen in sich hat, kann ich nicht aufgeben, insofern sie zum Begriff des Geistes gehören, wie Sittlichkeit, Religion."

1 B. Spinoza: Ethik, Teil 1, Definition 1, Leipzig 1975, S. 23: „. . . dessen Natur nur als existierend begriffen werden kann."

2 Erläuterung bei *Hegel/Notizen*, S. 277: „Auch das Recht zu leben ist unveräußerlich, d. i. für die Willkür Es verkauft sich einer, zum Tode; – Geld für seine Familie oder sonstige Verwendung – der ihn kauft und tötet, verstümmelt, – Mörder Kastration – Lernen von chirurgischen Operationen, – Zahnausreißen."

Zu § 67

1 Ergänzung bei *Hegel/Griesheim*, S. 241: „Aber der Unterschied ist der, daß der eine ein freier Mensch ist und der andere nicht. Der freie Mensch überläßt frei dem Anderen seine Produktionen, aber nicht alle, denn sonst wäre es die ganze innere Geschicklichkeit, die ganze Kraft die er überließe und sein Inneres würde dadurch in den Besitz eines Anderen kommen."

Zu § 68

Hegel/Griesheim, S. 239: „. . . der Sklave hat das absolute Recht immer davon zu laufen, dies ist unverjährbar, selbst wenn auch durch Gesetze die Sklaverei berechtigt, garantiert ist, so hat der Sklave doch keine Pflicht zu bleiben, wie der Herr entschädigt werde, der *bona fide* Sklaven gekauft und gehalten hat, ist Sache des Staats. In Nordamerika wo der Staat die Sklaverei anfangs gesetzlich sanktioniert hatte, und sie später aufhob, hat er sie losgekauft. Aber der Sklave hat das Recht jeder Zeit seine Fesseln zu zerbrechen; selbst wenn er von Sklaven geboren ist, wenn alle seine Voreltern Sklaven waren, sein Recht ist unverjährbar."

Zu § 69

1 Vgl.: Anmerkung 1 und 2 zu § 55.

2 Vgl.: Anmerkung 6 zu § 62.

3 Vgl.: I. Kant: Metaphysik der Sitten, § 31, II, Der Büchernachdruck ist von Rechts wegen verboten, Leipzig 1945, S. 106f. sowie I. Kant: Von der Unrechtmäßigkeit des Büchernachdrucks (1785), in: Kleinere Schriften zu Geschichtsphilosophie, Ethik und Politik, Leipzig 1922, S. 189–198. – Während in England seit 1709 und in Frankreich durch ein Revolutionsdekret von 1793 die Schriftsteller gegen den unberechtigten Nachdruck ihrer Werke geschützt waren, hat das Allgemeine Landrecht Preußens, Teil 1, Titel 11, §§ 996ff. keinen effektiven Urheberrechtsschutz vorgesehen. Die Deutsche Bundesakte von 1815 begnügte sich damit (in Art. 18d), „die Sicherstellung der Rechte der Schriftsteller und Verleger" in Aussicht zu stellen. Ein Urheberrechtsschutz wurde für Preußen erst 1837, für Deutschland erst 1870 erlassen.

4 Randbemerkung bei *Hegel/Notizen*, S. 287: „Der allergrößte Teil der deutschen Literatur ist bare Industrie (Fabrikwesen) geworden –".

5 Ergänzung bei *Hegel/Griesheim*, S. 235: „In Frankreich wird dies viel strenger genommen; besonders bei den Komödien. Bei unserer Literatur existiert diese Ehre nicht mehr, sondern die Eitelkeit etwas Eigentümliches zu machen. Auf unseren Universitäten schreibt jeder sein eigenes Kompendium, jeder Meßkatalog bringt uns ein halbes Dutzend Geometrien, Rechenbücher, Erbauungsschriften. Sonst hieß es ein Prediger soll das Wort Gottes predigen nach ein und derselben Lehre durch seinen Geist, jetzt dreht sich jeder in seinen Erbauungsschriften, wie in seinen Predigten, um seine eigenen erbaulichen Vorstellungen. Die mittelmäßigen Produkte kann jeder machen, was der eine kann, das kann der andere auch, alle treiben sich auf der Oberfläche der Vorstellung herum, keiner begeht ein Plagiat.

Durch Gesetze gegen den Nachdruck ist einiges für die Schriftsteller getan, aber bei dem Mangel an Ehre in unserer Literatur helfen Gesetze dem Übel nicht ab. Zunächst sollen die Verleger geschützt werden, dann aber auch die Schriftsteller gegen die Verleger. Diese können einen ungeheuren Gewinn ziehen, die Schriftsteller nicht. *Schiller* war oft in Not und ist arm gestorben, sein Verleger hat von der letzten Ausgabe seiner Werke, wie Buchhändler ihm nachrechnen, einen Gewinn von 300000 rtl., in Frankreich würde Schiller vielleicht eine Million Franken besessen haben. Die Billigkeit fordert hier zu teilen. Aber bei dem Zustande daß solch mittelmässiges Zeug, solch Futter für das Publikum herausgegeben werden muß, verliert der Verleger nach zehn Seiten während er nach einer gewinnt."

Zu § 70

Hegel/Notizen, S. 293: „Ich bin Herr über mein Leben – jeder andre ebenso gut – *Hobbes*: jeder kann den andern umbringen, – daher alle Menschen gleich[3]) – Ich habe allein das *wahrhafte* Urteil Jeder macht sich ein Urteil ob ich verdiene zu leben – Sand[4]) – ein elender Kerl – ob ich *es sei* – soll nur ich das *wahrhafte* Urteil haben. Ich am wenigsten –"

1 Herakles (lat. Hercules), der berühmteste Heros der griechischen Sage, verbrannte sich selbst, um grausamen Qualen endgültig zu entgehen.

2 Marcus Junius Brutus, 85–42 v. u. Z., Haupt der Verschwörung gegen Caesar, stürzte sich nach dessen Ermordung und einer militärischen Niederlage bei Philippi in sein Schwert.

3 Vgl.: Th. Hobbes, Vom Bürger (1642), Kapitel I, Abschnitt 3, Berlin 1967, S. 80: „Die einander Gleiches tun können, sind gleich. Aber die, die das Größte vermögen, nämlich zu töten, können Gleiches tun. Deshalb sind alle Menschen von Natur einander gleich."

4 A. L. Sand (1795–1820), Jenaer Burschenschafter, ermordete 1819 den zaristischen Agenten Kotzebue.

Zu § 71

Hegel/Homeyer, S. 265: „Das Eigentum erhält erst Dasein, wenn die Person, Person für andere wird d. h. anerkennt. Wer selbst frei ist, für den sind auch die andern frei. Der Despot, Sklavenherr sind nicht frei, sondern Herr und Sklave sind in demselben Verhältnis[1]), das von ihnen Unterschiedene, Angeschaute ist kein Freies."

1 Vgl.: MEW, 2/37: „Die besitzende Klasse und die Klasse des Proletariats stellen dieselbe menschliche Selbstentfremdung dar."

Zu § 74

Hegel/Griesheim, S. 249: „Es ist ein Prozeß. Ich will etwas, will das Allgemeine des Gegenstandes, ich gebe deswegen den besonderen Gegenstand auf. Dies Aufgeben, diese Negation meines

Willens enthält zugleich die Affirmation, meinen Willen das Allgemeine, den Wert zu behalten und dies Behalten ist dadurch vermittelt daß der Wille eines Anderen mir etwas überläßt. Ich verändere dadurch mein Eigentum, gebe es auf und erhalte es. Dies ist in einem Akt gemeinsames Wollen, jeder will im Besitz seines Wertes bleiben, will das Allgemeine seines Eigentums behalten. Dies sind die Momente des Vertrags, es sind Vermittelungen der verschiedenen Momente, so daß jeder zugleich wieder negiert wird. Ich gebe mein Eigentum auf und behalte es, tue es nur insofern es ein anderer tut pp."

Zu § 75

Hegel/Griesheim, S. 251–254: „In der Realität des Vertrags haben wir es noch mit äußern Dingen zu tun, wie mit einzelnen Personen, die in den Vertrag treten. Es ist dies besonders zu bemerken, weil die Bestimmung des Vertrags in neuerer Zeit auf die Verhältnisse im Staate angewendet worden ist, man hat ihn einen Vertrag aller Individuen mit allen, und aller als aller zur Regierung, zu ihrem Mittelpunkt, genannt. Diese Ansicht ist seit etwa 50 Jahren entstanden und man kann sagen daß dieser Gedanke die französische Revolution, so wie alle folgende hervorgerufen hat. Der Gedanke ist jetzt das Herrschende in der Welt und dieser hat berechtigt geschienen. Das Verhältnis des Vertrags ist indessen ebensowenig auf die Ehe als sittliches Verhältnis, als auf den Staat anzuwenden. Die Natur des Staats ist nicht dadurch expliziert. Das Recht, die Pflicht des Staats ist nicht durch die Willkür der Individuen festgesetzt, so daß sie das Prinzip wäre, im Vertrag ist dies aber, die Sache ist darin einzelne besondere Sache und ebenso mein Wille als einzelner zufälliger bestimmt. Das wodurch die Bürger eines Staats identisch sind, dies Gemeinsame ist nicht das Gemeinsame der Willkür, sondern ein Allgemeines an und für sich Notwendiges. Daß sie im Staate sind ist ihr wesentlicher substantieller Zweck, der nicht von der Verwirklichung des einzelnen Zwecks abhängt. Deshalb ist das Vertragsverhältnis auf die Verhältnisse des Staats nicht anzuwenden.

Man hat so die Staatsverhältnisse einerseits der Willkür zugeschrieben, durch die die Regierungen zu der Autorität gekommen sind über die Angehörigen der Staaten. In der Geschichte mag dies gegangen sein wie es will, patriarchalisch oder durch Gewalt wie *Nimrod*, oder einzelne mögen sich einen König gewählt haben, im Empirischen mag dies zugegangen sein wie es will, daß sich eine Gewalt in einer Menge festgesetzt hat, es kann so der

Zusammenhalt des Staats entstanden und in die Vorstellung gesetzt sein als ein Erwerb, der durch die zufällige Gewalt eines Regenten entstanden ist und das Recht der Regierung kann so in die Form des Privateigentums gesetzt sein.

In Europa, besonders im deutschen Reich ist dies mehr oder weniger der Fall, dies ist so weit gegangen daß es Eigentum einer Familie gewesen ist richterliche Funktionen, Schultheisse zu bestellen, ein Eigentum das dem Kaiser abgekauft wurde ganz in der Weise des Privatrechts. Die freien Städte haben eine Menge solcher Rechte käuflich erworben.

Diese Ansicht daß das Recht des Regenten so aus Zufälligkeiten des Erwerbes entspringt und er sie besitzt wie anderes Privateigentum, ist von dem Herrn *von Haller* in seiner Restauration der Staatswissenschaft zum Grunde gelegt, wo er alle Rechte der Regierung als Erwerb der Herrschaft auf zufällige Weise betrachtet.

In England ist das politische Recht der Gemeinde, des Landes, mehr oder weniger ein Privateigentum. Das Recht der Repräsentation ist an die Stelle gebunden, oft an ein Dorf von 2–3 Einwohnern, oder gar an eines das nicht mehr als Land existiert, indem es in dem Meere unterging, das politische Recht hat so ganz die Qualität eines Privatrechts das verkäuflich, verschenkbar ist. Die Folge hiervon ist daß im Ganzen die größten Inkonsequenzen herrschen, wie denn auch in England dies der Fall ist, weil in der Ausübung das Staatswohl der Privatwillkür überlassen ist, da ist denn wie im deutschen Reiche kein Verstand, denn es ist kein allgemeines Prinzip darin.

Dies ist anders geworden, das Wesen des Staats verlangen wir soll nach Prinzipien gefaßt werden, allgemeine Bestimmungen sollen das Herrschende sein. Unser großer König *Friedrich II.*, der philosophische König ist der erste gewesen, der angefangen hat die besonderen Rechte in Beziehung auf den Staat nicht zu respektieren, er hat zuerst das allgemeine Wohl zum Grunde gelegt. Jetzt wird der Staat nach Grundsätzen regiert, d. h. nach allgemeinen Bestimmungen, so daß das Besondere danach angeordnet wird.

Es ist dies eine ungeheure Revolution, Umänderung des letzten Jahrhunderts, dies Verschwinden der Bestimmung von Privateigentum, Privatbesitz in bezug auf den Staat. Was früher fürstliches Eigentum, Privateigentum des Fürsten hieß, wie sein Recht Stellen zu besetzen, Richter zu ernennen pp davon ist alles oder doch ein großer Teil übergegangen in die Bestimmung von Staatseigentum, Staatsdomänen, worüber zwar der Fürst die Verfügung hat, aber nicht nach Privatwillkür, sondern für den Staat. Diese Form ist so verschwunden, eine allgemeine Bestimmung, ein Gedanke hat sollen an die Stelle gesetzt werden, dieses Verhältnisses von Privateigentum, bloßer Herrschaft. Da hat man denn zunächst das Vertragsverhältnis an die Stelle gesetzt, besonders hat dies *Rousseau* in seinem Werke über den *contract social* getan, daß dies aber falsch ist, ist schon bemerkt, das Nähere wird beim Staate selbst betrachtet werden. Das Moment der Willkür der Regierten, ihre subjektive Freiheit, ihr Glaube, Gewissen, Zutraun, ist ein wesentliches Moment, welches nicht wegzulassen ist, sonst ist nur das Verhältnis der Herrschaft des Despotismus vorhanden. Jenes Moment ist nicht wegzulassen, es ist ein besonderes Moment in den neueren Staaten, aber die Willkür des Einzelnen ist nicht zum einzigen Prinzip zu machen, wie im Vertragsverhältnis. Es ist deswegen in unserer Zeit doppelt wichtig diese Verhältnisse ihrem Begriff nach kennenzulernen, weil die Regierungen sich wesentlich auf allgemeine Bestimmungen gestellt haben, und das Bedürfnis es ist daß diese mit dabei sind, Irrtum daher eine weit größere Bedeutung wie früher hat, weil der Zusammenhalt in dem Element des Gedankens liegt, der alle Bestimmungen in sich aufgenommen hat.“

1 Vgl.: I. Kant: Metaphysik der Sitten, § 24, Leipzig 1945, S. 91: „Ehe (matrimonium), d. i. die Verbindung zweier Personen verschiedenen Geschlechts zum lebenswierigen wechselseitigen Besitz ihrer Geschlechtseigenschaften. Ähnlich bereits: J. Locke, Two Treatises of Government, 1689, 2. Abhandlung, § 78, Cambridge 1967, p. 336 (deutsch: J. Locke, Bürgerliche Gesellschaft und Staatsgewalt, Leipzig 1980, S. 149). Ausführlich dazu: *Hegel/Rechtsphilosophie*, §§ 161 ff.

2 Vgl.: Th. Hobbes: Leviathan (1651), Teil 2, Kapitel 17, Leipzig 1978, S. 149: J. Locke: Bürgerliche Gesellschaft und Staatsgewalt, 2. Abhandlung über den Staat, Kapitel 8, Leipzig 1980, S. 163; J.-J. Rousseau: Der Gesellschaftsvertrag (1762), Buch 1, Kapitel 6, Leipzig 1978, S. 49; I. Kant: Metaphysik der Sitten (1797), § 47, Leipzig 1945, S. 138.

3 Ausführlicher gegen den damit charakterisierten Feudalismus: *Hegel/Rechtsphilosophie*, §§ 277, 278.

Zu § 77

1 Die Vertragsfreiheit einschränkender Rechtssatz des Justinian: Wenn unter dem halben Wert verkauft worden ist, also ein enormer Schaden – laesio enormis – vorliegt, hat der Ver-

käufer das Recht, den Kauf rückgängig zu machen, falls der Käufer nicht bis zum vollen Wert nachzahlt (Codex Justinianus, Buch 4, Titel 44, Fragment 2, in: Corpus Civilis, vol. 2, Berlin 1895, p. 179).

2 Stipulatio – im römischen Recht (Gaius, Buch 3, Kapitel 92) förmlich-feierliches Versprechen einer Leistung.

Zu § 78

1 Vgl. *Hegel/Enzyklopädie,* §§ 458, 459.

Zu § 79

1 Im altrömischen Recht bedeutete ein pactum eine schuldbegründende Vereinbarung, die nicht in zivilrechtlicher Form abgeschlossen oder nach ihrem Inhalt nicht vom Zivilrecht anerkannt war, ein contractus hingegen ein nach Zivilrecht klagbarer Vertrag.

2 J. G. Fichte: Beitrag zur Berichtigung der Urteile des Publikums über die französische Revolution (1793), Teil 1, Kap. 3: „Also selbst durch die Leistung von meiner Seite bekomme ich kein Recht auf die Leistung des anderen, wenn nicht sein freier Wille, dessen Richtung ich nicht kenne, mir dieses Recht gegeben hat und fortgibt." (In: J. G. Fichte: Sämtliche Werke, Bd. 6, Berlin 1845, S. 114).

3 Über die schlechte Unendlichkeit, den Progreß ins Unendliche vgl.: *Hegel/Logik,* 1/140.

4 Das römische Recht unterschied folgende Vertragsarten:

a) Realkontrakte: zur Willensübereinstimmung der Vertragspartner mußte eine wirkliche Leistung, z. B. die Übergabe des Kaufgegenstandes (traditio rei) hinzukommen, beim Verwahrungsvertrag (depositum) die Hingabe einer Sache zur Aufbewahrung;

b) Verbalkontrakt: die Willensübereinstimmung der Partner mußte in einer festgelegten Wortform zustande kommen, z. B. stipulatio (vgl.: Anmerkung 2 zu § 77);

c) Literalkontrakt: die Willensübereinstimmung mußte schriftlich nachweisbar sein;

d) Konsensualkontrakt: es genügte die formlose Willensübereinstimmung der Vertragspartner (z. B. Kauf, Miete).

Zu § 80

[1] Vgl. I. Kant: Metaphysik der Sitten (1797), § 31, Leipzig 1945, S. 100f. Kant interpretierte diese Einteilung als a priori vorgegeben! Vgl. auch das vom Jurastudenten Karl Marx aufgestellte und wieder verworfene Vertragsschema in: *MEGA*, 3/1, S. 12.

[2] Zu Real- und Konsensualkontrakten vgl.: Anmerkung 4 zu § 79; die Realkontrakte wurden in
a) benannte und
b) unbenannte
eingeteilt, je nachdem, ob sie auf Rückgabe (a) oder auf Gegengabe (b), d. h. eine andersartige Gegenleistung zielten.

[3] Abschließende Bemerkung zur Vertragsklassifizierung bei *Hegel/Hotho*, S. 280: „Dies sind die Hauptmomente, wie sie im Vertrag vorkommen. Wenn die Juristen erst von dem Aberglauben zurückkommen, die Einteilungen des römischen Rechts beibehalten zu müssen, werden sie der Natur der Sache selbst folgen."

Zu § 82

[1] Zum Verhältnis von Wesen – Erscheinung – Schein vgl.: *Hegel/Logik*, 2/9ff., 101ff.

Zu § 84

[1] Korrektur im Handexemplar *Hegel/Notizen*, S. 332: „In der Mannigfaltigkeit und der Äußerlichkeit derselben gegeneinander liegt es ..."

Zu § 88

[1] Vgl.: *Hegel/Enzyklopädie*, § 173.

Zu § 89

[1] Ergänzung bei *Hegel/Griesheim*, S. 270: „Betrug ist noch nicht Verbrechen, dies ist daß ich frank und frei Unrecht tue gegen den anderen, das Recht verletze wie ich will, auch dem andern das Unrecht zeige, daß es für ihn als Unrecht ist. Beim Betruge ist dies verteilt, der andere hat den Schein des Rechts."

Zu § 91

Hegel/Hotho, S. 293: „Ein Volk kann bezwungen werden, aber doch frei sterben, und dann nicht gezwungen sein. Im Zwang also liegt keine absolute Rechtfertigung für den Willen; denn er kann nur bezwungen werden, indem er sich zwingen lassen will."

Zu § 93

1 Im Handexemplar (*Hegel/Notizen*, S. 344) „Herrenrecht" korrigiert in „Heroenrecht". Vgl. auch §§ 102, 350.

Zu § 94

Hegel/Notizen, S. 347: „Zwang: Juden müssen in Rom jährlich eine polemische Predigt gegen sie anhören.
– in Schwaben, Schwärmer hielten den Kaiser Napoleon, für den Messias, 1000jähriges Reich, – keine Abgaben usf. Gehorsam gegen Obrigkeit; – auf Festung gesperrt, und gezwungen die Predigt zu besuchen –
– Gefängnissträfling unter einen allgemeinen Zwang des Lebens gesetzt – gestattet wird angehalten, was zum gewöhnlichen Leben gehört, – auch zum Essen zwingen; wenn einer sich aushungern will."

Zu § 95

Hegel/Hotho, S. 298: „Die Religion nennt den ersten Zwang die Erbsünde, die philosophisch ausgedrückt das Natürliche im Menschen ist. Der Mensch hat Erbsünde ohne nur etwas getan zu haben; dies hat einen tiefen Sinn. Denn wie der Mensch in seiner Unmittelbarkeit ist, so soll er nicht bleiben; dies ist das höchste Gebot der Religion. Der Mensch ist von Natur sündig, er soll eben seine Naturseite aufheben und Geist werden. Bleibt aber der Mensch in der Natürlichkeit seines Willens, so ist dies nicht Erbsünde mehr, sondern Willen des Menschen in der Sünde zu beharren."

1 Vgl.: *Hegel/Jena*, S. 464: „Das Negative oder die Freiheit oder das Verbrechen" (aus: System der Sittlichkeit, 1803).

2 Vgl. *Hegel/Logik*, 2/284ff.

3 Ergänzung im Handexemplar bei *Hegel/Notizen*, S. 348: „. . . nämlich auf Eigentum in als in einzelnen Sachen und auf Körper, Teile desselben, Leben . . ."

Zu § 96

1 Vgl.: Diogenes Laertius, Leben und Meinungen berühmter Philosophen, Buch 7, Abschnitt 125, Berlin 1955, Bd. 2, S. 65: „Die Tugenden stehen in einem so engen Verhältnis zueinander, daß, wer *eine* hat, sie alle hat."

2 Über die im Jahre 621 v. u. Z. in Athen erlassenen Gesetze ist wenig bekannt, außer daß sie für nahezu alle Verbrechen die Todesstrafe vorsahen (vgl.: Aristoteles, Politik, Buch 2, Kapitel 12, 1274b, Leipzig 1948, S. 75).

3 Ergänzung bei *Hegel/Griesheim*, S. 278: „Der Raub geht gegen den präsenten Willen, gegen das unmittelbare Wissen des Anderen, der Diebstahl nicht. Er kann niederträchtiger erscheinen; von der Herzhaftigkeit der Räuber macht man oft große Beschreibungen, ebenso große kann man von der Pfiffigkeit der Diebe machen, dies sind jedoch Seiten die eine ganz andere Richtung haben. Das Verbrechen des Raubes ist jedoch größer als das des Diebstahls."

4 Ergänzung bei *Hegel/Hotho*; S. 304f.: „In England wird jeder Dieb gehängt. Wie weit die Grenze geht, daß einer als Dieb gehängt werde ist eine rein willkürliche positive Bestimmung. Die Grenze muß gesetzt sein, denn es muß entschieden werden. In England gilt auf 40 Schillinge der Strang, in Frankreich auf 6 Sous. Da ist nun also die Grenze reine Willkür."

Zu § 98

1 Ergänzung bei *Hegel/Griesheim*, S. 282: „Es wird z. B. ein Mensch getötet, seine Familie entbehrt seine Hilfe, die Liebe, das Familienverhältnis ist nicht herzustellen, eine Seite, die äußerliche der Hilfe kann jedoch ersetzt werden, da tritt denn der Wert ein. Es ist ein Tausch meiner qualitativ speziellen Sache pp mit einer anderen.

Ist der Zustand so daß auf ein Verbrechen nichts weiter erfolgt als Ersatz, so ist auch eigentlich kein Recht vorhanden. Wo eine Geldsumme als Ersatz für die Verstümmelung, den Todschlag eines Menschen geleistet wird, da ist der Mensch für den der Ersatz geleistet wird, ein Rechtloses, nur äußere Sache."

Zu § 99

Vgl.: Ernst Ferdinand Klein: Grundsätze des gemeinen deutschen und preußischen peinlichen Rechts, Halle 1799, S. 6: „Unter Strafe im allgemeinsten Sinne versteht man das Übel, welches auf die gesetzwidrige Handlung als eine solche folget. Insofern ein solches Übel zur Bewirkung künftiger gesetzmäßiger Handlungen oder Unterlassungen gebraucht wird, ist eine Strafe in der gewöhnlichen Bedeutung vorhanden. Eine eigentliche Strafe setzt voraus, daß das Übel mit der unerlaubten Handlung zu dem ebengedachten Zwecke willkürlich sei verbunden worden." – E. F. Klein war Mitverfasser des preußischen Allgemeinen Landrechts.

2 Ergänzung bei *Hegel/Notizen*, S. 361: „Gerechtigkeit geht unter, wie Wahrheit, wenn alles nur auf subjektive Weise behandelt, – Willkür, Meinung – [. . .] Es ist um Gerechtigkeit zu tun, d. i. um Vernunft – d. i. daß die Freiheit ihr Dasein erhalte, – nicht sinnliche Triebfeder usf. geehrt werden, Mitleiden, Empfindungen ausgeführt werden."

3 „aber" im Handexemplar (*Hegel/Notizen*, S. 360) gestrichen.

4 Vgl.: Anselm Feuerbach: Lehrbuch des gemeinen in Deutschland gültigen peinlichen Rechts (1801), Buch 1, Philosophischer oder allgemeiner Teil des peinlichen Rechts, 5. Auflage, Gießen 1812, S. 13ff.

5 Ergänzung bei *Hegel/Hotho*, S. 312f.: „Wenn das Verbrechen wegfällt, wenn man sagt, Leidenschaft habe das Verbrechen bewirkt, oder verhindert, dann ist dem Menschen die Ehre der Freiheit genommen. *Feuerbach* ist von der Kantschen Philosophie ausgegangen und Urheber eines Gesetzbuches geworden. Wie es mit seiner peinlichen Gesetzgebung gegangen ist, ist uns ein Beispiel bekannt. Das Apellations-Gericht in zweiter Instanz in Bayern ist zugleich Kriminalgericht. Nun war eine Bande von Dieben eingezogen, die Felddiebstähle begangen hatten. Nach Feuerbachs Gesetzbuch war gravierend, daß es mehrere Diebe und daß der Diebstahl, Felddiebstahl, und daß sie wiederholt waren. So nun erhielt ein Dieb 40 Jahre Zuchthaus, ein Anderer 30 etc. Nun sagt zugleich das Gesetzbuch, daß das höchste der Gefängnisstrafe soll 20 Jahr sein. Deshalb mußte angetragen werden, die Strafe von 40 Jahr auf 20 herabzusetzen. Die Strafe wurde vom König gemildert zu 8 Jahr, 16 etc. Nachher fand sich dann, daß diese Gesetze zu hart seien, und durch Dekrete der Ministerien sind diese Strafen heruntergesetzt. Jetzt nach diesen neuen Bestimmungen würde jener, der zu 40 Jahr verdammt war, jetzt auf 14 Tage verdammt werden. Solche Inkonsequenz geht aus Feuerbachs Theorie hervor."

Zu § 100

1 Vgl.: Cesare Beccaria: Von Verbrechen und Strafen (1764), Kapitel 16, Berlin 1966, S. 114ff.

2 Verdeutlichung bei *Hegel/Hotho*, S. 318: „Es bedarf nicht einer besondern Stipulation daß der Staat über mein Leben im Fall des Verbrechens disponieren könne, vielmehr liegt das Recht des Staats in der Tat des Verbrechers selbst, wodurch er selbst anerkennt, daß er zu richten sei. Als Mörder stellt er das Gesetz auf, daß das Leben nicht zu respektieren sei. Das Allgemeine spricht er in seiner Tat aus; damit aber spricht er sich sein Todesurteil selbst aus." – Vgl. auch das frühe Manuskript über die Todesstrafe und den Henker in: *Hegel/Werke*, 1/440f.

3 In Österreich verkündete Joseph II. 1787 ein Strafgesetzbuch, das die Todesstrafe durch grausame, bis zu hundert Jahren währende Freiheitsstrafen ersetzte, aber bereits 1795 wurde die Todesstrafe wieder eingeführt. Im französischen code pènal von 1791 wurde die Todesstrafe nach längeren Debatten beibehalten.

Zu § 101

Hegel/Homeyer, S. 277: „*Ius talionis* ist ein natürlicher Begriff in der Empfindung, und wurde von jeher als Grundlage der Strafen angesehn. Nur die neuere Klügelei der Juristen hat es verworfen, weil es sich nicht deduzieren ließe. Diese Schwierigkeit liegt darin, daß man sich teils das Verbrechen teils das Aufheben desselben, als ein verschiedenes Holz vorstellte, also nicht die notwendige Identität beider erkannte, daß in dem Verbrechen schon seine Vernichtung liegt."

Hegel/Notizen, S. 367: „Gesunder Menschenverstand. Wie einer getan, so soll ihm geschehen – Mit dem gesunden Menschenverstand sind die Juristen nicht mehr ausgekommen; – es wäre schon richtig, wenn sich nur erweisen, begreifen ließe –"

1 Erläuterung bei *Hegel/Griesheim*, S. 292: „Im sogenannten Naturrecht, hat man die Wiedervergeltung lächerlich gemacht, einem Blinden z. B. der einem anderen ein Auge ausschlägt, kann nicht wiedervergolten werden, ebenso einem Zahnlosen der einem anderen einen Zahn ausschlägt pp. Lächerlich kann man eine Sache bald machen, uns genügt hier die Bestimmung des Werts."

2 Vgl.: Das alte Testament. Das 2. Buch Mose, Kap. 21, Vers 24: „Auge um Auge, Zahn um Zahn, Hand um Hand, Fuß um

Fuß ...“; auch 3. Mose, 24, 20. Das Talionsprinzip war bereits in den Gesetzen Hammurapis von Babylon (§§ 196, 197) enthalten.

3 „Siehe oben“: § 77; statt „§ 95“ richtig: § 98.

4 Vgl.: Anmerkung 1 zu § 99.

5 Vgl.: Das Alte Testament. Das 5. Buch Mose, Kap. 32, Vers 35.

6 Zu den Eumeniden vgl.: *Hegel/Ästhetik*, S. 448ff.

Zu § 102

Hegel/Griesheim, S. 293f.: „Strafe kann erst in dem Staate stattfinden, außerhalb desselben ist sie rächende Gerechtigkeit. Gerechtigkeit, das Wort, kommt selbst von Rache her. In ungebildeten Zeiten des Staats ist die Gerechtigkeit Rache, da kommt es auf den subjektiven Willen des Verletzten an, ob er das was dem Verbrecher zukommt an ihm vollziehen will. Wenn z. B. einer getötet ist, so übernimmt die Familie es zu vergelten. Die Rache ist hier überhaupt Handlung der Wiedervergeltung dem besonderen Willen angehörig, es kommt darauf an ob er sich rächen will, er kann daher zweitens von dem qualitativen und quantitativen Umfang dessen was ihm geschehen ist abstrahieren und kann die Verletzung als unendlich nehmen. Weil er als ein freies Subjekt ist verletzt worden. Die abstrakte Freiheit ist als abstrakt nicht begrenzt, hat keinen bestimmten Umfang, es ist so die Verletzung der abstrakten Freiheit eine unendliche Verletzung und die Wiedervergeltung kann daher auch unendlich gemacht werden. Die Unendlichkeit der Freiheit kann aber als solche nicht verletzt werden, sondern nur in ihrer Existenz. In der Rache insofern sie die Handlung des besonderen Willens ist, ist zunächst kein Maß, so wie es auch nicht notwendig ist, daß die Rache vollzogen wird. Die Rache ist die Wiedervergeltung in der Form der Zufälligkeit.“

1 Vgl.: *Hegel/Rechtsphilosophie*, § 220.

2 Heineccius – auch hier die Quelle von Hegel – unterscheidet Privatverbrechen (crimina privata) von öffentlichen Verbrechen, je nachdem ob die entsprechenden Gesetze hauptsächlich auf die dem Staat zugefügte Beleidigung Rücksicht nehmen oder ob diese dem privaten Kläger das Recht auf eine Geldentschädigung zubilligen. Zur Differenzierung in öffentliche und private Verbrechen vgl.: Th. Mommsen: Römisches Strafrecht (1899), Berlin 1955, S. 10, 192.

Zu § 105

Hegel/Notizen, S. 389: „Nicht Sklave, nicht Leibeigener – freier Mensch, reeller Eigentümer"

Zu § 106

Hegel/Griesheim, S. 301: „Das Recht hat nur einen wahrhaften Sinn insofern es vom Subjekte gewollt wird, die Subjektivität des Willens ist insofern das Dasein des Rechts, umgekehrt ist auch das Recht des subjektiven Willens, daß in dem was Recht sei der subjektive Wille da sei, daß meine Einsicht, mein Zweck ein wesentliches Moment dessen ist was Recht ist. Dies ist das große Recht des subjektiven Willens.

Die Freiheit ist zunächst nur abstrakt und unser ganzes Tun ist den Begriff von Freiheit näher zu bestimmen, dieser ist hier daß sie subjektiv ist.

In unserer modernen Zeit ist die Bestimmung der subjektiven Freiheit mit Recht so hoch gestellt und als wesentlich erkannt worden. Es ist dies der Standpunkt der Moralität überhaupt.

Geschichtlich ist hier folgendes zu bemerken. Zur Zeit des Sokrates ist zuerst ein moralischer Standpunkt aufgestellt worden. Die Athenienser rechneten es ihm zum Verbrechen an, daß er nicht mehr die Gesetze des Vaterlandes hielt, nicht den Göttern des Landes glaubte, nicht mehr so unmittelbar sittlich war. Sokrates hat den Standpunkt der inneren Reflexion aufgestellt, die innere Überlegung ob etwas wahr sei, daß der Begriff von Gott, vom Guten, Bösen, Schönen, Wahren in sich nicht unmittelbar gilt, sondern um anerkannt zu werden erst den Weg durch das Innere des Menschen gemacht haben muß, der Dämon des Sokrates ist der Geist der stets verneint."

Zu § 107

1 Erläuterung bei *Hegel/Homeyer*, S. 280f.: „Es gibt für den Kammerdiener keinen Helden, nicht weil der Held kein Held, sondern weil er ein Kammerdiener ist. Der Mensch will bei dem Bewunderungswürdigen, Großen sein, – entweder er erhebt sich dazu steigert seinen Begriff, oder man zieht das Große herab zu sich."

Zu § 112

[1] Statt § 112 richtig: § 111.
[2] Vgl.: § 112.
[3] Vgl.: § 38.

Zu § 113

Hegel/Homeyer, S. 283: „Die Handlung des subjektiven Willens hat unmittelbar einen vorausgesetzten Gegenstand und in seinem darauf gerichteten Zweck hat er die Vorstellung der Umstände derselben. Die *Tat* setzt eine Veränderung in dem vorliegenden Dasein, und der Wille ist insofern *Schuld*, überhaupt an dieser und an deren Folgen, als in diesen das abstrakte Moment des Meinigen liegt."

[1] Vgl.: § 110.
[2] Vgl.: § 111.
[3] Vgl.: § 112.
[4] „Actio", eigentlich „Handlung", hatte im römischen Recht im jeweils eingeschränktem Sinn auch die Bedeutungen von Verhandlungen vor dem Magistrat, von prozessualer Handlung des Klägers, von öffentlicher Anklage, von Anspruch auf Gerichtsentscheidung.

Zu § 114

[1] Randbemerkung *Hegel/Notizen*, S. 405: „Das Ganze bewegt sich in Gegensätzen."
[2] Ergänzung bei *Hegel/Griesheim*, S. 311f.: „Im streng rechtlichen Standpunkt kommt es nicht auf mein Interesse an, sondern nur auf meine Person, hier kommt es nur auf meinen Willen an und zwar ist so der besondere Zweck mein Interesse. Die Befriedigung desselben ist mein Wohl. Auf dem moralischen Standpunkt bin ich noch nicht konkret subjektiv, sondern nur subjektiv überhaupt, so hat das Subjekt nur das Unmittelbare das Vorgefundene von Natur zum Interesse, und den besonderen Zweck, daß es befriedigt werde in seinen Handlungen."

Zu § 115

[1] Ergänzung bei *Hegel/Griesheim*, S. 314: „Wenn dies oder jenes gewesen wäre, oder nicht gewesen wäre, sagt man, so wäre die Revolution nicht gewesen. Gebildete Menschen gewöhnen

sich das Wenn bald ab, es ist eine lahme Form der Betrachtung, das Wenn ist ein müßiges und besonders geht es beim Schuldbeimessen auf partikulare Umstände."

Zu § 117

1 Vgl.: *Hegel/Jugend*, S. 70; *Hegel/Werke*, 17/153.

Zu § 118

1 Ergänzung bei *Hegel/Homeyer*, S. 284: „Wenn der Wurf aus der Hand ist, ist er des Teufels. In einer wahrhaften Handlung müssen die Folgen im voraus aufgeopfert sein. – Die Strafe hat als Folge nicht bloß die äußere Bedeutung, sondern die der Rückwirkung gegen die Verletzung."

2 Vgl.: *Hegel/Ästhetik*, S. 232, 1090.

3 Erläuterung bei *Hegel/Griesheim*, S. 321f.: „So kommt die Schuld bei den Alten vor, da ist kein unschuldiges Leiden, jeder leidet schuldig. Die Personen des alten Dramas sind Heroen, durchaus selbständige freie Individuen, die in dem was sie tun ganz mit ihrem Willen sind. *Oedip* rechnet sich seine Tat selbst zu, ungeachtet er nicht wußte daß es sein Vater war den er erschlug, er rechnet sich diese Tat nach ihrem ganzen Umfange zu. Er wird vorgestellt als der Wissende, der das Rätsel der Sphinx gelöst hatte, er muß es sich um so mehr zuschreiben und er nimmt seine Tat ganz auf sich; der Mensch ist dadurch höher geehrt. Dies ist ein Charakter der uns in den Heroen vorgestellt ist.

In moderner Zeit ist es mehr die Subjektivität des Charakters die das Interessante des Verhältnisses ist, die Intensität der Individuen, diese will das durchfechten, worin sie verwickelt ist, und will so auch nicht unschuldig sein. Es ist eine seichte Rührung in den neuesten Dramen, wo Unschuldige leiden. Es ist hier das sittlich widrige Verhältnis vorhanden daß sein Wille nicht dabei ist, es ist das Leiden eines Willenlosen, das so kein Interesse hat. Das Schicksal soll es denn sein, der Mensch ist ohne Schuld, das Schicksal die blinde Notwendigkeit tut es. Es ist falsch wenn man dies Schicksal den Alten in die Schuhe schieben will, sie kannten dies in ihrem Drama nicht, wo sie nur den substantiellen Willen vorstellten. Das Schicksal ist bei ihnen die absolute Gerechtigkeit, daß der Mensch Willen hat und ihm Gerechtigkeit widerfahren kann, weil dies in seinem Willen gelegen hat."

S. 322f.: *Antigone* ist so das höchste Drama alter und neuer Zeit, sie begräbt ihren Bruder, aber sie übertritt damit die Gesetze des Staates, denn der Bruder soll nicht begraben werden, der gegen sein Vaterland gefochten hat, als Verräter an demselben gestorben ist, *Creon* hat so recht sie mit dem Leben zu bestrafen, *Antigone* verletzte das Recht des Staates, indem sie nur das sittliche Verhältnis zum Bruder vor sich hatte. Familie und Staat stehen so einander gegenüber. – Was in neuerer Zeit vorgestellt wird ist sittlich uninteressant. Die Hauptfigur in der Schuld ist ein Bube der um seine Frau zu heiraten, seinen Freund ermordet, und von dem eigentlich zu erwarten steht daß er in der zweiten Szene gehängt wird. In der Braut von Messina ist es eine alte Schuld die auf den beiden Häusern liegt, jeder der Brüder kann berechtigt sein das Mädchen zu lieben, im Aufbrausen erdolcht der eine den andern, das Schicksal darin ist die Leidenschaft der Liebe und dann das Aufbrausen, das Losstürmen in der Wildheit, es ist keine Handlung darin die in sich sittlich geboten ist, nicht blinde Notwendigkeit des Schicksals sondern das eigene Wollen der Individuen, was nicht substantiell, sondern böse ist." Über das Verhältnis von Schuld und Schicksal vgl. auch *Hegel/Phänomenologie*, S. 330–342.

Zu § 119

1 Erläuterung bei *Hegel/Griesheim*, S. 326: „Der *dolus directus* [direkte Vorsatz] geht z. B. bei der Brandstiftung nur gegen das erste Stückchen Holz, der *dolus indirectus* enthält nun alle weiteren Folgen. Diese gehören zur Natur der Handlung selbst, die die Möglichkeit damit setzt. Dies muß der Mensch wissen."

Zu § 121

1 Ergänzung bei *Hegel/Griesheim*, S. 328f.: „Interesse, *interest mea*, ich bin nur das Tätige, mein subjektiver Wille, tätig sein und Interesse haben ist gleichbedeutend, ich muß dabei sein wenn ich handele. Indem ich verursache daß dieser Inhalt zustande kommt, so ist schlechterdings mein Interesse dabei. Der Mensch muß daher zuerst mit seinem Zweck befriedigt sein, dann befriedigt er auch in der Ausführung seines Zwecks. Der vernünftige Mensch muß sich zuerst befriedigt haben, und deshalb handelt er zunächst und vornehmlich, er befriedigt seinen Begriff, seine Idee in sich, nicht Andere, diese mögen befriedigt sein oder nicht, er will seinen Begriff, seine Vernunft realisieren.

Abgeschmackt ist die Forderung der Mensch solle ohne Interesse, ohne seine Befriedigung sein. Große Menschen haben sich vornehmlich selbst befriedigt, sollten sie erst die Andern gefragt haben, so hätten sie gewiß nur schlechtes Zeug hervorgebracht."

Zu § 123

1 Beispiele bei *Hegel/Notizen*, S. 443: „Interesse – daß ich dabei gewesen, dabei tätig – Goethe: Wir tanzen schon drei Tag und Nacht – an die Braut hat keiner gedacht – Napoleons Soldaten: Plünderung, Avancement – Ruhm, Ehrgeiz".

2 Vgl. *Hegel/Enzyklopädie*, §§ 473–480 sowie *Hegel/Jena*, S. 131ff.: „Der Dogmatismus der Aufklärerei und des Eudämonismus bestand also nicht darin, daß er Glückseligkeit und Genuß zum Höchsten machte ..."

3 Vgl. Das Geschichtswerk des Herodotos, Buch 1, Kapitel 29–45, Leipzig 1956, S. 19ff.; *Hegel/Philosophiegeschichte*, 1/278, 673.

4 Ergänzung bei *Hegel/Griesheim*, S. 332: „Ich bin konkret, nicht bloß Realität als abstraktes Freies, meine konkrete Natur ist höher als meine abstrakte Natur, und im konkreten ist denn auch ein Moment das Wohl. Es ist daher eine leere fantastische, mönchische Vorstellung ein interesseloses Handeln [...] Der Mensch soll an sich nicht denken, sein Wohl in die Schanze schlagen, dies ist die Forderung des abstrakten Verstandes. Aber der Mensch soll seine Freiheit realisieren, das ist sein erstes Interesse, seine Tätigkeit, das andre ist sein Wohl in seiner Besonderheit."

Zu § 124

1 Ergänzung bei *Hegel/Hotho*, S. 393: „Der wirkliche Mensch ist die Reihe seiner Taten. Taugen die Gesamtheit seiner Taten nichts, taugt der Mensch nichts. Das Innere und Äußere ist in dieser Identität festzuhalten."

2 Randbemerkung bei *Hegel/Notizen*, S. 447: „Was der Mensch soll, das kann er, *Fichte* – Solche leere allgemeine Worte. Was jeder soll ist in jedem verschieden – Moralische Würdigung der Menschen Beurteilung seiner und anderer, seiner in Vergleichung mit Anderen, und Anderer in Vergleichung mit sich."

3 Vgl.: Schiller: *Gewissensskrupel*/Gerne dien ich den Freunden, doch tu ich es leider mit Neigung/Und so wurmt es mir oft, daß ich nicht tugendhaft bin./ *Decisum*/Da ist kein anderer

Rat, du mußt suchen, sie zu verachten/Und mit Abscheu alsdann tun, wie die Pflicht dir gebeut/. (In: F. Schiller: Sämtliche Werke, Berliner Ausgabe, Bd. 1, Berlin 1980, S. 341). Persiflierende Übertreibung von I. Kant: Metaphysik der Sitten, Einleitung I zur Tugendlehre, Leipzig 1945, S. 219 sowie von I. Kant: Kritik der praktischen Vernunft, Teil 1, Buch 1, Hauptstück 3, Leipzig 1978, S. 100.

4 Vgl.: *Hegel/Phänomenologie*, S. 468. *Hegel/Werke*, 12/48.

5 Properz: „In großen Dingen genügt es, auch nur gewollt zu haben" (Properz: Gedichte, 2/10/6, Berlin 1965, S. 83).

Zu § 125

Hegel/Homeyer, S. 285: „Kollision zwischen dem *Herzen* und dem Recht. Die Menschen wollen lieber großmütig sein, als das Rechte tun. – Das *Wohl aller Menschen* ist eine leere Abstraktion. Im Gegensatz gegen das Recht tritt das Wohl immer zurück – –"

Hegel/Notizen, S. 453: „Glückseligkeit – es ist eine eigene Langeweile in diesen Worten Wohl und Glückseligkeit – weil so unbestimmte, hohle Reflexion."

Hegel/Griesheim, S. 337: „Meine Einzelnheit macht zunächst den Inhalt aus als mein Wohl, sie erhebt sich logischerweise zur Allgemeinheit, denn diese ist die Wahrheit der Einzelnheit, ich kann mein Wohl nicht befördern ohne das der Anderen." S. 338: „Das Wohl aller ist ein leeres Wort, die Toten und die Zukünftigen sind natürlich schon davon abzurechnen, es bezieht sich also bloß auf die Mitlebenden und wie kann ich wohl das Wohl der Chinesen, der Kamtschadaten pp befördern? Die heilige Schrift ist vernünftiger wenn sie sagt: Liebe deinen Nächsten als dich selbst, d. h. die Menschen mit denen du in Beziehung bist und kommst. Alle ist ein leerer Bombast, der die Vorstellung groß machen soll."

Zu § 126

1 Vgl.: *Hegel/Phänomenologie*, S. 266–274: Das Gesetz des Herzens und der Wahnsinn des Eigendünkels. Vgl. auch *Hegel/Philosophiegeschichte*, 3/413: „Der gesunde Menschenverstand und das natürliche Gefühl roher Türken zum Maßstab genommen, gibt abscheuliche Grundsätze."

2 Vermutliche Anspielung auf Friedrich Schillers Schauspiel „Die Räuber" (1781).

3 Ergänzung bei *Hegel/Hotho*, S. 397: „Wir hatten nun den Fall, daß die Beförderung des Wohls anderer das Recht verletzt. Da kann man es denn an Rührung nicht fehlen sehn, die das

Recht dem Wohl den Vorrang gibt, wie es oft in Romanen aufs schönste ausgemalt wird. Das Glück von Individuen wird durch das Gesetz zugrunde gerichtet. Dies findet sich auch im gewöhnlichen Leben, wo bei großer Bildung des Unglücks eine so *unsägliche* Menge ist. Des Unglücks Vieler wäre mit geringen Mitteln abzuhelfen, die aber im freien Eigentum Anderer sind. So sieht man den Kampf der Not, und dicht daneben die Mittel, die ihr abzuhelfen vermöchten; beide aber sind durch eine unübersteigliche Kluft geschieden. Diese Kluft ist das Recht, dessen Widerspruch gegen das Wohl keine bloß casuistische Kollision ist, sondern ein immer vorhandener, und notwendiger Gegensatz, und am auffallensten grellsten in der gebildeten Gesellschaft."

4 Vgl.: *Hegel/Rechtsphilosophie*, § 29.

5 Richelieu, Kardinal und Minister Ludwigs XIII. von Frankreich, zum Verfasser einer Schmähschrift, der sich mit einem „gnädiger Herr, ich muß leben" entschuldigte: „ich sehe dafür keine Notwendigkeit" (J.-J. Rousseau: Emil (1762), Paderborn 1981, S. 191).

6 Ergänzung bei *Hegel/Griesheim*, S. 341: „Überhaupt sind die Menschen leichter großmütig, edel pp als daß sie ihre Schulden bezahlen, indem sie beim ersten vielmehr nach ihrer besonderen Absicht, ihrem Entschluß handeln, während sie bei letzterem nur das gewöhnliche Allgemeine tun. Der heilige *Crispin* war ein frommer Mann, in einem ordentlichen Staate, wäre er in ein Arbeitshaus gebracht worden." Crispin, aus einer vornehmen römischen Familie stammend, soll um 287 u. Z. den Märtyrertod dadurch erlitten haben, daß er (allerdings nicht wegen seiner Wohltätigkeit auf Kosten anderer) in einen Kessel mit geschmolzenem Blei geworfen wurde. – Vgl. aber *Hegel/Rechtsphilosophie*, §§ 236, 240: jeder Mensch hat ein Recht auf Arbeit oder auf Unterhalt.

Zu § 127

1 Statt „anzusprechen" wohl gemeint: „zu beanspruchen".

2 Das vom römischen Recht entwickelte beneficium competentiae, die Rechtswohltat des Notbedarfs bestand in dem Anspruch des Schuldners, daß ihm bei einer Zwangsvollstreckung der notdürftige Lebensunterhalt belassen wurde.

Zu § 128

[1] Randbemerkung im Handexemplar: „sie – die Subjektivität" (*Hegel/Notizen*, S. 462).

Zu § 130

[1] I. Kant: Zum ewigen Frieden, Anhang I (1795), Leipzig 1919, S. 46, hat den „etwas renommistisch klingenden" Wahlspruch Kaiser Ferdinand I.: „Fiat iustitia, pereat mundus – Gerechtigkeit geschehe, und gehe die Welt darüber zugrunde" als einen wackeren, wahren Rechtsgrundsatz bezeichnet.

[2] Vgl.: *Hegel/Phänomenologie*, S. 274–282: Die Tugend und der Weltlauf.

Zu § 132

Hegel/Griesheim, S. 351f.: „Das Gesetz ist das Gute, Rechte ausgesprochen, Staatsgesetze sind der Ausspruch des Rechts, göttliche Gesetze sind es in noch höherer Form, wie z. B. in der jüdischen Religion Gott selbst ausgesprochen hat was das Gute ist, indem er Moses die Gesetze gab, und die Menschen es so wissen.

Bei den Griechen spricht z. B. *Antigone* von den ewigen Gesetzen der Götter, von denen niemand weiß woher sie gekommen sind, sie sind und die Menschen gehorchen ihnen. Dies ist die Gestalt daß sie sind, die nächste Reflexion ist daß die Gesetze so auf eine Autorität gegründet sind, Gott, Fürst, Gesetzgeber pp ist diese Autorität. Wenn wir so das Sein der Gesetze ausdrücken daß sie auf einer Autorität beruhen, so ist dies schon eine Reflexion, sie sind nicht mehr unmittelbar, sondern durch ein Anderes, dies ist der Wille, und wenn die Gesetze absolut gelten sollen, so muß es ein absoluter Wille sein, dies ist göttlicher Wille.

Nun ist die weitere Frage, ist denn dies auch so, daß es der göttliche Wille ist, der dies für gut erklärt? Der Staat macht Gesetze und hat das Recht und die Gewalt dazu. Der Staat ist der Wille existierender Menschen, früherer oder jetziger Zeit, es ist so Menschenwille, ich bin auch Mensch, habe auch einen Willen und Intelligenz, die anderen können irren, ihre Autorität ist keine größere als die meinige.

Mit dieser Reflexionsform tritt die Forderung ein für meinen subjektiven Willen, daß ich das für Recht, Gut pp erklärte, einsehen soll, überzeugt davon sein soll. Dies ist eine konkretere Forderung."

S. 353: „Es schmeichelt den Menschen wenn man ihnen sagt,

die letzte Rücksicht für sie sei ihrer Einsicht zu folgen, sie hätten keine Autorität zu respektieren. Bei solchen Ansichten ist nur eine Autorität der anderen entgegengesetzt, ich folge den Gründen die in mir sind, daß diese mir gelten hängt einerseits von meiner Willkür ab, ich will Gründe haben, andererseits, sie sind das Wesentliche, dies ist das Wesentliche was ich in mir anerkenne, es kann aber ebenso nur meine Autorität sein, die ich so der Autorität der ganzen Welt entgegensetze.

Die Autorität des Staats, der Sitte pp hat aber ein ungeheures Übergewicht über meine subjektive Autorität, da sie das Allgemeine gegen das Besondere ist, ich muß daher einen großen Zweifel setzen in meine Autorität gegen eine solche Macht."

1 Ergänzung bei *Hegel/Notizen*, S. 473: „Leere Vorstellung, ich hänge nur von meiner Überzeugung und Einsicht – als einem Besondern ab – Jene Gründe, Vorstellungen (finden solche triviale, bekannte Vorstellungsweisen sein, daß) sind näher besehen, selbst als aus dem allgemeinen Strome der Vorstellung geschöpft und wenn sie in der Tat so außer dem allgemein Gültigen liegen, sind sie aus der Auskehricht, den ganz obenauf schwimmenden Schlacken und Schäumen geschöpft."

2 Ergänzung bei *Hegel/Notizen*, S. 469: „Ich kann irren, aber die Gesetze, Regenten auch."

3 Ergänzung bei *Hegel/Notizen*, S. 475: „Zu wünschen kann es sein, daß die Menschen die Gründe, tiefere Quelle des Rechtes kennen – dies ist objektiv nicht notwendig – Zutrauen, Glauben, gesunde Vernunft, Sitte ist die allgemeine objektive Weise der Begründung."

4 Richtig: § 127

5 Richtig: § 120

6 Vgl.: Christian Wolff: Psychologia empirica, Frankfurt und Leipzig 1732.

7 Vgl. § 282.

Zu § 133

1 Vgl. I. Kant: Kritik der praktischen Vernunft, Teil 1, Buch 1, 3. Hauptstück, Leipzig 1978, S. 106: „Pflicht! du erhabener Name ..." sowie seine Metaphysik der Sitten, Ethische Elementarlehre, Leipzig 1945, S. 261ff.

Zu § 134

1 Vgl.: Das Neue Testament, Evangelium des Lucas, Kapitel 10, Vers 25.

Zu § 135

1 Vgl.: I. Kant: Kritik der praktischen Vernunft, Teil 1, Buch 1, Hauptstück 1, § 8, Leipzig 1978, S. 44: „Die Autonomie des Willens ist das alleinige Prinzip aller moralischen Gesetze und der ihnen gemäßen Pflichten."

2 Vgl.: I. Kant: Metaphysik der Sitten (Einleitung, IV), Leipzig 1945, S. 28: „Handle nach einer Maxime, welche zugleich als ein allgemeines Gesetz gelten kann!"

3 Vgl.: *Hegel/Phänomenologie*, S. 424ff. und *Hegel/Enzyklopädie*, §§ 507ff.

4 Vgl. I. Kant: Kritik der praktischen Vernunft, Teil 1, Buch 1, Hauptstück 1, § 7, Leipzig 1978, S. 41: „Handle so, daß die Maxime deines Willens jederzeit zugleich als Prinzip einer allgemeinen Gesetzgebung gelten könne."

Zu § 136

1 Ergänzung bei *Hegel/Griesheim*, S. 361: „Das Gewissen ist der heilige, unantastbare Ort des Menschen, es ist die reine Gewißheit meiner selbst, die Freiheit als Prädikat, das an und für sich Seiende, nichts Heterogenes kommt hinein, es ist unantastbar in Ansehung dessen was Gut ist, ist das Wissen des Guten." Vgl. auch *Hegel/Phänomenologie*, S. 445ff.: Das Gewissen. Die schöne Seele, das Böse und seine Verzeihung.

Zu § 137

1 Erläuterung bei *Hegel/Notizen*, S. 489: „Menge Menschen gehen auf der Straße vorüber, sprechen mit einer Menge, verlasse mich darauf, daß sie mich nicht plündern, morden usf. wollen – kommen gegen mich, sind bekleidet (bei Orientalen Kleider durchsuchen) Wenn ich vorauszusetzen hätte, sie wären irrende Gewissen, anerkennten nur für das Recht, was sie nur in ihrem subjektiven Gewissen fänden, so daß sie darin das Gegenteil von allem, was recht und sittlich fänden, so befände ich mich ärger als unter Räubern, denn von diesen weiß ich, daß sie Räuber sind – jene aber haben den äußerlichen An-

schein und alle Redensarten – selbst der Religion, des Rechts, des Guten, des Gewissens –"

2 Zum religiösen Gewissen vgl.: *Hegel/Enzyklopädie*, § 552.

Zu § 138

1 Vgl.: *Hegel/Philosophiegeschichte*, 1/559ff.

Zu § 139

1 Vgl.: Das Alte Testament, 1. Buch Mose, Kap. 3, Vers 5: „. . . und werdet sein wie Gott und wissen, was gut und böse ist" – eine Äußerung der Schlange übrigens. – Vgl. auch *Hegel/Geschichte*, 3/729 sowie *Hegel/Werke*, 17/251ff.

Zu § 140

1 Handexemplar: „für andere" (*Hegel/Notizen*, S. 496).

2 Handexemplar: „für sich selbst" (ebenda).

3 Blaise Pascal: Lettres provinciales, (1657): „Diese Halbsünder, die noch etwas von Tugend halten, werden alle verdammt! Aber jene echten Sünder, die verhärteten Sünder, die Sünder ohne Beimischung, völlig und vollendet, die hält die Hölle nicht mehr: sie haben den Teufel damit betrogen, daß sie sich ihm ganz hingaben" in: Blaise Bascal: Briefe gegen die Jesuiten, Jena 1907, S. 43).

4 Aristoteles, Nikomachische Ethik, Buch III, Kapitel 2, 1110b, Berlin 1956, S. 46.

5 Vgl.: *Hegel/Homeyer*, S. 287f.: „Das Böse ist *notwendig*, soll aber nicht sein. Sittlich sein ist bis zu dem Gegensatz des Bösen fortzugehen, sonst ist das Gute nur ein natürliches. Insofern an der bösen Handlung eine positive Seite geltend gemacht wird, als Moment einer Totalität, als gut behandelt wird, ist dies *Heuchelei*, teils der Menschen gegen sich, teils gegen andre. – Es gibt jetzt mehr Heuchelei als böse Handlungen."

6 Vgl.: Anmerkung 19.

7 Ein Ehrwürdiger Pater.

8 Handexemplar: „auf welche hin" (*Hegel/Notizen*, S. 508).

9 Vermutlich richtig: § 124.

10 Vgl.: *Hegel/Jena*, S. 425: „die Wahrheit des Mittels ist darin, daß es dem Zweck adaequat ist" sowie *MEGA*, I/1, S. 152: „Ein Zweck, der unheiliger Mittel bedarf, ist kein heiliger Zweck". – Der Grundsatz, daß der Zweck das Mittel heilige, wird den Jesuiten zugeschrieben (vgl.: Anmerkung 19).

[11] Das Alte Testament, 2. Buch Mose, Kap. 20, Vers 13 und 5. Mose, 5, 17 (das sechste der Zehn Gebote, des Dekalogs).

[12] Vermutlich gegen J. F. Fries: Ethik, Heidelberg 1818, gerichtet (vgl. Anmerkungen 15 und 18 zu den Vorreden von *Hegel/Rechtsphilosophie*).

[13] Vgl.: Platon: Der Staat (337 A), Leipzig 1978, S. 64. Vgl.: *Hegel/Philosophiegeschichte*, 1/579.

[14] Zu Friedrich Schlegels und Carl Wilhelm Ferdinand Solgers Ironiekonzeption vgl.: *Hegel/Ästhetik*, S. 103ff.; *Hegel/Werke*, 11/234; *Hegel/Phänomenologie*, S. 12ff. Spätestens seit seiner „Phänomenologie" (1807) hat Hegel die sozial- und geschichtsphilosophischen Konsequenzen der ästhetischen Ironiekonzeption der Romantik, die gewiß auch ihre progressiven Seiten hatte, erkannt und angegriffen (– siehe auch Anmerkung 19 und 20).

[15] Anspielung auf Adolf Müllners Trauerspiel Die Schuld, Leipzig 1816.

[16] Vgl.: *Hegel/Phänomenologie*, S. 330ff., 510ff.; *Hegel/Ästhetik*, S. 1093.

[17] Vgl.: *Hegel/Phänomenologie*, S. 445ff., speziell S. 463 sowie *Hegel/Ästhetik*, S. 105, 256f.

[18] Anspielung auf die Komödie Tartuffe von Moliere (1664).

[19] Probabilismus (lateinisch: probabilitas – Glaubhaftigkeit, Wahrscheinlichkeit), eine insbesondere von Jesuiten im 17. Jahrhundert ausgearbeitete Moralkonzeption mit der Maxime: falls über die Erlaubtheit oder Unerlaubtheit einer Handlung keine volle Gewißheit zu erlangen ist, ist man nicht verpflichtet, derjenigen Ansicht zu folgen, für die die meisten Gründe sprechen, sondern darf auch derjenigen folgen, für die weniger gewichtige Gründe vorhanden sind, man darf dann also irgendeiner probablen Meinung folgen. Der Probabilismus der Jesuiten ist vor allem von Pascal (Lettres provinciales, 1657, deutsch: Briefe gegen die Jesuiten, Jena 1907, 5. Brief, S. 54ff.), aber auch von Kant (vgl.: I. Kant: Die Religion innerhalb der Grenzen der bloßen Vernunft, 1793, Leipzig 1950, S. 210) bekämpft worden. – Der 1534 gestiftete Jesuiten-Orden, durch päpstliches Breve 1773 aufgehoben, war 1814 durch eine Bulle des Papstes wiederhergestellt worden. Hegel hat Jesuiten und Quäker als Extreme interpretiert (*Hegel/Werke*, 1/444).

[20] Vgl. neben seinem philosophischen Hauptwerk vor allem J. G. Fichte: Über Geist und Buchstab in der Philosophie (1798), Zweiter Brief in: J. G. Fichte: Sämtliche Werke, Berlin 1845, Bd. 8, S. 275ff.) sowie *Hegel/Philosophiegeschichte*, 3/547ff.

21 Vgl. die von E. Behler und J.-J. Anstett herausgegebene Kritische Friedrich-Schlegel-Ausgabe, München-Paderborn-Wien 1956, vor allem Bd 2, S. 130ff. und Bd 18, S. 135, 203, 278, 408 sowie *Hegel/Ästhetik*, S. 103; *Hegel/Werke*, 11/234, 255; *Hegel/Philosophiegeschichte*, 3/577.

Zu § 141

1 Ergänzung bei *Hegel/Griesheim*, S. 391: „Diese Identität ist nur gefordert, die Forderung der Integration wird nach der Form der Forderung aufgefaßt, dies ist der unendliche Progreß, so bleiben beide selbständig, das Subjekt als moralisches Subjekt und das Gute für sich, es bleibt bei der Forderung. Es ist diese Identität nur eine Aufgabe die aufgelöst werden soll, deren Auflösung aber in den unendlichen Progress fällt. Das Gute soll immer hervorgebracht werden, aber man muß wissen, daß dieser Zweck nicht erfüllt wird, der Endzweck der Welt.

Wenn er realisiert wäre, wenn das Subjekt sittlich wäre, so würde die Subjektivität wegfallen, so würde das Gute als von Natur gelten und die Freiheit des Subjekts würde wegfallen; frei ist das Subjekt nur im Kampfe".

2 Anspielung auf die Konversionsbewegung, die mit dem 1800 erfolgten, sensationellen Übertritt des Dichters Friedrich Leopold Graf zu Stolberg vom protestantischen zum katholischen Glauben begann und in deren Verlauf u. a. die von Hegel attakkierten Friedrich Schlegel (1808) und Carl Ludwig von Haller (1820) zum Katholizismus überliefen. Dieser Vorgang war das religiöse Element der politischen Restauration im damaligen Deutschland.

Zu § 144

1 Vgl.: Anmerkung 1 zu *Hegel/Rechtsphilosophie*, § 166.

Zu § 146

1 Vgl.: *Hegel/Werke*, 9/24ff.

Zu § 148

1 Randbemerkung in *Hegel/Notizen*, S. 557: „Pflicht – ist Recht, Dasein *seines* Willens."

Zu § 149

[1] Ergänzung bei *Hegel/Hotho*, S. 490: „Dies ist politische Schwärmerei, Fanatismus, wie er austrat zur Zeit der Reformation, der französischen Revolution."

Zu § 150

[1] Vgl.: *Hegel/Ästhetik*, S. 209, 744.

[2] Vgl.: Aristoteles: Nikomachische Ethik, Buch II, Kapitel 5, Berlin 1956, S. 37: „. . . ist also das Zuviel und das Zuwenig der sittlichen Minderwertigkeit zugeordnet, die Mitte dagegen der sittlichen Tüchtigkeit". (Ähnlich in anderen beiden Ethiken des Aristoteles: Magna Moralia, Buch I, Kapitel 5, 1185b, Berlin 1973, S. 14 und Eudemische Ethik, II, 10, 1227b, Berlin 1979, S. 42). Siehe auch: *Hegel/Philosophiegeschichte*, 2/250.

Zu § 151

[1] Randbemerkung im Handexemplar: „Sind die Gesetze schlecht, so auch die Sitten" (*Hegel/Notizen*, S. 567).

Zu § 153

[1] Randbemerkung im Handexemplar: „dem Sokrates" (*Hegel/Notizen*, S. 568). Vgl.: Xenophon: Erinnerungen an Sokrates, 1. Buch, 2. Kapitel, Leipzig 1976, S. 23.

[2] Vgl.: Diogenes Laertius: Leben und Meinungen berühmter Philosophen (8, 16), Bd. 2, Berlin 1955, S. 118. In: *Hegel/Jena*, S. 407 zitiert Hegel die gleiche Stelle in geänderter Übersetzung.

[3] J.-J. Rousseau: Emil (1762) Paderborn 1981, S. 35, 75.

Zu § 155

Hegel/Griesheim, S. 413f.: „Der Mensch hat wesentlich nur Pflichten so weit er Rechte hat, der Sklave hat keine Pflichten, da er keine Rechte hat.

In Ansehung der sittlichen Substantialität ist beides identisch, aber es unterscheidet sich auch, ich habe verschiedene Rechte und verschiedene Pflichten, die Bürger eines Staats haben andere Rechte und andere Pflichten, der Vater hat andere Rechte, andere Pflichten wie das Kind, aber aller Unterschied ist untergeordnet, ist ein späteres gegen die Identität meiner Pflichten und Rechte.

Der Mann hat andere Pflichten wie die Frau, diese wieder andere wie das Kind, aber diese Unterschiede sind so zu sagen nur oberflächliche Figurationen auf den Grund der Familie. Im Allgemeinen ist beides gleich, nur in Ansehung der besonderen Organisationen finden diese Unterschiede statt, in der Familie wie im Staate, sie setzen das Allgemeine von Recht und Pflicht voraus. –

Das Besondere was eine Pflicht ist erhalte ich wieder zurück als Recht, dadurch habe ich ein Recht, aber allerdings von einem anderen Inhalte. Das Recht ist seinem Inhalte nach verschieden von der Pflicht, im Werte aber bleiben beide identisch; es ist wie beim Vertrage. Die Abgaben, Steuern pp die eine Pflicht sind bekomme ich nicht wieder, aber dafür habe ich Sicherheit meines Eigentums und unendlich viele andere Vorteile, daran habe ich ein Recht, das was ich leiste ist freilich unendlich anderer Qualität als das was ich erhalte. Wird dieser Wert ungleich, bleibt er nicht identisch, so entsteht ein Bruch, so ist ein unwahres Verhältnis eingetreten.

Indem ich so einem Ganzen leiste, so kann ich mich auch als Mitglied betrachten und jedes Individuum muß sich so zu einem brauchbaren Mitgliede des Staats, des Gemeinwesens ausgebildet haben d. h. es muß ein Mittel sein können. In dieser Rücksicht, nicht demselben Inhalt nach, muß ich auch Zweck sein, muß auch das erreichen was ich will, die Leistung ist also zugleich auch ein Mittel mich zu befriedigen.

Das Spezifische kann in diesem Wechselverhältnis ganz verschieden sein, aber der Wert muß bleiben d. h. insofern ich Pflichten habe, muß ich auch Rechte haben. Das genaue Rechnen hierbei ist eine nur empirische Sache. Das Amt im Staate ist zugleich Leistung, und zugleich Mittel für den Zweck des Individuums. –

In der Form von Recht und Pflicht ist die Identität in ihrem Gegensatz gefaßt und die Pflicht erscheint als etwas Anderes als das Recht und ist auch so, aber sie hängen notwendig zusammen, oder die Identität erscheint als Notwendigkeit. Entgegengesetzte müssen auftreten, die aber dem Wert nach, an sich, identisch sind."

[1] Vgl.: *Hegel/Enzyklopädie,* § 486: „Im Felde der Erscheinung sind Recht und Pflicht zunächst so Correlata, daß einem Recht von meiner Seite eine Pflicht in einem Andern entspricht."

Zu § 158

[1] Ergänzung bei *Hegel/Griesheim*, S. 421: „Die Menschen verhalten sich gern als Empfindende oder als Liebende selbst im Staat, daher entsteht die Forderung, der Fürst, die Regierung soll sich beliebt machen d. h. das Individuum soll darin seine Besonderheit haben. In der Vernunft und ebenso im Staate, im vernünftigen Zustande, da wird die besondere Subjektivität nicht befriedigt, die Eigentümlichkeit des Individuums wird nicht so anerkannt, wie in der Empfindung, sondern nur seine Verdienste d. h. seine Bildung, seine Geschicklichkeit, Fertigkeit nach einer allgemeinen Weise.

Die Liebe Gottes zum Menschen wird gern betrachtet. Die Liebe ist nachsichtig d. h. sie läßt auch die besondere Subjektivität gelten, durch diese ist der eine Mensch vom anderen unterschieden, in der Vernunft, dem Verstande nicht, aber in der Liebe da gilt die besondere Subjektivität, da gilt der Mensch als dieser."

Zu § 159

[1] Ergänzung bei *Hegel/Hotho*, S. 510f.: „Das Recht als strenges tritt also auf insofern die Familie als Familie aufgelöst ist, und die Mitglieder nicht Mitglieder sondern Personen, gegeneinander sind. Das strenge Recht in Beziehung auf Familie tritt also auf in seiner Form als Auflösung der Familie. Denn in der Familie sind die Leistungen nicht als strenge Rechte, sondern als Gesinnung der Liebe, des Zutrauns.

Wenn ein Familienvater stirbt, treten die Kinder als Personen auf; oder die Mitglieder einer Familie geraten in Feindseligkeit, in Zwist. Dann hört die Gesinnung auf, und die Form des Rechts tritt ein; oder die Eltern leisten den Kindern nicht, was sie als Begriff der Familie leisten sollen. Dann ist die Gesinnung der Familie schwach, und weil die Familie nicht ganz aufgelöst ist, aber die Familie verletzt ist, kann die Form des Rechts gleichfalls eintreten."

Zu § 161

[1] Vgl.: *Hegel/Enzyklopädie*, §§ 220ff., 366ff.

[2] Geschlechtstrieb und Fortpflanzung machte das Wesen der Ehe aus etwa bei S. Pufendorf: De jure naturae et gentium (Buch 16, Kapitel 1) Londini Scanorum 1672, p. 749ff.; L. J. H. Höpfner:

Naturrecht, Halle 1754, S. 628; G. Hugo: Naturrecht, Berlin 1809, S. 215f.; aber auch Allgemeines Landrecht für die Preußischen Staaten (1794), Teil 2, Titel 1, § 1: „Der Hauptzweck der Ehe ist die Erzeugung und Erziehung der Kinder".

3 Vgl.: I. Kant: Metaphysik der Sitten (Rechtslehre, 1, 2, 3, 1, § 24), Leipzig 1945, S. 91.

4 Anspielung auf F. Schlegel: Lucinde, Berlin (1799), in: F. Schlegel: Werke, Bd. 2, Berlin 1980, S. 5–999). Vgl. auch Anmerkung 4 zu § 164.

Zu § 162

Hegel/Griesheim, S. 430–432: „Wenn man fragt, was will der Mann, was will das Mädchen, wenn sie sich verheiraten, so ist die Antwort, er will eine Frau, sie will einen Mann.

Es ist dies die Hauptsache, daß das Mädchen einen Mann liebt, weil er ihr Mann werden soll, weil er sie zur Frau machen will, sie hat das Bewußtsein, daß sie ihre eigentliche Würde, ihren wahren Wert erst erhält als Frau. Der Mann ist so der Richter derselben und darum liebt sie ihn, da er es ist der ihr ihre wahrhafte Bestimmung gibt und das Interesse hat sie ihr zu geben. Der Mann ist mehr eigenwillig als die Frau, er hat mehr Selbständigkeit außerhalb der Ehe, die Bestimmung seiner ist in der Ehe nicht ganz erfüllt, aber bei der Frau ist es so. Er kann daher einerseits gleichgültiger sein wie die Frau ist, andererseits legt er aber auch mehr Wert auf seine Wahl.

Das Mädchen, das weniger eigenen Willen hat, der liegt in ihrer Empfindung daß sie einen Mann haben will. Dies ist kein Tadel, es liegt in ihrer Natur, es ist die Hauptsache, wie daß der Mann eine Frau haben will.

Wenn nun die Eltern so für die Tochter sorgten, so will sie nichts als das Allgemeine, sie bekommt einen Mann und dieser Ausgangspunkt schließt so das Moment der Liebe nicht aus, sondern es ist grade vorhanden. Es kann wohl gestört werden durch Widerwillen, Abneigung pp aber dies liegt nur in den Grenzen der Möglichkeit, ist nicht notwendig.

Das Weitere ist daß das Mädchen den Mann liebt, nicht nur weil er ihr Ehemann wird, sondern wegen besonderer Eigenschaften. Hierauf bezieht sich gewöhnlich die Frage, warum hat er sie geheiratet, sie ihn? Man könnte ganz allgemein antworten, weil sie verliebt waren, aber dies ist allgemein und man kann wieder fragen warum waren sie verliebt?

Hier ist nun dem Zufalle sein Spiel gegeben, der Grund kann ein einzelner Zug, ein Benehmen, ein Einfall, eine Eigenschaft, die Erziehung pp sein, aber solche besonderen Eigenschaften betreffen nicht das Substantielle der Ehe. Schönheit, Gefallen, Anmut, Liebreiz, Verstand, Kraft pp kann das Leben annehmlich machen, ist aber nicht das Substantielle der Ehe. Die Haupteigenschaft ist immer daß das Mädchen, Mädchen und der Mann, Mann ist, dies ist der Hauptinhalt der Liebe und der Ehe selbst."

S. 432: „Jeder macht sich ein Ideal und kriegt am Ende doch eine ganz andere Person als sein Ideal, vergißt das Ideal über die Wirklichkeit. Zur Ehe gehört dann auch die Angewohnheit und es ist oft bei der stärksten Liebe am schwersten dazu überzugehen, es ist bei dieser Liebe eine zu große Wichtigkeit auf die Empfindung gelegt, auf die eigene Empfindung und so entstehen leicht Zwistigkeiten. Die Angewöhnung der beiden die nach ihrer Partikularität in Verbindung treten ist notwendig, vor allem ist diese Partikularität vorhanden daß sie beide nicht verheiratet waren, auf dies oder jenes Wert gelegt haben oder nicht und so müssen sich beide gewöhnen; der Mann wie die Frau werden in der Ehe erzogen, sie legen ihre Partikularität ab, indem sie sich an die des anderen gewöhnen, es ist das tätige Leben der Ehe."

1 Randbemerkung im Handexemplar: „Leidenschaftliche Liebe und Ehe ist zweierlei" (*Hegel/Notizen*, S. 587).

Zu § 163

1 Vgl.: Hegel/Enzyklopädie, § 150.

2 Zu den familienmäßig gebundenen römischen Hausgöttern, den Penaten, vgl.: *Hegel/Phänomenologie*, S. 320, 326, 341.

3 Vgl.: *Hegel/Rechtsphilosophie*, § 176 und *MEGA* I/1, S. 288.

4 Vgl.: Das Neue Testament, Evangelium des Matthäus, Kap. 19, Vers 8 sowie Evangelium des Markus, Kap. 10, Vers 5.

5 Erläuterung bei *Hegel/Homeyer*, S. 299: „Das Band ist unauflöslich. – Dieser Gedanke soll Zucht sein gegen das besondre Wollen, gegen andre Leidenschaften der Liebe – [. . .] Auflöslichkeit der Ehe muß zugegeben werden, weil das Innere die Gesinnung der Zufälligkeit unterworfen ist – Die Auflösung ist aber als etwas, was nicht sein soll, darzustellen, und sehr zu erschweren."

Zu § 164

1 Ergänzung bei *Hegel/Griesheim*, S. 438f.: „Gewöhnlich findet man hierbei zwei Ansichten. Entweder daß die Ehe rein eine Verbindung sei die der Kirche angehöre oder daß sie nur den bürgerlichen Verhältnissen zukommt. Dies muß aber nicht so

einander entgegengesetzt werden. Der Geist einer Familie, die Penaten, ist wesentlich da er Geist ist, religiöser Art, er hat diesen Charakter, denn er betrifft die innere Einigkeit die im Gewissen, in der innerlichen Gewißheit seiner selbst, ist, insofern ist die Religion die Grundlage und es ist so recht daß die Kirche hinzutritt, die Handlung segnet, bestätigt, anerkennt.

Die Ehe hat auch die Seite eines Vertrags, aber nur über die äußeren Gegenstände, über das Vermögen pp, das Sittliche, Geistige was der Kirche angehört und die Verbindung oder diese Einigkeit des Gemüts ist nicht Sache des Vertrags, diese vertragsmäßige Einwilligung ist wohl bindend, aber sie betrifft nur die äußeren Sachen, die Liebe pp kann so nicht verlangt werden.

Es ist ein großer Mißgriff in vieler Gesetzgebung die Bestimmung daß die Ehe bloß ein bürgerlicher Vertrag sei, der bloß rechtliche, äußerliche Staat, die bürgerliche Gesellschaft als solche hat es bloß mit Rechtsverhältnissen zu tun. Der wahrhafte Staat ist noch etwas anderes, als der bloße Schutz des Eigentums, er ist das Sittliche in der Form des Sittlichen und die Ehe als sittlich muß ihm so Gegenstand und wichtig sein."

Vgl. auch Allgemeines Landrecht für die Preußischen Staaten (1794), Teil 2, Titel 1, § 136: „Eine vollgültige Ehe wird durch die priesterliche Trauung vollzogen" und Code civil (1804), § 165: „Die Ehe muß öffentlich vor dem Zivilstandesbeamten des Wohnorts eines der beiden Teile abgeschlossen werden."

2 Soll wohl, wie seit Lasson angenommen wird, heißen: „verunreinigen".

3 Randbemerkung in *Hegel/Notizen*, S. 593: „Mädchen gibt ihre Ehre auf, Mann nicht – Denn Mann hat noch ein anderes Feld seiner sittlichen Wirksamkeit im Staate – Mädchen nicht – sondern ihre Sittlichkeit existiert wesentlich im Verhältnis der Ehe – Ungleich von Seite des Mannes nicht dieser Beweis.

Liebe – kann verschiedene Forderungen machen, als Ehe – In Liebe als solcher – ist Alles in Einem – ungesondert – sinnlich und sittlich

Aber eben Ehe stellt das Verhältnis fest, daß das Sinnliche nur als Folge sei – In Einwilligung der Ehe gibt Mädchen dies auch zu,– "

4 Gemeint sind die von Friedrich Schleiermacher anonym veröffentlichten vertrauten Briefe über Schlegels „Lucinde" (Lübeck und Leipzig 1800); beide Werke in einem Band wiederveröffentlicht Leipzig 1970. – Über Hegels Verhältnis zu Schleiermacher (den er in Vorlesungen gelegentlich als „Herr

Schläuermacher“ bezeichnete), vgl.: *Hegel/Berichte*, bes. S. 183, 101, 207, 257, 284, 330 sowie *Hegel/Briefe*, 2/221. Vgl. auch Anmerkung 11 zu § 270.

Zu § 166

1 Vgl.: Sophokles: Antigone, Akt 2, Szene 1, Vers 450ff., in: F. Hölderlin: Sämtliche Werke, Leipzig 1965, S. 1208. *Hegel/Ästhetik*, S. 1089: „Von allem Herrlichen der alten und modernen Welt [. . .] erscheint mir [. . .] die Antigone als das vortrefflichste, befriedigendste Kunstwerk.

2 Vgl. *Hegel/Phänomenologie*, S. 318ff, 339ff.

3 Ergänzung bei *Hegel/Hotho*, S. 525: „Das sind die Fächer für den Mann. Ausnahmen für einzelne Frauen kann es geben, aber die Ausnahme ist keine Regel. Die Frauen, indem sie in diese Fächer hinüberschreiten, setzen diese Fächer selbst in Gefahr.“

4 Ergänzung bei *Hegel/Homeyer*, S. 300: „Doktor der Hebammenkunst können die Frauen allenfalls werden. Ganz positive Wissenschaften passen auch noch für sie, Kochkunst und Jurisprudenz. Wer etwas Geniales in der Speisenzubereitung will, hält sich einen *Koch*. – Die Frauen bringen es im Denken nicht weit. Verbindung von Ursache und Wirkungen ist weniger ihre Sache, auch nicht die Kunst in ihrer höhern Bestimmung, obwohl sie sie insofern sie ins besondre übergeht, wohl zu empfinden vermögen. Zierarten Blumenmalerei. Große Kunstwerke hat noch keine Frau hervorgebracht. Peinliche Arbeiten Stickereien. – Ungeheure Fertigkeit im Klavierspielen“.

Zu 167

1 Ergänzungen bei *Hegel/Notizen*, S. 599: „Gleichheit Dieselbigkeit der Rechte und der Pflichten – Mann soll nicht mehr gelten als die Frau“ und bei *Hegel/Homeyer*, S. 301: „Die Frau muß ebensowohl zu ihrem Rechte kommen als der Mann. Wo Polygamie – Sklaverei der Frauen – Wo die Frauen herrschen Unsittlichkeit – Auflösung der Ehe. Die Innigkeit der Ehe ist die Identität, als subjektive Empfindung ausgesprochen, sie kommt nur zustande wenn jedes der beiden Individuen seine ganze Persönlichkeit in das Verhältnis legt, und zurückempfängt. Wenn das eine Individuum etwas von seiner Persönlichkeit für sich behält, so ist nicht vollbracht was dem Begriff der Ehe angemessen ist.“

Zu § 170

[1] Vgl.: *Hegel/Rechtsphilosophie*, § 199.

Zu § 171

[1] Randbemerkung im Handexemplar: „Hauptbestimmung Gemeinsamkeit – Diese hier vernünftig und wesentlich" (*Hegel/Notizen*, S. 605).

Zu § 172

[1] Im römischen Recht gab es bereits zur Zeit des Zwölftafelgesetzes neben der sogenannten strengen (manus-) Ehe des ius civile, bei der die Frau unter die Familienherrschaft, manus, ihres Mannes tritt, die sogenannte freie Ehe (sine manus) des ius gentium, bei der die Frau ihre bisherigen Vermögensverhältnisse beibehält, d. h. unter der Gewalt ihres Vaters oder der Vormundschaft ihrer Verwandten bleibt. (Vgl. auch *Hegel/Rechtsphilosophie*, § 180, Anmerkung 4).

[2] Über die nicht bloß den *Glanz* der Familie sichernden familienrechtlichen Bestimmungen der Adelsgeschlechter vgl. *Hegel/Rechtsphilosophie*, § 180, Anmerkungen 11 und 12 sowie § 46, Anmerkung 2.

Zu § 174

[1] Randbemerkung im Handexemplar: „Zucht – durch Autorität und Sinnlichkeit" (*Hegel/Notizen*, S. 609).

[2] Ergänzung bei *Hegel/Griesheim*, S. 457f.: „Der Mensch muß den Weg der Zucht durchgegangen sein, seine Begierden müssen unterworfen werden, sein Eigenwille muß gebrochen und seine Handlungsweise muß moralisch, sittlich werden. Der Mensch quält sich im Stande des Gehorsams nur deshalb, weil sein Wille natürlich ist, den Begierden, Trieben unterworfen, diese Abhängigkeit muß aber aufgehoben werden. Die Kinder müssen nicht den Gehorsam leisten um des Gehorsams willen sondern zur Zucht d. h. damit sie zur freien Selbständigkeit fortgebildet werden. Die Zucht geschieht durch Autorität, das was sich gehört, zu tun ist, ist noch im Willen anderer, und so kommt der Zweck zu ihnen als etwas außer ihnen vorhandenes und so findet Unterwerfung unter den fremden Willen statt. Wer nicht gehorchen gelernt hat, kann auch nicht befehlen. Die Unterwerfung ist erst das Mittel um als freier Mensch zu sein."

Zu § 175

1 Im alten Rom unterstanden der rechtlich uneingeschränkten Gewalt des Familienoberhauptes (pater familias) neben seinen Sklaven auch seine ehelichen Kinder, die er zu strafen, zu vermieten, zu verkaufen, ja sogar zu töten berechtigt war. Dieser väterlichen Gewalt, der patria potestas, unterstehen auch erwachsene, ja verheiratete Nachkommen nebst deren Frauen und Kinder: sie erlischt erst mit dem Tode des Gewalthabers. – (Vgl. auch *Hegel/Rechtsphilosophie*, § 180, Anmerkung 4 sowie *Hegel/Geschichte*, 3/669.)

2 Zur „völligen Verkehrtheit der spielenden Pädagogik" vgl.: *Hegel/Werke*, 10/81, wie überhaupt der umfangreiche Zusatz zu § 396 seiner ‚Enzyklopädie' eine geschlossene Erziehungskonzeption Hegels bietet. Sein pädagogischer Gewährsmann scheint weniger Basedow (vgl.: *Hegel/Ästhetik*, S. 304) als vielmehr I. H. Campe: Theophron, oder der erfahrne Ratgeber für die unerfahrne Jugend, Hamburg 1783, gewesen zu sein, wie sich aus *Hegel/Homeyer*, S. 306, aus *Hegel/Dokumente*, S. 101 und aus *Hegel/Jugend*, S. 12 ergibt.

Zu § 176

1 Ergänzung bei *Hegel/Griesheim*, S. 462: „Die Familie kann so aufgelöst werden durch die Scheidung. Die Ehe ist an sich unauflöslich da sie sittlich ist, sie soll daher über Leidenschaft, Begierde, Gefallen, Unartigkeit des Gemüts gestellt sein; wenn aber der Fall eintritt daß die subjektive Weise der Ehegatten die Sittlichkeit der Ehe stört, so ist eine andere gültige Autorität notwendig, welche das Recht der Ehe festhält, gegen die Zufälligkeit der Gesinnung.

Die welche in Zwiste sind, sind Parteien über das Wesentliche, was in ihnen nicht vorhanden sei. Das Substantielle, dritte Sittliche muß gegen sie auftreten im Gericht, in einer Autorität überhaupt. Es ist die Autorität der Pietät, der geistigen Einigkeit, sie hat zu tun daß sie das Religiöse zum Bewußtsein bringt, das Sittliche herstellt, es dem Gemüt, dem inneren Sinn geltend macht und es als Pflicht vorstellt, so daß es das höhere ist gegen die Meinung, die subjektive Empfindung, gegen die zufällige Neigung.

In der napoleonischen Gesetzgebung[3]) ist die Scheidung der Ehe in ein Familiengericht gelegt, Anverwandte haben den Grund zu untersuchen und die Pflichten der Parteien vor Augen zu bringen und es sind sehr bedeutende Fristen gesetzt in welchen die Sühneversuche angestellt werden müssen.

Die Familie kann also aufgelöst werden insofern sie als Ehe ‚aufgelöst' ist." – Vgl. auch „Zusatz" zu *Hegel/Rechtsphilosophie*, § 163.

2 Wie sich aus dem Gesamtzusammenhang ergibt, insbesondere aus der dualistischen Ehekonzeption Hegels in den §§ 161, 162, 176, ist dieser von Eduard Gans wortwörtlich der Hotho-Nachschrift (S. 554) entnommene Satz in etwa zu lesen als „Insofern die Ehe (auch) auf der subjektiven zufälligen Empfindung beruht, kann sie geschieden werden."

3 Vgl.: Code civil, §§ 229ff.

Zu § 177

1 Ergänzung bei *Hegel/Griesheim*, S. 463: „Wann die Volljährigkeit eintritt hat die positive Gesetzgebung zu bestimmen, es kann sein daß die Fähigkeit dazu in dem Einen mehrere Jahre früher eintritt als in dem Anderen, es muß aber da entschieden sein, die Vernunft hat dabei nichts weiter zu tun, es wird so ein Durchschnitt ungefähr angenommen und dann fest bestimmt.

Mit der Volljährigkeit treten die Kinder aus der Regierung der Eltern, damit aber auch aus dem Recht alimentiert werden zu müssen von den Eltern, denn diese Selbständigkeit ist auf die Persönlichkeit gegründet d. h. sie sind eigentumsfähig, sie können sich ihre Existenz selbst verschaffen und müssen dies."

Zu § 178

1 Ergänzung bei *Hegel/Griesheim*, S. 465: „Das Vermögen ist gemeinsames der Familie, sie ist nur eine Person, es ist Eigentum dieser einen Person die die Familie ist. Wenn daher ein Mitglied der Familie stirbt, so bleibt derselben das Eigentum wie vorher, nur ändert sich das Verhältnis in Rücksicht der Disposition, der Verwaltung die auf andere Individuen innerhalb der Familie übergeht."

2 Ergänzung bei *Hegel/Hotho*, S. 557: „In der bürgerlichen Gesellschaft werden die Individuen selbständiger als in patriarchalischen Zuständen. Der Familienzusammenhang wird etwas Untergeordnetes; Freundschaft, Verbindung durch Amt ist engere, nähere, geistigere Verbindung als die mit entfernten Blutsverwandten, welche ein nur natürlicher Zusammenhang verknüpft, gegen welchen ein geistiger von größerer Wichtigkeit ist. Denn die Gesinnung der Einheit der Familienmit-

glieder verliert sich mehr und mehr, und diese Gesinnung gerade ist die Hauptsache."

3 Dieser Einfall stammt von J. G. Fichte: Grundlage des Naturrechts nach Principien der Wissenschaftslehre, (Jena und Leipzig 1797), Zweiter Teil, Erster Anhang, § 60, (in: J. G. Fichte: Sämtliche Werke, Bd. 3, Berlin 1845, S. 367).

Zu § 179

1 Ergänzung bei *Hegel/Hotho*, S. 557: „Für das Recht des Testierens läßt sich kein eigentlicher vernünftiger Grund angeben, denn es ist Schenkung in dem Fall, daß ich nicht mehr Eigentümer bin, und dies ist widersinnig. Man schenkt also, wenn mir die Sache nicht mehr gehört, und dies ist also wieder kein Geschenk."

Zu § 180

1 Ergänzung bei *Hegel/Homeyer*, S. 305: „Der Wille des Toten braucht nicht respektiert zu werden!! Es ist mehr Pietät der Hinterbliebenen als Recht daß es geschieht. – Testamente von Monarchen werden selten respektiert."

2 Anspielung auf J. G. Fichte: Grundlage des Naturrechts, Zweiter Teil § 19 K, in: J. G. Fichte: Sämtliche Werke, Bd. 3, Berlin 1845, S. 257f.

3 Vgl.: *Hegel/Rechtsphilosophie*, § 175

4 Im römischen Recht alten Stils war die Ehefrau (uxor in manu) gleich dem Kind und den Kindeskindern der vollen Zucht-, Verkaufs- und Tötungsgewalt des Mannes unterworfen, an den auch ihr eingebrachtes oder erworbenes Vermögen fiel. Das Zwölftafelgesetz (4, 2) sprach den Sohn von der väterlichen Gewalt dann frei, wenn der Vater ihn dreimal verkauft hatte. Seit dem Prinzipat wurde dem Sohn allmählich ein eigenes Verfügungsrecht über bestimmte Vermögensbestandteile zugesprochen, ein solches Sondergut war vor allem das peculium castrense, d. h. alles, was er im Kriegsdienst erwarb (Corpus iuris civilis, Codex Justinianus, 12,36).

5 Vgl.: *Hegel/Rechtsphilosophie*, Anmerkung 1 zu § 172.

6 In Rom gab es neben der gesetzlichen Erbfolge, der hereditas (Tafel 5 des Zwölftafelgesetzes), eine richterliche (prätorische) Erbfolge, die bonorum possessio (Gaius: Institutionen, Buch 3, Kapitel 32, 80). Der bonorum possessor, obschon eigentlich kein richtiger Erbe, konnte sich unter gewissen Voraussetzungen sogar gegen diesen gerichtlich durchsetzen, weshalb

dann die bonorum possessio cum re von der b. p. sine re unterschieden wurde.

7 Vgl.: *Hegel/Rechtsphilosophie*, § 3, Anmerkung 19.

8 Vgl.: Lukian: Der enterbte Sohn, in: Lukian: Werke, Bd. 3, Berlin 1974, S. 364–386.

9 Marcus Tullius Cicero (106–43 v. d. Z.) hat in seinem letzten großen philosophischen Werk über die Pflichten (De officiis), das sittliche, anständige, gerechte und wohltätige Verhalten des guten Bürgers idealisierend verallgemeinert. Er selbst aber ließ sich nach dreißigjähriger Ehe von seiner Frau Terentia scheiden, um eine schöne und reiche Erbin, Publilia, deren Vormund er war, zu heiraten.

10 Vgl.: *Hegel/Rechtsphilosophie*, § 46, Anmerkung 2.

11 Ergänzung bei *Hegel/Homeyer*, S. 303: „Wer Fideikommisse macht, macht seinen Nachkommen ein schlechtes Kompliment. – Immer eitler Versuch ein Vermögen ganz sicher stellen zu wollen! – Führt einen schlechten unfreien Geist ein altadligen, patrizischen."

12 Ergänzung bei *Hegel/Griesheim*, S. 469f.: „Die Familien Fidei-Kommisse haben auch eine politische Seite, nach der sie betrachtet werden können, sonst ist der Staat nicht genötigt sie zu respektieren, diese Vorstellung dabei ist, die Familie unabhängig zu machen gegen äussere Zufälligkeit.

Für sich ist ein Vermögen seiner Natur nach etwas zufälliges, es kann vermehrt und vermindert werden, vornehmlich aber ist es zufällig durch die Willkür der Menschen, durch sein Betragen, und daß er Vermögen habe, es erwerbe, erhalte, muß besonders auf seine Konduite gestellt sein. Die Fidei-Kommisse leisten so oft das nicht, was sie leisten sollen, häufig sind sie sehr lästig, denn der Mensch steht in Rücksicht seines Vermögens auf sich selbst, sein Eigentum ist freies volles Eigentum in der bürgerlichen Gesellschaft und er muß damit freien Lauf haben.

Der Staat hat mit diesen Bestimmungen die in der Natur der Sache liegen, keine Verpflichtung die Familien-Fidei-Kommisse zu respektieren, die Kinder können sie respektieren aus Pietät, wenn sie wollen, oder auch nicht, denn es sind eben die zwei Bestimmungen vorhanden, daß das Familiengut gemeinsam ist, und unter den Erben Gleichheit, in Ansehung dessen was äussere Sache ist, bei der Teilung, daß zweitens das Individuum insofern es Eigentum hat, freies vollkommenes Eigentum hat, es soll darin nicht noch der Wille eines Anderen stecken, operieren, mein Eigentum soll freies sein."

13 Stamm, Sippe

Zu § 181

1 Vgl.: *Hegel/Enzyklopädie*, §§ 115ff., 131ff.

Zu § 182

1 Ergänzung bei *Hegel/Homeyer*, S. 309: „Jede Befriedigung meiner Bedürfnisse ist eine vermittelte, geschieht durch den Willen unzähliger andrer. Zu diesem Zwecke muß ich mir auch die Form der Allgemeinheit nach jeder Seite geben, auf meine Naturroheit Verzicht leisten, – mich den andern auch als nützlich erweisen.

Ich muß in meinem Nutzen auch den Nutzen andrer wollen. Das Höhere was dadurch hervorkommt, ist das Inmichgehn als Subjekt, mein Inneres bildet sich in mir gegen die Unmittelbarkeit der Existenz; es entwickelt sich das Allgemeine des Denkens; ich anerkenne nichts weil es Autorität hat, sondern nur das, was mit meinem Denken, seiner Überzeugung übereinstimmt. – Es verschwindet der Glaube, die einfachen Sitten, das Religiöse, – was seinem Inhalt nach vortrefflich sein kann, aber die Form der Unfreiheit für das Bewußtsein hat. – Jenen Anklagen über diesen Untergang muß das höhere Selbstbewußtsein gegenübergestellt werden."

Zu § 183

1 Ergänzung bei *Hegel/Griesheim*, S. 473: „Der Zweck des Individuums ist selbstsüchtig, aber bedingt durch das Allgemeine, es ist wesentlich Beziehung auf andere Selbstständige damit verbunden, damit ist die Abhängigkeit gesetzt, und so ist die bürgerliche Gesellschaft ein System allseitiger Abhängigkeit, der selbstsüchtige Zweck kann nur erreicht, gesichert werden in diesem Zusammenhange. Diesen Zusammenhang für sich aufzufassen ist der Zweck unserer Betrachtung, die bürgerliche Gesellschaft ist der äußere Staat, der Verstandesstaat, als Sache der Not, denn der Verstand hält die unterschiedenen Prinzipe als selbstständig auseinander, er setzt eine Bestimmung und sie soll für sich gelten, er betrachtet sie nicht als Moment einer höheren Bestimmung. Das eine Prinzip ist der selbstständige Zweck, das zweite das Verflochtensein mit Anderen, beides hält er auseinander, so kann denn nur eine Einheit zustande kommen, die eine Äussere ist, nicht eine vernünftige, nicht Einheit des Begriffs." – (Vgl. auch *Hegel/Enzyklopädie*, § 523.)

Zu § 184

1 Ergänzung bei *Hegel/Hotho*, S. 573: „Wären lauter Ungleiche in der Gesellschaft, so wäre diese aufgelöst. Ein Volk, wo allgemeines Elend ist, ist im Begriff seiner Auflösung, denn die Erhaltung der Allgemeinheit hat zur Grundlage wieder das Wohl der Besonderheit."

2 Vgl.: Platon: Der Staat (Buch 5, 462 St), Leipzig 1978, S. 231 (Plato hatte allerdings die Weiber-, Kinder- und Gütergemeinschaft nur für den Stand der Wächter vorgesehen).

Zu § 185

1 Ergänzung bei *Hegel/Hotho*, S. 577: „Einerseits ist also passive Verworfenheit der Not und die aktive der Empörung in und gegen die Not. Über die Folge dieses Zustands also lassen sich traurige Gemälde machen, dann aber ist der Staat als solcher, der über dieser Verworfenheit stehn sollte, krankhaft und im Versinken. Das Verderben des Staats hat überdies hier seine Wurzel."

2 Vgl.: Platon: Der Staat (Buch 3, 416 St; 5, 464 St; 4, 423 St; Buch 5, 449 St; Buch 3, 412 St; Buch 7, 535 St), Leipzig 1978, S. 172, 235 (Aufhebung des Privateigentums); 179, 213, 234 (Weiber- und Kindergemeinschaft); 167, 330 (keine freie Wahl des Standes).

3 Vgl.: die Version des ganzen Paragrafens bei *Hegel/Griesheim*, S. 475–479: „Die Besonderheit ist maßlos, sie hat keine absolute Bestimmung in sich, weil sie für sich gilt, es ist das Natürliche, die Begierde, die Willkür des Einfalls, der Meinung was immer auf dem Sprunge ist aus dem Gleichgewicht zu treten, das was nur gehalten werden kann, muß vom Verstande gehalten werden, weil die Allgemeinheit darüber steht. Damit daß der Besonderheit freier Spielraum gegeben ist, ist für den Luxus, die Begierde, Neigung pp alle mögliche Ausschweifung gesetzt. Die Unsittlichkeit des Menschen ist damit eingetreten, jedes Besondere wird befriedigt, erlischt darin, aber entsteht sogleich wieder, denn jede Befriedigung ist auch nur Befriedigung von einem Besonderen, also keine wahrhafte Befriedigung worüber hinausgegangen werden kann, sie ist so nur momentan, kann selbst nur auf besondere Weise stattfinden und so erzeugt sich von selbst das Bedürfnis wieder. Es hilft nichts daß man ißt und trinkt, man wird wieder hungrig und durstig, man muß wieder von vorn anfangen. Es gibt hier keine Grenze,

es ist das Feld der schlechten Unendlichkeit, der Unwesentlichkeit.

Es ist dies in der bürgerlichen Gesellschaft der Fall, man kann keine Grenze setzen was Bedürfnis sein soll, es worden neue Mittel erfunden die Bedürfnisse zu befriedigen und damit entsteht das Bedürfnis nach neuen Mitteln. Dies Verhältnis erscheint dann als Abhängigkeit von einem Äußeren, besonders dem Inhalte nach ist diese Beschränkung vorhanden und sie hat noch die Gestalt nach Außen, daß es ein Verhältnis ist zu einem selbständigen Äußern. Ich bin daher auf dieser Stufe abhängig von der Zufälligkeit der Umstände, der Macht der Allgemeinheit, der Willkür Anderer. Das Extrem der Ausschweifung, des Zerstörens ihrer selbst und Anderer, der Zwecke anderer führt die bürgerliche Gesellschaft herbei. Es ist Ausschweifung, denn es findet da keine Grenze statt, jedes besondere Bedürfnis kann für sich befriedigt werden, der Mensch kann sich einer Neigung ganz hingeben, ihr alles andere aufopfern. Diese Seite der er dann so sich ergibt, hängt in der inneren Idee wesentlich mit andern zusammen, durch diesen Zusammenhang führt sie zur Zerstörung anderer Bestimmungen. Das Elend hat in diesem Kreise seinen Sitz weil hier alles zufällig ist, die Befriedigung ist zufällig, hängt vom äußeren Zufall ab, physisches und sittliches Verderben kommt hier vor.

Die schauderhaften Beschreibungen des Elends, das die Befriedigung der Bedürfnisse herbeiführt, finden wir besonders bei *Rousseau* und einigen anderen. Es sind dies Menschen die tief ergriffen sind von dem Elende ihrer Zeit, ihres Volks, die das damit zusammenhängende sittliche Verderben, die Wut, die Empörung der Menschen über ihr Elend, über den Widerspruch dessen was sie fordern können und des Zustands in dem sie sich befinden, die Erbitterung hierüber, den Hohn über diesen Zustand und damit die innere Bitterkeit, den bösen Willen der daraus entspringt tief erkennen und ergreifend darstellen. Alles dies führt allerdings die bürgerliche Gesellschaft herbei und in der Empörung hierüber, haben jene tiefdenkenden und tieffühlenden Geister sie verworfen und sind übergegangen zu einem anderen Extrem. Sie haben keine Hilfe gesehen, als solch ein System ganz aufzugeben und indem sie die Vorteile der bürgerlichen Gesellschaft nicht leugnen konnten, haben sie es doch für vorteilhafter gehalten, sie ganz aufzuopfern und zu einem Zustand zurückzukehren der ohne so mannigfaltige Bedürfnisse ist, ein Naturzustand, wie der der nordamerikanischen Wilden, wo das Elend und Unglück nicht so stattfinden kann.

Plato stellt in seiner Republik dieselben Grundsätze auf. Er hatte das Unglück Athens tief und gründlich erkannt, und gesehen daß es seinen Grund in der Selbstsucht der Bürger hatte, denen das sittliche Ganze der Staat nicht mehr das Höchste war, denen vielmehr ihr eigenes Besonderes vom höchsten Interesse war, so daß sie es oft dem Interesse des Ganzen, des Staats vorzogen. *Plato* hat nun einen Staat aufgestellt, aus dem das Prinzip der Besonderheit ausgeschlossen, das subjektive Besondere verbannt ist, er hat so das Ideal eines sittlichen Staates vorgestellt.

Oft versteht man unter Idealen, Träume, aber die Idee ist das einzige Wirkliche und die Idee als wirklich ist das Ideal. Aber man muß wissen was zum Ideal als solchen gehört, eine unendliche Menge elender Zufälligkeiten muß man abrechnen, die Besonderheit als solche der Zufälligkeit preisgeben kann nicht verlangen daß es ihr recht gemacht werde. Ein Ideal eines Staats, wo die besondere Lage so wäre wie die Menschen sie wünschen, ist freilich Träumerei. – *Plato* hat also einen sittlichen Staat vorgestellt d. h. einen solchen wo die Idee des Staats, dem Bestehen dieser Idee gemäß ist. Er hat so konsequent die Besonderheit ausgeschlossen, daß das Individuum nur allgemeine Existenz hat, da die Idee bei den Griechen nicht zu der Tiefe gediehen ist, auch das Besondere anzuerkennen und einen Zustand vorzustellen, wo die Besonderheit frei sich ergehen könnte und doch immer zurückgeführt würde zur Allgemeinheit. *Plato* hat so das Privateigentum ausgeschlossen, denn wenn nur das Allgemeine herrschen, die Seele sein soll, so kann Privateigentum nicht existieren, ebenso hat er die Familie die Ehe ausgeschlossen, die Kinder gehören nicht den Eltern, sondern dem Staate an, werden so erzogen.

Der atheniensische Staat konnte nicht mehr bestehen, so wie die selbständige Individualität auftrat, die wir in neuerer Zeit besonders Freiheit nenne, diese Willkür der Individuen. Dies ist dann das Prinzip der christlichen Staaten der späteren Zeit.

Der Staat muß so sein, daß er einerseits gleichgültig gegen diese Willkür ist, daß sie aber andererseits an ihn geknüpft ist, sich nicht exerzieren kann ohne in das System des Staats zu treten, sich nicht befriedigen kann, anders als in dem Prinzip des Staats. Ob sie darin für sich frei sind z. B. durch Einsicht, ist wieder Sache der Individuen selbst. Der Staat muß daher sorgen, daß die Individuen sich nach ihrer Willkür ergehen können, zweitens daß sie an ihn gebunden sind, drittens daß dies Gebundensein nicht erscheint als äußere Gewalt, als traurige Notwendigkeit, der man sich unterwerfen muß, daß die Einsicht sich damit versöhnt und das Gebundensein nicht als Fessel erkennt, sondern als höhere sittliche Notwendigkeit."

Zu § 186

1 Ergänzung bei *Hegel/Griesheim*, S. 480f.: „Die Allgemeinheit die hier zustande kommt sind die Anordnungen der bürgerlichen Gesellschaft, die Gesetze, der Staat überhaupt. Die Menschen scheinen insofern zum Staate, zur Ordnung, zum ordnungsmässigen Betragen getrieben zu werden, diese erscheinen als äußere Notwendigkeit, als Sache der Klugheit, der Mensch gehorcht den Gesetzen weil er sonst seinen eigenen Zweck nicht erreicht, dieser ist ihm das Erste, und sich nach den Gesetzen zu richten ist ihm ein Mittel für seinen Zweck. Er muß, da die Gesetze als äußere erscheinen, oft seinen Zweck auf die Seite setzen, aber das Allgemeine ist nicht sein eigener Zweck, Wille.

Aber eben das Besondere erhebt sich zur Form der Allgemeinheit. Der Mensch findet daß die Gesetze seinem Zwecke förderlich sind, daß er diesen nicht erreichen würde ohne Gesetze, so knüpft sich das Interesse der besonderen Individualität an das Allgemeine, an das Bestehen des Staats. Dies macht besonders die Stärke der modernen Staaten aus, daß der Zusammenhang nicht bloß die Wurzel der Sittlichkeit hat, sondern auch das besondere Interesse eines Jeden."

Zu § 187

1 Ergänzung bei *Hegel/Hotho*, S. 580: „Die Bürger sind Privatpersonen, Mitglieder eines Gemeinwesens, das das Besondere zu seinem Zwecke hat, und insofern solches Gemeinwesen auf solchen Zweck beschränkt ist ist der Bürger *bourgeois*; *citoyen* als politisches Mitglied des Staates als politischen Staates. In der bürgerlichen Gesellschaft ist der Zweck Privatzweck."

2 Ergänzung bei *Hegel/Griesheim*, S. 482f.: „Die Forderung ist: der Mensch muß sich brauchbar machen, diese Forderung nimmt man oft übel, weil man da nur Mittel für andere ist. Der Mensch ist Selbstzweck aber nur in der Vermittlung durch andere Individuen, durch das Ganze, seine Brauchbarkeit hängt damit zusammen, daß er als Selbstzweck existieren kann, die Befriedigung seines Zwecks erreichen kann, dies kann er nur als Glied dieses Zusammenhangs."

3 Der voranstehende Satz lautet in der Nachschrift tatsächlich:

„Unter gebildeten Menschen kann man zunächst verstehn, daß sie alles machen wie andere, daß sie ihre Partikularitäten nicht herauskehren, während bei ungebildeten Menschen die Partikularität, die Ungeschicklichkeit des Benehmens sich zeigt, die darin besteht, daß es sich nicht richtet nach den Qualitäten und Verhältnissen der Gegenstände und Personen, gegen die es sich benimmt." (*Hegel/Hotho*, S. 582.) Marx nutzt diesen Satz gegen die verkrüppelnde Konsequenz der Arbeitsteilung *MEW*, 23/385). – (Vgl. auch *Hegel/Phänomenologie*, S. 350: Die Bildung und ihr Reich der Wirklichkeit.)

Zu § 188

1 Vgl.: §§ 189–208.
2 Vgl.: §§ 209–229.
3 Vgl.: §§ 230–256.

Zu § 189

1 Vermutlich § 6 gemeint.
2 Vgl.: A. Smith: An inquiry into the nature and causes of the wealth of nations, London 1776 (Eine Untersuchung über das Wesen und die Ursachen des Reichtums der Nationen, Berlin 1976); J.-B. Say: Traité d'économie politique, Paris 1803 (Abhandlung über die National-Ökonomie, Halle 1807); D. Ricardo: On the principle of political economy, and taxation, London 1817 (Über die Grundsätze der politischen Ökonomie und der Besteuerung, Berlin 1979).

Zu § 192

1 Vgl.: *Hegel/Philosophiegeschichte*, 1/690f.: „Die Bedürfnisse erscheinen als Abhängigkeit von der Natur, und diese steht der Freiheit des Geistes gegenüber; die Abhängigkeit so auf das Minimum zu reduzieren, erscheint als ein Gedanke, der sich empfiehlt. Aber dies Minimum ist selbst sogleich unbestimmt; und wenn dieser Wert darauf gesetzt wird, sich auf die Natur zu beschränken: so wird eben damit ein zu großer Wert auf das andere und auf die Entbehrung des anderen gelegt. Es ist das, was auch im Prinzip des Mönchswesens vorkommt. Die Entsagung, das Negative, enthält sogleich eine affirmative Richtung auf das, dem entsagt wird; und die Entsagung und die Wichtigkeit dessen, dem entsagt wird, wird zuviel hervorgehoben. Die Kleidung der Kyniker erklärt Sokrates schon für

Eitelkeit. Es ist nicht eine Sache vernünftiger Bestimmung; das Bedürfnis reguliert da. Im Norden muß man sich anders kleiden als im Inneren von Afrika; das macht sich von selbst, man geht im Winter nicht in baumwollenen Kleidern. Das Weitere ist ohne Verstand; es ist dem Zufall, der Meinung hingegeben. Da ist es nicht meine Sache, etwas zu erfinden; es haben es gottlob schon andere erfunden. Der Schnitt meines Rocks wird bestimmt, man muß es der Meinung überlassen — der Schneider wird es schon machen —; die Hauptsache ist die Gleichgültigkeit, die man ihm bezeigt: Wenn es gleichgültig, so ist er auch als ein Gleichgültiges zu behandeln. (Die Abhängigkeit von der Mode, Gewohnheit ist noch immer besser als von der Natur.) In neuerer Zeit war so die altdeutsche Kleidung in Rücksicht auf den Patriotismus wichtig. Es ist nicht gehörig, daß man seinen Verstand auf dergleichen richtet; nur die Gleichgültigkeit ist der Gesichtspunkt, der dabei herrschen muß. Man weiß sich etwas damit, will Aufsehen machen; es ist Geckenhaftigkeit, sich gegen die Mode zu setzen. Ich muß mich hierin nicht selbst bestimmen noch dies in den Kreis meiner Interessen ziehen: sondern es tun, wie ich es bestimmt finde."

Zu § 193

1 Ergänzung bei *Hegel/Griesheim*, S. 491: „Das Bedürfnis wird durch die Gegenseitigkeit vervielfältigt, die zugleich eine Seite der Allgemeinheit ist. Man ahmt nach, dies ist der Ursprung der Moden, man will es haben wie es die Anderen haben, hat man dies erreicht, so ist man damit nicht zufrieden, man will etwas Besonderes haben, dann ahmen die Anderen wieder nach und so geht es ins Unendliche fort.

So treiben sich die Bedürfnisse. Die Mode ist in dieser Rücksicht das Verständigste, sich nach der Mode zu kleiden ist verständig. Es ist nichts Bestimmtes darin, indem die Bedürfnisse so vereinzelt, so partikularisiert sind, so ist jede Art gleichgültig, eben weil es vernünftig ist keine Determination zu erfinden, die vernünftigste Weise ist die der Allgemeinheit.

Das Erfinden ist Sache der Schneider pp lächerlich ist es wenn ein Professor altdeutsche Kleider erfindet. Daß die Mode veränderlich ist, ist für sie kein Vorwurf, sie ist nichts Beharrendes, sie kann so sein oder auch anders und darum macht man es anders, man tut dem Zufalle sein Recht an, daß man es abändert."

Zu § 195

1 Statt „ungebildet“ wohl richtiger „eingebildet“ (vgl.: *Hegel/Griesheim*, S. 493, Zeile 13; Lasson und Ilting lesen: „gebildet“).

2 Vgl.: *Hegel/Homeyer*, S. 313: „Luxus: Genießen des Individuums über das, was es produziert.“

3 Ergänzung bei *Hegel/Griesheim*, S. 493: „Der Luxus hat keine Grenze, darin sich zu ergehen, durch die Arbeiter kommen die meisten Vervielfältigungen, die meisten Luxusartikel hinein. Die Arbeiter haben das Interesse ihre Arbeiten zu verkaufen, so haben sie das Interesse die Bequemlichkeit, die Genüsse zu vergrößern, neue Mittel zu erfinden, so das Bedürfnis zu vermehren, die Konsumenten auf feinere Bedürfnisse, Unterschiede aufmerksam zu machen.

Es sind weit mehr die Produzenten wie die Konsumenten die die Bedürfnisse vervielfältigen, neue Mittel erfinden und den Konsumenten antun so viel neue Bedürfnisse zu haben.“

4 Ergänzung bei *Hegel/Hotho*, S. 598: „Die natürlichen Bedürfnisse lassen sich von den eingebildeten nicht abscheiden, *Diogenes* hatte einen Napf zum Trinken, und als er Einen aus der Hand schöpfen sah, warf er auch den Napf fort.“ – (Vgl. auch *Hegel/Philosophiegeschichte*, 1/690ff.)

5 Ergänzung bei *Hegel/Griesheim*, S. 494: „Mit dem Zunehmen des Reichtums eines Volks, nicht sowohl des Geldes als damit des Mittels sich die Befriedigung der Bedürfnisse zu gewähren, mit diesem lebendigen Reichtum, vermehrt sich die Armut und Not.

Toter Reichtum existiert jetzt nur noch in den Schätzen der Kosaken, Tartaren pp in der zivilisierten Welt ist es der zirkulierende Reichtum, der im Gebrauch seiende. Mit solchem Reichtum vermehrt sich die Abhängigkeit und Not, der Bedürfnisse sind so viel mehr, die Befriedigung derselben ist eine Zufälligkeit und die Not ist um so größer, weil die Mittel der Befriedigung in der Willkür Anderer sind, dem Willen Anderer angehören. Man hat es nicht mit der äußeren Natur zu tun, jeder Baum, jedes Tier gehört nicht mehr der Natur an, sondern einem Eigentümer, die Abhängigkeit ist so viel größer.

In derselben Proportion, vermehrt sich, wenn nicht sonst Ableitungen z. B. Kolonisationen pp angelegt sind, mit dem Reichtum auch die Armut. In *London* in dieser unendlich reichen Stadt ist die Not, das Elend, die Armut, so schauderhaft groß, wie wir gar keine Vorstellung davon haben. Indem der Reichtum größer wird konzentriert er sich in wenigen Händen und ist erst einmal dieser Unterschied, daß in einigen Händen große Kapitale sind, so erlaubt dies auf wohlfeilere Weise zu erwerben, als bei einem geringen Vermögen, so wird der Unterschied immer größer."

Zu § 196

[1] Ergänzung bei *Hegel/Griesheim*, S. 496: „Es gibt wenige Dinge in der Natur die man bei verfeinerten Bedürfnissen so gebrauchen kann wie sie sind, die meisten müssen eine Menge von Prozessen durchlaufen. Dies ist die höhere Notwendigkeit daß der Mensch die Natur nicht unmittelbar wie sie ist gebraucht, sondern verarbeitet, er gebraucht sie einerseits wie sie unmittelbar ist und andererseits wie sie schon von ihm umgeformt, assimiliert ist. Sie kommt schon als ein durch ihn umgeformtes an ihn und ist so ein doppeltes."

S. 497: „Ich kann nur erwerben von Anderen und zwar durch meine Arbeit, denn jedes ist schon das Eigentum eines Anderen. So ist die Befriedigung nicht mehr auf die unmittelbare Besitznahme gestellt, sondern auf die Arbeit überhaupt, dies ist wieder das wahrhaft vernünftige Verhältnis. Die Befriedigung soll so weit es sein kann, aus dem Menschen selbst hervorgehen durch seine Tätigkeit, auf seine Konduite, Einsicht, seinen Verstand gestellt sein, nicht auf das was die gütige Natur gibt. Darin hat der Mensch seine Ehre, daß er sich vorstellt daß er es ist der die Hauptsache ist. –

Die Arbeit kann in Rücksicht der Moralität derselben entgegengesetzt erscheinen. Mildtätigkeit, Großmut besteht darin daß man der Not anderer durch Geschenke abhilft, ohne Arbeit zu verlangen, und es kann solche Zustände geben, wie er in vielen Ländern stattgefunden hat oder noch stattfindet, daß die Armen, Bedürftigen durch Klostersuppen, milde Stiftungen pp erhalten werden. Gewöhnlich sind die Mittel hierzu, Leibeigene die nicht viel besser daran sind als die Bettler die durch sie ernährt werden.

Das richtigere Verhältnis ist daß der Erwerb an die Arbeit geknüpft ist, indem ich dem Arbeiter seine Arbeit bezahle sorge ich auch für seine Bedürfnisse. Der Zweck wird also ebenso erreicht, aber das Zweite ist daß ich zugleich mit seiner Leistung seine Freiheit anerkenne, selbst sich die Mittel hervorzubringen, ich ehre ihn dadurch, ich anerkenne ihm daß er es sich selbst zu danken hat, er hat dann nichts mir zu danken.

Dies ist die Seite die für die mannigfaltigen Ausgaben der Reichen spricht, der Reiche schafft sich vielerlei an gibt viel Geld aus, man sagt er könne es den Armen geben, er tut aber in der Tat dasselbe als wenn er Wohltaten tut und es ist so viel moralischer, Geld nur gegen Arbeit auszugeben, als durch Schenken, es ist zugleich die Freiheit des Anderen damit anerkannt."

S. 499: „Ich erwarte nur durch meine Arbeit Mittel für meine Bedürfnisse und bringe in der Arbeit Mittel hervor für die Bedürfnisse anderer. In der Staatswirtschaft werden diese Verhältnisse näher betrachtet, und zwar so daß jede, was genossen wird auch zugleich ein Mittel des Hervorbringens sei, d. h. es soll jeder so viel er konsumiert auch produzieren. Die Nahrung wird konsumiert, verschwindet aus dem Vermögen, aber sie erhält die Stärke, Lebenskraft und diese ist ein Mittel Anderes zu produzieren, was der Mensch so konsumiert wird wieder produktiv.

In der Staatswirtschaft sind daher die bloßen Konsumenten sehr schlecht angeschrieben, die Kapitalisten, die Hummeln der Gesellschaft, sie sind nicht produktiv, bringen nicht Mittel heran für die Anderen, sie haben diese Mittel, bringen aber keine hervor. Die Arbeit soll daher in dieser Gegenseitigkeit bestehen, die Mittel zur Befriedigung von Bedürfnissen hervorzubringen und diese sollen wieder eine Quelle von Arbeit sein.

Dies Formieren hat zunächst die Folge daß das Mittel eine gedoppelte Seite hat, erstens die Seite der Natur und zweitens die meiner Form, dies gibt ihm besonders den Wert.

1 Pfd Eisen kostet 1 gr., durch die Arbeit kann ich den Wert um mehr als das 10000fache erhöhen, sodaß das von der Natur Gegebene das Geringste, meine Arbeit, Tätigkeit das Vorherrschende wird. Das meiste was die Menschen konsumieren ist menschlich, hat menschliche Form, er verhält sich überhaupt damit zu einem was von Menschenhänden gemacht was aus seiner Sphäre ist, das was die Natur daran getan hat ist zwar wesentliche Bedingung, aber auch das Wenigste."

Zu § 197

1 Ergänzung bei *Hegel/Griesheim*, S. 500f.: „Die Industrie bringt es mit sich, daß der Mensch sich mit einer unendlichen Menge von Dingen beschäftigen muß, daß er andererseits eine unendliche Menge von Bedürfnissen, von Mitteln vor sich liegen hat, er ist nach allen Seiten geneigt, nach allen Seiten bieten sich ihm interessante Genüsse, Zwecke dar. Er muß Stärke haben, sie liegen zu lassen. Damit ist die Schnelligkeit des Vorstellens verknüpft. Er wird in einer unendlichen Mannigfaltigkeit herumgetrieben, dies macht ihm das Vorstellen des Zu-

sammenhangs, das Übergehen von einer Vorstellung zur andern leichter.

Man kann dies überall bemerken. Die Landleute brauchen Zeit ehe sie in eine Vorstellung kommen und dann können sie schwer wieder davon lassen, kommen immer darauf zurück. Der Mensch von gebildetem Geist, von Weltbildung hat das Vermögen die Konversation über eine unendliche Menge von Gegenständen zu führen. Der Geschäftsmann muß die Geschicklichkeit der Freiheit vom unmittelbaren Geschäft haben, es ganz auffassen, es aber auch weglegen zu können, sich frei davon zu machen und zu anderm übergehen und sich ebenso ernst damit beschäftigen zu können. –“

Zu § 198

1 Ergänzung bei *Hegel/Griesheim*, S. 501f.: „Die Arbeit arbeitet, die Tätigkeit produziert und was sie produziert ist zuerst sich selbst aufzugeben, sich selbst zu zerstören, sie geht in ein Produkt über und dies ist Einheit von formeller Tätigkeit und vom Zweck. Die Arbeit erhebt sich als menschliche Arbeit in die Form der Abstraktion, eine Form die wir schon an den Mitteln und Bedürfnissen gesehen haben. Die Unterschiede werden an ihr spezifiziert, dies sind abstrakte Unterschiede und so entsteht die Teilung der Arbeit, dies große Mittel der Industrie, so daß jeder von einem Ganzen der Arbeit immer nur eine Seite bearbeitet, so geht das Handwerk in die Fabrik über. Der Handwerker macht ein konkretes viele Seiten einschliessendes Werk, wird die Arbeit geteilt, so beschäftigt sich jeder Arbeiter nur mit einem Teil, beschränkt sich auf eine spezifische Arbeit.

Dadurch wird unmittelbar die Menge, welche produziert werden kann, auf das Ungeheuerste vermehrt. Ein Mensch der geschickt Stecknadeln macht[2]), kann aus fertigem Draht täglich nur 40 bis 50 Stück machen, 100 Menschen also nur 5000, wenn aber die Arbeit geteilt wird, so können sie 20 bis 50 Mal mehr hervorbringen. So wird jede Arbeit die noch Konkretes in sich hat zerlegt, so daß jedem nun die gleichförmige Weise der Arbeit zukommt.“

S. 502f.: „Die Arbeit wird immer stumpfer, es ist keine Mannigfaltigkeit darin für die Berücksichtigung des Verstandes. Die Abhängigkeit der Arbeiter ist eine Folge der Fabriken, sie verdumpfen den Geist in dieser Arbeit, werden vollkommen abhängig, sie werden ganz einseitig und haben deshalb kaum einen anderen Weg ihren Unterhalt zu gewinnen, weil sie nur in diese eine Arbeit versenkt sind, nur an sie gewöhnt sind, sie werden so die allerabhängigsten Menschen, und der Geist verstumpft sich[3]). Die weitere Folge ist daß die Arbeit immer mechanischer wird und dadurch entsteht daß der Mensch sie zuletzt Maschinen überlassen kann. Sobald die Arbeit ganz einfach, abstrakt geworden ist, so kann man den Menschen durch Maschinen ersetzen. England würde mehrere hundert Millionen Menschen gebrauchen um die Arbeit der Maschinen zu ersetzen.

Die Arbeiter, besonders die Fabrikarbeiter die durch die Maschinen ihre Subsistenz verlieren, werden leicht unzufrieden und es müssen neue Seiten ihnen eröffnet werden. Das geistige Resultat ist, daß der Mensch die Maschine, Waffen, Dampf, Feuer pp an seine Stelle treten lassen kann und dies nur beaufsichtigt. So kommt durch das Vervollkommnen der Arbeit dies heraus, daß es die Arbeiter verstumpft und am Ende den Menschen überflüssig macht. Es ist nur die Arbeit des Verstandes und wird so fortgebildet, modifiziert." Vgl.: *MEGA* II/1, S. 581.

2 Vgl.: A. Smith: Eine Untersuchung über das Wesen und die Ursachen des Reichtums der Nationen (Buch 1, Kapitel 1), Bd. 1, Berlin 1976, S. 10ff. und *MEW*, 23/358.

3 Über die geistige und körperliche Verkrüppelung des Arbeiters als Folge der Arbeitsteilung im Anschluß an Ferguson, Smith (und Hegel!) vgl.: *MEW*, 23/381ff.

Zu § 199

1 Ergänzung bei *Hegel/Hotho*, S. 614: „Dies nun ist das Wunderbare die innere Notwendigkeit, daß indem jeder für sich zu arbeiten glaubt, die Selbstsucht sich verkehrt, und in Bearbeitung ihres Zwecks die Zwecke anderer realisiert.

Je mehr ein Mensch verschwendet und für sich verbraucht, alles auf seine Genüsse anwendet, sein Vermögen, seine Zeit, seine Gedanken, desto mehr befriedigt er die Bedürfnisse anderer, und keiner kann ein Stück Brot in den Mund nehmen ohne einem andern dadurch Brot zu verschaffen. Dies Selbstsüchtige also, selbst für sich zu essen, ist Sorge für die andern. In allem, was der Mensch für sich tut, befördert er die Zwecke der andern so, daß die Zwecke der andern eine Arbeit für ihn zu Bedingung haben."

S. 615: „Ein viel Brauchender tut der bürgerlichen Gesellschaft mehr Nutzen, als der welcher dieselbe Summe in Almosen ausgäbe, denn an die erste Weise des Ausgebens ist die Tätigkeit der andern, Anwendung ihres Verstandes gebunden. Man hört oft Klagen, wie die Verschwendung gestiegen sei, und alles nur auf eigenen Genuß gehe, während man früher sei wohltätig gewesen; aber dies ist eher zu loben und das vernünftigere Verhältnis."

Zu § 200

1 Vgl.: *Hegel/Homeyer*, S. 315: „Die Ungleichheit des Vermögens ist ein Recht der Natur, der Besonderheit, denn diese ist die Verschiedenheit."

2 Ergänzung bei *Hegel/Griesheim*, S. 509: „Alle Menschen sind vernünftig dies ist die Hauptsache, aber sie sind von Natur her verschieden, dies ist kein Unrecht der Natur, denn es betrifft die besondere Seite und in dieser gilt das natürliche Prinzip. Einen Menschen vernünftig, den anderen unvernünftig zu machen wäre das höchste Unrecht, er ist nur Mensch als Vernunft als denkendes Selbstbewußtsein.

Die Ungleichheit entwickelt sich also in der bürgerlichen Gesellschaft, der Mensch muß hier zeigen was er ist, er ist auf einem Theater wo er alles produzieren muß, teils wird er durch die Nachahmung, teils durch die Not gezwungen alle Kräfte die in ihm sind anzustrengen. Der Mensch als Mensch, also als besonderes Individuum muß zur Existenz kommen, wirklich werden, dies gehört zum Recht der subjektiven Freiheit, einer Freiheit die wir besonders in neuerer Zeit sehr hochschätzen, wo noch jeder sich machen kann wozu er sich berufen fühlt. –"

Zu § 201

1 Ergänzung bei *Hegel/Griesheim*, S. 511f.: „Die Stände haben eine doppelte Bedeutung, einerseits der bürgerlichen Gesellschaft angehörig sind sie der Stand des Landmanns, der Gewerbestand und der allgemeine Stand; die zweite Bedeutung hat Platz im politischen Staat, da sind denn Landstände, Provinzialstände, Reichsstände pp.

Aber diese doppelte Bedeutung ist nicht zufällig gedoppelt, es ist der Punkt des wesentlichen Zusammenhangs dessen was in der bürgerlichen Gesellschaft die Sphäre der Besonderheit ausmacht und desjenigen was im politischen Körper notwendig ist. Es ist von höchster Wichtigkeit daß der politische Körper sich unterscheide in sich, sich organisiere, sich in Organe zerlege, damit er Leben hat, dies ist ebenso bei der bürgerlichen Gesellschaft der Fall, daß nun beides accordiert, ist von der höchsten, absoluten Wichtigkeit, –

Die Stände der bürgerlichen Gesellschaft sind die, die sich

auf die Bedürfnisse beziehen, auf die besonderen Interessen als solche, diese Seite der Besonderheit nun muß sich anschließen, identisch sein, mit den Interessen im politischen Staat. Wie schon früher bemerkt, hat der Staat als politischer Körper in sich seine sittliche Notwendigkeit und das Individuum darin stehen müssen, so für ihn tätig sein, gesinnt sein sich aufzuopfern, dies ist einerseits die reine sittliche politische Pflicht, aber diese muß auch ihre Wurzel haben in der Seite der besonderen Interessen, der Besonderheit der Individuen. Wir haben hier nur an diesen Zusammenhang, an diese weitere Seite die die Stände zu gewinnen haben erinnert, wir haben sie hier nur als Stände der bürgerlichen Gesellschaft. –"

Zu § 202

1 Vgl.: § 203.
2 Vgl.: § 204.
3 Vgl.: § 205.

Zu § 203

1 Vgl.: F. Creuzer: Symbolik und Mythologie der alten Völker, Bd. 4, Leipzig 1812. Vgl. auch *Hegel/Briefe*, 2/220 sowie *Hegel/Ästhetik*, S. 319f.

2 Ergänzung bei *Hegel/Griesheim*, S. 518: „Jener Stand will einfaches Recht, auf einfache Weise, er will daß entschieden werde. Es gibt zwar auch prozeßsüchtige Bauern, wie z. B. in der Schweiz, aber im Allgemeinen ist ihnen diese Weitläufigkeit der ausgebildeten Rechtspflege ein Fremdes, sie verlangen einen einfachen Urteilsspruch. Es ist nichts schlimmer, nichts mehr Unrecht, als wenn man die Landbesitzer in die Hände der Advokaten gibt. Es ist ein großer Umstand daß jeder Stand nach seinem Geiste eine Form der Rechtspflege haben muß. –"

Zu § 204

1 Ergänzung bei *Hegel/Griesheim*, S. 519f.: „Der Stand des Gewerbes, der Industrie ist der Hauptstand der bürgerlichen Gesellschaft. In modernen Staaten hat er eine große Wichtigkeit erlangt, und die ganze Geschichte neuerer Zeit dreht sich darum daß der Gewerbe- und Handelsstand sich gegen die anderen Stände zu diesem Ansehen heraufgearbeitet hat, sowohl gegen den Bauern, als auch gegen den Adelsstand der sein Vermögen in Gütern haben muß. – In diesem Stande ist die Unersättlich-

keit, Maßlosigkeit, Grenzenlosigkeit für die Genüsse die durch den Reichtum angeschafft werden können. Es ist ein Vermögen in der bürgerlichen Gesellschaft vorhanden, aber das Vermögen des Individuums in diesem Stande, ist nicht so beständig, als in dem ersten Stande, es tritt hier all das Veränderliche, die Wagnisse in Rücksicht der Festigkeit des Vermögens ein. Diese Unbestimmtheit in Ansehung des Besitzes ist ein wesentliches Moment, je mehr die Sache ins Große geht, je mehr findet sie statt. Es ist damit große Unabhängigkeit verbunden, die aber unsicher ist."

Zu § 205

1 Ergänzung bei *Hegel/Griesheim*, S. 521: „Hierher gehören Militär, Rechtsgelehrte, Ärzte, Geistliche, Gelehrte pp. Diesem Stande ist die Bildung wesentlich eigen, sie ist für ihn wesentlich denn sein Geschäft ist der allgemeine Zweck, der seinem Inhalte nach die Form der Allgemeinheit hat, die Aktivität dieses Standes ist allgemein, für das Allgemeine, auf allgemeine Weise. Bildung ist so hier vornehmlich zu Hause und weil dies ist, so ruhen besonders das Recht in einem Staate, das Ganze des Staats, Gesetze, Wissenschaften, Kunst pp in ihm, haben in ihm ihr Bestehen, der Geist des Staats als solcher ist diesem Stande anvertraut."

Zu § 206

1 Vgl.: Platon: Der Staat (3, 412 St), Leipzig 1978, S. 166f.
2 Vgl.: The Laws of Manu, 1/87ff., (Edition G. Bühler), Oxford 1886; *Hegel/Geschichte*, 2/366ff.

Zu § 207

1 Erläuterung bei *Hegel/Griesheim*, S. 525: „Wir Deutschen haben die Frage, was ist er? Gehört er keinem Stande an, so ist die Antwort, er ist nichts. Der Mensch ist erst dadurch etwas, daß er einem besonderen Stande angehört."

Zu § 209

1 Hegel rette hier den *Begriff* des Rechts, indem er die *Existenz* des Rechts materialistisch erkläre, meint Marx (*MEW*, 3/300f.).
2 Ergänzung bei *Hegel/Griesheim*, S. 531: „Es ist daher unzulässig einem bestimmten Volke eine Konstitution, ein Rechts-

system, *a priori* geben zu wollen, wie *Napoleon* den Spaniern, dies muß Existenz haben, und diese muß *adäquat* sein dem Recht an sich. Die Seite der Existenz ist nicht für sich dazu verarbeitet Existenz des Rechts sein zu können, das Recht muß an ihm selbst verarbeitet werden zum existierenden Recht, ebenso die Existenz um Existenz des Rechts sein zu können.

Wie, wenn man den Eskimos das Landrecht geben wollte? Eins kann nicht ins andere hineinbrechen, der Begriff kann nicht in die Existenz einbrechen, nicht das Unendliche ins Endliche, wenn nicht die Existenz dem Begriffe gemäß das Endliche an ihm selber unendlich ist."

Zu § 210

1 Vgl.: §§ 211–214.
2 Vgl.: §§ 215–218.
3 Vgl.: §§ 219–228.

Zu § 211

1 Die Quellen des englischen Rechts sind zweifacher Art: entweder handelt es sich um common law oder um statute law. Common law, gemeines (d. h. für ganz England gemeinsames) Recht ist das Werk einer von Gewohnheiten ausgehenden, sich von Entscheidung zu Entscheidung aufbauenden Gerichtspraxis; statute law, Gesetzesrecht, ist das Werk von Parlamentsbeschlüssen und sich darauf stützenden Verwaltungsbehörden. Zu dieser sich aus dem besonderen Weg des englischen Kapitalismus zur Macht erklärenden dualistischen Struktur des englischen Rechts als Rechtsprechungs- und als Gesetzesrecht vgl.: W. Blackstone: Commentaries on the Laws of England, Vol. 1, Oxford 1765 sowie *MEW* 1/589.

2 Vgl.: Francis Bacon: Essays, (1597), Nr. 56: Über das Richteramt, Leipzig 1967, S. 226: „Richter sollen bedenken, daß es ihr Amt ist ius dicere, Recht zu sprechen, und nicht, ius dare, Recht zu geben: das Gesetz auszulegen, nicht, Gesetze zu machen."

3 Das von den (west- und ost-) römischen Kaisern Theodosius II und Valentinian III 426 u. Z. erlassene sog. Zitiergesetz anerkannte nur noch die Schriften von fünf großen Juristen der Vergangenheit (samt der von diesen zitierten noch älteren Juristen) als Autoritäten vor Gericht. Im Fall von Meinungsverschiedenheiten zwischen diesen Zitierjuristen war die Anwendung des Mehrheitsprinzips, bei Stimmengleichheit die Meinung von

Papinian (damals schon mehr als zweihundert Jahre tot) vorgeschrieben (Codex Theodosianus Buch 1, Titel 4, Fragment 3). – Hegels Quelle ist in diesem Fall G. Hugo: Lehrbuch der Geschichte des Römischen Rechts, 5. Auflage, Berlin 1815.

4 Anspielung auf Friedrich Carl von Savigny: Vom Beruf unserer Zeit für Gesetzgebung und Rechtswissenschaft, Heidelberg 1814, S. 49: „... leugne ich unsre Fähigkeit, ein löbliches Gesetzbuch hervorzubringen". Savignys Streitschrift war in der Sache speziell gegen den Code Napoleon („Krebsgeschwür") gerichtet und ausdrücklich gegen eine beim gleichen Verlag erschienene Schrift von A. F. J. Thibaut, des Freundes von Hegel, geschrieben: Über die Notwendigkeit eines allgemeinen bürgerlichen Rechts für Deutschland, Heidelberg 1814.

5 Vgl. zur Ergänzung *Hegel/Enzyklopädie*, § 529: „Diejenigen, welchen *Gesetze* sogar ein Übel und Unheiliges sind, und die das Regieren und Regiertwerden aus natürlicher Liebe, angestammter Göttlichkeit oder Adeligkeit, durch Glauben und Vertrauen für den echten, die Herrschaft der Gesetze aber für den verdorbenen und ungerechten Zustand halten, übersehen den Umstand, daß die Gestirne usf., wie auch das Vieh, nach Gesetzen und zwar gut regiert werden, – Gesetzen, welche aber in diesen Gegenständen nur innerlich, nicht *für sie* selbst, nicht als *gesetzte* Gesetze sind, daß der Mensch aber dies ist, sein Gesetz zu *wissen*, und daß er darum wahrhaft nur solchem gewußten Gesetze gehorchen kann, wie sein Gesetz nur als *gewußtes* ein gerechtes sein kann, sonst aber schon nach dem wesentlichen Inhalt Zufälligkeit und Willkür, oder wenigstens damit vermischt und verunreinigt sein muß."

6 Siehe Anmerkung 4.

7 Seit dem Mittelalter wird als Corpus iuris civilis die Zusammenfassung des römischen Rechts bezeichnet, wie sie auf Befehl des oströmischen Kaisers Justinian 529–534 u. Z. vorgenommen wurde. Zum Corpus iuris gehören: a) die Institutionen, ein Kurzlehrbuch mit Gesetzeskraft; b) die Digesten, etwa 9000 rechtsverbindliche Auszüge aus Juristenschriften, gegliedert in 50 Bücher; c) der Codex, enthaltend kaiserliche Erlasse; d) die Novellen, enthaltend die nach Vollendung von a) bis c) erlassenen Nachtragsgesetze römischer Kaiser. Als Ganzes gesehen bietet das Corpus iuris also kein System, sondern ungeachtet des Fortschritts gegenüber dem vorherigen Zustand eher den Anblick eines Konglomerats.

8 Da das englische Recht zu einem erheblichen Teil common law (siehe Anmerkung 1), von Gerichten entwickeltes Recht ist, die Richter also verpflichtet sind, sich an die Präzedenz-

entscheidungen ihrer Vorgänger zu halten, sind die (nichtsystematisierten) Sammlungen dieser Dezisionen eine für den Laien praktisch unzugängliche Grundlage des englischen Rechts.

Zu § 212

1 Ergänzung bei *Hegel/Griesheim*, S. 538: „Das Gesetz kann seinem Inhalte nach verschieden sein von dem was Recht ist, denn das Gesetztsein für sich ist die äußere Existenz, ist dies Gelten, Ausgesprochensein, dies Macht und Gewalthaben, so daß ihm gehorcht wird, von dieser Form der Existenz kann verschieden sein was dem Begriffe nach gilt. Es kann so sehr bestimmte Gesetzgebungen geben, die dergleichen ungerechte Bestimmungen in sich enthalten. Es gibt so eine Gesetzgebung über die Sklaverei, einen *Codex* in Ansehung der Schwarzen auf den westindischen Inseln, aber an sich ist die Sklaverei unrecht, beides kann so verschieden sein, das was gilt und das was an sich Recht ist. Im positiven Rechte ist daher das, was gesetzmäßig ist, die Quelle der Erkenntnis dessen, was Recht ist, oder eigentlich was Rechtens ist. Es sind zweierlei Kategorien, das was an sich, der Vernunft nach Recht ist und das was in einer bestimmten Gesetzgebung als das geltende Recht ausgesprochen ist. Wenn einer einem Rechtsgelehrten sagt, dies oder jenes Gesetz sei nicht dem Begriffe gemäß, so antwortet dieser wahrscheinlich: „Mein Lieber Sie verstehen das nicht", und bringt dann die Sache zur Erkenntnis, expliziert sie, indem er zeigt, daß es Recht ist, weil es von diesem Kaiser, jenem Prätor, jenem Senatusconsult bestimmt worden, in diese Gesetzgebung aufgenommen und im Zusammenhang mit diesen Bestimmungen steht, so daß es notwendig daraus folgt.

So erklärt er, gibt Gründe an, macht die Sache verständlich, aber dies ist in der Sphäre des Gesetztseins und es wird so nur deduziert wie dies Recht in die Sphäre der Existenz gekommen ist. Der Verstand darin wird aufgezeigt, aber wenn man aus dem Begriff räsoniert so ist dies ein anderer Verstand, und so hat man allerdings die Sache nicht verstanden, d. h. man ist nicht in der Kategorie, die in der anderen Sphäre gilt."
Vgl. auch *Hegel/Jena*, S. 408ff. sowie *Hegel/Phänomenologie*, S. 306ff.: Gesetzprüfende Vernunft.

Zu § 213

1 Verschärfend: *Hegel/Hotho*, S. 651: „In alten Gesetzgebungen findet man oft moralische Gebote, aber solche als positive Gesetze wären nur Gesetze der Tyrannei."

Zu § 214

[1] Bei 40 Schlägen lag das Höchstmaß der biblischen Prügelstrafe. Vgl.: Das Alte Testament, 5. Mose, 25, 3.

Zu § 215

[1] Vgl.: Anmerkung 3 zu § 3 und Anmerkung 7 zu § 211.
[2] Anspielung auf das Allgemeine Landrecht für die Preußischen Staaten von 1794, einem 19000-Paragraphen-Kodex.
[3] Bei *Hegel/Griesheim*, S. 544 wird ergänzend der code Napoleon erwähnt: „aber die Untertanen befinden sich wohl dabei."
[4] Vgl.: *Hegel/Werke*, 9/226ff., 246ff. (Enzyklopädie, §§ 317–320, vor allem die „Zusätze"). Vgl. auch *Hegel/Briefe*, 2/247, 257.

Zu § 216

[1] Der größte Feind des Guten ist das Bessere.
[2] Das Alte Testament, 2. Mose 20 und 5. Mose 5.

Zu § 219

[1] Vgl.: §§ 211–214
[2] Vgl.: §§ 215–218.
[3] Vgl.: §§ 219–228.
[4] Ergänzung bei *Hegel/Griesheim*, S. 556: „Der Richter ist nicht der Rächer, Rache ist auch Ausübung der Gerechtigkeit, aber verknüpft mit Interessen, Empfindungen, partikulären Interessen, so daß davon die Ausübung der Gerechtigkeit abhängt, willkürlich ist und ungerecht werden kann. Der Richter muß kalt sein, kein Herz, kein Gemüt und nur das Interesse haben daß die Gesetze geschehen. Dies setzt die Bildung der bürgerlichen Gesellschaft voraus, daß der Mensch gewöhnt ist sich nach dem Allgemeinen zu bestimmen."
[5] Vgl.: Carl Ludwig von Haller: Restauration der Staatswissenschaft, Winterthur 1816–1834, Bd. 2, S. 254. Vgl.: *Hegel/Rechtsphilosophie*, § 258 speziell Anmerkung 5.

Zu § 221

[1] Ergänzende, auch gegen das in Deutschland im 19. Jahrhundert immer noch geltende römische Recht gerichtete Bemerkung bei *Hegel/Griesheim*, S. 557f.: „Das Mitglied der bürgerlichen Gesellschaft hat seine Sache zu führen, anzuklagen und sich zu verteidigen, das Recht was ihm werden soll ist sein eigenes.

Das Individuum soll aber nicht bloß mit seinen Füßen vor Gericht stehen, sondern mit seiner Einsicht. Wenn nach einem unbekannten, fremden, unbestimmten, in Dezisionen zersplitterten Rechte gerichtet wird, wo die Termini in fremden Terminologien gefaßt sind, so hilft es nichts mit Füßen und Ohren vor Gericht zu stehen, der erkennende, einsehende Mensch ist doch nicht dabei, nur der leibliche Mensch, nicht das Bewußtsein."

Zu § 223

1 Anspielung auf das Billigkeitsrecht (rules of equity), das vom Gericht der Chancery, dem Billigkeitsgericht, in England in Ergänzung zum common law (vgl.: Anmerkungen 1 und *b* zu § 211) angewendet wurde.

Zu § 224

1 Ergänzung bei *Hegel/Griesheim*, S. 561f.: „Dies ist ein sehr wichtiger Punkt. Die erste Bemerkung dabei ist, daß einem einfallen kann daß in Rücksicht des jetzigen Zustandes dies eine Neuerung, ein revolutionäres Institut ist. Dagegen ist zu erwidern, daß die Öffentlichkeit der Rechtspflege eine ganz deutsche Einrichtung ist, die noch in vielen Gegenden vor nicht gar langer Zeit stattfand. Ich erinnere mich noch in meinem Vaterlande selbst bei Kapitalverbrechen öffentlichen Verhandlungen darüber beigewohnt zu haben. Wenn die Untersuchung geschlossen war, so wurde im Namen des Fürsten die Anklage durch einen Advokaten öffentlich gemacht, welches der Verteidiger des Angeklagten ebenso erwiderte. Ebenso war auch in Zivilsachen die Sitzung des Ober-Apellations-Gerichts auf der Universität Tübingen öffentlich, wobei die juristischen Studenten viel assistierten. Dies und Ähnliches sind Beispiele daß die öffentliche Gerichtspflege nicht eine Neuerung ist, die Neuerung ist vielmehr daß sie nicht öffentlich ist. –

Die zweite Bemerkung ist daß das Nichtöffentlichsein der Rechtspflege zusammenhängt mit der Einführung des römischen Rechts, indem alsdann von den Verhandlungen nichts mehr verstanden wurde, die Öffentlichkeit hilft nichts wo fremdes Recht gilt, oder ein Recht in fremder Sprache, oder wo kein bestimmtes Gesetzbuch vorhanden ist."

2 Ergänzung bei *Hegel/Griesheim*, S. 565: „Der Richter hat Recht zu sprechen nach den Gesetzen, dies ist die Regel, er ist nur das Organ der Gesetze. Als Richter eingesetzt hat er das öffentliche

Zutrauen, das des Fürsten, der Behörde die ihn dazu gemacht hat, von dieser Seite können sich die Gerichtshöfe ein großes Zutrauen erworben haben, wie in Deutschland schon lange die preußischen Gerichtshöfe mit dem Rufe unparteiischer Urteile bekannt sind. Wie nun aber diese Seite auch vorhanden ist, so ist doch noch eine zweite Seite, daß nämlich die Richter nicht bloß Organ der Gesetze sein können.

Der Richter ist nicht bloß der Durchgang der Gesetze, er ist wesentlich das Tätige der Gesetze, so daß seine Ansicht, Meinung pp Einfluß hat, er muß als besondere Person dabei sein, daher auch seine Meinungen, Ansichten, Neigungen, Triebe, partikulären Interessen, die immer vorhanden sind im einzelnen Menschen. Das Urteil ist aus zwei Elementen zusammengesetzt, das eine Element ist das Gesetz, das zweite die Meinung, Ansicht, das Naturell des Richters, diese zweite Seite ist wesentlich vorhanden." S. 567: „Man rechnet die Öffentlichkeit der Rechtspflege oft zu der Freiheit der Verfassung, diese Freiheit besteht darin daß das Publikum zum Recht des subjektiven Bewußtseins kommt, zu urteilen über die Art wie die Rechtspflege beschaffen ist. Die Rechtshalter können sich mit dem allgemeinen Zutrauen begnügen, aber bei fortgebildeter Reflexion wird jenes Recht mit Grund in Anspruch genommen, das Publikum hat darin die weitere Garantie gegen die Subjektivität der Richter, gegen die Bequemlichkeit, Trägheit, Unwissenheit pp, dagegen ist die Öffentlichkeit der Rechtspflege das Gegengewicht."

Zu § 225

1 Verdeutlichungen bei *Hegel/Griesheim*, S. 567f.: „Der erste Teil kommt den Geschworenen, der zweite den Richtern zu. Das Geschworenengericht hat nur die erste Seite des Rechtshandels abzuurteilen, das weitere fällt den juristischen Richtern zur Behandlung und Entscheidung zu. Dieser Unterschied findet sich in der Natur des Rechtshandels selbst und er hat so die Folge daß ein Unterschied in Ansehung des Gerichts selbst eintritt.

Das Geschworenengericht ist übrigens nicht, wie oft geschieht, so den anderen Gerichten entgegenzusetzen, als ob es nur aus Geschworenen bestände und nicht auch aus eigentlichen Richtern. Die Geschworenen können nur eine Seite der Sache entscheiden."

S. 569: „Die Hauptsache ist daß bei der Rechtspflege getrennt werden kann, das Urteil über den Tatbestand und das Urteil darüber was rechtens ist in diesem Fall. Die Geschworenen sind nun der Teil des Gerichts der über den Tatbestand spricht, aber nicht alle Richter sind Geschworene, das Interesse dabei ist, daß beide Fraktionen so getrennt werden, daß das Festsetzen dessen was Rechtens ist nur den eigentlichen Richtern als solchen zukommt. –“

2 Der Stadt- und der Fremdenpraetor, mit Befehlsgewalt, imperium, ausgestattet, leiteten als Gerichtsmagistrate das jeweilige Zivilprozeßverfahren ein, organisierten es, stellten den Rechtsinhalt des jeweiligen Streites fest und verwiesen den Streitfall dann an einen iudex, eine von den Prozeßparteien gewählte Privatperson, die dann das Beweisverfahren durchführte und das Urteil fällte. Im Strafprozeß (der späteren Republik und des Prinzipats) urteilten Geschworene, iudices, unter Leitung eines Berufsbeamten über die Frage, ob der Angeklagte das in dem für diesen Prozeß maßgebenden Gesetz benannte Delikt begangen oder nicht begangen habe.

Zu § 227

1 Vgl.: §§ 119ff.

2 ex animi sententia, etwa: nach bestem Wissen und Gewissen, Urteilsformel des römischen iudex, des geschworenen Schiedsrichters.

3 Ergänzung bei *Hegel/Enzyklopädie*, § 531 sowie bei *Hegel/Griesheim*, S. 574f.: „Alle die eine Funktion haben tun was sie tun nach ihrem Urteil, Gewissen, ihrer Meinung, Überzeugung, einen zum Richter machen, ihm ein Amt geben heißt sein Gewissen, seine Meinung privilegieren. Beim Geschworenengericht haben die zwölf Richter ein Gewissen und sprechen danach, beim Publikum hat jeder auch ein Gewissen und meint danach. Jeder Richter muß ein Gewissen haben, es gilt und dies ist das Privilegium des Richters, das Gewissen der andern gilt nicht d. h. sie sind nicht Richter. In Ansehung des Gewissens stehen beide gleich, aber dem Gewissen des Richters ist das Recht gegeben Recht zu sprechen. Das Gewissen der Geschworenen spricht über den Tatbestand, dieser ist aus sinnlichen Elementen zusammengesetzt, dazu gehört die sinnliche Anschauung des Verbrechers, der Zeugen, des Benehmens aller pp dies hat seinen Einfluß und soll ihn haben, denn es gehört der Sphäre des Gewissens an. Haben die Geschworenen gesprochen so hat niemand mehr zu sprechen, die Umstände die sie bewegt haben sind nicht zu Papier zu bringen, es spricht aus ihnen die subjektive Evidenz und dies ebenso bei den Geschworenengerichten wie bei jedem anderen Gericht.“

[4] Ausführliche Ergänzungen bei *Hegel/Griesheim*, S. 569f.: „Man setzt das Interesse der Geschworenengerichte oft darin, daß der Richter von dem Stande des Angeschuldigten, seinesgleichen sein soll, dies ist jedoch ein getrennter Gesichtspunkt, eine andere Seite, es kann der Fall sein, oder auch nicht, es ist ein weiterer Umstand über den wir uns nicht auszulassen brauchen.

Aber man kann diese Bestimmung auch schief nehmen, denn es ist klar daß sie immer nur im beschränkten Sinne genommen werden darf. Der Verbrecher kann nicht von Verbrechern gerichtet werden und eigentlich sind diese doch seinesgleichen.

So können auch seinesgleichen als einem gewissen Stande angehörig, gewisse Vorurteile haben die der Staat, das Gericht nicht anerkennen kann, sondern dagegen sprechen muß. So ist es bei Handwerkern und Kaufleuten, Schiffern, Fuhrleuten der Fall, daß sie sich eine Art von Vorteil erlauben, die eigentlich auf Betrug hinausläuft, z. B. Verfälschung von Getränken, schlechtes Gewicht pp dies nehmen die Standesgenossen nicht übel, weil sie selbst es ebenso machen und sie werden den deshalb Angeschuldigten daher freisprechen; oder sie deprimieren ihn auch wohl um einen Konkurrenten weniger zu haben.

So ein Eigentümliches wodurch die andern benachteiligt werden hat jeder Stand, jedes Gewerbe. Wenn ein Beamter der sich Bedrückungen erlaubt hat wieder von anderen Beamten gerichtet werden soll, so ist es schwer ihn zur Strafe zu bringen, die Richter sind auch Beamte, kommen in ähnliche Lagen, man hilft sich untereinander gegen den Staat und gegen die Untergebenen. Nichts ist schwerer als einen Beamten zur Bestrafung zu bringen, Untersuchung, Urteil pp alles geschieht von seinesgleichen. Auch beim Pöbel ist dies der Fall, er hat eine pöbelhafte Gesinnung gegen andere seinesgleichen oder Vornehmere, Injurien gegen seinesgleichen, oder gegen die Polizei, die Obrigkeit werden ihm nicht übel genommen, von seinen Mitgenossen."

S. 575f.: „Worin besteht nun das Interesse, daß die beiden unterschiedenen Funktionen verschieden behandelt werden, die verschiedenen Funktionen von besonderen Personen ausgeführt werden? Das allgemeine Interesse ist zunächst dies, daß die verschiedenen Arbeiten, Tätigkeiten, Interessen, unterschieden verwaltet werden, durch verschiedene Individuen betätigt werden, daß die Verschiedenen geteilt werden ist das große Prinzip der Bildung.

Dieser Gesichtspunkt der Trennung kommt so auch in der Rechtspfelge vor und ist von großer Wichtigkeit. Polizei und Gericht werden so voneinander getrennt in neuerer Zeit, früher war der Richter zugleich auch Polizeibeamter, außerdem noch Domänenverwalter, Steuereinnehmer pp. Der Polizei liegt ob den Täter zur Untersuchung zu bringen auf den Verdacht, auf die äussern Umstände, die Wahrscheinlichkeit; der Verdacht, die Vermutung muß dann vom Gericht weiter untersucht werden. Daß nun das polizeiliche Geschäft von der Rechtspflege unterschieden verwaltet werde ist von der größten Wichtigkeit und beide sind in gebildeten Staaten neuerer Zeit immer mehr von einander getrennt worden.

Es ist also zunächst das Interesse überhaupt jene beiden Geschäfte zu trennen weil sie verschieden sind. Selbst da wo sie noch vereinigt ausgeübt werden, ist es wichtig daß die Beurteilung des Tatbestandes abgesondert vorgetragen werde, von dem was Rechtens ist, schlechte Relationen vermischen beides, gute sondern es.

Dies ist aber nur das allgemeine Interesse. Das weitere ist zweitens daß die Gesichtspunkte in den Geschäften nicht nur verschieden sind, sondern sogar entgegengesetzt. Der Richter hat das Gesetz als solches geltend zu machen und hat so dasselbe Interesse wie die Parteien, aber er hat auch ein verschiedenes Interesse, was er spricht ist zugleich ein Übel, Nachteil, Schaden für eine Partei in Zivilsachen, und für die Hauptpartei in Kriminalsachen; es spricht insofern gegen die Subjektivität, und so gegen die Partei und doch soll er ganz unparteiisch sein, aber indem er nach den Gesetzen spricht, ist er immer gegen eine Partei.

Dies ist das Allgemeine und enthält für sich keine subjektive Seite. Dagegen die Seite der Untersuchung, das Feststellen des Tatbestandes gehört der subjektiven Seite an. So soll nun der Richter einmal unparteiisch sein und sich doch in seinem Spruch gegen die Partei kehren, dies ist ein Kontrast in sich selbst, wie der Polizeibeamte nicht unparteiisch Rechtsprechen kann, so auch in diesem Verhältnis der Richter.

Der Polizeibeamte forscht den vermuteten Täter aus, oft mit List, mit Aufopferungen, er hat so das Interesse daß seine Mühe durchgesetzt werde, daß bestätigt werde was er vermutet hat, so hat er durch sein Geschäft ein Interesse gegen die Subjektivität des Täters und deshalb muß sein Interesse von dem des Rechtsprechens abgesondert sein. Dieser Gesichtspunkt daß die Richter einerseits unparteiisch sein sollen, andererseits doch gegen das Subjekt sprechen müssen ist wichtig, er setzt den Richter in einen Widerspruch und der Verurteilte ist deswegen geneigt den Richter der gegen ihn gesprochen für nicht unparteiisch zu nehmen, er sieht der Richter ist gegen ihn und doch soll der Richter in Rücksicht der subjektiven Seite selbst unparteiisch sein. –" S. 578–580: „Bei den Gerichten die nicht Geschworenengerichte sind wird das Eingeständnis des Täters verlangt, bei den Geschworenengerichten fällt dies weg.

Die Forderung des Eingeständnisses macht der Gesetzgebung die höchste Ehre, weil dasselbe die höchste Gewißheit gibt, dies muß man anerkennen. Es ist ganz etwas anderes ob durch Zeugnisse, Umstände pp der Beweis eines Verbrechens kombiniert ist oder ob der Verbrecher sagt „ich habe es getan". Diese Gewißheit geht über alle Kombinationen, sie ist die Gewißheit in ihrer wesentlichsten Form, und es gereicht wie gesagt den Gesetzgebungen zur Ehre diese Gewißheit erlangt zu haben, diese Einstimmung des Täters mit dem von dem Gerichte Eruierten.

Die eine Seite ist daß seine Einstimmung mit dem Gesetz gefordert wird, diese liegt darin daß er das Gesetz kennt und die Anwendung muß von der Art sein, so klar, daß sie für sich selbst folgt, so ist seine Übereinstimmung gesichert nach dieser Seite durch die Bekanntmachung der Gesetze wodurch er gerichtet wird, er selbst könnte sich subsumieren.

Die zweite Seite ist die Festsetzung des Tatbestandes, daß die Einstimmung des Täters erfordert wird mit dem was von dem Gericht erkannt, gewußt wird von dem einzelnen Fall. Da ist sein Selbstbewußtsein, seine Freiheit respektiert indem auch hier seine Übereinstimmung gefordert wird. Er bekennt sich selbst schuldig der Handlung und darin erscheint die Überzeugung des Richters und seine Überzeugung identisch.

Dieser Umstand ist auch bei den Gerichten vorhanden wo keine Geschworenen sind, wo die Gerichte selbst auch über den Tatbestand sprechen. Die Folge ist aber daß wenn diese Gesetzgebung, Rechtspfelge konsequent ist, sie zur Tortur fortgehen muß, wie z. B. die peinliche Halsgerichtsordnung Kaiser Carl V., wo diese noch gilt, wie in Sachsen, gilt auch die Tortur noch, die Partei der Gerichte hat sie nur entfernt d. h. sie haben ein Gesetzbuch, richten sich aber nicht danach. –

Das Eingeständnis hängt von dem Willen, dem Eigensinn des Angeklagten ab, die Tat kann ganz bewiesen sein, der Richter kann vollkommene Überzeugung haben, nur das Eingeständnis fehlt und wenn der Richter von diesem Punkt nicht abgehen will, muß er zur Tortur schreiten. Aber die Tortur ist ebenso wieder ein höchst unzuverlässiges Mittel die Gewißheit zu erkennen, das Eingeständnis hervorzubringen. Körperliche Unempfindlichkeit, Hartnäckigkeit, Gefühllosigkeit im Ertragen körperlicher Schmerzen, die Idee daß das Eingeständnis Todesstrafe nach sich zieht, dies vermag oft zu bewirken, daß der Mensch sich festhält in den Schmerzen der Tortur. Noch viel mehr aber kann der Schmerz den Unschuldigen bewegen Geständnisse zu machen die man von ihm verlangt, dies ist der fürchterliche Umstand der die Tortur entfernt hat. Bei der Blüte des römischen Rechts hat die Tortur stattgefunden, die Folge war daß noch am Anfang des 18ten Jahrhunderts von sehr gelehrten Doktoren Hexen verbrannt wurden. Es ist ein Senogismus eines sonst gebildeten Volks daß man nach der Reformation mehr Hexen verbrannt hat, als vorher, und in protestantischen Ländern beinahe mehr wie in katholischen. –

Die Tortur ist also die notwendige Konsequenz wenn das Eingeständnis gefordert wird. Im preußischen Landrecht hat man sich auf eine andere inkonsequente Weise geholfen, torquiert werden die Verbrecher nicht, es kommt also nur auf die Kontroverse an, er gesteht nicht, das Geständnis ist aber nötig, was soll man machen. Eine Art von Tortur wird zwar angewendet, einsames Gefängnis, schlechte Kost, Wasser und Brot, Entziehung aller Beschäftigung, aber dies ist doch nicht eigentlich Tortur, diese ist nicht gestattet und so ist man darauf gekommen die außerordentliche Strafe einzuführen. Diese kann nicht den Grad der ordentlichen Strafe erreichen und es ist so immer noch ein Vorteil zu leugnen. Dies ist die eine Seite, es ist das Prinzip darin, daß das Eingeständnis gefordert wird. –“ S. 584f.: „Dies sind die Hauptgesichtspunkte die in Rücksicht auf die Geschworenengerichte festzustellen sind. Die Form der Rechtspflege eines Staats ist ein wesentlicher Punkt, die Rechtspflege ist eine der wichtigsten Institutionen im Staate, darüber zu meditieren, sie kennen zu machen und die Kenntnis dergleichen Institutionen ist von größerer Wichtigkeit als das was man oft von allgemeiner Freiheit, allgemeinem Liberalismus schwatzt. Man kann daran die Menschen unterscheiden denen es um Recht zu tun ist, ob sie bloß stehen bleiben bei Deklamationen im Allgemeinen oder ob sie sich ins bestimmte Besondere einlassen, dies zu ihrem Gegenstand machen und die Erkenntnis davon zu erlangen suchen.“ – (Vgl. auch A. Feuerbach: Betrachtungen über das Geschworenen-Gericht, Landshut 1813.) Das zu Hegels Zeiten gültige Allgemeine Criminalrecht für die Preußischen Staaten, Erster Teil: Criminal-Ordnung, lautete im § 34: „Zu einem vollständig besetzten Criminal-Gerichte gehört ein Richter und ein vereideter Protokollführer;“ § 285: Folterverbot; § 296: Peitschenstrafen für Leugnende.

Zu § 231

1 Zum Begriffe der Polizei vgl.: *Hegel/Griesheim*, S. 587: „Polizei ist hier der passendste Name, obgleich er im gewöhnlichen Sinn eine beschränktere Bedeutung hat.“ S. 616: „Das Regulieren der äusseren Verhältnisse, das Übersehen des Gangs der Notwendigkeit, die Kenntnis dieses Ganges und das Regieren, was sich so weit wie möglich hineinbringen läßt, dies sind die Gesichtspunkte der Polizei.“

Zu § 236

1 Ergänzungen bei *Hegel/Griesheim*, S. 596: „In dieser Rücksicht ist in neueren Zeiten zum Grundsatz gemacht, man solle alles gehen lassen wie es wolle, sobald ein Bedürfnis da sei würden sich auch die Mittel finden, dies mache sich von selbst. Die Regierungen haben früher um die Industrie im Inlande zu unterstützen Einführungsverbote erlassen, die Einfuhr fremder Waren durch Abgaben erschwert und eine Seite der indirekten Abgaben ist immer noch der eigenen Industrie einen Vorteil zu verschaffen gegen die des Auslandes, auch sind um die Industrie zu heben Privilegien erteilt worden. Jetzt ist man ganz dagegen, ist ein erklärter Feind aller dieser Mittel, Grundsatz ist: es findet sich dies alles von selbst.

Zwei Punkte sind hierbei besonders zu berücksichtigen. Der erste ist das entgegengesetzte Interesse der Produzenten und Konsumenten. Hier meint man wird sich schon jeder vor Schaden hüten, jeder wird sich bemühen nicht zu Schaden zu kommen, wer etwas kauft sehe sich vor; den Produzenten ist es überlassen ihre Ware zu machen wie sie wollen, ist sie schlecht, so kauft sie niemand. Dies wurde früher sehr reguliert. In Frankreich fanden z. B. die genauesten Bestimmungen über die Fabrikation der Seidenzeuge statt, damit die Waren immer gleiche Güte haben. Dagegen sagt man jetzt einerseits sei es den Konsumenten überlassen sich um die Güte der Ware zu bekümmern, andererseits sei es Sache der Produzenten Waren zu liefern wie es ihnen beliebt. Dies ist im Allgemeinen ganz richtig, und der Beschränkungen waren gewiß viele, die engherzig und kurzsichtig waren.“

S. 598: „Der zweite Punkt ist, daß das Publikum bei der Ausstellung von Waren nicht betrogen werde. Die Produzenten haben das Interesse zu produzieren und das Recht sich durch ihre Produktion ihr Brot zu verdienen, ihre Geschicklichkeit geltend zu machen, sie liefern den Konsumenten, sie haben nur das Interesse der Produktion, wie und ob ein ein Gewerbetreibender will muß ihm überlassen bleiben.

Andererseits ist es aber auch das Interesse des Publikums daß ihm geliefert werde was es bedarf, die Produzenten übernehmen die Lieferung eines Bedürfnisses und damit die Pflicht dies zu liefern. Dies Interesse des Publikums wird gewöhnlich außer Augen gelassen, aber das Verhältnis ist in der bürgerlichen Gesellschaft wesentlich gegenseitig.

Die eine Seite ist die der Naturnotwendigkeit, die garantiert ist durch das Bedürfnis der andern zu produzieren und dadurch zu gewinnen, es ist aber keine eigentliche physische Notwendigkeit, sie könnten das Produzieren unterlassen und die Konsumenten in Verlegenheit setzen, aber ihnen kommt in der bürgerlichen Gesellschaft das Recht zu leisten, das Publikum hat einen Anspruch auf ihre Arbeit.

Es ist zuweilen geschehen daß alle Gesellen eines Gewerkes aus Unzufriedenheit mit den Meistern nicht arbeiten wollen, es kann dabei der Fall sein daß alle freiwillig diesen Schritt tun, oder einzeln von den andern gezwungen werden, oder daß wenige übrig bleiben die Bedürfnisse zu befriedigen, da wird denn mit Recht das Recht geltend gemacht gegen solche Gewerke. Der Zweig der Bedürfnisse den sie übernommen haben muß befriedigt werden, es ist ihre Pflicht zu leisten, das Publikum hat einen Anspruch auf ihre Arbeit und kann dasselbe geltend machen. Darauf beruht die bürgerliche Gesellschaft, daß kein einzelner sich herausziehen kann, alles ist bedingt durch die Arbeit Aller. Dies muß auch in Rücksicht spezieller Ansprüche in Wirkung treten. Die Juden können daher gezwungen werden ihre Läden auch an den Sonnabenden offen zu halten, indem sie ein Bedürfnis des Publikums befriedigen. Wer ein Gewerbe übernimmt macht sich anheischig die Bedürfnisse des Publikums zu befriedigen, und so kann man ihm die Bedingung auferlegen das Gewerbe sozu betreiben, wie es das Bedürfnis des Publikums fordert. Den Juden kann man sagen, wir brauchen Kaufleute für alle Tage, wollt ihr dies nicht, so seid ihr überhaupt dazu nicht fähig.

Ein anderer Punkt ist die Einseitigkeit, die auch die Juden betrifft. Die bürgerliche Gesellschaft gestattet jedem Individuum sich einem Stande anzuschließen welchem es will. Man wirft nun den Juden vor daß sie in vielen Ländern sich nur einem einzelnen Industriezweige widmen, nicht Ackerbau, nicht Gewerbe, nur Handeltreiben. Nach jener Seite kann sich jeder einen Stand wählen, welchen er will, so können sie nicht gezwungen werden, allein indem die Gesellschaft jenes

Prinzip feststellt setzt sie voraus, daß alle so in sich allgemeiner Art, Meinung, Befähigung sind.

Diese Gleichgültigkeit aller Stände für das Individuum ist die Bestimmung der bürgerlichen Gesellschaft."

Zu § 237

1 Ergänzung bei *Hegel/Hotho*, S. 698f.: „Aber diese Allgemeinheit ist eine bloße zufällige Möglichkeit, und da könnte man auch sagen: jeder sei da hinein zu stoßen und habe da für sich zu sorgen, sei er tauglich, werde er sich helfen, gehe er zu grunde, so sei dies seine Schuld. Ein Gewerbe nährt seinen Mann, wie jenen sein Stand, aber blüht ein Gewerbe besonders, so wenden sich darauf viele Individuen. Das Bedürfnis aber der Waren hat seine Grenzen, und ist solches Gewerbe überfüllt, so können dies die Einzelnen nicht übersehn, gehn hinein und gehn zugrunde. Man kann da sagen: Die Überfüllung werde schon eingesehn werden, und dann würden die Einzelnen ein solches Gewerbe verlassen.

Aber das können sie nicht, indem sie nur diese Geschicklichkeit haben, ihr Kapital sowohl ihrer Anlagen als das des Geldes hieran gewendet haben. Der Übergang ist dann so, daß eine Menge eines solchen Gewerbes zugrunde geht, oder mit Kummer und Not sich durchschleicht. Der Übergang also geschieht durch Verderben."

Zu § 239

1 Anspielung auf den literarischen Streit, den die Veröffentlichung des „Emile" von Jean-Jacques Rousseau 1762 in Frankreich auslöste.

Zu § 240

1 Vgl.: Das Geschichtswerk des Herodotos von Helikarnassos Buch 2, Kapitel 177, Leipzig 1956, S. 209.

Zu § 241

Ergänzung bei *Hegel/Griesheim*, S. 605f.: „Dies ist ein wichtiges Kapitel, besonders in den Staaten, wo die bürgerliche Gesellschaft ausgebildet ist. Das Vermögen der Gesellschaft worauf die Befriedigung der Bedürfnisse gegründet ist, hat die Seite der Zufälligkeit an sich, besonders in Rücksicht der Teilnahme der

Individuen an demselben. Das Verhältnis der Bewegung in sich selbst worauf das Vermögen beruht, bringt die Extreme von Reichen und Armen hervor d. h. von solchen die ihre Bedürfnisse leicht und von solchen die sie nicht befriedigen können.

Der Zustand der Armut läßt den Menschen die Bedürfnisse der bürgerlichen Gesellschaft, diese vielseitigen Bedürfnisse und entzieht ihnen zugleich die natürliche Erwerbung, alles ist schon besessen, er kann nicht fischen, nicht jagen, keine Frucht pflükken pp.

Die bürgerliche Gesellschaft hebt das Band der Familie als eines Stammes auf, jeder ist selbständig und das Familienband wird dadurch zurückgedrückt. Im patriarchalischen Zustande haben die Familien nicht diese Selbständigkeit, bleiben in der Verwandtschaft der allgemeinen Familie, in der bürgerlichen Gesellschaft ist jede selbständig, ist auf sich gestellt in Rücksicht der Subsistenz. Die Freiheit nach dieser Seite ist das große Prinzip der bürgerlichen Gesellschaft.

Die Armut macht aller Vorteile der Gesellschaft verlustig. Der Arme kann seinen Kindern keine Geschicklichkeit, keine Kenntnisse beibringen lassen, er selbst hat vielleicht nur eine Seite einer Fabrikarbeit getrieben, die eingegangen ist und diese Einseitigkeit hindert ihn selbst etwas anderes anzufangen.

Der Rechtspflege wird der Arme leicht verlustig, ohne Kosten ist kein Recht zu erlangen, ohne Geld kein Prozeß zu betreiben. Ebensowenig kann er für seine Gesundheit sorgen, Ärzte und Arzneien kosten Geld. Zwar gibt es Armenärzte und Rechtsanwälte, aber es hängt hierbei viel von dem Umstand ab, was diese Leute für ein Gemüt haben. Sie können edel sein, sich viele Mühe geben, aber ebenso auch nicht.

Selbst des Trosts der Religion geht der Arme verlustig, in Lumpen kann er nicht in die Kirche gehen, er muß sich doch anziehen, deshalb hat man Frühpredigten und Gottesdienste an Werkeltagen eingerichtet; endlich gehen die Geistlichen auch lieber in die Häuser der Reichen, als in die Hütten der Armen um sie auf dem Totenbette zu trösten."

Zu § 243

1 Über den Zusammenhang von Reichtum und Staatmacht vgl.: *Hegel/Phänomenologie*, S. 355.

2 Zu dem auch in den folgenden Paragraphen verwendeten Begriff der „Klasse" vgl.: *Hegel/Werke*, 4/63: „Die verschiedenen *Stände* eines Staates sind überhaupt konkrete Unterschiede, nach welchen sich die Individuen in Klassen teilen, die vornehm-

lich auf der *Ungleichheit* des Reichtums, der Erziehung und Bildung, so wie diese zum Teil wieder auf der Ungleichheit der Geburt ruhen, wodurch die Individuen zu einer Art der Tätigkeit für den Staat mehr Brauchbarkeit erhalten als zu einer anderen."

4/485: „*Bestimmungen* jener Art, welche das Volk, statt als einen Staat, vielmehr als einen Haufen voraussetzen und diesen nun nach Anzahl in besondere Haufen und nach Alter und einer einzelnen Vermögensbestimmung in zwei Klassen überhaupt abteilen, können eigentlich nicht *Staatseinrichtungen* genannt werden."

Vgl. auch *Hegel/Phänomenologie*, S. 147: „Aber wie die Herrschaft zeigte, daß ihr Wesen das Verkehrte dessen ist, was sie sein will, so wird auch wohl die Knechtschaft vielmehr in ihrer Vollbringung zum Gegenteile dessen werden, was sie unmittelbar ist." S. 359: „Das Bewußtsein der andern Beziehung dagegen ist das Niederträchtige, das die Ungleichheit mit den beiden Wesenheiten festhält, in der Herrschergewalt also eine Fessel und Unterdrückung des Fürsichseins sieht und daher den Herrscher haßt, nur mit Heimtücke gehorcht und immer auf dem Sprunge zum Aufruhr steht" ... Vgl. auch Hegels Bemerkung über den seinem Werte nach höher als sein Herr stehenden Knecht (*Hegel/Werke* 10/224). Vgl. bereits *Hegel/Jena*, S. 459.

3 Ergänzung bei *Hegel/Griesheim*, S. 608: „Die Zufälligkeit des Erwerbes steigt für die arbeitenden Klassen, der Gewinn ist in einem Augenblick sehr groß, im andern fehlt er ganz, damit tritt dann die Gesinnung ein, sich auf den Zufall zu stellen in Ansehung der Befriedigung der Bedürfnisse. – Durch die mechanischen Arbeiten tritt die Verdumpfung einer großen Anzahl Menschen ein."

Zu § 244

1 Das von Martin Luther (ohne pejorativen Beigeschmack) der deutschen Sprache zugeführte Wort Pöbel (von lateinisch: populus – Volk) ist bei Hegel seit seiner Tübinger Studentenzeit nachweisbar. Vgl.: *Hegel/Jugend*, S. 22 (Christlicher Pöbel); *Hegel/Werke*, 4/249 (Ochlokratie als Herrschaft des Pöbels); *Hegel/Politik*, S. 140 (Unterschied zwischen Pöbel und Bürgern); *Hegel/Rechtsphilosophie*, §§ 240, 244, 245, 253, 301; *Hegel/Geschichte*, 3/709; *Hegel/Werke*, 11/553 (der französische Pöbel hat in der Juli-Revolution von 1830 unrecht getan gegen das Gesetz, aber aus gerechtem Prinzip).

2 Vgl.: Marx: „Die Klasse des Proletariats [...] ist um einen

Ausdruck von Hegel zu gebrauchen, in der Verworfenheit die *Empörung* über diese Verworfenheit, eine Empörung, zu der sie notwendig durch den Widerspruch ihrer menschlichen Natur mit ihrer Lebenssituation [. . .] getrieben wird". (*MEW*, 2/37.)

3 Eingeschobener Satz bei *Hegel/Griesheim*, S. 609: „Je größer ein Kapital ist, je größere Unternehmungen sind damit auszuführen und mit um so geringerem Profit kann sich der Besitzer begnügen, wodurch wiederum das Kapital vergrößert wird. Dies findet auch beim Ackerbau statt, wie dies z. B. bei den Römern der Fall war, wo der Ackerbesitz zuletzt in wenige Hände kam. Bei großer Verarmung findet der Kapitalist viele Leute die für geringen Lohn arbeiten, dadurch vergrößert sich sein Gewinn und dies hat wieder die Folge daß die geringeren Kapitalisten in Armut zurückfallen. (Die Frage ist nur, wie der Armut abzuhelfen ist.)"

Zu § 245

1 Vgl. die Darstellung des Klassenantagonismus der bürgerlichen Gesellschaft fünfzehn Jahre zuvor bei *Hegel/Realphilosophie*, S. 232f.: „Die Geschicklichkeit des Einzelnen ist die Möglichkeit der Erhaltung seiner Existenz. Diese ist der völligen Verwicklung des Zufalls des Ganzen unterworfen. Es werden also eine Menge zu den ganz abstumpfenden, ungesunden und unsichern und die Geschicklichkeit beschränkenden Fabrik-, Manufakturarbeiten, Bergwerken usf., verdammt, und Zweige der Industrie, die eine große Klasse Menschen erhielten, versiegen auf einmal wegen der Mode oder Wohlfeilerwerdens durch Erfindungen in andern Ländern usf., und diese ganze Menge ist der Armut, die sich nicht helfen kann, preisgegeben. Der Gegensatz großen Reichtums und großer Armut tritt auf – der Armut, der es unmöglich wird, etwas vor sich zu bringen. Der Reichtum wie jede Masse macht sich zur Kraft. Anhäufung des Reichtums geschieht teils durch Zufall, teils durch die Allgemeinheit durch die Verteilung. Er ist ein anziehender Punkt in einer Art, der seinen Blick über das allgemeine Weitere wirft, er sammelt um sich her – wie eine große Masse die kleinere an sich zieht. Wer da hat, dem wird gegeben. Der Erwerb wird *ein vielseitiges System*, das nach allen Seiten einbringt, die *ein kleineres Geschäft nicht benutzen* kann. Oder die höchste Abstraktion *der Arbeit greift durch* desto mehr einzelne *Arten durch* und erhält einen umso *weitern Umfang*. Diese Ungleichheit des Reichtums und der Armut, diese Not und Notwendigkeit wird

die höchste Zerrissenheit des Willens, innre Empörung und Haß." – „Hoher Reichtum" – „tiefste Armut" auch bereits im sogenannten System der Sittlichkeit von 1803 (*Hegel/Jena*, S. 512).

[2] Ergänzung bei *Hegel/Griesheim*, S. 611f.: „Es gibt kein Land wo so viel hervorgebracht wird, kein Land was einen solchen Markt hat und doch ist die Armut und die Pöbelhaftigkeit nirgend in einem größeren und schauderhafteren Grade vorhanden, als in England. Die Armentaxe beträgt 9 bis 10 Millionen Pfund Sterling, also weit mehr wie die ganze Staatseinnahme von Preussen. In anderen Ländern sind solche Anstalten und die Wirkungen von dergleichen Zuständen geringer, in England hat sich dagegen jede Seite kolossal ausgebildet.

Die Frage wie der Armut zu helfen ist, ist sehr schwer zu beantworten; es ist gerade das Übermaß an Reichtum wodurch die bürgerliche Gesellschaft zu arm wird dem Übermaß des Pöbels zu steuern. Man hat versucht so zu helfen, daß man, wie z. B. bei der Armentaxe, denen die verarmt sind gibt was sie brauchen.

So ist ihre Subsistenz jedoch nicht durch die Arbeit vermittelt, und daher verlieren die Menschen die Ehre. Dies Verhältnis findet in England statt. Die Menschen bekommen dadurch einen Anspruch, ihre Arbeitsamkeit wird überflüssig, sie verlieren die Ehre sich durch ihre Arbeit selbst zu erhalten, und so entsteht die höchste Unverschämtheit.

Ebenso befördern die Klöster die Armut indem sie die Faulheit befördern, da sie die Befriedigung der Bedürfnisse unabhängig machen von der Arbeit. Das zweite Mittel ist daß man den Armen Arbeit gibt, man versieht sie mit Material und kauft ihnen die Produkte ab. Dies scheint die passendste, die richtigere Weise, aber näher betrachtet hilft es der Armut nicht ab, hat vielmehr eine noch schlimmere Wirkung. Die Menge der Produktionen wird dadurch vermehrt und das Übel besteht grade im Übermaß der Produkte und im Mangel der Konsumenten. Es leben z. B. in einer Gebirgsgegend 1200 Weberfamilien, die Konsumtion verringert sich so, daß im Ganzen 200 ohne Arbeit sind, gibt man diesen nun Beschäftigung, so produzieren sie alle und zwar so viel als 1200 hervorbringen können, es wird aber nur das verbraucht was 1000 leisten können und so ist die Folge daß 200 andere Familien ihre Arbeit verlieren, der Unterschied ist nur der daß 200 geholfen wird und dagegen 200 andere zu Bettlern werden.

Die Ausbildung der Gesellschaft und der Reichtum hat die Wirkung daß die Produktion vermehrt wird, besonders geschieht dies ins Ungeheure durch die Maschinen, dies steigt in einem unendlich großen Verhältnis gegen die Bedürfnisse der Konsumtion und so findet am Ende selbst der Fleißige kein Brot.

Das beste Mittel ist die Armen ihrem Schicksal zu überlassen und sie so auf den Bettel anzuweisen. Bei milden Stiftungen pp haben die Menschen keine Scheu, sie tun etwas wozu sie berechtigt sind, schämen sich nicht den Vorsteher anzusprechen, dagegen das Betteln schreckt ab, lieber arbeiten die meisten, suchen sich durchzubringen, ehe sie dazu ihre Zuflucht nehmen."

Zu § 247

1 Horaz: Oden (1, 3, 21): „[. . .] ein kluger Gott hat die Länder vom ungeselligen Meer getrennt [. . .]" (in: Horaz, Opera, Leipzig 1959, S. 5).

2 Ergänzung bei *Hegel/Griesheim*, S. 613: „Bei den Engländern pp ist der Zweck der Schiffahrt zunächst Gewinn, dies Mittel erfordert Tapferkeit, Ausdauer, Gewohnheit in der Gefahr kalt zu bleiben, hieraus geht dann die Art von Tapferkeit hervor die Seearmeen hervorgebracht hat.

Die Nationen der Binnenländer drängen sich, wenn die Industrie in ihnen erwacht, Fortschritte macht, der Luxus bekannt wird, nach dem Meere. Ein Land das diese Industrie in sich hat muß notwendig auch das Prinzip des Meeres mit sich verbinden und es bleibt eine in sich verdumpfende Industrie, die nicht zu diesem Selbstgefühl was aus der Gefahr hervorgeht, nicht zur Tapferkeit fortgeht." – Über die geographische Grundlage der Weltgeschichte, speziell über das Verhältnis von Meer und Land und über die dem Menschen zur Arbeit, zur Eroberung, zum Raub, und zum Gewinn einladende Funktion des Mut, List und Freiheitsgefühl erweckenden Meeres vgl.: *Hegel/Geschichtsvernunft*, S. 187–198.

Zu § 249

1 Ergänzung bei *Hegel/Griesheim*, S. 617: „Mit diesem Gesichtspunkt treten wir aus dem Verstandestaat heraus, der die äußere Ordnung auffaßt. Diese Regulierung ist nicht die letzte Form, die höchste Weise. Fichte ist dabei stehen geblieben 2).

Er macht wie wir den Anfang von der Freiheit der Individuen, sie muß Realität haben, muß gesichert sein, aber über sie als einzelne Individualität muß hinausgegangen werden, das Wesen muß gesetzt werden in die Innerlichkeit, die Einheit des subjektiven Bewußtseins und dessen was durch den Begriff, der zunächst an sich ist, gesetzt ist. Bei Fichte ist die weitere Folge, das Verhältnis der Beschränkung der gegenseitigen Freiheit, das Verhältnis gegeneinander ist negativ, dies Beschränken ist dann so äussere Ordnung, das Innere bleibt außerhalb dieses Beschränkens, die subjektive Freiheit ist nicht darin. Fichtes ganzer Staat ist Polizei und er kommt dann ganz unphilosophisch auf das Spezielle. Die Polizei soll von jedem Bürger wissen was er jeden Augenblick tut, wo er sei, aber seine Innerlichkeit ist nicht zu beaufsichtigen. Wenn jemand ein Messer kauft, muß die Polizei wissen wozu, muß daneben hergehen, damit sie verhüte daß er nicht einen totsticht. Ein Reisender ist sogleich verdächtig, ein bloßer Paß, ein bloßes Signalelement reicht zu seiner Legitimation nicht aus, im Paß muß sein Porträt sein.

Wenn man so den äusseren Verstandesstaat ausbildet, so kommt man auf solche Einzelnheiten die sich in sich selbst zerstören. Die Polizei muß wieder beaufsichtigt werden pp alle solche Dinge führen in der Ausführung auf einen unendlichen Progreß. Das Allgemeine soll wesentlich nicht äußerlich, sondern innerer, immanenter Zweck, Tätigkeit der Individuen selbst sein."

2 Zum Folgenden vgl.: J. G. Fichte: Grundlage des Naturrechts, Zweiter Teil, Dritter Abschnitt der Staatsrechtslehre, § 21, Ziffer 2, in: J. G. Fichte: Sämtliche Werke, Bd. 3, Berlin 1845, S. 291ff.

Zu § 250

1 Ergänzung bei *Hegel/Griesheim,* S. 618: „Korporation ist der verschrieenste Ausdruck, besonders bei den Franzosen, wo Korporationen und Privilegien seit der Revolution ganz verhaßt sind, die Gemeinde ist auch eine Korporation, aber diese faßt noch mehr in sich."

Zu § 251

1 Ergänzung bei *Hegel/Griesheim,* S. 620: „Die gewöhnliche Vorstellung vom Staat macht den Sprung vom Staat zum einzelnen Bürger und so findet es sich gewöhnlich auch bei der Repräsentation daß die Einzelnen ihre Stimmen geben als einzelne Individuen oder durch die Wahl als Repräsentanten. Da wird so ein

Sprung gemacht vom Interesse, von der Willkür des Einzelnen, zum anderen Extrem der Teilnahme an allgemeinen Interessen.

Dazwischen liegt nun jenes Mittelglied. Die Menschen, sagen sie sich, sind selbstsüchtig, das zweite ist, sie wollen auch für das Allgemeine tätig sein, sich nicht reduzieren zu *bourgeois*, sie wollen auch das Allgemeine durch ihre Einsicht, ihren Willen betätigen. Solch ein Feld der Wirksamkeit für das Allgemeine, welche sittlich ist, die nicht nur eine vorgeschriebene ist, die aus eigener Einsicht, eigenem Willen hervorgeht, ist den Bürgern eines Staates in der Gemeinde, in der Korporation gegeben."

Zu § 252

1 Privileg (Vorrecht oder Sonderrecht) ist im 13. Jahrhundert aus dem lateinischen privilegium (Ausnahmegesetz, Vorzugsrecht, Vorrecht) entlehnt und leitet sich etymologisch ab von privus (einzeln, eigentümlich, besonders) und lex (Gesetz, Regel, Vorschrift).

Zu § 254

1 Ausführliche Ergänzungen bei *Hegel/Griesheim*, S. 624–626: „Daß jedes Mitglied das Recht habe durch seine Geschicklichkeit seine Subsistenz zu erwerben, leidet abstrakter Weise keinen Zweifel, was aber unmittelbar damit verbunden ist, ist folgendes. Das Individuum will treiben was es kann und die Wahl ist ihm überlassen, liegt in seiner Willkür, das Andere ist, das Individuum will nicht nur treiben was es kann, sondern hat den wesentlichen Zweck daß ihm dadurch seine Subsistenz gesichert sei, dies soll das Resultat sein. Das eine ist sein Wille, das andere ist die Realität seiner Tätigkeit, daß der Zweck auch erfüllt werde. Gewöhnlich bleibt man bei dem Formellen des Treibenwollens stehen, das Wesentliche ist aber die andere Seite, daß der Zweck erreicht werde und dies ist es was die Korporation tut.

Kein Mensch wirft abends die Produkte seiner Arbeit während des Tages ins Wasser, jeder hat vielmehr diese Produkte zu seinem Zweck, nicht seine Arbeit die nur das Mittel ist, das Resultat ist die Befriedigung seiner Bedürfnisse, gesicherter Lebensunterhalt. Um das zu treiben was er will, ist es dem Menschen gar nicht zu tun, vielmehr um die Sicherung seines Lebensunterhalts. Das Prinzip unserer Zeit ist *laisser aller, laisser faire*[2]), jeder muß das selbst wissen, jeder wird es schon machen.

Dies ist allerdings richtig. Ein Industriezweig blüht, viele ergreifen ihn, der starke Absatz verursacht einen starken Zufluß von Produzenten, so daß die Zahl so vergrößert wird, daß viele nicht mehr ihre Rechnung dabei finden. Das andere ist nun daß alles sich von selbst wieder einrichtet, aber| die Frage ist, wie geschieht dies? Durch welchen Durchgang?

Das Eingreifen eines neuen Gewerbes ist nicht so leicht, das Kapital, die Geschicklichkeit steckt darin und ist leicht zu wechseln, das Erwerben einer neuen ist schwer, in einem gewissen Alter ist der Mensch gar nicht mehr fähig ein anderes Gewerbe zu ergreifen, selbst die Hoffnung, die Vorstellung es werde besser werden, günstigere Umstände werden eintreten hält ihn beim alten fest. So gehen Hunderte, Tausende bei dem Durchgang zugrunde. Auch die Pest hört wieder auf, richtet sich wieder auf, aber Hunderttausende sind daran gestorben, sind alle tot, so hat sich auch alles wieder eingerichtet. Wenn früher die Sucht zu befehlen bei der Polizei, der Regierung überwiegend war, so herrscht jetzt die Bequemlichkeit vor sich um nichts zu bekümmern.

Dies ist die äussere Seite, von der sittlichen haben wir schon gesprochen. Die Sicherung der Subsistenz ist durch den Grundsatz, alles gehen zu lassen, aufgehoben, daß die Familien versorgt seien ist auf die Zufälligkeit gestellt.

Man sagt durch die Gewerbefreiheit blühe Handel und Wandel und führt dabei England an, aber Vergleichungen sind in der Regel schief und selten werden alle Umstände berücksichtigt, England hat die ganze Welt zum Markte und zum Boden der Kolonisation, dies ist der große Umstand. England hat in der ganzen Welt Komptoirs, allein mehrere hundert in Südamerika, überall kann die Menge hinausströmen, Platz finden ihre Subsistenz zu finden, überall in der ganzen Welt findet man Engländer. Wenn man daher so spricht Handel und Wandel blühen, so ist das richtig, aber es gehören besondere Umstände dazu.

Wie blüht nun der Handel? Einmal so daß viel hervorgebracht wird, viel abgesetzt, aber damit ist noch nicht vorhanden daß die Subsistenz der Familie gesichert ist, einige machen einen großen Gewinn, sechs mal so viele gehen zugrunde, dabei ist viel Kauf und Verkauf und lebhafter Handel, aber keine Sicherheit des Erwerbes. Da kommen und gehen die Individuen, jeden Augenblick stehen andere an der Spitze des Glücks und werden wieder verdrängt von andern. Das Abstraktum von Handel und Wandel ist nicht Zweck, sondern daß die Familie durch den Handel ihre gesicherte Subsistenz habe. Bei diesem Blühen ist das Wohl der Familie nicht wesentliche Sache."

S. 626–627: „Ferner sagt man die Zünfte hätten ein Monopol, aber dies findet bei der Gewerbefreiheit noch viel ärger statt. In England unterdrücken so die großen Kapitalisten die anderen, auf diese Weise kommt ein Gewerbezweig in die Hände von wenigen, sie haben kein berechtigtes Monopol, aber sie haben es durch ihr großes Kapital und dies ist das schlimmste aller Monopole. So ist es z. B. mit den Brauereien. England hat keine Zünfte aber das gemeinschaftliche Interesse bringt die Gleichen zusammen, besonders wegen der Preise, es findet keine Taxe statt, aber die das Gewerbe Treibenden setzen für sich die Preise nach Belieben, keiner schließt sich aus. Die Reflexion durch niedrigere Preise um so mehr Absatz zu haben, liegt entfernter, als die Betrachtung der Nachteile einer Absonderung pp. So entstehen die Monopole grade durch die Freiheit der Gewerbe.

Ein fernerer Gesichtspunkt ist daß die Individuen bei der Gewerbefreiheit ganz auf die Zufälligkeit angewiesen sind, die nächste Folge in Ansehung der Preise ist, daß die Individuen den Zufall der sich ergibt benutzen, sie sind auf den Augenblick angewiesen, so steigern sich die Preise, mehr als wenn die Sicherheit eines gleichmässig fortdauernden Gewinnes vorhanden ist. Hiermit hängt denn auch die Gesinnung zusammen, die Menschen werden leichtsinnig, ihr ganzes Bestreben geht auf augenblicklichen Genuß; der Luxus der Gewerbestände, die Genußsucht hängt mit der Zufälligkeit des Erwerbes zusammen, das zufällige Erworbene wird ebenso verzehrt. Die Sucht zu verschwenden, Staat zu machen, zu prunken hängt damit zusammen.

In der Korporation hat der Bürger seine Ehre, ist anerkannt, ist dies nicht so muß er seine Anerkennung auf einer anderen Seite zu veranlassen suchen, durch den Schein von Reichtum pp. Der Bürger in der Korporation ist Meister, ist ein Ehrenmann und wird so anerkannt, ohne Korporation hat er keine Anerkennung."

2 Etwa: „laßt es gehen, wie es gehen will", eine seit der Mitte des 18. Jahrhunderts nachweisbare, das liberale Nichteinmischungsprinzip des Staates in die Wirtschaft charakterisierende Formel.

Zu § 255

[1] Vgl.: § 184.
[2] Ergänzungen bei *Hegel/Griesheim*, S. 628: „Die Korporation kann allerdings auch die üble Wirkung haben daß das Besondere sich verknöchert, wie dies z. B. in den alten Reichsstädten der Fall war, es entsteht ein Geist der Kleinstädterei, der Zunftgeist kann sehr engherzig werden nach der Gesinnung und nach der rechtlichen Seite. Die Korporation kann auch gefährlich werden, für den ganzen Staat, wie in der älteren Geschichte Frankreichs und Deutschlands dies vorkommt, daß sich ganze Korporationen frei gemacht haben."

S. 629f.: „Was den Einwurf anbetrifft, daß so viele Geschickte ausgeschlossen werden, so kann es allerdings der Fall sein, daß sich auf ein Gewerbe zu viele legen und nicht aufgenommen werden können von der Korporation, ist dies gegründet, so tritt die Notwendigkeit der Kolonisation ein. Dieser Fall wird aber noch viel mehr eintreten wo Gewerbefreiheit ist, wie dies England zeigt. Dieser Mangel der so der Korporation vorgeworfen wird, daß zu viele vorhanden sind um ihre Subsistenz zu finden, findet sich bei dem anderen Prinzip in einem viel größeren Maß ein, das wirklich furchtbar werden kann, es ist ein Krebsschaden von England. Die bürgerliche Gesellschaft muß denn alle die dürftigen, ruinierten Familienväter und so eine Menge von Pöbel versorgen, oder sie kommt von ihnen in Gefahr."

Zu § 257

[1] „Volksgeist" – das Wort ist vermutlich von Hegel in die deutsche Literatur eingeführt. (Vgl.: *Hegel/Jugend*, S. 21; *Hegel/Phänomenologie*, S. 341; *Hegel/Enzyklopädie*, § 552); der Begriff (z. B.: Ch. L. Montesquieu: Vom Geist der Gesetze, Bd. 1, Buch 19, Kapitel 4, Tübingen 1951, S. 413: l'esprit général d'une nation; J. G. Herder: Ideen zur Philosophie der Geschichte der Menschheit, passim) ist natürlich nicht von ihm.

Zu § 258

[1] Vgl.: J.-J. Rousseau: Der Gesellschaftsvertrag (1762) Buch 1, Kapitel 6; Buch 4, Kapitel 1, Leipzig 1978, S. 49, 130. *Hegel/Philosophiegeschichte*, 3/456.
[2] Vgl.: J. G. Fichte: Grundlage des Naturrechts, Zweiter Teil

(1797), § 17 in: J. G. Fichte: Sämtliche Werke, Bd. 3, Berlin 1845, S. 191). *Hegel/Philosophiegeschichte*, 3/573f.

3 Vgl. Hegels Attacken gegen die Zersplitterung des Allgemeinen in die Atome der Individuen (*Hegel/Phänomenologie*, S. 342) und gegen jede atomistische Sozialphilosophie (*Hegel/Werke*, 8/207).

4 Auch in seinen geschichtsphilosophischen Vorlesungen findet sich der Satz, daß die französische Revolution im Gedanken ihren Anfang genommen hat (*Hegel/Geschichte*, 4/920).

5 Carl Ludwig v. Haller: Restauration der Staats-Wissenschaft oder Theorie des natürlich-geselligen Zustands, der Chimäre des künstlich-bürgerlichen entgegengesetzt, Winterthur 1816–1834, 6 Bde. Haller, Systematiker der Gegenrevolution, Verteidiger, des Patrimonialstaates, des bedingungslosen Gehorsams der Landeskinder gegenüber ihren Herren und der Inquisition, rief zum Krieg auf gegen die gottlose Sekte der Liberalen („die Hydra der Revolution ist vernichtet, laßt uns auch ihre Wurzeln vernichten"), gegen Rousseau und Kant. Das Hauptwerk von Haller wurde 1817 auf dem Wartburgfest wie handgreiflichere Symbole des Feudalismus auch von den Burschenschaften verbrannt. Haller, ein Schweizer, hatte großen Einfluß am Hof des Königs von Preußen, speziell auf den Kronprinzen. Ziemlich genau zum Zeitpunkt des Erscheinens der „Grundlinien der Philosophie des Rechts" von Hegel war Haller (am 20. Oktober 1820, zunächst heimlich) zum Katholizismus konvertiert.

6 Die Magna Charta Libertatum, ein aus 63 Artikeln bestehender Vertrag, der dem englischen König Johann ohne Land 1215 von Adel und Klerus abgenötigt wurde und im wesentlichen feudale Vorrechte zugunsten der Barone beurkundete. In der englischen Revolution 1640/89 wurde The Great Charter in das Geburtsdokument englischer Freiheitsrechte des Volkes umgedeutet und als Vorläufer der Bills of Rights interpretiert.

7 Das Allgemeine Landrecht für die Preußischen Staaten von 1794, von Hegel anderwärts als unsterbliches Werk des philosophischen Königs Friedrich II gefeiert (vgl. *Hegel/Geschichte*, 4/919), war nicht nur Haller ein Dorn im Auge: auch Savigny war nicht gut auf das ALR („Sudelei in Form und Matrie") zu sprechen.

8 Bei Haller heißt es „neuphilosophischen" (C. L. v. Haller: Restauration der Staats-Wissenschaft, Bd. 1, 2. Auflage, Winterthur 1820, S. 193).

Zu § 259

[1] Vgl.: §§ 260–329. – Organismus – „... diese Objektivität des Lebendigen" (*Hegel/Logik*, 2/419).
[2] Vgl.: §§ 330–340.
[3] Vgl.: §§ 341–360.
[4] Heilige Allianz – auf Initiative des Zaren am 26. September 1815 abgeschlossenes Bündnis der Monarchen Rußlands, Österreichs und Preußens, die sich als Glieder einunddderselben christlichen Nation betrachteten, zur Aufrechterhaltung einer feudal-reaktionären Gewaltherrschaft in Europa. Sie versicherten im ersten Artikel der Allianz, des Staatsvertrages: „Gemäß den Worten der Heiligen Schrift, die allen Menschen gebietet, sich als Brüder anzusehen, werden die drei vertragschließenden Monarchen durch die Bande einer wahrhaften und unlöslichen Brüderlichkeit verbunden bleiben und werden sich, da sie ein gemeinsames Vaterland zu haben meinen, bei jeder Gelegenheit und an jedem Ort Beistand, Hilfe und Unterstützung gewähren; da sie sich ihren Untertanen und ihren Heeren gegenüber als Familienväter ansehen, werden sie diese in demselben Geist der Brüderlichkeit lenken, von dem sie beseelt sind, um Religion, Frieden und Gerechtigkeit zu schützen." Die Kongresse der Heiligen Allianz von 1818, 1820, 1821 und 1822 dienten der Beratung von Interventionsmaßnahmen gegen die inzwischen ausgebrochene revolutionäre Bewegung in verschiedenen Ländern Europas. – Hegels historisierende Relativierung der vorgeblich die „ewige Religion des Heilands" verwirklichenden Heiligen Allianz entstammt (so auch im § 324) seiner Vorlesung von 1824/25 und ist nicht, natürlich nicht, in der Druckausgabe seiner „Rechtsphilosophie" zu finden. Vgl. auch Anmerkung 5 zu § 324.
[5] Vgl.: §§ 324, 333.

Zu § 261

Mit diesem Paragraphen setzt der Kommentar von Karl Marx ein, den er im Sommer 1843 in Kreuznach, vermutlich mit § 260 beginnend, geschrieben und bei § 313 abgebrochen hat und der erstmals 1927 veröffentlicht worden ist. Vgl.: *MEGA* I/2 und *MEW* 1/203–333.
[1] Vgl.: Anmerkung 4 zu § 3.
[2] Vgl.: *Hegel/Enzyklopädie*, § 552.
[3] Ergänzung bei *Hegel/Hotho*, S. 720: „Der Staat also ist als Ver-

wirklichung der Vernunft dem vernünftigen Willen jedes Individuums entsprechend. Der Mensch ist vernünftig, aber darum weiß er noch nicht die Vernünftigkeit."

Zu § 262

Kritischer Kommentar von Marx: „Die Idee wird versubjektiert, und das *wirkliche* Verhältnis von Familie und bürgerlicher Gesellschaft zum Staat wird als ihre *innere imaginäre* Tätigkeit gefaßt. Familie und bürgerliche Gesellschaft sind die Voraussetzungen des Staats; sie sind die eigentlich Tätigen; aber in der Spekulation wird es umgekehrt. Wenn aber die Idee versubjektiviert wird, werden hier die wirklichen Subjekte, bürgerliche Gesellschaft, Familie, ‚Umstände, Willkür etc.' zu *unwirklichen*, anderes bedeutenden, objektiven Momenten der Idee." [...] „Familie und bürgerliche Gesellschaft sind wirkliche Staatsteile, wirkliche geistige Existenzen des Willens, sie sind Daseinsweisen des Staates; Familie und bürgerliche Gesellschaft machen *sich selbst* zum Staat. Sie sind das Treibende. Nach Hegel sind sie dagegen *getan* von der wirklichen Idee; es ist nicht ihr eigner Lebenslauf, der sie zum Staat vereint, sondern es ist der Lebenslauf der Idee, die sie von sich diszerniert hat;" [...] „die Bedingung wird aber als das Bedingte, das Bestimmende wird als das Bestimmte, das Produzierende wird als das Produkt seines Produkts gesetzt;" [...] „In diesem Paragraphen ist das ganze Mysterium der Rechtsphilosophie niedergelegt und der Hegelschen Philosophie überhaupt." (*MEW* 1/206f,)

1 Vgl.: Anmerkung 1 zu § 206.

2 Vgl.: Anmerkung 2 zu § 206.

3 Die von Hegel geforderte Wahlfreiheit der Individuen widersprach aber auch dem Allgemeinen Landrecht für die Preußischen Staaten, das die Zuordnung der Personen zu einem Stand in erster Linie davon abhängig machte, in welchen sie hineingeboren wurden (Erster Teil, Erster Titel, § 6) und das zum Adel, dem ersten Stand im Staate nur diejenigen zählte, denen der Geschlechtsadel durch Geburt oder landesherrliche Verleihung zukommt (Zweiter Teil, Neunter Titel, § 2).

Zu § 265

1 Ergänzung bei *Hegel/Homeyer*, S. 329: „Daß das freie Ganze existiere, dazu gehört: das wirkliche Selbstbewußtsein in seiner Besonderheit als Unendlichkeit und Freiheit – Hierin liegt die freie Verfassung, die Garantie für die Stellung zwischen Regent

und Volk. Ständische Verfassung allein gibt sie nicht, sie ist nur ein Moment der verwirklichten Freiheit. [. . .]

Die Freiheit der Individuen darf nichts Einzelnes sein, sondern in Korporationen dargestellt und vertreten. Zu den Institutionen gehören 1. Freiheit der Person, 2. Freiheit des Eigentums, (die Franzosen haben durch die Revolution letztere schnell errungen – Code Napoleon bestätigt) 3. öffentliche Gesetzgebung".

2 Vgl.: § 255.

3 Cicero: Über die Gesetze, Buch 3, Abschnitt 3: salus populi suprema lex esto – das Wohl des Volkes soll oberstes Gesetz sein (in: Cicero: Staatstheoretische Schriften, Berlin 1974, S. 302).

Zu § 267

Kritischer Kommentar von Marx: „Wichtig ist, daß Hegel überall die Idee zum Subjekt macht und das eigentliche, wirkliche Subjekt, wie die ‚politische Gesinnung', zum Prädikat. Die Entwicklung geht aber immer auf Seite des Prädikats vor." (*MEW*, 1/209.)

Zu § 268

1 Ergänzung bei *Hegel/Griesheim*, S. 641: „Das Zutrauen kann die Form von Nationalstolz haben, dies einfache Bewußtsein, ich bin ein Preuße, ein Engländer, dies einfache Bewußtsein daß ich Bürger dieses Staats bin, daß ich das bin was der Staat ist, daß der Staat mein Sein ist. So hat das Zutrauen eine ganz allgemeine Form, aber diese Identität kann auch entwickeltere Einsicht sein." S. 642f.: „Wenn die Menschen auch noch so sehr über ihre Zeit räsonieren, über ihren Staat, so stehen sie doch vollkommen darin, sie ist ihr Boden, würde er fortgenommen, so fielen sie ins Leere, sie haben insofern mehr Zutrauen als sie selbst und andere glauben. Wenn man Ernst machte, so würden sie sich sehr bedenken und endlich beim Eintreten der Vernichtung würden sie selbst dagegen arbeiten, denn sie sind die Kinder ihrer Zeit, ihres Staats, alle unbefriedigten Bedürfnisse würden sie nun nur selbst haben, wenn sie nicht im Staate sind. Die Menschen räsonieren, schimpfen viel, sie wollten gern aus der Haut fahren, aber niemand kann aus sich selbst heraus, sie bleiben ganz darin. Wenn es ernst würde so wären sie nicht heraus und sie würden finden daß die Bänder, die Fesseln gerade notwendig sind. Es ist schwer zu bestimmen, wie weit es dem Menschen mit dem Räsonieren,

Tadeln, mit der Unzufriedenheit ernst ist, es kann weit gehen, heftig werden, wie weit es aber ernst ist wissen die Menschen selbst nicht.

Zum Tadeln gehört ein Gegenstand, es gibt viele Menschen die unglückselig sind d. h. die im Unglück selig sind, diese haben das Bedürfnis des Unglücks, sie sind im Glück unzufrieden und tadeln daher wo es gut geht".

Zu § 269

1 Kritik von Marx: „Es ist ein großer Fortschritt, den politischen Staat als Organismus, daher die Verschiedenheit der Gewalten nicht mehr als organische, sondern als lebendige und vernünftige Unterscheidung zu betrachten. Wie stellt Hegel aber diesen Fund dar?" [. . .] „Der Wahrheit nach hat Hegel nichts getan, als die ‚politische Verfassung' in die allgemeine abstrakte Idee des ‚Organismus' aufgelöst, aber dem Schein und seiner eigenen Meinung nach hat er aus der ‚allgemeinen Idee' das Bestimmte entwickelt. Er hat zu einem Produkt, einem Prädikat der Idee gemacht, was ihr Subjekt ist. Er entwickelt sein Denken nicht aus dem Gegenstand, sondern den Gegenstand nach einem mit sich fertig und in der abstrakten Sphäre der Logik mit sich fertig gewordnen Denken. Es handelt sich nicht darum, die bestimmte Idee der politischen Verfassung zu entwickeln, sondern es handelt sich darum, der politischen Verfassung ein Verhältnis zur abstrakten Idee zu geben, sie als ein Glied ihrer Lebensgeschichte (der Idee) zu rangieren, eine offenbare Mystifikation." (*MEW*, 1/210, 213.)

2 Menenius Agrippa soll im Auftrag römischer Patrizier revoltierende Plebejer dadurch zu Botmäßigkeit überredet haben, daß er ihnen in Fabelform erzählte, wie einst die gegen den Magen revoltierenden übrigen Teile des menschlichen Körpers – sie wollten ihn aushungern – einsehen mußten, daß sie ohne den Magen selbst nicht lebensfähig sind. Die von Livius (Römische Geschichte, Bd. 1, Buch 2, Kapitel 32, Berlin 1978, S. 134) erzählte Fabel ist auch von Shakespeare (W. Shakespeare, Coriolan, in: B. Brecht: Stücke, Bd. 11, Berlin 1959, S. 236) verwendet worden. Hegel spielt gelegentlich auf sie an (*Hegel/Werke*, 12/15; 15/368).

Zu § 270

1 Kritik von Marx: „Der ‚Staatszweck' und die ‚Staatsgewalten' werden mystifiziert, indem sie als ‚Daseinsweisen' der ‚Substanz' dargestellt und getrennt ihrem wirklichen Dasein, dem

‚sich wissenden und wollenden Geist, dem gebildeten Geist' erscheinen.

Der konkrete Inhalt, die wirkliche Bestimmung, erscheint als formell; die ganz abstrakte Formbestimmung erscheint als der konkrete Inhalt. Das Wesen der staatlichen Bestimmungen ist nicht, daß sie staatliche Bestimmungen, sondern daß sie in ihrer abstraktesten Gestalt als logisch-metaphysische Bestimmungen betrachtet werden können. Nicht die Rechtsphilosophie, sondern die Logik ist das wahre Interesse. Nicht daß das Denken sich in politischen Bestimmungen verkörpert, sondern daß die vorhandenen politischen Bestimmungen in abstrakte Gedanken verflüchtigt werden, ist die philosophische Arbeit. Nicht die Logik der Sache, sondern die Sache der Logik ist das philosophische Moment. Die Logik dient nicht zum Beweis des Staats, sondern der Staat dient zum Beweis der Logik." (*MEW*, 1/216.)

2 Vgl. auch *Hegel/Werke*, 16/236–246.

3 Vgl.: *Hegel/Phänomenologie*, S. 385ff.: Der Kampf der Aufklärung mit dem Aberglauben.

4 Vgl.: *Hegel/Werke*, 16/373, 417, 433.

5 Vgl.: *Hegel/Enzyklopädie*, §§ 553f.

6 Womit also der Atheismus von Hegels Toleranz nicht toleriert wird! Vgl. auch seine Vorlesungen über die Beweise vom Dasein Gottes, in: *Hegel/Werke*, 17/347ff.

7 Ergänzung bei *Hegel/Griesheim*, S. 648: „Wenn so die Frömmigkeit sich in sich geschlossen hält, weigert sie sich an den Pflichten des Staats teilzunehmen, erklärt dies für gottlos pp, sie nehmen an dem Staat keinen Anteil, schränken sich auf die bürgerliche Gesellschaft ein. Ihre Mitglieder sind nur *bourgeois*, nicht *citoyens*; größere Staaten können dergleichen Sekten dulden, kleinere nicht, ein Quäkerstaat kann nicht existieren.

Man kann sagen, sie behaupten, es solle niemand Krieg führen, kein Volk solle Krieg führen, damit würde, sobald diese Ansicht allgemein wäre, der Krieg von selbst wegfallen, aber allgemein ist sie noch nicht und daher muß diese Gesinnung leider erst partiell sein, Krieg ist etwas unrechtes in sich selbst und nur auf diese Weise kann dies Unrechte aufhören pp. Aber insofern der Staat wirklich ist muß er die Möglichkeit und Realität haben Krieg zu führen, mithin muß auch die Notwendigkeit vorhanden sein. Dergleichen Sekten sind in der Lage nur toleriert, geduldet zu werden, sie haben kein Recht im Staate zu existieren."

8 Insbesondere seit den Kreuzzügen waren die Juden in Deutschland politisch-juristischen, ökonomischen und religiös-ideolo-

gischen Repressalien ausgesetzt. Als Element einer endlich beginnenden Reformpolitik in Preußen brachte das „Edikt über die bürgerlichen Verhältnisse der Juden“ vom 11. März 1812 denjenigen unter ihnen, die bereits einen sog. Schutzbrief besaßen, die Gleichheit der Rechte im Wirtschaftsleben und in der Rechtspflege. Nach wie vor aber waren ihnen der Staatsapparat sowie die Professuren an den Universitäten verschlossen. Die in Art. 16 der Deutschen Bundes-Akte vom 8. Juni 1815 verheißene „bürgerliche Verbesserung der Bekenner des jüdischen Glaubens“ war ausgeblieben.

9 Anspielung auf die sich in den letzten Jahren verstärkenden antijüdischen Aktionen, insbesondere von Burschenschaften und deren Mentoren, z. B. von J. F. Fries: Über die Gefährdung des Wohlstandes und Charakters der Deutschen durch die Juden, Heidelberg 1816. – Zum Verhältnis von Hegel: Fries vgl.: Anmerkungen 15 und 18 zu den Vorreden von *Hegel/Rechtsphilosophie*.

10 „. . . der Protestantismus fordert, daß der Mensch nur glaube, was er wisse . . .“ (*Hegel/Werke*, 16/242).

11 Anders im Katholizismus, in dem der Getaufte in das christliche Volk aufgenommen wird und damit in den Laienstand (von griechisch laos – Volk), den gewöhnlichen Stand (status communis) eintritt; die Weihe-, Lehr- und Leitungsgewalt steht in der katholischen Kirche jedoch nur den Angehörigen der Geistlichkeit, dem Klerikerstand, (status clericalis) zu; an die Aufnahme in den Klerikerstand, die als Auswahl Gottes interpretiert wird, sind eine ganze Reihe Bedingungen geknüpft (u. a. männliches Geschlecht, theologisch-wissenschaftliche Vorbildung). – Die in der „Rechtsphilosophie“ mehr indirekt zum Ausdruck kommende antikatholische Haltung Hegels wird besonders deutlich in: *Hegel/Werke*, 11/68–71: Über eine Anklage wegen öffentlicher Verunglimpfung der katholischen Religion, (eine Rechtfertigungs-Stellungnahme wegen einiger Äußerungen in seinen philosophiehistorischen Vorlesungen) sowie in seiner *Enzyklopädie* (§ 552). Sie findet sich in der Äußerung konzentriert, „daß mit der katholischen Religion keine vernünftige Verfassung möglich ist“ (*Hegel/Werke*, 12/531). – Daß Hegel, der sich als lutherischen Christen bezeichnete – ich bin Lutheraner und will es bleiben (*Hegel/Philosophiegeschichte*, 1/172) – auch mit führenden Protestanten aneinandergeriet, zeigt sein Verhältnis zu Schleiermacher, der Hegels Äußerung: wenn das Abhängigkeitsgefühl des Menschen von Gott das Wesen der Religion ausmache, dann sei der Hund der beste Christ (*Hegel/Werke*, 11/58), auf sich bezog und sich einer

tierischen Unwissenheit über Gott beschuldigt fand (*Hegel/Berichte*, S. 243). Schleiermacher aber war nicht nur der erste Dekan an Berlins Theologenfakultät, (besonders einflußreiches) Akademie-Mitglied und zeitweilig Referent im Ministerium der geistlichen Angelegenheiten, sondern präsidierte auch als bedeutendster Protestant seiner Zeit und seines Landes 1817 der Synode in Berlin (vgl. auch Anmerkung 4 zu § 164).

12 Giordano Bruno, bedeutender italienischer Renaissance-Philosoph, Exdominikaner, lehrte auch in Wittenberg, vom lutherischen Superintendenten in Helmstedt exkommuniziert, in Venedig der Inquisition ausgeliefert, wurde er nach siebenjähriger Kerkerhaft vom Heiligen Offizium als Ketzer gerichtet und am 17. Februar 1600 auf dem Campo di Fiore in Rom verbrannt.

13 Galileo Galilei, der bedeutendste italienische Naturforscher, wurde als Gefangener des Heiligen Offiziums unter Androhung der Folter gezwungen, am 22. Juni 1633 von dem als Ketzerei gewerteten Weltbild des Kopernikus an der gleichen Stelle knieend abzuschwören, an der Giordano Bruno sein Todesurteil verkündet worden war.

14 Inquisition, Heiliges Offizium, inquisitio heraeticae pravitatis, Ketzergericht der katholischen Kirche. Die Namen der Denunzianten und Zeugen wurden dem Angeklagten verheimlicht. Der leugnende Angeklagte wurde gefoltert. Kirchliche Strafen waren öffentliche Schaustellung, Bußübung, Geißelung, Exkommunikation; hinzutretende staatliche Strafen waren Vermögenskonfiskation, Kerkerhaft (oft auf Lebenszeit und in Ketten), Deportation auf die Galeeren und Tod auf dem Scheiterhaufen. Zu Hegels Zeiten war die Inquisition nur noch in Spanien und Italien (in beiden Ländern 1814 wieder eingeführt!) erlaubt.

15 Die von Laplace nur in einem kleinen Auszug wiedergegebene Abschwörungsformel ist vollständig abgedruckt bei E. Schmutzer/W. Schütz: Galileo Galilei, Leipzig 1977, S. 84f. – Immerhin ist im Jahre des Heils 1979 durch Johannes Paul II. die 1616 erfolgte Inquisitions-Verurteilung der kopernikanischen Lehre vom Weltall aufgehoben und erstmals durch den Papst selbst öffentlich erklärt worden, daß Galilei zu Unrecht von der Kirche verfolgt worden sei. Bertolt Brecht: „Die Verführung, die von einem Beweis ausgeht, ist zu groß. Ihr erliegen die meisten, auf die Dauer alle.“ (B. Brecht: Stücke, Bd. 8, Berlin 1957, S. 48.)

16 Tatsächlich stand Galilei, ein Verurteilter der Inquisition, bis an sein Lebensende unter Hausarrest. Der Großherzog bezahlte zwar seinem Hofmathematiker den Lohn weiter, hat sich aber nicht für eine Aufhebung der Strafe verwendet.

17 Vgl.: *Hegel/Werke*, 12/142ff.

18 Ergänzung bei *Hegel/Griesheim*, S. 650: „Diese Einheit ist ein wichtiger Umstand. Alle katholischen Staaten, romanischen Völker haben seit 30 Jahren Revolutionen erlitten, Frankreich, Spanien, Portugal, Neapel, Piemont, Irland, dieser Zwist in den katholischen Staaten ist noch nicht beigelegt bis auf den heutigen Tag, die Revolutionen sind beendigt, aber die Wurzel des Gegensatzes ist nicht gehoben. In den protestantischen Staaten ist dagegen das religiöse Prinzip, das innerste Prinzip und das Prinzip der wirklichen Welt ein und dasselbe und deswegen sind die Gesetze, Einrichtungen, Sitten pp ganz religiöser Natur oder von der Religion nicht in der Wesentlichkeit unterschieden, sind vortrefflicher, wahrhaft göttlicher als in katholischen Staaten."

19 Anspielung auf Aristoteles: Politik (1253a), Leipzig 1948, S. 5.

20 Vgl.: J. W. v. Goethe: „Wer Wissenschaft und Kunst besitzt/ Hat auch Religion;/ Wer jene beiden nicht besitzt,/ Der habe Religion" (in: J. W. v. Goethe: Poetische Werke, Berliner Ausgabe, Bd. 2, Zahme Xenien, IX, Berlin 1966, S. 383).

21 Vgl.: Das Neue Testament, Der Brief des Paulus an die Römer, Kap. 3, Vers 28; Der Brief des Paulus an die Galater, Kap. 2, Vers 16 und Kap. 3. – Aus einer Randbemerkung im Handexemplar zu § 137 (*Hegel/Notizen*, S. 489) geht hervor, daß Hegel gegen die „Mißverständnisse von Seiten der Religion" polemisiert hat, wonach „dem Gerechten kein Gesetz gegeben ist".

Zu § 272

1 Kommentar von Marx: „Die Verfassung ist also vernünftig, insofern seine Momente in die abstrakt logischen aufgelöst werden können. Der Staat hat seine Wirksamkeit nicht nach seiner spezifischen Natur zu unterscheiden und zu bestimmen, sondern nach der Natur des Begriffs, welcher das mystifizierte Mobile des abstrakten Gedankens ist. Die Vernunft der Verfassung ist also die abstrakte Logik und nicht der Staatsbegriff. Statt des Begriffs der Verfassung erhalten wir die Verfassung des Begriffs. Der Gedanke richtet sich nicht nach der Natur des Staats, sondern der Staat nach einem fertigen Gedanken." (*MEW*, 1/217f.)

2 Vermutlich Anspielung auf J. F. Fries: Vom deutschen Bund und deutscher Staatsverfassung, Heidelberg 1816.

3 Vgl.: Ch. L. Montesquieu: Vom Geist der Gesetze (1748), Bd. 1, Buch 11, Kapitel 6, Tübingen 1951, S. 214: In jedem Staat gibt es drei Arten von Gewalt, die legislative, die exekutive und

die judikative Gewalt. Alles wäre verloren, wenn diese drei Gewalten von demselben Menschen oder derselben Körperschaft ausgeübt würden.

4 Vgl.: *Hegel/Logik*, 2/240ff.: Der allgemeine Begriff. Der besondere Begriff. Das Einzelne.

5 Anspielung auf die große Revolution der Franzosen, in deren Verfassung von 1791 überdies behauptet wird, daß da, wo keine Gewaltenteilung festgelegt sei, überhaupt keine Verfassung existiere (Artikel 16).

6 Nach dem Vorbild der französischen Verfassungen hatte auch in Deutschland der Kampf des Bürgertums um konstitutionelle Rechte eingesetzt, vor allem in den im Frühjahr 1815 beginnenden Verfassungskämpfen, die freilich in jedem der deutschen Einzelstaaten einen unterschiedlichen Verlauf nahmen. Der preußische König hatte schon 1810 ein Verfassungsversprechen gegeben (und 1815 erneuert), dessen Erfüllung unterblieb; der bayrische König oktroyierte 1818 eine Verfassung; der württembergische König verkündete 1819 eine mit den Ständen vereinbarte Verfassung (dazu: *Hegel/Politik*, S. 125ff.). Das in der Deutschen Bundes-Akte von 1815 für alle Bundesstaaten gegebene Versprechen einer *Landständischen Verfassung* (Artikel 13) blieb unerfüllt. Es war übrigens in der Wiener Schlußakte vom 15. Mai 1820 von den souveränen Fürsten Deutschlands dahingehend interpretiert worden, daß „die gesamte Staats-Gewalt in dem Oberhaupte des Staats vereinigt bleiben muß und der Souverän durch eine landständische Verfassung nur in der Ausübung bestimmter Rechte an die Mitwirkung der Stände gebunden werden kann" (Art. 57). – Die Veröffentlichung dieses Bundesgesetzes fiel in die Endphase der Ausarbeitung von Hegels „Rechtsphilosophie", gehört also – wie die Karlsbader Beschlüsse (vgl.: Anmerkung 4 zu den Vorreden von *Hegel/Rechtsphilosophie*) – zum zeitlichen Hintergrund des Werkes.

Zu 273

1 Vgl.: Aristoteles: Politik (1279a), Leipzig 1948, S. 91; Cicero: Über den Staat, Buch 1, Abschnitt 27, 42, in: Cicero: Staatstheoretische Schriften, Berlin 1974, S. 67.

2 Vgl.: *Hegel/Werke*, 8/99 (Enzyklopädie, § 99 mit Zusatz).

3 J. G. Fichte: Grundlage des Naturrechts, Erster Teil, § 16, Jena 1796, (in: J. G. Fichte: Sämtliche Werke, Bd. 3, Berlin 1845, S. 163.) Vgl. auch *Hegel/Jena*, S. 373f., 502.

4 Ergänzung bei *Hegel/Griesheim*, S. 652f.: „Die Frage die man

hier zunächst aufwirft ist gewöhnlich die, welches die beste Verfassung sei. Es können hier viele Antworten gegeben werden, die allgemeinste ist, daß man sagt, jede Verfassung ist gut, wenn sie nur gut administriert wird. So drücken sich die klug sein wollenden Leute aus, aber jene Frage wird so nur umgangen, auf die Seite geschoben, alle Verfassungen sind gut, keine die beste, es ist also keine Antwort, es wird gesagt die Bestimmungen sind ganz gleich, es liegt nicht darin ein Unterschied. Die Verfassung wird so für sich als innere Weise vorgestellt, nur die Weise der Aminiistration ist das Wirksame, das durch die Individuen in Wirksamkeit gesetzt wird. Diese Wirksamkeit aber liegt in dem besonderen zufälligen Willen der Individuen die zu administrieren und zu gehorchen haben. Damit ist gesagt, daß der Vernunft in Rücksicht auf Verfassung entsagt werden solle, es gäbe keine besondere wesentliche Bestimmung der Verfassung, diese sei auf den Zufall gestellt. Von diesem Gesichtspunkt kann hier für uns nicht mehr die Rede sein, wir haben von Anfang an erkennen wollen, was die Freiheit an und für sich ihrem Begriffe nach ist, dies ist das Wirksame, Göttliche, was an und für sich Wirksamkeit hat, der Geist ist stärker als die Individuen, der Charakter, die Fähigkeit ist nur die Hand durch die der Geist sich vollbringt.

Jene Antwort setzt sich über das Vernünftige hinweg, sie ist so die schlechteste, welche man geben kann, aber das Oberflächlichste, Seichteste gilt häufig für das Klügste. Die Individualität der Individuen ist nicht hinreichend, die Freiheit soll sich verwirklichen, der Inhalt soll vernünftig sein und soll sein als eine Natur, als eine Notwendigkeit, soll nicht auf die Zufälligkeit des Charakters gestellt sein.

Die zweite Antwort ist, diejenige Verfassung sei die beste mit der die Menschen zufrieden sind, was bedarf es weiter, als daß die Menschen glücklich, zufrieden sind?

Die Zufriedenheit gehört allerdings dazu, ist ein wesentliches Moment, ist die Verfassung gut so ist auch die Zufriedenheit vor handen, aber sie ist kein bestimmendes Moment. Gründlich betrachtet ist diese Antwort beinahe noch schlechter als die erste.

Die Zufriedenheit enthält gar keine objektive Bestimmung, der Mensch kann mit dem Schlechtesten zufrieden sein, die Schweine sind zufrieden im Morast und so sind auch die Menschen im niedrigsten, schmählichsten Zustande zufrieden gewesen, wie z. B. die Inder in der tiefsten Entehrung durch den Aberglauben.

So empfiehlt man in Rücksicht der Zufriedenheit denn oft die Religion, der Fromme ist leicht zufrieden weil das Weltliche ihn nichts angehen soll, besonders wenn die Frömmigkeit so vorgestellt wird, daß sie alles setzt in positive Autorität, darin wie es bestimmt wird von außen für die Menschen, für den Geist." S. 655: „In jetziger Zeit versteht man oft unter Verfassung die Stände und dies ist so in die Vorstellung übergegangen; daß das Wort Verfassung sogar in öffentlichen Verhandlungen diese Bedeutung hat. Die Stände sind ein Moment der Verfassung, aber nur ein Moment, die ganze Organisation ist die Verfassung, und so wird jene Bedeutung ein schiefer Ausdruck. Jeder Staat hat eine Verfassung, wenn er auch keine Stände hat, er hat sie und sie kann expliziter oder impliziter sein. Die beste Verfassung ist die vernünftige, vernünftig ist was durch die Natur des Begriffs bestimmt ist, dies ist die Seele des Geistes, sein Innerstes, Absolutes, Substantielles. Dies ist so daß der Begriff nur es ist der die Unterschiede bestimmt so daß sie Totalitäten sind, wie jedes Eingeweide die Totalität des Ganzen in sich hat und jedes diese Totalität, diese Lebendigkeit wieder hervorbringt. Daß die Verfassung vernünftig ist, die Freiheit nach ihrem Begriff verwirklicht sei, das ist die Hauptsache. Gewöhnlich setzt man sich allerhand Bestimmungen vor, die Verfassung habe die Freiheit zu schützen, der Willkür Einhalt zu tun, das Wohl des Ganzen, das Glück, die Zufriedenheit zu befördern. Von allen solchen Betrachtungen muß man sich frei halten, nur das Vernünftige muß festgehalten werden und dies ist das was aus dem Begriff kommt, dann kommt alles Übrige von selbst, trachtet zuerst nach dem Reiche Gottes, dann fällt euch das andere von selbst zu, alle jene Nebenzwecke werden so von selbst erreicht."

5 Ch. L. Montesquieu: Vom Geist der Gesetze, Bd. 1, Buch 3, Kapitel 3, Tübingen 1951, S. 34.

6 Ebenda, S. 35.

7 Ergänzung bei *Hegel/Griesheim*, S. 657: „In einer Periode der französischen Revolution ist die Tugend zum Prinzip gemacht worden, so daß nichts sein sollte als Tugend, es ist die Zeit und das Prinzip *Robespierres*, jene fürchterliche Zeit. Aber die Tugend erforderte damals noch ein feindliches Verhalten gegen das Nichttugendhafte, weil in der modernen Zeit jedes Individuum das Recht hat so oder so gesinnt zu sein, sie mußte also so da das Nichttugendhafte da war dies bekämpfen. *Montesquieu* hatte nur die Tugend, hier hingegen hatte sie ein Anderes gegen sich, was sie nicht aufkommen lassen durfte und so mußte man zum Prinzip der Tugend noch das des Schreckens hinzusetzen. Es ist etwas sehr Tiefes daß die Menschen zu solchen Prinzipien gekommen sind. Wie das Schrecken sich genommen hat,

ist aus der Geschichte bekannt, die Tugend ist fürchterlich geworden, weil sie die Gesinnung in einem modernen Volke sein sollte, wo die Selbständigkeit der subjektiven Freiheit zugleich vorhanden war."

8 Ch. L. Montesquieu: Vom Geist der Gesetze, Bd. 1, Buch 3, Kapitel 4, a. a. O., S. 38.

9 Ebenda, Buch 3 Kapitel 6 und 7, S. 40ff. Vgl.: *Hegel/Jugend*, S. 223.

10 Ergänzung bei *Hegel/Griesheim*, S. 658: „Jene Frage setzt kein Volk, keine politische Verfassung, selbst nicht einmal einen patriarchalischen Zustand voraus, so hat man es dann bloß mit einem Haufen zu tun und wie der eine Verfassung bekommt das ist seine Sache, nicht Sache der Philosophie.

Die Grundvorstellung ist bei dieser Frage daß die Verfassung gemacht werden kann und nicht immer schon gemacht ist. Verfassung ist immer vorhanden, wo etwas ist was Staat genannt werden kann, Nomaden, Fischervölker sind kein Staat, aber in einem Volke wo das Recht entwickelt ist, was schon ausgebildet ist, ist immer eine Verfassung. Man stellt sich ferner vor, es sei zwar eine Verfassung da, aber man wolle eine neue machen und wirft dann die Frage auf, wer soll nun diese machen? Die alte soll aufgehoben werden. Ist dies so ist Anarchie, die Gesetze gelten nicht, die Regierung ist nicht, es ist dann wieder nur ein Haufen, wer die Gewalt hat ist zufällig, es ist ein Zustand der Rechtlosigkeit, der Verfassungslosigkeit, da ist es denn die Gewalt die die Regierung an sich reißt. So geschah es in der französischen und allen andern Revolutionen, wo die Regierung so schwach war, daß ihr die Zügel aus den Händen genommen worden sind, die Gewalt hat entschieden, dies ist das einzige Prinzip das vorhanden gewesen ist.

Was nun die Vorstellung anbetrifft, daß eine Verfassung gemacht werden könne, so ist dies nicht möglich, ein Volk müßte denn aus seiner Haut fahren können." S. 659f.: „Die Verfassung ist der Geist des Volks und tritt so in das Bewußtsein, wird sich selbst bewußt, dies ist eine Geschichte, fällt in die Geschichte und diese ist die äußerliche Weise wie das Geistige in die Wirklichkeit, Äußerlichkeit versetzt wird. Dabei kann es nun so oder so gegangen sein, der König kann Gesetze gegeben haben, der Adel Rechte für sich erworben haben, oder das Volk hat sich Rechte erzwungen, entweder auf gütliche Weise oder durch alle Arten von Gewalt, die verständige Einsicht ist herein gekommen, einmal hat dieser besondere Körper im Staate dies bewirkt, ein andermal ein anderer pp.

In neuerer Zeit ist die Vorstellung sehr geläufig geworden

eine Verfassung zu machen und wir haben so Verfassungen machen sehen aus abstrakten Gedanken, aber die sogenannten Liberalen die aus abstrakten Grundsätzen Verfassungen gemacht haben, haben überall, in Frankreich, Spanien, Neapel, Portugal, Piemont, Irland pp Bankrott gemacht.

Was eine Verfassung sein soll ist ein Resultat alles vorhergehenden, niemand steht außer seiner Zeit, die Grundsätze pp sind jedesmal ein Resultat der Zeit und bei den Liberalen ist das Denken in der Abstraktion stehen geblieben, sonst wären sie nicht auf die Idee gekommen, daß eine Verfassung zu machen ist, die Abstraktion ist ohnmächtig, ist nicht wahr in sich selbst, das in sich selbst Wahre ist das schlechthin Praktische, jene abstrakten Grundsätze können wesentlich sein aber nur als Momente, das Wahre ist jedoch nicht ein besonderes Moment, sondern die Totalität aller, die Momente kommen darin zu ihrem Recht, aber auch zu ihrer Unterordnung, an ihre Stelle. Das Machen ist hier das Einbilden des Geistes in die Wirklichkeit und dies ist das Progressive, was in die Geschichte fällt. Insofern man den Menschen Gott entgegensetzt, machen nicht sie sondern Gott die Verfassung, sie machen immer nur eine Seite, ein Moment, etwas Weniges vom Ganzen.

Eine Verfassung überhaupt, wenigstens im Occident wo subjektive Freiheit ist, bleibt nicht stehen, verändert sich immer, es wird immer revolutioniert, dies geht immer fort. Man braucht nur, um dies einzusehen, die Entwicklung des Bewußtseins seit 50 Jahren zu betrachten, danach haben sich alle Institutionen und Verhältnisse gestaltet. Das Bewußtsein läuft zwar der Wirklichkeit voraus, aber diese kann nicht bestehen, ist nur leere Existenz wenn sie als Äußeres nicht mit dem Geiste identisch ist. Es ist nur die Welt des Geistes, von ihm verlassen hat es keinen Halt."

11 Ergänzung bei *Hegel/Homeyer*, S. 331: „Konstitutionelle Monarchie – Idee der Vernünftigkeit Geschichte (und Erfahrung) verstehen sich erst, wenn man Idee mitbringt; man bekommt sie aus der Geschichte nicht, man erkennt sie nicht aus der bunten Oberfläche, wenn man nicht schon das Einfache, Allgemeine mitbringt. Man lernt nur aus Geschichte und Erfahrung, daß kein Volk daraus gelernt hat. Jedes Volk hat seine Geschichte, führt seinen Geist aus, die nicht die eines fremden Volkes sind." – Die auch bei *Hegel/Geschichtsvernunft*, S. 19 vorkommende These, daß die Völker niemals etwas aus der Geschichte gelernt haben, wird von Lenin (W. I. Lenin: Werke, Bd. 38, Berlin 1964, S. 297) zustimmend kommentiert.

Zu § 274

1 Ergänzung bei *Hegel/Griesheim*, S. 663: „Jedes Volk hat seine eigene Verfassung, die englische Verfassung ist die der Engländer, und wenn man diese den Preußen geben wollte, so wäre dies gerade so absurd als wenn die preußische Verfassung den Türken gegeben werden sollte. Jede Verfassung ist nur ein Produkt, eine Manifestation des eigentümlichen Geistes eines Volks und der Stufe der Entwicklung des Bewußtseins seines Geistes. Diese hat ihre Notwendigkeit im Fortgange, wo sich kein Glied überspringen läßt, man kann der Zeit nicht voreilen, die Zeit ist immer gegenwärtig. Alles, Gedanke, Philosophie pp steht in der Zeit."

2 Spanien hatte auf seiten der konterrevolutionären Mächte am Krieg gegen die französische Republik teilgenommen, jedoch einen militärischen Mißerfolg erlitten. Napoleon ließ Truppen einmarschieren, ernannte seinen Bruder zum spanischen König, anerkannte die Unabhängigkeit der spanischen Monarchie in ihren bisherigen Grenzen und berief eine Junta spanischer Abgeordneten ein, die am 7. Juli 1808 eine neue Verfassung, nach französischem Muster gearbeitet, sanktionierte und beschwor. Die Inquisition wurde abgeschafft. Im Verlauf des spanischen Unabhängigkeitskrieges, einer sich mit Regeneration paarenden Reaktion, wurde die Verfassung von 1808 ebenso wie die von 1812 beseitigt, und die Inquisition wieder eingeführt. Von 1814–1820 wütete dann die Konterrevolution.– Über Napoleon schreibt Hegel: „. . . in ihm stellte sich dann wieder ein individueller Wille an die Spitze des Staates. Er wußte zu herrschen und wurde im Innern bald fertig. Was von Advokaten, Ideologen und Prinzipienmännern noch da war, jagte er auseinander, und es herrschte nun nicht mehr Mißtrauen, sondern Respekt und Furcht. Mit der ungeheuren Macht seines Charakters hat er sich dann nach außen gewendet, ganz Europa unterworfen und seine liberalen Einrichtungen überall verbreitet. Keine größeren Siege sind je gesiegt, keine genievolleren Züge je ausgeführt worden; aber auch nie ist die Ohnmacht des Sieges in einem helleren Lichte erschienen als damals. Napoleon macht es Ehre, daß er würdige Feinde nicht fand, sondern sie sich erst erzeugte und so seinen Fall selbst vorbereitete. Die Individualität und die Gesinnung der Völker, d. h. ihre religiöse und die ihrer Nationalität, hat endlich diesen Koloß gestürzt." (*Hegel/Geschichte*, 4/930.)

3 Vgl.: *Hegel/Werke*, 11/256.

Zu § 275

1 Kritik von Marx: „Insofern dies Moment der ‚letzten Entscheidung' oder der ‚absoluten Selbstbestimmung' getrennt ist von der ‚Allgemeinheit' des Inhalts und der Besonderheit der Beratung, ist es der *wirkliche Wille als Willkür*. Oder: ‚Die *Willkür* ist die fürstliche Gewalt', oder: ‚die fürstliche Gewalt ist die Willkür'." (*MEW*, 1/221.)

Zu § 277

1 Kritik von Marx: „Es kömmt dieser Unsinn dadurch herein, daß Hegel die Staatsgeschäfte und Wirksamkeiten abstrakt für sich und im Gegensatz dazu die besondere Individualität faßt; aber er vergißt, daß die besondere Individualität eine menschliche und die Staatsgeschäfte und Wirksamkeiten menschliche Funktionen sind; er vergißt, daß das Wesen der ‚besonderen Persönlichkeit' nicht ihr Bart, ihr Blut, ihre abstrakte Physis, sondern ihre *soziale Qualität* ist, und daß die Staatsgeschäfte etc. nichts als Daseins- und Wirkungsweisen der sozialen Qualitäten des Menschen sind. Es versteht sich also, daß die Individuen, insofern sie die Träger der Staatsgeschäfte und Gewalten sind, ihrer sozialen und nicht ihrer privaten Qualität nach betrachtet werden." (*MEW*, 1/222.)

2 Seit dem 16. Jahrhundert waren die Stellen im französischen Parlament, einer Gerichtsbehörde, käuflich und vererblich. Die Revolution beseitigte 1790 diese Parlamente endgültig.

Zu § 278

1 Vgl.: § 321.

2 Vgl.: *Hegel/Enzyklopädie*, § 371.

Zu § 279

1 Kritik von Marx: Hegel „sagt nicht: der Wille des Monarchen ist die letzte Entscheidung, sondern: die letzte Entscheidung des Willens ist – der Monarch. Der erste Satz ist empirisch, der zweite verdreht die empirische Tatsache in ein metaphysisches Axiom." (*MEW*, 2/226.)

2 Ergänzung bei *Hegel/Homeyer*, S. 332: „Das als Auszeichnung des Fürsten daß in ihm als Individuum sich der Staat vollendet (zuspitzt) Das leere letzte Entscheiden macht die fürstliche Gewalt aus, von objektiver Entscheidung nach Gründen ist noch nicht die Rede, (der Regent setzt den Namen darunter,

unmittelbare letzte Bestimmtheit, (Bei den Alten z. B. bei den griechischen Staaten die letzte Entscheidung in Ansehung des Handelns bei den Göttern (Auspizien Augurien) Kartenlegen). Es kommt oft nur darauf an, daß entschieden werde, nicht *wie*".

[3] Kritik von Marx: „‚Schlechthin aus sich anfangend' ist in gewissem Sinn jedes notwendige Dasein; in dieser Hinsicht die Laus des Monarchen so gut als der Monarch. Hegel hatte damit also nichts Besondres über den Monarchen gesagt. Soll aber etwas von allen übrigen Objekten der Wissenschaft und der Rechtsphilosophie spezifisch Verschiedenes vom Monarchen gelten, so ist das eine wirkliche Narrheit." (*MEW*, 1/229.)

[4] Kritik von Marx: „Hegel geht vom Staat aus und macht den Menschen zum versubjektivierten Staat; die Demokratie geht vom Menschen aus und macht den Staat zum verobjektivierten Menschen. Wie die Religion nicht den Menschen, sondern wie der Mensch die Religion schafft, so schafft nicht die Verfassung das Volk, sondern das Volk die Verfassung." (*MEW*, 1/231.)

[5] Vgl.: § 273.

[6] Vgl.: Platon: Apologie des Sokrates (31 St), Leipzig 1945, S. 47, 35.

[7] Ergänzung bei *Hegel/Griesheim*, S. 670: „Die konstitutionelle Monarchie ist die vernünftige Verfassung, sie ist konstitutionell d. h. sie ist organisiert in sich."

[8] Ergänzung, ebenda, S. 673: „Das Wesentliche dabei ist daß der Staat ein moderner Staat ist d. h. ein Staat in dem alle Momente die in die Idee der Freiheit gehören, entwickelt sind und jedes Moment seine eigene abgesonderte Existenz hat. Diese Freiheit welche jedes der Momente gewinnen soll ist die hohe Bildung der modernen Zeit. In allen Staaten, in der Aristokratie, Demokratie, im patriarchalischen Staat ist das Ich will enthalten, aber nicht in seiner freien Persönlichkeit, diese ist erst in der Monarchie vorhanden und daß sie existiere darauf kommt es an."

S. 675: „Das Volk ist der allgemeine Ausdruck der alles in sich faßt, aber man versteht darunter gern die Menge, unterschieden von dem Monarchen, von der Regierung, man setzt dies beides einander gegenüber und macht dann die Verwechselung daß man dann zeigt daß dem Volk Souveränität zukommt.

Man kann den Staat auch Volk nennen, die Souveränität aber schreibt man gern dem Volke zu als unterschieden von der Regierung, seinen organischen Momenten gegenüber. Es ist das Gefährliche daß man das Volk als Menge für sich betrachtet und dann diese Bestimmung anwendet. Das Volk als solches ist ein Haufen, es muß wesentlich Staat sein und so ist eine Regierung vorhanden und es fragt sich dann welches die Bestimmungen der Regierung sind. Es ist etwas Boshaftes so viel vom Volk zu sprechen, und die Bestimmungen des Volks als Staat dem Volk als Menge, der Regierung gegenüber, zuzuschreiben. Das Volk hat Rechte, das absolute Recht des Volks ist seine absolute Pflicht in sich organisiert zu sein, einen Staat auszumachen, dies ist absolute Notwendigkeit, aber das Volk unterscheidet man wie gesagt oft und gern von dieser Notwendigkeit.

So ist Freiheit, Gleichheit eine wesentliche Bestimmung des Volks, das Volk soll frei sein, aber als Abstraktum, so daß das Volk nicht organisch sei ist dies falsch, und dies ist das Gefährliche der Abstraktion, die fanatisch, zerstörend ist wenn sie gilt, dies haben besonders die Franzosen erfahren. Das Volk hat sich in der Revolution immer gleich wieder gesondert von jedem Organischen das sich gebildet hatte, die Masse ist so als Souverän bestimmt worden und jede Einrichtung, Obrigkeit ist sogleich als unterschieden davon, als entgegengesetzt, widersprechend der Souveränität der Masse genommen worden, denn diese ist unorganisch.

Wenn man vom Volk spricht, so ist es wesentlich sogleich Staat, dies ist die Hauptsache, das Vernünftige, das Volk ohne Staat verdient keinen Respekt, ist eine unorganische Masse und die Frage ist nur wie das Organische gegliedert sei."

Zu § 280

1 Bemerkung von Marx: „Hegel hat bewiesen, daß der Monarch geboren werden muß, woran niemand zweifelt, aber er hat nicht bewiesen, daß die Geburt zum Monarchen macht." (*MEW*, 1/235.)

2 Vgl.: *Hegel/Logik*, 1/71; *Hegel/Enzyklopädie*, § 52; *Hegel/Werke*, 17/528. Immer in Kritik von Kants Behauptung einer Unmöglichkeit eines ontologischen Beweises vom Dasein Gottes (I. Kant: Kritik der reinen Vernunft, A 592, Leipzig 1979, S. 650).

3 Ergänzung bei *Hegel/Griesheim*, S. 678: „Jeder denkt also er könne so auch König sein, jeder heißen die vielen individuellen Atome, es ist also so nichts besonderes auf diese Weise König zu sein, aber eben wenn alle fähig sind, so ist es grade darum zu tun daß nicht alle sondern einer es ist. Eben weil es so ist muß einer von Natur dazu bestimmt sein. Es kann jeder die letzte Entscheidung sein und so muß grade auf grundlose Weise einer schlechthin dazu bestimmt sein, damit die Vielen ausgeschlos-

sen sind, da im Staate nur einer ist, so muß es nur einer sein. Also grade dieser Umstand macht es notwendig, daß die Vielen, die Jeder die es sein könnten ausgeschlossen werden."

4 In der zweiten Auflage seiner Ausgabe der Grundlinien der Philosophie des Rechts von Hegel (Berlin 1840, S. 365) hat Eduard Gans die voranstehenden beiden Sätze erweitert: „Es ist bei einer vollendeten Organisation des Staats nur um die Spitze formellen Entscheidens zu tun und um eine natürliche Festigkeit gegen die Leidenschaft. Man fordert daher mit Unrecht objektive Eigenschaften an dem Monarchen; er hat nur Ja zu sagen, und den Punkt auf das i zu setzen. Denn die Spitze soll so sein, daß die Besonderheit des Charakters nicht das Bedeutende ist. Diese Bestimmung des Monarchen ist vernünftig, denn sie ist dem Begriffe gemäß; weil sie aber schwer zu fassen ist, geschieht es oft, daß man die Vernünftigkeit der Monarchie nicht einsieht. Die Monarchie muß fest in sich selbst sein, und was der Monarch noch über diese letzte Entscheidung hat, ist etwas, das der Partikularität anheimfällt, auf die es nicht ankommen darf."

5 Vgl. noch *Hegel/Ästhetik*, S. 215: „Ebenso sind die Monarchen unserer Zeit nicht mehr, wie die Heroen der mythischen Zeitalter, eine in sich *konkrete* Spitze des Ganzen, sondern ein mehr oder weniger abstrakter Mittelpunkt innerhalb für sich bereits ausgebildeter und durch Gesetz und Verfassung feststehender Einrichtungen. Die wichtigsten Regentenhandlungen haben die Monarchen unsrer Zeit aus den Händen gegeben; sie sprechen nicht selber mehr Recht, die Finanzen, bürgerliche Ordnung und Sicherheit ist nicht mehr ihr eigenes spezielles Geschäft, Krieg und Frieden wird durch die allgemeinen auswärtigen politischen Verhältnisse bestimmt, welche ihrer partikulären Leitung und Macht nicht angehören; und wenn ihnen auch in betreff auf alle diese Beziehungen die letzte, oberste Entscheidung zukommt, so gehört doch der eigentliche Inhalt der Beschlüsse im ganzen weniger der Individualität ihres Willens an, als er bereits für sich selber feststeht, so daß die Spitze des eigenen subjektiven monarchischen Willens in Rücksicht auf das Allgemeine und Öffentliche nur formeller Art ist."

Zu § 281

1 Mittelbegriffe (im logischen Schlußverfahren). Vgl.: *Hegel/Logik*, 2/310.

2 Vgl.: §§ 75, 258.

3 *Hegel/Geschichte*, 4/900: „Weil Deutschland ein Wahlreich war,

deswegen ist es nicht ein Staat geworden, und aus demselben Grunde ist Polen aus der Reihe der selbständigen Staaten verschwunden."

4 Aus ihrem durch die Goldene Bulle von 1356 (Kapitel 2) verbrieften Wahlrecht leiteten die Kurfürsten seit der Wahl Karls V. zum deutschen Kaiser 1519 die Berechtigung her, jeden Thronbewerber eine von ihnen vorgelegte Wahlkapitulation beschwören zu lassen, die den Charakter eines mit ihm abgeschlossenen Vertrages über die Führung der Reichsregierung hatte.

5 Eventuell Anspielung auf eine Äußerung Rousseaus (J.-J. Rousseau: Der Gesellschaftsvertrag, Buch 1 Kapitel 3, Leipzig 1978, S. 43): „Ich gebe zu, daß jede Macht von Gott kommt; aber auch jede Krankheit kommt von ihm; heißt das etwa, deshalb sei es verboten, den Arzt zu rufen?"

6 „Ich bin nicht Euer Fürst, ich bin Euer Herr." – Nach der Schlacht bei Jena ging Erfurt durch Kapitulation am 16. Oktober 1806 an die Franzosen über und blieb (bis 1814) unmittelbar unter französischer Herrschaft. Napoleon war Ende September/Anfang Oktober 1808 in Erfurt, wo er sich mit dem russischen Zaren im Beisein diverser deutscher Könige traf. (Vgl. auch *Hegel/Berichte*, S. 280.)

Zu § 283

1 Bemerkung von Marx: „Ebenso kann die ‚unbeschränkte Wahl' des *Kammerdieners* des Monarchen aus der absoluten Idee entwickelt werden." (*MEW*, 1/238.)

Zu § 284

1 Kritik von Marx: „Versteht sich, ‚die letzte entscheidende Subjektivität', die reine Subjektivität, die reine Willkür ist nicht objektiv, also auch keines Beweises der Objektivität, also keiner Verantwortung fähig, sobald ein Individuum die *geheiligte, sanktionierte Existenz* der Willkür ist. Hegels Beweis ist schlagend, wenn man von den konstitutionellen Voraussetzungen ausgeht, aber Hegel hat diese Voraussetzungen damit nicht bewiesen, daß er sie in ihrer Grundvorstellung *analysiert. In dieser Verwechslung liegt die ganze Unkritik* der Hegelschen Rechtsphilosophie." (*MEW*, 1/238.)

2 Ergänzung bei *Hegel/Griesheim*, S. 685f.: „Das Beraten nach Gründen, Entscheiden nach Gründen, so daß auf den Inhalt eingegangen wird hat demnach eine besondere Existenz und zunächst als in der fürstlichen Gewalt enthalten ist es das Ministerium.

Der Monarch entscheidet, er ist das leere Ich will, aber dazu muß er den Inhalt kennen, die Gesetze, es muß an ihn gebracht sein, dies Bringen muß organisiert sein und diese Organisation ist das Ministerium. So sehen wir in Ansehung des besonderen Inhalts den Monarchen durchaus abhängig, er weiß es nicht durch sich, kann nur entscheiden nach der Vorstellung die ihm von der Lage der Sache gegeben wird, von den Gesetzen die in Betracht kommen und nach dieser Vorstellung entscheidet er. Dies Alles kann das Individuum nicht aus sich nehmen.

In der französischen Revolution ist es vorgekommen daß das Parlament dem Könige erklärt hat, es hätte kein Zutrauen zu den Ministern, er möge andere erwählen. Dies sieht einerseits unbefangen aus, das Parlament kann die Handlungen der Minister beurteilen und zum Teil genauer als der Monarch selbst. Aber es ist hier ein großer Unterschied zu machen, ob eine solche Versammlung erklärt, daß sie kein Zutrauen zu den Ministern habe, oder ob sie die Minister anklagt.

In England müssen die Minister das Zutrauen des Parlaments, die Majorität für sich haben, ist dies nicht der Fall, so können sie nichts durchsetzen.

Bei dem Zutrauen beruft man sich auf die subjektive Meinung, dies muß aber dem Monarchen zukommen. Daß die Minister das Zutrauen nicht haben ist in seiner Erklärung Hochverrat, es ist nur das Subjektive, kommt nur dem Monarchen zu.

Die Verantwortlichkeit ist etwas anderes, diese kommt den Ministern zu und zweitens sind sie nur verantwortlich, nicht der Monarch; diese Verantwortlichkeit kann nur stattfinden in Ansehung des Inhalts."

Zu § 285

1 Ergänzung bei *Hegel/Hotho*, S. 772: „Die Fürstengewalt also ist keine bloße Willkür, sondern das eigentlich dem Monarchen Zukommende ist das Entscheiden nach der objektiven Seite, d. h. nach der Verfassung, nach den Gesetzen."

Zu § 286

1 Kritik von Marx: „In einem vernünftigen Organismus kann nicht der Kopf von Eisen und der Körper von Fleisch sein. Damit die Glieder sich erhalten, müssen sie *ebenbürtig*, von einem Fleisch und Blut sein. Aber der erbliche Monarch ist nicht ebenbürtig, er ist aus anderm Stoff. Der Prosa des rationalistischen Willens der andern Staatsglieder tritt hier die Magie der Natur gegenüber. Zudem, Glieder können sich nur insofern

wechselseitig erhalten, als der ganze Organismus flüssig und jedes derselben in dieser Flüssigkeit aufgehoben, also keines, wie hier der Staatskopf, ‚unbewegt', ‚inalterabel' ist. Hegel hebt durch diese Bestimmung also die ‚geborene Souveränität' auf." (*MEW*, 1/239.)

2 Vgl.: § 279.

3 Ergänzung bei *Hegel/Hotho*, S. 773: „Man sucht oft eine Gewalt vor der andern zu schützen; denn der Verstand ist hier in der Angst, daß eine Gewalt ein Feind sei der andern, gegen den man also Wälle müsse aufwerfen, um sich gegen ihn sicherzustellen. Von diesem Gesichtspunkt aber der Feindseligkeit ist nicht auszugehn, sondern die Garantie jedes Kreises liegt gerade in der Existenz und Festigkeit des Andern, wie die Garantie der Gesundheit des Herzens in der der anderen Eingeweide liegt."

4 Vgl.: § 281.

5 Kritik von Marx: „Die Erblichkeit des Fürsten ergibt sich aus seinem Begriff. Er soll die spezifisch von der ganzen Gattung, von allen andern Personen unterschiedene Person sein. Welches ist nun der letzte feste Unterschied einer Person von allen andern? Der *Leib*. Die höchste Funktion des Leibes ist die *Geschlechtstätigkeit*. Der höchste konstitutionelle Akt des Königs ist daher seine Geschlechtstätigkeit, denn durch diese *macht* er einen König und setzt seinen Leib fort. Der Leib seines Sohnes ist die Reproduktion seines eigenen Leibes, die Schöpfung eines königlichen Leibes." (*MEW*, 1/242.)

Zu § 287

1 Gesamteinschätzung von Marx: „Was Hegel über die ‚Regierungsgewalt' sagt, verdient nicht den Namen einer philosophischen Entwicklung. Die meisten Paragraphen könnten wörtlich im preußischen Landrecht stehn." [. . .] „Hegel gibt uns eine empirische Beschreibung der Bürokratie, teils wie sie wirklich ist, teils der Meinung, die sie selbst von ihrem Sein hat." [. . .] „Hegel gibt *seiner Logik einen politischen Körper*; er gibt nicht die *Logik des politischen Körpers*." (*MEW*, 1/246, 247, 250.)

Zu § 289

1 Kommentar von Marx: „Merkwürdig 1. wegen der Definition der bürgerlichen Gesellschaft als des bellum omnium contra omnes;[2]) 2. weil der *Privategoismus* als das ‚Geheimnis des Patriotismus der Bürger' verraten wird und als die ‚Tiefe und

Stärke des Staats in der Gesinnung'; 3. weil der ‚Bürger', der Mann des besonderen Interesses im Gegensatz zum Allgemeinen, das Mitglied der bürgerlichen Gesellschaft als ‚fixes Individuum' betrachtet wird, wogegen ebenso der Staat in ‚fixen Individuen' den ‚Bürgern' gegenübertritt." (*MEW*, 21/243f.)

2 „Krieg aller gegen alle" – vgl.: Th. Hobbes: Leviathan, Kap. 13, Leipzig 1978, S. 106; Th. Hobbes: Vom Bürger, Vorwort, Berlin 1967, S. 69, 83.

Zu § 290

1 Vermutlich Anspielung auf die von Hegel selbst erlebte Verfassungs- und Verwaltungsreform in Bayern: nach französischem Vorbild wurde 1808 eine zentralistisch-bürokratische Behörden- und Justizorganisation des in 15 Kreise neustrukturierten Königreichs eingeführt und dabei die kommunale Selbstverwaltung vollständig beseitigt. Vgl.: *Hegel/Briefe*, 1/197: „Bisher sahen wir bei den Nachahmungen des Französischen immer nur die Hälfte aufnehmen und die andere Hälfte weglassen, diese andere Hälfte, welche das Edelste, die Freiheit des Volkes, Teilnahme desselben an Wahlen, Beschließungen oder wenigstens Darlegung aller Gründe der Regierungsmaßregeln vor die Einsicht des Volkes enthält! – eine Weglassung, wodurch jene erste Hälfte zum gänzlich Verkehrten, zur Willkür, Grobheit, Roheit, vornehmlich Stummheit, Haß der Publizität, Aussaugung, Verschwendung – und auf der andern Seite zur Dumpfheit, Mißmut, Gleichgültigkeit gegen alles Öffentliche, Kriecherei und Niederträchtigkeit wird ... Doch es ist bereits viel, was Deutschland von Frankreich gelernt hat."

Zu § 291

1 Kommentar von Marx: „Im wahren Staat handelt es sich nicht um die Möglichkeit jedes Bürgers, sich dem allgemeinen als einem besondern Stand zu widmen, sondern um die Fähigkeit des allgemeinen Standes wirklich allgemein, d. h. der Stand jedes Bürgers zu sein. Aber Hegel geht von der Voraussetzung des pseudoallgemeinen, des illusorisch-allgemeinen Standes, der besonderen ständigen Allgemeinheit aus." (*MEW*, 1/253.)

Zu § 293

1 Kommentar von Marx: „Wenn Hegel die Regierungsgewalt die *objektive* Seite der dem Monarchen innewohnenden Souveränität nennt, so ist das richtig in demselben Sinn, wie die katholische Kirche das *reelle Dasein* der Souveränität, des Inhalts und Geistes der heiligen Dreieinigkeit war. In der Bürokratie ist die Identität des Staatsinteresses und des besonderen Privatzwecks so gesetzt, daß das *Staatsinteresse* zu einem *besonderen* Privatzweck gegenüber den anderen Privatzwecken wird." (*MEW*, 1/250.)

Zu § 294

1 Vgl.: Allgemeines Landrecht für die Preußischen Staaten (1794), Teil 2, Titel 10: Von den Rechten und Pflichten der Diener des Staates.

2 Kommentar von Marx: „Die Staatszwecke verwandeln sich in Bürozwecke oder die Bürozwecke in Staatszwecke. Die Bürokratie ist ein Kreis, aus dem niemand herausspringen kann. Ihre Hierarchie ist eine *Hierarchie des Wissens*. Die Spitze vertraut den untern Kreisen die Einsicht ins Einzelne zu, wogegen die untern Kreise der Spitze die Einsicht in das Allgemeine zutrauen, und so täuschen sie sich wechselseitig." (*MEW*, 1/249.)

Zu § 295

1 Kritik von Marx: „als wenn nicht die Hierarchie der *Hauptmißbrauch* wäre und die paar persönlichen Sünden der Beamten gar nicht mit ihren *notwendigen* hierarchischen Sünden zu vergleichen wären; die Hierarchie straft den Beamten, insoweit er gegen die Hierarchie sündigt oder eine der Hierarchie überflüssige Sünde begeht; aber sie nimmt ihn in Schutz, sobald die Hierarchie in ihm sündigt; zudem überzeugt sich die Hierarchie schwer von den Sünden ihrer Glieder." (*MEW*, 1/255.)

2 Ergänzung bei *Hegel/Homeyer*, S. 334: „Alles wichtige ist kollegialischen Behörden zu übergeben – Sie sind Garantien der Freiheit der Bürger in ihren Angelegenheiten. Die eigne Willkür des Referenten schon dadurch zurückgestellt, daß er dem ganzen Kollegium vortragen muß."

3 In dem Rechtsstreit zwischen dem Müller Johannes Arnold aus Züllichau, dem Grafen von Schmettau und dem Landrat v. Gersdorff hatte 1779 der preußische König, um ein Exempel

zu statuieren, durch einen Machtspruch das gegen Arnold ergangene Gerichtsurteil kassiert, 3 Kammergerichtsräte inhaftiert und den Großkanzler davongejagt („marsch – seine Stelle ist schon vergeben"), und das mit der Begründung, daß der geringste Bauer vor der Justiz dem Prinzen gleich sei. Nach dem Tod Friedrich II. wurde der Prozeß wieder aufgerollt und die Folgen des königlichen Machtspruches wieder rückgängig gemacht.

4 Ergänzung bei *Hegel/Griesheim*, S. 693: „Die Kontrolle von Oben ist für sich sehr unvollständig. Die Beamten sind es vornehmlich die leicht zur Willkür hinneigen, sich nach Oben decken ist nicht schwer; gehemmt wird diese Willkür nur durch die Berechtigung der Korporationen. Beamte zur Rechenschaft zur Bestrafung zu ziehen ist sehr schwer, denn die Richter haben im Ganzen mit ihnen ein gleiches Interesse. Das Volk ist auch ganz allgemein überzeugt, daß alle Bedrückungen von den Beamten ausgehen. Wenn der Fürst es wüßte, würde es bald anders sein, man kann nur nicht an ihn kommen; dies ist eine allgemeine Klage."

Zu § 296

1 Kommentar von Marx: „Der Mensch im Beamten soll den Beamten gegen sich selbst sichern." (*MEW*, 1/256.)

Zu § 297

1 Kommentar von Marx: „Was den einzelnen Bürokraten betrifft, so wird der Staatszweck zu seinem Privatzweck, zu einem *Jagen nach höheren Posten*, zu einem *Machen von Karriere*." (*MEW*, 1/249.)

Zu § 298

1 Ergänzung bei *Hegel/Griesheim*, S. 697: „Man hat vielerlei Vorstellungen von neuen Einrichtungen, Verfassungen pp einerseits ist hierüber schon bemerkt daß es nicht auf das ankommt was in einzelnen Köpfen für Recht gehalten wird, sondern nur auf das was im Bewußtsein selbst gegen das Bewußtsein im Volke geht. Kein Volk hat eine andere Verfassung als es verdient, jedes Volk ist Resultat seiner Geschichte und kann nichts hervorbringen als was schon Resultat ist. Die Ständeverfassung hat in neuerer Zeit z. B. viel Interesse erregt, das Wesentliche war immer vorhanden, in den ältesten Zeiten der germanischen Völker.

Das Neuern zerstört, die Umänderung der Form macht sich von selbst nach und nach. Die Verfassung ist lebendig, auf diese Weise tätig, das Lebendige aber bringt nichts hervor als was schon ist, alles Lebendige ist produktiv aber es bringt nichts hervor, als was schon von Hause aus vorhanden war. Dies Erhalten ist so nicht Dauer, sondern die lebendige Wirksamkeit die das hervorbringt was schon exisitiert, so existiert nur das Lebendige, das Geistige, die Steine beharren, das Lebendige muß immer hervorgebracht werden. Die gesetzgebende Gewalt ist insofern das Lebendige, in das ferner besondere Einrichtungen eintreten können."

2 Vgl.: Allgemeines Landrecht für die Preußischen Staaten, Teil 2, Titel 14, § 11: „Einzelne Grundstücke [...], deren besonderes Eigentum dem Staate, und die ausschließliche Benutzung dem Oberhaupte desselben zukommt, werden Domänen- oder Kammergüter genannt." – Durch Verordnung vom 17. Januar 1820 wurden die preußischen Domänen für die Gesamtsumme der damals vorhandenen Staatsschuld den Gläubigern verpfändet.

3 Kritik von Marx: „Die Kategorie des *allmählichen* Überganges ist erstens historisch falsch, und zweitens erklärt sie nichts.

Damit der Verfassung nicht nur die Veränderung angetan wird, damit also dieser illusorische Schein nicht zuletzt gewaltsam zertrümmert wird, damit der Mensch mit Bewußtsein tut, was er sonst ohne Bewußtsein durch die Natur der Sache gezwungen wird zu tun, ist es notwendig, daß die Bewegung der Verfassung, daß der *Fortschritt zum Prinzip der Verfassung* gemacht wird, daß also der wirkliche Träger der Verfassung, das Volk, zum Prinzip der Verfassung gemacht wird. Der Fortschritt selbst ist dann die Verfassung." (*MEW*, 1/259.)

Zu § 299

1 Vgl.: Allgemeines Landrecht für die Preußischen Staaten, Teil 1, Titel 18, § 143: „Durch die Belehnung übernimmt der Vasall die Pflicht der Lehnstreue gegen den Obereigentümer [den Lehnsherren], und die mit dem Besitze des Lehns verbundenen Dienste, oder anderen Obliegenheiten."

2 Kommentar von Marx: „Tut, was ihr wollt. Bezahlt, was ihr sollt." (*MEW*, 1/262.)

Zu § 300

1 So die von der französischen Konstituante ausgearbeitete erste Revolutionsverfassung von 1791 (Abschnitt 3, § 4)

2 Vgl.: Anmerkung 3 zu § 272.

3 Ergänzung bei *Hegel/Griesheim*, S. 704f.: „Die empirische Anschauung zeigt in der französischen Revolution das Nötige, hier war anfänglich die Nationalversammlung unabhängig vom Könige und den Ministern, späterhin ebenso das Direktorium und das *Corps legislatif*, bei dieser Stellung zweier Gewalten ist es immer der Fall gewesen, daß eine oder die andere das Übergewicht hatte und mit Gewalt die andern unterdrückte, sich an die Spitze stellte und so die Einheit des Staats herstellte.

Da mögen die Konstitutionen durch die teuersten Eide beschworen werden, sie helfen nichts, es ist die Natur der Sache, die absolute Notwendigkeit, ob es dann ein Verbrechen gegen die Konstitution ist, oder irgendein anderes, es hilft alles nichts, der Staat muß Eins sein.

Dem Könige war in Frankreich ein *Veto* beigelegt, ein leeres, trockenes *Veto*, und es ist sogleich geschehen daß die Nationalversammlung, die das Mächtige war nur der gesetzgebende Körper sein sollte, sich zum Mittelpunkte des Staats machte. Der Wohlfahrtsausschuß hat ebenso den Konvent unterdrückt, so machte sich zuerst die gesetzgebende Gewalt zur Regierungs-Gewalt, später geschah das Entgegengesetzte, das Direktorium unterwarf sich die gesetzgebende Gewalt.

Dies ist der notwendige Effekt, der Staat muß Eins sein, es ist eine falsche Vorstellung die höchsten Gewalten darin zu koordinieren."

Zu § 301

1 Zum Volk als dem „Aggregat der Privaten" (vgl.: *Hegel/Enzyklopädie*, § 544).

2 Ergänzung bei *Hegel/Griesheim*, S. 705f.: „Man sagt oft eine Ständeversammlung sei notwendig, weil das Volk am besten verstünde was zu seinem Besten dient, was das Wohl des Staats sei, es sei die eigene Angelegenheit eines Jeden und Jeder kenne diese am besten; dies ist die erste Vorstellung; die zweite ist, das Volk habe notwendig auch den besten Willen, denn es meint niemand etwas besser mit jemand, als mit sich selbst.

Die erste Vorstellung ist durchaus unwahr, dasselbe gilt von der zweiten. Es ist unwahr daß das Volk weiß was ihm zum Besten dient, noch dies will. Was der Mensch wahrhaft will, weiß der Mensch, das Individuum solten, die tiefste Einsicht ist nötig um zu wissen was der Mensch, der vernünftige Wille will, eine Einsicht die nicht im Volk als solchen vorhanden ist, das Volk hat nur ein Gefühl davon und wenn es ihnen gesagt wird, so stimmen alle bei.

Große Individuen der Geschichte tun was alle tun wollen, sprechen aus was alle meinen, darum sind sie groß. Diese Beistimmung, dies dunkele Gefühl des Bedürfnisses ist etwas anderes als das was an der Zeit ist ins Bewußtsein treten zu lassen.

Daß der Mensch sich selbst versteht ist etwas sehr seltenes, selbst bei gebildeteren Individuen, die meisten treiben sich in Meinungen herum und verstehen selten was sie wollen. Es ist das Höchste was man von einem Menschen sagen kann, er weiß er will; gewöhnlich meint er zu wollen, aber im Hintergrunde ist noch viel anderes, als was er will, aber wenn es zum Treffen kommt, zur Aufopferung von allem für das was er will, da zeigt sich's denn wieviel er gewollt hat, und noch will."

3 Kommentar von Marx: „Hegel ist nicht zu tadeln, weil er das Wesen des modernen Staats schildert, wie es ist, sondern weil er das, was ist, für das *Wesen des Staats* ausgibt. Daß das Vernünftige wirklich ist, beweist sich eben im *Widerspruch der unvernünftigen Wirklichkeit*, die an allen Ecken das Gegenteil von dem ist, was sie aussagt, und das Gegenteil von dem aussagt, was sie ist." (*MEW*, 1/266.)

4 Kommentar von Marx: „Das *ständische Element* ist die *sanktionierte, gesetzliche Lüge* der konstitutionellen Staaten, daß der *Staat* das *Interesse des Volks* oder daß das *Volk* das *Staatsinteresse* ist." (*MEW*, 1/268.)

Zu § 302

1 Vgl. die Auffassung Hegels am Beispiel der englischen Reformbill von 1831: wenn das Parlament nicht in der Lage ist, als mittlere Macht zwischen den vorhandenen Privilegien und den erhobenen Freiheitsforderungen zu wirken, dann würde eine Oppositionspartei dazu verleitet werden können „im Volk ihre Stärke zu suchen und dann statt einer Reform eine Revolution herbeizuführen" (*Hegel/Politik*, S. 294).

2 Ergänzung bei *Hegel/Griesheim*, S. 707: „Die Stände müssen den Sinn des Staats mitbringen, müssen im Ganzen Staatsmänner sein, müssen nicht den Sinn der Beschränktheit, der Eitelkeit pp mitbringen. Die Opposition der Stände ist rechter

Art wenn sie bloß Parteisucht ist. In England ist das Hauptinteresse der Opposition gegen *dies* Ministerium, dies ist die rechte Weise der Opposition und sie zeigt daß die Opposition sowohl als der andere Teil der Stände eines Sinnes ist in Rücksicht der Staatsgrundsätze.

In Frankreich dagegen ist die Opposition im Ganzen die Stände selbst, und wenn so die Meinungen über Staatsgrundsätze verschieden sind dann ist der Staat in Gefahr, besteht die Opposition aus Republikanern, so steht sie nicht auf gleichem Boden mit der Regierung, hat die Opposition die Oberhand, so stürzt sie die Verfassung. Wenn dagegen die zuerst genannte Opposition z. B. in England obenauf kommt so ist die Folge nichts, als daß das Ministerium verändert wird und andere Maximen in Absicht spezieller Umstände eintreten."

Zu § 303

1 Präzisierung bei *Hegel/Griesheim*, S. 709: „Der Privatstand ist also so unterschieden in zwei Seiten, in den Stand der die Subsistenz aus dem Grundbesitz zieht und in den welcher sie aus der Arbeit in der bürgerlichen Gesellschaft hat."

2 Kommentar von Marx: „Allein Hegel geht von der *Trennung* der ‚*bürgerlichen Gesellschaft*' und des ‚*politischen Staates*' als zweier fester Gegensätze, zweier wirklich verschiedener Sphären aus. Diese Trennung ist allerdings *wirklich* im *modernen Staat* vorhanden. Die Identität der bürgerlichen und politischen Stände war der *Ausdruck* der *Identität* der bürgerlichen und politischen Gesellschaft. Diese Identität ist verschwunden." (*MEW*, 1/275.)

3 Konkretisierung bei *Hegel/Hotho*, S. 802f.: „Die politischen Stände, und die in der bürgerlichen Gesellschaft müssen ineinandergreifen. Wie die Bürger in der bürgerlichen Gesellschaft konstituiert sind, so müssen sie auch in der politischen Welt auftreten.

Die schlechteste Vorstellung bei der Konstitution der Stände ist, daß sie müssen von den Einzelnen gewählt sein. Denn die Vielen sind eine gestaltlose Masse, was aber im Staat auftritt muß organisiert sein. Die politischen Stände sind nur fest im Staate als Mitglieder eines schon in sich festen, wie Korporation und Genossenschaften."

4 Kommentar von Marx: „Das Tiefere bei Hegel liegt darin, daß er die Trennung der bürgerlichen Gesellschaft und der politischen als einen *Widerspruch* empfindet. Aber das Falsche ist, daß er sich mit dem *Schein* dieser Auflösung begnügt und ihn

für die Sache selbst ausgibt, wogegen die von ihm verachteten ‚*sogenannten Theorien*‘ die ‚*Trennung*‘ der bürgerlichen und politischen Stände fordern, und mit Recht, denn sie sprechen eine *Konsequenz* der modernen Gesellschaft aus, indem hier das *politisch-ständische* Element eben nichts anders ist als der faktische Ausdruck des wirklichen Verhältnisses von Staat und bürgerlicher Gesellschaft, ihre *Trennung*.“ (*MEW*, 1/279.)

Zu § 304

1 Kommentar von Marx: „Es ist dies die *unkritische*, die *mystische Weise*, eine *alte Weltanschauung* im Sinne einer neuen zu *interpretieren*, wodurch sie nichts als ein unglückliches Zwitterding wird, worin die Gestalt die Bedeutung und die Bedeutung die Gestalt belügt und weder die Gestalt zu ihrer Bedeutung und zur wirklichen Gestalt, noch die Bedeutung zur Gestalt und zur wirklichen Bedeutung wird. Diese *Unkritik*, dieser *Mystizismus* ist sowohl das Rätsel der modernen Verfassungen (hauptsächlich der ständischen) wie auch das Mysterium der Hegelschen Philosophie, vorzugsweise der *Rechts-* und *Religionsphilosophie*.“ [. . .] „Es ist merkwürdig, daß Hegel, der diese Absurdität der Vermittelung auf ihren abstrakten, logischen, daher unverfälschten, untransigierbaren Ausdruck reduziert, sie zugleich als *spekulatives Mysterium* der Logik, als das vernünftige Verhältnis, als den Vernunftschluß bezeichnet. Wirkliche Extreme können nicht miteinander vermittelt werden, eben weil sie wirkliche Extreme sind. Aber sie bedürfen auch keiner Vermittelung, denn sie sind entgegengesetzten Wesens.“ (*MEW*, 1/287, 292.)

2 Erläuterung bei *Hegel/Griesheim*, S. 710f.: „Es bezieht sich dies auf die Frage, ob eine Ständeversammlung eine Kammer oder zwei Kammern haben soll. Man hat oft für eine Kammer entschieden, weil die eine Kammer mehr ihre Bestimmung, das demokratische Element, erfülle. Hiervon abgesehen so kommt das Vernunftwidrige dabei hervor, daß die Extreme sich hier gegenüber stehen ohne Mitte und daher leicht eine feindselige Stellung gegeneinander erhalten, hiergegen muß aller andere Schaden, Nutzen pp verschwinden.

Der Nachteil von einer Kammer ergibt sich leicht daraus, wie es in einer großen Versammlung hergeht, da ist Imponieren durch Reden, rasche unüberlegte Entschließung pp es findet sich nirgends mehr unbedachtsame, üble, ungerechte Beschlüsse als in einer Kammer. Nur das dem Begriff Gemäße hat gute Folgen, es ist an und für sich notwendig. [. . .]

Die Regierungsgewalt ist schon der Fuß den die fürstliche

Gewalt hinausschickt ins Besondere, die Mitglieder derselben sind selbst Bürger, gehören dem Volke an, wenn man so das andere Extrem nennen wollte.

Man hat die Beamten die auf der Seite der Regierung stehen Fürstenknechte genannt, hat sie angesehen als Menschen ohne Ehre, ohne Recht, als bloße Knechte, dies ist eine ganz unwahre Vorstellung, sie haben als Beamte die Bildung der Zeit in sich, in Ansehung dessen was Recht, was verständig ist."

Zu § 305

1 Ergänzung bei *Hegel/Griesheim*, S. 712: „Es sind zwei Stände, der eine, der welcher auf das Sittliche der Familie angewiesen ist, und in Ansehung der Subsistenz auf den Grundbesitz, einerseits der kleine Besitzer, der Bauernstand, andererseits der Adel, der große Grundbesitzer, der außerdem noch privilegiert ist und dieser ist es worum es sich handelt."

S. 713: „Es ist hier nicht vom Feudaladel die Rede, der in Ansehung seines Eigentums besondere Rechte hatte, der hier gemeinte ist von ganz anderer Art und man kann ihn Adel oder auch Nichtadel heißen, es ist ganz gleichgültig. Dieser Stand soll unabhängig sein, *vis a vis* der fürstlichen Gewalt, und ebenso der Menge, unabhängig von der Gunst der Regierung wie der Menge, diese Unabhängigkeit besteht vornehmlich im großen Grundbesitz."

Zu § 306

1 Der zeitgenössische, von Hegel nicht etwa goutierte Hintergrund zu seiner Konzeption über Adel, Erbgut, Majorat, Gutsbesitzer- und Bauernstand widerspiegelt sich im Allgemeinen Landrecht für die Preußischen Staaten von 1794, aus dem daher nachstehend einiges zitiert sei (Teil/Titel/§).

2/9/37: „Nur der Adel ist zum Besitze adliger Güter berechtigt."

2/9/68: „Sind unter den Erben keine zum Besitz fähige Personen, so muß das Gut [...] an einen adligen Besitzer aus freier Hand überlassen werden."

2/9/42: Adlige Gutsbesitzer „können die dem Gut anklebende Gerichtsbarkeit in ihrem Namen ausüben lassen".

2/9/44: Adlige Gutsbesitzer „müssen mit ihrer Familie in das Kirchengebet ausdrücklich eingeschlossen werden."

2/7/91: „Nur die Besitzer von Rittergütern können in der

Regel Untertanen haben, und herrschaftliche Rechte über dergleichen Leute ausüben."

2/7/93: „Kinder untertäniger Eltern werden derjenigen Herrschaft untertan, welcher die Eltern zur Zeit der Geburt unterworfen waren."

2/7/46: „Der Schulze oder Dorfrichter ist der Vorsteher der Gemeinde".

2/7/47: „Er wird von der Gutsherrschaft ernannt."

2/7/1: „Unter dem Bauernstande sind alle Bewohner des platten Landes begriffen welche sich mit dem unmittelbaren Betriebe des Ackerbaus und der Landwirtschaft beschäftigen; insofern sie nicht durch adlige Geburt, Amt, oder besondere Rechte, von diesem Stand ausgenommen sind."

2/8/1: „Der Bürgerstand begreift alle Einwohner des Staats unter sich, welche, ihrer Geburt nach, weder zum Adel, noch zum Bauernstande gerechnet werden können."

Ein Majoratsgut war ein Familien-Fideikommiß (vgl.: Anmerkung 2 zu § 46), nicht teilbar und nicht veräußerlich, dessen Stifter vorgeschrieben hat, daß zur Erbfolge „zwar der nächste aus der Familie, dem Grade nach, gelangen, unter mehrern gleich nahen aber der ältere, den Jahren nach den jüngeren ausschließen soll" (2/4/145).

2 Kommentar von Marx: „Die politische Verfassung in ihrer höchsten Spitze ist also die *Verfassung des Privateigentums.* Die höchste *politische Gesinnung* ist die *Gesinnung des Privateigentums.*" (*MEW*, 1/303.)

3 Kommentar von Marx: „Man besticht die Majoratsherren durch ihr unabhängiges Eigentum, um sie vor der Bestechlichkeit zu konservieren." (*MEW*, 1/308.) Vgl. auch Ludwig Feuerbach (Gesammelte Werke, Bd. 9, Berlin 1970, S. 33): „Das Hegelsche System ist die *absolute Selbstentäußerung* der Vernunft — welche sich unter anderem *objektiv* bei ihm schon dadurch ausspricht, daß sein Naturrecht der reinste *spekulative Empirismus* ist (z. B. *Deduktion selbst der Majoratsherren*!)."

Zu § 307

1 Kommentar von Marx: „Wenn die Geburt [. . .] dem Menschen unmittelbar eine Stellung gibt, so macht ihn sein Körper zu *diesem bestimmten* sozialen Funktionär. *Sein Körper* ist sein *soziales* Recht. In diesem System erscheint die *körperliche Würde des Menschen* oder *die Würde des menschlichen Körpers* so, daß bestimmte, und zwar die höchsten sozialen Würden die *Würden bestimmter* durch *die Geburt prädestinierter Körper* sind.

Es ist daher bei dem Adel natürlich der Stolz auf das Blut, die Abstammung, kurz die *Lebensgeschichte ihres Körpers*; es ist natürlich diese *zoologische* Anschauungsweise, die in der *Heraldik* die ihr entsprechende Wissenschaft besitzt. Das Geheimnis des Adels ist die *Zoologie*. [...] Das bleibende ist das *Erbgut*, der *Grundbesitz*. Es ist das Beharrende in dem Verhältnis – die *Substanz*. Der Majoratsherr, der Besitzer, ist eigentlich nur *Akzidens*. Der Grundbesitz *anthropomorphisiert* sich in den verschiedenen Geschlechtern. Der *Grundbesitz erbt* gleichsam immer den Erstgebornen des Hauses als das an es gefesselte Attribut. Jeder Erstgeborne in der Reihe der Grundbesitzer ist das *Erbteil*, das *Eigentum des unveräußerlichen Grundbesitzes*, die *prädestinierte Substanz seines Willens und seiner Tätigkeit*. Das Subjekt ist die Sache und das Prädikat der Mensch. Der Wille wird zum Eigentum des Eigentums.“ (*MEW*, 1/311; vgl. auch *MEW*, Ergänzungsband 1, S. 505ff.)

2 Ergänzung bei *Hegel/Hotho*, S. 810: „In England sind es besonders die Pairs, die die Grundsäulen des Staats sind. Sie stehn zwischen dem Fürsten und dem Volk, und dies ist die große Stellung des Adels, und daß eine Anzahl solcher selbständigen Individuen sei, ist die Notwendigkeit.“

Zu § 308

1 Ergänzungen bei *Hegel/Griesheim*, S. 715f.: „Was die äußere Weise von dem über die Abgeordneten Gesagten anbetrifft, so ist der entgegengesetzte Grundsatz, daß alle Individuen in einem Staat in der gesetzgebenden Gewalt als Einzelne ihre subjektive Einwilligung geben müssen, damit das Gesetz für sie wahrhaft verbindlich sei. Die äußere Weise wie sich dies als nichtig gezeigt hat, ist die daß es sich als untunlich gezeigt. Man hat die Frauen ausgeschlossen, ist aber von Einzelnen die Rede die freien Willen haben, so haben die Frauen dies Recht auch, sie sind Individuen, Menschen die freien Willen haben. Steht die Kategorie fest, so haben sie auch das Recht, man hat sie aber dennoch ausgeschlossen.“ S. 717: „Die Einzelnen als Einzelne haben keinen Boden, sind nicht organisch, den Einzelnen als Einzelnen kann man es leicht verleiden sich zu versammeln.

Diese Gestalt findet sich besonders in der französischen Revolution. Die allgemeine Stimmgebung ist dort nie ordentlich zustande gekommen, nur Jakobiner fanden sich ein, diese bemächtigten sich des Stimmgebens, sie hatten das Interesse der Partei und alle möglichen Privatleidenschaften führten sie,

sie benahmen sich gewalttätig, tumultuarisch, machten verdächtigt, verleideten so den anderen das Erscheinen und das was Resultat einer allgemeinen Stimmgebung sein sollte, war in der Tat nur Produkt einer Faktion, die nicht die allgemeine Meinung aussprach, sondern gerade das Gegenteil."

2 Kommentar von Marx: „Alles das, was Hegel sagt, ist richtig, mit der Beschränkung: 1. daß er *besondren Stand* und *Bestimmung* als identisch setzt, 2. daß diese Bestimmung, die Art, die nächste Gattung auch wirklich, nicht nur *an sich*, sondern *für sich*, als *Art der allgemeinen Gattung*, als *ihre* Besonderung gesetzt sein müßte. Hegel aber begnügt sich im Staate, den er als das selbstbewußte Dasein des sittlichen Geistes demonstriert, daß dieser sittliche Geist nur *an sich*, der allgemeinen Idee nach, das *Bestimmende* ist. Zum wirklichen Bestimmen läßt er die Sozietät nicht kommen, weil dazu ein *wirkliches* Subjekt nötig ist und er nur ein abstraktes, eine *Imagination* hat." (*MEW*, 1/327.)

Zu § 309

1 Bemerkung von Marx: „Die Trennung des politischen Staats von der bürgerlichen Gesellschaft erscheint als die Trennung der Deputierten von ihren Mandataren." (*MEW*, 1/329.)

2 Vgl.: *Hegel/Politik*, S. 176f.: „*Diskutieren* kann man ein Ablesen von vielerlei Abhandlungen nacheinander nicht nennen. Mit Recht ist es im englischen Parlament Gesetz, daß das Ablesen schriftlicher Vorträge nicht gestattet wird, teils weil ein solcher Aufsatz sehr leicht die Arbeit eines anderen sein kann, teils aber vorzüglich, weil die ganze Natur einer solchen Versammlung dadurch geändert wird." [. . .] „Wenn eine Ständeversammlung das Volk vorstellt, ist ein solches Verhandeln die Art, wie ein Volk sich äußert, wie auf eine solche Versammlung und auf ein Volk selbst gewirkt wird? Abhandlungen, in jener Weise auf der Studierstube verfaßt, sind auch nur an Studierstuben adressiert, oder zu Akten für Geschäftsmänner bestimmt. Ständeversammlungen aber haben ihr wesentliches Publikum an dem Volk; wie kann dieses an dergleichen Papierverhandlungen und pedantischen Deduktionen Interesse nehmen und damit fortgehen? Vielmehr isolieren sich seine Repräsentanten auf solche Art voneinander, und noch mehr vom Volk selbst, und treiben die Angelegenheiten des Volkes vielmehr mit Ausschließung desselben, wenn auch die Sitzungen öffentlich wären."

3 Vgl.: *Hegel/Politik*, S. 68, 71: „Dies System der Repräsentation

ist das System aller neuern europäischen Staaten. Es ist nicht in Germaniens Wäldern gewesen, aber es ist aus ihnen hervorgegangen; es macht Epoche in der Weltgeschichte. [...] Die Repräsentation ist so tief in das Wesen der sich fortbildenden Lehensverfassung zusammen mit der Entstehung eines Bürgerstandes verwebt, daß es die albernste Einbildung genannt werden kann, wenn sie für eine Erfindung der neuesten Zeiten gehalten worden ist." Vgl. auch § 311.

Zu § 310

1 Kommentar von Marx: „Hegel hätte nicht übel Lust, die zweite Kammer zur Kammer der *pensionierten* Staatsbeamten zu machen. Er verlangt nicht nur ‚den Sinn des Staats', sondern auch ‚obrigkeitlichen', bürokratischen Sinn." [...] „Hier wird die gedankenlose Inkonsequenz und der ‚obrigkeitliche' Sinn Hegels wirklich *ekelhaft*". [...] Es fehlt nur noch, daß Hegel ein *Examen der Stände* abzulegen bei der Wohllöblichen Regierung verlangt. Hegel geht hier fast bis zur Servilität. Man sieht ihn durch und durch angesteckt von dem elenden Hochmut der *preußischen* Beamtenwelt, die vornehm in ihrer Büroborniertheit auf das ‚Selbstzutrauen' der ‚subjektiven Meinung des Volks zu sich' herabsieht. Der ‚Staat' ist hier überall für Hegel identisch mit der ‚Regierung'." (*MEW*, 1/330f.)

Zu § 311

1 Vgl.: Anmerkung 3 zu § 309.

2 Ergänzung bei *Hegel/Griesheim*, S. 718: „In Preußen wo nach der Gemeindeordnung die Verordneten gewählt werden, finden sich immer nur wenige Wähler ein. Das Prinzip aber wird nur erfüllt, wenn alle da sind.

Gegen diese Gleichgültigkeit ist nichts zu machen, jedem erscheint seine einzelne Stimme als unbedeutend, nur wo Parteien sind wird die Stimme wichtig, da ist gleich ein allgemeiner Zweck der als Partei konstituiert ist, und so tritt der Eifer ein."

Zu § 312

1 Mit einem: „O Jerum" als einzigem Kommentar zu diesem Paragraphen endet das Manuskript der kritischen Analyse des „inneren Staatsrechts" von Karl Marx (*MEW*, 1/333), der die

offensichtlich vorgesehene Kommentierung anderer Teile der Rechtsphilosophie Hegels, insbesondere der „bürgerlichen Gesellschaft", nicht mehr vorgenommen hat.

Zu § 315

1 Ergänzung bei *Hegel/Hotho*, S. 818f.: „Sind aber die Versammlungen öffentlich, so verleitet dies die Individuen sich auf die öffentlichen Angelegenheiten zu legen. Denn dieses Interesse absorbiert alle andern, wodurch die stillern Interessen leicht zurückgeschoben werden, da diese Interessen mehr eine Zurückgezogenheit von diesem Äußern erfordern. Die Sucht sich für Politik zu interessieren wird also oft störend für das ideelle theoretische Interesse, das durch den Lärm des Praktischen verscheucht wird."

Zu § 316

1 *Hegel/Philosophiegeschichte*, 1/99f.: „Eine Meinung ist eine subjektive Vorstellung, ein beliebiger Gedanke, eine Einbildung, die ich so oder so und ein anderer anders haben kann – eine Meinung ist *mein*, sie ist nicht ein in sich allgemeiner, an und für sich seiender Gedanke. Die Philosophie aber enthält keine Meinungen – es gibt keine philosophische Meinungen. [. . .] Die Philosophie ist die objektive Wissenschaft der Wahrheit." Vgl. auch *Hegel/Phänomenologie*, S. 79ff.: Die sinnliche Gewißheit, das Dieses und des Meinen.

Zu § 317

1 Vgl.: *Hegel/Philosophiegeschichte*, 1/553: Der gesunde Menschenverstand „ist die Denkweise einer Zeit, in der alle Vorurteile dieser Zeit enthalten sind".

2 „Volkes Stimme – Gottes Stimme".

3 L. Ariosto, Der rasende Roland, 1532 (18, 1): Daß das unwissende Volk einen jeden tadelt/ Und am meisten von dem rede, wovon es am wenigsten versteht.

4 Goethe (Sprichwörtlich): „Was ich mir gefallen lasse?/ Zuschlagen muß die Masse./ Dann ist sie respektabel,/ Urteilen gelingt ihr miserabel" (J. W. v. Goethe: Poetische Werke, Berliner Ausgabe, Bd. 1, Berlin 1965, S. 451).

5 Hier wie in *Hegel/Phänomenologie*, S. 392 ist die von d'Alembert angeregte, von Friedrich II. durch Kabinettsordre der Berliner Akademie der Wissenschaften aufgegebene Preisfrage für 1780

unrichtig wiedergegeben. Sie lautete tatsächlich, ob es *nützlich* sein könne, das Volk zu betrügen. Die Akademie prämierte sowohl eine bejahende als auch eine verneinende Antwort.

6 Ergänzung bei *Hegel/Griesheim*, S. 726: „Man hat gewöhnlich die Vorstellung, als hätten so die Priester der Alten das Volk durch Lügen pp überredet. Aber die Religion ist nicht so ein Gemachtes, es ist der eigenste Ausdruck des Bewußtseins eines Volks über sich selbst, über sein Wesen.

Getäuscht wird das Volk nur über Ereignisse, Handlungen, Unterhandlungen pp besonders erfinden sich dann die Politiker auf den Bierbänken immer anderes, jeder ist gescheuter wie sein Nebenmann. Da ist es möglich und erlaubt zu täuschen und da täuschen sich die Menschen am meisten selbst, durch die Gescheutheit ihrer Reflexion. Es ist dies ein fürchterliches Verhängnis, der Mensch hat gute Gründe, Absichten, die vollständigste Überzeugung pp und doch macht er es grade am dümmsten."

7 Vgl.: *Hegel/Briefe*, 1/209ff.: „Sie haben Schreib- und Preß-(hätte schier gesagt Freß-)Freiheit, aber keine *Publizität*, d. h., daß die Regierung ihrem Volke den Zustand des Staates vorlegt, Verwendung der Staatsgelder, Schuldenwesen, Organisation der Behörden u. s. f. – dies Sprechen der Regierung mit dem Volke über ihre und seine Interessen ist eines der größten Elemente der Kraft des französischen und englischen Volkes. Es wird viel zu diesem Sprechen erfordert, vor allem aber Mut."

Zu § 318

1 Der voranstehende Satz heißt in der Edition von Gans: „Wer, was seine Zeit will und ausspricht, ihr sagt und vollbringt, ist der große Mann der Zeit." Es handelt sich hierbei um einen verderbten Text. Unser Text schließt sich an *Hegel/Hotho*, S. 821, an, aus dem Gans offensichtlich verkehrt zitiert hat.

Zu § 319

1 Ergänzung bei *Hegel/Griesheim*, S. 727f.: „Durch die Rede wendet man sich an die Welt der Vorstellung, das Mittel dazu ist das Wort. Das Wort für sich ist schwach, diese Bewegung der Luft oder dies Stückchen Papier. Es ist immer nur eine Rede, bei der es darauf ankommt, ob sie in der Vorstellung der Anderen zu Wirksamkeit gelangt oder nicht. Da tritt also die Kollision ein, daß die Rede eine Äußerung ist, bei der es darauf ankommt ob sie wirksam ist oder nicht, und dies hängt von den anderen ab. Die Wirkung betrifft zunächst nur ihre Vorstel-

lung, dies ist aber die bewußte Vorstellung durch die das Wollen regiert wird.

Man hat es so zunächst nur mit Vorstellungen zu tun, aber diese sind grade das Wirkende, da tritt die Kollision ein, einerseits wird gesagt, es wird bloß auf die Vorstellung gewirkt und dies sind nur Vorstellungen, ist nicht Wirklichkeit, andererseits ist diese Vorstellungswelt die Basis der Wirklichkeit. In Ansehung des Individuellen findet der Gesichtspunkt statt, daß wenn ich z. B. jemand schimpfe, ich nur seine Vorstellung verletze, so nur auf seine Vorstellung wirke, aber ich wirke auch auf die Vorstellung Anderer; man stellt sich vor daß ich nur diese Vorstellung habe, im Affekt wirkt sie dann unbedeutend, aber zugleich wird die Ehre des Anderen verletzt, die Art wie er vorgestellt sein will vor den Anderen, wie er will daß man sich über ihn äußere.

Verbalinjurien sind nur Worte und nur mittelst der Vorstellung wirksam und doch gibt man solchen Injurien diese Wichtigkeit. Ebenso ist es im Politischen. Ich habe meine Meinung, ich will sie nur sagen, es kommt auf die Anderen an, ob sie sie teilen wollen, aber es ist ihre Tat meiner Meinung zu sein. Die andere Seite ist, daß auf Vorstellungen der wirkliche Zustand, die Verfassung, beruht, sprechen ist so nicht bloß sprechen, sondern handeln, indem ich mich an die Vorstellung wende, und diese das Erzeugende einer Wirklichkeit ist, so bin ich das Erhaltende oder Zerstörende."

2 Vgl.: Allgemeines Landrecht für die Preußischen Staaten, Teil 2, Titel 20, § 156: „Jeder gute Untertan zeige Mängel des öffentlichen Wesens der Obrigkeit an, mache aber davon kein Geräusch im Publikum."

3 Ergänzung bei *Hegel/Griesheim*, S. 729: „Schmutzige Gemälde und Beschreibungen sind mit Recht verboten, ebenso über den Monarchen seine Meinung zu sagen. Es ist da keine Grenze festzustellen z. B. Aufruhr und Empörung wird niemand verbreiten wollen. Die Extreme sind leicht einzusehen denn die Vorstellung ist das worauf die Wirklichkeit jetzt wesentlich beruht, bei einfachen Völkern ist es die Sitte, bei uns weniger."

4 Vgl.: Anmerkung 1 zu § 316.

5 Ergänzung bei *Hegel/Griesheim*, S. 729f.: „Was die Preßfreiheit am meisten sichert ist nicht daß sie hochgeehrt wird, sondern daß das Geschriebene vollständig verachtet wird. Die englischen Minister lassen alles mögliche gegen sich sprechen und verachten die Rede. Es ist eine Art von Nemesis daß der Pöbel seinen Spott haben muß an dem Höchsten, an dem Erhaben-

sten, er hat keine andere Weise als durch das Schimpfen, Reden dagegen seine subjektive Freiheit zu zeigen."

6 Nach altrömischer Sitte sang das hinter seinem Feldherren im Triumphzug einmarschierende siegreiche Heer auf ihn derbe Spottlieder (z. B. auf Caesar: „glatzköpfiger Ehebrecher"), zugleich seine Popularität bezeugend. Bis Diocletian fanden etwa 350 solcher an nominierte Voraussetzungen gebundene Triumphzüge statt.

Zu § 320

1 Vgl.: § 279.

Zu § 322

1 Der voranstehende Satz wird im allgemeinen seit F. Rosenzweig (F. Rosenzweig: Hegel und der Staat, Bd. 2, München 1920, S. 168) als Hegels Ablehnung eines deutschen Nationalstaates im Interesse Preußischer Partikularität interpretiert. Vgl. aber auch § 181 sowie *Hegel/Griesheim*, S. 732: „Der Staat ist wesentlich als ein Fürsichsein, und dies macht die Unabhängigkeit eines Staates aus, eines Volkes das einen Staat formiert. Es ist die höchste Ehre eines Volkes einen Staat zu bilden und so unabhängig zu sein. Diese Unabhängigkeit für sich, ist jedoch wieder sehr relativ. Kleine Staaten können in einen großen vereinigt werden, ist dieser größere der aus ihnen gebildet wird gut organisiert, so gewinnen sie wesentlich dabei und verlieren nichts, nur jene Unabhängigkeit, jene Selbständigkeit ist verloren gegangen, insofern sie kleineren Kreisen zukam."

Zu § 323

1 Ergänzung bei *Hegel/Homeyer*, S. 339: „Das Selbstbewußtsein der Völker ist wesentlich dieses sich in andern Völkern anzuschauen. Dazu müssen sie beweisen, daß sie selbständige Völker sind. Der Geist zeigt sich erst in der Reaktion – Abstrakter Kampf der Freiheit – bei den Wilden ist dieser Trieb bloß durch Krieg ihre Freiheit und Selbständigkeit zu beweisen."

Zu § 324

1 Geringfügig anders bei *Hegel/Jena*, S. 383 (eine Äußerung von 1802!). – Wie J. d'Hondt (J. d'Hondt: L-appréciation de la guerre révolutionnaire par Hegel, in: Hegel-Jahrbuch 1967, Meisenheim 1968, S. 64) nachwies, benutzt Hegel bei seiner

Kriegs-Charakterisierung einen Vergleich von Georg Forster, den dieser 1790 zur Kennzeichnung des revolutionären Krieges verwendet hatte (G. Forster: Werke, Bd. 9, Berlin 1958, S. 129). Die literarische Quelle beider könnte eine Metapher Herders über die Revolution sein (J. G. Herder: Sämtliche Werke, Suphan, Bd. 13, Berlin 1887, S. 353).

2 I. Kant: Idee zu einer allgemeinen Geschichte in weltbürgerlicher Absicht (1784), Siebenter Satz, sowie vor allem: Zum ewigen Frieden (1795), Zweiter Definitivartikel (vgl.: I. Kant: Von den Träumen der Vernunft. Kleine Schriften zur Kunst, Philosophie, Geschichte und Politik, Leipzig 1979, S. 213 u. 429). Kant hatte freilich keinen Fürstenbund, sondern einen Völkerbund, eine Föderation freier, republikanischer Staaten vorgeschlagen (foedus pacificum).

3 Vgl.: § 334, 337.

4 Vgl.: Anmerkung 2.

5 Vgl.: Anmerkung 4 zu § 259 sowie Ergänzung bei *Hegel/Hotho*, S. 835: „Das Gleichgewicht von Europa war ein stillschweigendes Einverständnis die Staaten, wie sie gerade sind zu erhalten. Dies Prinzip ist jetzt förmlich in der heiligen Alliance ausgesprochen. Diese Verbindung soll entscheiden was das Recht ist, und sie soll die Grundlage sein die Staaten zu erhalten wie sie sind. Das andere ist, daß aber, welche in diesem Bunde sind, als Souveräne sich ebenso gut davon können losmachen, so daß dieser Bund selbst ein Sollen bleibt, und jeder sich davon zu trennen das Recht hat, wenn er sich stark genug fühlt. Die souveränen Staaten sollen den Bund ausmachen und ihn als Richter über sich erkennen. Souverän sein aber heißt keinen Richter haben als sich selbst, und so ist in diesem Bunde selbst in sich ein Widerspruch."

Zu § 326

1 Kant: Zum ewigen Frieden, Zweiter Präliminarartikel: „Stehende Heere sollen mit der Zeit ganz aufhören" (vgl.: I. Kant: Von den Träumen der Vernunft, Leipzig 1979, S. 417).

Zu § 327

1 Anspielung auf Robert Clive, der während des Kolonialkrieges zwischen England und Frankreich um Indien im Auftrag der britischen East India Company wiederholt (1751 bei Arcot, 1757 bei Plassey) einen zahlenmäßig überlegenen Gegner

(Franzosen und Inder) militärisch besiegte – freilich unter Einsatz von Bestechungen, Fälschungen, Grausamkeiten, wie sie für einen Kolonialkrieg seit je typisch waren (vgl.: J. Nehru: Weltgeschichtliche Betrachtungen, Düsseldorf 1957, S. 377; Th. Macauly: Lord Clive, Leipzig 1953).

Zu § 329

1 Zunächst (1793) genoß die von Premierminister William Pitt betriebene Beteiligung Englands am 1. Koalitionskrieg gegen Frankreich eine gewisse Popularität, was späterhin (1799) vom 2. Koalitionskrieg nicht mehr gilt.

Zu § 331

1 Vgl.: *Hegel/Enzyklopädie*, §§ 430, 547: das äußere Staatsrecht beruht teils auf Traktaten, deren Inhalt aber die wahrhafte Wirklichkeit abgeht, teils auf dem Völkerrecht, dessen „allgemeines Prinzip das vorausgesetzte *Anerkanntsein* der Staaten ist und daher die sonst ungebundenen Handlungen gegeneinander so beschränkt, daß die Möglichkeit des Friedens bleibt."

2 Vgl.: §§ 35, 40, 57.

3 Vgl.: § 349.

4 Ergänzung bei *Hegel/Hotho*, S. 834: „In neuern Zeiten ist es mehr auf die Abstraktion gekommen, den Staat gewähren zu lassen, und sich um sein Inneres nicht zu bekümmern. Bei Spanien hat man dies außer Acht gelassen, bei der Türkei hätte man es auch tun können."

5 Präliminarfrieden von Leoben und Friedensvertrag von Campo-Formio zwischen Frankreich und Österreich im Ergebnis des 1. Koalitionskrieges gegen die französische Republik.

Zu § 333

1 Vgl.: Anmerkung 2 zu § 324.

Zu § 334

1 Vgl.: *Hegel/Phänomenologie*, S. 341 sowie *Hegel/Politik*, S. 76: „Krieg oder was es ist, hat nunmehr zu entscheiden, nicht, welches Recht der von beiden Teilen behaupteten das wahre Recht ist – denn beide Teile haben ein wahres Recht –, sondern welches Recht dem anderen weichen soll."

2 Ergänzung bei *Hegel/Griesheim*, S. 741f.: „In jedem Friedens-

schluß wird ein ewiger Frieden unterzeichnet und bei jeder Kriegserklärung hört man daß der andere die Traktaten gebrochen habe, da ist denn weiter keine Vermittlung möglich. Ob es ein gerechter oder ungerechter Krieg sei, ist *in abstracto* nicht zu entscheiden, er kann mehr oder weniger so sein, aber es ist nicht bloß die Verletzung des Formellen der Traktate was ihn gerecht oder ungerecht macht.

Staaten sind unabhängig, sie sind das Höchste auf Erden, sie haben für sich zu sorgen, da ist das Formelle nicht das Letzte und ohne dessen Verletzung vom Gegenteil können diesseits doch Kriege gerecht sein. Friedrich II hat Kriege angefangen, man kann nicht sagen, daß die Traktate gebrochen waren und es waren doch gerechte Kriege. Es sind Vorstellungen die sich zueinander verhalten, ist der Sinn vorausgesetzt so habe ich das Meinige zu tun, darf auf den Ausbruch nicht warten."

Zu § 337

1 Kommentar von Marx: „Man hat Hegel vielfach angegriffen über seine Entwicklung der Moral. Er hat nichts getan als die Moral des modernen Staates und des modernen Privatrechts entwickelt. Man hat die Moral mehr vom Staat trennen, sie mehr emanzipieren wollen. Was hat man damit bewiesen? Daß die Trennung des jetzigen Staats von der Moral moralisch ist, daß die Moral unstaatlich und der Staat unmoralisch ist. Es ist vielmehr ein großes, obgleich nach einer Seite hin (nämlich nach der Seite hin, daß Hegel den Staat, der eine solche Moral zur Voraussetzung hat, für die reale Idee der Sittlichkeit ausgibt) unbewußtes Verdienst Hegels, der modernen Moral ihre wahre Stellung angewiesen zu haben." (*MEW*, 1/313.) – Hegel opponiert hier Kant, Zum Ewigen Frieden, Anhang.

Zu § 339

1 Vgl.: *Hegel/Werke*, 12/22: „Es hat sich also erst aus der Betrachtung der Weltgeschichte selbst zu ergeben, daß es vernünftig in ihr zugegangen sei, daß sie der vernünftige, notwendige Gang des Weltgeistes gewesen . . .". Die Vollendung des Geistes zum Weltgeist, die verheißen wird (*Hegel/Phänomenologie*, S. 559.), gehe freilich langsam vonstatten (*Hegel/Philosophiegeschichte*, 3/186), der Weltgeist selbst habe die Geduld aufgebracht, die ungeheure Arbeit der Weltgeschichte zu übernehmen (*Phänomenologie*, S. 27) – also werden wir Menschen wohl auch warten lernen müssen . . .

Zu § 340

[1] Vgl.: Anmerkung 1 zu § 251.

[2] Vgl.: Friedrich Schiller: Resignation (1784): „Genieße, wer nicht glauben kann. Die Lehre/ ist ewig wie die Welt. Wer glauben kann, entbehre!/ Die Weltgeschichte ist das Weltgerichte./" (F. Schiller: Sämtliche Werke, Berliner Ausgabe, Bd. 1, Berlin u. Weimar 1980, S. 159).

Zu § 341

[1] Ergänzung bei *Hegel/Griesheim*, S. 745–747: „Die Weltgeschichte stellt dar das Reich des Weltgeistes. Wir können hier nur kurz die Hauptmomente angeben auf die es ankommt, indem ich in Rücksicht der weiteren Ausführung auf die besondere Vorlesung über diesen Gegenstand verweisen muß[2]).

Zuerst hatten wir den Geist als Freiheit die sich realisiert, der Geist ist alsdann wesentlich Bewußtsein, ist sich als Gegenstand zu haben, das Tier ist daher nicht Geist, hat sich nicht zum Gegenstand als nur auf empfindende Weise, es befriedigt seine Totalität in der Gattung. Der Geist ist Bewußtsein, hat sich nicht nur in der Empfindung, ist als Objekt, Gegenstand, ist sich Gegenstand. Mensch erkenne dich selbst! ist das absolute Gebot sich gegenständlich zu machen d. h. zu einer Welt der Freiheit. In der Natur erkennen wir nur das Gerüste des Geistes, in seiner logischen Natur versteinert, der Geist als Geist baut sich eine andere Natur, eine Welt der Freiheit, dies ist der Staat. Dies ist die höchste Realisation des Geistes, die Entwickelung des Geistes.

Der vollkommene Staat die Welt der Freiheit, so daß alle Momente der Idee darin entwickelt sind, jedes zu seinem Rechte kommt und zugleich als Moment des ganzen Systems ist, so daß hier die Totalität der Idee in ihrer Wirklichkeit ist. Freiheit ist die einfache Seele die in allen ihren Gliedern ein und dieselbe Lebendigkeit hat, aber als in einem System. Der Geist ist nur als System, so ist jede Bestimmung seiner Entwickelung verschieden, so sind verschiedene Freiheiten. Freiheit ist das Allgemeine aber Unbestimmte und sie muß daher in ihren Bestimmungen kennengelernt werden, diese zieht sie nur aus sich selbst, sie gibt sich aus sich selbst Inhalt, verdichtet sich, macht sich konkret, erfüllt.

Der Staat ist diese Wirklichkeit der Freiheit, in ihm sind keine anderen Bestimmungen als die ihr immanent sind und der Geist ist so als sich Gegenstand versöhnt mit sich; er der

Eine, mit sich dem Anderen, dieser Andere ist er als Gegenstand. Wenn nun sein Gegenstand so ist, so gebildet daß er ihm entspricht, so ist die Wahrheit vorhanden, so ist der Widerspruch seiner und seiner Gegenständlichkeit, das Rätsel seiner ist gelöst, er weiß was er ist, indem er sich zum Gegenstande hat. Die Vollendung ist, daß er sein Innerstes herausgekehrt hat, seine tiefste Tiefe heraus ist, Gegenstand ist, der Geist in seiner absoluten Freiheit, ohne alle Naturbestimmung, ohne alle unaufgelöste Bestimmung, alle Bestimmung aus ihm selbst schöpfend, aus seiner Freiheit.

Die Penaten, die Völker, sind der erste Geist als natürliche Sittlichkeit, die Völker sind verschieden gegeneinander, gesondert, in Partikularitäten befangen. Der Geist ist ganz allgemein, der Weltgeist ist es der sich in der Weltgeschichte vollbringt, er bringt sich darin zur Erscheinung, zeigt sich als sein Sohn, daß in seiner Gegenständlichkeit das ganze Wesen seiner dargelegt ist, der ihn liebt, denn er ist darin bei sich selbst. Er vollbringt sich in der Weltgeschichte in der Wirklichkeit, weiß sich; diese Form ist nun das Geschäft der Philosophie.

Die Menschen sind im Ganzen befriedigt mit Schlechtem, daß ihr Geist Zeugniss gibt der Wirklichkeit ist überhaupt Befriedigung, aber vieles bleibt dabei mangelhaft, unaufgelöst. Die Wissenschaft ist die totale Versöhnung selbst. Die Weltgeschichte ist diese Versöhnung mit sich selbst, sodaß draußen nichts ist, was nicht in ihr ist, daß sie als ganze Totalität gegenständlich ist. Dies ist wesentlich (§ 343) und ist im Ganzen ein Fortschritt. Der Geist ist sich zu entäußern und diese Entäußerung innerlich zu machen. Weil sie auf dem Boden des Auseinanderseins ist, so fällt sie in die Zeit. Insofern der Geist sich unterscheidet, so ist er an ihm selbst unterschieden, so ist diese Gegenständlichkeit seiner reinen Vielheit, dies sind die Subjektivitäten, die vielen Individuen, in den Subjekten hat er den Boden seiner Realisierung. [. . .]

Die Freiheit gegenständlich machen, heißt sich eine äußere Weise geben nach Zeit und Raum, dies und noch weitere Entwickelungen sind es dann die die verschiedenen Staaten, Völker gestalten. Jedes Volk ist so eine besondere Stufe seines Be-Bewußtseins. Der Geist ist die Geschichte und jedes Volk bezeichnet eine besondere Stufe, die sein Bewußtsein erreicht. Diese Stufen insofern sie in die Äußerlichkeit fallen sind nach dieser Seite ihrem Prinzipe nach äußerliche Prinzipe.“

2 Vgl.: G. W. F. Hegel: Vorlesungen über die Philosophie der Weltgeschichte. Leipzig 1930 und *Hegel/Werke*, Bd. 12.

Zu § 342

1 Vgl.: *Hegel/Geschichte,* 1/280: „Der Endzweck dessen, was der Weltgeist will, kann bestimmt so angesprochen werden: Das Subjekt als solches hat persönliche Freiheit, hat Gewissen in sich, ebenso sein besonderes Interesse, aus seinem sittlichen Zustande sich zu befriedigen."

Zu § 343

1 Vgl.: *Hegel/Geschichtsvernunft,* S. 149, 180: „Dies Fortgehen, dieser Stufengang scheint ein Progreß in die Unendlichkeit zu sein gemäß der Vorstellung der *Perfektibilität,* ein Progreß, der ewig dem Ziel fern bleibt."

2 Wie sich aus *Hegel/Geschichtsvernunft,* S. 150 ergibt, wird hier auf Gotthold Ephraim Lessing: Die Erziehung des Menschengeschlechts (1780) angespielt (G. E. Lessing: Gesammelte Werke, Berlin 1956, Bd. 7, S. 835ff., Bd. 8, S. 590ff.), dem geschichtsphilosophischen Vorreiter Herders.

3 Anspielung vor allem auf Johann Gottfried Herder: Ideen zur Philosophie der Geschichte der Menschheit (1782 bis 1791), in denen er (besonders im 4. und 15. Buch) den Nachweis führt, daß das Menschengeschlecht zur Vernunft, zur Freiheit, zur Humanität und zur Perfektibilität (Vervollkommnungsfähigkeit) organisiert ist (J. G. Herder: Werke, Suphan, Bd. 13, Berlin 1887, Bd. 14, Berlin 1909; Zur Philosophie der Geschichte, Bd. 2, Berlin 1952). – Zum Perfektibilitätstrieb vergleiche auch von Jean Paul (dem Freund Herders und guten Bekannten Hegels): Hesperus, 2, 6. Schalttag.

4 „‚Erkenne Dich selbst' ist das bekannte Gebot des delphischen Apollo und bezeichnet den eigentümlichen Standpunkt der griechischen Bildung als der sich selbst individuellen Geistigkeit" (*Hegel/Werke,* 11/517).

5 Möglicherweise Anspielung auf Kant, der von der Beurteilung bestimmter Pläne der Vorsehung und Schöpfung sagt, ihr Standpunkt sei für uns „viel zu hoch, als daß wir unsere Begriffe (von Weisheit) der obersten uns unerforschlichen Macht in theoretischer Hinsicht unterlegen könnten" (I. Kant: Zum ewigen Frieden, Anhang 1, Leipzig 1919, S. 48) und der von der absoluten Notwendigkeit des moralischen Imperativs meinte, wir begreifen nur seine Unbegreiflichkeit. (I. Kant: Grunlegung zur Metaphysik der Sitten, Leipzig 1947, S. 95) – Konsequenz einer Philosophie, die das Wissen aufheben mußte, um zum Glauben Platz zu bekommen (I. Kant: Kritik der reinen Vernunft, Leipzig 1979, S. 32).

Zu § 345

[1] Vgl.: *Hegel/Werke*, 12/54: „Das Recht des Weltgeistes geht über alle besonderen Berechtigungen."

Zu § 348

[1] Ergänzung bei *Hegel/Griesheim*, S. 748: „Kein Volk kann dieser Individuen entbehren, es bringt sie hervor, sobald es sie gebraucht. Oft hört man die Äußerung, wenn der, jener Mann doch da, in jener Zeit gelebt hätte, da wäre es anders gekommen pp. Aber wo das Individuum gebraucht wird, da ist es, das Volk, die Zeit erzeugt sich seine Individuen.

Die Individuen sind die hohle Form der Tätigkeit, die Substanz, der Inhalt liegt in der Welt, es ist der Geist ihrer Zeit, sie sind nur das Formelle der Einsicht, des Charakters pp Ruhm ist ebenso das Formelle, Dank haben sie nicht, sie werden vielmehr verflucht, Eroberer, Tyrannen pp geschimpft, Haß, Mißbilligung, Neid pp spricht sich an ihnen aus." – Vgl. auch *Hegel/Werke*, 12/46: „Solche Individuen ... waren praktische und politische Menschen. Aber zugleich waren sie denkende, die die Einsicht hatten von dem, was not und was an der Zeit ist. Die welthistorischen Menschen, ... die Geschäftsführer des Weltgeistes ... sie sterben früh wie Alexander, sie werden wie Caesar ermordet, wie Napoleon nach St. Helena transportiert ...". Auch Platon wurde von Hegel zu den welthistorischen Individuen gezählt – (G. W. F. Hegel: Vorlesungen über Platon, Frankfurt/M. 1979, S. 65).

Zu § 352

[1] Laut *Hegel/Werke*, 4/64 ist es Aufgabe der *historischen* Geschichte, Existenz und Entwicklung eines Volksgeistes zu erforschen, während die *philosophische* Geschichte hauptsächlich den Weltgeist zu betrachten hat.

Zu § 355

[1] Vgl.: *Hegel/Geschichte*, 2/267–514 (China, Indien, Persien, Westasien, Ägypten).

[2] Unter dem Pseudonym Feodor Eggo veröffentlichte Peter Stuhr seine Darstellung in Briefen über Niebuhrs ab 1811 veröffentlichte Römische Geschichte unter dem Titel: Der Untergang der Naturstaaten, Berlin 1812.

Zu § 356

[1] Vgl.: *Hegel/Geschichte*, 3/527–658.

Zu § 357

[1] Vgl.: *Hegel/Geschichte*, 3/661–748.

Zu § 358

[1] Vgl.: *Hegel/Geschichte*, 4/757–938.

[2] Zum „unendlichen Schmerz" vgl.: *Hegel/Geschichte*, 3/730: „Sünde ist Erkennen des Guten und Bösen, als Trennung; das Erkennen heilt aber ebenso den alten Schaden und ist der Quell der unendlichen Versöhnung. Nämlich Erkennen heißt eben das Äußerliche, Fremde des Bewußtseins vernichten und ist so Rückkehr der Subjektivität in sich. Dies nun im realen Selbstbewußtsein der Welt gesetzt ist die Versöhnung der Welt. Aus der Unruhe des unendlichen Schmerzes, in welcher die beiden Seiten des Gegensatzes sich aufeinander beziehen, geht die Einheit Gottes und der als negativ gesetzten Realität, d. i. der von ihm getrennten Subjektivität hervor."

Mit dem „unendlichen Schmerz" des Menschen über sich selbst ist bei Hegel der mit seiner Erkenntnis des Guten und des Bösen im unmittelbaren Zusammenhang stehende Zwang des Menschen verknüpft daß er sich durch körperliche und geistige Arbeit „zu dem machen muß, was er ist" (*Hegel/Werke*, 17/259, 263), aber auch der fürchterliche Gedanke: „Gott ist gestorben, Gott ist tot" (ebenda: S. 291).

[3] Ergänzung bei *Hegel/Griesheim*, S. 751f.: „Es ist, daß die abstrakte Allgemeinheit erfüllt werde, konkret werde, mit dem Gedanken der absoluten Freiheit, mit dem freien Geiste und dieser hat zu seinem Gegenbild, zu seiner Subjektivität, nicht abstrakte Innerlichkeit, sondern den subjektiven Geist. Indem der konkrete Geist der Gegenstand, der Zweck ist, so ist es seine Sache, daß er sich Gegenständlichkeit gibt, zu einer Wirklichkeit, zu einem Ganzen der Welt macht.

Dies ist der Staat, darin hat der subjektive Geist seine Befriedigung, ist darin zu seiner ganz innersten Anschauung gekommen, hat Bewußtsein erhalten daß er sich als äußere Welt gegenüber hat, deren Bestimmungen nichts anderes sind als seine eigenen Bestimmungen. So ist er versöhnt mit sich.

Daß die Versöhnung für sich werde, dazu gehört die Einsicht, die allein das Denken verschafft und so war es der Zweck dieser

Vorlesung zu wissen welchen Inhalt der Geist haben muß indem er sich objektiviert, wie der Inhalt der jetzt gegenwärtigen, wirklichen, sittlichen Welt beschaffen sein muß.

Zu § 360

[1] Vgl.: Anmerkung 27 zu den Vorreden von *Hegel/Rechtsphilosophie.*

Zur vorliegenden Ausgabe

Hegels *Grundlinien der Philosophie des Rechts*, neben dem *Leviathan* des Thomas Hobbes und dem *Contrat social* des Jean-Jacques Rousseau das umstrittenste und verrufenste, dafür aber auch das bedeutendste, jedenfalls das reichhaltigste Werk der sozialphilosophischen Literatur des europäischen Bürgertums, erstmals 1820 in Berlin erschienen, wurde in unserem Akademie-Verlag zuletzt vor 25 Jahren vorgelegt. Eine Neuauflage bedarf daher keiner Rechtfertigung, höchstens, daß wir so lange auf sie zu warten hatten.

Die vorliegende Ausgabe weicht allerdings grundlegend von ihrem, Berlin 1956, publizierten Vorgänger ab. Dessen Herausgeber, Johannes Hoffmeister, hatte den Trend vollendet, Hegels Drucktext von den Zusätzen zu befreien, die von dessen Parteigänger und Freund Eduard Gans aus Vorlesungsnachschriften in den Hegel-Text (sichtbar abgehoben, übrigens) interpoliert worden waren: er hat sie ausgemerzt.

Aus Gründen, die dem Nachwort des heutigen Herausgebers zu entnehmen sind (S. 592f.), aus *wissenschaftlichen*, *wissenschaftspolitischen* und *wissenschaftshistorischen* Gründen, ist es aber gerade die von Eduard Gans zwei Jahre nach Hegels Tod, zwölf Jahre nach dem Erscheinen der Erstauflage besorgte 2. Auflage der „Rechtsphilosophie“, die ihres Autors Genie am angemessensten entspricht. Ohne den originalen Hegel-Text (abgesehen von orthographischen Veränderungen, dem Weglassen einiger Quellenangaben und den jedem Buch anhaftenden Versehen) anzutasten – die sich schier von allein fortschreibenden entgegengesetzten Behauptungen entbehren, wie die Mönchsarbeit eines Wort-für-Wort-Vergleiches der Ausgaben von 1821 und 1833 ergeben hat, der Wahrheit –, hat Eduard Gans aus zwei ihm von intelligenten Hegelschülern zur Verfügung gestellten Nachschriften der rechtsphilosophischen Vorlesungen, wie sie Hegel jeweils im Wintersemester 1822/23 bzw. 1824/25 an der Berliner Universität gehalten hat, knapp zweihundert „Zusätze" in den Wortlaut der Erstauflage eingefügt. Dabei hat Gans auch die handschriftlichen Notizen Hegels in dessen zu den Vorlesungen benutztem Exemplar der „Rechtsphilosophie" herangezogen. Dieses inzwischen von gewissen Seiten verlästerte Verfahren war keine Eigenmächtigkeit von Eduard Gans: wie sich aus § 13 des Verlagsvertrages ergibt, entsprach sein Vorgehen der einhelligen Meinung der Witwe Hegels und aller Herausgeber der Freundesvereinsausgabe, also der Meinung von Marheineke, Marie Hegel, Johann Schulze, Eduard Gans, Leopold von Hennig, H. G. Hotho, Carl Ludwig Michelet und Friedrich Förster. Es gab damals keine besseren Hegel-Kenner, und der heutige Herausgeber der „Rechtsphilosophie" bewundert den bis zur Unverfrorenheit gesteigerten Mut, mit dem inzwischen der Vernichtungskampf gegen die von Gans interpolierten „Zusätze" geführt worden ist. Deren Echtheit kann überprüft werden: die Vorlesungsnachschriften, denen sie entstammen, sind, von K.-H. Ilting, zur Gänze 1973/74 publiziert worden. Die „Zusätze" machen den Text lesbarer so wie sie in der Vorlesung von Hegel gesprochen seine Gedankengänge hörbarer, verstehbar und verständlich gemacht haben. Außerdem kommt in ihnen auch das zum Ausdruck, was Hegel schlechterdings damals nicht drucken lassen konnte – kein Zensor, erst recht kein preußischer, hätte es passieren lassen –, was er aber seinen Studenten zu sagen sich durchaus getraute.

Diese „Zusätze", an die einhundert Seiten Drucktext, ergänzen zumeist die „Anmerkungen", die Hegel selbst dem „Tenor" seiner Paragraphen angefügt hat. In der vorliegenden Ausgabe sind die „Anmerkungen", wie in der Erstausgabe von 1821, gegenüber dem „Tenor" eingerückt. Um die „Zusätze" eindeutig von den „Anmerkungen" unterscheidbar zu machen, steht wie in der Gans-Edition von 1833 jeweils zu Beginn des Absatzes das Wort Zusatz; in zweifelhaften Fällen ist in eckigen Klammern das Ende des Zusatzes markiert.

Die Orthographie wurde unter Wahrung des Lautstandes vorsichtig modernisiert und damit ein Prozeß weitergeführt, den Gans gegenüber dem Original eingeleitet hatte. Die Interpunktion hingegen wurde belassen. Da auch heutige Autoren von Rang ihr Interpunktionsgebaren nicht in jedem Fall und oft zur Freude der Leser dem ohnehin nicht rechtsverbindlichen Duden unterzuordnen bereit sind, sollte man auch an Hegel, dem sich zur Wehr zu setzen nicht mehr vergönnt ist, nicht die Zeichensetzung unserer Schulen exekutieren. Übrigens läuft jeder Versuch, Hegels Zeichensetzung der heutigen anzupassen, Gefahr, am Inhalt zu ändern. Zumindest verändert er die Interpretationsbreite, die philosophischen Texten von der Bedeutung der Hegelschen nun einmal anhaften.

Ebenfalls ist davon Abstand genommen worden, den Text Hegels durch Wortumstellungen oder -einfügungen oder durch Temporaveränderungen zu glätten, wie es inzwischen üblich zu werden droht. Nicht einen gefälligen, einen der abrupten, dialektischen Denkweise des großen Meisters gemäßen Stil gilt es zu überliefern.

Zusätze des heutigen Herausgebers stehen in eckigen Klammern ([ ]). Die gesperrt gedruckten Worte wurden in Kursivdruck wiedergegeben.

Das von Eduard Gans 1840 veröffentlichte Verzeichnis von 6 Druckfehlern seiner Edition ist berücksichtigt worden (S. XVII der zweiten Auflage seiner Ausgabe).

Entsprechend dem Charakter einer *Studien*ausgabe wird vom heutigen Herausgeber ein umfangreicher Anhang beigefügt. Er enthält, neben einem Register, einer Bibliographie (die so wenig wie irgend eine andere lückenlos, aber spezieller als jede mir bekannte ist), einem Nachwort „Hegels Rechtsphilosophie in der Zeit“ nebst einer Chronologie vor allem breit angelegte Anmerkungen. Der Kundige braucht sie ja nicht zur Kenntnis zu nehmen; wer sie benötigt, möge sich, wenn er Philosoph ist, damit trösten, daß er als Nichtjurist der Krücken des Juristen bedarf, ist er Jurist, dann möge ihn seine Hilfsbedürftigkeit in der Philosophie nicht genieren. Der Herausgeber von heute hat jedenfalls dankbar die einschlägigen im Literaturverzeichnis ausgewiesenen Arbeiten seiner Vorarbeiter, insbesondere die von Beyer, Bolland, D'Hondt, Gans, Hoffmeister, Ilting, Knox, Lasson, Piontkowski, Reinicke, Riedel genutzt. Nicht alles, was dem gemildert perfektionistischen Bestreben des heutigen Herausgebers nötig erscheint, konnte schon geleistet werden. Vorschläge und

Spürsinn anderer werden künftigen Auflagen gewiß ein vollkommeneres Aussehen geben. Bis dann eines Tages die „Große Rechtsphilosophie" Hegels, der auf einen Faden gegliederte Gesamttext seiner rechtsphilosophischen Vorlesungen wird erscheinen können.

In die Anmerkungen sind, neben Erläuterungen, Literaturhinweisen, Übersetzungen und Parallelstellen aus anderen Werken Hegels, vor allem verdeutlichende zusätzliche Auszüge aus den verschiedenen Nachschriften der von Hegel gehaltenen Rechtsphilosophie-Vorlesungen aufgenommen worden. Sparsamer Gebrauch ist von den Notizen Hegels in das durchschossene Handexemplar seiner „Rechtsphilosophie" gemacht worden, erhalten geblieben sind sie nur zu den ersten 180 Paragraphen. Seit Lassons Edition im Hegel-Archiv 1914/16 bekannt, seit Iltings kriminalistische Methoden ausbeutenden Abdruck 1974 für die Forschung voll erschlossen, haben sie doch bisher für die Hegel-Interpretation kaum eine Rolle gespielt, was nicht nur mit ihrem bruchstückhaften Charakter zusammenhängt. Die Anmerkungen des heutigen Herausgebers, in die auch einigeAuszüge aus den Naturrechtsvorlesungen von Eduard Gans und kritische Kommentare zu Hegel, naturgemäß insbesondere aus der Feder vonKarl Marx eingefügt wurden, sollen den Weg in das Denken Hegels und durch ihn über ihn hinaus erleichtern helfen.

Dem Herausgeber bleibt die angenehme Pflicht, Werner Schuffenhauer sowie seinen Mitarbeitern Gundel Jankowiak und Annelies Schwarzer herzlich zu danken. Den Leser der „Grundlinien der Philosophie des Rechts" aber entläßt er mit der Meinung seines Verfassers, daß man, um die Rose im Kreuz auch dieses Werkes zu pflücken, das Kreuz selbst auf sich nehmen muß.

Berlin, 25. Juni 1980

Hegels Rechtsphilosophie in der Zeit

I

Chronologie

1770

Beethoven in Bonn, Hölderlin in Lauffen am Neckar, Georg Fridrich Wilhelm Hegel am 27. August in Stuttgart (Württemberg) geboren. Die mehr als 20jährigen Auseinandersetzungen zwischen dem Willkürregime des Herzogs Karl Eugen von Württemberg und den Ständen, in die auch der deutsche Kaiser sowie die Könige Preußens, Englands und Frankreichs eingriffen, endigen mit einem Erbvergleich, in dem sich der Herzog Geld, die Stände ihre Privilegien, besonders das der Steuerbewilligung und Gesetzesberatung, sichern. Paul Henri Holbach publiziert „Système de la nature ou des lois du monde physique et du monde moral", eines der Hauptwerke des französischen Materialismus. In Potsdam bei Berlin wird Friedrich Wilhelm von Hohenzollern geboren, nachmals F. W. III., König von Preußen.

1772

Erste Teilung Polens, das Gebiete an Rußland, Österreich und Preußen verliert. Ein Jahr nach dem Tod seines Autors erscheint von Claude-Adrien Helvétius „De l'homme", eines der großen Werke des französischen Materialismus, es enthält auch eine Gesetzgebungstheorie. Denis Diderot, der bedeutendste materialistische Denker der französischen Aufklärung, legt den letzten Band der „Encyclopédie ou Dictionnaire raisonné des sciences, des arts et des métiers" vor.

1776

Beginn des Amerikanischen Unabhängigkeitskrieges gegen England. In der Virginia Bill of Rights werden erstmals die Menschenrechte kodifiziert. David Hume stirbt in Edinburgh. Adam Smith publiziert „An Inquiry into the Nature and Causes of the Wealth of Nations", das bedeutendste Werk der klassischen bürgerlichen politischen Ökonomie. Hegel wird Gymnasiast in Stuttgart.

1778

Voltaire, der universellste Geist der französischen Aufklärung, stirbt in Paris. Jean-Jacques Rousseau, radikal-demokratischer Staatstheoretiker und Vorbereiter des Jakobinismus, stirbt bei Paris. Karl Ferdinand Hommel veröffentlicht in Breslau „Des Herrn Marquis von Beccaria unsterbliches Werk von Verbrechen und Strafen" (Dei delitti e delle pene, 1764), in dem Humanität und Gesetzlichkeit auch bei der Kriminalitätsbekämpfung gefordert werden.

1781

Immanuel Kant publiziert in Riga „Kritik der reinen Vernunft", ein „Koalitionssystem von Materialismus und Idealismus" (Lenin), den Beginn der klassischen bürgerlichen Philosophie in Deutschland markierend.

1784

Johann Gottfried Herder beginnt seine „Ideen zur Philosophie der Geschichte der Menschheit" zu publizieren, den Versuch einer universalhistorischen Analyse des Fortschritts von Natur, Gesellschaft und Individuum. Hegel wird konfirmiert; für die nächsten vier Jahre besucht er die Oberstufe des Gymnasium illustre in Stuttgart.

1787

Der Gymnasiast Hegel exzerpiert u. a. den Abschnitt über die Rechtsgelehrsamkeit aus dem in Leipzig 1759 erschienenen Buch „Kurzer Begriff aller Wissenschaften" (§§ 240—258) des Berliner Philosophen J. G. Sulzer.

1788

Immatrikulation Hegels als Stipendiatsstudent am Tübinger Stift.

1789

Auf dem Höhepunkt eines Flugschriftenkrieges publiziert Emmanuel Sieyès „Qu'est-ce que le tiers état?", womit er den politischen Führungsanspruch der Bourgeoisie begründet. Die große Revolution der Franzosen beginnt: Das Volk von Paris erstürmt die Bastille; Kirchenzehnt, Naturalrente und Frondienste werden abgeschafft, das grundherrliche Feudalregime beseitigt und die Kirchengüter nationalisiert. Die

Konstituante beschließt die „Erklärung der Menschen- und Bürgerrechte".

1790

In Frankreich werden der Adel und die Feudalgerichte abgeschafft. Edmund Burke publiziert „Reflections on the Revolution in France", ein konsequent konterrevolutionäres Pamphlet von großer Ausstrahlungskraft. Hegel wird zum Magister der Philosophie promoviert und beginnt Theologie zu studieren. Er erwägt ein Studium der Jurisprudenz.

1791

In Frankreich werden durch das Gesetz Le Chapelier Streiks und Koalitionen verboten. Beginn des Sklavenaufstandes in der französischen Kolonie Haiti. Annahme der ersten Revolutionsverfassung in Paris. Thomas Paine verteidigt entschlossen in „The Rights of Man" die Gesellschafts- und Rechtsprinzipien der französischen Revolution, insbesondere gegen Burke. Die Tübinger Studenten bilden einen politischen Klub, zu dessen Mitgliedern Hölderlin, Schelling und Hegel, Bewohner einundderselben Stube im Stift, gehören; sie pflanzen nach französischem Vorbild einen Freiheitsbaum.

1792

Koalitionskrieg von Österreich und Preußen gegen das revolutionäre Frankreich. Die „Marseillaise" entsteht. Die französische Revolutionsarmee besiegt Preußen bei Valmy und dringt als Befreier in Deutschland ein. Erklärung Frankreichs zur Republik. In der Berlinischen Monatsschrift veröffentlicht Wilhelm von Humboldt „Ideen über Staatsverfassung, durch die neue Konstitution veranlaßt", Bruchstücke einer später ausgebauten liberalen Gesellschafts- und Staatskonzeption. Am Tübinger Stift gilt Hegel – Rousseau war sein Held – als Jakobiner.

1793

Hinrichtung Ludwigs XVI in Paris. Revolutionär-demokratische Jakobinerdiktatur in Frankreich. In Mainz Gründung einer bürgerlichen Republik durch deutsche Jakobiner unter Führung von Georg Forster. In Schlesien Weberaufstand und Bauernunruhen. William Godwin publiziert „Enquiry concerning Political Justice", eine umfassende Verteidigung der Revolution und der Vernunft, materialistische, atheistische, utopisch-sozialistische aber auch anarchistische Gedankengänge enthaltend. Johann Gottlieb Fichte veröffentlicht anonym „Zurückforderung der Denkfreiheit von den Fürsten Europens, die sie bisher unterdrückten“ sowie seine prorevolutionären „Beiträge zur Berichtigung der Urteile des Publikums über die französische Revolution.“ Untersuchungen der „revolutionären Umtriebe“ im Tübinger Stift durch den Herzog. Mit dem theologischen Konsistorialexamen schließt Hegel sein Studium ab und übernimmt eine Hauslehrerstelle in Bern. In den nächsten sieben Jahren erarbeitet er umfangreiche Manuskripte philosophischen, theologischen, historischen, politischen und juristischen Inhalts, die, als Fragmente, im wesentlichen erst im 20. Jahrhundert veröffentlicht wurden.

1794

Sturz der Jakobinerdiktatur in Frankreich. Erlaß des Allgemeinen Landrechts für die Preußischen Staaten, einer 19000 Paragraphen Kodifikation im wesentlichen der bestehenden Feudalverhältnisse. Condorcet publiziert „Esquisse d'un tableau historique des progrès de l'esprit humain“, eine Fortschrittskonzeption der Geschichte von Individuum und Gesellschaft.

1795

Regierungsantritt des fünfköpfigen Direktoriums in Frankreich. In Königsberg erscheint „Zum ewigen Frieden“ von Immanuel Kant. In Schillers „Thalia“ werden die ersten Bruchstücke von Hölderlins „Hyperion“ veröffentlicht. Johann Benjamin Erhard publiziert in Jena „Über das Recht des Volkes zu einer Revolution“. Hegel schreibt an Schelling: „die Völker werden ihre Rechte nicht fordern, sondern sich aneignen“.

1796

In Frankreich Bildung eines Aufstandskomitees unter Babeuf, der verhaftet wird. Im Frühjahr schreibt Friedrich Wilhelm Joseph Schelling seine „Neue Deduktion des Naturrechts“. In Jena/Leipzig erscheint die „Grundlage des Naturrechts nach Principien der Wissenschaftslehre“ von Johann Gottlieb Fichte. Hegel schreibt an Hölderlin: /Der freien Wahrheit nur zu leben, Frieden mit der Satzung,/ die Meinung und Empfindung regelt, nie, nie einzugehn./

1797

Hinrichtung von Babeuf. In Königsberg publiziert Kant

„Metaphysische Anfangsgründe der Rechtslehre“, ein System angeblich reiner, von allen Anschauungsbedingungen unabhängiger Erkenntnisse über ein angeblich durch eines jeden Menschen Vernunft konstruierbares Naturrecht, in Wirklichkeit eine antifeudale, antiklerikale Rechtsphilosophie. Hegel übernimmt eine Hauslehrerstelle in Frankfurt am Main. Er arbeitet weiter an seinen Manuskripten, insbesondere zur Geschichte. Festigung der Freundschaft mit Hölderlin.

1798

Gustav Hugo veröffentlicht die erste Auflage seines „Lehrbuchs des Naturrechts als einer Philosophie des positiven Rechts“, in dem die Unterordnung des einzelnen unter die überkommene Gesellschaft und den existenten Staat als heilige Gewissenspflicht des Individuums bezeichnet wird. Die erste gedruckte Arbeit Hegels „Vertrauliche Briefe über das staatsrechtliche Verhältnis des Wadtlandes zur Stadt Bern“ erscheint anonym als kommentierte Übersetzung von J. Cart. Hegel schreibt unter dem Titel „Daß die Magistrate von den Bürgern gewählt werden müssen“ eine Studie über staatsrechtliche Probleme Württembergs sowie einen umfangreichen kritischen Kommentar zur „Rechtslehre“ Kants.

1799

Staatsstreich Napoleons am 18. Brumaire, er erhält als Erster Konsul Frankreichs unbeschränkte Machtbefugnisse. Fichte verliert wegen Atheismus und Jakobinismus seine Professur in Jena und übersiedelt nach Berlin. Hegel, durch den Tod seines Vaters Erbe eines kleinen Vermögens von 3154 Gulden, bereitet sich auf die akademische Laufbahn vor. Er schreibt einen glossierenden Kommentar zur deutschen Übersetzung von J. D. Steuarts „An Inquiry into the Principles of Political Economy“ und beginnt die Ausarbeitung einer umfangreichen Studie zu staatstheoretischen und verfassungsrechtlichen Problemen, speziell Deutschlands.

1800

In Tübingen erscheint als Anhang zu seiner Rechtslehre „Der geschlossene Handelsstaat“ von Fichte.

1801

Anselm Feuerbach publiziert in erster Auflage sein bürgerlich-liberales „Lehrbuch des gemeinen in Deutschland geltenden peinlichen Rechts“. Hegel übersiedelt nach Jena. Dort erscheint „Differenz des Fichte'schen und Schelling'schen Systems der Philosophie von Georg Wilhelm Friedrich Hegel der Weltweisheit Doktor". Hegel habilitiert sich in Jena.

1802

Wiederherstellung der Sklaverei in den französischen Kolonien. In der Erlanger Literatur-Zeitung erscheint Hegels Rezension des „Versuchs einer gemeinfaßlichen Deduktion des Rechtsbegriffs" von K. F. W. Gerstäcker. Im Kritischen Journal der Philosophie, einer Gemeinschaftsgründung von Hegel und Schelling, beginnt Hegels umfangreiche Arbeit „Über die wissenschaftlichen Behandlungsarten des Naturrechts, seine Stelle in der praktischen Philosophie und sein Verhältnis zu den positiven Rechtswissenschaften" zu erscheinen; Hegel liest an der Jenaer Universität u. a. „Natur- und Völkerrecht" und im Wintersemester 1802/03 „Naturrecht". Eine vermutliche Reinschriftausarbeitung dieser Naturrechtsvorlesung (System der Sittlichkeit) thematisiert alle Grundprobleme seiner späteren Rechtsphilosophie.

1803

Beethoven komponiert die Eroica. Claude-Henri Saint-Simon publiziert anonym Lettres d'un habitant de Genève à ses contemporains, in denen er fordert, die Gesellschaft nach dem Produktivitätsprinzip umzugestalten und auf wissenschaftlicher Grundlage zu organisieren. Jakob Friedrich Fries publiziert in Jena seine „Philosophische Rechtslehre", in der er die philosophische Rechtsbetrachtung völlig von der empirischen Rechtswissenschaft trennt. Savigny veröffentlicht in Gießen: „Das Recht des Besitzes." Hegel tritt mit Goethe in einen persönlichen und brieflichen Kontakt. Er kündigt an der Jenenser Universität Vorlesungen über die Enzyklopädie der Philosophie und über das Naturrecht an. In seinen Manuskripten beginnt er ein philosophisches System auszuarbeiten, das Logik, Metaphysik, Naturphilosophie und Geistesphilosophie (einschließlich Staat und Recht) umfaßt.

1804

Napoleon krönt sich zum erblichen Kaiser der Franzosen. Erlaß des von der französischen Revolutionsverfassung angeregten Code civil des Français (1807 in Code Napoléon umbenannt), des „klassischen Gesetzbuches der Bourgeoisiegesellschaft" (Engels). Immanuel Kant stirbt in Königsberg. Anselm Feuerbach veröffentlicht seine Landshuter Antrittsrede „Über Philosophie und Empirie in ihrem Verhältnis zur positiven Rechtswissenschaft". Hegel, seit drei Jahren Privatdozent in Jena, bittet Goethe um Unterstützung bei seinem Ernennungsverfahren zum Professor der Philosophie, gesteht allerdings, daß „meine bisherigen literarischen Arbeiten zu geringfügig sind, als daß ich es wagen dürfte, sie vor die Augen Euer Excellenz zu bringen."

1805

Dritter Koalitionskrieg Englands, Rußlands, Österreichs gegen den mit Baden, Bayern und Württemberg verbündeten Napoleon, der bei Austerlitz siegt. Im Alter von 35 Jahren wird Hegel (gemeinsam mit J. F. Fries) zum außerordentlichen Professor in Jena berufen. Auf der Grundlage umfangreicher Vorlesungsmanuskripte liest er über „Die gesamte Wissenschaft der Philosophie" sowie über „Das Naturrecht".

1806

West- und süddeutsche Fürsten gründen unter dem Protektorat Napoleons den Rheinbund. Franz II. verzichtet auf die Kaiserwürde, das Deutsche Reich hört damit auch formell auf zu bestehen. Napoleon besiegt in der Doppelschlacht bei Jena und Auerstedt vernichtend die Preußen. Hegel, dem sein erstes Universitätsgehalt von 100 Talern (jährlich!) zuerkannt worden ist, vollendet in der Nacht vor dieser Schlacht seine „Phänomenologie des Geistes", die Geburtsstätte und das Geheimnis seiner Philosophie (Marx). Hegel ist ohne finanzielle Mittel.

1807

„Der große Staatsrechtslehrer sitzt in Paris" (Hegel). Beginn bürgerlicher Reformen in Preußen: mit dem Oktober-Edikt wird die freie Wahl des Gewerbes verordnet und die Freiheit des Güterverkehrs erstreckt sich auch auf Grund und Boden. Fichte hält an 14 Sonntagen der Jahreswende 1807/08 im Rundsaal des Berliner Akademiegebäudes Unter den Linden seine „Reden an die deutsche Nation". Hegel übersiedelt ins bayrische Bamberg, wo seine „Phänomenologie des Geistes" erscheint; er übernimmt die Redaktion der Bamberger Zeitung.

1808

Volksaufstand in Madrid; Beginn des Unabhängigkeitskrieges

des spanischen Volkes gegen die französische Fremdherrschaft. Neuorganisation der zentralen Staatsbehörden und Einführung der städtischen Selbstverwaltung in Preußen. Verfassungs-, Verwaltungs- und Justizreform in Bayern: Aufhebung der Leibeigenschaft, Gleichheit der Untertanen vor dem Gesetz, Trennung des königlichen Vermögens vom Staatsvermögen, Zentralisierung des Staatsapparates bei Aufhebung der gemeindlichen Selbstverwaltung, Unabhängigkeit der Rechtspflege. Anselm Feuerbach wird vom König mit der Ausarbeitung eines bayrischen Zivilgesetzbuches auf der Grundlage des Code Napoléon beauftragt. Prunkvolles Treffen Napoleons mit Zar Alexander in Erfurt, die Rheinbund-Fürsten als Staffage. Johann Wolfgang Goethe veröffentlicht: Faust. Der Tragödie Erster Teil. Hegel wird mit einem Jahresgehalt von 1000 Gulden zum Rektor des Nürnberger Ägidien-Gymnasiums und „zum Professor der philosophischen Vorbereitungswissenschaften bei demselben allergnädigst ernannt“. Er bleibt acht Jahre in Nürnberg, einer Stadt von 25000 Einwohnern, die kurz zuvor bayrisch geworden war.

1809

Der Krieg Frankreichs gegen Österreich – unseren „Feinden“ (Hegel) – wird durch Napoleon siegreich beendet. In Berlin erscheint die Druckausgabe der von Adam Müller in Dresden gehaltenen öffentlichen Vorlesung über „Die Elemente der Staatskunst“, ein antidemokratisches, antiliberales, antibürgerliches Werk der Staatstheorie und Politischen Ökonomie, dessen Autor „Alltagsvorurteile mystifiziert“ (Marx).

1810

Mit dem Martinitag (11. November) hört in Preußen für etwa 100000 Bauern die persönliche Erbuntertänigkeit und Schollengebundenheit gegenüber den Gutsbesitzern auf, nicht aber werden die auf dem Boden lastenden oder vertraglich vereinbarten Frondienste, Geld- und Naturalabgaben sowie die junkerliche Polizeigewalt und Patrimonialgerichtsbarkeit aufgehoben. Gleichzeitig tritt in Preußen, vor allem für die Knechte und Mägde der Gutsherren, eine einheitliche Gesindeordnung in Kraft, mit der die als Gesinde tätigen Lohnarbeiter einer unter Polizeischutz stehenden, faktisch unbeschränkten Willkür (einschließlich Prügelstrafe) der Dienstherrschaft unterworfen werden. Die unter maßgeblicher Leitung Wilhelm von Humboldts gegründete Berliner Universität nimmt ihre Lehrtätigkeit auf; zu ihrem ersten Rektor wird durch allerhöchstes Vertrauen der Reaktionär Theodor Anton Heinrich Schmalz, Verfasser eines Naturrechtslehrbuches und eines Handbuches der Rechtsphilosophie, ernannt. Hegel beginnt am Nürnberger Gymnasium u. a. Rechts-, Pflichten- und Religionslehre nach Diktaten eigener Texte abzuhandeln.

1811

Friedrich Wilhelm III., „von Gottes Gnaden König von Preußen", verkündet das „Edikt die Regulierung der gutsherrlichen und bäuerlichen Verhältnisse betreffend", in dessen Verwirklichung die Bauern sich bei Abtretung der Hälfte bzw. eines Drittels ihres Landes von allen Frondiensten und feudalen Abgaben loskaufen konnten. Damit wurde jener qualvolle Prozeß eingeleitet, bei dem die fronherrliche Gutsbesitzerwirtschaft in eine bürgerliche Junkerwirtschaft bei Expropriation und Knechtung der meisten Bauern hinüberwuchs. Johann Gottlieb Fichte wird erster gewählter Rektor der Berliner Universität. Hegel heiratet in Nürnberg die zwanzigjährige Marie v. Tucher.

1812

Napoleon erleidet mit seiner Großen Armee in Rußland seine erste entscheidende Niederlage. Durch Edikt wird den einen Schutzbrief besitzenden 30000 Juden in Preußen eine auf Wirtschaft und Justiz beschränkte Emanzipation gewährt. Anselm Feuerbach publiziert seine „Betrachtung über das Geschworenen-Gericht". Friedrich Carl von Savigny, Mitglied der Akademie der Wissenschaften, wird Rektor der Berliner Universität. Hegels Werk „Wissenschaft der Logik", eine systematische Ausarbeitung der Kategorien der Dialektik, erscheint in Nürnberg.

1813

Beginn der Erhebung gegen die französische Fremdherrschaft in Preußen. Volksbewaffnung und Einführung der Landwehr. In der Völkerschlacht zu Leipzig wird Napoleon vernichtend geschlagen. Hegel ironisiert die Befreiungskriege und „unsere geschehen-sein-sollende Befreiung". Schopenhauer schickt seinem Buchhändler Hegels „Wissenschaft der Logik" ungelesen zurück. In Bayern tritt das von Anselm Feuerbach ausgearbeitete bürgerlich-liberale Strafgesetzbuch in Kraft. Hegel wird für ein zusätzliches Jahresgehalt von 300 Gulden auch zum Lokal-Schulrat in Nürnberg ernannt.

1814

Napoleon entsagt der Krone und wird auf die Insel Elba verbannt: „Es ist ein ungeheures Schauspiel, ein enormes Genie sich selbst zerstören zu sehen" (Hegel). Fichte stirbt in Berlin. Savigny unterrichtet den preußischen Kronprinzen (nachmals Friedrich Wilhelm IV.) und publiziert „Vom Beruf unserer Zeit für Gesetzgebung und Rechtswissenschaft", eine gegen den Code Napoleon und gegen die insbesondere von Thibaut, einem Freund Hegels, behauptete Notwendigkeit eines allgemeinen bürgerlichen Rechts für Deutschland gerichtete Streitschrift, die gleichzeitig als Programm der Historischen Rechtsschule wirkt.

1815

Beginn der Verfassungskämpfe zwischen Bürgertum und den Regierungen. Gründung des Deutschen Bundes, eines unauflöslichen „völkerrechtlichen Vereins" von 37 souveränen Fürsten und 4 freien Städten (insgesamt etwa 33 Millionen Einwohner, davon 10 Millionen in Preußen) zur Bewahrung der Unabhängigkeit und Unverletzlichkeit ihrer inneren und äußeren Sicherheit. Auf Initiative des Zaren wird zwischen den Monarchen Rußlands, Österreichs und Preußens eine Heilige Allianz zur Aufrechterhaltung der monarchischen Ordnung in ganz Europa abgeschlossen. Hegel unterrichtet am Nürnberger Gymnasium, wie auch in den vorangegangenen Jahren, u. a. Rechtslehre.

1816

Mißernte und Hungersnot in ganz Europa. Einschränkung der Bauernbefreiung in Preußen. Carl Ludwig von Haller beginnt, „Restauration der Staatswissenschaft" zu veröffentlichen, ein konsequent konterrevolutionäres, die Feudalgesellschaft verherrlichendes Werk. Hegel an Niethammer: „Die Reaktion habe ich erwartet . . . Ich halte mich daran, daß der Weltgeist der Zeit das Kommandowort zu avancieren gegeben. Solchem Kommando wird pariert". Hegel wird mit einem Jahresgehalt von 1500 Gulden als Professor der Philosophie nach Heidelberg berufen und übersiedelt dorthin. Er liest u. a. über die Enzyklopädie der Philosophie (einschließlich der des Staates und des Rechts).

1817

Wartburgfest: auf Einladung der Jenenser Burschenschaft versammeln sich auf der Wartburg Professoren aus Jena (u. a. Fries, Luden, Oken) und etwa 500 Studenten deutscher Universitäten. Sie stellen patriotische und nationalistische Forderungen auf und verbrennen Symbole des feudalabsolutistischen Militarismus, neben anderen Büchern auch symbolisch Hallers „Restauration der Staatswissenschaft". David Ricardo, der Vollender der klassischen bürgerlichen politischen Ökonomie, publiziert „Principles of Political Economy and Taxation". In Heidelberg erscheint die erste Auflage von Hegels „Enzyklopädie der philosophischen Wissenschaften im Grundrisse", in der auch die Rechtsphilosophie abgehandelt ist. In den Heidelbergischen Jahrbüchern der Literatur publiziert Hegel anonym seinen kritischen Bericht über die „Verhandlungen in der Versammlung der Landstände des Königreichs Württemberg im Jahr 1815 und 1816". Im Wintersemester 1817/1818 liest Hegel u. a. sechsmal wöchentlich von 10–11 Uhr über „Naturrecht und Staatswissenschaft".

1818

Karl Marx in Trier geboren. Gründung der Allgemeinen Deutschen Burschenschaft in Jena, deren radikaler Flügel für Republik, Umsturz und individuellen Terror eintritt. Zolleinheit in Preußen. Hegel schickt seinem Heidelberger Buchhändler die „Geschichte des römischen Rechts im Mittelalter" von F. C. Savigny zurück („da ich mich in Ansehung des Zwecks dieses Buches geirrt hatte") und bestellt bei ihm Hugos Rechtsgeschichte. Hegel wird nach jahrlangem Intrigenspiel auf Initiative von Staatsminister Altenstein (Goethe: „A. scheint sich eine wissenschaftliche Leibgarde anschaffen zu wollen") mit einem Jahresgehalt von 2000 Talern (etwa 3500 Gulden) zum ordentlichen Professor auf Fichtes vakant gebliebenen Lehrstuhl an die Universität nach Berlin, „ein großer Mittelpunkt für sich" (Hegel), jedenfalls eine Stadt von knapp 200000 Einwohnern, berufen. Er übersiedelt dorthin, erwirbt das Haus Am Kupfergraben Nr. 4 und liest im Wintersemester 1818/19 fünfmal wöchentlich von 16–17 Uhr über „Naturrecht und Staatswissenschaft".

1819

Der radikale Theologie-Student K. L. Sand ermordet den

zaristischen Agenten und Erfolgsschriftsteller A. v. Kotzebue. Mit seinen Karlsbader Beschlüssen verbietet der Deutsche Bund die Burschenschaften, unterstellt die Universitäten strenger landesherrlicher Überwachung, unterwirft Zeitschriften und Bücher der Vorzensur, verpflichtet jeden Bundesstaat zur Unterdrückung oppositioneller Äußerungen und errichtet eine Zentraluntersuchungskommission in Mainz zur Verfolgung „revolutionärer Umtriebe“. Hegel beendigt die Ausarbeitung einer „Rechtsphilosophie“ und erfährt unmittelbar vor deren Drucklegung von den Karlsbader Beschlüssen; er verschiebt daraufhin die Drucklegung. Hegel liest im Wintersemester 1819/20 u. a. wiederum „Naturrecht und Staatswissenschaft“ fünfmal wöchentlich von 17–18 Uhr; er kauft auf einer Bücherauktion das „Lehrbuch der Geschichte des römischen Rechts“ von Gustav Hugo, des Stammvaters der historischen Rechtsschule. Aus Hegels Bekanntenkreis geraten u. a. seine beiden Assistenten Henning (Verhaftung) und Carové (Berufsverbot), seine Studenten Asversus (Verhaftung) und Ulrich (Verhaftung) sowie sein Kollege de Wette (Absetzung) in die Fänge der bundesdeutschen Untersuchungskommission und der preußischen Polizei; Hegel interveniert bei den Behörden, beteiligt sich an Geldsammlungen zugunsten eines Gemaßregelten und stellt in einem Fall eine Kaution von 500 Talern.

1820

Friedrich Engels geboren. In Berlin erscheint, aus seinem Nachlaß herausgegeben, die von Fichte 1813 auf der Universität vorgetragene „Staatslehre“. Im Juni übersendet Hegel das druckfertige Manuskript seiner „Grundlinien der Philosophie des Rechts“ dem Verleger und dem Zensor. In Dresden trinkt er mit seinen Reisebegleitern, u. a. mit Eduard Gans, eine Flasche Champagner zum Gedächtnis des 14. Juli 1789, des Ausbruchs der französischen Revolution. Im Oktober erscheint (vordatiert auf 1821) in einem Berliner Verlag (ein Angebot, aus Zensurgründen für ihn einen Verleger außerhalb Preußens zu finden, hatte ihr Autor nicht berücksichtigt) unter dem Doppeltitel „Naturrecht und Staatswissenschaft im Grundrisse. Grundlinien der Philosophie des Rechts. Zum Gebrauch für seine Vorlesungen von D. Georg Wilhelm Friedrich Hegel, Ordentl. Professor der Philosophie an der Königl.

Universität zu Berlin". Hegel sendet je ein Exemplar an Staatsminister Altenstein und an Staatskanzler Hardenberg. Im Widmungsbrief an den Fürsten von Hardenberg heißt es: „... daß meine Bestrebung dahin geht, den Einklang der Philosophie mit denjenigen Grundsätzen zu beweisen, welche die Natur des Staates überhaupt braucht, am unmittelbarsten aber den Einklang mit demjenigen, was unter seiner [Majestät] erleuchteten Regierung und unter der weisen Leitung E[uer] D[urchlaucht] der Preußische Staat, dem eben darum anzugehören mir selbst zu besonderer Befriedigung gereichen muß, teils erhalten, teils noch zu erhalten das Glück hat".

1821

Der Theologe G. E. Paulus, ein gewesener Freund Hegels, leitet mit seiner Rezension den literarischen Bewertungsstreit um Hegels Rechtsphilosophie ein. J. F. Fries: „Hegels metaphysischer Pilz ist nicht in den Gärten der Wissenschaft, sondern auf dem Misthaufen der Kriecherei aufgewachsen". Gustav Hugo verreißt Hegels „Grundlinien der Philosophie des Rechts". Hegel reagiert gereizt mit einer Gegendarstellung. Im Wintersemester 1821/22 liest Hegel u. a. „Naturrecht und Staatsrecht".

1822

Wegen einer in der Halleschen Allgemeinen Literaturzeitung abgedruckten Rezension seiner „Rechtsphilosophie" wendet sich Hegel beschwerdeführend an seinen Förderer, den Staatsminister Altenstein. Im Wintersemester 1822/23 wird das „Naturrecht" an der juristischen Fakultät von Schmalz, an der philosophischen Fakultät von Hegel vorgetragen.

1823

Eduard Gans überreicht Hegel den soeben erschienenen ersten Band seines Hauptwerkes „Das Erbrecht in weltgeschichtlicher Entwicklung", in dessen Vorwort er sich bei scharfer Kritik der historischen Rechtsschule zur Hegelschen Rechts- und Geschichtsphilosophie bekennt.

1824

Im Wintersemester 1824/25 liest Hegel „Philosophie der Weltgeschichte" sowie „Natur- und Staatsrecht". Beide Vorlesungen werden auch von Ludwig Feuerbach fleißig besucht, der im April nach Berlin gekommen war, jedoch erst Ende Juli immatrikuliert wurde, nachdem die Untersuchungen gegen ihn keine stichhaltigen Beweise für eine Zugehörigkeit zu den verbotenen studentischen Verbindungen erbracht hatten. Hegel interveniert beim preußischen Innenminister wegen der aus politischen Erwägungen erfolgten Verhaftung seines Freundes, des französischen Professors Victor Cousin.

1825

Eduard Gans wird außerordentlicher Professor der Rechte an Berlins Universität. Ihm und seinem ehemaligen Repetenten Leopold von Henning gibt Hegel seine Naturrechtsvorlesung ab, die sie in den folgenden Jahren nach Hegels Lehrbuch mit großem Erfolg vortragen.

1826

Thomas Jefferson, Autor der Unabhängigkeitserklärung der USA und deren dritter Präsident, stirbt in Virginia; er hinterläßt seinen Erben u. a. 260 Sklaven. Enge Freundschaft zwischen Hegel und Eduard Gans. Gründung der „Societät für wissenschaftliche Kritik" in Hegels Haus und unter seiner Leitung, Generalsekretär wird Eduard Gans. Auch in diesem Jahr trinkt Hegel sein Glas Wein zur Erinnerung an die Erstürmung und Zerstörung der Bastille. In einer speziellen Kabinettsorder weist Friedrich Wilhelm III, Preußens König, den Zensor an, künftig eine so unangemessen ausführliche Berichterstattung wie über das diesjährige Doppelfest der Geburtstage von Goethe und von Hegel in der Vossischen Zeitung zu unterbinden.

1827

Bei Cotta beginnen unter Hegels Leitung die „Jahrbücher für wissenschaftliche Kritik" zu erscheinen. Die zweite Auflage von Hegels „Enzyklopädie der philosophischen Wissenschaften" erscheint in Heidelberg.

1828

Eduard Gans wird zum ordentlichen Professor an der Juristenfakultät der Berliner Universität berufen. Dagegen interveniert Savigny (erfolglos) beim Kronprinzen und bei Altenstein; er zieht sich daraufhin von den Fakultätsgeschäften zurück. Ludwig Feuerbach übersendet Hegel seine Dissertation.

1829

Charles Fourier publiziert „Le nouveau monde industriel et sociétaire", eine umfassende Gesellschaftskonzeption des utopischen Sozialismus, voller Materialismus und Dialektik. Hegel wird zum Rektor der Berliner Universität, an der etwa 100 Professoren und Dozenten etwa 1800 Studenten unterrichten, gewählt.

1830

Ausbruch der Julirevolution in Frankreich. Unter ihrem Einfluß Unruhen und Aufstände in Polen, Belgien, Sachsen, Braunschweig, Hessen, Hannover, München, Aachen und Berlin sowie verstärkter Kampf für eine Parlamentsreform in England. Robert Owen verfaßt „Lectures on an entire new state of society", mit denen er die Arbeiter über die Notwendigkeit aufklärt, die Gewerkschaftsbewegung mit der Genossenschaftsbewegung zu verschmelzen. Friedrich Julius Stahl veröffentlicht in Heidelberg den ersten Band seiner „Philosophie des Rechts nach geschichtlicher Ansicht", explizit gegen Hegel und den ganzen aufklärerischen Rationalismus gerichtet. Hegel wird über die neuesten Nachrichten aus Paris von Eduard Gans informiert, der vom Preußischen Kultusministerium verwarnt wird. Die dritte Auflage von Hegels „Enzyklopädie der philosophischen Wissenschaften" erscheint. Hegel wird wiederum nicht in die Akademie der Wissenschaften gewählt, obwohl ihm die Zuwahl bereits bei seiner Berufung nach Berlin in Aussicht gestellt worden war.

1831

Hegel wird (zusammen u. a. mit seinem literarischen Gegner Schleiermacher) mit dem roten Adler-Orden 3. Klasse ausgezeichnet. In der Allgemeinen preußischen Staatszeitung erscheint (auf Zensureingriff hin: unvollständig) sein Artikel „Über die englische Reformbill". Seine auf die Intervention des Kronprinzen gegen die Naturrechtsvorlesung von Eduard Gans für das Wintersemester angekündigte rechtsphilosophische Vorlesung muß er nach zwei Vorlesungsstunden abbrechen: Hegel stirbt am 14. November in Berlin. Kommentar Friedrich Wilhelm III., Königs von Preußen: „Wieder ein berühmter Philosoph gestorben – immer eine andere Philosophie – zu meiner Zeit Kant". Eduard Gans veröffentlicht in der Allgemeinen Preußischen Staatszeitung einen Nekrolog und plant die Ausarbeitung einer Hegel-Biographie.

1832

Auf dem Hambacher Fest, mit 30000 Teilnehmern die größte

Massenkundgebung im Vormärz, werden von Handwerkern, Gesellen, Bauern und Intellektuellen, von Deutschen, Polen und Franzosen republikanische Forderungen erhoben. Der deutsche Bundestag beschließt ein Verbot aller politischen Vereine und eine Verschärfung der Zensur. Goethe stirbt in Weimar.

1833

Heinrich Leo, Hörer und Kollege von Hegel, publiziert in Halle „Studien und Skizzen zu einer Naturlehre des Staates", in denen er mittelalterliche Zustände für die Gegenwart rechtfertigt. Eduard Gans gibt in 1500 Exemplaren Hegels „Grundlinien der Philosophie des Rechts" als Band 8 der von einem „Verein von Freunden des Verewigten" besorgten vollständigen Ausgabe seiner Werke heraus; die Mitherausgeber dringen auf eine Entschärfung des Vorwortes von Gans.

1834

Auf der Wiener Ministerkonferenz bekräftigen in geheimen Beschlüssen die Mitglieder des Deutschen Bundes, daß „die gesamte Staatsgewalt in dem Oberhaupte des Staats vereinigt bleiben muß" und vereinbaren einen gleichförmigen Vollzug strenger Zensur. Politische Emigranten und proletarische Handwerksgesellen gründen in der Schweiz den Geheimbund Junges Deutschland und in Paris den Bund der Geächteten. Heinrich Heine publiziert in Hamburg „Zur Geschichte der Religion und Philosophie in Deutschland", in der er die philosophische Entwicklung in Hegel gipfeln läßt, als Widerspiegelung der gesellschaftlichen Entwicklung darstellt und ihren revolutionären Inhalt aufdeckt.

1835

David Friedrich Strauß publiziert in Tübingen „Das Leben Jesu", ein auf Hegels spekulativer Grundlage gearbeitetes, aber über ihn hinaus führendes und auf politischen Fortschritt zielendes Werk, das die Anhänger Hegels in Alt- und Neu-Hegelianer, in rechte und linke Hegelianer, in orthodoxe Hegelianer und Junghegelianer spaltet. C. F. Bachmann publiziert in Jena „Anti-Hegel", worin er Hegel mit Robespierre vergleicht. Ludwig Feuerbach rezensiert für die von Hegel gegründeten Berliner „Jahrbücher für wissenschaftliche Kritik" die ersten beiden Bände von Stahls „Philosophie des Rechts" und charakterisiert sie als „schwachsinnigste Mystik der Welt". Marx beginnt an der juristischen Fakultät der Bonner Universität Rechtswissenschaft zu studieren, er besucht u. a. Vorlesungen über Enzyklopädie der Rechtswissenschaft, Institutionen, Geschichte des römischen und deutschen Rechts, Völkerrecht und (bei einem Schüler von Savigny und Hugo) über das Naturrecht.

1836

Gründung der proletarisch-revolutionären deutschen Geheimorganisation „Bund der Gerechten" in Paris auf utopisch-kommunistischer Grundlage. Marx übersiedelt nach Berlin und beginnt an der Juristenfakultät der Universität Rechtswissenschaft und Philosophie zu studieren. Er hört Vorlesungen u. a. bei Savigny (Pandekten), bei Rudorff, ebenfalls Vertreter der historischen Rechtsschule (Erbrecht), bei Heffter (Kirchenrecht, Zivilprozeß, Kriminalprozeß) und bei Eduard Gans (Kriminalrecht, Preußisches Landrecht). Eduard Gans publiziert in Berlin sein Buch „Rückblicke", in dem er unter dem Einfluß der Saint-Simonisten als Mittel gegen die Exploitation der Proletarier durch die Fabrikherren die Vergesellschaftung vorschlägt.

1837

Auf Initiative von A. Blanqui entsteht die vorwiegend proletarische Geheimorganisation „Gesellschaft der Jahreszeiten" in Frankreich. Der König von Hannover beseitigt die Verfassung seines Landes; die protestierenden sieben Göttinger Professoren werden des Landes verwiesen. Nachdem Marx auf der Grundlage der Arbeiten von Savigny und Kant eine eigene Rechtsmetaphysik und Rechtsphilosophie ausgearbeitet und verworfen hat, studiert er Hegel „von Anfang bis Ende". Er befreundet sich mit den Mitgliedern des Berliner Doktorklubs: Bruno Bauer, Karl Heinrich Althaus, Karl Friedrich Köppen, Adolf Rutenberg, alles Junghegelianer, wie auch Ludwig Buhl, der eine Verteidigung von „Hegels Lehre vom Staat" veröffentlicht.

1838

Proklamation der People's Charter durch die Londoner Arbeiterassoziation. Heinrich Leo publiziert in Halle „Die Hegelingen", eine klerikal-reaktionäre Denunziation der Junghegelianer. Der polnische Hegelianer August Cieszkowski publiziert in Berlin „Prolegomena zur Historiosophie", in denen vorgeschlagen wird, Hegels Philosophie in eine „Philosophie der Praxis“, in eine Veränderungswissenschaft sozialer Verhältnisse der Menschheit zu transformieren und mit dem Gedankengut Fouriers und Saint-Simons zu kombinieren. Arnold Ruge publiziert in Leipzig „Preußen und die Reaction“, eine prinzipielle Kritik am preußischen Staat.

1839

Karl Ernst Schubardt veröffentlicht seine Arbeit „Über die Unvereinbarkeit der Hegelschen Staatslehre mit dem obersten Lebens- und Entwicklungsprinzip des preußischen Staats“. Karl Friedrich Köppen, Varnhagen von Ense und Eduard Gans weisen Schubardts Denunziationen zurück. Eduard Meyen, Junghegelianer und Freund von Marx, publiziert in Leipzig „Heinrich Leo, der verhallerte Pietist“, eine Attacke gegen die ideologische Reaktion. Friedrich Engels über Leo und Schubardt: „Wer verdammen will, der nehme sich in Acht. Wer die Hegelsche Schule angreifen will, muß selbst ein Hegel sein“. Eduard Gans stirbt. Ludwig Feuerbach veröffentlicht in den Hallischen Jahrbüchern „Zur Kritik der Hegelschen Philosophie“, die erste materialistische Grundsatzkritik an Hegel.

1840

Savigny publiziert in Berlin den ersten Band des Systems des heutigen Römischen Rechts. Mit der zweiten Auflage der „Freundesvereinsausgabe“ erscheinen auch Hegels „Grundlinien der Philosophie des Rechts“ in der von Eduard Gans besorgten Fassung. Auf den durch dessen Tod vakant gewordenen Berliner Lehrstuhl für Rechtsphilosophie beruft der neue König Friedrich Wilhelm IV. auf Initiative Savignys den klerikalen Reaktionär Stahl. In seiner Eröffnungsvorlesung greift Stahl die Hegelianer an; er wird ausgepfiffen. Erstes öffentliches Bekenntnis von Friedrich Engels zur Sache Hegels und der Junghegelianer.

1841

Unter der Maske eines Strenggläubigen erhebt Bruno Bauer in seinem anonym in Leipzig publizierten parodistischen Pamphlet „Die Posaune des Jüngsten Gerichts“ gegen Hegel Anklage wegen Atheismus, womit er gleichzeitig die Junghegelianer als die einzig legitimen Nachfolger Hegels charakterisiert. In Frankfurt am Main erscheint die anonyme Broschüre eines Junghegelianers „Hegel und Preußen“, in der Hegels Rechtsphilosophie verteidigt wird. Arnold Ruge interpretiert in einem Artikel die Rechtsphilosophie Hegels als „Götterdämmerung des Absolutismus“. Ludwig Feuerbach veröffentlicht in Leipzig „Das Wesen des Christentums“, womit er den Siegeszug des philosophischen Materialismus im deutschen Vormärz einleitet. Zur Austilgung der Hegelschen „Drachensaat“ wird von der preußischen Reaktion Schelling als Philosophieprofessor nach Berlin berufen. Seiner Antrittsvorlesung wohnt Friedrich Engels bei, der gegen Schellings und Stahls Attacken auf Hegel schreibt: „*Unsere* Sache wird es sein, des toten Meisters Grab vor Beschimpfungen zu schützen“. Karl Marx veröffentlicht in einer Zeitschrift der Junghegelianer (als allererste seiner Publikationen) zwei Gedichte; gemeinsam mit Bruno Bauer plant er die Herausgabe eines „Archivs des Atheismus“ und beginnt die Ausarbeitung einer kritischen Analyse der Hegelschen Rechtsphilosophie.

1842

Savigny wird preußischer Staats- und Justizminister. Lorenz von Stein, Hegelianer und Jurist, trägt durch seinen in Leipzig publizierten kritischen Bericht über den „Socialismus und Communismus des heutigen Frankreich“ ganz gegen seinen Willen zu deren Popularisierung bei. Arnold Ruge, Freund von Marx und Junghegelianer, veröffentlicht seinen Artikel „Die Hegelsche Rechtsphilosophie und die Politik unserer Zeit“, in dem er Hegels Theorie als ein verdecktes System der Vernunft und der Freiheit mitten in Unvernunft und Unfreiheit charakterisiert. Wilhelm Weitling publiziert „Garantien der Harmonie und Freiheit“, das Hauptwerk des deutschen utopischen Arbeiterkommunismus. Karl Marx, auf radikaldemokratischen, linkshegelianischen Positionen stehend, schreibt für die in Leipzig erscheinenden „Deutschen Jahrbücher für Wissenschaft und Kunst“ den Artikel „Bemerkungen über die neueste preußische Zensurinstruktion“ und für die von der Bourgeoisie gegründete „Rheinische Zeitung“ seine Artikel „Debatten über die Preßfreiheit“, „Das philosophische Manifest der historischen Rechtsschule“, „Debatten über das Holzdiebstahlsgesetz“, „Der Ehescheidungsgesetzentwurf“. Friedrich Engels publiziert anonym in Leipzig „Schelling und die Offenbarung", eine Verteidigung der mit seinen verhaltenen Folgerungen nicht übereinstimmenden freisinnigen Prinzipien Hegels und der unerbittlichen Vernunftskritik der Linkshegelianer.

1843

Der Junghegelianer Edgar Bauer publiziert in Berlin „Der Streit der Kritik mit Kirche und Staat"; die Gesamtauflage dieser völlige Freiheit und wirkliche Gleichheit fordernden Schrift wird konfisziert und ihr Autor zu Festungshaft in Magdeburg verurteilt, aus der ihn erst die Märzrevolution 1848 befreit. Ludwig Feuerbach publiziert „Vorläufige Thesen zur Reformation der Philosophie" und „Grundsätze der Philosophie der Zukunft", worin er Hegels Philosophie als Vollendung der neueren Philosophie charakterisiert und zugleich deren materialistische Negation fordert und beginnt. Moses Heß, befreundet mit Marx und Engels und erster Kommunist in der Partei der Junghegelianer, publiziert in der Schweiz mehrere Artikel zur Begründung des philosophischen Kommunismus. Karl Marx studiert im Sommer die Geschichte der französischen Revolution sowie die Werke von Montesquieu und Rousseau; er schreibt einen materialistisch-kritischen Kommentar zu den §§ 260–313 der „Grundlinien der Philosophie des Rechts" von Hegel.

1844

Gewaltsame Niederwerfung des Weberaufstandes in Schlesien, der ersten Erhebung des deutschen Proletariats gegen die Bourgeoisie, durch Militär und Justiz. Karl Rosenkranz, Althegelianer, veröffentlicht in Berlin die erste Biographie Hegels. Marx publiziert in Paris einen proletarisch-revolutionären Artikel „Zur Kritik der Hegelschen Rechtsphilosophie. Einleitung". Die damit angekündigte Auseinandersetzung mit der Gesellschafts-, Staats- und Rechtsphilosophie Hegels und der Junghegelianer vollzog Marx, später in Gemeinschaft mit Engels, in den sogenannten Ökonomisch-philosophischen Manuskripten (1844), in „Die heilige Familie, oder Kritik der kritischen Kritik" (1844/45) und in „Die deutsche Ideologie" (1845/46): „Meine Untersuchung mündete in dem Ergebnis, daß Rechtsverhältnisse wie Staatsformen weder aus sich selbst zu begreifen sind noch aus der sogenannten allgemeinen Entwicklung des menschlichen Geistes, sondern vielmehr in den materiellen Lebensverhältnissen wurzeln, deren Gesamtheit Hegel nach dem Vorgang der Engländer und Franzosen des 18. Jahrhunderts, unter dem Namen ,bürgerliche Gesellschaft' zusammenfaßt, daß aber die Anatomie der bürgerlichen. Gesellschaft in der politischen Ökonomie zu suchen sei" (MEGA, II/2, S. 100).

II

Entstehung

Der äußere Vorgang ist schnell erzählt. Endlich Ordentlicher Professor geworden, kündigte Hegel erstmals in seinem dritten Heidelberger Semester, im Winterhalbjahr 1817/1818, „Naturrecht und Staatswissenschaft" als Vorlesung an, sechsmal wöchentlich jeweils von 10–11 Uhr nach Diktaten zu halten. Hier in Heidelberg begann also die Ausarbeitung der „Grundlinien der Philosophie des Rechts", die sich in ihrem zweiten Titel „Naturrecht und Staatswissenschaft im Grundrisse" nannten. Er sei erst ein angehender Universitätsprofessor, schreibt der 47jährige Hegel am 11. Dezember 1817 seinem Freund und Förderer Niethammer, und habe die Wissenschaften, die er vortrage, eigentlich erst zu machen. Wir dürfen annehmen, daß es sein in Heidelberg „gemachtes" Manuskript, sein paragraphierter Vorlesungsleitfaden war, den Hegel genau ein Jahr später seiner ersten Berliner Vorlesung Ius naturae et civitatis, Naturrecht und Staatswissenschaft, zugrunde legte, und daß es dieses inzwischen gewiß angereicherte Regiebuch seiner Vorlesung war, das Hegel als Grundstock für die Ausarbeitung seines schließlichen Lehrbuches benutzte, von dem er am 26. März 1819 an Niethammer schrieb, daß er es ausarbeiten „soll", und von dem er bereits sieben Monate später, am 30. Oktober Friedrich Creuzer mitteilt, daß er eben anfangen wollte, es drucken zu lassen. Demgemäß hatte er seine Winter-Semester-Vorlesung von 1819/20 „Naturrecht und Staatswissenschaft oder die Philosophie des Rechts" mit dem Hinweis „nach Anleitung seines demnächst erscheinenden Leitfadens" angekündigt.

„Demnächst" – das hieß: zur nächsten Leipziger Messe. Wir kennen zwar den Verlagsvortrag nicht, nur die Andeutung Hegels[1]), aber das in Berlin gültige Allgemeine Landrecht für die Preußischen Staaten von 1794 hat die damals verlagspraktische Dominanz der Leipziger Messe in den Gesetzestext aufgenommen (ALR, Teil 1, Titel 11, § 1002), so streng waren damals die Bräuche. „Demnächst" erschien aber Hegels Leitfaden – *nicht*. Wie seinerzeit in Kants Vorhaben, seine seit längerem geplante Rechtslehre abzuschließen[2]), die französische Revolution einschlug, schlug in Hegels Plan, wenigstens seine Studenten mit einem rechtsphilosophischen Grundriß zu versehen, die deutsche Konterrevolution ein. In beiden Fällen mit verzögernder Wirkung, was den Erscheinungstermin des Buches anlangt; was den Inhalt betrifft: im ersten Fall mit konzeptionsfördernder, im zweiten Fall mit konzeptionsdeformierender Wirkung.

Jedenfalls stellte Hegel die Übergabe des druckfertigen Manuskripts seiner Rechtsphilosophie an seinen Verleger zurück, als der gezielte Schlag der Feudalreaktion: die Karlsbader Beschlüsse, also der Terror von oben gegen den Fortschritt (einschließlich vereinzelten Terrors) von unten, in die Wirkungsbedingungen von Philosophie und Wissenschaft grundlegend eingriff. Die Ermordung des für 15000 Rubel Jahresgehalt tätigen zaristischen Spions, des Hetzjournalisten August von Kotzebue durch den Jenenser Theologie-Studenten Karl Ludwig Sand hatte insbesondere Österreich und Preußen den gewünschten Anlaß gegeben, dem ganzen Deutschen Bund Unterdrückungsgesetze zu oktroyieren. Die von Friedrich Gentz und Adam Müller ausgekochten, von Österreichs Staatskanzler Fürst von Metternich begierig aufgegriffenen Vorschläge – Verbot der Burschenschaften, Epuration von Professoren, Kuratel für Universitäten, Zensur für Zeitungen, Journale und Bücher, Etablierung einer gesamtdeutschen Untersuchungs- und Verfolgungsbehörde gegen revolutionäre Um-

---

[1] Vgl.: *Hegel/Briefe*, 2/213.

[2] Vgl.: I. Kant: Gesammelte Schriften (Akademie-Ausgabe), Bd. 23, Berlin(West) 1955, S. 495; M. Buhr/T. Oiserman (ed.): Revolution der Denkart oder Denkart der Revolution, Berlin 1976, S. 164f.

triebe – zielten ins Zentrum der Pflanzstätten und Verbreitungsmittel kritischer Gedanken: zwar gebe es keine elenderen Konspirateurs als es die verblödeten Professoren sind, schreibt das organisatorische Oberhaupt der Restauration in Mitteleuropa[3]), denn Gelehrte verstünden nur gegen *Sätze*, nicht gegen *Dinge* zu konspirieren und schon gar nicht *Institutionen* umzustürzen (das Geschäft betriebe die Advokatenkaste), aber auf den Universitäten bildeten sich ganze Generationen von Revolutionärs, wenn dem Übel nicht Schranken gesetzt würden.

Diese Schranken wurden im August 1819 in Karlsbad, wohin Österreich einige „zuverlässige" Staaten eingeladen hatte, von Ministerkonferenzen im Detail ausgearbeitet, am 20. September vom Deutschen Bundestag unter preußisch-österreichischem Druck legalisiert und am 18. Oktober in Berlin publiziert. Genau dort wollte zu genau diesem Zeitpunkt also Hegel seine „paar Bogen §§ über Rechtsphilosophie ... eben anfangen drucken zu lassen, als die Bundestagsbeschlüsse ankamen. Da wir jetzt [wissen,] woran wir mit unserer Zensurfreiheit sind, werde ich [sie] jetzt nächstens in Druck geben"[4]).

„Nächstens" – das waren neun Monate! Denn erst im Juni 1820 übergibt Hegel das Manuskript seiner *Rechtsphilosophie* in zwei Hälften Verlag und Zensor.[5]) Denn Hegels Buch, wiewohl 381 Seiten, also 24 Druckbogen stark, unterlag der Zensur. Mit den durch Plenarbeschluß des Deutschen Bundestages angenommenen Universitäts- und Pressegesetzen, ausgegoren in Karlsbad, wurde nämlich in Preußen eine zusätzlich verschärfende Durchführungsbestimmung, das Zensur-Edikt vom 18. Oktober 1819 publiziert[6]). Dieses Edikt unterstellte alle

---

[3] Fürst v. Metternich am 17. Juni 1819 an Gentz, in: F. Gentz, Staatsschriften und Briefe, Bd. 2, München 1921, S. 189f.

[4] *Hegel/Briefe*, 2/220 (30. Oktober 1819).

[5] Das ergibt sich aus einem Brief Hegels vom 9. Juni 1820 an die Nicolaische Buchhandlung, abgedruckt in: Hegel-Studien, Bd. 7, Bonn 1972, S. 100.

[6] Vgl.: Verordnung, wie die Zensur der Druckschriften nach dem Beschluß des deutschen Bundes vom 20. September d. J. auf fünf Jahre einzurichten ist, 18. 10. 1819, in: Gesetz-Sammlung für die Königlichen Preußischen Staaten, Berlin 1819, Nr 20. S. 224ff. Vgl.: Die Analyse der preußischen Zensur-Edikte von

Druckschriften ohne Ausnahme (d. h. auch die früher privilegierten Publikationen der Akademie und die über 20 Bogen starken Schriften) der Vorauszensur; der Artikel 2 aber versprach keine ernsthafte und bescheidene(!) Untersuchung der Wahrheit zu hindern. Vorsitzender des Oberzensurenkollegiums wurde ein gewisser Grano, dessen Fähigkeit, das Verfolgungsmetier mit dem Eifer eines Schweißhundes zu betreiben, nur von seiner Dümmlichkeit übertroffen wurde, was ihn buchstäblich weltberühmt machte; jedenfalls bescheinigte ihm das Hegel in einer ungehemmt pietätlosen Nekrolog-Bemerkung.[7])

Wir besitzen weder Hegels (nicht abgeliefertes) Buchmanuskript vom Oktober 1819 noch das (abgelieferte) vom Juni 1820. Aber wir dürfen wohl annehmen, daß er die Urfassung, den Archetyp seiner *Rechtsphilosophie* vom Oktober 1819 weniger deshalb zurückbehielt, um sie der nagenden Kritik der Mäuse auszuliefern, als vielmehr sie den objektiven Publikationsbedingungen der Preußen anzupassen. Immerhin hat er sich am 15. Dezember, die Quittung ist erhalten geblieben[8]), von seinem Verleger ein Abschlagshonorar von 60 Talern auf das „zu edierende Buch über das Naturrecht“ auszahlen lassen. Auch wenn man nicht der Behauptung zu folgen vermag, daß Hegel zwischen März 1819 und Juni 1820 einen politischen Standortwechsel vollzog[9]) ,so darf man wohl annehmen, daß der nun Fünfzigjährige, der „unruhvollen Zeiten des Fürchtens und Hoffens“ müde, sein druckfertiges Manuskript einer Selbstzensur unterworfen, also Streichungen vorgenom-

---

1788–1819–1841 in: *MEGA*, I/1/97, 314. Die Karlsbader Beschlüsse, wie sie durch den Deutschen Bundestag am 20. September 1819 zu Bundesgesetzen erhoben wurden, sind abgedruckt in: Quellen zum Staatsrecht der Neuzeit, Bd. 1, Tübingen 1949, S. 39ff., dort auch (S. 28) das Gründungsdokument des Deutschen Bundes vom 8. Juni 1815, das übrigens in seinem Artikel 18 die Preßfreiheit versprochen hatte.

7 Vgl.: *Hegel/Briefe*, 3/342.

8 Abgedruckt in: *Hegel/Briefe*, 4/228.

9 So im Ergebnis von Detailuntersuchungen, die durch seine eigene verdienstvolle Herausgeberschaft von Nachschriften Hegelscher Vorlesungen erst ermöglicht wurden, K.-H. Ilting, in: *Hegel/Vorlesungen*, 1/64ff.

men und Ergänzungen – die Vorrede! – angebracht hat, um den jedenfalls schlagenden Argumenten von Zensur und Polizei zu entgehen. Im Sommer 1819 waren drei Vertraute Hegels, darunter sein Assistent, verhaftet[10]); im Sommer 1820 war die gröbste Gefahr vorüber: eine Woche, bevor er die Vorrede zu seiner *Rechtsphilosophie* schrieb, war ihm von seinem Gönner Altenstein die mit 200 Talern Jahresgehalt dotierte Berufung zum Mitglied der wissenschaftlichen Prüfungskommission Preußens übermittelt worden. Drei Wochen später, die *Rechtsphilosophie* sah im Verlag ihrer Drucklegung entgegen, saß er mit Eduard Gans und anderen Freunden aus Berlin, Jena und Heidelberg im Gasthof zum blauen Stern in Dresden beisammen, bestellte einige Flaschen Champagner und ersuchte die Herren, nachdem er ringsum eingeschenkt hatte, zum Gedächtnis des Tages die Gläser zu leeren. „Wir alle“, so einer der Reisebegleiter, sein späterer Leichenredner Friedrich Förster[11]), „taten es, ohne uns sofort der Bedeutung dieses Tages zu erinnern. Befremdend sah Hegel uns an und sagte dann mit erhobener Stimme: ‚Dies Glas gilt dem 14. Juli 1789 – der Erstürmung der Bastille.‘“

Ein Vierteljahr später, Mitte Oktober 1820 aber wurde von der Nicolaischen Buchhandlung zu Berlin die (auf 1821 vordatierte) *Rechtsphilosophie* Hegels ausgeliefert.

III

Widerhall

Selten ist ein rechtsphilosophisches Lehrbuch von den Zeit- und Streitgenossen seines Autors so begierig erwartet worden wie Hegels *Rechtsphilosophie*, aber selten auch reagierten die Wartenden, alles in allem, so enttäuscht, so gereizt, so ver-

---

[10] Vgl.: J. D'Hondt: Hegel in seiner Zeit, Berlin 1973, S. 96ff.

[11] Vgl.: *Hegel/Berichte*, S. 207, 214. Als Hegel wenige Wochen später nochmals in Dresden, wieder im Gasthofe zum blauen Stern, weilte, wurde er polizeilich überwacht (vgl. *Hegel/Briefe*, 2/482).

ärgert, so wütend wie in diesem Fall. Geht man von dem Echo aus, wie es sich in überlieferten Briefen und Stimmungsberichten widerspiegelt, nimmt man die aufgespürten sieben Rezensionen, davon sechs anonym, hinzu, dann war dieses Buch ein Fiasko.

Hegel hatte nicht mit Geschenkexemplaren gegeizt. Aber keiner der so Ausgezeichneten scheint einen substantiellen Dank abgestattet zu haben.[12]) Karl Daub, der mit lebhaftester Freude dem Naturrechtsbuch entgegengesehen hatte, brauchte dann ein volles Jahr nebst einer zarten Mahnung Hegels, bis er einen blassen Dank abstattete. Friedrich Wilhelm Hinrichs bedankt sich bei seinem „innigst geliebten Freund und teuersten Lehrer" für das Exemplar der *Rechtsphilosophie*, über welches sie gleichsam als die Hungrigen hergefallen seien, auch seien die den Heidelberger Buchhändlern geschickten Exemplare an demselben Tage schon vergriffen gewesen und neue hätten bestellt werden müssen und die Juristen würden aus ihrem Traum von den sogenannten Urrechten nebst Urstaaten ganz schön aufgeschreckt werden, und es wäre zu wünschen gewesen, wenn die Anmerkungen etwas reichlicher ausgefallen wären, und besonders habe ihm die antijesuitische, antigesinnungsethische Passage im § 140 gefallen. Das war alles, und es war mehr als die anderen schrieben. Im Dezember 1820 kam noch ein Dankesbrief von F. Roth an mit dem Eingeständnis, daß er den Tenor der Paragraphen nicht verstünde, und sein Schüler aus der Jenenser Zeit van Ghert bedankt sich Anfang Februar 1821 aus Brüssel für das „herrliche Werk", mit seinem „unsterblichen Verdienst", bleibt freilich bei solch allgemeinem Lobe stecken, die angekündigte Rezension scheint er nicht geschrieben zu haben. Hegels guter alter Bekannter Niethammer benutzt die *Rechtsphilosophie* als Reiselektüre, aber auch erst im April 1821 und mehr als den Fakt teilt er nicht mit. Daß Hegel von Staatsminister Altenstein, dem er, wie Staatskanzler Hardenberg, gleich eine druckfrische Ausgabe der *Rechtsphilosophie*, mit einer hintergründigen Widmung, geschickt hatte, erst nach zehn Monaten, im August 1821, eine Antwort erhalten hat, dürfte ihn nicht sonderlich gekränkt haben, schon eher, daß sich auch

---

[12] Zum Folgenden vgl.: *Hegel/Briefe*, 2/235–291.

Nikolaus von Thaden so lange Zeit ließ, ehe er, der Getreuen einer, am 8. August 1821 sein Gewissen bereinigend, sein ungeschminktes Mißfallen über den philosophischen Royalismus einer Lehre kundtat, bei der man nicht wisse, ob sie dem preußischen, russischen oder türkischen Staat auf den Leib geschneidert sei.

Und das war die allgemeine Meinung.[13]) Hegel habe mit seinem Satz von der Vernünftigkeit des Wirklichen die Polizeiwillkür legitimiert, er billige dem Menschen außerhalb des Staates keinerlei Recht zu, er sei ein niederträchtiger Verleumder, er schände den deutschen Gelehrtenstand, er verwechsele den Satan mit dem lieben Gott (meint Friedrich Schlegel), sein metaphysischer Pilz sei nicht in den Gärten der Wissenschaft, er sei auf dem Misthaufen der Kriecherei gewachsen (meint Friedrich Jakob Fries).

Auch die Rezensionen der *Rechtsphilosophie* waren weder im Guten noch im Bösen ermutigend.[14]) Gustav Ritter von Hugo, der als einziger mit vollem Namen zeichnete, begab sich in einen kleinlichen Clinch mit Hegel; da kann keiner der Kontrahenten Profil behalten. Die anderen Rezensenten, ob der nicht unbedeutende Philosoph Herbart, ob der Theologe und gewesene Freund Hegels Paulus, ob die Juristen Zachariae und Collmann, monierten die Vermischung der philosophischen mit der polizeilichen Funktion, die sie aus der *Vorrede* herauslasen, warfen die rhetorische Frage auf, in welchem Land denn eigentlich deren Autor seinen politischen Tanz zu halten gedenke, attackierten den Philosophen, der sich nach allem akkomodiere, es sich nie mit der Gegenwart verderbe, stets das für Recht erkläre, was durchgesetzt werde und diejenigen verlästere, die sich weigerten, das Sollen auf das Sein zu reduzieren; sie stießen sich an den Kraftausdrücken („aufgekochter Kohl"), die zu sublimieren Hegel sich keine Mühe gegeben hatte, plakatierten ihn als verworrenen und verwirrenden Mystiker, von dem sich weder für die Philosophie noch für die Praxis des Rechts auch nur irgend ein Vorteil erwarten lasse: was könne der

---

[13] Zum Folgenden vgl.: *Hegel/Berichte*, S. 205, 211, 220, 221, 227.

[14] Abdruck aller Rezensionen in: *Hegel/Materialien*, 1/53–206, sowie in: *Hegel/Vorlesungen*, 1/358–560.

Staat von den künftigen Geschäftsmännern erhoffen, die ihre Kenntnisse auf solch ein Fundament stellten, was von den Jünglingen sich versprechen, die in den leeren Begriffsspielereien der Dialektik irgendeine Wahrheit und Weisheit wähnten?!

Der Widerhall (Hegel, am 9. Mai 1821 an Daub: ich habe saure, wenigstens stumme Gesichter gegen mich zu sehen gehabt) belegt: die Zeitgenossen der *Rechtsphilosophie* Hegels waren – bis auf die Handvoll Ausnahmen, auf die noch zurückzukommen sein wird – überfordert. Sie mißverstanden ein Jahrhundertwerk als tagespolitisches Pamphlet, sie übten (größtenteils berechtigte) Oberflächenkritik, sie bemerkten den Maulwurf nicht, der am Werke war, sie ahnten nicht, wie tief der Atem geholt sein muß, wenn man auf dem langen Marsch nach vorn ist. Wer mit den überlegten Mitteln des Geistes gegen die überlegnen Mittel der Macht zu Felde zieht, läuft, zumal wenn keine revolutionäre Gesellschaftsklasse existiert, stets Gefahr, in die Zwielichtzone der Zwischenfront zu geraten. Im Falle Hegels erwies sich freilich an den Zeitzündern, die er gelegt, recht rasch, daß Resonanz einer Rechtsphilosophie nicht für ihre Wirkung gehalten werden darf und jedenfalls nicht unbedingt ihren Inhalt widerspiegelt.

Der Kontrast zwischen unmittelbarem Widerhall und späterer Wirksamkeit hilft auch die Frage zu beantworten, welcher Ausgabe der *Rechtsphilosophie* Authentizität zukommt. Nun scheint das keine wirkliche Frage zu sein. Immerhin gibt es kein Indiz, daß Hegel mit der laut Druckangabe 1821 erschienenen (und zu seinen Lebzeiten einzigen) Auflage seines Werkes nicht einverstanden gewesen wäre. Erhalten gebliebene Widmungsbriefe zu den von ihm verschenkten Exemplaren enthalten weder Töne noch Untertöne kritischer Distanz zum Text.

Drei Gründe sind es, die den Text der *Rechtsphilosophie*, wie ihn die „Freundesvereinsausgabe" von 1833 bietet, als geeigneter gegenüber der Ausgabe von 1821 erscheinen lassen.

a) Der *wissenschaftliche* Grund: Wie auf dem Titelblatt der Erstauflage vermerkt, hat Hegel sein Buch „Zum Gebrauch für seine Vorlesungen" publiziert. Damit stand er in alter deutscher Universitätstradition. Auch auf den Titelblättern von Publikationen des Christian Thomasius kann man ein „Zum Gebrauch des Thomasianischen auditorii“ finden. Als Hegel im Sommersemester 1805 in Jena eine Naturrechtsvorlesung ankündigte, fügte er ein „nach seinem Lehrbuche“ hinzu.[15]) Nun sind wir über die Hegelsche Vortragsweise bestens unterrichtet: er las den Text eines Paragraphen ganz oder abschnittsweise vor und gab dann in freier Rede Erläuterungen. Der Drucktext ist also nur die halbe Wahrheit Hegels. Hegel wußte auch, daß von seinen Vorlesungen Nachschriften existierten, er vermittelte sogar deren Bezug.[16]) Insofern bietet die von Eduard Gans besorgte Edition der *Rechtsphilosophie* von 1833, in der mit Zustimmung aller Herausgeber der Freundesvereinsausgabe[17]) aus Vorlesungsnachschriften Ergänzungen in den im übrigen vollständig wiedergegebenen Hegel-Text eingearbeitet worden sind, eine angemessene Wiedergabe des von Hegel tatsächlich in Schrift und Wort Gebotenen.

b) Der *wissenschaftspolitische* Grund: Da Hegels Buch der Zensur unterlag, finden wir in den von Gans eingefügten Zusätzen – man vergleiche etwa die Partien über die Heilige Allianz, über die Geschworenengerichte und über die Stellung des Monarchen – Äußerungen, die Hegel zu sagen, zu drucken aber sich nicht getraute.

c) Der *wissenschaftshistorische* Grund: Die weltgeschichtliche Wirkung ging von der Freundesvereinsausgabe aus, mit ihr arbeiteten, darauf ist zutreffend hingewiesen worden[18]), Feuerbach, Marx, Engels, Lenin.

---

[15] Vgl.: *Hegel/Briefe*, 4/1, S. 84.

[16] Vgl.: Hegel: Brief vom 19. Januar an Franz von Baader, in: Hegel-Studien, Bd. 2, Bonn 1963, S. 109. Vgl. auch *Hegel/Briefe*, 2/205.

[17] Vgl.: *Hegel/Briefe*, 4/1, S. 132b, § 3.

[18] W. R. Beyer, in: Deutsche Zeitschrift für Philosophie, Jg. 5, Berlin 1957, S. 501. Vgl.: Engels in *MEW*, Ergänzungsband 2, S. 175: Die Herausgabe der Freundesvereinsausgabe, besonders der Vorlesungen, machte eine unermeßliche Wirkung.

IV

Inhalt

Es kann hier nicht, natürlich nicht, der Gedankengehalt der 360 Paragraphen samt der Vorrede, auf Auswendigzulernendes verdichtet etwa, wiedergegeben werden. Aber gesagt werden soll wenigstens, was Hegels Text *nicht* ist.

1) Seine *Rechtsphilosophie* ist keine *Juristen*philosophie. Sie will keine schmalbrüstige Fakultätsideologie nebst Methodenlehre für Gesetzgebung und Rechtsanwendung, kein intellektuelles Handwerkszeug alleinig für die forensische Praxis von Anwälten und Richtern liefern. Hegel bietet hier vielmehr den relativ selbständigen Teil einer Wissenstotalität. Er erfaßt in diesem Werk die Gesamtproblematik der Gesellschaft. Anthropologie, Psychologie, Ethik, Pädagogik, Politische Ökonomie, Soziologie und Geschichte haben hier ebenso ihre Heimstätte, ihre weltanschauliche Verortung gefunden wie die Rechts- und die Staatswissenschaft.

2) Dabei handelt es sich nicht um ein eklektisches Nebeneinander verschiedener Wissensgebiete. Kindererziehung und Verbrechensbekämpfung, Religion und Moral, Staat und Kirche, Freiheit und Geschichtsepochen, Gesetzesrecht und Richterrecht, Armut und Reichtum, Pressefreiheit und Meinungsmanipulation, Persönlichkeitsentwicklung und Staatsstruktur, Reform und Revolution – die Grundprobleme aller gesellschaftswissenschaftlichen Disziplinen finden in Hegels Rechtsphilosophie ihre Erörterung, und zwar in ihrem systematischen Zusamenhang. In keinem anderen der großen rechtsphilosophischen Systeme verweist ihr Autor so häufig auf andere Partien und Paragraphen ebendieses Werkes, so bis zur Penetranz den inneren Zusammenhang des Ganzen als notwendig hervorstreichend, und bei keinem anderen wird so häufig auf die übrigen Arbeiten des Autors verwiesen, so die nur *relative* Selbständigkeit der Sozialphilosophie innerhalb der Gesamtphilosophie betonend: das Ganze ist ja für Hegel erst das Wahre, das durch seine Entwicklung sich vollendende Wesen, die sich entfaltende gegliederte Totalität.[19]) Das

[19] Vgl.: *Hegel/Phänomenologie*, S. 21; *Hegel/Enzyklopädie*, § 14.

macht den Zugang zu Hegels *Rechtsphilosophie* so schwer (ist man aber erst mal drin, um so vielfältiger wird der Genuß), daß man Recht, Moralität und Sittlichkeit, den dreigeteilten objektiven Geist also, nur als in die Mitte gestellt zwischen den subjektiven und den absoluten Geist, nur als aufgetürmt auf die Natur, nur als begrifflich komponiert von der reinen Idee begreifen kann. Rechtsphilosophie, als Philosophie des objektiven Geistes, ist nur in ihrer Einbettung in die des subjektiven und des absoluten Geistes, mit denen zusammen sie die Philosophie der Natur ergänzt und in der das mit der Logik, dem Reich der reinen Vernunft, begonnene System des Ganzen gipfelt, intellektuell nachzuvollziehen.

Es ist also keine leichte Kost, die Hegel serviert, fürs Gefühl und Gemüt ohnehin nichts, es ist, in der Metapher seines widerwilligsten und zugleich glühendsten, seines dankbarsten und daher zugleich undankbarsten Adepten[20]), eine *groteske Felsenmelodie*, die hier komponiert worden ist, zum Mitsingen ungeeignet, aber zum Nach- und Kontradenken geschaffen wie keine zuvor.

3) Wiewohl Hegel seine *Grundlinien der Philosophie des Rechts* im gleichberechtigten Nebentitel auch als *Naturrecht und Staatswissenschaft im Grundrisse* bezeichnet (auch seine dementsprechenden Vorlesungen unter Ius naturae et civitatis, i. e. philosophiam iuris, als Naturrecht und Staatswissenschaft oder die Philosophie des Rechts angekündigt) hatte, um ein *Naturrechts*lehrbuch im landläufigen Sinne, wie es die Leipziger Messen damals jährlich ausspuckten, handelte es sich wahrlich nicht: an den Fingern einer Hand kann man abzählen, wie oft Hegel in seinem Naturrechtsgrundriß auch nur das *Wort* Naturrecht benutzt hat, einmal, im § 254, spricht er sogar vom *sogenannten* natürlichen Recht.

Die Gegenüberstellung, auch Entgegensetzung von gesetztem und natürlichem, von positivem und Naturrecht war alteuropäisches Gedankengut. Die Vorsokratiker kannten es, Aristoteles selbst legte es seiner Rechtstheorie zugrunde: das Recht sei teils Natur-, teils Gesetzesrecht, und das Naturrecht sei von höherem Rang.[21]) In immer prinzipieller werdender

---

[20] *MEGA*, III/1, S. 17.

[21] Vgl.: Aristoteles: Magna Moralia, 1194b, Berlin 1973, S. 38.

Auseinandersetzung mit dem heilig-heilen Weltbild des Mittelalters, nach dem das Diesseits von Gesetzen regiert wird, die das Jenseits erlassen hat, das staatlich-positive Recht also als irdischer Abglanz göttlich-natürlichen Rechts gerechtfertigt erscheint, hatten die Grotius, Hobbes, Pufendorf, Rousseau und Kant und Fichte Gesellschaftstheorien entwickelt, in denen vom positiven Recht erwartet wurde, daß es sich gefälligst dem vernunftgezeugten, sich aus der immergleichen Interessenstruktur der Individuen ergebenden natürlichen Recht, einem unveränderlichen a-priori-Kodex absoluter Rechtsgrundsätze, anzupassen habe, die jeden einzelnen in die staatlich organisierte Gemeinschaft mit seinesgleichen zwingen und dieser Gemeinschaft als Fundamental-, als Menschenrechtskatalog dienen. Die revolutionären Potenzen dieser Auffassung sind bekannt.

Aber die rationale Gestaltung von Natur und Gesellschaft mittels eines „Monotheismus der Vernunft" (Hölderlin), wie sie Hegel betrieb, blieb nicht auf halbem Wege stehen. In seiner Totalitätskonzeption, einer auch dem Wortsinn nach *Welt*anschauung, blieb für einen Dauerdualismus von positivem und transpositivem Recht, verbunden bestenfalls durch ein sich bloß im moralischen Standpunkt herumtreibendes *Sollen* (vgl. § 135), kein Raum. Denn die Unterscheidung zwischen angeborenen und erworbenen Rechten, zwischen einem aus *Vernunft*begriffen abgeleiteten kosmopolitischen *Natur*recht und einem sich aus den Tatsachen der *Geschichte* ergebenden und daher bei jeder Nation verschiedenen *positiven Recht*, wie sie etwa in zeitgleicher Konkurrenz zu Hegel an Berlins Juristenfakultät von Theodor Schmalz (laut Vorlesungsverzeichnis: nach seinem Lehrbuch) vorgetragen wurde[22]), lief darauf hinaus, das Rationale als unhistorisch, das Historische aber als unrational hinzunehmen. Hegel jedoch vermochte nicht, sich mit der Zwiespältigkeit eines objektiven Gesetzen gemäßen Vernunftrechts einerseits und eines sich aus subjektiver Willkür ergebenden Verstandesrechts andererseits, mit einem Dualismus von Philosophie und Geschichte, von autoritäts-

---

[22] Vgl.: Th. Schmalz: Handbuch der Rechtsphilosophie, Halle 1807, S. 64, 93. Zu Schmalz, dem ersten (ernannten) Rektor von Berlins Universität vgl.: *Hegel/Briefe*, 2/263, 385.

entstammendem Gesetz und vernunft-begründetem Recht abzufinden. In einem (im § 258 konzentriert sichtbaren) Zweifrontenkrieg attackiert er sowohl die unhistorischen Naturrechtler (ohne zu leugnen, daß er auf ihren Schultern steht) als auch die unvernünftigen Historischrechtler (von denen kein Stück Brot genommen zu haben zu seinem Selbstverständnis gehört).

Indem Hegel das Recht wie das Denken über das Recht in den Strom der Geschichte bettet, ermöglicht seine Rechtsphilosophie, das Ewige im Gegenwärtigen, die objektive Gesetzmäßigkeit auch in der subjektiven Rechtmäßigkeit, der Gesetzlichkeit, zu suchen. Dadurch aber wird Rechtswissenschaft auch als Wirklichkeitswissenschaft möglich, als Analyse kausaler Zusammenhänge innerhalb der Gesellschaft, als Analyse qualitativen und quantitativen Funktionswandels des Rechts, als Philosophie und als Soziologie. Die methodischen Konsequenzen der Kritik Hegels an den „antisozialistischen" Naturrechtssystemen[23]), die das Sein des einzelnen als Erstes und Höchstes setzen, die das Allgemeine in die Atome absolut gesetzter Individuen zersplittern und nur auf Vertragsbasis zueinander finden lassen, gehen konform mit seiner Auffassung, daß das Recht Produkt und Vehikel einer widersprüchlichen, einer, wenn auch vom Weltgeist komponierten, so doch vom Menschen gemachten Gesellschaftsentwicklung ist. Damit wird es auch möglich, die Frage nach den reflexiven Eigenschaften des Rechts aufzuwerfen. Auch wenn Hegel diese Frage völlig verkehrt, eben idealistisch beantwortet hat, von ihm ab wird die historische, die genetisch-funktionale Betrachtung des Rechts zum unverlierbaren Element der Rechtswissenschaft, wird Rechtswissenschaft zur Gesellschaftswissenschaft.

Das aber bedeutet mitnichten, einem außerhalb des positiven Rechts liegenden Bewertungsmaßstab für die Legitimierung oder die Illegitimierung dieses Rechts zu entsagen. Die Auffassungen der Haller, Hugo und Savigny hat Hegel auch deswegen angegriffen, weil mit ihnen der bestehende Rechtszustand gerechtfertigt wurde.[24]) Alle Phänomene zu historisieren

---

[23] Vgl.: *Hegel/Werke*, 2/454; 3/355; 8/207; *Hegel/Rechtsphilosophie*, § 258.

[24] *Hegel/Homeyer*, S. 232. Vgl.: J. Kuczynski: Studien zu einer

heißt schließlich sie in ihrer geschichtlichen, also vorübergehenden Berechtigung, also auch in ihrem berechtigten Zugrundegehen darzustellen.

Gerade auch hierauf zielt übrigens Hegels mehr zitierte als begriffene Formel von dem Vernünftigen, das wirklich, und dem Wirklichen, das vernünftig ist. Zum unsittlichsten Satz der Menschheitsgeschichte ist diese Zuspitzung aus der *Vorrede* zur *Rechtsphilosophie* inzwischen erklärt worden[25]), den Hegel in Vorlesungen gelegentlich mit „was vernünftig ist, wird wirklich, und das Wirkliche wird vernünftig" verdeutlichte. Als ob Hegel, der ungeachtet der wechselseitigen Verehrung zwischen ihm und seinem Minister fürchtete, daß seine *Rechtsphilosophie* möchte verboten werden, als ob Hegel, dessen Assistenten verhaftet wurden, der gewisse seiner Briefe zu vernichten anwies und seiner Frau untersagte, über Politik an ihn zu schreiben, als ob dieser Hegel nicht auch von der heimlichen Freiheit der Einsamkeit im damaligen Berlin gezehrt, als ob er nicht gewußt hätte, daß das Dasein im Restaurations-Deutschland *auch* geist- und haltungslose Existenz (§ 138) zuhauf bedingte, daß für das Preußen seiner Zeit *auch* der andere Satz galt: die Welt, so ungetrübt von Wirklichkeit und von Vernunft wie hierzulande . . .

4) Hegels *Rechtsphilosophie* widerspiegelt nicht, im Guten nicht und im Schlechten nicht, die preußische Realität von 1820. Daß sie zum Zeitpunkt ihres Erscheinens primär als politisches Pamphlet (das sie *auch* war) verstanden, und daher mißverstanden, wurde, ist verzeihlich. Daß aber auch heutzutage noch die meistdiskutierte Frage der bürgerlichen Interpretation von Hegels Sozialphilosophie[26]) darin besteht, ob

---

Geschichte der Gesellschaftswissenschaften, Bd. 6, Berlin 1977, S. 161; Bd. 9, Berlin 1978, S. 196.

[25] Vgl.: K. Hiller, in: G.-K. Kaltenbrunner (ed.): Hegel und die Folgen, Freiburg 1970, S. 167. Über den revolutionären Sinn dieses Satzes vgl.: A. Piontkowski: Hegels Lehre über Staat und Recht, Berlin 1960, S. 68–86 sowie Anmerkung 27 zur Vorrede von *Hegel/Rechtsphilosophie*.

[26] So die – leider zutreffende – Behauptung von H. Ottmann: Hegels Rechtsphilosophie und das Problem der Akkomodation, in: Zeitschrift für philosophische Forschung, Jg. 33, Meisenheim 1979, S. 228.

ihr von Haus aus liberaler Verfasser sich an die Restauration angepaßt und seine wirklichen Auffassungen bloß kaschiert oder ob er einen tatsächlichen politischen Positionswechsel vollzogen und seine eigenen Prinzipien verraten habe, indiziert vor allem die Unangemessenheit, um hegeldeutsch zu sprechen: die Seichtigkeit dieser Art von Rezeption. Ob Machiavelli ein Machiavellist gewesen, ob Luther vor Bauernangst ein Fürstenknecht, ob Hobbes für Cromwell oder Charles II geschrieben, ob Hegel infolge Metternichs, Zar Alexanders und Preußens Oberdemagogenriecher Kamptz seine Meinungen oder bloß seine Meinungsäußerungen geändert hat – das alles ist für die *Sozial*geschichte der Wissenschaft nur insoweit von Bedeutung, als zu deren Elementen die *Personal*geschichte der Wissenschaft gehört: für den realen Fortschrittsprozeß menschlicher Erkenntnis ist es ziemlich gleichgültig, ob John Locke Aktionär einer Sklavenhandel betreibenden Gesellschaft war und ob er deshalb dem Sklavereiproblem eine so ambivalente Funktion in seinen „Two Treatises of Government" zuwies. Die Absichten hinter den Einsichten sind nämlich nur die subjektive Seite eines wegen seiner Objektivität über das Individuelle hinaus gesellschaftlich höchst relevanten Prozesses. Die Absichten sind auch nicht die Ursache der Einsichten.

Im Falle Hegels läßt sich ernsthaft weder leugnen, daß er seinen Tribut an Preußens Polizeiknute zu zahlen bereit war in der Hoffnung, daß ihn „höchstens ein paar Tropfen eines Streifregens treffen" (Brief vom 9. Juni 1821 an Niethammer), noch läßt sich bestreiten, daß sich seine *Rechtsphilosophie* als bloßes Barometer Berliner Zustände von 1820 zwischen Kupfergraben, Linden und Königsschloß angemessen so gut wie gar nicht erfassen läßt.

Was den Anpassungstribut betrifft, so besteht er entgegen landläufiger Meinung mehr noch in dem, was Hegel zu attakkieren unterläßt, als in dem, was er zu legitimieren sich erlaubt – obwohl er sogar einmal, dem Fürsten zuliebe, die geheiligte Trichotomie der Dialektik umdrehend mit der Synthese beginnt, auf die er dann Antithese und These folgen läßt[27]), obwohl seine Deduktion der Erblichkeit des Monar-

---

27 Darauf machte als erster aufmerksam K.-H. Ilting: The

chenpostens (§ 286) zum Einfältigsten gehört, was zu diesem Problem je geschrieben wurde, und so weiter und so fort.

Was das Widerspiegelungs*objekt* anlangt, so gibt es zwei schlagende Beweise dafür, daß nicht Preußens Realität und Heilige Allianz mit Rußland es waren, die sich einer substanziell zustimmenden Reflektion in der *Rechtsphilosophie* erfreuen durften:

a) Seitdem Hegel anfing zu kommentieren, zu kritisieren, zu philosophieren, zu publizieren ist sein Erkenntnisinteresse primär von den Gesellschaftsproblemen seiner Zeit (aber nicht bloß seines jeweiligen Landes) induziert worden, sich sichtbar widerspiegelnd, die Chronologie weist es aus, in dem kontinuierlich fließenden Strom einschlägiger Manuskripte und Publikationen. Der im tieferen Sinn tatsächliche Ausarbeitungsprozeß seiner *Rechtsphilosophie* begann nicht 1817 in Heidelberg, als er endlich Ordinarius geworden war, schon gar nicht in Berlin, als er die Karlsbader Beschlüsse zu verdauen hatte, also weder im Preußischen noch im Badischen. Seit seiner ersten (anonymen, staatsrechtliche Probleme behandelnden) Veröffentlichung von 1798[28]), seit seinem (nicht erhalten gebliebenen) kritischen Kommentar zur Rechtsphilosophie Immanuel Kants aus dem gleichen Jahr[29]) hat Hegel, nachdem er sich in den fünf Jahren zuvor in umfangreichen Manuskripten von seinen Vorgängern „freigedacht" hatte[30]), in

---

Structure of Hegel's ‚Philosophy of Right', in: Z. A. Pelczynski (ed.): Hegel's Political Philosophy, Cambridge 1971, p. 106. Über die prinzipielle Kluft zwischen „Logik" und „Rechtsphilosophie" vgl.: M. Theunissen: Sein und Schein. Die kritische Funktion der Hegelschen Logik, Frankfurt/M 1978, bes. S. 472f.

[28] Vgl.: *Hegel/Werke*, 1/225–267. Vgl. auch, ebenda S. 268–273, den erhalten gebliebenen Rest eines Manuskripts vom gleichen Jahr über die Magistratsverfassung Württembergs.

[29] Vgl.: K. Rosenkranz: Hegels Leben, Berlin 1844, S. 87. Rosenkranz hat Hegels Kritik an Kants Rechtsphilosophie zu einem Zeitpunkt noch in den Händen gehabt, als Marx seine Kritik an Hegels Rechtsphilosophie bereits niedergeschrieben hatte.

[30] Vgl.: Der junge Hegel in Stuttgart (ed.: F. Nicolin), Stuttgart 1970; Dokumente zu Hegels Entwicklung (ed.: J. Hoffmeister), Stuttgart 1974; Hegels theologische Jugendschriften (ed.: H. Nohl), Tübingen 1907.

einem immer wieder auch ein Abstoßen von sich selbst einschließenden Produktionsprozeß ohnegleichen seine Sozialtheorie ausgearbeitet, als deren wichtigste Stationen überliefert sind: seine Fragmente zur Verfassungssituation Deutschlands (1799–1803)[31], sein voluminöser Naturrechts-Artikel von 1802/03[32], sein System der Sittlichkeit vom gleichen Jahr[33], seine Philosophien des Geistes innerhalb der Jenaer Systementwürfe von 1803–1806[34], seine Nürnberger Rechtslehre von 1810–1816[35], seine Analyse der Verhandlungen der Ständeversammlung in Württemberg von 1817[36], seine Darstellung des objektiven Geistes innerhalb seiner Enzyklopädien von 1817/1827/1830[37], sein diesbezügliches Hauptwerk, eben die Grundlinien der Philosophie des Rechts von 1820 und schließlich sein von der Zensur halbierter Zeitungsartikel über die englische Reformbill aus seinem Todesjahr.[38])

Georg Lukacs hat vollständig recht, wenn er ausgerechnet von dem Satz aus der *Vorrede* zur *Rechtsphilosophie*, von dem schon Hegel sagte[39], er sei berüchtigt *gemacht* worden, und der von allen beschränkten Liberalen als unwiderlegbarer Beweis betrachtet wurde (und wird!), daß sein Autor ein preußischer Positivist, ein reaktionärer Royalist geworden war, wenn Lukacs von dem Satz, daß alles Vernünftige wirklich und alles Wirkliche vernünftig sei, behauptet, er habe in einem allgemeinen Sinn den unbewußten Leitfaden der Gedankengänge Hegels seit seiner Frankfurter Zeit, also seit 1798 etwa, gebildet.[40]) Jedenfalls hat Hegel nahezu alle Probleme seines sozialphilosophischen Hauptwerkes zu einem Zeitpunkt the-

---

31 Vgl.: *Hegel/Werke*, 1/451–610.

32 Vgl.: *Hegel/Jena*, S. 337–427.

33 Vgl.: Ebenda, S. 429–520.

34 Vgl.: Hegel: Gesammelte Werke, Bd. 6 (ed.: Düsing/Kimmerle), Hamburg 1975, S. 265–326; Bd. 8 (ed.: Horstmann), Hamburg 1976, S. 185–287. *Hegel/Realphilosophie*, S. 213–273.

35 Vgl.: *Hegel/Werke*, 4/204–274.

36 Vgl.: *Hegel/Politik*, S. 125–250.

37 Vgl.: *Hegel/Vorlesungen*, 1/136–215; 4/762–903. *Hegel/Enzyklopädie*, §§ 483–552.

38 Vgl.: *Hegel/Politik*, S. 253–294.

39 Vgl.: *Hegel/Werke*, 11/397.

40 G. Lukacs: Der junge Hegel, Berlin 1954, S. 211f.

matisiert und in eine Lösungsrichtung gedrängt, als an eine Übersiedelung nach Berlin nicht im entferntesten zu denken war. Das geschah in Jena zwischen 1802 und 1806!

b) Und wenn auch der Berliner Hegel schon längst nicht mehr Republikaner war wie damals am Tübinger Stift, als Rousseau sein Held war und er wie Hölderlin als Jakobiner galt,[41]) auch wenn er nun Preußen als revolutionsunbedürftigen, auf dem richtigen Wege befindlichen Staat charakterisiert hat, so hat er ihn doch nicht zur leiblichen Gestalt des Weltgeistes hochphilosophiert. Selbst in den konservativsten Partien der *Rechtsphilosophie*, bei der Darstellung der Staatsstruktur, hat er genügend Stachel in das Fleisch der existenten Monarchie gesetzt: er machte sich (§ 281) über das Gottesgnadentum der König lustig (aber der Deutsche Bund, der dadamalige Völkerrechtsverein reaktionärer Potentaten war am 8. Juni 1815 „im Namen der allerheiligsten und unteilbaren Dreieinigkeit" abgeschlossen worden, und Preußens König bezeichnete sich wie seine gesalbten Kollegen in Bayern, Württemberg und anderswo offiziell – und das bis 1918! – als ein solcher von Gottes Gnaden). Er billigte dem Monarchen nur zu (§ 280), den Punkt aufs i zu setzen, ihn so zum abstrakten Ja-Bruder, zum Oberzeremonienmeister des Staates degradierend[42]). Er trat für Ständevertretungen und die Öffentlichkeit ihrer Verhandlungen ein (§ 315), für die Zensurfreiheit von Wissenschaftspublikationen (§ 319), für Geschworenengerichte (§ 228), und letzteres allein wurde von den Restaurationstheoretikern schon als Revolutionsaxiom angegeifert. In einzelnen Punkten gewiß, insgesamt aber gab es, auch in den Resultaten (von den Prinzipien ganz zu schweigen), keine Deckungsgleichheit von Preußens Allgemeinem Landrecht und Preußens hauptstädtischer Rechtsphilosophie.[43]) –

[41] Vgl.: *Hegel/Berichte*, S. 12, 14, 16 sowie Henrich, in: Hegel-Studien, Bd. 3, S. 39.

[42] So lautete der Vorwurf von K. E. Schubardt: Über die Unvereinbarkeit der Hegelschen Staatslehre mit dem obersten Lebens- und Entwicklungsprinzip des Preußischen Staats, Breslau 1839, S. 12. – Übrigens hat auch Theodor Mommsen (Reden und Aufsätze, Berlin 1905, S. 106) sechzig Jahre nach Hegel und ohne ihn zu nennen Deutschlands Kaiser als Punkt auf dem i bezeichnet.

[43] Andere Meinung bei R. K. Hočevar: Hegel und der Preu-

Ungeachtet aller – auch fauler! – Kompromisse mit den herrschenden Zuständen in Preußen-Deutschland, ungeachtet aller – auch unverzeihlicher! – Konzessionen an die Restauration, ungeachtet aller Zipfelmützigkeit, die da und dort und dort einem an der *Rechtsphilosophie* den Appetit verderben können: alles in allem handelt es sich um ein Werk, das als einziges seiner Zeit, auf dem Boden des siegreichen Bürgertums von Europa, die heroische Illusion eines Gesellschafts- und Rechtszustandes, in dem der Mensch seine Daseinsbedingungen mittels seiner Vernunft unter seine Herrschaft gebracht hat, als geschichtlich notwendig konstruiert und in dem zugleich der erfolgreiche Kapitalismus mit seinen wichtigsten Widersprüchen als Menschheitsfortschritt legitimiert wird. Durch die *Rechtsphilosophie* weht der noch nicht kalt gewordene Atem der englischen, der nordamerikanischen, der französischen Revolution. Ihr Autor zählt nicht zu den enttäuschten, für *nach*revolutionäre Verhältnisse eigentümlichen Helden. In seinem Buch wird man vergeblich nach der blauen Blume sentimentaler Träumer suchen, die Rousseau nicht mit Robespierre, Robespierre nicht mit Napoleon, Glück nicht mit Profit zusammenzudenken vermochten. Gewiß war Hegel nicht so radikal wie Fichte, nicht so phantasievoll wie Schelling, bot er nicht so reiches historisches Material wie Herder und nicht so strenge Ableitungszusammenhänge wie Kant. Aber in der Totalitätsvision sich entwickelnder Zusammenhänge war er unübertroffen. Auch wußte er um die Gestehungskosten des Fortschritts. Desungeachtet gab es Resignation für den nicht, der dem Avance-Kommando des Weltgeistes zu parieren bereit war, wohl wissend, daß auch dann der Progreß marschiert, wenn Leute wie er selbst „Schuhpech, das den Riesen festhalten soll“, mit anzuschmieren geholfen haben.[44]

ßische Staat, München 1973, S. 117ff. Vgl. aber die §§ 46 (A 2), 69 (A 3), 99 (A 1), 161 (A 2), 164 (A 1), 215 (A 2), 227 (A 4), 258 (A 7, 262 (A 3), 270 (A 8), 272 (A 6), 287 (A 1), 294 (A 1), 298 (A 2), 299 (A 1), 306 (A 1), 319 (A 2) der *Rechtsphilosophie* Hegels in dieser Ausgabe (A = Anmerkung des heutigen Herausgebers).

[44] Vgl.: *Hegel/Briefe*, 2/86.

Hegels *Rechtsphilosophie* widerspiegelt in der nüchternen Sprache strengster Begrifflichkeit den Epochencharakter ihrer Zeit: die zum Tode verurteilte Feudalität, das, was groß sein kann am Bürgertum, die Widersprüche der bürgerlichen Gesellschaft, den Gegensatz von Reichtum und Armut, die Entfremdung der Arbeit unter den Bedingungen der Arbeitsteilung, den Kampf zwischen Herrschaft und Knechtschaft (ein Kampf auf Leben und Tod), den Knecht, der auf dem Sprunge zum Aufruhr steht, und schließlich den unaufhaltsamen Fakt: „es wird immer revolutioniert".[45]) Die *Rechtsphilosophie* ist ein welthistorisches Werk, und daher wurde ihr Gedankeninhalt auch zu einer conditio sine qua non des künftigen intellektuellen Fortschritts.

V

Wirkung

Also, die wirkliche Wirkung von Hegels *Rechtsphilosophie* vollzog sich über ihre Kritik.

Damit ist nicht etwa die blamable Resonanz bei überforderten Zeitgenossen gemeint, die es nicht verwinden konnten, daß Hegel nicht bereit war, seine alte Streitaxt gegen den Gefühlsphilosophen Fries zu begraben, als der in die Fänge der polizeistaatlichen Berufsverbotsmaschinerie geraten war. Gewiß, Hegels kicking a man already down, wie man es jüngst genannt hat[46]), ist nicht zu rechtfertigen. Aber die verschlungenen Fronten der damaligen Klassenauseinandersetzungen machen den Rigorismus Hegels gegen einen Mann erklärbar, der auf Gefühl statt auf Vernunft, auf Ahndung statt auf Wissen, auf Ekstase statt auf den Begriff setzte, der das mittelalterliche Brimborium der Burschenschaften (samt Mensur und Keuschheit) verteidigte, der aktiver Antisemit war, zu dessen Parteigängern Franzosenfresser zählten, der Privile-

---

[45] So: *Hegel/Griesheim*, S. 660. *Hegel/Rechtsphilosophie*, S. 526.

[46] S. Hook: Hegel and his Apologists, in: W. Kaufmann (ed.): Hegel's Political Philosophy, New York 1970, p. 94.

gien und Partikularismus mit deutscher Eigenart erklärte, der Napoleon verübelte, daß er die Lehensverhältnisse in Westfalen entschädigungslos aufhob, und der meinte vom eigenen Herd aus den Schutzgeist des Vaterlands durch das „schwarze Gewölk blitzdurchstrahlter Nächte“ Siegeskränze auf Deutschlands Jünglinge streuen gesehen zu haben, und dies auch noch drucken ließ[47]), in dessen Beitrag also zur Regeneration Deutschlands sich allzuviel Reaktion gemischt hatte.

In *der* Beziehung aber war Hegel allergisch. Wer die Philosophie als Wärmflasche fürs Gemüt mißbrauchte, wer in Napoleon nicht Fleisch vom Fleische der Revolution sah, war ihm verdächtig. *Diesem* Kalbe, wie man in Schwaben zu reden pflegt[48]), *wollte* er ins Auge schlagen. Und daß er es in seiner Vorrede zur *Rechtsphilosophie* gegen einen inzwischen zum Opfer staatlicher Restaurationspolitik Gewordenen tat, hat sehr dazu beigetragen, daß man von einer Wahlverwandtschaft zwischen preußischer Staatspraxis und hegelscher Staatsphilosophie, ja von Hegel als dem Königlich preußischen Staatsphilosophen sprach. Wer weiß, vielleicht ist sogar die Befürchtung nicht unbegründet[49], daß nur der Tod Hegel die Blamage einer Erhebung in den Adelsstand ersparte. Nicht erspart blieb ihm ein umfassender Anwendungsversuch seiner Philosophie auf die Rechtsordnung Preußens durch einen seiner (ihm gleichaltrigen) Schüler[50]), der, man liest eben nur, was man versteht, den preußischen Staat verherrlichte als eine „Riesenharfe, ausgespannt im Garten Gottes, um den Weltchoral zu leiten“. Verwehrt – obschon sehnlichst erwartet und von Altenstein, mit Brief vom 18. März 1818, bereits als Berufungsköder zugesagt – wurde ihm die Wahl in die Akademie der Wissenschaften, in der seine Gegner Schleiermacher und Savigny, letzterer mit kronprinzlicher Rückendeckung, tonangebend, aber auch Fries als Korrespondierendes Mitglied, wirkten.

---

[47] J. F. Fries: Vom deutschen Bund und Deutscher Staatsverfassung, Heidelberg 1816, S. 3.

[48] Vgl.: *Hegel/Briefe*, 2/263.

[49] W. R. Beyer: Zwischen Phänomenologie und Logik, Köln 1974, S. 104.

[50] K. F. Sietze: Grundbegriffe Preußischer Staats- und Rechtsgeschichte, Berlin 1829, S. XVI.

Es war die sich unter dem Einfluß sich verschärfender Klassenkämpfe herausbildende Gruppe der Junghegelianer, die den zumindest ambivalenten, wenn nicht sogar eindeutig progressiven Charakter von Hegels sozialphilosophischem Gedankengut entdeckte und dies sich zunutze machte. Eduard Gans, Junghegelianer schon zehn Jahre, ehe sich der Junghegelianismus als solcher formierte, schrieb seine Werke in ausdrücklicher Streitgenossenschaft mit Hegel, und seine Naturrechtsvorlesungen an Berlins Juristenfakultät basierten, vor und nach Hegels Tod, streng auf dessen Lehrbuch[51]), immer aber die „linken" Deutungsmöglichkeiten ausfahrend.[52]) Heinrich Heine, vorgeblich vom großen Meister selbst, wahrscheinlich aber in Rahels Salon – vom Kronprinzen als Judenschule verlästert –, in die Geheimnisse der dialektischen Algebra eingeweiht, erhob zu seiner Doktrin: „Marschiere trommelnd immer voran, / das ist die ganze Wissenschaft. / Das ist die Hegelsche Philosophie, / das ist der Bücher tiefster Sinn! / Ich hab sie begriffen, weil ich gescheit, / und weil ich ein guter Trommler bin." Hatte denn Hegel nicht selbst die realisierte Freiheit als den absoluten Endzweck der Welt (§ 129), als das absolute Ziel der Vernunft (§ 258) bezeichnet und das zu einem Zeitpunkt, als die Wiener Zensur das Wort „Freiheit" in Goethes Egmont durch „Frohsinn", als die Leipziger Zensur es durch „Sicherheit und Ruhe, Ordnung und reines Gewissen" ersetzen ließ?

---

[51] Vgl.: Graf v. Koenigsmarck: Vorlesungsnachschrift „Naturrecht oder Rechtsphilosophie in Verbindung mit Universalrechtsgeschichte" [von Eduard Gans], Deutsche Staatsbibliothek Berlin, Handschriftenabteilung, Ms. Germ. oct. 1169, Bl. 25 und passim.

[52] Vgl.: Joachimi: Vorlesungsnachschrift „Naturrecht bei Gans. Berlin 1837–1838", Deutsche Staatsbibliothek Berlin, Handschriftenabteilung, Ms. Germ. oct. 1069, Bl. 114ff.: Über Gewerbefreiheit, Reichtum, Armut, und den sozialen Unterbau des Staates. – Daß Gans von den Mitherausgebern der Freundesvereinsausgabe daran gehindert wurde, in seiner Vorrede zu Hegels Rechtsphilosophie eine Kartätschen-Polemik gegen Schelling und Stahl zu führen, wissen wir aus seinem Brief vom 4. Januar 1834 an Ludwig Feuerbach (vgl.: Feuerbach, Briefwechsel, Leipzig 1963, S. 84).

Dabei war es zunächst weniger wichtig, ob man von Hegel behauptete, er rechtfertige beides, das Bestehende *und* den Umsturz[53]), ob man den wahren Hegel gegen einen, der sich selber mißverstanden hat, oder ob man den heimlichen gegen den öffentlichen Hegel ausspielte, hinter den Legitimitätsphrasen die „Stimme der Volksaufwiegler" suchend.[54]

Arnold Ruge scharte eine Phalanx geschliffen schreibender Gesinnungsgenossen um sein theoretisches Organ – Schopenhauer[55]) sprach von „Marodeurs, unter der Fahne der ‚Halleschen Jahrbücher' zusammengerottet" –, in dem die mit Subjektivismen aus Fichtes Werkstatt angereicherten *Prinzipien* Hegels gegen die konservativen *Ergebnisse* seiner Sozialphilosophie in der erklärten Absicht in Marsch gesetzt wurden, die Götterdämmerung des Absolutismus zu Ende zu führen.[56]) Kann man aber mittels der Autonomie des Geistes, eines weiterentwickelten Rationalismus und Liberalismus, einer allseitigen Ausprägung des Selbstbewußtseins denkender Subjekte aus dem Bannkreis menschenunwürdiger Wirklichkeit und einer Philosophie gelangen, die, wohl wissend, daß das Subjekt frei nur im Kampfe ist, diesen Kampf im Kopf des Menschen stattfinden läßt, so daß der Weise auch als Sklave und in Ketten für frei erklärt wird? – So jedoch Hegel![57])

Nachdem Marx zunächst im Kreise der Junghegelianer versucht hatte, mit einer konsequenten Anwendung der Prinzipien hegelschen Philosophierens die politisch-juristische Realität seines Landes nach vorn zu stacheln[58]), mußte er unter dem Eindruck der realen gesellschaftlichen Gegensätze bald feststellen, daß es der Fundamentalkritik an eben diesen Prinzipien bedurfte, um den Ursachen der gesellschaftlichen Misere, um den theoretischen Voraussetzungen für die praktische Revolution auf die Spur zu kommen. Da Hegels Rechts-

---

[53] Vgl.: C.-F. Bachmann: Über Hegels System, Leipzig 1833, S. 270.

[54] Vgl.: O. F. Gruppe: Antäus, Berlin 1831, S. 42f.

[55] A. Schopenhauer: Sämtliche Werke, Bd. 5, Leipzig 1877, S. 157.

[56] Vgl.: A. Ruge, in: Hallische Jahrbücher, 1840, S. 1211, 1243, Deutsche Jahrbücher, 1841, Nr. 1, Vorwort.

[57] Vgl.: *Hegel/Enzyklopädie*, § 482.

[58] Vgl.: *MEGA*, I/1, S. 199ff.

und Staatsphilosophie, anders als die deutschen Zustände selbst, auf der gleichen Stufe wie die damalige Moderne, die bürgerliche Gesellschaft, stand, war ihre philosophische Kritik unumgänglich: die deutschen Zustände selbst standen unter aller Kritik.

Unter Ausnutzung der von Feuerbach entwickelten Umkehr-Methode materialistischer Kritik an Hegels Idealismus – er mache, alles auf den Kopf stellend, das Produzierte zum Produzierenden und das Subjekt zum Objekt[59]) – hat Marx in immer neuen Fragmenten, Umwertungen, Kommentaren und Konzeptionen[60]) schließlich eine durch Hegel hindurchgegangene, aber den Bruch mit seiner Weltanschauung im Großen und im Kleinen vollziehende dialektisch-materialistische Gesellschafts-, Staats- und Rechtstheorie ausgearbeitet, in der die tatsächlichen Determinierungszusammenhänge der Menschheitsentwicklung nachgewiesen und begründet sind: Staat und Recht, bei Hegel gegenüber der Gesellschaft das Produzierende und Dominierende, sind in der realen Menschheitsgeschichte das Produkt der Gesellschaft auf einer vorübergehenden Entwicklungsstufe; sie haben keine von der allgemeinen Gesellschaftsentwicklung unabhängige Geschichte; die gesellschaftsordnende Funktion von Staat und Recht dient den Existenzbedingungen herrschender Gesellschaftsklassen; die Befreiung des Menschen von Ausbeutung und Unterdrückung kann nur durch den Klassenkampf des Proletariats gegen die Bourgeoisie und deren Staat erfolgen.

Der große Mann, der seines Jahrhunderts Mitte sagte, was sie will, stand nicht mehr auf dem Boden *des* Menschen oder *der* Vernunft, von Geistern und von Göttern ganz zu schweigen. Die Philosophie begann im Proletariat ihre materiellen, das Proletariat in der Philosophie seine geistigen Waffen zu finden.

Ist also Hegels *Rechtsphilosophie* nur noch als im Strom der Zeiten zerschellte Trümmer ehemaligen Fortschritts interes-

---

[59] Vgl.: L. Feuerbach: Gesammelte Werke, Bd. 9, Berlin 1970, S. 244, 258. Vgl. W. Schuffenhauer: Feuerbach und der junge Marx, Berlin 1972, S. 54.

[60] Vgl.: *MEW*, 1/201ff., 378ff.; 3/17ff., 21/265ff.; Ergänzungsband 1, S. 568ff.

sant? Ist das Problem Hegel längst gelöst? Ist mit seiner Staatsphilosophie kein Staat zu machen? Abgestorbenes gibt es gewiß und genug in diesem Buch und nicht bloß im Abschnitt über das Majorat (§ 306). Aber in der heutigen Wissenschafts- und Philosophieauseinandersetzung ist man gut beraten, wenn man sich etwa bei den Problemen des Wechselverhältnisses von Gesetzes- und Richterrecht, von Arbeitsteilung und Bürokratie, von Meinungsmanipulation und politischer Macht, um nur drei Beispiele herauszugreifen, des Standpunktes von Hegel vergewissert. Traditionen sind nur als bewußt gebliebene Voraussetzungen der eigenen Position produktiv.

Gewiß beruht Hegels Größe auf der Größe jener vergangenen Epoche der bürgerlichen Revolution. Aber Hegel hat nie den Bürger auf den bourgeois reduziert. Er hat die Selbsterzeugung des Menschen als einen Prozeß in Permanenz, er hat die Arbeit als das sich bewährende Wesen des Menschen, er hat die Vernunft dieses Menschen als eine dimensionslose Tätigkeit begriffen. Seine revolutionären Denkmethoden durchschlagen immer wieder seine sozialkonservativen und -reformerischen Schlußfolgerungen. Auch wenn er im letzten Paragraphen seiner *Rechtsphilosophie* der Meinung Vorschub leistete, in *seiner* Gegenwart habe sich die Vernunft zur endgültigen, unüberbietbaren Wirklichkeit entfaltet, seine Philosophie biete folglich ein Orientierungs-Ensemble von zeitinvarianter Geltung, auch wenn er die Widerspruchsdialektik in der bürgerlichen Gesellschaft abbrach, eigentlich hat er selbst begründet, daß es keine Endgültigkeit menschlicher Denk- und Handlungsergebnisse gibt: jede Wirklichkeit geht mit ihrer Zukunft schwanger.

Bibliographie

Hegel: Werke. (Ed.: Marheineke/Schulze/Ganz/Henning/Hotho/Michelet/Förster), 18 Bde, Berlin 1832–1845.

Hegel: Sämtliche Werke. (Ed.: Glockner), 20 Bde, 6 Monographie- und Registerbände, Stuttgart 1927–1940.

Hegel: Sämtliche Werke. (Ed.: Lasson), 18 Bde, Leipzig 1911 bis 1940.

Hegel: Werke (Ed.: Moldenhauer/Michel), 20 Bde und Registerband, Frankfurt/M. 1969–1979.

Hegel: Grundlinien der Philosophie des Rechts. Berlin 1821.

Hegel: Grundlinien der Philosophie des Rechts. (Ed.: Gans), Berlin 1833.

Hegel: Grundlinien der Philosophie des Rechts. (Ed.: Gans), Berlin 1840.

Hegel: Grundlinien der Philosophie des Rechts. (Ed.: Bolland), Leiden 1902.

Hegel: Grundlinien der Philosophie des Rechts. (Ed.: Lasson), Leipzig 1911.

Hegel: Grundlinien der Philosophie des Rechts. (Ed.: Glockner), Stuttgart 1928.

Hegel: Grundlinien der Philosophie des Rechts. (Ed.: Lasson), Leipzig 1930.

Hegel: Grundlinien der Philosophie des Rechts. (Ed.: Glockner), Stuttgart 1952.

Hegel: Grundlinien der Philosophie des Rechts. (Ed.: Hoffmeister), Berlin 1956.

Hegel: Grundlinien der Philosophie des Rechts. (Ed.: Lakebrink), Stuttgart 1970.

Hegel: Grundlinien der Philosophie des Rechts. (Ed.: Moldenhauer/Michel), Frankfurt/M. 1976.

Hegel: Eigenhändige Randbemerkungen zu seiner Rechtsphilosophie. (Ed.: Lasson), Leipzig 1930.

Hegel: Vorlesungen über Rechtsphilosophie. (Ed.: Ilting), Stuttgars 1973/74, 4 Bde.

Hegel: Philosophy of Right. (Ed.: S. W. Dyde), London 1896.
Hegel: Philosophy of Right. (Ed.: T. Knox), Oxford 1942 und öfter, z. B. London/New York 1973.
Hegel: Philosophy of Right. (Ed.: H. Kainz), The Hague 1974.
Hegel: Principes de la philosophie du Droit (Ed.: Hyppolite/Kaan), Paris 1940.
Hegel: Principes de la philosophie du Droit. (Ed.: Kaan/Hyppolite), Paris 1963.
Hegel: Principes de la philosophie du Droit. (Ed.: Derathé), Paris 1975.
Hegel: La société civile bourgeoise. (Ed.: Lefèvre), Paris 1975.
Hegel: Lineamenti di filosofia del diritto. (Ed.: Messineo/Plebe), Bari 1954 (frühere italienische Ausgaben von anderen Herausgebern 1848, 1863, 1913).
Hegel: Ho no tetzugaku. (Ed. Fujino/Akazawa), Tokyo 1978 (frühere japanische Ausgaben von anderen Herausgebern 1904, 1916, 1927, 1930/31, 1950, 1953/54, 1967).
Hegel: Philosophie des Rechts. (Ed.: B. Stolpner), Moskau 1934, russ.
Hegel: Principios de la Filosofia del Derecho. (Ed.: J. L. Vermal), Buenos-Aires 1975.
Hegel: Schriften zur Politik und Rechtsphilosophie. (Ed.: Lasson), Leipzig 1913.
Hegel: Politische Schriften. (Ed.: Habermas), Frankfurt/M. 1966.
Hegel: Politische Schriften. (Ed: Irrlitz), Berlin 1970 (S. 1–123: Die Verfassung Deutschlands, S. 125–250: Verhandlungen in der Versammlung der Landstände des Königreichs Württemberg im Jahre 1815 u. 1816; S. 251–294: Über die englische Reformbill).
Hegel: Schriften zur Gesellschaftsphilosophie. (Ed.: Baeumler), Jena 1927.
Hegel: Political Writings. (Ed.: Knox/Pelczynski), Oxford 1964.
Hegel: Politische Werke. (Ed.: Kerimow/Mamut/Nersesjanz), Moskau 1978, russ.
Dokumente zu Hegels Entwicklung. (Ed.: Hoffmeister), Stuttgart 1936.
Der junge Hegel in Stuttgart. (Ed.: Nicolin), Stuttgart 1970.
Hegel: Theologische Jugendschriften. (Ed.: Nohl), Tübingen 1907.
Hegel: Jenaer Kritische Schriften. (Gesammelte Werke. Bd. 4, ed.: Buchner/Pöggeler), Hamburg 1968.
Hegel: Jenaer Systementwürfe I. (Gesammelte Werke. Bd. 6, ed.: Düsing/Kimmerle, S. 265–326: Philosophie des Geistes), Hamburg 1975.

Hegel: Jenaer Systementwürfe II. (Gesammelte Werke. Bd. 7, ed.: Horstmann), Hamburg 1971.
Hegel: Jenaer Systementwürfe III. (Gesammelte Werke. Bd. 8, ed.: Horstmann, S. 185–287: Philosophie des Geistes), Hamburg 1976.
Hegel: Jenaer Schriften. (Ed.: Irrlitz), Berlin 1972 (S. 337–427: Über die wissenschaftlichen Behandlungsarten des Naturrechts; S. 429–250: System der Sittlichkeit).
Hegel: Jenaer Realphilosophie. (Ed.: Hoffmeister), Berlin 1969 (S. 177–273: Geistesphilosophie).
Hegel: Phänomenologie des Geistes. (Ed.: Hoffmeister), Berlin 1967.
Hegel: Nürnberger und Heidelberger Schriften. (Ed.: Moldenhauer/Michel), Frankfurt/M. 1975 (S. 204–274: Rechts-, Pflichten- und Religionslehre).
Hegel: Wissenschaft der Logik. Berlin 1971.
Hegel: Enzyklopädie der philosophischen Wissenschaften. (Ed.: Nicolin/Pöggeler), Berlin 1966 (S. 311–463: Philosophie des Geistes).
Hegel: Berliner Schriften. (Ed.: Hoffmeister), Hamburg 1956.
Hegel: Die Vernunft in der Geschichte. (Ed.: Hoffmeister), Berlin 1966.
Hegel: Vorlesungen über die Geschichte der Philosophie. (Ed.: Irrlitz/Gurst), Leipzig 1971.
Hegel: Ästhetik. (Ed.: Bassenge), Berlin 1955.
J. Hoffmeister (ed.): Briefe von und an Hegel. 4 Bde, Berlin 1970–1980.
G. Nicolin (ed.): Hegel in Berichten seiner Zeitgenossen. Berlin 1971.
A. Abusch: Hegels Werk in unserer Zeit. – In: Einheit. Jg. 25, Berlin 1970, S. 1251–1263.
Th. Adorno: Drei Studien zu Hegel. Frankfurt/M. 1974.
G. Ahrweiler: Hegels Gesellschaftslehre. Darmstadt 1976.
R. Albrecht: Hegel und die Demokratie. Frankfurt/M. 1978.
E. Angehrn: Freiheit und System bei Hegel. Berlin (West) 1977.
S. Avineri: Hegel and Nationalism. – In: The Review of Politics. Vol. 24, Nôtre Dame (Ind) 1962, p. 461–484.
S. Avineri: Das Problem des Krieges im Denken Hegels. – In: Hegel in der Sicht der neueren Forschung. Darmstadt 1973, S. 464–482.
S. Avineri: The Social and Political Thought of Karl Marx. Cambridge 1976 (p. 8–40: Hegel's Political Philosophy Reconsidered).
S. Avineri: Hegels Theorie des modernen Staates. Frankfurt/M. 1976.

K. Bal: Vernunft und Geschichte. Die Geschichtsphilosophie Hegels und die Aufklärung. Wrocław 1973, poln.
J. Barion: Hegel und die marxistische Staatslehre. Bonn 1963.
F. Behrens: Hegels ökonomische Auffassungen. – In: Wissenschaftliche Zeitschrift der Universität Leipzig. Jg. 1952/53, Nr. 9, S. 411–420.
W. R. Beyer: Der Begriff der Praxis bei Hegel. – In: Deutsche Zeitschrift für Philosophie. Jg. 6, Berlin 1958, S. 749–777.
W. R. Beyer: Der „alte Politikus" Hegel. Frankfurt/M. 1980.
W. R. Beyer: Hegel-Bilder. Kritik der Hegel-Deutungen. Berlin 1970.
W. R. Beyer: Der Stellenwert der französischen Juli-Revolution von 1830 im Denken Hegels. – In: Deutsche Zeitschrift für Philosophie. Jg. 19, Berlin 1971, S. 628–643.
W. R. Beyer: Zwischen Phänomenologie und Logik. Hegel als Redakteur der Bamberger Zeitung. Köln 1974.
W. R. Beyer: Zum Streit um die „Urfassung" der Hegelschen Staatsformenlehre. – In: Staat und Recht. Jg. 25, Berlin 1976, S. 515–520.
W. R. Beyer: Denken und Bedenken. Berlin 1977 (S. 67–125: Zur Hegelschen Rechtsphilosophie).
W. R. Beyer: Hegel und die Menschenrechte. – In: Schriften und Informationen des DDR-Komitees für Menschenrechte. Berlin 1978, Nr. 1, S. 32–40.
G. Biedermann: Hegel und die französische Revolution von 1789. – In: Wissenschaftliche Zeitschrift der Universität Jena. Bd. 21, 1972, S. 63–71.
J. Binder/Busse/Larenz: Einführung in Hegels Rechtsphilosophie. Berlin 1931.
J. Binder: Die Freiheit als Recht. – In: Verhandlungen des ersten Hegelkongresses. Tübingen 1931, S. 146–210.
J. Binder: Der obligatorische Vertrag im System der Hegelschen Rechtsphilosophie. – In: Verhandlungen des 3. Hegel-Kongresses. Tübingen 1934, S. 37–59.
B. Bitsch: Sollensbegriff und Moralitätskritik bei Hegel. Bonn 1977.
E. Black: Hegel on War. – In: The Monist. Vol. 57, La Salle 1973, p. 570–583.
E. Bloch: Subjekt – Objekt. Berlin 1951 (S. 229–257: Philosophie des Rechts).
E. Bloch: Naturrecht und menschliche Würde. Frankfurt/M. 1972 (S. 140–151: Hegels Rechtsphilosophie).
N. Bobbio: Hegel und die Naturrechtslehre. – In: Hegel in der Sicht der neueren Forschung. Darmstadt 1973, S. 291–321.

N. Bobbio: Hegel e il diritto. – In: Rivista di Filosofia. Vol. 61. Torino 1970, p. 3–25.
P. Bockelmann: Hegels Notstandslehre. Berlin 1935.
R. Bodei: Filosofia e politica nello Hegel berlinense. – In: Incidenca di Hegel. Napoli 1970, S. 309–337.
A. Bogomolov: Hegels Philosophie und die Gegenwart. – In: Kommunist. Jg. 47, Moskau 1970, No 14, S. 99–110 (russ).
B. Bourgeois: La Pensée politique de Hegel. Paris 1969.
S. Brie: Der Volksgeist bei Hegel. Berlin 1909.
L. Buhl: Hegels Lehre vom Staat. Berlin 1837.
M. Buhr: Der Übergang von Fichte zu Hegel. Berlin 1965.
M. Buhr: Vernunft – Mensch – Geschichte. Berlin 1977.
M. Buhr/T. I. Oiserman (ed.): Vom Mute des Erkennens. Berlin 1981.
F. Bülow: Die Entwicklung der Hegelschen Sozialphilosophie. Leipzig 1920.
M. Busse: Hegels Phänomenologie des Geistes und der Staat. Berlin 1931.
A. Carcagni: Hegels politischer Konstitutionalismus in einigen Aufsätzen und handschriftlichen Fragmenten (1799–1802). – In: Hegel-Jahrbuch 1971, Meisenheim 1972, S. 98–111.
U. Cerroni, La critica di Marx alla filosofia hegeliana del diritto publico. – In: Rivista internazionale di filosofia del diritto. Vol. 38, Milano 1961, p. 281–308.
U. Cerroni: Marx und das moderne Recht. Frankfurt/M. 1974 (S. 107–136: Die Marxsche Kritik der Hegelschen Rechtsphilosophie).
P. Chamley: Economie politique et philosophie chez Stewart et Hegel. Paris 1963
J. Christiansen: Die Wissenschaft der römischen Rechtsgeschichte. Altona 1838.
L. Colletti: Hegel und der Marxismus. Frankfurt/M. 1976.
D. Composta: Hegel e Marx e la filosofia del diritto. – In: Aquinas. Vol. 13, Rom 1970, p. 392–411.
A. Cornu: Karl Marx und die Entwicklung des modernen Denkens. Berlin 1950 (S. 29–67: Hegel).
A. Cornu: Karl Marx und Friedrich Engels. Bd. 1 (1818–1844), Berlin 1954.
F. Darmstädter: Das Naturrecht als soziale Macht und die Rechtsphilosophie Hegels. – In: Sophia, Bd. 4 (1936), S. 181–190, 421–444; Bd. 5 (1937), S. 212–235.
J. D'Hondt: Verborgene Quellen des Hegelschen Denkens. Berlin 1972.
J. D'Hondt: De Hegel à Marx. Paris 1972.

J. D'Hondt: Hegel in seiner Zeit (Berlin, 1818–1831). Berlin 1973.
J. D'Hondt: Die Einschätzung des revolutionären Krieges durch Hegel. – In: M. Riedel: Materialien zu Hegels Rechtsphilosophie. Bd. 2, Frankfurt 1975, S. 415–430.
Dialektik – Staat – Recht. Berlin 1976 (Beiträge zur Hegelschen Rechtsphilosophie auf dem Moskauer Hegel-Kongreß).
W. Dilthey: Die Jugendgeschichte Hegels. Berlin 1905.
F. Dittmann: Der Begriff des Volksgeistes bei Hegel. Leipzig 1909.
R. Dreier: Recht- Moral- Ideologie (S. 316–350: Bemerkungen zur Rechtsphilosophie Hegels). Frankfurt/M. 1981.
L. Driesen: In welchem Verhältnis steht nach konsequenter Entwicklung das religiöse Prinzip zu Hegels Philosophie des Rechts? Phil. Diss. Halle 1842.
L. Dujovne: La filosofia del derecho de Hegel a Kelsen. Buenos Aires 1963 (S. 73–181: Rechts- und Staatsphilosophie Hegels).
G. Dulckeit: Rechtsbegriff und Rechtsgestalt. Berlin 1936.
G. Dulckeit: Hegel und der preußische Staat. – In: Zeitschrift für deutsche Kulturphilosophie. Bd. 2, Tübingen 1936, S. 63–77.
L. Dupré: Hegel's Concept of Alienation and Marx's Reininterpretation of it. – In: Hegel-Studien. Bd. 7, Bonn 1972, S. 217–236.
B. Edelmann: Le sujet de droit chez Hegel. – In: La Pensée. No 170, Paris 1973, p. 70–85.
A. Elsigan: Zum Begriff der Moralität in Hegels Rechtsphilosophie. – In: Wiener Jahrbuch für Philosophie. Bd. 5, Wien 1972, S. 187–208.
F. Engels: Ludwig Feuerbach und der Ausgang der klassischen deutschen Philosophie. – In: Marx/Engels: Werke. Bd. 21, Berlin 1962, S. 259–307.
F. Ermacora: Hegels „Rose im Kreuze der Gegenwart" der Staaten. – In: Dimensionen des Rechts. Berlin (West) 1974, S. 21–30.
W. Euchner: Hegel und die Umwälzung der bürgerlichen Gesellschaft. Stuttgart o. J. [1971?]
W. Euchner: Egoismus und Gemeinwohl. Frankfurt/M. 1973 (S. 132–199: Hegel).
I. Fetscher: Hegels Lehre vom Menschen. Stuttgart 1970
I. Fetscher: Herrschaft und Emanzipation. München 1976 (S. 201–272: Zu Hegels Sozialphilosophie).
I. Fetscher: Zur Aktualität der politischen Philosophie Hegels. – In: Hegel-Bilanz. Frankfurt/M. 1973, S. 193–213.
W. Fickler: Unter welchen philosophischen Voraussetzungen hat sich bei Hegel die Wertschätzung des Staates entwickelt. Phil. Diss. Erlangen 1903.

K. Fischer: Hegels Leben, Werke und Lehre. Heidelberg 1901.
M. Fischer: Der Materialismus und Hegel. – In: Dimensionen des Rechts. Berlin(West) 1974, S. 31–62.
M. Fischer: Historische und theoretische Voraussetzungen des Hegelschen Klassenbegriffs. – In: Hegel-Jahrbuch 1975. Köln 1976, S. 108–123.
W. Flach: Hegels Bestimmung des Verhältnisses von Freiheit und Gleichheit. In: Archiv für Rechts- und Sozialphilosophie. Bd. 57, Wiesbaden 1971, S. 549–557.
O. Flechtheim: Hegels Strafrechtstheorie. Brünn 1936.
O. Flechtheim: Von Hegel zu Kelsen. Berlin(West) 1963 (S. 9–20: Die Funktion der Strafe in der Rechtstheorie Hegels).
E. Fleischmann: La philosophie politique de Hegel. Paris 1964.
M. B. Foster: The Political Philosophies of Plato and Hegel. Oxford 1935.
V. Frosini: Considerazioni sulla critica di Marx alla filosofia del diritto di Hegel. – In: Rivista internazionale di Filosofia del Diritto. Jg. 45, Milano 1968, p. 587–592.
H. Fulda: Das Recht der Philosophie in Hegels Philosophie des Rechts. Frankfurt/M. 1968.
P. N. Galansa: Zur Einschätzung der Hegelschen Lehre von Staat und Recht. – In: Sowjetwissenschaft. Berlin 1957, S. 562–575
E. Gans: Philosophische Schriften. Berlin 1971.
R. Garaudy: Gott ist tot. Berlin 1965.
G. Gentile: Il concette dello stato in Hegel. – In: Verhandlungen des 2. Hegel-Kongresses. Tübingen 1932, S. 121–134.
G. Giese: Hegels Staatsidee. Halle 1926.
G. Göhler: Dialektik und Politik in Hegels frühen politischen Systemen. – In: Hegel: Frühe politische Systeme. Frankfurt/M. 1974, S. 337–612.
K. Grimmer: Hegels bürgerliche Gesellschaft als Staat. – In: Hegel-Jahrbuch 1971. Meisenheim 1972, S. 1–16.
K. Grimmer: Zur Dialektik von Staatsverfassung und Gesellschaftsordnung. – In: Hegel-Jahrbuch 1975. Köln 1976, S. 130–141.
R. Gropp: Geschichte und Philosophie. Berlin 1977.
A. Gulyga: Georg Friedrich Wilhelm Hegel. Leipzig 1974.
J. Habermas: Theorie und Praxis. Neuwied 1963 (S. 89–107: Hegels Kritik der französischen Revolution).
Th. Haering: Hegels Lehre von Staat und Recht. Stuttgart 1940.
N. Haines: Politics and Protest: Hegel and Social Criticism. – In: Political Science Quarterly. Vol. 86, New York 1971, p. 406 bis 428.

G. Haney: Zur Rechtsphilosophie Hegels. – In: Wissenschaft-schaftliche Zeitschrift der Universität Jena. Jg. 21, 1972, S. 115–124.
K. Hartmann: Die Objektivität der Freiheit. Hegels Rechtsphilosophie heute. – In: J. Simon (ed.): Freiheit. Freiburg 1977, S. 315–337.
R. Haym: Hegel und seine Zeit. Berlin 1857 (S. 357–391: Preußen und die Rechtsphilosophie).
Hegel und Preußen. Frankfurt 1841.
Hegel und die Gegenwart. Wrocław 1975, poln.
P. Heintel: Zum Begriff des „Weltgeistes". Hegels Rechtsphilosophie. – In: Wiener Jahrbuch für Philosophie. Bd. 7, Wien 1974, S. 80–130; Bd. 8, Wien 1975, S. 94–132.
H. Heller: Hegel und der nationale Machtstaatsgedanke in Deutschland. Leipzig 1921.
D. Henrich: Hegel im Kontext. Frankfurt/M. 1971.
H.-J. Heydorn: Studien zur Sozialgeschichte. Bd. 2, München 1973 (S. 133–177: Vom Hegelschen Staat zur permanenten Revolution).
P. Hindler: Hegels Verständnis des Mittelalters im Rahmen seiner politischen Philosophie. Frankfurt/Main 1979.
R. Hočevar: Der Anteil Gentz' und Hegels an der Perhorreszierung der Repräsentativverfassung in Deutschland. – In: Archiv für Rechts- und Sozialphilosophie. Jg. 52, Wiesbaden 1966, S. 117–133.
R. Hočevar: Hegel und der preußische Staat. München 1973.
J. Hoffmeister: Die Problematik des Völkerbundes bei Hegel und Kant. Tübingen 1934.
J. Höppner: Zu einigen irrigen Auffassungen des Übergangs von Hegel auf Marx. – In: Deutsche Zeitschrift für Philosophie. Jg. 5, Berlin 1957, S. 327–344.
R. P. Horstmann: Über die Rolle der bürgerlichen Gesellschaft in Hegels politischer Philosophie. – In: Hegel-Studien. Bd. 9, Bonn 1974, S. 209–240.
J. Hyppolite: Etudes sur Marx et Hegel. Paris 1955.
K.-H. Ilting: Hegels Auseinandersetzung mit der aristotelischen Politik. – In: Philosophisches Jahrbuch. Bd. 71, München 1963/64, S. 38–58.
K.-H. Ilting: Zur Dialektik in der Rechtsphilosophie. – In: Hegel-Jahrbuch 1975. Köln 1976, S. 38–44.
K.-H. Ilting: Die Struktur der Hegelschen Rechtsphilosophie. – In: M. Riedel (ed): Materialien zu Hegels Rechtsphilosophie. Bd. 2, Frankfurt 1975, S. 52–80.
K.-H. Ilting: Hegel diverso. Le filosofie del diritto. Roma 1977.

H.-P. Jaeck: Die französische bürgerliche Revolution von 1789 im Frühwerk von Karl Marx. Berlin 1979.
C. M. Kahle: Darstellung und Kritik der Hegelschen Rechtsphilosophie. Berlin 1845.
W. Kämpfer: Die Kritik Hegels an der Staatsauffassung Karl Ludwig von Hallers. – In: Festgabe Max Obrecht. Solothurn 1961, S. 26–43.
E. Kaufmann: Gesammelte Schriften. Bd. 3, Göttingen 1960 (S. 285–296: Hegels Rechtsphilosophie).
W. Kaufmann (ed.): Hegel's Political Philosophy. New York 1970.
H.-J. Kelm: Zur Frage der Parteilichkeit in der staatsphilosophischen Theorie Hegels. – In: Deutsche Zeitschrift für Philosophie. Jg. 5, Berlin 1957, S. 196–215.
H.-J. Kelm: Die „Kritik des Hegelschen Staatsrechts" (1834) von Karl Marx. Phil. Diss. Berlin 1955.
D. A. Kerimow (ed.): Die Rechtsphilosophie Hegels und die Gegenwart. Moskau 1977, russ.
W. Kern: Hegel, Marx und die Frankfurter Schule. – In: Stimmen der Zeit. Bd. 186. Freiburg 1970, S. 217–233.
S. F. Ketschekjan: Hegel und die historische Rechtsschule. – In: Studien zu Hegels Rechtsphilosophie. Moskau 1966, S. 56–72.
H. Kiesewetter: Hegels ständische Konzeption der Bürgerlichen Gesellschaft. – In: Hegel-Jahrbuch 1971. Meisenheim 1972, S. 76–97.
H. Kiesewetter: Von Hegel zu Hitler, Hamburg 1974.
H. Kiesewetter: Die Wiederkehr des Totgesagten. Hegel, Nationalsozialisten und Kommunisten im Jahr 1931. – In: Topitsch-Festschrift. Tübingen 1979, S. 359–377.
M. Kirn: Der Begriff der Revolution in Hegels Philosophie der Weltgeschichte. – In: Hegel-Studien. Beiheft 11, Bonn 1974, S. 339–363.
M. Klein/E. Lange/F. Richter: Zur Geschichte der marxistisch-leninistischen Philosophie in Deutschland. Bd. I/1, Berlin 1969.
H. Klenner: Hegel und der Klassencharakter des Staates. – In: Deutsche Zeitschrift für Philosophie. Jg. 4, Berlin 1956, S. 642–649.
H. Klenner: Der Grund der Grundrechte bei Hegel. – In: Schweizer Monatshefte. Jg. 47, Zürich 1967, S. 252–264.
H. Klenner: Hegel: Rechtswissenschaft – Mathematik ohne Vernunft? – In: Hegel-Jahrbuch 1971. Meisenheim 1972, S. 164–169.
H. Klenner: Läßt Hegel die Dialektik in seiner „Rechtsphilosophie" stille stehn? – In: Hegel-Jahrbuch 1975. Köln 1976, S. 58–64.

H. Klenner: Hegels Rechtsphilosophie – Zeitgeist oder Weltgeist? – In: Vom Mute des Erkennens, Berlin 1981, S. 260–275.
H. Klenner: Preußische Eule oder gallischer Hahn? Hegels Rechtsphilosophie zwischen Revolution und Reform. – In: Sitzungsberichte der Akademie der Wissenschaften der DDR, Nr. G 1, Berlin 1982.
U. Klug: Abschied von Kant und Hegel. – In: J. Baumann (ed.): Programm für ein neues Strafgesetzbuch. Frankfurt/M. 1968, S. 36–41.
T. M. Knox: Hegel and Prussianism. – In: W. Kaufmann (ed.): Hegel's Political Philosophy. New York 1970, S. 13–29.
K. F. Koeppen: Über Schubarths Unvereinbarkeit der Hegelschen Lehre mit dem Preußischen Staat (1839). – In: M. Riedel (ed.): Materialien zu Hegels Rechtsphilosophie. Bd. 1, Frankfurt/M. 1975, S. 276–284.
J. Kohler: Hegels Rechtsphilosophie. – In: Archiv für Rechts- und Wirtschaftsphilosophie. Bd. 5, Berlin 1911/12, S. 104–114.
W. Krauss: Karl Marx im Vormärz. – In: Deutsche Zeitschrift für Philosophie. Jg. 1, Berlin 1953, S. 429–460.
H. Krumpel: Zur Moralphilosophie Hegels. Berlin 1972.
G. Küchenhoff: Ganzheitlich fundierte Kritik an Hegels Staatsidee. – In: Archiv für Rechts- und Sozialphilosophie. Jg. 56 Wiesbaden 1970, S. 387–413.
J. Kuczynski: Zwei Einheiten – Homo creator versus spiritus creator. – In: Hegel a współczesnośc. Warschau 1975, S. 177–204.
R. Lacharrière: Études sur la théorie démocratique. Spinoza, Rousseau, Hegel, Marx. Paris 1963.
P. Landau: Hegels Begründung des Vertragsrechts. – In: Archiv für Rechts- und Sozialphilosophie. Bd. 59, Wiesbaden 1973, S. 117–137.
E. Lange (ed.): Hegel und wir. Berlin 1970.
N. Lapin: Der junge Marx. Berlin 1974.
K. Larenz: Hegels Zurechnungslehre. Leipzig 1927.
K. Larenz: Staat und Religion bei Hegel. – In: Rechtsidee und Staatsgedanke. Berlin 1930, S. 243–263.
K. Larenz: Hegel und das Privatrecht. – In: Verhandlungen des 2. Hegel-Kongresses. Tübingen 1932, S. 135–148.
K. Larenz: Hegels Nürnberger Schriften in ihrer Bedeutung für die Entwicklung seiner Rechts- und Staatsphilosophie. – In: Archiv für Rechts- und Sozialphilosophie. Bd. 31, Berlin 1937/1938, S. 358–370.
K. Larenz: Hegelianismus und preußische Staatsidee. Hamburg 1940.

J. Lekschas: Der Mensch in der Hegelschen Strafrechtstheorie. – In: Staat und Recht. Jg. 19, Berlin 1970, S. 1616–1622.
W. I. Lenin: Werke. Bd. 38 (Philosophische Hefte), Berlin 1964.
H. Ley (ed.): Zum Hegelverständnis unserer Zeit. Berlin 1972.
B. Liebrucks: Recht, Moralität und Sittlichkeit bei Hegel. – In: M. Riedel (ed.): Materialien zu Hegels Rechtsphilosophie. Bd. 2, Frankfurt/M. 1975, S. 13–51.
N. Lopez-Calera: Die Auffassung der Natur in Hegels Rechtsphilosophie. – In: Akten des XV. Internationalen Kongresses für Philosophie. Bd. 5, Wien 1970, S. 286–297.
N. Lopez-Calera: Die Ehe in Hegels „Rechtsphilosophie". – In: Hegel-Jahrbuch 1975. Köln 1976, S. 105–107.
N. Lopez-Calera: Zu den Menschenrechten bei Hegel. – In: Archiv für Rechts- und Sozialphilosophie. Bd. 62, Wiesbaden 1976, S. 517–526.
N. Lopez-Calera: Hegel y los derechos humanos. Granada 1971.
J. I. Löwenstein: Hegels Staatsidee. Berlin 1927.
K. Löwith: Von Hegel zu Nietzsche. Stuttgart 1950.
H. Lübbe: Die politische Theorie der hegelschen Rechten. – In: Archiv für Philosophie. Jg. 10, Stuttgart 1960, S. 175-227.
H. Lübbe: Hegels Kritik der politisierten Gesellschaft. – In: Schweizer Monatshefte. Jg. 47, Zürich 1967, S. 237–251.
G. Lukács: Der junge Hegel. Berlin 1954.
G. Lukács: Die Zerstörung der Vernunft. Berlin 1954 (S. 432–460: Der Neuhegelianismus).
G. Lukács: Zur Ontologie des gesellschaftlichen Seins. Neuwied 1971.
H. Maier: Einige historische Vorbemerkungen zu Hegels politischer Philosophie. – In: Hegel-Studien, Beiheft 9, Bonn 1973, S. 151–165.
W. Maihofer: Hegels Prinzip des modernen Staates. – In: Schweizer Monatshefte. Jg. 47, Zürich 1967, S. 265–279.
W. Maihofer: Von der Philosophie zur Kritik des Rechts. – In: Hegel-Jahrbuch 1971. Meisenheim 1972, S. 50–54.
L. Major: Zur Geschichte des Streites um das politische Profil der Hegelschen Philosophie des Rechts. – In: Filosofický Časopis. Jg. 14, Prag 1966, S. 493–504.
L. S. Mamut: Die Hegelsche Dialektik des Staates. – In: Hegel-Jahrbuch 1975. Köln 1976, S. 124–129.
L. S. Mamut: Karl Marx als Staatstheoretiker. Moskau 1979, russ.
B. S. Manikowskij: Die Lehre Hegels über den Staat. Moskau 1970, russ.
R. Marcic: Hegel und das Rechtsdenken. Salzburg 1970.

R. Marcic: Hegel und das Recht. – In: Kaltenbrunner (ed.): Hegel und die Folgen. Freiburg 1970, S. 181–212.
F. Marcovič: Hegel et le droit naturel. – In: Critique. Vol. 29, Paris 1973, p. 636–658.
H. Marcuse: Reason and Revolution. Hegel and the Rise of Social Theory. New York 1941 (Vernunft und Revolution. Darmstadt 1972).
H. Marcuse: Hegels Ontologie und die Theorie der Geschichtlichkeit. Frankfurt 1975.
G. Marini: Libertà soggettiva e libertà oggettiva nella ‚Filosofia del diritto' hegeliana. Napoli 1978.
M. A. Marrast: La philosophie du droit de Hegel. Paris 1869.
K. Marx: Kritik des Hegelschen Staatsrechts (§§ 261–313). – In: Karl Marx/Friedrich Engels: Werke (im folgenden MEW), Bd. 1, Berlin 1956, S. 201–333.
K. Marx: Zur Kritik der Hegelschen Rechtsphilosophie. – In: MEW, Bd. 1, Berlin 1956, S. 378–391.
K. Marx: [Kritik der Hegelschen Dialektik und Philosophie überhaupt]. – In: MEW, Ergänzungsband 1, Berlin 1968, S. 568–588.
K. Marx/F. Engels: Die heilige Familie. In: MEW, Bd. 2, Berlin 1957, S. 3–223.
K. Marx/F. Engels: Die deutsche Ideologie. – In: MEW, Bd. 3, Berlin 1958, S. 9–530.
W. Marx: Die Logik des Freiheitsbegriffs. – In: Hegel-Studien. Bd. 11, Bonn 1976, S. 125–148.
A. Martin: Macht als Problem. Hegel und seine politische Wirkung. Wiesbaden 1976.
V. Mazzei: La filosofia politica di Giorgio Hegel. Nicastro 1935.
V. R. Mehta: Hegel and the Modern State. New Delhi 1968.
G. Mende: Hegel und die französische Revolution. – In: Wissenschaftliche Zeitschrift der Universität Jena. Jg. 21, 1972, S. 11–24.
S. Mercier: Liberté et proprieté. – In: La Pensée. No 170, 1973, p. 48–69.
E. Mewes: Hegel und das deutsche Richterideal. Jur. Diss. Tübingen 1937.
C. L. Michelet: Naturrecht oder Rechtsphilosophie. Berlin 1866.
W. Moog: Hegel und die Hegelsche Schule. – München 1930.
F. Müller: Entfremdung. Zur anthropologischen Begründung der Staatstheorie bei Rousseau, Hegel, Marx. Berlin(West) 1970.
F. Müller: Der Denkansatz der Staatsphilosophie bei Rousseau und Hegel. – In: Der Staat. Bd. 10, Berlin(West) 1971, S. 215 bis 227

A. Negri: Stato e diritto nel giovane Hegel. Padova 1958.
A. Negri: Rileggendo Hegel, filosofo del diritto. – In: Incidenca di Hegel. Napoli 1970, p. 251–270.
O. Negt: Strukturbeziehungen zwischen den Gesellschaftslehren Comtes und Hegels. Frankfurt/M. 1964.
O. Negt (ed.): Aktualität und Folgen der Philosophie Hegels. Frankfurt/M. 1970.
V. S. Nersesjanc: Hegels Dialektik der Politik. – In: Voprosy Filosofii. Jg. 22, Moskau 1970, p. 16–24, russ.
V. S. Nersesjanc: Die Hegelsche Philosophie des Rechts. Moskau 1974, russ.
V. S. Nersesjanc: Die politische Philosophie Hegels. – In: Hegel: Politische Werke. Moskau 1978, S. 6–48, russ.
V. S. Nersesjanc: Hegel. Moskau 1979, russ.
F. Nicolin: Hegel über konstitutionelle Monarchie. – In: Hegel-Studien. Bd. 10, Bonn 1975, S. 79–87.
K.-H. Nusser: Hegels Dialektik und das Prinzip der Revolution. München/Salzburg 1973.
I. Ogienski: Hegel, Schubarth, und die Idee der Persönlichkeit in ihrem Verhältnis zur preußischen Monarchie. Trzemeßno 1840.
T. I. Oiserman: Die Entstehung der marxistischen Philosophie. Berlin 1980.
H. B. Oppenheim: Philosophie des Rechts und der Gesellschaft. Stuttgart 1850.
H. Ottmann: Individuum und Gemeinschaft bei Hegel. Berlin(West) 1977.
H. Ottmann: Hegels Rechtsphilosophie und das Problem der Akkomodation. In: Zeitschrift für philosophische Forschung. Meisenheim 1979, Nr. 2, S. 227–243.
M. Ovsjannikov: Die Philosophie Hegels. Moskau 1959 (russ).
R. Panasiuk: Das Hegelsche Erbe und der Marxismus, Warszawa 1979, poln.
E. Paschukanis: Hegel. Staat und Recht (1931). – In: Ausgewählte Schriften. Moskau 1980, S. 195–216, russ.
Z. A. Pelczynski (ed.): Hegel's Political Philosophy. Cambridge 1971.
A. Peperzak: Le jeune Hegel et la vision morale du monde. Den Haag 1960.
A. Peperzak: Der Staat und Ich. – In: Hegel-Jahrbuch 1975. Köln 1976, S. 83–104.
M. Petry: Hegel and „The Morning Chronicle". – In: Hegel-Studien. Bd. 11, Bonn 1976, S. 11–80.
A. A. Piontkowski: Hegels Lehre über Staat und Recht. Berlin 1960.

A. A. Piontkowski: Über die Hegelsche Rechtsphilosophie. – In: Staat und Recht. Jg. 5, Berlin 1956, S. 964–982.
A. A. Piontkowskij: Zur Frage der politischen Wertung der Hegelschen Rechtsphilosophie. – In: Studien zu Hegels Rechtsphilosophie. Moskau 1966, S. 1–24.
O. Pöggeler: Hegels Option für Österreich. – In: Hegel-Studien. Bd. 12, Bonn 1977, S. 38–128.
K. Polak: Marx' Kritik der Hegelschen Staatslehre. – In: Neue Justiz. Jg. 3, Berlin 1949, S. 237–242, 267–273.
K. Polak: Größe und Grenzen der Hegelschen Staatsauffassung. – Staat und Recht. Jg. 19, Berlin 1970, S. 1271–1283, 1485–1501.
R. Polin: Philosophie du droit et Philosophie de l'histoire chez Hegel. – In: Hegel: L'esprit objectif. Lille 1970, p. 259–270.
K. R. Popper: Die offene Gesellschaft und ihre Feinde. München 1977 (Bd. 2: Hegel, Marx und die Folgen).
E. Rabofsky: Die Entstellung der Wertphilosophie Hegels durch die westdeutsche bürgerliche Rechtsphilosophie. – In: Staat und Recht. Jg. 18, Berlin 1969, S. 228–242.
E. Rabofsky: Dialektische Beziehungen zwischen Arbeit und Arbeitsrecht. – In: Hegel-Jahrbuch 1975. Köln 1976, S. 65–77.
H. Reyburn: The Ethical Theory of Hegel. Oxford 1921.
M. Riedel: Hegel und Gans. – In: Natur und Geschichte. Stuttgart 1967, S. 257–273.
M. Riedel: Hegels Kritik des Naturrechts. – In: Hegel-Studien. Bd. 4, Bonn 1967, S. 177–204.
M. Riedel: Studien zu Hegels Rechtsphilosophie. Frankfurt/M. 1969.
M. Riedel: Bürgerliche Gesellschaft und Staat bei Hegel. Neuwied 1970.
M. Riedel (ed.): Materialien zu Hegels Rechtsphilosophie. Frankfurt/M. 1975. Bd. 1: Zeitgenössische Stellungnahmen (1821 bis 1861); Bd. 2: Gegenwärtige Analysen.
J. Ritter: Person und Eigentum. Zu Hegels „Grundlinien der Philosophie des Rechts" §§ 34–81. – In: Marxismus-Studien. Bd. 4, Tübingen 1962, S. 196–218.
J. Ritter: Hegel und die französische Revolution. Frankfurt/M. 1965.
J. Ritter: Metaphysik und Politik. Studien zu Aristoteles und Hegel. Frankfurt/M. 1969.
K. Rosenkranz: Georg Wilhelm Friedrich Hegels Leben. Berlin 1844.
K. Rosenkranz: Hegel als deutscher Nationalphilosoph. Leipzig 1870.

F. Rosenzweig: Hegel und der Staat. 2 Bde. München 1920.
B. Rothe/A. Türpe: Das Wesen des Krieges bei Hegel und Clausewitz. – In: Deutsche Zeitschrift für Philosophie. Bd. 25, Berlin 1977, S. 1331–1343.
K. Rothe: Selbstsein und bürgerliche Gesellschaft. Hegels Theorie der konkreten Freiheit. Bonn 1976.
H. Rottleuthner: Die Substantialisierung des Formalrechts. – In: Aktualität und Folgen der Philosophie Hegels. Edition O. Negt. Frankfurt/M. 1970, S. 211–264.
A. Ruge: Zur Kritik des gegenwärtigen Staats- und Völkerrechts. – In: Hallesche Jahrbücher. Leipzig 1840, Nr. 151–156.
A. Ruge: Die Hegelsche Rechtsphilosophie und die Politik unserer Zeit. – In: Deutsche Jahrbücher. Leipzig 1842, S. 755–768.
A. Ruge: Aus früherer Zeit. Berlin 1867 (Bd. 4, S. 337–455: Zu Hegels Rechtsphilosophie).
P. Salvucci: Lezioni sulla hegeliana filosofia del diritto. Urbino 1971.
H. J. Sandkühler: Hegel – Theoretiker der bürgerlichen Gesellschaft. – In: Das Parlament. Bonn, 22. August 1970, Beilage, S. 11–23.
H.-M. Sass: Emanzipation der Freiheit. Hegels Rechtsphilosophie als Strategie pragmatischer Politik und Rechtskritik. – In: Archiv für Rechts- und Sozialphilosophie. Bd. 53, Wiesbaden 1967, S. 257–276.
R. L. Schacht: Hegel on Freedom. – In: MacIntyre (ed.): Hegel. New York 1972, p. 289–328.
Ch. Schefold: Die Rechtsphilosophie des jungen Marx von 1842. München 1970.
U. Scheuner: Hegel und die deutsche Staatslehre des 19. und 20. Jahrhunderts. – In: Studium Berolinense. Berlin (West) 1960, S. 129–151.
W. Schild: Juristisches Denken und Hegels Rechtsphilosophie. – In: Österreichische Zeitschrift für öffentliches Recht. Jg. 29, Wien 1978, S. 5–56.
W. Schild: Die Aktualität des Hegelschen Strafbegriffs. – In: Philosophische Elemente der Tradition des politischen Denkens. München 1979, S. 199–233.
W. Schild: Savigny und Hegel. – In: Savigny y la ciencia juridica del siglo XIX (Anales de la catedra Francisco Suarez, No 18–19). Granada 1979, S. 271–320.
W. Schmidt: Hegel und die Idee der Volksordnung. Leipzig 1944.
H. Schnädelbach: Zum Verhältnis von Logik und Gesellschaftstheorie bei Hegel. – In: Aktualität und Folgen der Philosophie Hegels. Frankfurt/M. 1970, S. 58–80.

H. Schneider: Dokumente zu Hegels politischem Denken 1830/31. – In: Hegel-Studien. Bd. 11, Bonn 1976, S. 81–88.
K.-H. Schöneburg: Von der proletarischen Revolution in der Staatstheorie. – In: Baumgarten-Festschrift. Berlin 1960, S. 163–227.
K.-H. Schöneburg: Dialektik-Mensch-Staat. – In: Hegel-Jahrbuch 1975. Köln 1976, S. 18–28.
W. Schönfeld: Puchta und Hegel. – In: Rechtsidee und Staatsgedanke. Berlin 1930, S. 1–62.
H. J. Schrimpf: From Kant to Hegel. Some Aspects of Hegel's Concept of Right. – In: Festschrift für D. W. Schumann. München 1970, S. 256–266.
W. Schröder: Zur Interpretation des Hegelschen Begriffs „bürgerliche Gesellschaft". – In: Hegel-Jahrbuch 1971. Meisenheim 1972, S. 133–147.
K. E. Schubarth: Über die Unvereinbarkeit der Hegelschen Staatslehre mit dem obersten Lebens- und Entwicklungsprinzip des Preußischen Staats. Breslau 1839.
W. Schuffenhauer: Feuerbach und der junge Marx. Berlin 1972.
W. Seeberger: Hegel oder die Entwicklung des Geistes zur Freiheit. Stuttgart 1961.
M. Sobotka: Freiheit und Eigentum in Hegels Rechtsphilosophie. – In: Filosofický Časopis. Jg. 14, Prag 1966, S. 483–492.
R. Steigerwald: Bemerkungen zu Hegels Wort „. . . unten, wo das bürgerliche Leben konkret ist". – In: Hegel-Jahrbuch 1971. Meisenheim 1972, S. 117–123.
Th. Steinbüchel: Hegels Auffassung von Recht und Sittlichkeit. – In: Eichmann-Festschrift. Paderborn 1940, S. 263–333.
K. Steinhauer: Hegel-Bibliographie. München 1980.
G. Stiehler: Der Idealismus von Kant bis Hegel. Berlin 1970.
P. Stillman: Hegels Critique of Liberal Rights. – In: American Political Science Review. Washington 1974, p. 1086–1092.
J. Streisand: Kritische Studien zum Erbe der deutschen Klassik. Berlin 1971.
Studien zu Hegels Rechtsphilosophie. Moskau 1966.
D. Suhr: Hegels Vorlesungen über Rechtsphilosophie. – In: Rechtstheorie. Bd. 5, Berlin(West) 1974, S. 175–188.
D. Suhr: Bewußtseinsverfassung und Gesellschaftsverfassung. Berlin(West) 1975.
J.-F. Suter: Burke, Hegel, and the French Revolution. – In: Z. A. Pelczynski (ed.): Hegel Political Philosophy. Cambridge 1971, p. 52–72.
Ch. Taylor: Hegel. Cambridge 1975. (Frankfurt/M. 1978).
Ch. Taylor: Hegel and Modern State. London 1979.

R. Teichgraeber: Hegel on Property and Poverty. – In: Journal of the History of Ideas. Vol. 38, Philadolphia 1977, p. 47–64.
R. Theis: Volonté et liberté. Commentaire de l'Introduction à la Philosophie du Droit de Hegel. – In: Archiv für Rechts- und Sozialphilosophie. Band 65, Wiesbaden 1979, S. 369–389.
M. Theunissen: Hegels Lehre vom absoluten Geist als theologisch-politischer Traktat. Berlin(West) 1970.
M. Theunissen: Sein und Schein. Die kritische Funktion der Hegelschen Logik: Frankfurt/M. 1978.
E. Topitsch: Die Sozialphilosophie Hegels als Heilslehre und Herrschaftsideologie. München 1981.
H. Trescher: Montesquieus Einfluß auf die philosophischen Grundlagen der Staatslehre Hegels. Phil. Diss. Leipzig 1917 (auch in: Schmollers Jahrbuch. Bd. 42, 1918, S. 267–304, 471 bis 501, 907–944).
A. Trott zu Solz: Hegels Staatsphilosophie und das internationale Recht. Göttingen 1932.
M. Villey: Das Römische Recht in Hegels Rechtsphilosophie. – In: M. Riedel (ed.): Materialien zu Hegels Rechtsphilosophie. Bd. 2, Frankfurt/M. 1975, S. 131–151.
P. Vogel: Hegels Gesellschaftsbegriff. Leipzig 1926.
A. I. Volodin: Hegel und das russische Denken des 19. Jahrhunderts. Moskau 1973, russ.
W. H. Walsh: Hegelian Ethics. London 1969.
E. Weil: Hegel et l'Etat. Paris 1970.
E. Weil (u. a.): Hegel et la philosophie du droit. Paris 1979.
A. Wildt: Hegels Kritik des Jakobinismus. – In: Hegel-Studien. Beiheft 11, Bonn 1974, S. 417–427.

Register

Die Zahlen bezeichnen die Paragraphen der „Grundlinien der Philosophie des Rechts“, deren Vorrede durch V. gekennzeichnet wird.

FSC
www.fsc.org
MIX
Papier | Fördert gute Waldnutzung
FSC® C083411

Kolibri 360 GmbH
Ferdinand-Jühlke-Straße 7
99095 Erfurt, Deutschland
produktsicherheit@kolibri360.de